P9-EER-321

# LA VALLÉE DU LOTUS ROSE

KATE McALISTAIR

# LA VALLÉE DU LOTUS ROSE

roman

l'Archipel

Notre catalogue est consultable à l'adresse suivante :
www.editionsarchipel.com

Éditions de l'Archipel
34, rue des Bourdonnais
75001 Paris

ISBN 978-2-8098-2511-4

Première partie

# La course de l'*Albatros*

*25 octobre 1918 – Southampton, Angleterre*
*28 janvier 1919 – Calcutta, Bengale-Occidental, Inde*

# 1

*25 octobre 1918*
*Angleterre, port de Southampton*

— Voilà.

Le mot tomba, net et précis. Terrible, en somme.

La très jeune comtesse Jezebel Ann-Rose Tyler sursauta et leva les yeux vers le pare-brise de la torpédo. La Wolseley de 1912 avait roulé bon train jusqu'à ce que la conductrice, Miss Helen McGiven, la range soudain sur le bas-côté.

Derrière une touffe de chardons, le paysage s'ouvrait sur une plaine verdoyante qui formait un magnifique écrin à la Southampton Water. Vu de cette hauteur, l'estuaire ondulait en ruban gris au milieu de prés verts parsemés de moutons blancs. Des marécages longeaient la mer.

La jeune comtesse eut une moue agacée. Habituellement, elle se serait extasiée devant cette scène bucolique, mais ce jour-là elle se demandait pourquoi Miss McGiven avait jugé utile de s'arrêter, alors qu'il restait à peine quelques miles avant d'atteindre leur destination.

— Vous voyez, Southampton est au bout de cette descente, déclara la conductrice d'un ton faussement enjoué, en tournant vers la jeune fille un visage à demi caché par un bonnet de cuir, des lunettes de conduite et une grosse écharpe en laine de Shetland. Nous arriverons au port d'ici une quinzaine de minutes, nous sommes dans les temps. Que diriez-vous de prendre un peu l'air avant d'entamer cette dernière ligne droite, milady ?

Retranchée dans sa mauvaise humeur, Jezebel n'avait envie de rien, ni de profiter du paysage, ni de faire la conversation. Baissant à nouveau le nez, elle ne daigna même pas répondre.

La vieille demoiselle ne s'en formalisa guère. Directrice de l'institut pour jeunes ladies de Chelseahall House, dans le

Gloucestershire, elle connaissait bien le caractère entier de sa pensionnaire. Elle aimait d'ailleurs beaucoup cette jeune fille, l'un des fleurons de son établissement dont elle appréciait la finesse, la sensibilité et l'intelligence. Par affection, elle avait tenu à l'accompagner en personne à l'embarcadère. Ce n'était pas un voyage d'agrément.

Jezebel affichait depuis le départ un désespoir que rien ne semblait pouvoir consoler. Prostrée sur son siège, elle gardait la nuque penchée, et les yeux si obstinément tournés vers le sage plissé de sa jupe gris souris que c'en était pitié. Dans cette position, son chapeau-cloche dissimulait ses cheveux et une partie de son visage. Il ne demeurait de son beau profil que quelques boucles blondes échappées du chignon sévère, et une bouche marquée d'un pli amer, frémissant de colère.

Les deux femmes étaient parties de Chelseahall House bien avant l'aube. Miss Helen avait pensé que le voyage serait plus agréable en automobile qu'en chemin de fer. Dès potron-minet, elle avait équipée sa protégée d'une paire de lunettes de conduite, puis l'avait installée sur le siège avant du véhicule, une couverture sur les genoux. En bâillant, le concierge avait sanglé un ultime bagage à main sur la banquette arrière. Toutes les autres malles du déménagement, expédiées quelques jours auparavant, attendaient déjà l'arrivée de leur propriétaire à bord du paquebot l'*Albatros*.

Dès lors, la torpédo avait avalé les miles à vive allure et la directrice du pensionnat, étrange poétesse échappée d'une pièce de Shakespeare, s'était accrochée à son volant et à la route en décrivant à voix haute les aimables paysages que sa passagère refusait de regarder.

La campagne anglaise était bien belle, en cette matinée d'octobre. Un farfadet espiègle semblait avoir imaginé des adieux de circonstance en parant monts et vallons d'une brume délétère. Plus tard, un soleil inattendu avait percé, étendant ses feux au-dessus des bois roussis par l'automne. Un immense embrasement s'était propagé parmi les châtaigniers. Dans les bocages, le brun des terres labourées alternait avec le vert tendre du blé d'hiver bien avancé. Au gré des hameaux traversés, des poules s'égaraient parfois sur la route et la conductrice prenait un malin plaisir à klaxonner pour les voir s'enfuir à toutes pattes en caquetant d'un air outré.

La cocasserie des scènes ne changeait rien à l'humeur de la jeune fille. Au contraire, murée dans l'opiniâtreté de ses seize ans, elle avait continué d'afficher son air maussade en ne pensant qu'à une seule chose, la lettre qu'elle avait reçue quelques mois auparavant. Le pli fatal était enfoui dans la poche de son jupon, comme une menace prête à se déployer. Elle aurait bien voulu le jeter, mais cela n'aurait servi à rien. Chaque détail était incrusté dans sa mémoire. On n'oublie jamais le premier jour de la fin du monde.

Pourtant, tout avait commencé de si joyeuse façon… À l'heure du courrier, le concierge était venu avec un air de conspirateur lui apporter un pli de papier blanc écrit à l'encre noire dont les timbres accrochaient le regard par leur exotisme : ils provenaient des Indes.

Amusée, Jezebel avait soupesé la lettre en souriant de la trouver si légère alors qu'elle venait d'un pays si lointain. Un vague parfum de vétiver avait pénétré ses narines, puis elle avait reconnu l'écriture lisse et appliquée de son parrain. Sir Michael Deckard était son tuteur et l'administrateur de ses biens. L'année précédente, il était parti pour le Bengale-Occidental où, en tant qu'éminent archéologue membre de la Royal Society, il poursuivait des travaux sur le terrain, avec une passion telle qu'il n'avait pas encore pris le temps d'écrire à sa filleule.

Jezebel avait décacheté l'enveloppe avec impatience, extirpé un feuillet plié en quatre et, tout sourires, avait commencé à lire les premières phrases. Presque aussitôt, les mots s'étaient mis à danser. Le feuillet lui avait glissé des doigts. Une de ses camarades l'avait ramassé puis le lui avait tendu. Elle avait reculé comme s'il s'agissait d'un serpent. Même plus tard, elle avait refusé d'y toucher. Sans doute espérait-elle qu'ainsi les nouvelles qu'il renfermait perdraient toute réalité.

C'était une illusion, bien entendu ; les mauvaises nouvelles trouvent toujours le chemin qui leur permet de faire du mal. En quelques mots concis, sir Michael Deckard demandait à sa filleule de le rejoindre à Calcutta afin qu'elle y fût présentée à son futur époux. Jezebel avait seize ans. Ces mots l'avaient atteinte de plein fouet. Maintenant encore, y penser lui faisait froid dans le dos.

Une fois de plus, elle se cala au fond du siège de cuir vert pour s'apitoyer sur elle-même. Le destin n'avait-il donc personne d'autre à harceler ? N'était-ce pas suffisant qu'elle ait perdu sa mère à la naissance, et que son père n'ait cessé de lui reprocher d'être restée en vie à la place de sa bien-aimée ?

Avec rancœur, elle se souvint de sa petite enfance. De cet homme froid, usé, qui l'avait haïe dès son premier cri. Il avait refusé de s'occuper d'elle, se déchargeant d'elle auprès des seuls domestiques. Dans le domaine familial de Tyler Castle, la fillette avait poussé comme une herbe sauvage livrée à elle-même jusqu'à son cinquième anniversaire. À cette date fatidique, son père, fantôme avant l'heure, avait été vaincu par le chagrin et s'était pendu. Une semaine plus tard, elle était confiée à un parrain inconnu, qui l'avait tout de suite considérée comme un fardeau.

Sir Michael John Deckard était un brillant archéologue passionné par les grimoires poussiéreux, mais beaucoup moins par une enfant qu'il connaissait à peine. Ne sachant quoi faire de cette gamine, il s'était empressé de la placer en pension. Par commodité, il avait choisi Chelseahall House, une institution pour jeunes filles proche de Tyler Castle, réputée pour son éducation avant-gardiste. On y enseignait toutes les règles de savoir-vivre nécessaires à une future lady, comme jouer du piano en société, écrire des lettres pleines d'esprit ou monter à cheval avec assez d'aisance pour suivre une chasse au renard. Dans le même temps, on abordait des matières généralement réservées aux garçons, telles que l'histoire et la géographie, la botanique et même les mathématiques.

Par chance, Jezebel s'y était épanouie. Elle était intelligente, sensible, curieuse et passionnée. Son parrain s'acquittait régulièrement de sa pension et la félicitait parfois pour l'excellence de ses notes en grec et en latin. Ils n'avaient pas grand-chose d'autre à se dire, mais, au fil du temps, ils prirent tout de même l'habitude de passer ensemble les fêtes de Noël et une partie des grandes vacances. Le reste de l'année, ils vivaient chacun de leur côté, et c'était très bien ainsi.

Jezebel ne parvenait pas à comprendre pourquoi le vieil homme avait soudain décidé de lui dénicher un mari. Quelle urgence pouvait-il y avoir à cela ? Elle en était si révoltée que la directrice, inquiète de sa brusque insolence, avait jugé nécessaire de la convoquer pour lui rappeler les devoirs liés à son rang.

Au cours d'un entretien orageux, Miss Helen McGiven lui avait expliqué que l'institut de Chelseahall House, bien qu'il fût un *college* d'avant-garde où des jeunes filles avaient la possibilité d'étudier les mêmes programmes que leurs frères ou leurs cousins, ne pouvait tout de même pas accepter qu'une jeune lady fasse fi des principes immuables qui régissaient la bonne société anglaise. Il était certainement regrettable d'être née femme dans un monde où ces dernières n'avaient que peu de droits, mais lady Jezebel Ann-Rose Tyler, en tant qu'héritière du nom, du titre, du domaine et de l'immense fortune accumulée par ses ancêtres depuis des générations, devait comprendre qu'elle n'avait pas le choix de son destin. Comme des milliers de femmes avant elle, elle devait obéissance au chef de famille, en l'occurrence son tuteur. Puisqu'il lui proposait le mariage, elle devait l'accepter, ainsi que la maternité qui en découlerait.

— Ce n'est pas juste! avait lancé la jeune fille, le regard brillant de révolte. Je ne veux ni me marier, ni pondre des enfants!

— Je le conçois aisément, avait répliqué Miss Helen d'un ton lénifiant, et je vous assure qu'à Chelseahall House nous nous efforçons de remédier à cet état de fait. Un jour, sans doute, les jeunes filles auront leur mot à dire lors de ces mariages concoctés par leurs familles, mais, en attendant...

— Je dois donc faire partie du lot des sacrifiées? avait coupé Jezebel d'un ton mordant.

Miss Helen, désolée de sa réaction, avait tenté en vain de la calmer.

— Milady, considérez que votre parrain s'est déjà montré fort bienveillant en vous plaçant chez nous. Au moins, nous avons pu vous enseigner quelques valeurs novatrices, en particulier que la liberté réside au fond du cœur, d'où jamais personne ne parviendra à la déloger.

— Je suis beaucoup plus jeune que vous, Miss Helen, avait rétorqué la jeune lady avec aigreur, mais je sais déjà que la liberté n'est qu'un mot!

Les événements s'étaient alors enchaînés jusqu'à ce qu'elles se retrouvent toutes les deux dans cette automobile arrêtée en bordure d'une prairie verte cernée de barrières blanches, à quelques minutes seulement d'un changement de vie définitif.

Jezebel sentit son regard s'embuer. Un lent vallonnement descendait jusqu'à la confluence des fleuves Test et Itchen. Tout était calme et immobile. Pourtant, le paysage immuable semblait hostile à la jeune fille, qui ne parvenait pas à croire qu'elle s'apprêtait à quitter définitivement l'Angleterre.

Cette idée la révoltait tant qu'elle ouvrit brusquement la portière à la recherche d'un peu d'air frais. Le ciel était trop bleu, trop gai. Elle arracha ses lunettes, avança jusqu'aux bosquets de prunelliers rougeoyants que dominaient quelques merisiers aux feuilles dorées. Son cœur se serra.

— Je… Je ne suis pas prête, Miss Helen, s'exclama-t-elle en se retournant vers la conductrice qui l'avait rejointe.

Miss McGiven se raidit, mais son visage demeura impassible.

— Ce que je vais vous dire ne vous consolera pas, ma chère petite, mais je sais par expérience que personne n'est jamais prêt à regarder en face le chemin que d'autres choisissent pour vous.

— Que faire, alors? reprit Jezebel, désespérée.

— Faire preuve de courage, milady. Comme toutes celles qui vous ont précédée, vous finirez par vous habituer à votre nouvelle vie.

— Mais…

— En fait, ce sera comme cette terre glaise que vos doigts malaxent pour former de jolies céramiques. Vous pétrirez votre vie jusqu'à ce qu'elle vous convienne. La nature humaine est ainsi faite qu'elle permet de s'accoutumer à tout.

— Il me sera donc impossible d'être heureuse.

— Quelle idée saugrenue, milady! se récria la vieille demoiselle. Le bonheur est une extension du cœur, or je connais le vôtre, il aime tellement la vie que je crois pouvoir assurer sans crainte de me tromper qu'un jour vous serez heureuse.

— Mais pas tout de suite, n'est-ce pas?

Le silence les rattrapa, et elles se tournèrent toutes les deux vers l'estuaire. L'herbe si verte formait un contraste violent avec le gris mouvant de la Southampton Water. Plus loin, vers le sud, une ligne mince à peine plus pâle révélait la Manche au ras de l'horizon.

Jezebel resserra les bras sur sa poitrine frigorifiée. La vaste embouchure formait dans ce paysage champêtre une balafre de mercure émaillée de villes semblables à des champignons. D'innombrables voiliers blancs teintaient le fleuve d'un air d'été. Près de Southampton qu'on distinguait au loin, un bateau reposait sur l'onde, si imposant qu'à cette distance il était possible d'en distinguer les moindres détails.

Ce navire gigantesque devait être l'*Albatros*, à bord duquel elle allait embarquer. Une flotte de remorqueurs lui tournait autour comme des mouches autour d'un lion. Sa coque noir et blanc était haute comme plusieurs maisons. Quatre cheminées colossales le coiffaient de rouge. Un filet de vapeur s'en échappait. Les moteurs tournaient déjà.

— Nous devrions y aller, dit Miss Helen en se tournant vers sa protégée. Nous avons encore le temps, l'embarquement ne commence qu'à trois heures pour un départ à cinq, et j'ai cru comprendre que les passagers de première classe montaient à bord en dernier, mais, tout de même…

— Oui, allons-y, coupa Jezebel d'un air bravache. Il est inutile de nous attarder, car rien ne pourra plus changer, n'est-ce pas ?

Elles remontèrent dans la torpédo qui bondit vers l'avant avec un crissement de pneus. On entama la descente sinueuse vers l'estuaire. Accrochée au volant, la vieille demoiselle reprit la parole, haussant le ton pour couvrir le bruit du moteur.

— J'aimerais trouver une parole réconfortante, ma chère petite, mais j'ignore vraiment ce qui pourrait vous rassurer à un pareil moment. Si vous étiez ma fille – et d'une certaine façon vous l'êtes un peu, n'est-ce pas ? –, je vous conseillerais de profiter de chaque instant de ce beau voyage. Votre périple ne sera fait que des richesses que vous y apporterez. Vous qui avez un esprit si curieux, avide de connaissances, vous devriez vous réjouir d'effectuer dès aujourd'hui plus de vingt mille miles au travers d'un monde que vous ne connaissez que par les cartes.

Jezebel voulut l'interrompre, mais la directrice de Chelseahall House agita un doigt pour la faire taire.

— Je sais que vous êtes malheureuse, et effrayée par ce qui vous attend. Mais concevez tout de même, ma chère petite, que ce soir vous longerez les côtes de France et que, dans trois mois à peine, vous découvrirez l'Inde, un pays riche de tant de cultures. Vous qui adorez l'histoire, la zoologie, la botanique, mesurez l'incroyable chance qui s'offre à vous !

— Je vous en prie, Miss Helen, je ne suis pas une sotte et j'ai déjà réfléchi à tout cela.

La conductrice lui tapota gentiment la main.

— Je sais, je sais… mais, plutôt que de penser à ce qui vous déplaît, accrochez-vous à ce qui vous rend heureuse. Votre talent d'aquarelliste est patent, et je compte sur vous pour remplir de beaux carnets de voyage. Et puis je suis persuadée que votre parrain sera ravi de découvrir l'étendue de votre érudition. Lorsqu'il comprendra que vous écrivez le latin comme personne, il n'aura de cesse qu'il ne vous ait prise comme assistante dans ses recherches d'archéologie !

Jezebel haussa les épaules avec amertume.

— Au point de m'épargner un mariage qu'il organise depuis des mois ? C'est faire preuve d'un peu trop d'optimisme, ne trouvez-vous pas ?

Le silence revint, pesant. La conductrice se concentrait sur la route. Jezebel regardait par la fenêtre. Son angoisse lui oppressait tellement la poitrine qu'elle respirait à grand-peine.

Enfin l'automobile atteignit les premiers faubourgs de Southampton. Après être passée sous le Bargate, une imposante porte crénelée qui datait de l'époque médiévale, Miss Helen obliqua vers la baie. D'opulentes maisons à colombages s'essaimaient jusqu'au port de plaisance d'Ocean Village, où des canots dansaient au gré des flots.

Jezebel se pencha par la portière. L'automobile venait de s'engager sur une allée bordée de vieux peupliers dont l'odeur balsamique envahissait l'habitacle. La route devenue rectiligne traversa d'abord des champs de roseaux puis aboutit à un large quai. L'embarcadère grouillait de monde. Miss Helen actionna l'avertisseur à plusieurs reprises pour forcer le passage, mais la cohue était si dense qu'elle dut ralentir par crainte de percuter un piéton.

Le départ imminent du paquebot occupait de nombreux corps d'état. Partout, des marins reconnaissables à leurs vareuses rayées émergeaient d'une foule de sarraus et autres bleus de travail. Des portefaix amenaient à bord d'ultimes cargaisons. Près des portiques réservés au personnel, des stewards en livrée blanche surveillaient tout un monde de livreurs, de femmes de ménage cherchant encore à s'employer, de cuisiniers et de marmitons réceptionnant leurs dernières marchandises. À la proue du navire, près des passerelles d'embarquement, des journalistes armés d'appareils photographiques tournaient à la recherche de célébrités. À plusieurs reprises, leurs flashs crépitèrent devant un sultan au teint exotique accompagné de ses quatre épouses. Une armée de serviteurs à la peau noire surveillait les bagages du nabab en roulant des yeux féroces. Sur les quais se croisaient des voyageurs de toutes conditions et de toutes classes sociales. Certains étreignaient avec effusion leur famille, retardant la séparation. D'autres échangeaient des cadeaux tandis que des garçonnets facétieux prenaient en chasse des goélands qui allaient se percher sur les plus hautes passerelles en semblant les narguer.

Miss Helen actionna à nouveau le klaxon, mais la cause était entendue. La file de voitures avançait désormais au pas. À gauche, un train s'immobilisa en soufflant un gros nuage de vapeur et déversa un flot ininterrompu de passagers. À droite, l'estuaire disparaissait derrière un immense mur noir et blanc qui montait jusqu'au ciel. C'était l'*Albatros*.

— Mon Dieu, souffla-t-elle, l'estomac noué d'angoisse face au colosse d'acier.

Le paquebot était amarré par une multitude de câbles qui semblaient l'engluer dans une gigantesque toile, tel Gulliver au pays des Lilliputiens. D'une hauteur d'au moins six étages, il était si monstrueux que la jeune fille n'apercevait ni ses extrémités, ni l'eau sur laquelle il était censé flotter.

Les yeux écarquillés, elle découvrit dans le ciel le cramoisi des quatre cheminées, autour desquelles tournoyaient des oiseaux de mer. Sur les ponts, mille mouchoirs s'agitaient déjà.

Jezebel laissa échapper un soupir. Elle n'arrivait pas à croire qu'elle allait embarquer pour les antipodes à bord de ce géant. Était-ce un rêve ou un cauchemar ?

— Ce navire est tout bonnement magnifique, lança Miss McGiven d'un ton admiratif. Vous allez y passer des moments extraordinaires !

Jezebel ne sut que répondre. Dans quelques heures, le paquebot voguerait sur la Manche. Il longerait la France et l'Espagne, pénétrerait dans la Méditerranée et traverserait la péninsule Arabique par le canal de Suez. Il obliquerait ensuite au travers de la mer Rouge pour gagner l'océan Indien avant de remonter le golfe du Bengale en direction de Calcutta, destination qu'il atteindrait au bout de douze semaines de navigation.

La panique la saisit. Elle vivait ses derniers moments en terre anglaise. Elle se mordit la lèvre pour ne pas pleurer.

— Tout va bien se passer, ma chère petite, assura Miss Helen. Je suis certaine que vous allez adorer votre voyage. Ce navire est d'un luxe si incroyable ! Je me suis renseignée, savez-vous qu'il y a une piscine, une salle de sport et un cinématographe ? N'est-ce pas stupéfiant ? Allons, allons, je suis persuadée que, d'ici à quelques mois, lorsque tout cela sera derrière vous et que vous y repenserez, vous rirez de l'angoisse que vous ressentez en cet instant.

Elle gara l'automobile près d'un épais tapis rouge. Un portique élégamment fleuri formait une arche de bienvenue réservée aux premières classes. Des officiers de pont en uniforme blanc accueillaient les voyageurs dont ils vérifiaient le titre de transport. Ils confiaient ensuite celui-ci à des stewards qui menaient les nouveaux passagers à bord.

Parmi un groupe qui riait, Jezebel remarqua une belle dame parée de diamants, longue et fine, fort élégante, frileusement emmitouflée dans un chinchilla malgré la clémence de l'arrière-saison. Elle arborait une toque de fourrure assortie, qui lui retombait sur l'œil avec coquetterie. Elle supervisait la bonne trentaine de porteurs nécessaires au transport de ses innombrables malles et cartons à chapeaux en souriant à la ronde d'une bouche très grande, très rouge, condescendante.

— Venez-vous, milady ? dit Miss Helen en coupant le moteur de la torpédo.

Jezebel sortit de l'automobile comme un automate. Une odeur de goudron mêlée à l'air marin emplit ses narines. Le vent soufflait du large. Elle serra autour d'elle les pans de sa veste, en regrettant d'avoir fait mettre dans la malle son manteau de laine. Malgré le soleil, elle était glacée.

Un steward vint les accueillir. Miss Helen lui confia la malle sanglée sur la banquette arrière.

— J'imagine que les autres bagages de lady Tyler attendent déjà dans sa suite ?

— En effet, madame, les bagages ont tous été déposés dans la suite « Francis Drake », qui a été réservée au nom de lady Tyler. Cette suite est située sur le pont promenade au niveau E. Nous allons vous y conduire dès que le livre de bord aura été signé.

Jezebel leva le nez. La hauteur vertigineuse du navire la décontenançait. Elle se tordait le cou pour tenter d'en saisir l'ampleur.

— Toutes vos suites ont-elles des noms de pirates anglais ? s'étonna-t-elle lorsqu'elle apposa son nom sur le registre.

— En réalité, répondit le steward qui s'était présenté sous le nom de John Murphy, nos suites ne portent pas des noms de pirates, mais de corsaires. Dans la marine, le corsaire appartient au roi, tandis que le pirate n'est qu'à lui-même… L'*Albatros* possède trois suites, la vôtre, lady Tyler, la suite « Henry Morgan » et la suite « Walter Raleigh ». Toutes sont meublées avec un raffinement extrême, comme il se doit pour une demeure de corsaire.

Les deux femmes le suivirent à bord en empruntant une passerelle tapissée de feutre rouge. Sur le pont, un orchestre accueillait les passagers en jouant sans discontinuer l'hymne de la Company.

— Je n'imaginais pas ce navire si grand, remarqua Jezebel.

— L'*Albatros* est l'une des fiertés de la British-India Stream Navigation Company, s'enorgueillit le steward Murphy. Il est très luxueux, et très sûr. Les passagers de première classe sont logés des ponts A à E en milieu de navire. Le roulis y est moins sensible. Vous n'aurez pas le mal de mer. La Company est toujours soucieuse d'offrir à ses voyageurs des prestations dignes d'un palace. J'espère que vous apprécierez le confort de votre voyage, lady Tyler.

Jezebel acquiesça d'un hochement de tête. Le départ approchait et elle était morte de peur. Dans moins d'une heure, elle devrait dire adieu à Miss Helen ainsi qu'à tout un pan de sa vie. Elle ne savait comment elle parvenait encore à retenir ses larmes.

— Courage… souffla Miss Helen en lui tapotant le bras. Ça va aller. Je vais rester avec vous le plus longtemps possible.

Jezebel eut un pauvre sourire. Elle n'avait jamais voyagé qu'en train et elle se sentait mal à l'aise sur ce paquebot au luxe tapageur. Autour d'elle, tout était trop beau, trop riche, trop doré. En comparaison, Tyler Castle semblait un château médiéval menaçant ruine, avec ses chambres pleines de courants d'air, ses murs humides et ses corbeaux croassant sur les remparts. Quant à Chelseahall House, certes plus récente, elle paraissait tout aussi vieille, avec ses briques rouges dépareillées, ses fenêtres sombres et ses toits à colombages où roucoulaient des pigeons.

— Nous allons au niveau E, expliqua le steward Murphy qui les guidait vers le Grand Escalier en les divertissant d'anecdotes. Il y a trois ascenseurs.

Jezebel ne s'attendait à rien de particulier, mais, en pénétrant dans le vaste hall octogonal qui soutenait l'immense cage d'escalier, elle fut éblouie par tant de magnificence.

Au-dessus d'elle, sur une hauteur de plus de vingt mètres, un gigantesque dôme de verre laissait entrer à flots la lumière naturelle. Cette verrière était soulignée par de délicats plafonniers dont les abat-jour en opaline diffusaient de merveilleux halos dorés. Au sol, le parquet à deux tons dessinait un motif géométrique d'une grande modernité. Contre les murs étaient alignés de confortables fauteuils Louis XVI.

Le départ d'escalier était surmonté d'un majestueux candélabre électrique. Ce dernier éclairait une tapisserie d'Aubusson où se mêlaient des faisans et des paons de soie. Sur les murs lambrissés, des tableaux reproduisaient avec une naïveté charmante des scènes exotiques emplies de plantes tropicales, d'oiseaux et de papillons, de pêcheurs d'huîtres et de jeunes ramasseurs de noix de coco.

Le steward conduisit les deux femmes vers un escalier monumental en marbre blanc. Un épais tapis rouge étouffait le claquement de leurs talons. Les balustrades de fer forgé offraient des volutes dorées. Chaque palier était décoré de panneaux sculptés qui faisaient écho aux peintures accrochées aux murs.

— La suite « Francis Drake » est assez proche du Grand Salon et de la bibliothèque, précisa le steward. Cette dernière est assortie d'une salle d'emprunt et d'une salle de lecture. Lady Tyler, la Company met gracieusement à votre disposition un fascicule. Vous pourrez vous inscrire à des cours de natation ou de gymnastique, disposer de transats et de couvertures, réserver le court de squash ou les bains turcs. Vous pourrez aussi accéder aux jardins d'hiver, où nous servons à toute heure des boissons fraîches et des crèmes glacées.

— Des crèmes glacées en plein hiver, c'est plutôt original ! remarqua Miss Helen en haussant un sourcil dubitatif.

— C'est que, madame, lorsque le navire aura franchi le tropique du Cancer, nous approcherons de l'Équateur et les rafraîchissements seront les bienvenus.

Il s'immobilisa devant une porte décorée de boiseries et de marines aux tons délicats. De lourds nuages couraient sur des mers où voguaient des caravelles aux voiles déployées.

— Voici la suite « Francis Drake », annonça Murphy en frappant avant d'ouvrir la porte et de s'effacer pour laisser entrer les deux femmes. Je vais vous chercher une cam鲩ste qui vous aidera à défaire vos bagages. N'hésitez pas à sonner si vous avez besoin de quoi que ce soit. En attendant, je vous souhaite un très bon séjour à bord de l'*Albatros*, lady Tyler.

Laissant Miss Helen gratifier le steward d'un généreux pourboire, Jezebel traversa le vestibule pour entrer dans un petit salon coquet. Les lambris étaient peints de blanc, le plafond orné de caissons à moulures et la cheminée surmontée d'un grand miroir. Disposés avec art dans ce cocon, les meubles Empire auraient pu paraître sévères si le bois d'acajou ne laissait apparaître des détails amusants venant égayer leur ligne trop sobre : pieds en forme de pattes de lion, boutons de tiroirs ciselés en ananas, encoignures à tête de sphinx. Au centre, une table ronde nappée d'un damas bleu d'Égypte était assortie à une commode. Une pendule au mécanisme apparent y répondait à un charmant bouquet de fleurs champêtres. Enfin, près de la porte-fenêtre ouvrant sur une promenade privée agrémentée d'une véranda et de fauteuils en rotin, un secrétaire en bois de rose siégeait entre deux plantes vertes.

Jezebel avança vers le salon en commençant à ôter ses gants. Un parfum de tubéreuse l'immobilisa. Une femme était assise sur le sofa.

L'inconnue était mince et brune, âgée d'une trentaine d'années et serrée dans une étole en chinchilla. Jezebel reconnut immédiatement la belle dame endiamantée aperçue à l'embarcadère.

— Vous voilà enfin, ma chérie, lui dit cette femme avec une amabilité teintée d'un fort accent russe. Savez-vous que cela fait des heures que je vous attends ?

# 2

*25 octobre 1918*

D'un gracieux mouvement d'épaules, l'inconnue abandonna sur le sofa son étole avant de se lever. Elle garda néanmoins la toque de fourrure qui accentuait le côté slave de ses traits. Debout, elle paraissait plus grande, très longue et très mince dans une robe courte, dont le froncé vaporeux froufroutait autour de ses jambes galbées de soie.

Jezebel la détailla avec curiosité. L'inconnue paraissait incarner l'idée qu'elle se faisait du chic « parisien », qu'elle imaginait à la fois insolent et plein de diamants. Le visage ovale était beau et élégant, parfaitement mis en valeur par un maquillage qui éclaircissait le teint. Au milieu de cette pâleur, la bouche attirait l'attention. De grandes lèvres rouges, très mobiles, parvenaient à faire oublier le menton légèrement pointu et le nez un peu long. Les yeux s'étiraient vers les tempes, presque aussi bridés que ceux d'une Asiatique, mais d'une couleur d'or pâle fascinante. Soulignés d'un trait de khôl, ils contrastaient avec les cheveux noirs et lisses, coupés très courts, qui sortaient de la toque de fourrure pour se faufiler derrière de minuscules oreilles ornées de pendants en diamant.

Cette femme était si élégante qu'elle ressemblait à ces « garçonnes » qui faisaient la une des magazines féminins. À Chelseahall House, les pensionnaires se passaient de main en main des revues comme *Vogue* ou *Cosmopolitan* et commentaient avec passion des robes aux formes audacieuses, si osées et parfois si courtes qu'on découvrait la jarretière. La plupart des jeunes filles s'en effarouchaient, trouvant ces vêtements assez vulgaires, mais toutes devinaient que cette façon de s'habiller témoignait d'une liberté dont elles rêvaient, sans oser croire qu'un jour elles pourraient peut-être, elles aussi, la toucher du doigt.

— À qui avons-nous l'honneur, madame ? demanda Miss Helen en s'avançant, mi-figue mi-raisin. J'étais persuadée que cette suite était celle de lady Tyler, dont je suis l'accompagnatrice, mais sans doute nous sommes-nous trompées de porte… ?

L'inconnue accorda à la vieille demoiselle un petit sourire condescendant, le même qu'elle aurait pu adresser à une femme de chambre ou à une cuisinière sans importance.

— Je suis la duchesse royale Olga Marushka Obolenski.

— Ah, confirma Miss Helen, il y a effectivement erreur. Je suis Miss McGiven, directrice de l'institut de Chelseahall House, dans le Gloucestershire, et voici lady Tyler, l'une de mes pensionnaires. Je vais appeler le steward pour lui demander…

— Il n'y a pas d'erreur, coupa la duchesse d'un air narquois. Vous vous trouvez bien dans la suite réservée à lady Tyler. Je suis celle que vous deviez rencontrer. Mon très bon ami Michael Deckard ne vous a-t-il pas prévenues de ma présence ? Le cher homme était si inquiet d'imaginer sa filleule voyageant seule que, pour le rassurer, je me suis proposée de partager sa suite jusqu'à Calcutta.

Jezebel et Miss Helen eurent le même sursaut.

— C'est que… reprit la vieille demoiselle, j'étais informée de quelque chose, mais je comptais plutôt sur une gouvernante professionnelle…

— Rassurez-vous, il est courant que des dames de qualité accompagnent de très jeunes filles lors d'un voyage. Votre pensionnaire sera entre de bonnes mains.

La duchesse fit une pause, qu'elle mit à profit pour toiser la jupe plissée trop grise, la veste assortie trop sage et le chapeau-cloche de mauvaise tenue mal placé sur le front.

— J'imagine même que ma présence sera fort bénéfique à votre protégée, continua-t-elle sur un ton des plus moqueurs. Michael m'avait décrit avec enthousiasme une compagne de voyage, certes très jeune mais pleine de caractère, je vous avoue donc que je m'attendais à une personne un peu plus… enfin… disons-le franchement, un peu moins provinciale ! Miss McGiven, ne leur apprenez-vous pas à s'habiller, dans votre pensionnat ? Cette petite robe grise est abominable !

Jezebel fut décontenancée par le propos. Humiliée, elle rougit et s'apprêtait à répondre vertement, lorsque la duchesse poursuivit sur la même lancée :

— Oh, ne prenez pas ombrage de ma manière de parler, qui est toujours très franche. Au moins, avec moi, vous vous ennuierez moins qu'avec une duègne et vous apprendrez à vous mettre en valeur. Voilà qui règle donc l'affaire. J'ai d'ores et déjà fait mettre mes malles dans la chambre verte. J'ai supposé que la chambre rose serait plus indiquée pour une jeune fille mais, si vous souhaitez changer, je n'y vois pas d'inconvénient. Il me suffit d'appeler le steward qui procédera au déménagement.

D'emblée, Jezebel se mit à détester cette femme qui se permettait des remarques aussi odieuses, et qui venait de s'octroyer une chambre sans même avoir la correction de lui demander son avis.

— J'ignorai que j'aurais un cerbère sur le dos durant tout le voyage ! Avons-nous au moins, moi et ma petite robe grise, le droit de visiter la chambre que vous m'allouez si généreusement ?

La duchesse Obolenski la scruta avec une attention renouvelée.

— Je vous en prie, ma chérie, faites donc.

Avec un pas qui marquait sa fureur, Jezebel entra dans la chambre rose, la plus ravissante qu'elle ait vue de sa vie. Elle aurait voulu la détester, à tout le moins la trouver ordinaire, mais il fallait bien avouer que c'était impossible. Dans une pièce spacieuse ouverte sur une terrasse privée, elle avait à sa disposition un canapé méridien, un immense lit à pieds garni d'un édredon en dentelles, une petite table ovale qui lui permettrait de prendre ses repas seule dès qu'elle le désirerait – elle pensa d'ailleurs que ce serait souvent le cas –, une table de toilette avec un double lavabo et une adorable coiffeuse. Le sol était recouvert d'un tapis couleur bois de rose. Les murs étaient tapissés d'une soie à arabesque ton sur ton, d'un rose pastel très doux. La salle de bains attenante, munie d'une baignoire avec douche, était réservée à son seul usage, luxe inouï.

— La chambre verte est sur le même modèle, glissa la duchesse qui l'avait suivie pas à pas. Elle dispose des mêmes commodités, n'est-ce pas charmant ?

Jezebel fit face à la jeune femme. L'examen de la chambre l'avait un peu adoucie, mais elle éprouvait encore de l'animosité.

— Je vous avoue, madame, que j'aurais bien voulu que cette chambre soit moins plaisante pour le seul plaisir de vous forcer à déménager.

— Oh, déménager ne m'aurait pas demandé un gros effort, répliqua la duchesse avec un grand sourire rouge. Les domestiques s'en seraient très bien chargés. De toute façon, vous savez, moi, le vert ou le rose… les deux siéent très bien à mon teint.

— Vous avez raison, profitez du vert tant que vous le pouvez encore. Le temps passe si vite, et vous êtes déjà vieille.

Cette fois-ci, la duchesse éclata d'un rire franc.

— Tiens donc, notre Belle des champs nous montre les dents ? Au vu de vos vêtements si passe-muraille, je craignais que vous ne fussiez insipide, ma chérie, mais je constate avec plaisir qu'il n'en est rien.

Son sourire envahit ses yeux jusqu'à les faire pétiller joyeusement. Elle se pencha vers la jeune fille en un mouvement parfumé de tubéreuse, et lui souffla :

— Je suis heureuse de m'être trompée, ma chérie. Vous avez du chien. J'espère que nous serons bientôt amies.

Jezebel ne sut que répondre. Elle n'avait pas envie d'être amie avec cette femme. Elle n'avait d'ailleurs envie de l'être avec personne. Elle voulait juste se jeter sur son lit et se mettre à pleurer. Le paquebot siffla plusieurs fois. L'heure du départ s'approchait. Des stewards toquaient déjà à toutes les portes pour inviter les visiteurs à quitter le bord. La British-India Stream Navigation Company était connue pour respecter ses horaires.

— Je dois vous quitter, dit Miss Helen en s'approchant de Jezebel.

Cette dernière hocha la tête. Ses joues avaient pâli. Le moment tant redouté approchait.

— Je vous raccompagne, proposa-t-elle d'une voix mal assurée.

— Bien entendu, répondit son ancienne directrice.

— Oh oui, faisons cela, s'invita la duchesse Obolenski en tapant gaiement dans les mains. Les départs sont toujours de grands moments !

Les deux femmes lui jetèrent un regard noir. La pétulante Russe les ignora pour se placer devant le miroir et remettre d'aplomb sa toque, puis elle prit d'autorité Jezebel par le bras et la conduisit vers la porte, en lui adressant un large sourire vermillon qui semblait la défier de refuser.

La jeune fille soupira. Elle aurait préféré faire ses adieux à Miss Helen seule à seule, mais elle ne se sentait plus l'énergie de protester.

Dans le couloir, plusieurs soubrettes se présentèrent pour défaire leurs bagages durant leur absence. La duchesse donna quelques instructions à l'une d'elles, à propos de certains vêtements qu'elle souhaitait porter le soir même, puis les trois femmes gagnèrent le pont-promenade. Une foule aussi bigarrée qu'excitée s'y pressait déjà. Les derniers flamboiements du soleil sombraient à l'horizon. De longs coups de sifflet rappelaient régulièrement l'imminence du départ.

Miss Helen embrassa son ancienne pensionnaire.

— J'ai été très heureuse de vous accompagner vers votre vie d'adulte, milady. Ce fut un honneur. J'espère vraiment que les enseignements que nous prodiguons à Chelseahall House vous serviront. Vous avez été une élève charmante, studieuse et appliquée, curieuse de tout et vive d'esprit. Ne perdez jamais ces qualités essentielles.

— Je m'y efforcerai, Miss Helen.

Jezebel était raide, décomposée. Elle luttait de toutes ses forces contre la panique qui montait en elle.

— Au revoir, très chère enfant.

— Merci de m'avoir accompagnée, Miss Helen, balbutia la jeune fille d'une voix brisée. Sans vous, je…

Elle eut un hoquet de détresse. La vieille demoiselle l'étreignit rapidement, puis suivit le steward qui allait la ramener à la passerelle de débarquement. Elle se retourna une dernière fois, agitant la main.

— Ma très chère petite, n'oubliez jamais que vous êtes une lady.

Jezebel la suivit des yeux jusqu'à ce qu'elle disparaisse au détour du Grand Escalier. Ses yeux étaient noyés de larmes, elle cligna des yeux pour tenter de les retenir.

— Venez à la rambarde, ma chérie, dit la duchesse Obolenski tout en glissant son bras sous le sien. Ainsi, vous pourrez agiter votre mouchoir à votre guise.

— Non, refusa la jeune fille d'un air buté, mais son corps n'avait plus aucune force ni aucune volonté. Elle se retrouva appuyée contre le garde-fou, perdue au milieu d'une foule qui lançait des au revoir à n'en plus finir.

Le vent du large souffla contre ses joues mouillées. Quelques mèches s'échappèrent de son chapeau. Elle était si oppressée qu'elle avait l'impression d'étouffer.

Le paquebot siffla une toute dernière fois, couvrant durant de brèves secondes les cris d'adieu. Puis les clameurs reprirent, assourdissantes. Tout près, un garçonnet pleurnicha. Sa mère le prit dans ses bras pour le consoler. Vers l'arrière, un carlin qui portait un manteau violet orné d'un nœud rose poussa un jappement aigu. Sa maîtresse le fit taire en le grondant comme un enfant.

Jezebel s'accrocha à la rambarde. Elle dominait les quais d'une bonne vingtaine de mètres et en avait presque le vertige. Sur toute la hauteur du paquebot, s'agitaient des dizaines de mouchoirs et de chapeaux. Ils sortaient des hublots entrouverts, festonnaient les ponts et les entreponts.

En bas, sur le quai, ceux qui restaient leur répondaient. La jeune fille essaya de retrouver parmi tous les visages celui de Miss Helen. Le paquebot s'ébranla. Malgré sa taille de géant, il glissait comme un oiseau majestueux. Rapidement, l'espace qu'il libérait se remplit d'une eau grise, écumante, furieuse.

Jezebel désespérait de revoir Miss Helen lorsqu'elle la repéra à sa veste de tweed. Les deux femmes se regardèrent malgré la distance qui grandissait. La directrice de Chelseahall House articula quelques mots, que Jezebel n'entendit pas. Il y avait trop de bruit, moteurs à plein régime, grincements des poulies qui remontaient les ancres, trépignements de passagers surexcités, criaillements des goélands.

Pourtant, elle n'avait pas besoin d'entendre la vieille demoiselle pour savoir ce que cette dernière lui avait dit. Elle l'avait déjà entendu mille fois. Prise d'étourdissement, elle agita le bras en répétant la phrase tout doucement, comme s'il s'agissait d'une prière :

« N'oubliez jamais que vous êtes une lady. »

*

Le paquebot s'était détaché de la terre mais il ne touchait pas encore la mer. Il descendit le fleuve en géant, tranchant de son étrave la masse sombre de l'estuaire. De cette eau montait une odeur d'iode mâtinée de goudron qui n'était pas encore celle de la mer, mais déjà plus celle d'un fleuve.

Le soleil avait sombré derrière l'horizon. La nuit arrivait, amenant un froid venteux. Jezebel était glacée. Les passagers regagnaient peu à peu leurs cabines. La duchesse Obolenski l'appela, mais elle ne répondit pas. Elle n'avait pas encore envie de retourner dans sa suite. Elle voulait rester ici jusqu'au bout, dans ce vent qui fouettait son visage. Tant pis pour le froid.

Autour d'elle, le crépuscule gagnait. Soudain, une corne de brume la fit sursauter. Les rares passagers qui étaient encore sur le pont se penchèrent pour regarder avec curiosité vers l'arrière, d'où venait le son. Elle les imita. Des appels sortaient de la nuit, à demi couverts par le ronflement d'un moteur. Un canot remontait le sillage d'écume. À son bord, un pilote qui le manœuvrait et, surtout, un homme qui faisait de grands signes en direction du paquebot.

— Attendez-moi ! Attendez-moi !

Plusieurs officiers de pont se penchèrent dans sa direction. Olga Obolenski rejoignit Jezebel. Côte à côte, elles regardèrent le canot à moteur rattraper l'*Albatros*.

— Ce jeune fou croit sans doute que le navire va s'arrêter pour lui permettre de monter à bord ! ironisa un passager non loin d'elles. Comme si c'était possible ! Même avec les moteurs arrêtés, le paquebot continuera sur sa lancée, emporté par l'inertie de sa masse.

Énervé, cet homme ne s'adressait à personne en particulier et il mit un certain temps à remarquer l'intérêt que les deux femmes lui portaient. Il n'en fut cependant guère gêné, et, en parfait gentleman, ôta son canotier pour les saluer.

— *Señor* Andres Agustin, pour vous servir. Je crains de vous avoir dérangées, mesdames. Veuillez m'excuser, je l'ai fait à mon corps défendant. Cette scène me met hors de moi !

— Je suis la duchesse Obolenski, répondit Olga Marushka en lui tendant sa main à baiser, et voici lady Tyler. Avez-vous donc la moindre idée de ce qui se passe ? Pourquoi ce canot poursuit-il notre navire ?

— C'est juste un retardataire, *señora*. Il a manqué le départ et il essaie tout de même de monter à bord.

— Mais l'entreprise n'est-elle pas follement risquée ? s'étonna Jezebel en observant l'acrobate qui venait de se mettre debout sur un siège de son canot.

— Bien sûr que si, *señora* ! C'est pure folie ! Le vent va l'écraser contre notre navire, à moins que les vagues ne l'emportent au loin ou, pire encore, ne le dirigent vers les gigantesques hélices qui le hacheront menu…

Jezebel frémit à cette évocation, mais Olga Obolenski ne parut pas le moins du monde impressionnée. Au contraire, elle se pencha avec intérêt vers le canot qui continuait son approche, pour mieux détailler ce retardataire qui était soit fou, soit intrépide, ce qui était à peu près la même chose, avant de revenir vers son interlocuteur.

— Monsieur, pardonnez par avance mon indiscrétion, j'entends votre accent sans parvenir à le définir… Seriez-vous italien ?

Andres Agustin s'inclina devant elle, son canotier à la main. Il était de taille moyenne, plutôt mince, âgé d'une cinquantaine d'années, le teint olivâtre et les traits marqués par une vie qui avait dû être riche en aléas. Deux rides profondes creusaient les commissures de sa bouche, lui donnant un air sévère que ses lèvres épaisses, charnelles, ajoutées à des yeux noirs pétillants, démentaient. Il était des plus élégants, en vieux beau charmeur et sans doute encore noceur, s'il fallait en juger la faconde avec laquelle il répondit.

— Je suis argentin, madame la duchesse. Argentin de Cordoba, même si je vis depuis plus de vingt ans aux États-Unis. J'en ai gardé un accent espagnol mâtiné d'italien, ce qui est sans doute la seule chose léguée par mes ancêtres !

— Vous êtes argentin ? Mais c'est si exotique ! s'exclama la duchesse d'un air ravi. Vous venez donc de ce pays qui a inventé cette danse admirable, le tango ?

Agustin bomba le torse.

— *¡Es correcto, señora!* Le tango est né à Buenos Aires, sur les rives du rio de la Plata.

— Ah, je croyais qu'il venait de Montevideo en Argentine…

— *¡Señora!* se récria aussitôt Agustin avec de grands moulinets indignés qui pouvaient en effet le faire passer pour un Italien. Montevideo est bien sur le rio de la Plata, mais de l'autre côté, en Uruguay ! Or le tango n'a pu y naître, puisqu'il est argentin.

Il plissa d'un air amusé ses paupières un peu lourdes, et son visage se mit à rire tout entier de son bon mot.

La duchesse joignit son rire au sien.

— Je reconnais là une polémique de salon, assez semblable à celle de l'œuf et de la poule. Qu'à cela ne tienne ! Pour me faire pardonner ma mauvaise géographie, je vous autorise à m'inviter à danser lors d'un prochain bal.

— Ce sera avec le plus grand plaisir, *señora*, même si je ne suis pas certain que des bals soient organisés à bord de ce navire…

Olga Obolenski se récria :

— Allons donc, nous ne sommes plus en 1914 ! Je sens que la guerre va bientôt finir. Les gens ont envie de s'amuser, de rire, de danser et de boire du champagne. La Company aura à cœur de les satisfaire, n'en doutez pas.

Tandis que la duchesse discutait, Jezebel continuait à observer la scène. Comme tous les autres passagers, elle venait de remarquer que l'*Albatros* ralentissait ses moteurs. Cela suffit au canot pour se rapprocher. À son bord, le passager fit preuve d'encore plus d'audace en se mettant debout à l'avant, une main accrochée au pare-brise, l'autre s'agitant pour continuer à attirer l'attention des officiers navigants. Sur les ponts, les voyageurs s'agglutinaient à nouveau, passionnés par cette course folle.

— Déroulez une échelle de corde ! hurla l'homme sur son canot. Je dois monter dans ce bateau !

Les passagers applaudirent. Andres Agustin revint se pencher par-dessus la balustrade. Il étudia la situation d'un air soucieux, et ses longues mains de pianiste agrippèrent la rambarde lorsque les officiers de l'*Albatros* déroulèrent contre les flancs du navire une longue échelle. L'extrémité tomba dans les flots. L'Argentin pâlit. Il se mit à rugir, autant de fureur que d'inquiétude :

— *¡Madre de dios!* Ce jeune fou a toujours besoin de faire l'intéressant ! Je sais ce dont il est capable mais là, tout de même, c'est trop !

Jezebel s'étonna :

— Le connaissez-vous donc, monsieur ?

— Si je le connais, *señorita* ? Mais bien entendu ! C'est mon jeune associé, Jan Lukas, le fils d'un ami que j'ai élevé comme si c'était le mien ! Vous avez certainement entendu parler de nous, ajouta-t-il en se rengorgeant. Nous convoyons le fameux Sher-Cîta, qui a suscité un certain intérêt à la suite de plusieurs articles récemment parus dans les journaux.

Jezebel, qui sortait tout droit de son pensionnat, ignorait tout de cette histoire. Elle s'apprêta à demander ce qu'était ce fameux Sher-Cîta, au nom si mystérieux, lorsqu'un cri d'horreur s'éleva des ponts inférieurs. Le canot avait réussi à se rapprocher du paquebot, mais le pilote maintenait difficilement le cap au milieu de la houle. Chaque embardée menaçait de l'envoyer s'écraser contre la coque d'acier.

— *¡Dios mio!* Excusez-moi ! dit le *señor* Agustin en prenant rapidement congé des deux femmes pour se précipiter dans les escaliers et rejoindre au plus vite le premier pont où, selon toute vraisemblance, son jeune associé mettrait pied à bord en cas de succès.

Olga saisit le poignet de Jezebel et l'entraîna dans son sillage. Elle aussi voulait être aux premières loges. Les deux jeunes femmes se frayèrent un chemin laborieux parmi une foule qui retenait son souffle : le retardataire tentait d'attraper l'échelle de corde.

Pour ce faire, il avait gagné l'avant du canot où, en équilibre au-dessus des vagues, il s'efforçait d'accrocher l'échelle à l'aide d'une gaffe. Chacune de ses tentatives était ponctuée par un cri de déception poussé par des dizaines de poitrines. Jezebel tremblait de peur. Les gens se rendaient-ils vraiment compte que l'homme jouait sa vie ? Trop émotive, elle osait à peine regarder la scène sans pour autant parvenir à s'en empêcher. À côté d'elle, une femme s'évanouit. On lui fit respirer des sels, on la porta dans le Grand Salon, mais Jezebel continua comme les autres à suivre l'exploit suicidaire. L'intrépide jeune homme risquait la mort à chaque mouvement. Il pouvait perdre l'équilibre, basculer dans l'eau, s'écraser contre la coque métallique. À chaque seconde, la jeune fille craignait de le voir tomber en arrière, en agitant désespérément les bras, puis s'enfoncer dans l'eau écumante, blessé, mort peut-être. Tout contre elle, Olga Marushka devait partager les mêmes pensées effroyables, car elle s'exclama soudain, la main appuyée contre son cœur comme pour en contenir les palpitations :

— Mon Dieu, empêchez-le de faire ça, il va se tuer ! C'est épouvantable.

À cet instant, le jeune homme réussit à attraper la corde. Un silence religieux accueillit son exploit. Les badauds se penchèrent de plus belle pour le regarder tirer sur la gaffe, agripper l'échelle, puis, après un geste en direction du pilote du canot, sans doute pour lui signifier que les dés étaient jetés, il se précipita dans le vide.

Tous le virent aussitôt s'enfoncer dans un maelstrom d'éléments en fureur. Il fut submergé par une houle violente, fouetté par un vent brutal, noyé par des giclées d'embruns glacés. Emporté par son élan, il heurta durement le paquebot, disparut dans l'eau, s'extirpa des vagues furieuses avec la lenteur d'un miraculé. Le canot à moteur s'était éloigné des remous, le laissant seul comme un insecte insignifiant agglutiné à un énorme mur de métal.

Tous l'encourageaient. Il continua de grimper, respirant par à-coups, le visage noyé par de violentes gerbes d'eau. À de multiples reprises, il faillit perdre pied, glissa en arrière, recommença à grimper avec une prudence accrue. Le vent gonflait sa veste alourdie d'eau. Chaque pas victorieux était scandé par un cri de victoire unanime. Jezebel se taisait cependant. À l'unisson du jeune homme, elle retenait sa respiration.

Enfin, après plusieurs minutes interminables de combat, ce dernier parvint à atteindre la balustrade la plus basse. Des hommes le saisirent par les vêtements, le tirèrent à bord sous une ovation générale. On l'enveloppa dans une couverture, on le congratula. Il se tourna en riant vers la foule tout en repoussant vers l'arrière le borsalino détrempé qu'il avait réussi à garder vissé sur son crâne tout au long de son exploit. Un sourire blanc apparut, un bras victorieux se leva. Il remercia les spectateurs qui l'acclamaient en s'amusant visiblement de ce bref instant de gloire.

— Dieux du ciel, souffla Olga Obolenski avec un énorme sourire, cet homme-là, il me le faut à tout prix!

Gênée de l'entendre parler de la sorte, Jezebel se pencha un peu plus au-dessus de la rambarde. Elle cherchait à distinguer les traits de l'intrépide que l'obscurité rendait indistincts. De là où elle se tenait, elle ne voyait que la haute silhouette, les épaules carrées, le port de tête arrogant. Soudain, une rafale de vent cueillit son chapeau-cloche, libérant ses longs cheveux blonds. Elle eut un cri de surprise, tendit en vain la main pour le rattraper.

Le chapeau tourbillonna dans les embruns, revint vers le navire, rabattu par les vents. Il s'écrasa sur le pont inférieur, à quelques pas du jeune héros. Ce dernier le vit, le ramassa, se redressa, scruta la foule et remarqua la jeune fille accoudée au bastingage. Malgré la distance, elle lui parut si belle, avec ses vêtements fondus dans la nuit, son visage pâle et sa chevelure de sirène, qu'il porta la main à sa bouche pour lui envoyer un baiser imaginaire.

Jezebel sauta en arrière, les joues embrasées par cette insolence. Elle voulut regagner au plus vite sa cabine, mais Olga la retint.

La Russe avait été témoin de la scène et s'en sentait à la fois amusée et très jalouse. Elle détailla la jeune fille dont l'absence de chapeau permettait enfin de remarquer l'ovale délicat du visage, le teint clair joliment empourpré, les grands yeux du même bleu qu'un saphir et, surtout, cette beauté adolescente encore inachevée, avec des joues un peu trop rondes mais une bouche déjà semblable à un fruit mûr, qui promettait une séduction des plus sensuelles. D'une voix traînante, elle chuchota :

— Je vous dois des excuses, ma chérie. Je comptais vous inciter à couper vos cheveux pour améliorer votre figure, mais je m'aperçois que cela aurait été une grossière erreur. Vous êtes tout bonnement charmante, et votre chevelure blonde est votre plus bel écrin. Dans ces fils d'or, les hommes viendront toujours se prendre avec plaisir.

*

Jezebel regagna sa suite d'un pas vif, en proie à des émotions contradictoires. Un froid humide étreignait son cœur, mais elle ne voulait pas y penser. En réalité, elle ne voulait penser à rien, ni à son pays disparaissant peu à peu dans la brume comme un rêve qui n'avait jamais existé, ni à cet homme, cet inconnu qui l'avait humiliée en public en lui envoyant un baiser si familier. Elle se sentait mal à l'aise, amère, et vulnérable.

Bien sûr, elle s'y était préparée. Le départ de l'*Albatros* n'était que le couronnement logique des derniers mois. Depuis qu'elle avait lu la lettre de son parrain, le monde avait perdu toutes ses couleurs. L'avenir était devenu triste et effrayant. Elle aurait voulu se cacher dans un trou de souris. Disparaître. Tout oublier.

Elle passa la porte de sa suite en coup de vent et s'engouffra dans le vestibule qui servait d'entrée. Là, elle ôta ses gants et les déposa sur une console tout en s'efforçant de renouer avec cette pondération qu'on lui avait apprise durant toute son enfance. Une lady ne court pas. Une lady ne se plaint pas. Une lady supporte tout.

Elle redressa instinctivement les épaules. Un miroir lui renvoya une figure tragique, pâle, cernée et échevelée, qu'elle ne reconnut pas immédiatement. Bouleversée, elle se précipita dans sa chambre où elle se jeta en travers du lit. Un parfum de rose s'échappa de la taie d'oreiller, lui rappelant la senteur fleurie qu'exhalaient les draps de Chelseahall House les jours de lessive, après qu'ils avaient été mis à sécher sur les haies d'aubépines.

La jeune fille sentit monter en elle l'angoisse que les derniers jours avaient accumulée. Elle était en train de quitter définitivement toutes ses habitudes, ses amies, ses professeurs, et même la jument Ever, sa préférée pour partir en promenade. Elle s'éloignait de l'Angleterre, du pensionnat, de la propriété de Tyler Castle, de l'automne et de l'hiver, du brouillard des mi-saisons, des châtaignes grillées sur les braises, du crachin glacé et de l'infinie douceur du soleil printanier. L'Inde s'annonçait si différente. Elle s'était renseignée, les témoignages concordaient : là-bas, tout était sale et poussiéreux. Trop chaud ou trop inondé. Sans parler des maladies, des insectes géants, des serpents, et même des tigres et des léopards mangeurs d'hommes qui, la nuit, entraient dans les maisons pour s'emparer des enfants.

Un nœud se forma dans sa poitrine. Ce voyage était fou et irrémédiable, sans la moindre échappatoire. Elle éclata en sanglots.

Dans le salon, Olga Obolenski ôtait ses gants tout en écoutant les pleurs qui s'échappaient de la chambre rose. Elle rangea ces derniers dans un tiroir, jeta sa toque et son étole sur une chaise, puis sonna la femme de chambre.

Comme tous les passagers de première classe, elle avait à sa disposition des domestiques fournis par la Company, de la caméриste au steward en passant par toute une armée de femmes de chambre. Lorsqu'on vint aux nouvelles, la duchesse commanda du thé. La jolie petite horloge posée sur la commode égyptienne indiquait six heures du soir passées de vingt minutes et, derrière les rideaux qui masquaient les hublots, la nuit était déjà bien dense. Il était trop tard pour un véritable *tea time*, mais Olga n'avait guère trouvé d'autre idée pour consoler une jeune Anglaise avant le dîner.

Évidemment, elle aurait pu laisser la jeune fille pleurer tout son saoul sans s'en mêler. Elle avait promis à Deckard de veiller sur la réputation de sa filleule, pas de la materner.

Sauf que ce n'était pas aussi simple.

Dès qu'elle avait rencontré la petite, elle avait été touchée par sa naïveté de provinciale, sa beauté en devenir et son chagrin plus grand qu'elle. En parfaite aristocrate, elle avait tenté de cacher sa sensibilité derrière de l'ironie, mais il fallait bien reconnaître qu'elle n'avait qu'une seule envie, prendre la demoiselle sous son aile pour la cajoler comme un chaton abandonné. D'une certaine façon, la jeune fille lui rappelait sa propre adolescence, ce temps de larmes et de souffrances où la vie s'était montrée plus garce que tendre. À cette époque, elle se souvenait qu'elle aurait apprécié une main secourable.

On toqua, et Olga fut tirée de sa rêverie par la femme de chambre qui déposa sur la table juponnée de bleu un plateau d'argent garni d'une théière en porcelaine de Chine. La duchesse lui fit remplir une tasse d'un thé de Ceylan odorant, qu'elle corsa avec du lait et du sucre. Puis, cette tasse entre les mains, elle frappa à la porte de la chambre rose. Elle entra sans attendre de réponse.

Jetée en travers du lit, Jezebel Tyler n'était qu'un dos secoué de sanglots. Olga s'approcha et, *mezzo voce*, lui glissa gentiment :

— Je vous apporte un peu de thé, ma chérie. Buvez-le chaud, il vous fera du bien.

Surprise par cette intrusion, la jeune fille leva un nez mouillé en ouvrant de grands yeux incrédules. Elle avait entendu frapper mais n'avait pas autorisé la duchesse à entrer. Elle ne voulait ni consolation ni sollicitude. De toute façon, elle n'avait qu'une confiance limitée en cette femme qui ressemblait plus à une aventurière qu'à une lady.

— Allez-vous-en ! s'exclama-t-elle en essuyant son visage. Sortez de ma chambre. Nous ne nous connaissons pas. Je ne veux pas de votre pitié !

La duchesse posa la tasse sur la table de chevet. L'arôme délicat diffusa dans toute la pièce.

— Allons, allons, ma chérie, inutile de vous emporter... Votre parrain vous a confiée à moi, il est évident que nous allons devoir cohabiter quelque temps. Je ne vois aucune raison pour que cela se passe mal. Je suis venue en amie.

— Vraiment ? répliqua Jezebel avec une rancœur à nouveau entrecoupée de sanglots convulsifs. Ne m'avez-vous pas traitée de chose insignifiante à peine sortie de sa campagne dès que nous nous sommes vues ?

La duchesse russe leva une main amusée. Son regard pétillait.

— Je l'ai dit, très chère, et je ne m'en dédis pas. Mais soyez bonne joueuse, accordez-moi au moins le bénéfice de ce langage franc qui n'est pas forcément un défaut. Après tout, vos vêtements… votre jupe si rustique… votre corsage d'un autre âge… ils sont tout simplement im-po-ssi-bles !

Jezebel garda un silence buté. Olga continua tranquillement.

— Je vous le demande instamment, chère amie, ne me tenez pas rigueur de cet avis somme toute très personnel. Voyez-vous, même si nous ne partageons pas les mêmes vues en matière de mode, je vous assure que je ne serai pas un chaperon tyrannique. Auriez-vous préféré cohabiter avec une de ces bigotes pudibondes dont la société anglaise a le secret ? Quel âge avez-vous ? Quinze ans ?

— J'aurai dix-sept ans le 19 novembre, renifla Jezebel d'un air de défi. Je ne suis plus une enfant !

— Assurément, concéda Olga en lui tendant un mouchoir de dentelle dans lequel la jeune fille se moucha. Nous avons presque le même âge.

— Vraiment ? railla Jezebel en détaillant avec insolence le maquillage appuyé, la coiffure sophistiquée et l'allure générale qui faisait de la duchesse Obolenski une femme certes très élégante, mais une dame tout de même.

— J'ai vingt-huit ans, rétorqua Olga avec amusement. Est-ce vraiment si vieux que cela ?

Elle s'assit avec familiarité sur la courtepointe.

— Vous voyez, nous ne sommes pas si différentes, nous pouvons aisément devenir des amies. Le voulez-vous ? En Inde, nous serons voisines. Je vous introduirai dans la bonne société, j'ai une entreprise de toile de jute qui marche plutôt bien, et des plantations de caoutchouc plus au sud. Ma maison est proche de celle où loge votre parrain, que je connais très bien. Je devine que, comme moi, vous aimez vous amuser. Nous ne pouvons que nous entendre.

Elle prit un coussin qu'elle cala dans son dos, envoya valdinguer ses richelieus au travers de la pièce puis croisa avec désinvolture ses jambes gainées de soie sur le couvre-lit. Elle souriait toujours, de sa grande bouche rouge vif, mais son regard cerclé de noir dévisageait maintenant Jezebel avec une insistance presque inquiète.

— Je vous vois réfléchir, ma chère. Vous n'êtes pas convaincue. J'imagine que vous avez parfaitement compris votre intérêt, mais que vous vous demandez quel peut être le mien alors que nous ne nous connaissons pas. Je peux bien vous l'avouer, je déteste être seule. Certains cauchemars puisent leurs forces dans la solitude et ne se désagrègent que dans le tumulte d'une foule. De plus, vous êtes si jeune, si charmante, vous me rappelez beaucoup l'adolescente que j'ai été. Je veux vous aider. Voyez-vous, j'aurais tellement voulu que, quelques années auparavant, quelqu'un me prenne par la main et m'explique ce qu'est la vie, qu'il me dise comment faire pour l'adoucir, ne pas la prendre au sérieux, ne pas souffrir… J'aurais voulu que cette personne m'assure, par exemple, qu'il existe des chagrins pires que voyager en première classe sur un paquebot aussi luxueux que l'*Albatros*.

Jezebel se redressa, vibrante de colère sous l'ironie de la dernière phrase.

— Que connaissez-vous de ma vie, madame ? Mon parrain vous a demandé de m'escorter, de me surveiller aussi sans doute. Mais savez-vous que ce voyage est en train de me faire quitter mon pays pour toujours ? Je pars pour le bout du monde contrainte et forcée, pour y rencontrer un futur époux dont je ne sais rien, hormis qu'il est âgé de plus de quarante ans ! Vous assurez me comprendre, mais comment le pourriez-vous, vous qui disposez de votre vie avec la plus évidente liberté ? Je vous en prie, cessez de m'abreuver d'une amitié qui n'a pas lieu d'être. Laissez-moi seule. Je veux mourir !

Son chagrin rendait sa grâce encore plus touchante. Olga Marushka étudia un instant le teint de lait que rosissaient les sanglots, la lèvre charnue qui tremblait légèrement et les magnifiques yeux saphir dont les larmes semblaient accentuer l'éclat. Le chignon s'était défait depuis longtemps, amenant autour du visage un adorable fouillis de mèches folles qui conférait à la jeune fille une séduction dont elle ne semblait pas se rendre compte.

Elle reprit d'un murmure à peine audible :

— Vous avez raison, ma chérie, je ne connais rien de votre vie, tout comme vous ne connaissez rien de la mienne. Vous me voyez libre, et vous avez raison, je suis en effet libre d'aller et de venir, de dépenser sans compter, de m'offrir toutes les extravagances que je souhaite. Néanmoins, je suis une exilée russe, une femme chassée de chez elle par la révolution bolchevique. Je ne pourrai jamais retourner dans mon pays sans craindre d'y perdre la vie. J'ai le tort d'avoir un jour été forcée à épouser un aristocrate proche du tsar. Par pur hasard, j'ai réussi à m'enfuir le jour de son assassinat en emportant la presque totalité de sa fortune convertie en titres. Vous voyez, vous n'avez pas le monopole du chagrin !

Avec un soupir de circonstance, elle se laissa aller en arrière. La pénombre gagnait la pièce, noyant les contours d'ombres profondes. Il aurait fallu allumer l'électricité mais elle n'avait pas envie de se lever. Les yeux mi-clos, elle guettait le roulis qui annoncerait bientôt l'entrée du navire en pleine mer. L'*Albatros* remontait encore l'estuaire. Peut-être était-il en train de passer devant ces villages anglais au charme si bucolique, Hythe ou Hamble-le-Rice ? Peut-être approchait-il déjà de l'île de Wight, dont il contournerait les hautes falaises de craie par le chenal ouest ?

Dans le crépuscule, l'instant était machiavélique, car lourd de souvenirs, et bien trop propice aux cauchemars ou aux confidences. Olga s'étira en songeant qu'il valait mieux laisser le passé où il était. Elle se tourna vers Jezebel en lui tendant de nouveau la tasse de thé.

— Buvez un peu, ma chérie. Cela vous fera le plus grand bien, je vous le promets.

Mais Jezebel voulait continuer à pleurer sans être consolée. Elle repoussa la tasse d'un geste brusque. Le thé se renversa sur le couvre-lit. Consternée, elle jeta à la duchesse des regards furieux. La Russe se leva pour sonner la femme de chambre et faire réparer les dégâts. Jezebel se réfugia dans un fauteuil à oreillettes. Elle affichait un air si dramatique qu'Olga durcit soudain le ton.

— Bien. Cela suffit. Venez avec moi.

Jezebel leva de grands yeux rougis par les larmes. Elle regrettait d'avoir renversé le thé mais continuait à détester de toutes ses forces cette femme envoyée par son parrain, qui cristallisait toutes ses angoisses alors même qu'elle trouvait son aplomb et sa liberté de ton fascinants.

— Je n'ai pas envie d'aller où que ce soit avec vous, bougonna-t-elle d'un ton rogue.

— Et moi, je vous ai dit de venir, répliqua Olga en la prenant par le poignet pour la forcer à se lever.

Jezebel essaya de se dégager.

— Lâchez-moi ou je crie !

— Cessez de dire des sottises, milady. Je veux simplement vous montrer quelque chose. Ce ne sera pas long, même s'il est préférable de prendre votre manteau. Lorsque nous reviendrons, nous aurons le temps de nous préparer pour le dîner.

La Russe venait, pour la première fois de la soirée, d'abandonner ce « ma chérie » si condescendant pour donner à Jezebel son véritable titre de noblesse. La jeune fille voulut y voir une tentative de conciliation. Elle céda, enfila gants et manteau puis gagna le couloir où la duchesse, drapée dans son étole de vison, lui prit le coude pour s'y appuyer.

Elles longèrent le pont-promenade jusqu'au Grand Escalier. Dans le soir, l'énorme lustre de cristal accroché au dôme de verre ruisselait d'une lumière diamantine. Alentour, des plafonniers annexes dispensaient un éclairage plus doux qui floutait les ombres se reflétant sur les murs. Olga emmena la jeune fille quelques étages plus bas, jusqu'à un pont inférieur qu'elles longèrent en direction de la poupe.

Il était à peine sept heures, mais, dans cet entrepont confiné, la nuit paraissait plus noire qu'ailleurs. Le brouillard de l'estuaire semblait se condenser dans ces lieux ouverts, opacifiant les rares veilleuses que les officiers de pont avaient allumées.

Jezebel n'était pas rassurée. L'endroit lui paraissait sinistre et ses yeux, s'habituant progressivement à l'obscurité, commençaient à deviner des ombres qui se mouvaient. Certaines étaient allongées sur des piles de cordages, d'autres dormaient à même le plancher. Une odeur de chou trop cuit flottait dans l'air, ainsi que des relents de sueur, de cuir mouillé, de corps mal lavés. Partout, des chuchotis s'élevaient dans des langues qu'elle ne reconnaissait pas. Tout près, un harmonica la fit sursauter. Prise de frissons, elle se colla à Olga, heureuse que cette dernière songeât à la prendre par la taille.

— Êtes-vous certaine que nous avons le droit de venir par ici ? chuchota-t-elle, parce qu'elle croyait se rappeler que la British-India Stream Navigation Company demandait à ses passagers de demeurer dans les quartiers qui leur étaient assignés. Il me semblait que nous n'avions pas l'autorisation de nous promener dans les endroits réservés aux autres classes, et inversement.

Olga haussa une épaule dédaigneuse tout en tirant une bouffée de la cigarette qu'elle venait d'allumer.

— Ne vous affolez pas ainsi, ma chérie. *Je* suis la duchesse Olga Marushka Obolenski, j'ai une autorisation spéciale.

Elles descendirent un escalier raide avant de gagner un entrepont où des légionnaires, les crânes rasés comme des bagnards, se regroupaient pour fumer. Les braises de leurs cigarettes faisaient sortir de l'ombre leurs faces livides aux mâchoires fortes, aux pommettes creuses et aux sourcils broussailleux.

— Messieurs, salua Olga avec la grâce d'une aristocrate intouchable.

Jezebel la suivit de près, de plus en plus inquiète. L'ombre alentour lui paraissait pleine de dangers, elle osa à peine remercier les soldats lorsqu'ils s'écartèrent pour la laisser passer.

— Pleurez-vous encore ? souffla la duchesse près de son oreille.

Jezebel, vexée, haussa les épaules en oubliant que, dans le noir, la Russe ne pouvait la voir.

— Où m'emmenez-vous ?

Olga ne répondit pas. Une lanterne approchait, tenue à bout de bras par un officier de pont.

— Mesdames, puis-je vous aider ? Il me semble que vous êtes perdues.

— Je suis la duchesse Obolenski, répliqua Olga avec cette élégance parfaite qui la plaçait au-dessus de n'importe quel quidam. Je viens voir comment vont mes chiens.

L'officier les guida jusqu'au chenil en levant bien haut sa lanterne. Le halo de lumière chassait les ombres dans les coins, révélant une vie silencieuse, jusqu'à présent insoupçonnée, celle de corps avachis dans le sommeil, d'enfants partageant une même gamelle mal étamée, de femmes épaulées les unes contre les autres, qui serraient contre leurs flancs maigres des nourrissons trop pâles, trop calmes. Plus loin, un corridor était bordé de couchettes qui ressemblaient à des cages en clairevoie. Des sacs bourrés de son y servaient d'oreillers, des hublots mal joints laissaient filtrer le vent qui venait de la mer. Rassemblées derrière de vieilles bâches trouées, des familles entières grelottaient sous de maigres couvertures.

Jezebel sursauta lorsque des galopins la frôlèrent en se poursuivant. Leurs cris aigus amenèrent des sons qu'elle n'avait pas encore remarqués. Le frottis de l'eau sur la coque, une vingtaine de mètres en contrebas. Un air d'accordéon lointain, peut-être joué par l'orchestre du bord. Une mélopée arabe à demi étouffée, accompagnée par un tambour en sourdine. Des respirations lentes, profondes, parfois rauques, parfois désordonnées, soulignées par des éclats de rire inattendus.

Au niveau des puits d'aération, l'air devint lourd et tiède, empli de relents qui montaient du fond. Des échelles de corde reliaient entre eux ces abysses obscurs d'où s'échappaient des grincements de machines, des vapeurs nauséabondes, et même des piétinements de vaches, de chevaux et de moutons.

— Le bétail nous quittera à Alger, mais les chevaux iront jusqu'aux Indes, où ils seront montés par des officiers du corps de cavalerie. L'un d'eux servira même de monture au vice-roi.

L'officier de pont s'arrêta devant le chenil. Les chiens l'avaient entendu venir et ils se jetaient en aboyant contre les barreaux de leurs cages. Certains se montraient agressifs mais d'autres gémissaient avec douceur en levant vers les visiteurs de grands yeux brillants. Jezebel passa devant un airedale excité, un terre-neuve placide, plusieurs bouledogues qui respiraient comme des forges et, surtout, d'immenses chiens hauts sur pattes, au pelage frisotté, vers lesquels Olga se pencha avec affection.

— *Moi lyubimyye, moya lyubov', moi malishi*[1]...

Sa voix chantait, douce et pleine d'affection, tandis que ses doigts minces se faufilaient au travers des ouvertures pour caresser les museaux qui se tendaient vers elle. Au bout de plusieurs minutes, elle se rappela tout de même qu'elle n'était pas seule. Elle se redressa avec un sourire d'excuse, puis offrit à l'officier de pont l'un de ces généreux pourboires dont elle avait la spécialité, qui acquit ce dernier à sa cause *ad aeternam*.

— Je promènerai mes chiens moi-même ce soir. Bonne soirée, monsieur.

---

1. « Mes chéris, mes amours, mes tout-petits », en russe.

— Je vous laisse la lanterne, mesdames. Bonne soirée.

Ses pas s'éloignèrent. Olga se tourna vers Jezebel, la faisant avancer dans la lumière pour mieux la dévisager.

— Savez-vous où nous sommes ? chuchota-t-elle d'une voix très basse.

— Devant le chenil, ce me semble.

— Le chenil est situé au niveau du pont réservé aux voyageurs de quatrième classe. Comme tous les passagers de première classe, nous aurions dû prendre le pont supérieur et descendre les escaliers arrière sans jamais passer par ici, mais j'ai volontairement choisi ce chemin pour que vous puissiez vous rendre compte.

Jezebel ne comprit pas.

— De quoi voulez-vous que je me rende compte ?

— Avez-vous regardé autour de vous durant notre trajet ?

— Oui, bien sûr, il était difficile de n'en rien faire, mais…

— Avez-vous vu cette femme usée par les grossesses, à la poitrine aplatie d'avoir trop allaité ? Et cette autre qui serrait tous ses enfants contre son ventre comme pour les y faire retourner ? Et cette fillette qui dormait sur des cordages, pas même neuf ans, avec sa jupe déjà relevée sur ses cuisses nues ?

— Oui, souffla Jezebel, mal à l'aise. Mais je ne comprends toujours pas. Essayez-vous de me dire que j'ai de la chance, tandis qu'eux n'en ont pas ? Que, sous prétexte que je ne manque de rien, je n'ai pas le droit d'être malheureuse et que je dois me résigner à mon sort de femme vendue au plus offrant ?

Olga se fendit d'un grand sourire rouge.

— Vous êtes bien telle que je vous imagine ! Vous n'avez rien d'une brebis prête à tendre le cou vers le couteau du sacrifice.

— Vous me faites peur, madame, balbutia Jezebel qui, effectivement, n'y comprenait goutte.

— Je cherche au contraire à vous rassurer, ma chérie. Je suis convaincue qu'il n'existe que deux sortes d'êtres humains. Ceux qui souffrent et se lamentent, et ceux qui souffrent et agissent. Depuis que je vous connais, je vous vois pleurnicher comme une imbécile alors que vous êtes née du bon côté du ruisseau. Votre parrain vous demande de le rejoindre aux Indes pour vous marier ? La belle affaire ! Cela vaut-il vraiment la peine d'en trembler et de rêver de mourir ? En Russie, j'ai connu une fillette de quatorze ans que ses parents avaient vendue à un vieux barbon lubrique qui la faisait déambuler nue devant lui, dans une chambre non chauffée pour que se hérissent sa peau et la pointe de ses seins immatures. Cette fillette avait très peur, mais elle voulait vivre. Elle a fait ce qu'il fallait pour cela. Que croyez-vous que pensent ces pauvres gens installés en quatrième classe ou plus bas encore ? Ils ne pleurnichent pas sur leur sort. Ils se battent pour en changer. Sans doute est-ce triste, ma chère, mais seuls survivent ceux qui ne baissent pas les bras. Si votre vie vous effraie, cessez de vous comporter en victime et arrangez-vous pour la changer !

— Ah oui ? Et comment pourrais-je échapper à un mariage dont je ne veux pas ?

— Tout simplement en parlant à votre parrain. Je connais bien sir Deckard. C'est un homme droit, bon et honnête qui cherche à faire votre bonheur.

Jezebel se raccrocha à ces paroles comme à une bouée.

— Vous… vous croyez ? Vous ne dites pas cela uniquement pour me rassurer ?

— Petite sotte ! Venez ici.

La duchesse l'étreignit dans un nuage de tubéreuse. Jezebel se raidit mais la laissa faire. La Russe finit par s'écarter.

— Bien. Cela dit, il ne vous reste plus qu'à sécher vos larmes et à profiter de la vie qu'on vous offre, qui est d'être riche et choyée dans un monde préservé. Me comprenez-vous ?

— Je suppose, oui, acquiesça Jezebel en n'étant cependant pas sûre de vraiment tout comprendre.

— Fort bien, mademoiselle. Dans ce cas, nous allons faire dès ce soir ce qu'on attend de nous. Pour commencer, nous allons promener mes chiens, puis nous remonterons dans nos quartiers pleins de lumière et de luxe, et nous nous préparerons à passer une excellente soirée. Vous vous tamponnerez les yeux à l'eau de bleuet, vous remettrez un peu de rouge sur vos lèvres puis nous nous évertuerons toutes les deux à être belles et frivoles, car c'est ainsi que va le monde.

Jezebel ne sut que répondre à tant de cynisme, mais Olga n'attendait pas de réponse. Elle était retournée vers ses chiens, qu'elle abreuvait de murmures sirupeux. Elle s'empara d'une laisse, ouvrit une niche et attrapa l'énorme tas de fourrure qui s'y trouvait.

— Je vous présente *Lyubov*, ce qui, en russe, signifie « Amour ». Mon défunt époux avait beaucoup de passe-temps peu avouables mais celui-ci, cette passion pour ces chiens, a tout de même eu grâce à mes yeux. *Lyubov, sideniye*[1] *!* ajouta-t-elle à l'adresse du chien.

L'élégant animal obéit en s'asseyant sur son arrière-train. Une coulée de belles boucles blanches ondula sur sa gorge déployée, dont les courbes s'affinaient en un museau d'allure très aristocratique. Olga se pencha pour le caresser.

— *Lyubov* est un lévrier russe, de la race des barzoïs, mon futur reproducteur. Même s'il n'en a pas l'air, ce chien est féroce comme un loup et rapide comme une gazelle. La légende dit que les premiers *psovoi borzoi*[2] furent issus d'un croisement entre un lévrier asiatique et un loup de Sibérie. C'est une belle histoire, ne trouvez-vous pas ? Je vais créer un élevage à Calcutta. Si vous n'avez pas peur des chiens, ma chérie, caressez-le. Ainsi, il se souviendra de vous. C'est un animal très intelligent.

Jezebel n'avait jamais eu peur des animaux. Elle tendit la main, trouva la fourrure douce au toucher, et foisonnante comme une chevelure. Le barzoï avait une curieuse stature, le corps immense mais fin, les pattes longues et musclées, la tête petite et étroite, le regard doux, la pose élégante. Son pelage était blanc panaché de crème, mais ceux qui étaient encore dans leur box avaient d'autres robes, certaines mêlées d'or ou de brun, d'autres aussi sombres que la nuit.

— Je dresserai ces chiens à pister les tigres ou les panthères. Ils sont vifs, puissants et courageux. Dans quelques années, toute l'Inde en sera folle !

Il y avait six lévriers, que les deux femmes promenèrent à tour de rôle avant de retourner dans leur suite, bras dessus, bras dessous. Olga riait beaucoup et ne cessait d'embrasser la jeune fille avec exubérance, en affichant la joie qu'elle ressentait à l'idée de leur amitié naissante. Jezebel, plus réservée, n'osait pas encore lui donner la réplique. Elle était fatiguée et ne savait plus trop où elle en était. Et puis la Russe l'intimidait, avec son excentricité tapageuse, ses bons mots et son ironie féroce, même si elle devinait qu'à ses côtés le voyage ne serait pas ennuyeux.

---

1. « Lyubov, assis ! », en russe.
2. « Rapide à poils longs », en russe.

Elles se préparèrent pour le dîner. Lorsqu'elles arrivèrent dans la salle à manger, toute d'or revêtue, le commandant de bord fit retentir la corne de brume, ce qui provoqua quelques applaudissements. Jezebel demanda ce qui se passait. On lui répondit que c'était ainsi que l'*Albatros* saluait son entrée dans la Manche.

La jeune fille tressaillit. À partir de maintenant, les côtes anglaises s'éloignaient pour de bon.

# 3

*12 novembre 1918*

— L'armistice a été signé !

La rumeur se propagea sur le pont-promenade. Il était neuf heures et demie du matin, l'air était encore piquant de la nuit, même si l'absence de nuages augurait une belle journée.

L'*Albatros* avait quitté Southampton en naviguant dans une constante purée de pois que le contournement de la France, puis la descente vers l'Espagne n'avaient pas suffi à dissiper. Ici aussi, l'automne étendait son crachin, et les occasions de sortir à l'air libre avaient été rares jusqu'à l'escale de Porto.

Jezebel avait assisté à l'entrée dans le Douro, son carnet de croquis à la main. Avec enthousiasme, elle avait fixé à grands coups de pastels l'horizon écartelé entre un ciel redevenu bleu et un océan du même ton, que la lumière rouge du phare de Felgueiras révélait par à-coups. La haute tour hexagonale guidait la manœuvre, tandis que des dizaines de maisons jaunes, blanches, rouges, émergeaient des murailles en un joyeux capharnaüm de couleurs. Les passagers étaient venus s'extasier, les marins riaient et chantaient. Le port leur racontait par avance l'orgie de tripailles arrosées au bon *vinho do Porto* qui les changeraient de leur ordinaire de morue.

Puis les couleurs de Porto s'étaient de nouveau évanouies dans le lointain et l'*Albatros* avait poursuivi son chemin vers Gibraltar, emportant avec lui un ciel estival. Chaque matin, les enfants venaient demander au chef de pont les jeux de quilles ou de cerceau tandis que leurs parents sirotaient leurs cafés en commentant les nouvelles que le service radio recevait de Londres et que le commandant de bord faisait éditer dans un journal.

Les nouvelles reprenaient généralement les mêmes banalités : mutinerie dans un port allemand sur la Baltique, visite du prince de Galles en France auprès des forces alliées, nouveaux cas de grippc espagnole dans une tranchée, violences de rue contre un commerçant londonien d'origine allemande…

Pourtant, ce matin, une grande clameur témoignait que tout était différent. La guerre était finie.

Jezebel s'en réjouissait comme tout le monde, même si elle s'avouait que le conflit ne l'avait guère marquée. Elle avait grandi loin de Londres, dans le Gloucestershire. Dans cette campagne protégée, les bombardements, les échauffourées ou la malnutrition avaient été rares. Seule ombre à ce tableau, une de ses petites camarades était morte avec ses parents dans le torpillage du *Lusitania* en 1915. Ce drame l'avait choquée. Elle se rappelait avoir beaucoup pleuré. À la veille d'embarquer pour l'Inde, elle n'avait pu s'empêcher d'y repenser avec angoisse. La guerre se faisait aussi sur mer…

L'armistice était une merveilleuse nouvelle. Partout, les passagers cherchaient à se rencontrer, à se parler pour partager leur liesse. La plupart se connaissaient, mais de parfaits inconnus n'hésitaient pas à se congratuler sans que cette soudaine familiarité parût choquante.

La guerre était finie.

Certains n'osaient y croire. D'autres commentaient avec passion le déroulement des événements, en particulier la réunion secrète organisée par l'état-major du maréchal Foch dans un wagon-restaurant au cœur de la forêt de Compiègne.

Une réunion secrète ! Voilà qui avait de quoi faire rêver une nature aventureuse… Jezebel leva le nez de son croquis. Le goéland qu'elle s'efforçait de dessiner avait pris ombrage de toute cette agitation et s'était envolé vers la lointaine côte espagnole. Olga, installée dans le transat qu'elle louait tous les matins, lui jeta d'un ton paresseux :

— Si vous ne dessinez plus, voulez-vous que nous lisions le journal ensemble ?

La duchesse sirotait un chocolat chaud du bout des lèvres tout en offrant au soleil un front encore plissé des cauchemars de la nuit. Jezebel l'entendait souvent gémir mais n'osait jamais se lever pour s'enquérir de son état, pas plus qu'elle ne se risquait maintenant à l'interroger. De toute façon, la Russe feignait toujours ne se souvenir de rien. La jeune fille ferma brusquement son carnet de croquis.

— D'accord. Après tout, mon modèle s'est envolé, et je n'ai pas d'autre sujet. Laissez-moi juste ranger mon matériel.

— Un jour, il faudra me montrer vos œuvres, dit Olga d'une voix traînante, j'ai l'impression que vous avez un beau coup de pinceau.

Jezebel piqua du nez en rougissant. Elle aimait peindre ou dessiner, sans être convaincue d'avoir du talent. Les petits tableaux qu'elle produisait étaient agréables à regarder, et pas trop malhabiles dans leurs proportions. Cependant, elle admirait les peintres postimpressionnistes comme Harold Gilman ou Malcolm Drummond dont la manière de juxtaposer les tons, héritée des derniers courants français, témoignait d'un véritable talent de coloriste qu'elle ne pensait pas détenir.

— Je vous les montrerai un jour, répondit-elle.

Olga l'accompagnait rarement dans ses périples matinaux. La duchesse était une lève-tard qui préférait lire les quotidiens bien au chaud au fond de son lit. Son autre passe-temps consistait à éplucher en tous sens la liste des passagers de première classe que le commissaire de bord avait fait placer dans chaque cabine. À l'issue de cet examen minutieux, le dîner était de soir en soir une aventure, car Olga sélectionnait durant la journée les personnes qu'elle souhaitait rencontrer et celles qu'elle entendait éviter. Pour ce faire, elle soudoyait les stewards jusqu'à obtenir la table de son choix. Les fameuses *Notes for First Class Passengers* étaient en quelque sorte sa bible de chevet. Elle en connaissait les dix-huit feuillets par cœur, de l'énumération des ports d'escale à celle des services proposés à bord.

Tandis que Jezebel rangeait ses pastels, Olga interpella l'adolescent qui distribuait la *Gazette* du bord. Elle lui acheta un exemplaire pour quelques pence. Le gamin sourit de toutes ses dents.

— C'est l'armistice, gloussa-t-il joyeusement. La guerre est finie. Vous rendez-vous compte ? La guerre est finie !

Il pirouetta gaiement vers d'autres voyageurs qui l'appelaient. Jezebel se pencha par-dessus l'épaule d'Olga pour lire les gros titres. L'armistice avait été signé à cinq heures quinze. Le cessez-le-feu était entré en application à onze heures. La veille.

Elle continua de lire l'article, heureuse de la fin de ce conflit interminable même si, *a priori*, cela ne changerait pas grand-chose à sa vie. Elle quittait l'Europe pour s'installer en Inde.

La guerre n'avait certainement eu aucune incidence dans cette colonie.

Soudain, Olga s'exclama d'une voix vibrante de colère :

— Je n'arrive pas à y croire ! Savez-vous que, le 9 novembre dernier, des soldats allemands ont brandi des drapeaux rouges à la porte de Brandebourg ? Et que le roi Louis III de Bavière a dû prendre la fuite avec sa famille ? Les fous ! Les assassins ! Veulent-ils donc pour l'Allemagne ce qui est arrivé en Russie, des meurtres, toujours des meurtres, encore des meurtres ?

La duchesse russe tremblait d'une telle rage qu'elle finit par froisser le journal et le jeter à terre. Ce n'est qu'en croisant le regard de Jezebel, qui ne comprenait goutte à cet emportement, qu'elle concéda un pâle sourire tout en se renfonçant dans ses couvertures.

— Ah, ne m'écoutez pas, ma chérie, je suis une piètre amie, à vous alimenter sans cesse de mes turpitudes. Quelle triste époque, tout de même... Je n'arrive plus à lire une feuille de chou sans voir rouge, ce qui, en soi, est un comble ! Bon, oublions ces bolcheviks de malheur et changeons de sujet de conversation. Je ne m'en étais pas rendu compte ce matin, sans doute n'étais-je pas bien réveillée, mais ce petit corsage vous va à ravir, aussi bien à votre teint qu'à votre silhouette. Vous êtes délicieuse.

Jezebel rougit sous le compliment. Elle n'avait jamais eu l'habitude de se mettre en valeur et se faire scruter par l'œil inquisiteur d'Olga l'inquiétait toujours. Lorsque cette dernière l'avait prise sous son aile, au début du voyage, elle n'avait pas imaginé que cela signifierait surtout parler colifichets à longueur de journée, et être abreuvée de conseils de mode ou de maquillage à ne plus savoir qu'en faire. À peine sortie de son pensionnat, elle voulait bien apprendre à tirer le meilleur parti de son apparence, mais elle avait du mal à retenir tous ces conseils. D'autant qu'elle ne s'était jamais maquillée à outrance, et qu'elle n'osait toujours pas le faire, même pour ressembler à l'une de ces *flappers*[1] qui la fascinait. Elle avait tout de même été ravie de troquer sa rustique jupe en tweed gris contre un ensemble bien plus élégant. En grande sensuelle, elle était tombée amoureuse des soies, des velours, des mousselines et des brochés.

---

1. Nom que l'on donne aux États-Unis aux jeunes femmes à l'apparence garçonne.

Olga avait raison, la tenue qu'elle portait aujourd'hui lui allait effectivement à ravir. La couturière du bord, sollicitée en urgence et motivée par les pourboires qui faisaient la réputation de la duchesse Obolenski, avait travaillé avec simplicité mais efficacité. Ce matin, Jezebel avait adoré l'image que lui avait renvoyée le miroir.

La tenue était à la fois sobre et flatteuse, taillée dans un crêpe de Chine rose dragée, souple et léger, s'arrêtant juste sous le genou (elle en avait bien rougi), avec un léger plissé sur le côté, une ampleur sage pour le buste et une manche courte bordée d'un joli petit volant. Le col Claudine apportait un côté charmant, tandis que le ruban qui soulignait les hanches allongeait sa silhouette déjà longiligne.

Les deux jeunes femmes parlèrent chiffons durant quelques instants, puis Olga ramassa la *Gazette* qu'elle avait froissée sur un coup de tête et reprit sa lecture. Jezebel écouta ses commentaires sur chaque fait d'actualité sans parvenir à s'y intéresser réellement. Elle reprit son carnet de croquis et un fusain.

Elle griffonna sans queue ni tête, n'ayant guère d'idée sur un sujet précis. Son pas désœuvré l'amena bientôt au bastingage, face à l'océan. Elle fit plusieurs esquisses sans trop y croire. La mer était d'huile et la terre trop lointaine pour vraiment servir de modèle. Les oiseaux qui passaient au-dessus du navire plongeaient parfois dans son sillage, mais ne s'attardaient pas. L'inspiration ne vint pas. Elle se détourna de la mer pour observer les gens.

Mr Allsmith, l'officier de pont, se déplaçait de groupe en groupe. Elle croqua sa silhouette courtaude sans beaucoup de conviction, jusqu'à ce qu'il parvienne à sa hauteur et qu'il annonce avec son flegme habituel que le commandant avait décidé de fêter la fin de la guerre en improvisant un bal dans le Grand Salon, le soir même, juste après le dîner de gala. Tous les passagers de première classe étaient aimablement conviés à y participer.

— Quelle bonne nouvelle ! applaudit Olga Obolenski d'un air ravi. Enfin un peu d'animation ! Ne tardons pas à regagner notre suite, afin que nous ayons le temps de choisir notre tenue de soirée. J'imagine qu'il s'agira de votre premier bal, ma chérie ? Ce soir, vous serez donc une débutante !

Jezebel eut une moue embarrassée.

— Oh, je n'aurai guère le choix pour ma toilette… Mon trousseau ne comporte qu'une seule robe de cocktail, que je destinais au réveillon de la Saint-Sylvestre.

— Je ne vais pas vous laisser dans l'embarras ! s'exclama la Russe. J'ai emmené dans mes bagages assez de vêtements pour habiller la moitié des passagers de ce navire s'il m'en prenait l'envie. Je suis certaine que nous trouverons quelque chose à vous mettre, nous avons presque la même silhouette.

Jezebel se rappela l'invraisemblable défilé de malles et de cartons à chapeau qui avait escorté la duchesse et se mit à rire.

— Oh, en effet, je crois que nous aurons l'embarras du choix !

Olga rit à son tour, d'un joli rire de colombe qui fit se tourner plusieurs têtes parmi les promeneurs. Un homme l'aperçut et vint la saluer. Jezebel reconnut l'Argentin qui leur avait fait la conversation le jour du départ.

— *Señor* Agustin, comment allez-vous ?

— Madame la duchesse, milady, quel plaisir de vous revoir en cette magnifique journée !

— Oui, sourit Olga en lui donnant sa main à baiser. La journée s'annonce belle, entre l'armistice qui nous tombe du ciel et ce soleil qui persiste. Chaque guerre qui s'arrête est une victoire sur l'obscurantisme. Néanmoins, vous me savez russe. Oserais-je vous dire que mon cœur ne sera jamais totalement comblé tant que des bolcheviks feront la guerre à leur propre pays et que je ne pourrai retourner sur mes terres de Lobnia ?

L'Argentin s'inclina avec gravité.

— Je vous comprends, madame. Je suis moi-même exilé d'Argentine. Cet exil est certes volontaire, puisque je suis installé à New York depuis plus de vingt ans pour des raisons professionnelles mais, tout de même, la nostalgie de la pampa me prend souvent. Dès que je rêve un peu trop de galoper dans une prairie sans fin, je pars en voyage. Cela remet toujours le passé à sa juste place.

Le Sud-Américain avait beaucoup de charme malgré son âge. Son corps nerveux n'était pas très grand, mais il était sec et totalement dépourvu de ces bedaines rondes qui sont souvent l'apanage de son âge. Ses cheveux drus avaient des reflets argentés, plus particulièrement sur les tempes, et son visage accusait quelques rides profondes qu'une peau tannée par le grand air accentuait.

Cependant, ses yeux pétillaient. Ils étaient vifs, noirs et profonds, souvent caressants. Parfois, ils s'illuminaient d'étoiles brillantes qui les rendaient attachants.

— Pour ma part, dit Olga avec un sourire empreint de nostalgie, je regrette surtout le thé préparé dans un samovar. J'en ai acheté des tas, de ces machines infernales, mais, le croirez-vous, je n'arrive pas à retrouver le goût de mes souvenirs.

Jezebel écouta cet échange, la gorge serrée. Elle venait de comprendre qu'elle aussi aurait, d'ici à quelques années, des souvenirs mélancoliques qui lui rappelleraient peut-être certaines choses à jamais perdues. Elle se détourna pour offrir son visage aux embruns. Olga s'aperçut néanmoins de sa tristesse.

— Cher monsieur Agustin, nous sommes des barbons nostalgiques. Changeons de sujet de conversation pour que notre jeune amie retrouve le sourire. Il s'agit de son premier voyage. Ce n'est pas toujours facile.

— Vous êtes gentille, Olga, mais je vous en prie, ne vous occupez pas de moi, répliqua la jeune fille avec gêne, tout en serrant son carnet de croquis contre sa poitrine. Je m'en voudrais d'interrompre votre conversation. Tenez, je vais plutôt fureter à droite et à gauche à la recherche d'un nouveau sujet à peindre.

L'Argentin se permit de lui suggérer le Grand Escalier.

— Avez-vous déjà pris le temps de regarder les tableaux qui sont accrochés dans les halls ? Il y a quelques jours, j'ai été contraint de patienter entre deux averses et je me suis laissé prendre au piège de ces charmantes scènes ! Si vous allez jusqu'en Inde, et que ce voyage est votre première fois, vous vous devez de les observer. La technique est un peu inégale, mais les sujets témoignent assez bien de ce qui vous attend. L'Inde est un pays magnifique, milady, je gage qu'aucun Anglais ne me contredira sur ce point.

— C'est un avis que ne semblent pourtant pas partager tous mes compatriotes, répliqua Jezebel en choisissant quelques pastels. Lady Esket, qui était ma voisine de table hier soir, m'a raconté nombre d'anecdotes effrayantes.

— Il est vrai que l'Inde n'est pas avare en histoires dramatiques, milady, mais ne vous arrêtez pas à ce jugement hâtif. Lady Esket aura voulu vous impressionner. Entre nous, cette femme est une vraie langue de vipère. Vous ne devriez pas lui accorder autant de crédit, d'autant plus que vous êtes une parente du brillant archéologue sir Michael John Deckard, ai-je cru comprendre. Aux côtés d'un tel homme, vous avez dû apprendre que l'Inde est le berceau millénaire des civilisations. Il me semble que c'est tout ce que vous devriez en retenir…

Jezebel dévisagea l'Argentin avec surprise.

— Vous connaissez mon parrain ?

— J'ai l'honneur de partager le même métier, milady. Nous avons échangé à plusieurs reprises sur divers sujets et je vous avoue que j'ai goûté son esprit analytique et sa parfaite érudition. Savez-vous quel est l'objet de ses recherches en ce moment ?

Jezebel ne sut que répondre. Elle avait espéré apprendre quelque chose sur son tuteur, et non subir des questions. Mal à l'aise, elle ramassa ses carnets de croquis et prit congé d'une façon un peu brusque.

— J'ignore tout des travaux de mon parrain. Si vous désirez en savoir davantage, il faudra attendre de le voir en personne pour lui poser vos questions. Excusez-moi de m'éclipser. J'aimerais profiter de cette belle lumière pour finaliser quelques croquis.

Elle s'éloigna, poursuivie par le murmure d'Olga qui, comme d'habitude, était une merveille de franc-parler :

— N'en veuillez pas trop à ma jeune amie, cher monsieur Agustin. La pauvre chérie a certes une parfaite éducation, mais elle possède un petit caractère de chat sauvage. C'est un travers que j'adore mais qui ne facilitera pas son entrée dans la bonne société de Calcutta.

La réponse de l'Argentin se perdit dans le rire des enfants qui couraient après un cerceau et le brouhaha des conversations. Jezebel, le feu aux joues, se réfugia sous le gigantesque dôme de verre du Grand Escalier. Son attitude était stupide, elle en convenait tout à fait, mais elle éprouvait à l'égard de son parrain un étrange sentiment, fait d'autant de colère que de tristesse, qui ne lui donnait pas envie de parler de lui. Sans doute à cause de ce mariage qu'il comptait lui imposer, dont l'idée la hantait en permanence.

Pour chasser ses pensées moroses, elle s'efforça de regarder autour d'elle en oubliant qu'elle empruntait ces lieux plus de dix fois par jour. L'endroit ressemblait à un hall de palais. Le soleil du matin traversait en oblique la magnifique verrière et tombait en d'innombrables cascades de lumière. Cette clarté ruisselait jusqu'au sol, ourlant d'un fin liseré tous les ors qui régnaient déjà en maître, des rambardes forgées d'acanthes ébouriffées aux lambris cirés, des cadres des tableaux et des grands miroirs en pied aux vases d'inspiration chinoise, dont la taille prodigieuse aurait permis d'y cacher un homme entier.

Jezebel marcha vers un premier tableau, un maharaja en turban rose assis à l'ombre d'un palanquin bordé de franges. Le personnage était entouré de fleurs et d'oiseaux, et gardé par de sévères guerriers armés de javelots. Elle admira les moindres détails, en particulier les somptueux bijoux que le peintre avait visiblement pris plaisir à peindre.

Elle avança ensuite vers un tigre du Bengale au regard flamboyant. L'animal était couché au milieu de roseaux qui semblaient refléter ses rayures. À sa gauche, le panneau suivant représentait un étrange paysage, mi-marin, mi-terrestre, une sorte de rive bordée d'arbres entremêlés dont les racines s'enfonçaient comme des griffes dans le ressac. Le ciel était trop bleu, la mer trop turquoise, et la végétation bien trop verte, ce qui prêtait à l'ensemble une ambiance peu réaliste. Les autres toiles étaient toutes des bouquets de fleurs exotiques, jolies mais sans grand intérêt.

Jezebel revint sur ses pas pour admirer une seconde fois le tigre tapi dans l'herbe. Ce faisant, elle tomba en arrêt devant une toile discrète qu'on avait reléguée dans un angle, sans doute parce qu'elle était moins spectaculaire que ses voisines. Elle s'en approcha avec curiosité.

De prime abord, le tableau n'avait rien d'extraordinaire. Il était peint à l'huile d'une façon assez classique, quoique avec minutie. Les deux oiseaux blancs au bec rouge qui en formaient le sujet n'offraient rien de particulier au regard, hormis peut-être la tendresse qui se dégageait de leur pose.

Ils se tenaient blottis l'un contre l'autre sur une branche. Le plus grand, qui était le plus fort et le plus hardi, posait délicatement sa tête sur la nuque du second, plus petit et plus fin. Ce geste doux et caressant semblait tout à la fois protecteur et très amoureux. Jezebel, attendrie, se surprit à sourire.

— Ce sont des oiseaux bengalis, dit soudainement dans son dos une voix d'homme chuchotée, basse et un peu rauque, emprunte d'un vague accent américain. On les appelle des inséparables car leur couple se forme pour la vie.

Jezebel sursauta. Les mots avaient glissé sur sa nuque en soulevant quelques friselis de cheveux. Elle songea à se retourner pour faire face à celui qui avait osé à ce point s'approcher d'elle, mais l'instant était porteur d'un charme inexplicable et insidieux, qui la laissait là, troublée, heureuse de l'être, remplie de mollesse et de sensualité, dépourvue de toute volonté autre que celle de découvrir ce qui allait se passer. Elle ne bougea pas.

Dans son dos, la respiration étrangère s'accorda à la sienne, adoptant le même rythme lent, tranquille. Un parfum frais de lavande l'enveloppa. La voix reprit, peut-être enhardie par son immobilité.

— Le mâle et la femelle de ces oiseaux bengalis sont si attachés l'un à l'autre que lorsque l'un d'eux trépasse, l'autre, éploré, se laisse à son tour mourir de chagrin.

À nouveau, les mots avaient caressé sa nuque, doux et chauds, irréels. Elle frissonna.

— Cette histoire est bien triste, se força-t-elle à articuler.

La voix de l'homme se colora d'un sourire.

— Les artistes aiment que les histoires d'amour le soient. N'avez-vous jamais remarqué à quel point l'amour dans la peinture est tragique ?

— Je parlais de vos oiseaux du Bengale, ces inséparables qui finissent par mourir de chagrin. Leur histoire est bien triste.

— Ne soyez pas affligée pour eux. Les oiseaux savent que la vie est brève. Ils ont choisi de n'en saisir que le meilleur. Manger, dormir, aimer. Nous devrions les prendre pour exemple. Au revoir, mademoiselle.

Elle ressentit soudain un grand vide derrière elle, eut presque froid. Les pas décrurent. Elle se retourna, aperçut un jeune homme de vingt-cinq à trente ans, grand, svelte, sportif, qui s'éloignait. Il portait un pantalon de flanelle et un simple tricot rayé qui moulait ses épaules larges. Son teint avait le hâle des gens préférant vivre à l'extérieur, et ses cheveux bruns, épais, étaient presque trop longs, au point qu'il les rejetait constamment vers l'arrière d'une main impatiente. Son sourire était large, ourlé de dents étincelantes. Insolent. Elle croisa son regard, se sentit rougir, mais il se détournait déjà pour saluer un vieux militaire qui arrivait par les escaliers, appuyé sur une canne.

— Colonel Bradburdson, quel heureux hasard !

— Lukas, mon ami…

— Il me semblait bien avoir vu votre nom sur la liste des passagers mais, ne vous croisant à aucun dîner, j'avais cru à une erreur du commissaire de bord. Heureux de voir que vous êtes parmi nous. Comment va votre jambe depuis le Pakistan ? Vous me semblez parfaitement remis de ce malheureux accident de cheval. Est-ce le cas ?

Le vieux militaire, qui arborait un uniforme orné de plusieurs décorations dont le prestigieux ruban rouge de l'Ordre des Indes britanniques, paraissait ravi de rencontrer le jeune homme. Il accrocha familièrement son bras pour l'entraîner vers le bar du Grand Salon.

— Venez avec moi, mon jeune ami, que nous puissions évoquer quelques souvenirs communs autour d'un café arrosé de rhum. Je vous avoue que je ne suis pas mécontent de m'appuyer à votre bras pour soulager mon genou. Ma blessure, quoique presque entièrement guérie, est encore un peu douloureuse et mon médecin, cet âne bâté, m'envoie me soigner loin de ma chère Angleterre. D'après la faculté, le climat trop humide de mon Sussex natal ne conviendrait plus à mes os. Quelle idiotie ! Mais vous, dites-moi donc, comment vous portez-vous depuis votre embarquement si spectaculaire à Southampton ? Savez-vous que je vous dois quelques cheveux blancs ? N'avez-vous jamais pensé à renier les Amériques pour vous enrôler dans la marine de Sa Majesté ? Je vous trouve de plus en plus une âme de corsaire.

— Je suis moins aventureux que vous ne l'imaginez, colonel. En réalité, j'aime si peu la guerre que je me demande souvent si l'un de mes parents n'aurait pas été suisse plutôt qu'américain.

Sur ce bon mot, les deux hommes s'éloignèrent en riant, bras dessus, bras dessous. Jezebel demeura sur place, ne sachant quelle attitude adopter. La rencontre l'avait embarrassée, mais moins que sa propre attitude, qu'elle ne parvenait pas à comprendre.

Que s'était-il passé ? Pourquoi était-elle restée là, sans bouger, avec le souffle de cet homme dans son cou ?

Confuse, elle revint vers le tableau mais ne lui trouva plus le même attrait. Elle songeait à autre chose, à ces oiseaux qui s'aimaient jusqu'à la mort, à cette voix qu'involontairement elle guettait dans le silence. Une voix dont la chaude sensualité l'avait tellement remuée qu'elle en frissonnait encore.

— Quel butor, finit-elle par lâcher entre ses dents serrées, parce que le trouble qu'elle ressentait la rendait soudain furieuse. Quel manque de correction ! Pour qui se prend ce malotru ?

Olga venait à sa rencontre.

— De qui parlez-vous, ma chérie ? s'inquiéta la duchesse en l'entraînant vers les ascenseurs. J'espère qu'il ne s'agit pas de ce charmant M. Lukas avec lequel j'ai cru vous voir discuter ?

Jezebel toisa la duchesse avec humeur.

— Je ne discutais avec aucun homme. J'ignore qui est cet individu. Il n'a pas jugé utile de se présenter.

Olga haussa un sourcil perplexe.

— Mais vous lui avez bel et bien parlé, n'est-ce pas ? De loin, c'est ce qu'il me semblait.

— Ce monsieur a surtout monologué.

— Monologué ?

— Oui. Des propos assez stupides à propos d'oiseaux bengalis auxquels je n'ai rien compris. Rien d'intéressant, assurément.

— Vraiment ? dit Olga en s'appuyant à son coude. Quelle conversation étrange ! Ne voudriez-vous pas me raconter tout cela en détail avant que nous n'allions déjeuner ? En échange, je vous dirai ce que j'ai moi-même appris sur ce M. Lukas. Vous souvenez-vous, il s'agit de cet homme qui est monté à bord de l'*Albatros* de façon si rocambolesque le jour du départ ? Eh bien, savez-vous que lui et son associé, le *señor* Andres Agustin, sont sur ce paquebot pour amener un bijou d'une grande valeur à un richissime client de Calcutta ? N'est-ce pas excitant ?

— Un aventurier, évidemment ! ricana Jezebel. Oserai-je dire que je ne suis pas surprise ?

— Tout de même, ma chère, aventurier ou pas, avouez qu'il fait montre d'un certain panache…

— Pensez ce que vous voulez, Olga. Pour ma part, j'espère surtout que je ne recroiserai jamais plus cet homme. Je n'ai pas du tout aimé sa conversation.

— Oh, vous savez, jeta Olga avec un air malicieux, moi, à un tel homme, je ne lui demanderais certainement pas de faire la conversation.

Jezebel rougit violemment.

# 4

*12 et 13 novembre 1918*

Malgré une tentative éhontée de corruption auprès du chef de salon, Olga Obolenski ne parvint pas à réserver la table qu'elle convoitait. Jan Lukas et Andres Agustin étaient les mascottes officielles du commandant de bord, or ce dernier dînait chaque soir avec l'intrépide Américain et son associé, ce gentilhomme de la Plata qui contait comme personne des anecdotes sur son pays. Le commandant appréciait leurs bons mots, et le charme qu'ils exerçaient sur la gent féminine, dont il récupérait toujours quelques miettes. Pour la fête improvisée de ce soir en célébration de l'armistice, il n'entendait pas se passer d'eux.

Olga se montra fort contrariée par ce refus mais Jezebel en fut au contraire soulagée. Depuis qu'elle avait croisé le jeune homme le matin même, le souvenir de son souffle dans ses cheveux la faisait frissonner. Elle ne savait plus que penser. Tout l'après-midi, elle avait été molle et sans volonté ou, à l'inverse, trop exaltée. Elle répondait à tort et à travers aux questions de son amie, se mettait à rire pour un oui pour un non, puis retombait brusquement dans l'apathie.

La duchesse lui décocha plus d'une fois un regard perplexe, consciente que quelque chose n'allait pas. Mais comme elle ignorait tout de son aventure, elle crut que la jeune fille avait de nouveau le mal du pays. Elle voulut lui changer les idées en l'aidant à choisir sa tenue pour le bal.

D'habitude, Jezebel n'avait pour ce type de passe-temps qu'un intérêt limité mais, cet après-midi, tout était différent. Bien qu'elle n'osât pas se l'avouer, elle avait envie de revoir le séduisant Américain et, pour cela, elle voulait être belle. Pour la première fois de sa vie, elle espérait plaire, et cela la rendait fébrile. Très vite, les différentes tenues que lui proposa la duchesse firent l'objet de discussions et de débats passionnés au sujet d'une longueur d'ourlet, de la couleur des bas, de la forme de la robe, de la hauteur des talons et même sur la nécessité de porter un corset, ou non.

— Tout de même, je ne sais pas... Je... je ne voudrais pas paraître dévergondée, s'inquiéta la jeune fille qui n'osait pas se passer de l'objet de torture.

— Ne soyez pas sotte, ma chérie, assena l'impétueuse duchesse d'un ton sans réplique. Les grands couturiers parisiens ont aboli le corset bien avant la guerre. Or, leur clientèle est composée de femmes de la meilleure société. Moi-même, je n'en porte plus depuis longtemps. Franchement, ne vaut-il pas mieux se soumettre à la dictature d'un Jean Poiré qui œuvre à la libération du corps des femmes plutôt qu'à celle d'une prétendue bienpensance nettement arriérée sur ce sujet ?

Comme toujours, Jezebel céda. Elle choisit finalement une robe romantique à fines bretelles, d'un parme clair qui mettait en valeur son teint de porcelaine. Le corsage de soie Georgette était légèrement cintré et agrémenté d'une jolie broderie qui soulignait sagement le décolleté. La jupe en taffetas de soie assorti s'évasait à partir des hanches en une série de godets ornés de ravissantes roses en satin. Le jupon du dessous, qui assurait à la fois le gonflant et la longueur, était taillé dans une mousseline parée de dentelle au fuseau. Il arrivait à la cheville. Une ultime rose retenait le ruban qui marquait les hanches tandis qu'un collier de perles très sobre s'enroulait deux fois autour de la gorge avant de cascader entre les seins.

— Vous êtes parfaite, assura Olga lorsqu'elle vit la jeune fille étudier avec inquiétude le reflet que lui renvoyait le miroir. Vous êtes tellement romantique et ingénue, vraiment adorable.

Elle vint l'embrasser sur la tempe, pour le plaisir de respirer son doux parfum de fleurs blanches, avant d'ajouter malicieusement :

— Vous ne pourrez que lui plaire...

Jezebel baissa les yeux tandis que son visage s'empourprait. Olga se mit à rire tout en sortant de la penderie une audacieuse robe bustier en lamé or légèrement déstructurée par un corsage vaporeux qu'elle plaqua contre son corps. La jupe plus courte sur le devant était ourlée d'un bandeau en renard sibérien. Lorsqu'elle enfila le vêtement, elle s'y sentit tellement russe qu'elle faillit l'assortir d'une toque en astrakan. La mine perplexe de Jezebel l'en dissuada. À la place, elle choisit un diadème de jaspe plus conventionnel, qui lui donnait tout de même un air de princesse moghole.

Plus tard, les deux jeunes femmes commandèrent un thé qu'Olga fit venir avec un plat de pommes au four. Nostalgique de tout se qui se rattachait à sa mère patrie, la duchesse était friande de ce dessert qu'elle décrivait comme étant une institution en Russie.

— Ma *babouchka* les préparait avec du miel et des noix. J'adorais voir la mousse de sucre s'échapper sur le dessus. J'en sens encore le goût dans ma bouche.

Jezebel l'écoutait distraitement en dessinant dans son assiette des traits de caramel. Elle avait à peine touché à la sucrerie. Olga la dévisagea pensivement puis, se levant, sortit de sous son lit une valise. À l'intérieur était rangé un gramophone.

— Savez-vous au moins danser ? lança-t-elle avec un sourire moqueur. Je gage que, dans votre pensionnat anglais, les pas de danse n'étaient pas forcément au programme.

— Détrompez-vous ! s'insurgea Jezebel en la regardant mettre en route l'appareil. J'ai eu des cours de maintien durant lesquels j'ai appris plusieurs danses de salon. Je sais valser de façon tout à fait honorable.

Elle ajouta néanmoins, en rougissant une fois de plus comme un coquelicot, que le bal de ce soir serait le premier de sa vie.

— Bien, déclara Olga. Savoir valser est un bon début. J'imagine cependant que vous ne connaissez rien à ces rythmes venus d'Amérique, tels le ragtime ou le fox-trot ?

Jezebel admit son ignorance tandis que les notes d'un morceau intitulé « *The Entertainer* » envahissaient la pièce. Olga déplaça un fauteuil, décala la table puis mit un vase à l'abri avant de se tourner vers la jeune fille.

— Regardez bien, ma chérie. Un pas en avant un pas en arrière, je lève mon pied droit, je lève mon pied gauche, j'ouvre mon talon, je ferme mon talon, je balance mes bras en claquant des doigts, je lève mes bras, je garde le rythme.

Jezebel ouvrit des yeux ronds.

— À vous, ma chérie, l'encouragea Olga.

— Non, non, je ne sais pas.

— Bien sûr que si, *moy krasivyy*[1], insista Olga avec une soudaine tendresse. Vous savez valser, donc vous savez tout danser. Écoutez bien cette musique, c'est très simple, il s'agit uniquement de remuer son popotin !

Elle vint chercher la jeune fille pour l'amener dans l'espace qu'elle avait dégagé. S'étant débarrassée de ses chaussures, elle se tenait en bas sur les tapis d'Orient, à sautiller sur place en battant la mesure. Une fois de plus, sa bonne humeur fut contagieuse et Jezebel se laissa peu à peu envahir par le rythme trépidant. Au bout de la troisième fois, elle ondulait comme une liane en s'amusant énormément.

L'heure du dîner approcha. Tandis qu'elles sortaient sur le palier pour se diriger vers le Grand Salon, Olga, enveloppée dans un châle de cachemire, lança avec une certaine provocation :

— J'aime danser et faire l'amour. Je sais que cela choque. Il s'agit pourtant des rares moments de mon existence où je me sens vraiment moi-même. Et vous, ma chérie, quels sont vos petits moments privilégiés ?

Jezebel sursauta. Du haut de ses seize ans peu dévergondés, elle avait toujours du mal à accepter les façons triviales de la duchesse russe. Elle s'étonnait d'ailleurs que son parrain, si vieux et si conventionnel, ait pu la confier à une duègne aussi originale.

— Allez, ma chérie, insista Olga, avouez-moi ce que vous aimez par-dessus tout.

— Je… J'aime beaucoup monter à cheval, bafouilla la jeune fille en fixant obstinément ses chaussures.

Olga gloussa de rire.

— Ma chère petite prude, vous êtes tordante ! Mais vous avez raison, dompter cet animal aux muscles de titan en l'enserrant entre ses cuisses est effectivement très jouissif…

De plus en plus écarlate, Jezebel se défendit :

— Je monte en amazone !

— Vraiment ? lança Olga en l'entraînant vers le Grand Salon. J'aurai juré le contraire. Vous avez des jambes de sportive, fines et nerveuses. Je suis certaine que, la plupart du temps, vous mettez une culotte de garçon pour aller dans les bois lancer un petit galop, ni vue ni connue.

---

1. « Ma belle », en russe.

Jezebel se mordilla la lèvre. Une fois de plus, elle constatait que la Russe n'avait pas la même conception des convenances qu'elle.

— Est-ce si important ? lança-t-elle avec agacement, tandis qu'elles entraient dans la salle à manger et qu'un steward en uniforme blanc les accompagnait à leur table. Je ne sais pas pourquoi mais, parfois, j'ai l'impression que vous salissez tout !

— Vous pensez que je suis une peste, n'est-ce pas ? murmura Olga en se penchant vers elle. Je vous assure néanmoins que je suis ravie de vous avoir rencontrée telle que vous êtes, avec votre petit caractère bien affirmé qui habille si joliment la naïveté de votre jeune âge. J'ai souvent l'air de me moquer, ma chérie, mais, croyez-moi, vous m'êtes très chère. Et puis, je vous l'avoue franchement, je suis jalouse de vos seize ans. J'aimerai tellement que vous ne gaspilliez pas votre jeunesse en vaines pruderies.

Jezebel eut une ombre de sourire. Malgré ce qu'affirmait la duchesse, elle ne se trouvait pas si prude que ça. Depuis qu'elle était entrée dans le Grand Salon, elle n'avait qu'une idée en tête, repérer la haute silhouette déjà si familière de Jan Lukas. Et elle désespérait justement d'y parvenir lorsque soudain elle le vit. Elle en eut un coup au cœur. Dieu, qu'il était beau !

Debout au centre de la pièce, l'Américain attirait tous les regards autant par sa haute taille que par l'élégance fort originale de sa tenue de soirée. Sa veste de smoking était cintrée, avec des épaules carrées et un pantalon plus serré que la normale. Ce dernier était même tellement ajusté qu'on devinait aisément le galbe musclé de ses jambes. Jezebel sentit ses joues s'embraser. Elle se cacha à demi derrière son éventail pour détailler le plus discrètement possible le jeune homme. Vraiment, elle le trouvait d'une prestance folle, avec sa pochette de soie noire insérée dans une poche poitrine ton sur ton, sa chemise ornée de boutons de manchette en forme d'idéogrammes chinois, assortis à l'épingle de cravate. Au milieu des autres messieurs assez ventripotents, au teint rougeaud et au cheveu rare, il ressemblait à un personnage tout droit sorti d'un roman de chevalerie.

— Vous aussi, ma chérie, vous trouvez cet homme de plus en plus intéressant ? remarqua Olga qui avait suivi la direction de son regard et détaillait d'un air gourmand le jeune Américain. Je lui trouve un chic fou même si, je le concède, son élégance demeure celle assez tapageuse d'une fortune trop récente.

Il faudra absolument que nous réussissions à l'avoir à notre table avant la fin du voyage. Je brûle de faire sa connaissance… Bon, en attendant, voyons un peu qui sera avec nous ce soir. Ah tiens, lord et lady Esket… Quel plaisir, ajouta-t-elle mi-figue, mi-raisin.

Elles s'arrêtèrent devant leur table, saluèrent ceux qui y étaient déjà installés tandis que deux hommes se levaient galamment pour leur avancer des chaises.

Le premier, James Algrey, un capitaine de cavalerie d'une quarantaine d'années à la fine moustache blonde, en uniforme rouge très ajusté, revenait de Londres où il avait amené sa jeune épouse afin qu'elle puisse donner naissance à leur enfant loin des chaleurs typiques de la saison sèche en Inde.

Le second était le très connu lord Esket, un diplomate dont les cheveux blancs trahissaient l'âge vénérable. Il était accompagné de son épouse, Eugenia Esket, une femme de vingt ans sa cadette que Jezebel avait déjà eu l'occasion de rencontrer à plusieurs reprises.

Lady Esket était une femme plantureuse qui avait dû être d'une grande beauté durant sa jeunesse mais dont les quarante ans un peu fanés accentuaient le caractère revêche. La bouche constamment ouverte, elle pérorait sur tout et semblait tout savoir mieux que les autres.

Elle avait installé à sa droite sa plus jeune fille, une demoiselle pâle et éthérée qui avait le même âge que Jezebel mais qui n'osait se mêler à la conversation que pour ponctuer timidement les déclarations de sa mère. Une cousine les accompagnait avec la réserve d'une domestique. Eugenia avait recueilli cette veuve dans le besoin en échange d'un emploi de lectrice. Gênée en présence de ce beau monde, elle se tenait silencieuse, le regard baissé, avec sur le visage une tristesse qui semblait faire écho à la robe noire qu'elle portait.

À l'autre bout de la table était assis un homme entre deux âges, aux cheveux gominés vers l'arrière et à l'épaisse moustache noire et blanche. Il s'agissait du Dr Francis Appleton, un praticien qui se rendait dans un dispensaire de Calcutta pour y étudier les maladies infectieuses. Il était assisté d'un étudiant en médecine qui lui servait de secrétaire, un jeune homme de vingt ans qui ne cessait de sourire à Jezebel.

Ce dernier se présenta sous le nom de Peter Asgulson, et jugea opportun de préciser que son fort accent râpeux ne venait pas d'Allemagne mais de Suède. Sa stature d'adolescent grandi trop vite, sa façon de se tenir, trop maigre dans un costume étriqué, contrastait étonnamment avec la rudesse de ses traits héritée, peut-être, Jezebel s'amusa à le penser, d'un lointain ancêtre viking.

On grignota quelques amuse bouches, puis on attaqua le premier service, une délicate mousseline d'asperge posée sur une tranche de foie gras truffé. Les bons vins aidèrent à lancer la conversation. On parla météo et escales méditerranéennes. Lady Esket se fit servir une eau pétillante avant de se tourner tout sucre tout miel vers Olga, à qui elle demanda de but en blanc pourquoi elle revenait aux Indes alors qu'elle en était partie avec précipitation la dernière fois.

Jezebel comprit que les deux femmes habitaient le même quartier de Calcutta et qu'elles étaient presque voisines. Elles ne semblaient pourtant guère s'apprécier.

— Vous parlez du mois d'octobre 1917, lorsqu'il m'a fallu regagner Moscou sur un appel de mon mari, le duc Obolenski, qui voyait d'un mauvais œil l'arrestation du tsar par les bolcheviks ? Je suis arrivée trop tard, le pauvre chéri a été fusillé début novembre. Heureusement, j'ai pu rassembler toute la fortune Obolenski, dont je suis la dernière dépositaire. Depuis, je vais à droite et à gauche pour en assurer la gestion. À Calcutta, je compte développer un négoce en toile de jute en pleine expansion, et investir dans une plantation de thé sur les hauteurs de Darjeeling, qui commence, elle aussi, à donner de bons rendements. J'étudierai ensuite les possibilités de placements des intérêts de mes parts dans les Chemins de fer indiens que l'Angleterre a récemment ouverts à participation.

— Quelle activité ! s'exclama lady Eugenia d'une voix faussement admirative. Comme vous devez être heureuse que la guerre soit terminée ! Vous allez enfin pouvoir confier l'intendance de vos négoces à un avoué. J'imagine que, de manière générale, un homme sera toujours plus avisé dans la gestion de ces domaines qu'une femme.

Olga Marushka sourit de sa grande bouche écarlate. Dans la lumière dorée du chandelier posé au centre de la table, ses traits orientaux, l'éclat oblique de ses yeux cerclés de khôl, ses rubans de soie, ses plumes d'autruche et mille autres colifichets lui conféraient la majesté d'une impératrice toisant avec pitié l'un de ses misérables sujets.

— Lady Esket, je suis une aristocrate russe en exil. À l'opposé de vous, j'ai été frappée par la guerre de plein fouet. Tandis que vous étiez bien sagement terrée dans une de vos demeures anglaises, j'ai survécu à toutes les ignominies et même aux plus inimaginables d'entre elles. Alors, vous pensez bien, les ragots de bas étages, et toutes ces histoires de femmes qui seraient incompétentes ou peu respectables parce qu'elles mettent leur nez dans des affaires de commerce, d'industrie ou d'agriculture, je n'en ai cure. Je suis maîtresse de ma fortune, et j'entends continuer ainsi.

— Il va de soi que je n'émettais pas un jugement de valeur, rétorqua lady Esket en s'humectant nerveusement la lèvre. J'étais juste en train de penser à voix haute. Voyez-vous, il me serait très difficile de vivre de la même façon qu'un homme… Cette mode des *flappers* qui nous vient des Amériques, qui revendiquent haut et fort, au point de descendre parfois dans la rue, une égalité qui n'a pas lieu d'être, me fait littéralement frissonner de peur. Quelle est l'utilité de se couper les cheveux, de fumer des cigares nauséabonds, de s'habiller avec des pantalons ou des costumes masculins, de danser comme un Nègre ? C'est tellement contre-nature !

Jezebel écouta cet échange avec intérêt. Elle se permit d'intervenir.

— Je pense que vivre libre n'est jamais contre-nature.

Eugenia Esket parut outrée mais Olga accorda à la jeune Anglaise un petit clin d'œil satisfait, visiblement heureuse de voir que ses leçons portaient enfin leurs fruits. Le Dr Appleton avait lui aussi entendu. Il adressa à la fraîche jeune fille un franc sourire.

— Votre remarque est tout à fait pertinente, lady Tyler. Nous vivons dans un siècle qui aspire à plus de liberté, c'est une évidence. Partout dans le monde, des peuples se lèvent pour réclamer leur indépendance. Voyez ce qui se passe en Égypte et même en Allemagne. Notre propre guerre n'aura finalement pas eu d'autre cause. Il est donc normal que les jeunes générations revendiquent des nouveautés qui les émancipent des usages sociétaux des générations précédentes. L'évolution est une constante qui se retrouve chez tous les êtres vivants, l'Homme y compris.

— Je m'étonne, docteur Appleton, coupa impoliment Eugenia Esket, qu'un scientifique aussi éminent que vous cautionne ces femmes qui fument et qui boivent.

— Oh, je pensais plutôt que vous seriez émue du sort funeste de ces milliers de soldats tombés dans les tranchées au nom d'un idéal qu'ils ne verront jamais, lady Esket, mais puisque vous insistez pour connaître mon avis de médecin concernant les dernières modes, sachez que, pour ma part, je suis extrêmement satisfait de l'abandon du corset. Cet engin de torture a sur la santé des femmes d'atroces répercussions dont la plus terrible est de les faire mourir prématurément en couches pour cause de déformation des os.

— Docteur ! Vous parlez devant des jeunes filles !

Le médecin lissa sa moustache d'un air bonhomme.

— À votre demande, lady Esket, je viens de donner un avis purement médical. Je me permets d'ailleurs d'insister : mesdemoiselles, pour vous il n'est pas trop tard, souscrivez à la mode de ce début de siècle et abandonnez sans tarder les corsets de vos mères. Vos poumons et votre système digestif vous remercieront. Adieu vapeurs, allures compassées, respirations difficiles, os malformés, faiblesses diverses, reflux gastriques, pertes d'appétit, déplacements des organes digestifs !

Olga Marushka écouta ce panégyrique en coulant vers Jezebel un regard triomphant mais tous les autres convives affichaient au contraire leur consternation. Le Dr Appleton, cependant, ne s'en soucia guère. Il avait séjourné sur le front de Verdun où il avait supporté l'inimaginable, il n'allait certainement pas se laisser affecter par une querelle de salon. Satisfait de sa tirade qui avait pourtant jeté un froid, il fit honneur au saumon sauce mousseline que l'on venait de déposer dans son assiette. Les cliquetis des fourchettes reprirent.

Après quelques minutes de silence, lord Esket jugea bon de relancer la conversation. Il se tourna vers le capitaine Algrey pour l'interroger sur le conflit entre la Chine et le Tibet.

— Que pensez-vous de ce traité signé cet été ?

— Vous parlez de ce traité de Rongbatsa qui a permis de fixer des frontières entre l'Inde, la Chine, le Tibet et le Népal ? Je crains que la Chine ne soit gourmande. Il est probable que cet accord ne soit pas respecté. L'Empire chinois est déchiré par des seigneurs de la guerre qui intriguent pour s'arroger un pouvoir grandissant et l'opium fait beaucoup de ravages. Méfions-nous cependant, la Chine est une puissance qui grandit et qui gronde.

— L'ambition chinoise risque-t-elle de compromettre la sécurité de la péninsule indienne? s'enquit Appleton. Je viens de passer trois ans à amputer des jambes sur le front français, j'avoue que je serais heureux de ne pas connaître d'autres conflits maintenant que l'armistice a été signé.

— La Chine et l'Inde ne se disputeront pas une frontière au cœur de l'Himalaya, sir. Notre vice-roi veille bien sûr à préserver les secteurs proches de Darjeeling à cause des plantations de thé mais, pour le reste, pour ces montagnes qui ne sont que caillasses et neiges éternelles, ma foi, la politique est plutôt à la médiation qu'à la querelle. En fait, je pense que le problème indien viendra plutôt de la promesse que nous avons faite en échange d'un effort de guerre. Si nous ne la respectons pas, passé l'euphorie de l'armistice, les Indiens ne verront plus les Britanniques de la même façon.

Jezebel tourna vers l'officier une mine inquiète.

— Êtes-vous en train de dire que la guerre est parvenue jusqu'en Inde, capitaine?

L'officier sourit aimablement à la belle jeune fille qui l'interpellait.

— Le conflit a certes débordé des frontières de l'Europe, surtout lorsque l'Empire ottoman a préféré se ranger du côté des Allemands contre le Royaume-Uni mais, soyez rassurée milady, l'Inde n'est pas la France. La guerre n'a eu sur cette terre que de faibles répercussions, essentiellement économiques. Je puis vous garantir que vous n'êtes pas en train de faire route vers un pays dévasté, tant s'en faut.

— Tout de même, coupa à nouveau lady Esket, des amis restés à Calcutta durant notre séjour britannique nous ont rapporté de nombreux incidents terroristes. Depuis quelque temps, les rues ne seraient plus sûres. Il y a eu cette bombe, dans le quartier de l'Esplanade, et aussi cette famille de négociants dont tous les membres ont été assassinés…

— Le Bengale pose quelques problèmes, ce n'est pas nouveau. Sa population n'est pas homogène. Comme vous le savez, lord Curzon a tenté la partition, pour séparer les musulmans des Bengalis, mais cela n'a pas suffi. Depuis, les Bengalis nous boycottent de la même façon que les autres Indiens, et les musulmans, attachés par leur religion au califat ottoman, s'estiment alliés avec l'Allemagne et, à ce titre, cherchent à nous déstabiliser. La fin de la guerre calmera le jeu, je puis vous l'assurer. D'ici à ce que vous arriviez à Calcutta, mesdames, toutes ces escarmouches seront réglées.

— On parle de plus en plus de ce Gandhi, intervint Olga en allumant une cigarette puis en soufflant vers le plafond un long nuage de fumée. Il semble être une sorte de leader…

— Cet homme se présente lui-même comme un pacifiste. Il ne posera pas de grands problèmes.

Olga inspira une autre bouffée, puis la rejeta lentement.

— Tous les hommes sont pacifistes avant de faire la guerre, lâcha-t-elle.

Un silence pesant accueillit sa déclaration. Jezebel se mit à triturer nerveusement sa serviette. Jusqu'à présent, elle ignorait que l'Inde cherchait à se libérer du Raj britannique.

Le Dr Appleton fut le premier à se ressaisir.

— Je crains que nous n'ayons effrayé ces dames, cher capitaine Algrey. Si vous le voulez bien, changeons de sujet. Parlons plutôt de Calcutta ? La vie y est-elle agréable ?

Eugenia Esket mit aussitôt son grain de sel :

— Docteur Appleton, Calcutta vous sera agréable si vous êtes un serpent ou un poisson ! Le climat n'y est que sécheresse ou mousson. Durant six mois, vous crevez de chaud et vous vous débattez dans une poussière qui pénètre tout, puis le déluge arrive et l'Inde devient inondation catastrophique, boue, glissements de terrain, fleuves qui sortent de leurs lits. Des centaines d'animaux se noient, je ne vous parle même pas des humains. Lorsque vous contemplerez le Gange, vous verrez passer au milieu des bateaux des cadavres gonflés comme des baudruches. Certains jours, vous aurez même l'impression que cela grouille carrément. Ce sont les poissons. Ils picorent les chairs.

— C'est à cause de la religion… souffla la jeune Amely Esket.

Elle venait de parler pour la première fois de la soirée. Jezebel se tourna vers elle, intriguée.

— La religion ? Quelle religion ?

— La religion hindouiste implique de brûler les morts, expliqua le capitaine Algrey.

— Oh, je vois. Mais est-ce si inhabituel ? insista Jezebel. Il me semble que de nombreuses peuplades agissent ainsi…

— Le souci vient du fleuve. Il est leur Dieu, leur créateur, leur tombeau. Le corps n'est pas encore consumé que déjà ils le jettent dans le Gange pour assurer au défunt une vie éternelle. Alors, chaque jour, que ce soit la mousson ou non, des corps flottent entre deux eaux jusqu'à la mer.

— Ce pays est horrible, renchérit lady Esket. Je n'y mange jamais ni crabes ni poissons.

Jezebel la regarda écraser d'une fourchette nerveuse le saumon qu'elle n'avait pas réussi à avaler. La remarque avait failli la faire rire mais, maintenant, elle sentait surtout un poids immense sur son estomac.

— Si ce pays est si terrible, demanda-t-elle, pourquoi y retournez-vous ?

Eugenia Esket demeura silencieuse quelques secondes, avant d'adresser un sourire pitoyable à son mari :

— Lord Esket est diplomate. Il va où son ministre l'envoie, c'est la nécessité de sa charge. Je suis son épouse, mon devoir est de l'accompagner. Comment pourrais-je le laisser y aller seul, alors que depuis vingt ans nous ne nous sommes jamais quittés ?

Elle ajouta faiblement.

— En fait, je ne déteste pas l'Inde. Les couleurs y sont belles et les fleurs sublimes. C'est juste que, là-bas, la vie est un peu plus compliquée qu'à Londres…

Presque honteuse de son aveu, elle se fit servir une belle portion de poulet sauté à la lyonnaise. Un gigot d'agneau suivit, puis un rôt de pigeonneau sur lit de cresson. Les conversations reprirent, cette fois-ci prudemment axées sur le théâtre et le cinématographe. Jezebel attendit le dessert en malmenant une boulette de mie de pain. Le capitaine Algrey lui jeta en aparté, cherchant à la rassurer :

— Ne soyez pas trop affolée, milady, des propos que vous venez d'entendre. L'Inde est un pays magnifique. Je suis certain que vous l'apprécierez à sa juste valeur dès que vous y serez installée. Je crois que vous aimez peindre. Il me semble vous avoir vue ce matin. Pour un œil d'artiste, sensible à la beauté des choses, Calcutta offre un foisonnement de couleurs invraisemblables, toutes plus vibrantes les unes que les autres. J'adore ma patrie mais je vous avoue que, chaque fois que je reviens dans mon Devonshire natal, je ne puis m'empêcher de trouver le paysage fort délavé, et les cieux bien ternes. L'Angleterre est grise, l'Inde est rose, orange, rouge, jaune. Vraiment, je suis certain que vous adorerez sa lumière, ses contrastes, ses parfums de fleurs et d'épices, et toutes ces étrangetés exotiques si particulières à cette contrée.

L'officier était un poète ignoré. Devant l'attention que lui manifesta Jezebel et ses grands yeux bleus largement ouverts sur un étonnement de petite fille, il s'épancha en mille mots, et ces mots furent très beaux.

*

Après un dernier sorbet, les messieurs se levèrent pour conduire les dames vers le salon où les attendaient fruits confits, café et digestifs. Le personnel de bord avait d'ores et déjà déplacé les tables et les fauteuils vers les murs, et roulé les tapis. L'orchestre jouait dans le fond, près du bar. Quelques rares couples de danseurs faisaient déjà leurs premiers pas tandis que des stewards passaient de groupe en groupe pour proposer des rafraîchissements.

Olga Marushka passa son bras sous celui de Jezebel. Elle feignit d'arranger un mauvais pli tout en désignant d'un bref mouvement de menton un danseur à la prestance hors norme.

— Ne serait-ce pas notre cher ami Lukas ? Décidément, cet homme a tous les talents… Quel danseur ! À tout prendre, je veux bien échanger le tango que m'a promis Agustin contre un fox-trot avec son associé ! Je suis certaine de moins m'y ennuyer.

Jezebel regarda à son tour l'Américain évoluer sur la piste avec autant de panache que de gaieté. Les morceaux se succédaient, il était infatigable et aussi à l'aise avec un boston qu'avec une valse. Sa partenaire du moment s'amusait énormément. Presque soulevée à bout de bras, elle virevoltait en riant à gorge déployée tout en dardant vers son cavalier des yeux de dinde énamourée.

Le jeune homme mit un point d'honneur à inviter toutes les demoiselles de l'assistance les unes après les autres. Très vite, Jezebel attendit son tour en rongeant son frein mais, lorsqu'il approcha enfin, elle crut s'effondrer de déception lorsqu'il tendit une main galante à Olga.

« Mais quel butor ! Non mais quel butor ! » pesta-t-elle en se mordillant nerveusement la lèvre tandis que le jeune Peter Asgulson l'invitait sur un air de valse viennoise. « S'il croit que je lui dirai oui lorsqu'il viendra me chercher, » ajouta-t-elle *in petto*, en marchant pour la troisième fois sur le pied de son infortuné cavalier qui, le cœur amoureux, affecta de ne rien remarquer.

À l'issue de cette danse, Jezebel était tellement en nage qu'elle demanda à son chevalier servant de lui chercher une coupe de cidre. Elle profita de cette absence pour replacer dans sa coiffure une épingle qui était tombée. Elle procédait à tâtons, un peu cachée derrière un paravent pour ne pas se donner en spectacle, lorsque Jan Lukas surgit de nulle part, un demi-sourire aux lèvres. Elle ne l'avait pas vu venir, elle sursauta violemment lorsqu'il s'inclina devant elle.

— Monsieur ? s'enquit-elle en cachant sa gêne derrière ses sourcils froncés.

Il lui accorda un sourire amusé tout en lui prenant la main pour l'amener vers la piste. Là, toujours en silence, il se tint face à elle en passant une main caressante dans son dos. Elle n'eut d'autre choix que de s'appuyer à son épaule. Affreusement troublée, elle évitait de le regarder. Elle aurait voulu s'échapper, le fuir, parce qu'elle n'aimait pas sa façon cavalière d'agir, de l'enlever sans lui demander son avis, de la faire se sentir sa chose, mais elle craignait provoquer un scandale. Du moins, c'était ce dont elle essayait de se persuader. En réalité, elle n'était plus sûre de rien…

L'orchestre entama la « Valse triste » de Jean Sibelius, un de ses morceaux préférés. Lukas avança son bassin jusqu'à ce que leurs corps s'appuient l'un contre l'autre. Un temps, deux temps, trois temps, faire un quart de tour, recommencer. Jezebel perdait la tête. Son cavalier ne cessait de la dévisager. Il semblait beaucoup s'amuser.

— Je vois à votre visage que vous êtes fâchée, finit-il par dire. M'en voulez-vous beaucoup, mademoiselle ?

— Pourquoi devrais-je vous en vouloir, monsieur ? répliqua-t-elle d'un ton qui indiquait clairement qu'elle était bel et bien fâchée. Voyez-vous quelque chose que je devrais vous reprocher ?

— Eh bien, peut-être d'avoir invité toutes les autres jeunes filles avant vous ?

Il lui sourit franchement, la fit tourner d'un quart de tour, puis d'un autre. Leurs bras maintenaient une distance que sa hanche collée à la sienne démentait. Ce contact était chaud. Brûlant. Au-dessus d'elle, son regard gris la toisait avec une douce moquerie. Elle jeta du bout des lèvres, avec un air de chipie :

— Vraiment ? C'est ce que vous avez fait ? Je ne l'ai pas remarqué.

Se penchant, il effleura brièvement son oreille de ses lèvres.

— Ne mentez pas, *darling*, cela ne vous va pas.

Elle manqua un pas, fut retenue par sa poigne solide jusqu'à reprendre le rythme de la danse, le cœur affolé. Un pas, deux pas, trois pas. Tourner un quart de tour. Elle fixa un point imaginaire au-dessus de son épaule. Elle n'osait plus le regarder en face. Dieu que cette valse portait bien son nom ! Elle lui donnait envie de pleurer.

Jan reprit :

— Voyez-vous, je tenais à me garder la plus belle gourmandise pour la fin.

Elle s'empourpra jusqu'à l'échancrure de son décolleté, et se demanda très sérieusement si elle devait le gifler ou, au contraire, tomber dans ses bras. Son cœur battait si fort qu'elle craignait qu'il ne l'entende.

— Me voyez-vous donc comme une espèce de bonbon ? jeta-t-elle en espérant cacher dans cette tentative d'esprit l'affolement qui la gagnait. Que suis-je à vos yeux, une dragée ou un caramel qui colle aux dents ?

Il éclata de rire, puis la toisa avec le plus grand sérieux. Dans ses yeux gris brillait une farandole de lumières dorées.

— Connaissez-vous ce bonbon français qu'on appelle la Forestine[1] ? L'enveloppe extérieure est en sucre, d'une jolie couleur douce. Il faut le croquer à pleines dents pour découvrir à l'intérieur un merveilleux praliné fondant aromatisé à la noisette. Décidément, j'adore vous voir rougir ! ajouta-t-il en riant de nouveau, en la faisant tournoyer de plus belle.

— Je rougis pour un rien ! bougonna-t-elle d'un ton agacé. D'ailleurs, vous avez gagné. Avec vos histoires de bonbons, je n'ai

1. Ce bonbon est fabriqué depuis 1879 à Bourges, dans le centre de la France.

plus envie de danser, j'ai plutôt envie d'une sucrerie. Emmenez-moi donc manger un dessert, je vous prie.

Il haussa un sourcil étonné mais il s'exécuta, la guida vers le buffet où il se fit servir deux assiettes de gourmandises qu'ils picorèrent presque en silence, en se regardant les yeux dans les yeux.

— Et maintenant ? s'enquit-il pour rompre le charme lorsque les douceurs furent presque toutes croquées. Que désirez-vous faire, milady ? Je suis à vos ordres.

Il salua avec une révérence de mousquetaire, tout en démentant sa galanterie par son air moqueur. Elle avait le corps brûlant, aussi répondit-elle en agitant nerveusement son éventail.

— Nous pourrions sortir ? Il fait si chaud…

— Voulez-vous aller sur le pont ? proposa-t-il en lui prenant la main.

— Je crains qu'il n'y ait trop de monde. Pour parler, au milieu de tout ce bruit, il nous faudra crier.

— Et donc ? demanda-t-il, dans l'expectative, ne voyant pas trop où elle voulait en venir.

Elle suggéra la bibliothèque. À cette heure-ci, la pièce était plongée dans une demi-pénombre, à peine éclairée par quelques minuscules lampes garnies d'abat-jour verts. Elle pensa qu'ils y seraient tranquilles.

Il l'y conduisit, referma la porte derrière eux. Une odeur de papier montait des livres sagement rangés. Le silence avait quelque chose d'une cathédrale. Jezebel le laissa l'installer sur un sofa où elle se tint assise sur le rebord, maintenant nerveuse. Elle venait de comprendre un peu trop tard que venir ici n'était pas très judicieux. La pièce était vide. Déjà, Jan Lukas s'était approché et la dévisageait avec une intensité troublante. Gagnée par l'affolement, elle combla le silence par des paroles trop volubiles, qu'elle jetait presque à tort et à travers.

— Aimez-vous les livres, monsieur ? À Chelseahall House, j'allais souvent me réfugier dans la bibliothèque, qui était une grande salle entièrement tapissée par une multitude d'ouvrages. Une mezzanine courait tout autour, ouverte sur un second étage. Parfois, il fallait monter sur une échelle pour se saisir des titres placés tout en haut. Ces livres, tous très vieux, sentaient la poussière, l'encaustique et le cuir. J'aimais tout particulièrement m'installer dans un des fauteuils qui faisaient face à la cheminée.

Je m'enfonçais dans les coussins, je me drapais confortablement dans un châle. Blottie de la sorte, je pouvais lire des heures durant, je me laissais emporter par des récits d'aventures rocambolesques et…

— Chut, l'interrompit-il en lui prenant les mains et en la repoussant lentement au fond du siège.

— Chut ? releva-t-elle, égarée, en le regardant lui bécoter un doigt après l'autre sans savoir quoi faire, le laisser faire ou retirer sa main, se lever, partir.

— On ne parle pas dans une bibliothèque.

Elle fut prise d'un rire nerveux, et lui coula un regard si lumineux qu'il se pencha jusqu'à poser ses lèvres contre les siennes. Elle ne bougea pas, immobile contre lui, saisie cependant. Il s'amusa de la voir garder la bouche fermée, prude alors qu'elle ne songeait même pas à se sauver. Il en eut un petit sourire attendri. Elle sourit en retour. Il l'enveloppa dans ses bras avec une infinie tendresse. Elle se laissa faire, le corps frémissant, le cœur battant la chamade.

Lentement, il remonta une main vers son épaule, suivit la nuque jusqu'au chignon en caresse de papillon. Ses doigts s'enfoncèrent voluptueusement dans la chevelure soyeuse, s'y enroulèrent comme pris au piège. Lorsqu'elle entrouvrit sa bouche, il faufila sa langue, effleura la sienne. Elle eut un soupir béat, répondit maladroitement à sa caresse.

Quelques instants plus tard, il recula pour la laisser reprendre son souffle. Elle s'effondra contre lui, éperdue, le visage enfoui dans son épaule, tremblant sans pouvoir s'arrêter. Il continua à la serrer contre lui, attrapant d'une main un châle oublié qui traînait sur le dossier, dont il l'enveloppa.

— Je n'ai pas froid, dit-elle, en le regardant gravement.

Elle était si belle, avec ses joues rosies d'amour, sa lèvre gonflée comme un fruit mûr et ses grands yeux d'un bleu de porcelaine brillant, qu'il revint doucement vers elle. Elle enroula ses bras autour de sa nuque, l'enlaça étroitement pour l'embrasser. Il fondit de plaisir, incroyablement heureux de lui avoir fait aimer son tout premier baiser.

*

Jezebel se tourna et se retourna dans son lit avec fièvre. Il faisait jour depuis longtemps mais elle se sentait incapable de se lever. Elle repensait au baiser. Elle n'avait pas fermé l'œil de la nuit, misérablement tendue vers la petite pendule qui, sur la table de chevet, égrenait les heures.

Elle était revenue du bal en se croyant fatiguée mais, une fois couchée, des cohortes de pensées l'avaient assaillie. Depuis, elle avait trop chaud, trop froid. Elle avait envie de rire et de pleurer.

Le jour inondait les persiennes. Elle rejoua pour la millième fois la soirée dans sa tête. D'abord sa colère lorsque Jan avait invité avant elle toutes les autres jeunes filles. Puis son soulagement lorsque, enfin, il était venu la chercher pour une danse. Elle repassa dans sa tête cette « Valse triste », et tous les détails qu'elle n'oublierait jamais : sa main trop appuyée sur sa taille, sa hanche brûlante contre la sienne, ses yeux plantés avec insolence dans les siens, son demi-sourire un rien moqueur lorsqu'il lui avait affirmé avoir gardé la plus jolie pour la fin.

Emportée par ses souvenirs, elle repensa à la douceur de ses lèvres, à ce tout premier baiser qui l'avait laissée sans force et extatique, en proie à des sensations qui, maintenant encore, empoignaient avec violence son corps, son cœur, sa raison. Elle mordit l'oreiller pour étouffer ses gémissements.

Il avait exigé un rendez-vous.

Elle n'avait pas réfléchi, elle avait parlé du chenil, qui était le seul endroit qu'elle connaissait où la foule ne se bousculait pas dès l'aube, au contraire du Grand Salon, du café restaurant ou du pont-promenade où elle passait le reste de son temps. Elle avait dit n'importe quoi. Elle était sur un petit nuage. Lorsqu'il était parti, elle avait continué à rire, à danser. Il avait fallu qu'elle revienne dans sa chambre, qu'elle s'étende sur son lit, seule dans le noir, en écoutant l'horloge égrener le temps, pour qu'elle comprenne qu'elle avait perdu la maîtrise de sa vie.

Son bonheur était retombé comme un soufflé. Son exaltation s'était muée en angoisse. Elle avait essayé de conjurer le sort en se forçant à rire, mais rien n'était venu. Elle n'arrivait plus à penser, elle n'était qu'une envie terrible qui montait de son ventre en vagues, un besoin qui accélérait son souffle, emballait son cœur, amenait un cri sur ses lèvres.

Qu'avait-elle fait ? Que dirait son parrain s'il avait vent de sa conduite ?

Honteuse et apeurée, elle s'était enfouie sous l'édredon comme lorsqu'elle était enfant et qu'elle voulait échapper à l'ogre de la nuit.

Mais rien ne protégeait les petites filles d'une vie d'adulte. Elle devait regarder la réalité en face. Le paquebot n'était pas assez grand et le voyage trop long. Tôt ou tard, dans les jours qui suivraient, à Malte, en Égypte, à Socotra ou même à Calcutta, elle reverrait le séduisant Américain au détour d'une promenade. Qu'arriverait-il alors ?

Un rai de lumière accrocha sa paupière, la pourchassant jusque sous les draps. Elle n'avait pas le choix, elle devait aller au rendez-vous, annoncer sa décision, dire qu'elle était fiancée.

Elle se donna du courage en aspirant une grande goulée d'air, rejeta draps et couvertures, se leva. Elle se débarbouilla le visage, se brossa les cheveux. Dehors, le soleil, ce traître, riait d'une ardeur de feu. Elle regarda la pendule, vit qu'il était plus de neuf heures. Jan avait dit qu'il l'attendrait à dix. Elle se vêtit à la hâte d'une jupe écossaise et d'un petit corsage agrémenté d'un col Claudine. Elle ramassa ensuite ses cheveux en un chignon bas sur la nuque et colora son teint rendu pâle par l'insomnie avec un peu de rouge à joues.

— Sortez-vous, ma chérie ? lança la voix lointaine et affaiblie d'Olga Marushka, qui l'avait entendue s'agiter dans sa chambre.

— Je… je vais faire quelques esquisses, répondit-elle en s'emparant d'un carnet de croquis et de sa boîte de couleurs pour ne pas mentir tout à fait. J'ai cru comprendre que nous atteindrions Gibraltar dès ce matin.

Elle passa la tête par l'entrebâillement de la porte. Olga était alitée en grand déshabillé, l'air exsangue, un linge posé sur ses yeux comme un bandeau de condamné à mort.

— Êtes-vous souffrante ? Si vous le souhaitez, je peux sans problème rester ici à vous tenir compagnie.

L'excuse lui parut providentielle et elle la caressa un instant, prise d'un espoir insensé, jusqu'à ce que la duchesse la congédie d'un petit mouvement de la main :

— Ne dites pas de sottises, ma chérie, allez faire vos dessins… Je vous aurais bien accompagnée mais, voyez-vous, je n'ai malheureusement pas votre santé. Au lendemain d'une fête, ma seule alternative est de rester au fond de mon lit avec de l'eau de bleuet sur les paupières, en priant pour retrouver figure humaine avant le soir. C'est le prix à payer pour ne pas inspirer de la pitié aux hommes qui, la veille, étaient prêts à se battre pour me séduire. Allez, allez, mon amie, partez vite…

— Je vais plutôt demeurer auprès de vous. Je ferai mes croquis plus tard.

— Non, non, mademoiselle ! Partez, allez croquer notre escale du jour, vous me montrerez vos œuvres à votre retour… ajouta la duchesse d'un air espiègle.

Jezebel rougit, persuadée d'avoir été devinée. Elle bafouilla un vague au revoir, referma vite la porte de la chambre puis saisit au passage une capeline dont elle noua le ruban sous son menton. Elle trotta vers le chenil, vers son premier rendez-vous.

Jan Lukas l'attendait déjà, debout près des chiens qu'il caressait doucement à travers les barreaux. Elle s'immobilisa, saisie au cœur. Il était encore plus séduisant que dans son souvenir, avec sa taille haute, sa silhouette élancée, son torse et ses larges épaules moulés dans un chandail au point irlandais. Toute son attitude dégageait charme et assurance. Elle avança de quelques pas, attirée malgré elle.

Lukas l'entendit venir. Il se retourna et lui sourit. Elle oublia de respirer tandis qu'il la rejoignait en quelques enjambées de géant et lui saisissait la main pour la porter à ses lèvres. Le baiser laissa sur sa peau une trace de feu. Elle retira vivement ses doigts, redressa le menton d'un air de défi et voulut parler. Mais elle n'en eut guère le temps. Il venait d'enrouler son bras autour de sa taille et l'entraînait à l'écart derrière une rangée de canots de sauvetage.

Là, dans ce petit espace coincé entre une embarcation recouverte d'une bâche et le bastingage suspendu à la fois au-dessus du ciel et de la mer, il la prit dans ses bras et l'embrassa à lui faire perdre le souffle. Elle se laissa faire, la bouche rivée à la sienne, tellement abandonnée dans la caresse que, saisie de vertiges, elle serait sans doute tombée s'il ne l'avait solidement maintenue contre lui.

Plus tard, lorsqu'il relâcha légèrement son étreinte, elle enfouit un soupir de bonheur dans son épaule. Le chandail fut rêche à sa joue mais le parfum de lavande qu'elle y respirait calma peu à peu les battements de son cœur désordonnés. Elle recouvra ses esprits, comprit ce qui venait de se passer et, prise d'affolement, se mit à protester :

— Arrêtez, je vous en prie, arrêtez cela tout de suite ! Ce n'est pas ce que je voulais !

Lukas eut un sourire qui hésitait entre l'amusement et la déconvenue. Il répliqua avec une évidente mauvaise foi.

— Et que devrais-je arrêter, milady ?

— Mais de me faire perdre la tête ! lança-t-elle fort étourdiment.

Il se mit à rire, enchanté de sa confusion. Elle était si belle, avec son visage un peu fâché tendu vers lui, ses joues enfiévrées, ses yeux grands ouverts comme un horizon bleu et sa bouche ronde, pleine et sensuelle, que le baiser avait rosie et qu'il avait de nouveau envie de cueillir.

— Vous me demandez quelque chose que je crains ne pas pouvoir réussir, remarqua-t-il en toute honnêteté. Je vous regarde et que croyez-vous que je ressente, si ce n'est une folle envie de recommencer ?

— Vous ne cessez de vous moquer, vous êtes insupportable ! s'exclama-t-elle en reculant d'un pas outré, les mains serrées sur son cœur comme pour l'empêcher de bondir follement dans sa poitrine. Ne voyez-vous pas à quel point je suis sérieuse ? D'ailleurs, je suis venue vous dire…

Elle s'interrompit, et se mordilla la lèvre avec embarras. Il était bien difficile de dire à cet homme qu'elle connaissait à peine qu'il ne devait plus l'embrasser ! Et puis, le voulait-elle vraiment ? Prise d'angoisse, elle tordit et retordit un mouchoir entre ses mains. Il l'observa un instant, amusé de la voir s'empêtrer dans ses contradictions, puis il chuchota doucement :

— Oui ? Qu'êtes-vous venue me dire, lady Tyler ?

Il la fixait si ardemment, avec ce perpétuel amusement mais aussi cette grande douceur qui attrapait traîtreusement son cœur, qu'à nouveau elle ne sut quoi répondre. Elle n'avait pas imaginé que le revoir serait si compliqué. Venue lui dire que tout était fini entre eux, elle s'était jetée à sa tête comme la dernière des dévergondées et elle l'avait laissé l'embrasser ! Comment être prise au sérieux en se conduisant ainsi ?

De plus en plus confuse, elle regarda autour d'elle à la recherche d'une issue. Le temps était magnifique, quoique un peu venteux. Les lieux étaient déserts. La plupart des passagers de première classe avaient certainement préféré se reposer du bal de la veille plutôt que de venir découvrir le détroit de Gibraltar. Les seuls bruits qu'elle percevait étaient le gémissement des chiens et le ronronnement lointain des moteurs, ainsi que le roulis de la mer, ce battement régulier, hypnotique, uniquement troublé par le cri de quelques goélands. Elle leva vers Lukas un petit visage grave et résolu.

— Monsieur, je suis venue vous dire que rien n'est possible entre nous.

— Ho ho, commenta-t-il, de plus en plus amusé.

— J'ai beaucoup réfléchi, continua-t-elle vivement, un rien ébranlée par son sourire moqueur mais soucieuse de n'en rien laisser paraître. Notre relation est impossible.

— *Darling darling*, continua-t-il en riant carrément. Il ne s'est encore rien passé entre nous, hormis quelques baisers.

Elle se tordit les mains de plus belle.

— Je vous en prie, ne m'appelez pas ainsi, vous n'avez pas le droit, je… je suis fiancée !

— Et ?

Elle tomba des nues, leva vers lui un regard angoissé. Cet argument ne voulait-il pas tout dire ? Elle l'avait pourtant gardé comme une botte secrète, naïvement persuadée qu'il serait imparable et imposerait immédiatement une certaine distance.

— Tout de même, bafouilla-t-elle. Ces quelques baisers, c'est déjà trop.

— Dois-je en conclure que vous ne les avez pas aimés ?

Elle crut que ses joues prenaient feu.

— Si, bien sûr, je les ai… Enfin, monsieur, là n'est pas la question !

— C'est pourtant l'unique question que je me pose.

Il l'avait reprise dans ses bras pour lui bécoter le nez, le front, les paupières, et elle avait beaucoup de mal à rester de marbre. En fait, elle n'y parvenait pas du tout.

— Arrêtez ça tout de suite !

Elle gigota en tous sens, affolée comme un oiseau prisonnier qui se cogne contre des murs. Il soupira, ouvrit les bras et, avec infiniment de regret, la laissa s'échapper.

— Vous avez douze ans.
— J'aurai dix-sept ans dans quelques jours, lança-t-elle, vexée.
— Vraiment ? ironisa-t-il d'un ton perfide.
— Je ne suis plus une enfant.

Elle le défia de son petit menton tremblant. Il la toisa de haut en bas, longuement, avec morgue, en prenant chaque fois le temps de s'attarder sur tous les détails à sa convenance : la bouche, charnue, le délié de la gorge, émouvant et parfait, la poitrine, certes enserrée dans un pudique corsage mais néanmoins doucement renflée et, surtout, se soulevant au rythme d'une respiration un peu accélérée, visiblement troublée… Dieu, elle était de plus en plus charmante !

— Vous avez raison, répondit-il finalement, volontairement gouailleur. Vous n'êtes plus une petite fille. Votre corps a tous les charmes d'une parfaite tentatrice.

— Oh, souffla-t-elle, extrêmement choquée, les joues écarlates. Vous parlez comme si j'étais… une… une…

Elle voulut s'éloigner mais il la retint par la main, la ramena vers lui en plongeant avec autant d'attention que de tendresse dans ses yeux où brillait maintenant une larme.

— Ne pleurez pas par ma faute, milady, je suis un mufle. Oublions ce que je viens de dire et cessons de la même façon ce batifolage qui ne rime à rien puisque vous êtes fiancée. Contentons-nous de marcher un peu et de discuter en tout bien tout honneur, pour le seul plaisir d'être ensemble. Voulez-vous ?

Il avait gardé sa main dans la sienne. Or, elle avait beaucoup de mal à ne pas accorder d'importance à ces doigts dont la peau un peu rude cajolait sa paume. De la même façon, elle trouvait très difficile de ne pas se laisser griser par le parfum de lavande qui montait de son chandail au moindre de ses mouvements.

— Je… Je ne sais pas, monsieur. Il faudrait d'abord me promettre d'être sage…

— Dois-je poser ma main sur mon cœur et cracher par terre, comme si nous étions dans une cour d'école ? plaisanta-t-il.

— Non ! Non… je veux bien vous croire sur parole.

Il lui offrit son bras, elle s'y appuya légèrement et ils firent quelques pas.

Quand ils sortirent de leur abri, le vent avait forci. Elle prit sa capeline à la main pour éviter qu'elle ne s'envole. Vers l'Espagne, l'horizon n'était plus une étendue bleue mais une ligne de roche blanche et de végétation verte qui se dessinait progressivement. Le paquebot entrait dans le détroit. La jeune fille s'appuya au bastingage pour détailler la côte qui approchait. Lukas se plaça dans son dos. Son souffle se mêlait au vent, tombait dans ses cheveux. Elle lutta pour ne pas se retourner en quémandant un baiser.

— Allez-vous en Inde pour rejoindre votre fiancé ? s'enquit-il d'un ton qu'il s'efforça de rendre léger.

— Je vous trouve bien indiscret, répondit-elle en continuant à regarder la côte blanche et verte qui défilait. En réalité, j'y vais surtout pour rejoindre mon parrain, qui est un archéologue de la Royal Society. Depuis plusieurs mois, il mène à Calcutta un projet d'envergure qui lui tient particulièrement à cœur.

Elle avait soigneusement évité toute allusion à son futur époux ; il en fut heureux, sans trop savoir pourquoi.

— Je connais certainement votre parrain, le monde scientifique est assez restreint.

— Vraiment ? s'étonna-t-elle. Seriez-vous donc, vous aussi, archéologue ? Ce serait une coïncidence extraordinaire ! Mon parrain s'appelle Deckard. Sir Michael Deckard.

Elle n'était plus sur la défensive. Au contraire, elle tournait la tête vers lui, animée et souriante, vraiment amusée par ce coup du hasard. Il songea qu'elle avait bel et bien douze ans.

— Je ne suis pas tout à fait archéologue, milady, je préfère me définir sous le terme de chasseur d'antiquités. Je travaille sur commande, pour des savants qui, certainement comme votre parrain, répugnent à aller sur le terrain. Je connais sir Deckard de réputation. Il fait autorité dans l'histoire indo-pakistanaise. J'ai lu récemment l'essai qu'il a rédigé sur une antique cité disparue, dont il assure qu'il va bientôt parvenir à localiser l'emplacement. Ses conclusions sont audacieuses. Et fascinantes. Ce serait une découverte au moins aussi importante que celle d'Hiram Bingham concernant le Machu Picchu.

— Mon parrain ne m'associe jamais à ses recherches, dont j'ignore tout. Vous savez, nous nous connaissons assez peu, lui et moi. J'ai été très surprise d'apprendre qu'il tenait à ce que je le rejoigne à Calcutta. Nous n'avons jamais été proches. Il est mon tuteur depuis que je suis orpheline. C'était un ami de mon père. Durant mon enfance, il passait parfois quelques semaines avec moi pendant les vacances scolaires. Soi-disant pour constater mes progrès mais, la plupart du temps, il restait dans la bibliothèque, à étudier une multitude d'ouvrages qu'il emmenait avec lui. De temps à autre, j'insistais pour demeurer en sa compagnie. J'avais alors l'autorisation exceptionnelle de me mettre dans un coin, avec un livre, et je devais faire attention à ne pas faire de bruit, même en tournant les pages. Le reste de l'année, j'étais pensionnaire au Chelseahall House College tandis que Michael parcourait le monde, pour étudier je ne sais quelle vieille pierre moisie.

Elle eut un petit sourire d'excuse avant d'ajouter :

— Bien sûr, en écoutant ces souvenirs, on pourrait croire que je le déteste, mais il n'en est rien. Simplement, mon parrain est un savant parfaitement dépourvu du sens des réalités. Il n'a jamais su gérer l'enfant que j'étais.

— Et puis, surtout, vous n'appréciez guère l'archéologie, constata Lukas avec beaucoup d'amusement. Me trompé-je ?

Elle se mit à rire.

— Je ne me suis jamais posé la question ! J'apprécie l'histoire, surtout l'Antiquité, mais j'avoue que contempler durant des heures des tessons de bouteille ou des fragments de poterie ne me passionne pas outre mesure.

Il fit écho à son rire.

— Je comprends parfaitement. C'est une des raisons qui m'ont poussé à devenir chasseur d'antiquités. J'aime résoudre des énigmes et aller dans des pays lointains pour retrouver des objets disparus. Je suis plus un explorateur qu'un bibliothécaire, c'est sûr.

— Je vous ai vu monter à bord au départ de Southampton, approuva-t-elle. Effectivement, votre méthode ne fut pas tout à fait celle d'un rat de bibliothèque.

— Moi aussi, je vous ai vue. Vous aviez perdu votre chapeau et vous étiez vraiment belle. Savez-vous que ce chapeau, je l'ai toujours ? Voulez-vous que je vous le rende ?

— Non, non, je vous en prie, gardez-le, répliqua-t-elle assez stupidement, gardant presque aussitôt un silence gêné.

Le roulis forcit, les faisant tanguer. Il l'entoura de ses bras pour l'aider à maintenir son équilibre. Elle aurait dû le repousser, mais elle n'en avait pas envie. Elle se sentait bien ainsi, avec son poids dans son dos, son visage au-dessus d'elle, et son parfum de lavande dans les narines. Pour la première fois de sa vie, elle se sentait femme.

Le navire pénétra dans l'étroit passage qui séparait l'Afrique de l'Espagne. Au bout de quelques instants, Gibraltar émergea des flots, gros rocher abrupt coiffé de garrigues et de pinèdes. À ses pieds, l'océan Atlantique se mêlait à la mer Méditerranée en un bleu presque marine tandis que le ciel avait une apparence laiteuse.

— Et vous, qu'allez-vous faire en Inde ? demanda-t-elle à son tour pour ne pas laisser le silence s'installer entre eux. Allez-vous chasser dans une jungle lointaine un quelconque objet mystérieux ?

— Pas cette fois-ci. Avec Andres, mon associé, nous convoyons un objet d'une grande valeur archéologique qu'on appelle le *Sher-Cîta*. Il nous a été commandé par un client de Calcutta, à qui nous allons le livrer dès notre arrivée.

Elle lui coula un regard espiègle.

— Ne devriez-vous pas être en train de surveiller cet objet si précieux plutôt que de vous promener ici, en ma compagnie ? À moins que vous n'essayiez de m'impressionner en prétendant que ce trésor est inestimable ? Vous savez, je ne suis pas si naïve.

— Croyez-moi, milady, le Sher-Cîta est réellement précieux. Il date du IVe siècle et sa valeur historique est bel et bien inestimable. Il est même tellement précieux qu'il est actuellement enfermé dans le coffre du commandant, et surveillé nuit et jour par des matelots en arme.

— Oh, se récria-t-elle, maintenant impressionnée. Vous plaisantez, n'est-ce pas ? Vous ne pensez tout de même pas que quelqu'un pourrait le voler ?

— Je n'exclus aucune possibilité.

— Mais ce Sher-Cîta, qu'est-ce exactement ?

— Il s'agit d'une sorte de pendentif ou, plus exactement, d'un pectoral que les prêtres de l'ancien culte védique mettaient sur leur poitrine avant de célébrer les rites de fertilité. Il en existe de différentes sortes mais celui-ci est en or martelé et tressé, incrusté de topazes. Il vaut à lui tout seul son pesant d'or, bien que cette fortune ne soit rien par rapport à sa beauté et à sa valeur archéologique. D'après mon associé, qui fait autorité en la matière, cet objet religieux serait originaire d'une vallée perdue proche des sources du fleuve Brahmapoutre. Je trouve extraordinaire que, grâce à ce collectionneur qui souhaite soudainement l'acquérir, il puisse rentrer dans son pays d'origine.

Le silence revint. Ils regardèrent le rocher de Gibraltar approcher. Entre la mer et une plage minuscule, une jetée protégeait un foisonnement de barques et de maisons colorées. Les collines environnantes étaient recouvertes de vignes alternant avec des oliviers au feuillage bleuté. Même à cette distance, il était possible de voir des femmes porter sur leurs têtes de grands paniers plats. La récolte des olives battait son plein. Les lauriers-roses étaient en fleur. Par à-coups, la brise ramenait vers le paquebot une senteur de thym et de romarin.

— C'est beau, chuchota Jezebel.

Jan Lukas ouvrit sa main vers l'est, vers la Méditerranée qui s'élargissait.

— À partir de maintenant, le voyage va être ensoleillé et plaisant. La mer est superbe en cette saison. Elle dégage une douceur qui rendra les escales d'Alger, de La Valette ou de Port-Saïd très agréables. Nous arriverons sans doute à Djibouti pour Noël. Vous verrez, vous trouverez amusant de fêter la fin de l'année en buvant du champagne face aux sables du Sahara.

L'instant se prolongeait, doux et charmant. Il continua à raconter le canal de Suez, et l'étonnement que l'on ressentait à voir passer d'énormes navires au milieu des terres sèches de l'Égypte et de l'Arabie. Il expliqua la longueur des travaux, la mise en eau progressive, les felouques aux voiles blanches qui, depuis, côtoyaient ces géants battant pavillons européens. Souvent, des nomades venaient installer leurs campements près des rives maçonnées, sous de rares palmiers qui étendaient leurs ombres filiformes jusqu'aux dunes les plus proches, rien que pour les voir passer.

— Une fois le canal franchi, il nous restera au pire un mois de voyage.

Elle se pencha vers l'étrave écumante qui filait le long du navire. Il ne vit plus que sa nuque gracile, et ses cheveux ramassés en chignon que le vent décoiffait lentement. Un friselis de petites boucles blondes glissait hors des rubans, brillant de soleil. Plus bas, à la naissance de l'épaule juste en bordure du col Claudine qui lui donnait un air trop sage, un léger hâle exacerbait son envie d'y poser les lèvres et d'embrasser à pleine bouche la peau douce et nue, tentatrice.

— Ne me parlez pas de l'Inde, implora-t-elle brusquement. Je ne suis pas pressée d'y arriver.

— Je croyais que vous vouliez rejoindre votre fiancé.

Son ton avait été sarcastique. Elle sursauta, se retourna pour lui faire face.

— Que j'aille le rejoindre ou non, cela ne vous regarde pas, décréta-t-elle avec un début de colère qui fit trembler sa bouche.

Il rétorqua avec suffisance.

— Tout de même un peu.

— Je ne vois pas pourquoi.

— Parce que sans cette ombre que vous avez jetée entre nous, vous seriez là, ployée sous mes baisers, vos bras noués autour de mon cou, votre corps serré contre le mien.

— Je ne vous autorise pas à me parler ainsi, déclara-t-elle d'une voix blanche.

Elle aurait dû partir mais elle ne parvenait pas à s'y résoudre. Au contraire, elle se tenait là, immobile devant lui, à le regarder de ses yeux immenses aussi bleus que le ciel, si limpides que ce fut lui qui fit un pas en arrière, pris de vertiges.

— Votre fiancé a bien de la chance, jeta-t-il brutalement.

— Taisez-vous, souffla-t-elle en baissant le nez. Vous parlez de choses que vous ne connaissez pas. Mon fiancé, je… je ne l'ai encore jamais vu.

Elle rougit sous l'aveu, l'air égaré, les yeux trop brillants. Il se traita de butor tout en souriant aux anges, égoïstement ravi d'apprendre que son cœur n'était pas pris. Il la saisit par le coude, l'attira contre lui. Elle demeura pétrifiée, avec ses mèches follettes qui s'échappaient de son chignon, glissaient le long de sa gorge, et ses rubans dénoués qui ondulaient contre ses joues empourprées. Elle ne remarquait ni les embruns qui fouettaient son visage, ni le vent qui gonflait son corsage, plaquait sa jupe contre ses jambes. Elle ne faisait que le regarder.

— Embrassez-moi, lui dit-il.

— Partez, rétorqua-t-elle.

Il prit sa main, la porta à ses lèvres pour cajoler la douce tiédeur de sa peau. Un goût de sel se déposa sur sa langue.

— Partez, répéta-t-elle plus fort.

Il chuchota, la bouche contre sa peau, en plongeant ses yeux dans les siens.

— Le voulez-vous vraiment, *darling* ? Je ferai comme vous le désirez, pour peu que vous soyez certaine de ce que vous exigez.

— Oui, répondit-elle du même ton assourdi, en le laissant pourtant lui embrasser l'intérieur du poignet et même remonter lentement vers la saignée du coude. Je… j'en suis certaine.

— Dans ce cas, ajouta-t-il, l'air grave, il faut nous dire adieu.

— Oui, répondit-elle en hochant la tête.

Il lui lâcha la main à regret. Libérée de son emprise, elle recula d'un pas, puis d'un autre.

— Je sais que cela ne se dit pas, lança-t-elle tout à trac, mais je… j'ai vraiment aimé vos baisers.

— Jezebel, insista-t-il. Restez.

Elle tourna les talons, partit presque en courant. Il voulut la rattraper, devina que ce serait inutile, qu'elle le repousserait encore et encore. Elle disparut au loin ; il se détourna en serrant si fort la rambarde que les articulations de ses mains blanchirent.

— Moi aussi, murmura-t-il vers le vent, vers le ciel, vers la mer. Moi aussi, j'ai aimé nos baisers.

# 5

*14 novembre 1918 - 1er janvier 1919*

Les jours suivants furent à la fois calmes et d'une parfaite étrangeté. Jezebel tomba malade. Nausée, migraine, extrême fatigue. Froid puis chaleur excessive. Désir inconcevable tordant ses entrailles. Soupirs, gémissements étouffés et regrets. Sentiments contradictoires. Larmes.

Son corps était devenu la proie d'une véritable tempête ; elle s'enfouit dans son lit, stores baissés, rideaux tirés, dos tourné, couvertures par-dessus la tête. Elle craignait de revoir Jan Lukas, de croiser ses yeux posés sur elle, son demi-sourire à la fois tendre et moqueur, sa main tiède et caressante. Elle chérissait son souvenir mais ne pouvait concevoir d'être faible, assujettie à la dictature de ses sens et esclave de la volonté d'un homme. Elle savait qu'en le revoyant, elle se jetterait dans ses bras comme une vulgaire gourgandine, avide de ses baisers, quémandant ses caresses et, sans doute, beaucoup plus.

Or, cela, elle ne pouvait l'accepter. Elle était fiancée.

Elle s'était donc enfermée dans sa chambre, assez lâchement il est vrai. Puis elle avait compris qu'elle ne pourrait fuir éternellement. Tôt ou tard, le cours implacable de la vie reprendrait ses droits et elle devrait l'affronter.

Attendre n'était que reculer.

Olga venait souvent la voir. Jezebel lui abandonnait sa main, consciente que la Russe la scrutait en affichant un air de quelqu'un qui sait. Elle gardait le silence. Elle n'avait pas envie de se confier à cette trop récente amie si perspicace, dont elle ne partageait pas tous les points de vue. Elle avait toujours trouvé que cette dernière avait une faconde tapageuse et une trop grande liberté de ton. Femme émancipée et provocante, elle parlait de l'amour avec des mots crus et libertaires qui semblaient célébrer une jouissance victorieuse.

Jezebel, le nez baissé, était gênée de l'écouter. Elle était encore à l'âge des soupirs. Elle rêvait d'amour courtois et platonique. Elle se voulait muse et non objet que l'on tripote. Découvrir dans les bras entreprenants de Lukas que son corps n'avait pas les mêmes aspirations que son esprit l'avait complètement désorientée.

Il avait donc fallu apprivoiser ce mal-être nouveau et la turbulence exubérante de ses sens qu'elle ne reconnaissait pas. Et aussi décider de faire comme si de rien n'était.

Cela n'avait pas été facile.

Parce qu'il avait fallu renoncer à l'innocence, à l'enfance, et se résoudre à ce que rien n'ait plus jamais le même goût, la même importance, le même sens. Accepter que, dorénavant, les moments se succèdent, rassurants par leur extrême banalité, mais tristes, si tristes.

Au bout de plusieurs jours, elle s'était révoltée, avait rejeté les couvertures et s'était levée. Elle ne pleurait plus. Olga, rassurée, lui avait souri.

Dès lors, les deux jeunes femmes s'installèrent dans une routine salutaire qui commençait invariablement par un solide petit-déjeuner pris dans la suite ou au Grand Salon en fonction de l'humeur de la duchesse, suivi par la promenade des chiens.

Jezebel appréciait particulièrement ce moment. Elle avait toujours été à l'aise avec les animaux, qu'il s'agisse de chiens ou de chevaux, et les barzoïs d'Olga ne dérogeaient pas à cette règle. Rapidement, les lévriers s'étaient habitués à sa présence et affectaient même d'être heureux de la voir. Dès qu'elle ouvrait l'une des cages, l'occupant avançait dignement vers elle pour la fêter de quelques mouvements de la queue puis lui léchait aimablement le bout des doigts. Il acceptait ensuite d'être mis en laisse tout en affichant l'air mesuré de celui qui sait être aristocratique en toute circonstance.

Jezebel riait, cajolait l'élégant puis arpentait le pont en sa compagnie, d'un pas lent et gracieux. Lorsque la météo était clémente, les badauds se pressaient et les enfants les plus hardis demandaient à caresser l'animal. Les barzoïs faisaient chaque jour sensation, sans doute parce qu'ils étaient grands et beaux, mais aussi parce qu'ils formaient un merveilleux écrin aux deux jeunes femmes belles et élégantes qui les promenaient.

La duchesse Olga Marushka Obolenski était une figure emblématique de la bonne société de Calcutta et ceux qui voulaient la saluer étaient nombreux. Lors de ces rencontres, les conversations abordaient poliment les aléas climatiques avant de glisser sur les derniers événements internationaux. Chaque matin, la *Gazette* mettait un point d'honneur à informer les passagers des dernières nouvelles reçues d'Angleterre par radio. On apprit ainsi que la Lettonie avait déclaré son indépendance fin novembre, que l'armée française était entrée à Strasbourg, que l'Alsace-Lorraine était revenue dans le giron de la France immédiatement après la signature de l'armistice et que la coalition des libéraux et des conservateurs menée par Lloyd George avait été élue au Royaume-Uni.

Olga fut particulièrement heureuse d'apprendre que les Alliés avaient enfin, et officiellement, pris parti pour les Russes blancs contre les révolutionnaires rouges. Elle commença à rêver qu'un jour elle pourrait revenir à Moscou.

La duchesse parlait peu de son passé. Au mieux faisait-elle parfois de brèves allusions à une enfance difficile, extrêmement pauvre, où les souvenirs se teintaient surtout de plaisirs culinaires. Elle avait connu la faim à plusieurs reprises, et n'avait survécu qu'en mangeant des soupes d'herbes ou de vieilles pommes ratatinées disputées aux oiseaux.

À force de recoupements, Jezebel réussit à comprendre qu'Olga avait été mariée de force, pour ne pas dire vendue, à un vieillard aussi riche que lubrique alors qu'elle n'avait que quatorze ans. La fillette offerte en pâture à un aristocrate dont elle lui avait parlé le jour de leur rencontre, c'était elle.

Le cher époux avait été assassiné au début de la révolution d'Octobre et, sans doute, la jeune duchesse n'y aurait-elle rien trouvé à redire si les bolcheviks n'avaient également tenté de la tuer. Elle n'avait réussi à se sauver que grâce à un exceptionnel concours de circonstances, emportant avec elle une véritable fortune de titres au porteur, qu'elle avait fait fructifier à millions après s'être installée à Calcutta. Depuis, elle s'estimait bénie des dieux et ne reculait devant aucune folie pour jouir pleinement de cette vie qu'elle avait cru perdre si rapidement.

La promenade finie, les deux jeunes femmes remettaient les chiens au chenil et regagnaient leur suite pour attendre l'heure du déjeuner. Olga en profitait pour se reposer, dans le but avoué de préserver l'éclat de son teint. Elle enfilait une tenue d'intérieur en soie de Chine, s'étendait paresseusement sur le divan et épluchait les pages mondaines de la *Gazette*. Comme d'habitude, elle lisait avidement les moindres potins, qu'elle commentait à voix haute entre deux bouffées de cigarette.

Sur le paquebot, la Russe n'était férue d'aucun autre loisir. Elle ne fréquentait ni la salle de sport, ni le cours de squash, ni la piscine, hormis pour se faire masser durant des heures dans les bains turcs. Parfois, elle empruntait un livre à la bibliothèque jouxtant le Grand Salon, de préférence un écrivain russe dont elle parcourait les premières pages avec mélancolie avant d'arrêter sa lecture en soupirant fortement.

Jezebel était presque son contraire. Jeune et impétueuse, elle avait besoin de faire de l'exercice. Les longues promenades qu'elle faisait à cheval dans le parc de Chelseahall House lui manquaient. Elle avait donc été amusée de découvrir dans la salle de sport un objet pompeusement appelé cheval électrique.

Bien sûr, un tel engin n'avait rien de commun avec un vrai cheval. C'était un assemblage de bois, de cuir et de son, sur lequel on avait installé une selle, et il ne simulait le galop que par le jeu d'un mécanisme élaboré. La « monture » réservée aux dames allait plus lentement que celle des hommes, il fallait donc que la journée soit particulièrement morne pour trouver dans cette occupation un certain plaisir, mais Jezebel y venait à chaque fois qu'elle commençait à trop tourner en rond.

Elle se rendait également à la piscine lorsque le roulis le permettait. Le matin était l'unique moment réservé aux dames. Auparavant, il fallait aller au bureau des renseignements pour acheter un ticket à quatre shillings. La jeune fille en profitait pour retirer le courrier avant que le steward ne vienne le distribuer au Salon.

Noël approchait, les cartes de vœux arrivaient déjà par sacs entiers. Un hydravion assurait la liaison aéropostale avec le continent. Chaque jour, il venait de la ville la plus proche et amerrissait près du paquebot. Des matelots mettaient un canot à la mer, puis allaient récupérer les sacs postaux. L'hydravion repartait, puis recommençait le lendemain.

Récemment, Jezebel avait découvert le squash, un jeu de raquette né au siècle précédant qu'on disait inspiré du jeu de paume français, et qu'elle pratiquait sur l'invitation de Peter Asgulson, le jeune secrétaire du Dr Appleton. Le Suédois était venu un jour à sa rencontre en triturant nerveusement sa casquette entre ses grandes mains tachées de son. Le rouge aux joues mais le regard hardi, il avait cérémonieusement demandé à la duchesse Obolenski l'autorisation d'inviter sa protégée à frapper avec lui dans quelques balles en caoutchouc.

Depuis, Jezebel jouait régulièrement avec le jeune homme dans cette salle haute de cinq mètres, aux cloisons d'acier peintes en gris et au sol recouvert de linoléum. Une tribune protégée par un filet permettait à quelques spectateurs de suivre les échanges. Olga y encouragea parfois sa protégée, mais elle ne restait jamais longtemps. Elle n'aimait pas le sport. Elle estimait qu'elle avait suffisamment couru lorsqu'elle avait traversé la Russie pour échapper aux bolcheviks.

Peter était un jeune homme timide et respectueux, au physique ordinaire et à la conversation agréable. Il était très enthousiaste à l'idée d'aller aux Indes et rédigeait chaque jour un journal intime bourré d'anecdotes dont il avait rapidement osé lire des extraits à sa si jolie partenaire.

Jezebel lui trouvait, certes un peu cruellement, l'air d'un bon gros chien affectueux. Elle devinait qu'il était amoureux d'elle, mais cet amour lui paraissait tellement différent de celui de Lukas, qui donnait à sa chair des tremblements de désir, qu'elle ne parvenait pas à le trouver encombrant. Comme le jeune homme était fort bien informé et qu'il fut le premier à lui expliquer en détail l'histoire du Raj britannique, elle le considéra rapidement comme un ami.

Après le squash, ils prirent l'habitude d'aller boire un rafraîchissement au *Café parisien* où, assis en terrasse, elle écoutait ses cours d'histoire en sirotant tranquillement une limonade. Il lui expliqua ainsi que le régime colonial britannique était né en 1858 lorsque les possessions de la Compagnie des Indes orientales avaient été transférées à la Couronne britannique. La reine Victoria était devenue impératrice des Indes en 1876. Le Raj était dirigé par un vice-roi qui représentait la souveraine. Le coup de génie avait été de laisser la suzeraineté aux États princiers des provinces indiennes.

Bien sûr, ce mode de gouvernance n'était pas si rose. La guerre avait fait de nombreux dégâts. Jezebel découvrit avec consternation que l'Inde servait de creuset à des activités terroristes : celles des sikhs refoulés du Canada, celles des musulmans du Bengale qui en appelaient à la guerre sainte, celles des leaders penjâbi qui revendiquaient l'indépendance. Jusqu'à présent, un certain Mohandas Gandhi, dont la parole semblait très écoutée, avait soutenu le vice-roi. Sauf que les choses étaient en train de s'envenimer.

— Peter, cherchez-vous à me faire peur ? Êtes-vous sérieusement en train de me dire que nous nous rendons dans un pays dangereux ?

Le jeune Suédois la regarda d'un air penaud.

— Mademoiselle Jezebel, ne soyez pas effrayée ! Ces troubles sont bien entendu circonscrits par votre armée britannique, qui est l'une des meilleures au monde ! Et puis, nous nous rendons à Calcutta qui, d'après mon employeur, le Dr Appleton, est une grande ville tout à fait civilisée. Vous n'aurez rien à y craindre, hormis quelques mauvaises fièvres ou des inondations consécutives à la mousson.

— Bien sûr, là, vous pensez que vous êtes en train de me rassurer ? ironisa la jeune fille en fronçant les sourcils, tout en posant son verre de limonade sur la table.

Le jeune homme rougit violemment, et elle éclata aussitôt d'un rire espiègle.

— Je vous taquine, Peter. Je n'ai pas peur. Je suis certaine que s'il y avait un danger quelconque, mon parrain ne me ferait pas venir.

*

Les autres jours, Jezebel peignait. Elle profitait des innombrables moments de repos que s'octroyait Olga pour sillonner les ponts et les entreponts à la recherche de sujets d'étude. Elle aimait tout particulièrement à se promener de très bonne heure, lorsque la lumière avait encore cette pâleur d'aube propre à exalter l'horizon. Il lui semblait alors toucher de ses pastels quelque chose d'indicible, voire de mystique. Elle n'était pas spécialement croyante. Mais la beauté du monde l'avait toujours émue.

Son carnet de croquis était son confident. Elle lui livrait tous ses états d'âme, surtout ses soupirs. Parfois, elle dessinait de mémoire une silhouette athlétique, s'efforçant de retrouver l'angle de la mâchoire, le pétillant d'un regard, puis elle s'arrêtait, et raturait avec rage le portrait trop ressemblant. Elle se sentait idiote, mais recommençait tout de même dès le lendemain, encore et encore.

Elle s'arrêtait souvent devant le tableau des deux oiseaux bengalis. Elle avait besoin de le copier, pour se l'approprier ou, à tout le moins, pour donner corps à ses souvenirs. Elle réalisa une première étude au fusain, puis une deuxième aux pastels, une troisième à l'encre de Chine, pour finalement se lancer dans une aquarelle qu'elle recommença à l'envi, jamais satisfaite de la pureté de son trait.

Elle savait bien que ce n'était qu'une excuse pour rejouer à l'infini la scène qui avait provoqué son premier émoi.

Le rite était toujours le même. Elle arrivait, s'installait sagement sur un petit tabouret, son pinceau se levait, sa respiration s'écourtait. Elle fermait à demi les yeux, pour mieux se souvenir du souffle glissant dans son cou, de la caresse de ses cheveux voletant légèrement, et des mots qu'il avait prononcés, et qu'elle répétait inlassablement comme un trésor: «Ce sont des oiseaux bengalis. On les appelle des inséparables car leur couple se forme pour la vie.»

Pour la vie.

Le visage en feu, elle repensait au bal, à cette valse qu'avec le recul elle trouvait si impudique, à la chaleur de sa main, au contact de sa cuisse, à son sourire qui l'enveloppait tout entière et, plus tard, à ses lèvres collées sur les siennes pour lui faire découvrir son premier baiser.

«Suis-je sotte!», rouspétait-elle alors avec colère, avant de ranger rageusement ses toiles et ses couleurs pour retourner dans la suite et rendre le reste de sa journée aux côtés d'Olga aussi anodine et rassurante que possible.

Les après-midi s'écoulaient donc, un peu mornes et dénués de sens, jusqu'à ce que Miss Pickford, la couturière du bord, vienne se présenter avec ses fils et ses ciseaux pour une séance d'essayage fastidieuse. Elle obéissait aux ordres de la duchesse Obolenski qui voulait renouveler le trousseau de sa protégée, définitivement jugé trop triste et passé de mode.

Au début, Jezebel n'avait pas vu cette ingérence d'un bon œil. Olga avait sur certaines questions un comportement presque tyrannique, et la mode vestimentaire en était justement une. Quel pouvait être l'intérêt de la longueur d'un ourlet ? Ou celui de la finesse d'un point ? À Chelseahall House, une institution présentée comme avant-gardiste, les professeurs n'encourageaient pas la coquetterie de leurs élèves. Au contraire, ils assuraient qu'une tête bien faite était surtout une tête bien pleine. Helen McGiven, la directrice de l'établissement, prétendait que l'émancipation des femmes passerait par la connaissance, et non par le point de croix.

Jezebel avait donc mis du temps à comprendre le cadeau que la duchesse lui faisait. Pour cela, il avait d'abord fallu côtoyer d'innombrables dames riches et élégantes qui faisaient constamment grand cas de leurs toilettes. Plus tard, il avait aussi fallu découvrir le plaisir sensuel d'un tissu seyant à son teint, d'un ruban accordé à la couleur de ses yeux ou d'une dentelle révélant le grain de sa peau.

Olga s'était amusée de ce changement auquel elle n'était pas étrangère. Elle avait guidé les balbutiements de son amie avec finesse et intelligence. D'abord, elle avait fait raccourcir les jupes et les robes de façon certes décente pour une jeune fille de bonne famille, fiancée de surcroît, mais en imposant tout de même un petit quelque chose qui permettait de la sortir du lot.

— Il ne s'agit pas d'être esclave de la mode, ou de l'utiliser de façon inconsidérée, appuya-t-elle un soir à l'issue d'une séance d'essayage assez pénible durant laquelle Jezebel s'était montrée de fort mauvaise humeur et particulièrement rétive à tout. La mode est un instrument qui nous permet d'exprimer notre personnalité et de mettre en valeur nos atouts. La mode est notre arme secrète.

Avec beaucoup de patience, elle avait tenté de faire comprendre à la jeune fille que le but de l'exercice n'était pas de séduire tout le monde, mais en premier lieu de s'aimer soi-même.

— Soyons claires, ma chérie, il vous sera très difficile d'être heureuse dans votre vie si vous ne vous aimez pas au moins un petit peu.

La jeune Anglaise n'avait rien répondu. Le ton péremptoire l'avait par avance découragée même si elle avait estimé l'attention louable. Olga avait donc pris ce silence pour un acquiescement et avait continué à mettre sa leçon en pratique en ornant toutes les tenues de rubans, de broderies, de perles et de strass.

Après, il fut question de coiffure mais, dans ce domaine-là, Jezebel s'insurgea aussitôt : non, non et non, elle ne se ferait pas couper les cheveux !

Olga l'avait rassurée. Il n'était pas question de massacrer l'un de ses plus jolis atouts, cette toison blonde comme une fourrure, mordorée comme un écheveau de soie, qui restituait si bien mille et un parfums sensuels. Au contraire, il suffisait d'élaborer un petit chignon serré bas sur la nuque, joliment adouci par une multitude de mèches bouclées laissées libres autour du visage. L'impression donnée serait celle d'une coupe à la garçonne qu'un bandeau orné de plumes et de fleurs achèverait de mettre au goût du jour.

Encouragée par ce résultat, Jezebel s'enhardit à ajouter un peu de poudre sur son front, de rose sur ses joues et de noir sur ses paupières. Le miroir lui renvoya aussitôt un reflet nouveau, qui n'avait rien de commun avec celui de la jeune fille gauche et timide, grandie trop vite, qui avait embarqué sur ce paquebot quelques semaines auparavant. Au contraire, il révélait maintenant un visage délicat et raffiné, à la beauté mutine et sensuelle, où les grands yeux semblaient ouvrir les tréfonds d'un cœur avide d'amour.

Jezebel sourit à son image. Elle se plaisait.

*

Les jours s'effeuillèrent ainsi les uns après les autres, portés d'une escale à l'autre. La Méditerranée se découpa en îles, en cités nichées dans des criques, en rochers déchiquetés, en masures de pêcheurs, en phares inondant de leur lumière rouge le moindre crépuscule.

D'abord, il y eut Alger la Blanche, rutilante de soleil, dont l'appel à la prière lancé par le muezzin fut le premier son venu à la rencontre du paquebot. Les narines s'enflèrent d'une odeur d'épices et de goudron, de poisson vendu à la sauvette et de laine un peu âcre qui montait dans l'air au fur et à mesure qu'on débarquait les moutons.

Jezebel regardait avec pitié les pauvres bêtes résignées, qu'on avait attachées par une patte pour les hisser en grappe avec une grue à vapeur. Après un bref passage la tête à l'envers, elles étaient rudement déchargées sur le quai, face à la darse de l'Amirauté. Des bergers les regroupaient, aucune ne se débattait ni ne bêlait. Plus loin, des passagers de troisième et quatrième classe débarquaient dans le même silence, en équilibre sur les passerelles avec leurs ballots noués sur les épaules. Tandis que dans le ciel, les mouettes riaient.

Malte suivit.

Jezebel retint une immensité de bleu et, soudain, cette lézarde d'ocre doré, brillante d'aspérités et de dômes, qui ouvrait sur le port du Grand Harbour en périphérie de La Valette. L'île était rocheuse, bordée de criques et de promontoires. Le paquebot s'était majestueusement avancé le long du front de mer en se faufilant entre des barques de pêcheurs et les cuirassés anglais qui mouillaient ici en permanence. L'Empire britannique s'était installé à demeure depuis que les Maltais leur avaient demandé de les débarrasser des Français.

Après un voyage de plus de deux semaines, la Crète émergea soudain de la mer. Des siècles auparavant, les Vénitiens avaient construit un port surmonté d'un fort crénelé, dont la silhouette massive montait la garde comme au temps des Turcs. En bordure de plage, la Méditerranée se teintait de turquoise assombrie par les laminaires ondulantes. Il faisait chaud et sec, comme en Afrique lorsque, des jours plus tard, l'*Albatros* atteignit Port-Saïd.

L'entrée égyptienne du fameux canal de Suez sortit des eaux dans un mirage d'arcades et de balcons, de dômes et de minarets. À l'horizon s'étendait une terre ocre et plate, horizontale et sableuse, et un artifice d'eau bleue qui tranchait au couteau le désert.

Jezebel fut déçue. Elle attendait l'Afrique, la vraie, la noire. Or, il n'y avait rien à voir, hormis d'énormes cargos qui, de loin, semblaient voguer au-dessus des dunes comme de monstrueux oiseaux. L'*Albatros* délaissa le port sorti de nulle part pour entrer dans l'étroit chenal. Il fit retentir sa corne de brume. Les berges maçonnées déroulèrent lentement leur décor de carte postale, ses maigres palmiers, ses troupeaux paissant auprès d'arbustes desséchés, ses dromadaires au pas séculaire que montaient des Bédouins enveloppés dans leurs voiles.

Malgré la présence du canal, l'air était sec, brûlant.

— Joyeux Noël, ma chérie! s'exclama Olga Marushka en offrant à sa jeune amie un long écrin d'acajou ciselé de nacre.

Elles se tenaient toutes les deux contre le bastingage, les cheveux au vent, le visage protégé du soleil implacable par une ombrelle. Des enfants jouaient au cerceau en chantant des comptines. Noël paraissait si improbable que Jezebel avait failli l'oublier.

— Vous m'offrez un cadeau de Noël?

— Oh, trois fois rien, sourit Olga Marushka, ravie de sa surprise. Après tout, c'est Noël.

Sa jeune interlocutrice embrassa d'un seul regard le désert ocre écrasé par un horizon ondulant de chaleur. Noël à Suez. Elle se mit à rire.

— C'est insensé! Nous sommes en train de naviguer vers Djibouti. À droite comme à gauche s'étend tout le sable de l'Arabie et vous, vous me faites un cadeau de Noël!

— C'est que, Jezebel chérie, répliqua Olga Marushka, nous sommes tout de même le 24 décembre.

— Difficile de s'en rendre compte, assurément! gloussa de plus belle la jeune fille. Imaginez, si vous aviez attendu notre escale à Djibouti, vous auriez pu déposer ce cadeau sous un palmier de Noël. Nous en aurions bien ri! Nous aurions même pu faire une photographie…

Olga rit à son tour, sa grande bouche maquillée de rouge bien ouverte sur ses dents nacrées. Joliment mise dans une tenue d'été signée Jean Patou, elle semblait très heureuse de son petit effet. Jezebel ôta le ruban rose, entrouvrit l'écrin. À l'intérieur, un magnifique tour de cou, fait de plaques d'or martelé et gravé, alternait avec des perles de cornaline sur un torque torsadé.

— Olga, souffla Jezebel, bouche bée. Je… je ne peux pas accepter!

— Ne dites pas de bêtises, ma chérie. Venez plutôt, que vous puissiez l'essayer dans notre cabine.

Dans la suite, Olga mit le phonographe en marche, esquissa quelques pas de danse sur les notes de « *Russian Rag* » qu'elle adorait, avant de se tourner vers Jezebel. La jeune fille s'était assise sur le sofa et s'abîmait dans la contemplation du magnifique bijou.

— Mais où avez-vous trouvé une telle splendeur?

— Vous souvenez-vous du *señor* Andres Agustin?

Jezebel pâlit un peu. Comment oublier qu'Agustin était l'associé de Jan Lukas ? S'efforçant de demeurer impassible, elle revint vers le bijou, dont elle étudia les moindres détails avec minutie. Tout ce qui touchait de près ou de loin à Lukas avait toujours le don de la troubler. Elle ne l'avait pas revu depuis le fameux matin de leur rupture, hormis de loin et au hasard de certains dîners. Ils s'étaient parfois lancé du bout des lèvres un vague bonjour ou avaient été contraints d'échanger quelques brèves paroles selon les circonstances, mais, Dieu merci, jamais rien de plus. Au fil des jours, elle était presque parvenue à se convaincre qu'il lui était indifférent.

— Je m'en souviens, répliqua-t-elle d'une voix atone.

— Savez-vous que lui et son associé, ce Jan Lukas avec lequel vous avez dansé au bal de l'armistice, sont des négociants en archéologie ? Ils ont dans leurs bagages quelques pièces de collection qu'ils proposeront à la vente dès leur arrivée aux Indes. Ils vont à Calcutta pour convoyer pour le compte d'un richissime propriétaire terrien un pendentif d'origine gupta daté de Mathusalem, appelé Sher-Cîta, qui serait une pièce unique valant apparemment une fortune.

Jezebel se rappelait parfaitement cette anecdote que lui avait justement racontée Jan Lukas.

— Je me souviens très bien du *señor* Agustin, répondit-elle poliment. Il s'agit de cet Argentin qui décrivait avec tant de panache la danse de tango... Est-ce lui qui vous a proposé ce bijou ?

— En réalité, j'étais curieuse, je voulais voir le Sher-Cîta, ce médaillon si coûteux, mais Agustin m'a assurée que c'était impossible. Outre le fait que cet objet soit enfermé dans le coffre-fort du commandant, il semblerait qu'il soit également placé dans un écrin scellé. Pour pallier ma déception, ces messieurs m'ont proposé de me montrer leur collection. Ils ont des pièces magnifiques, un vieux mousquet trouvé dans le souk de Bénarès, un poignard en ivoire qui viendrait de la tombe de Toutankhamon, un diadème grec sorti tout droit du trésor de Démétriade, mais j'ai eu un véritable coup de foudre pour ce collier de princesse égyptienne. Je me suis souvenue que vous n'aviez guère de bijoux, et j'ai trouvé amusant de vous l'offrir alors que nous étions justement en train de longer l'Égypte. Il sera magnifique pour la soirée du Nouvel An.

La soirée du Nouvel An. Un dîner somptueux suivi d'un bal qui permettrait d'attendre les douze coups de minuit en musique. Olga savait tout, racontait le menu et le programme avec force détails, ajoutait même que le commandant de bord avait promis un feu d'artifice tiré du pont arrière. Sons et lumières sur le désert d'Arabie.

— Je suis ravie, ravie, ravie, ajouta la duchesse en tournoyant sur elle-même au son du gramophone, nous aurons enfin à notre table ces messieurs Agustin et Lukas. Ma chérie, vous n'imaginez pas comme je m'en réjouis. Je compte les jours comme une enfant !

Jezebel ne répondit rien. Elle se sentait prise au piège et n'avait qu'une envie, disparaître six pieds sous terre.

*

Dans le Grand Salon, les lustres d'apparat étaient tous allumés pour fêter le réveillon de la Saint-Sylvestre. Leur lumière revêtait une intensité de pierre précieuse, caressant au passage les chandeliers rutilants jusqu'au miroir, les couverts de vermeil brillant de mille feux et les centres de table parés de roses de Noël constellées d'étoiles.

Jezebel retint un soupir lorsque Olga Marushka accrocha son bras pour l'attirer vers la table où elles étaient attendues. Ensemble, elles glissèrent entre des dessertes joliment juponnées de nappes immaculées puis contournèrent l'immense sapin resplendissant de toutes ses guirlandes. Partout, des décorations scintillantes étaient accrochées au plafond, et des compositions à base de branches de houx, de bougies, de paillettes et de fausse neige ornaient tous les meubles.

De nombreux passagers saluèrent au passage les deux jeunes femmes, certains parce qu'ils connaissaient la duchesse Obolenski et qu'ils voulaient lui présenter leurs hommages, d'autres parce qu'ils la savaient célèbre, immensément riche et très belle, et qu'ils tenaient à échanger quelques mots avec elle. La plupart de ces gens semblaient croire que la renommée d'une personnalité jaillissait par ricochet sur leur propre existence. C'était une caractéristique de ce monde que Jezebel avait récemment découverte, qui semblait sur ce navire plus vivace qu'ailleurs, sans doute parce qu'ici, dans cet espace clos, les différentes classes sociales étaient tout de même forcées de se côtoyer, et ce malgré la volonté de la Company de cantonner chacun dans des endroits circoncis.

Depuis le début de la soirée, Jezebel s'était montrée renfrognée. Elle avait tenté de persuader Olga d'échapper à cette corvée officielle mais cette dernière avait insisté, refusant tout net de réveillonner seule. D'un ton sans réplique, l'aristocrate russe avait argué qu'une demoiselle de dix-sept ans devait à tout prix s'amuser à la Saint-Sylvestre plutôt que de demeurer seule, à lire de vieilles romances démodées.

— La réalité ne vaut-elle pas mieux que le rêve? avait-elle tranché.

Vexée, Jezebel s'était pliée de mauvaise grâce aux exigences de la duchesse mais elle demeurait si tendue qu'elle ne riait qu'à retardement aux bons mots qu'elle entendait.

Olga ne remarquait rien. Elle rayonnait dans un fourreau lamé argent qui soulignait avec grâce ses courbes idéales. Son visage aux pommettes orientales était un miracle de beauté et de sophistication extrême tandis que son élégance parfaite la rendait tour à tour abordable ou mystérieusement lointaine. Elle était heureuse. Elle jouait de son éventail en dentelle, ombre et lumière affleurant son immense sourire vermillon, tandis qu'une longue écharpe de fourrure donnait à ses mouvements le port altier d'une reine de Saba.

À ses côtés, Jezebel affichait une simplicité bien différente, qui aurait pu la faire paraître pâle et insignifiante mais qui seyait au contraire à sa jeunesse et à sa blondeur. Joliment mise dans une robe du soir en soie rose pailletée d'or, elle ondoyait comme une sirène. Son corsage asymétrique, décoré de nœuds, de roses et de perles, était souligné par une jupe dont elle retenait la traîne d'une main délicate. Autour de son cou délié, l'épais collier égyptien offert récemment par la duchesse parachevait sa fraîcheur d'une note à la fois précieuse et sensuelle.

Les deux jeunes femmes furent accueillies par James Adler, le commandant de bord, qu'elles avaient déjà rencontré lors d'un précédent dîner. Ce quinquagénaire affable à la barbe poivre et sel affichait une silhouette plutôt replète – il aimait la bonne chère et cela se voyait. Son apparence rustaude était compensée par des vêtements soigneusement coupés, un caractère de bonne composition et une érudition qui en imposait. Comme la tradition exigeait que, chaque soir, il reçût à sa table d'illustres passagers que la Company entendait honorer, il palliait l'ennui de ces dîners imposés en choisissant des personnalités fortes, capables de narrer des anecdotes hautes en couleur. Lui-même avait été chercheur d'or en Alaska et chasseur de baleines en Antarctique dans une lointaine jeunesse. Il en avait gardé la nostalgie d'une vie aventureuse. Il était donc particulièrement heureux d'inviter à sa table les archéologues Agustin et Lukas dont les histoires de chasse au trésor, qu'elles fussent réelles ou imaginaires, l'amusaient énormément. Il parachevait le tableau en conviant des femmes belles et spirituelles, telles la superbe duchesse Obolenski et sa jeune protégée, l'adorable lady Tyler.

Après avoir échangé quelques mots aimables, les deux jeunes femmes reçurent les hommages de lord Esket, de son épouse et de leur fille Amely. Olga, en parfaite femme du monde, complimenta cette dernière pour son élégant bandeau de cheveux piqué de plumes d'autruche tandis que Jezebel répondait au salut très militaire du *señor* Agustin.

L'Argentin était comme à son habitude impeccable dans un frac taillé à l'anglaise, porté avec une chemise à col cassé. Une coupe de vin de champagne à la main, il faisait preuve d'une faconde en accord avec sa jovialité de seigneur de la pampa, ce qui ne l'empêchait pas de couvrir sa jeune interlocutrice d'un œil de velours qui la faisait rire, tout en la gênant quelque peu.

Évidemment, cet embarras naissait aussi de la présence de son associé Jan Lukas qui, debout à quelques pas près d'une desserte aménagée pour l'occasion en bar, s'amusait à servir à des dames fort élégantes un vin de Porto que Jarvid, le chef de salon, versait dans de petits verres à liqueur.

Jezebel observa l'Américain à la dérobée, admirant tout à trac sa belle stature et l'élégance de son smoking agrémenté d'une rose blanche joliment piquée à la boutonnière de sa poche poitrine. Son cœur chavira.

Lukas remarqua sa présence et vint la saluer sous prétexte de lui tendre un verre. Elle refusa en rougissant.

— Je ne bois pas d'alcool.

— Ce vin doux convient aux dames, assura-t-il en haussant les épaules, mais si vous préférez, je peux vous faire servir une eau pétillante d'Italie.

— Je préférerais, merci.

Il s'exécuta en prenant son temps, décidément réjoui de la voir étudier avec tant d'intérêt le moindre de ses gestes. Il la trouvait particulièrement élégante et gracieuse ce soir, bien qu'elle affichât tout de même cette apparence d'Anglaise bien élevée qui lui donnait constamment envie de la secouer. Il n'avait pas oublié qu'elle l'avait éconduit quelques semaines auparavant de façon cavalière et il l'aurait bien plantée là, avec son verre d'eau, s'il n'avait soudain remarqué que sa lèvre inférieure tremblait un peu. Ainsi, malgré ses grands airs de lady, la belle était tout de même troublée de le revoir... Il retint un soupir. Il aurait voulu la détester mais ce petit geste involontaire la rendait à nouveau ensorcelante.

— Votre collier est mal attaché, observa-t-il soudain. Le système est un peu compliqué. Me permettez-vous ?

Elle hésita, faillit refuser, puis acquiesça en baissant légèrement les paupières. Il vint dans son dos, détacha le fermoir, réajusta délicatement la parure autour de sa gorge. L'épaisse rivière d'or glissa vers le creux de ses seins en effleurant au passage la naissance de ses épaules. Elle frissonna. Il le remarqua, manqua de sourire. Ainsi, il ne se trompait pas, il ne lui était pas indifférent... Submergé par l'émotion, il faillit se pencher pour embrasser à pleine bouche la chair nacrée qu'elle lui offrait involontairement.

— Ce collier est magnifique. Il vous va à la perfection, jeta-t-il d'une voix plus rauque que la normale.

— Je le trouve un peu imposant.

— C'est un collier d'apparat égyptien, jugea-t-il utile de préciser. Tout dépend de l'usage que vous entendez en faire, milady.

— Eh bien... c'est que... je n'ai pas encore eu l'occasion d'y réfléchir... Je l'ai depuis peu.

— Je sais, répondit-il en respirant à pleins poumons son parfum de jasmin délicatement poudré de violette. J'ai eu l'honneur de conseiller Son Altesse la duchesse Obolenski lorsqu'elle a émis le souhait de vous faire un présent de Noël. Je me permets de vous répéter ce que je lui ai dit, à savoir que ce bijou sera parfait pour une soirée de grand apparat comme ce réveillon de Nouvel

An. Il sera tout aussi magnifique lors d'une fête plus officielle, voire très formelle, comme une réception dans une ambassade ou chez un ministre.

— Oh, dans ce cas, je n'en aurai pas l'usage, souffla Jezebel en portant doucement sa main vers la lourde parure. Cela ne correspond guère à mon train de vie habituel.

Il ne résista pas au plaisir de se rapprocher de son oreille.

— Aux Indes, la vie est très différente de celle que vous aviez l'habitude de mener en Angleterre, milady. Il y a peu de distractions, les nouveaux arrivants sont toujours extrêmement sollicités. Vous êtes jeune et charmante, vous serez invitée à des réceptions de toutes sortes, y compris chez des membres du gouvernement et probablement chez quelques maharajas.

— Vraiment ? murmura-t-elle en levant vers lui de grands yeux étonnés. Je ne vois vraiment pas ce que j'irai faire chez un maharaja…

— Vous vous sous-estimez, milady ! rétorqua-t-il d'un ton moqueur. Là où il y a de l'argent, les femmes jeunes et jolies sont toujours les bienvenues.

Elle rougit de voir son regard ardent glisser de sa joue à la courbe de sa gorge, se perdre plus bas encore, dans l'échancrure du décolleté. En même temps, elle en fut exaltée. Jamais elle ne s'était sentie aussi belle que lorsqu'il l'observait.

À quelques pas de là, Olga assista à la scène avec un parfait étonnement. Elle avait remarqué la trop grande proximité de l'Américain, sa façon de se tenir dans le dos de la jeune fille, à presque la toucher, ainsi que cette manière de lui parler dans un demi-chuchotement comme s'ils étaient seuls au monde. Que se passait-il entre ces deux-là ? Prise de jalousie, elle avança vers le couple et demanda presque sèchement :

— Mon cher ami, n'aurai-je pas droit à un doigt de ce Porto dont toutes les dames semblent faire grand cas ?

Lukas se tourna vers l'importune avec un visage peu amène tandis que Jezebel s'écartait, comme prise en faute. Il voulut la retenir, croisa le regard plein de défi de la duchesse russe et, craignant un esclandre que, dans sa nature passionnée, cette dernière risquait de déclencher, il s'inclina.

Ils parlèrent de tout, de rien, de la météo clémente malgré la saison, du désert si poétique la nuit. Peu après, la duchesse se plaça d'autorité entre les deux jeunes gens et les emmena vers leur table en leur offrant familièrement un bras à chacun.

Il était temps de passer à table. Un steward en uniforme blanc vint les installer. Olga hérita de la place d'honneur. Elle s'en montra d'autant plus heureuse que Jan Lukas siégeait à sa droite. Jezebel fut placée entre l'Américain et lord Esket. Le *señor* Andres Agustin prit place entre lady Eugenia et sa fille. Un couple d'acteurs de théâtre français en voyage de noces, Alice et Arthur Després, s'assirent aux deux dernières places libres.

La salle était comble, et le brouhaha intense. Jezebel aperçut au loin le jeune Peter Asgulson, visiblement désolé de ne pas avoir été admis dans le cénacle du commandant de bord. Elle tenta de le dérider en lui adressant un geste amical mais il continua à exhiber une mine de chien battu.

— Dites-moi, très chère lady Tyler, commença son voisin, lord Esket, avec enthousiasme. Avez-vous déjà remarqué à quel point le ciel d'Arabie est particulier ?

Elle acquiesça poliment tout en chassant d'un coup d'éventail l'haleine un peu trop avinée que le vieux lord anglais lui soufflait au visage.

— Je crois que ce phénomène est dû à l'extrême sécheresse de l'air au-dessus du désert. L'atmosphère est d'une telle pureté qu'elle permet d'observer une multitude d'étoiles avec une netteté extraordinaire.

— Eugenia affirme que vous êtes un vrai bas-bleu, je crois qu'elle n'a pas tort !

Le premier plat, un consommé parfumé au vin de Madère, arriva à point nommé pour dispenser Jezebel de répondre. Elle prit sa cuillère et goûta le bouillon. De sa place d'honneur, Olga Marushka assumait avec élégance son rôle de maîtresse de table en orientant la conversation avec un rire de tourterelle.

— Savez-vous, chers amis, que d'incroyables secrets voyagent en même temps que nous sur ce navire ? Monsieur Lukas, vous devriez nous parler de ce fameux Sher-Cîta que vous et le *señor* Agustin convoyez vers les Indes. Depuis que la *Gazette* du bord a publié un article à ce sujet, je meurs littéralement de curiosité. Ne pourrions-nous pas contempler cette merveille ?

L'interpellé se tourna vers la duchesse avec un demi-sourire.

— Vous me voyez navré, Votre Altesse, nous en avons déjà longuement discuté mais il est tout à fait impossible d'accéder à cette requête.

Andres Agustin lança des explications d'un ton cordial.

— Voyez-vous, chère madame Obolenski, notre refus de vous montrer le Sher-Cîta est uniquement dicté par des mesures de sécurité draconiennes. J'espère que vous n'en prendrez pas ombrage. Il faut savoir que, pour l'heure, le médaillon est enfermé dans un écrin scellé au plomb, lui-même placé dans le coffre de notre commandant où il est sous la garde permanente de deux matelots armés.

Olga leur adressa une grimace mutine.

— Messieurs, bien sûr que je vous en veux ! Soyez assurés que je saurai me rattraper à Calcutta où j'ai des relations. Je suis certaine que votre mystérieux client fait partie de mes connaissances...

Lukas but une gorgée de chambertin.

— Nous n'en doutons pas, Votre Altesse. Considérez cependant que, dans le commerce, le client est toujours roi. Cette règle, valable pour des conserves de sardines, compte tout autant pour des antiquités.

La duchesse russe eut un long rire.

— Moi qui croyais m'adresser à de savants archéologues alors qu'en réalité je parle avec des épiciers !

— Nous sommes des ferrailleurs, Votre Altesse, bien avant d'être des brocanteurs...

Olga continua de rire, cette fois-ci imitée par plusieurs convives.

— Très bien, monsieur le ferrailleur, j'accepte ma défaite à condition que vous nous fassiez rêver ! Après tout, cet objet gardé si précieusement par la Marine doit être extraordinaire. Ne pourriez-vous pas nous le décrire ?

Andres Agustin ne résista pas au plaisir d'étaler son érudition.

— Quoi que vous puissiez penser, chère madame Obolenski, le Sher-Cîta n'a rien d'extraordinaire, si l'on excepte sa rareté et sa très jolie facture. C'est un simple médaillon indien d'origine gupta, daté vraisemblablement de la période Samudragupta de l'an IV après J.-C. D'après mes recherches, il aurait été vendu à des Grecs à l'époque d'Alexandre le Grand, puis il aurait voyagé de caravane en caravane à travers la Perse avant d'atteindre les rives de la Méditerranée, près de Jérusalem, où il fut trouvé par un moine jésuite qui en fit don à sa communauté. Pour visualiser ce médaillon, il faut imaginer une pièce d'à peu près trois pouces de diamètre, ressemblant énormément à de la monnaie telle qu'on la frappait dans la vallée du Gange à cette époque même s'il s'agit, dans notre cas, d'un objet spécifiquement religieux. Les brahmanes de l'époque le portaient lors des sacrifices védiques qu'ils officiaient. Cet objet est fait d'or finement travaillé, avec des détails tressés ou entrelacés. Il représente la tête d'un tigre en train de rugir, à moins qu'il ne s'agisse d'une panthère. En l'observant attentivement, on voit nettement la gueule ouverte sur les terribles crocs. Dernière particularité, qui est certainement unique pour un objet de cette période, les yeux sont formés par des incrustations de topaze polie.

L'exposé fit tomber autour de la table un silence étonné que Jan Lukas rompit avec malice.

— Andres, n'aurais-tu pas oublié de préciser que ce médaillon est attaché à une mystérieuse légende ?

L'auditoire fut aussitôt captivé. On s'étonna, on s'exclama, on demanda des explications. Olga profita de cet élan pour poser familièrement sa main sur celle du jeune archéologue.

— Mon ami, je vous en prie, ne nous faites pas languir plus longtemps ! Racontez-nous cette légende, que nous brûlons tous de connaître !

Elle ne ratait aucune occasion de faire comprendre à l'intéressé qu'elle était sous son charme. Jezebel, agacée par ces minauderies, œillades et attouchements, tripotait nerveusement le farci de courgette à la moelle qu'un troisième service venait de mettre dans son assiette. Elle voyait bien que Lukas n'était pas insensible à l'intérêt que lui portait la duchesse. Adossé à son siège, il se rengorgeait tout en posant sur cette dernière un œil des plus charmeurs. Lorsqu'il commença son histoire, il usa d'une voix très basse, chaude qui, en quelques phrases, tint son auditoire suspendu à ses lèvres.

— Il y a de nombreuses années, alors que la mousson sévissait dans la région de Patna, anciennement Pataliputra, et que les eaux du Gange débordaient, emportant des villages entiers dans leur furie destructrice, un homme semblable à un mendiant arriva mourant dans le dispensaire de La Croix-Saint-Georges.

Un moine s'occupa de lui et recueillit ses dernières paroles. Le malheureux délirait et il était difficile de démêler le vrai du faux. Celui qui le soigna parvint tout de même à dégager de cette incohérence un fil conducteur : l'homme, un missionnaire jésuite, s'était échappé d'une cité thug non répertoriée, une ville mystérieuse qu'il décrivait comme merveilleuse, riche et remplie d'or, et dont il indiqua l'emplacement au moyen d'une carte grossière. Il avait, pour preuve de ses allégations, un médaillon en or qu'il gardait comme une relique. Le moine qui recueillit ce témoignage fut suffisamment intrigué pour mener sa propre enquête. Il découvrit rapidement que de nombreuses rumeurs corroboraient le récit du moribond. Par souci de vérité, il consigna dans un journal toutes ses découvertes. En particulier, il décrivit des ruines perdues en pleine jungle dans lesquelles vivait encore une communauté de réfugiés thugs. Après avoir été fait prisonnier, il devint l'esclave de ces hommes durant des années, jusqu'à ce qu'il parvienne un jour à s'échapper miraculeusement. Poursuivi dans la jungle comme le missionnaire jésuite dont il avait recueilli le récit, il erra à demi-mort de faim tout en continuant à tenir scrupuleusement son journal. Revenu à la civilisation, il fut soigné et, bien qu'atteint de malaria, il survécut. À l'aide du médaillon et d'une carte qu'il dessina lui-même, il marqua l'emplacement de la cité thug mais, persuadé que cette dernière était le siège du démon, il mit au point une énigme que seuls les plus savants érudits seraient capables de résoudre.

Tout le monde applaudit à tout rompre ce terrible récit. Olga s'enroula voluptueusement dans son étole de fourrure en feignant une peur bleue.

— Comme cette histoire est saisissante ! s'exclama-t-elle en frissonnant, reprise en chœur par d'autres convives. Cependant, mon cher Jan, vous prétendez évoquer une légende alors que je sais que les Thugs sont encore présents aux Indes. Leurs rituels sanglants ont bien sûr été interdits par le Raj britannique mais certains maharajas perpétuent en secret la croyance en Kali, la déesse de la Destruction. Si cette communauté existe encore, rien ne nous empêche de croire qu'une telle cité puisse effectivement être bien réelle…

— Votre Altesse, répondit Lukas avec espièglerie tout en se penchant vers elle pour capter son regard, je n'interdis à personne de rêver à cette fabuleuse cité perdue mais je rappelle tout de même que ce récit date de 1782. Depuis, l'Empire britannique a sillonné toute l'Inde, j'imagine que s'il y avait eu une cité à trouver, ce serait déjà fait.

— À moins qu'elle ne soit enfouie dans les épaisses jungles de Chakpun, celles-là mêmes qui ceignent le site archéologique de Pataliputra... intervint Andres Agustin. C'est un endroit sauvage, gardé par des tigres mangeurs d'hommes, dont l'accès est particulièrement difficile. Une telle jungle pourrait sans problème receler maints et maints secrets. Y compris une antique cité disparue. D'autant plus que les Thugs forment depuis des millénaires une société secrète dont les lois résistent à toute éradication et se perpétuent sous le manteau.

Jan secoua la tête avec ironie.

— La cité d'or est un mythe récurrent dans de nombreuses légendes, en Inde comme ailleurs. Croire en leur existence, c'est un peu comme croire en l'existence de dinosaures ayant survécu depuis le jurassique jusqu'à nos jours.

Andres eut un mouvement d'humeur.

— Je sais que nous ne sommes pas d'accord à ce sujet, Jan, mais j'imagine qu'Hiram Bingham non plus ne fut guère pris au sérieux par ses concitoyens. Il a cependant découvert le Machu Picchu il y a quelques années à peine, et ce grâce à ses études et à sa persévérance ! Comme tu le dis, il existe un nombre incalculable de cités antiques perdues dans la nature sauvage, toutes ne peuvent pas être que des légendes. Pour ma part, je crois qu'une rumeur alimente à coup sûr une réalité...

— D'accord, répliqua Lukas en masquant son agacement derrière de l'amusement. La cité de Pachamashutra existe peut-être, sans doute, certainement, pourquoi pas ? Il n'empêche, Andres, que nous sommes des chasseurs d'antiquités, non de doux rêveurs. Nous travaillons pour des acquéreurs, comme dans le cas de ce médaillon Sher-Cîta qui est une commande ferme et qui nous rapportera un revenu concret. Je me vois mal échanger ces vrais dollars contre des chimères, fussent-elles celles d'une cité en or !

L'Argentin se tassa sur son siège, le visage chiffonné, avant de lancer un piètre sourire à la cantonade.

— Parfois, le jeune élève est bien plus sérieux que son vieux maître... commenta-t-il d'un ton mi-figue, mi-raisin. Ne trouvez-vous pas, cependant, qu'il est pitoyable qu'un vieillard ait plus de rêves qu'un jeune homme ?

On gloussa, on l'applaudit, on le soutint. Les conversations reprirent et nombre d'anecdotes s'échangèrent. Chacun entendait présenter un mystère qu'il connaissait. Jan les laissa parler en sirotant lentement le Pouilly-Fuissé que le sommelier venait de servir pour accompagner le homard à la diable. Jezebel osa capter son regard.

— J'ignorais que le médaillon dont on fait si grand cas était d'origine gupta. C'est une extraordinaire coïncidence que mon parrain, sir Deckard, soit justement un spécialiste de cette époque et que, surtout, il se soit installé à Calcutta il y a peu pour étudier à loisir cette ancienne civilisation.

Lukas lui offrit son plus grand sourire.

— N'y trouvez rien d'étonnant, milady. L'histoire de l'Empire gupta couvre une vaste période qui puise ses racines dans les royaumes de Magadha et de Maurya quatre cents ans avant la naissance du Christ, dans une région perçue comme le berceau même de toutes les civilisations indo-européennes. Il est tout à fait normal que votre parrain, qui est effectivement un grand spécialiste de cette période et, à mon humble avis, un savant remarquable, ait choisi Calcutta comme point central à ses recherches. L'Empire gupta était présent sur de vastes territoires largement répartis le long de la vallée du Gange, or Calcutta offre à ce propos une situation géographique intéressante ainsi que tout le confort typiquement britannique qu'un ressortissant anglais peut souhaiter.

— J'imagine effectivement que le choix de mon parrain n'est pas anodin, même si j'ignore tout de la nature de ses travaux. Depuis mon enfance, j'entends constamment parler de l'Empire gupta, mais j'avoue ne rien y connaître, s'excusa Jezebel.

— Je suis déjà étonné que vous en connaissiez l'existence.

— Avec un parrain archéologue, n'est-ce pas normal ?

Le service suivant amena un aloyau de bœuf sauce forestière qui, durant quelques instants, plongea le Grand Salon dans un silence quasi religieux uniquement troublé par le tintement des couteaux et des fourchettes. Olga en profita pour lancer une conversation en aparté avec son jeune voisin. Pris par leur conciliabule, ils penchaient intimement leurs têtes l'une vers l'autre, ce qui ne manqua pas de troubler Jezebel.

Elle observa le couple du coin de l'œil. Depuis le début de la soirée, la duchesse russe sortait le grand jeu. Dès qu'elle le pouvait, elle touchait la main de Lukas, lui effleurait la joue d'un doigt tendre, souriait, inclinait la tête, rapprochait ses lèvres, sa joue, son épaule. L'Américain n'y semblait pas insensible. Jezebel en était à la fois triste et furieuse.

Le repas s'éternisait. Un huitième service arriva, une salade d'asperges en vinaigrette safranée que le sommelier servit avec un vin de Champagne. Jezebel étouffa un bâillement derrière sa main. Minuit approchait. Elle n'en pouvait plus. Elle avait juste envie de se lever, de retourner dans sa suite, de s'enfermer dans sa chambre. Il faisait trop chaud pour un 31 décembre. Par les fenêtres grandes ouvertes, une lointaine ligne noire séparait le ciel empli d'étoiles des eaux de la mer Rouge. Dehors, l'air était brûlant.

Le fromage arriva, suivi du premier dessert, des pêches en gelée de chartreuse que Jezebel refusa en attendant l'éclair au chocolat. Autour d'elle, tout le monde parlait, riait, donnait son avis sur le jeu d'un acteur, la robe d'une danseuse, la culpabilité de Mata Hari ou encore le dernier film de Charlie Chaplin. Elle entendit également cette phrase merveilleuse sortie de nulle part : « Son collier est assuré pour 600 000 dollars », mais ignora jusqu'au bout de qui il était question. Perdue dans ses pensées, elle sursauta lorsque Lukas lui effleura le poignet.

— Je crois qu'il est temps de découvrir nos *Christmas crackers*, déclara-t-il en montrant la papillote enveloppée dans du joli papier doré qu'on venait de placer devant eux et qui contenait, conformément à la tradition anglaise, une petite surprise de réveillon : chapeau en carton, serpentins ou confettis, ruban ou rose de soie froissée.

À l'instar des autres convives, Jezebel saisit son cracker par les extrémités et tira d'un coup sec. Le pétard qui s'y cachait eut une brève détonation. Un relent de soufre picota ses narines, elle éternua, éclata de rire en secouant les lambeaux de papier qui lui restaient dans les mains.

« Elle a vraiment douze ans », s'amusa Lukas en la regardant déballer du papier de soie un bijou de pacotille constellé de strass qu'elle leva dans la lumière en haussant joliment un sourcil.

— Une bague…, chuchota-t-elle en rougissant.

— Moi aussi, répondit-il en tendant vers elle l'anneau jumeau qu'il avait trouvé dans son propre cracker. Amusant, non ?

Elle baissa les yeux. Non, elle ne trouvait pas cela amusant. Chez elle, il était traditionnel de croire que ceux qui découvraient une bague dans leur cracker un soir de réveillon se marieraient dans l'année. Déjà, tous les Anglais autour de la table les chahutaient en leur jetant serpentins et confettis. Terriblement gênée, elle feignit d'en rire. Jan se pencha vers elle et chuchota :

— Décidément, le fil invisible qui nous lie semble se confirmer de jour en jour. Serions-nous comme ces oiseaux bengalis dont nous avions admiré le portrait, attachés l'un à l'autre pour toujours ?

Elle n'osa pas répondre. Elle aurait voulu le gifler. Lorsque apparut le dessert d'apparat, un somptueux gâteau *red velvet* Astoria-Waldorf nappé de chantilly au mascarpone, elle s'éclipsa en prétextant avoir besoin de prendre l'air. Olga se leva pour l'accompagner mais Lukas la retint.

— Je vous en prie, Votre Altesse, restez assise et profitez de ce magnifique dessert, je vais m'occuper de notre jeune lady.

La Russe n'eut pas le temps de protester. Elle se rassit tout en regardant avec fureur Lukas s'élancer sur les pas de la jeune Anglaise.

— Ne vous inquiétez pas, assura-t-elle d'un ton faussement enjoué à ceux qui lui jetèrent un regard interrogateur. Ce n'est rien, ma jeune amie a juste besoin de respirer. Ne fait-il pas trop chaud ?

Jezebel s'était éclipsée par l'une des portes-fenêtres qu'on avait ouvertes pour aérer le Grand Salon. Dehors, sur le pont-promenade éclairé par des torches, quelques couples déambulaient au clair de lune. Elle avança jusqu'au bastingage et, s'y agrippant, emplit ses poumons du vent du large à grandes lampées nerveuses.

Jan Lukas la rejoignit, se plaça à côté d'elle, émerveillé lui aussi par le ciel enchanteur, constellé de myriades d'étoiles toutes plus brillantes les unes que les autres. La nuit était un tourbillon de poussière lumineuse qui confinait au mystique.

— Je ne voulais pas vous mettre mal à l'aise, dit-il doucement.

— Aussi ne l'avez-vous pas fait, rétorqua-t-elle un peu trop vivement. Je m'étonne simplement qu'un homme de sciences tel que vous prête foi à de vieilles superstitions dignes des campagnes les plus reculées. D'autant plus, monsieur Lukas, que vous oubliez un peu trop rapidement que je suis d'ores et déjà fiancée et que ce n'est pas avec vous !

— Quand je dis que vous avez douze ans ! s'exclama-t-il en riant. Je voulais juste vous taquiner, mais je vois qu'il faut d'abord que vous grandissiez. OK, *darling*, j'attendrai. Mais n'oubliez pas de me faire signe lorsque cela sera fait, que je puisse venir vous rendre hommage au plus tôt.

— Me croyez-vous pressée de vieillir prématurément ? répliqua-t-elle avec insolence.

Il se pencha vers elle pour mieux jouir du parfum qui montait de ses cheveux – un subtil équilibre entre la rondeur sensuelle du jasmin et la fraîcheur gourmande de la violette.

— Je serai patient, milady.

Ses yeux l'enveloppaient avec ironie. Elle chercha à se donner une contenance en ouvrant sèchement son éventail et en l'agitant en tous sens.

— C'est parfait, monsieur. Cela ne me dérange guère de vous voir chastement couché à mes pieds en train d'attendre mon bon vouloir, en bon gros chien parfaitement aimable !

— Je n'ai jamais dit que ma patience serait vertueuse, coupa-t-il en dardant vers elle un regard si intense qu'elle eut l'impression de suffoquer. Vous me voyez chien, je vous réponds que je suis un loup. Un loup qui prend toujours le plaisir là où on le lui offre avec bonne volonté.

— Auprès d'Olga par exemple, souffla-t-elle très bas, le cœur vrillé d'une jalousie parfaitement irrationnelle.

— Olga, certainement, confirma-t-il. Elle est charmante pour cela.

— Vous l'aimez donc, insista-t-elle, pour boire le calice jusqu'à la lie.

Il jeta avec la même ironie un peu mordante :

— Douze ans, décidément… Ma chère, nous ne sommes pas dans un de ces contes de Perrault fait de princesses, d'amour et d'eau fraîche, mais dans la vraie vie. Une vie qui est suffisamment courte pour qu'un aventurier de mon espèce ait envie d'en profiter. Olga est de ma trempe. Elle aime le plaisir et les jeux du corps. Nous ne nous sommes rien promis d'autre.

— Le plaisir…, glissa la jeune fille en un murmure tremblé.

— Oui, le plaisir, répéta-t-il d'un ton un peu radouci. Celui que nous aurions pu avoir, vous et moi, si vous n'aviez brandi comme étendard de la vertu un très vague fiancé dont je ne suis même pas certain qu'il existe !

Elle le regarda avec une stupeur horrifiée. Comment osait-il lui parler ainsi, avec si peu de convenance, si peu de respect ? Pour qui la prenait-il ? Pour une ces femmes de petite vertu dont on échangeait les faveurs contre un compliment, une rose ou un ruban ? Prise de colère, elle lui écrasa délibérément le pied avec son talon avant de s'éloigner. Le visage grimaçant de douleur, il la retint le temps de lui jeter une dernière phrase cinglante :

— Douze ans, assurément ! Mais, tudieu, milady, je vous certifie qu'attendre vaudra vraiment le coup !

Cette fois-ci, elle le gifla de toutes ses forces.

# 6

*2 janvier - 27 janvier 1919*

Au sortir de la mer Rouge, il y eut Djibouti mais surtout l'île de Socotra.

Socotra était un monde improbable posé entre le ciel et l'océan, un miracle désertique qui se battait contre des trombes d'eau de novembre à mars et des chaleurs écrasantes le reste de l'année. Chaque matin, d'étranges brumes auréolaient les Haghier, ces massifs caillouteux dont les pentes escarpées se perdaient à plus de mille cinq cents mètres d'altitude dans un horizon grisé.

Là, sur ces déclivités de pierre sèche, des arbres plantés comme des parapluies géants résistaient depuis des millénaires à des conditions éprouvantes. Leur sève était rouge sang. On les avait appelés dragonniers parce qu'ils produisaient ce fameux sang-dragon dont les vertus d'éternelle jeunesse excitaient depuis l'Antiquité la convoitise de tous les apothicaires. Les spécimens les plus vieux étaient âgés de plusieurs siècles et leurs troncs étaient tellement couverts de plaies et de cicatrices qu'ils ressemblaient au cuir millénaire d'un serpent démoniaque échappé du bestiaire médiéval.

L'*Albatros* mouilla plus longtemps que prévu dans ce port placé depuis peu sous l'autorité anglaise. Une tempête avait rattrapé le navire dès sa sortie du golfe d'Oman et le commandant Adler, soucieux de préserver le confort de ses passagers, avait décidé d'attendre le retour du beau temps en mouillant au large d'une plage de sable clair, derrière le maigre abri que donnait une jetée à l'origine prévue uniquement pour de petits bateaux de pêche.

Il fallut patienter plusieurs jours, tandis que des vents violents déversaient sur les ponts du navire une curieuse alternance de pluies torrentielles et de poussières brûlantes venues du Yémen tout proche. Entre ces épisodes de fin du monde, les passagers les plus aventureux observaient le large avec des jumelles, le temps d'admirer les creux de vingt mètres qui donnaient à la mer d'Arabie l'apparence d'une plaine de dunes liquides.

Jezebel vécut difficilement cette escale. Peut-être à cause de ces mauvaises conditions météorologiques qui secouèrent suffisamment les voyageurs au point de donner le mal de mer à certains. Peut-être aussi à cause de ce boutre effrayant apparu un jour en battant un pavillon effiloché, noir et blanc comme celui d'un pirate, que la garnison du port préféra mettre en fuite à coups de canon. Mais vraisemblablement pour des raisons d'ordre personnel ; à Socotra, Olga Marushka Obolenski afficha clairement qu'elle était devenue la maîtresse de Jan Lukas.

Jezebel le comprit un matin en sortant de sa chambre. Le jeune homme était dans le salon en peignoir et les cheveux ébouriffés, le menton râpeux et l'air très content de lui. Debout près d'une fenêtre, il regardait la pluie tomber tout en avalant une tasse de café brûlant. Lorsqu'il l'entendit, il se retourna et lui sourit avec cette insolence qui donna à la jeune fille l'envie simultanée de lui arracher les yeux et de se jeter dans ses bras.

— Bonjour, milady, lança-t-il en s'amusant beaucoup de sa surprise et de son évidente hostilité.

Elle se troubla, balbutia une vague réponse tout en se hâtant de déguerpir, autant pour le fuir que pour nier ses propres sentiments, qui hurlaient si fort dans son cœur qu'elle craignait qu'il ne les entendît.

Dehors, elle traversa le pont au pas de charge et se rua dans la cage d'escalier sans même s'en rendre compte. Elle était bouleversée et triste, mais également vexée et très agacée.

Le goujat. Le butor. L'ignoble individu. Ne lui avait-il conté fleurette que pour mieux s'approcher de la duchesse ? Ah, comme il devait rire de sa naïveté !

Elle pesta et maugréa, monta dix fois les escaliers, les redescendit, tourna en rond au milieu d'un vestibule, passa devant la piscine qui était fermée pour cause de mauvais temps et se retrouva finalement dans un coin obscur du Grand Salon, derrière un rideau où elle se mit à sangloter.

Somme toute, elle était bien contente de l'avoir repoussé. Elle avait eu raison de se méfier de ses baisers qui remuaient autant ses entrailles que son cœur. Monsieur était un inconstant qui ne savait pas ce qu'il voulait. Un vampire qui s'abreuvait de l'amour des demoiselles trop naïves pour lui résister ! Elle pleura de plus belle.

De toute façon, elle n'était guère surprise. Olga avait toujours affiché un drôle d'air depuis le spectaculaire embarquement de l'Américain à Southampton. La Russe avait été conquise par la performance physique et l'avait affirmé haut et fort. Or, un dicton assurait que ce que femme voulait, Dieu le voulait. Dans le cas de la duchesse, il était beaucoup plus réaliste de dire : « Ce qu'Olga veut, Olga toujours l'obtient. »

Jezebel, dès lors, dut s'habituer.

S'habituer à trouver tôt le matin un Lukas qui l'attendait en sirotant à petites lampées son café bouillant tandis que, dans la pièce attenante, Olga continuait à dormir. S'habituer à passer devant sa pose nonchalante, en essayant de ne pas écarquiller les yeux devant son peignoir entrouvert sur son torse – parce qu'il était nu dessous !

Les deux jeunes gens ne se parlaient guère et Jezebel s'évertuait à ne pas dévisager l'intrus. À chaque fois, cependant, elle sentait ses yeux brûlants se poser sur elle et ne plus la quitter. Elle se hâtait alors de sortir, par crainte d'éclater en sanglots.

Au bout de quelques jours, la tempête finit par s'éloigner et le paquebot reprit la direction des Maldives avant d'obliquer vers le port de Colombo, sur l'île de Ceylan. Jezebel se levait aux aurores pour éviter de croiser Lukas trop souvent. Elle s'habillait à tâtons dans le noir, avec une hâte aussi fébrile que silencieuse, puis sortait de sa chambre en trombe, en priant pour qu'il ne fût pas encore là. Elle allait invariablement se réfugier dans la bibliothèque du navire, la seule pièce commune ouverte à une heure aussi matinale et, accessoirement, l'endroit où il l'avait embrassée pour la première fois. Là, bercée tout à la fois par ses souvenirs voluptueux et le lent balancement de la houle, elle rêvassait d'un monde idyllique en attendant que la cloche annonce l'heure du petit-déjeuner.

À 8 heures, Amely venait la rejoindre.

Amely était la plus jeune fille d'Eugenia Esket. Pâle et effacée, elle ne réussissait à échapper à la tyrannie maternelle qu'en se levant tôt. Son tempérament était très différent de celui de Jezebel mais les deux jeunes filles avaient tout de même réussi à s'accorder sur quelques points dont la gourmandise n'était pas le moindre. Depuis, elles se retrouvaient avec joie autour d'une théière d'English Breakfast pour faire bombance d'œufs au bacon et d'une kyrielle de toasts à la marmelade.

Plus tard, le jeune Peter Asgulson se faufilait hâtivement à leur table, mal coiffé et la cravate de travers. Les demoiselles se moquaient de son air endormi mais l'aidaient tout de même à mettre de l'ordre dans ses vêtements.

Peter était brave et serviable, et tellement gauche qu'il en devenait attachant. Amely en pinçait pour lui mais elle n'avait guère de chance : le Suédois n'avait d'yeux que pour Jezebel, pour qui il sacrifiait quotidiennement ses grasses matinées dans le seul espoir de récolter un sourire. Malheureusement, la jeune lady ne remarquait pas ce preux sacrifice. Elle avait la tête ailleurs. Parfois, pour rien, elle lâchait de grands soupirs mélancoliques puis, l'instant suivant, se redressait en pointant un menton plein de rage et de révolte.

Personne n'osait l'interroger. Elle était leur chef de bande.

Après le petit-déjeuner, ils la suivaient dans la Salle de lecture où Amely et Peter épluchaient la *Gazette* tandis que Jezebel se lançait dans des croquis fébriles qu'elle ne parvenait pas à achever.

Torturée par une inspiration exaltée, elle dessinait encore et encore le même visage jusqu'à finir par le hachurer de colère. Dès lors, elle ne tenait plus en place. Elle rangeait ses couleurs, puis se ruait à l'extérieur, suivie à la hâte par ses amis confus.

Dehors, elle arpentait le paquebot, gravissait les escaliers, traversait les couloirs, les ponts, les entreponts. Elle avait besoin de bouger. Elle voulait échapper à l'image qui la hantait, celle de Lukas se penchant vers Olga pour l'embrasser à pleine bouche. Ses amis la trouvaient si pâle qu'elle leur assurait avoir le mal de mer. Pour donner corps à son mensonge, elle se penchait au-dessus du bastingage afin de respirer à pleins poumons l'air du large.

Il était vrai qu'elle avait la nausée.

Amely était parfois contrainte de retourner auprès des siens, mais Peter était libre de l'escorter partout où elle allait. Des heures durant, il la regardait faire les cent pas comme une louve prise en cage. Une fois, il fut tellement désolé de son humeur mélancolique qu'il osa lui demander ce qui n'allait pas. Elle haussa les épaules, hésita, puis lui confia qu'elle avait peur de l'avenir, qu'elle allait revoir un parrain dont elle se rappelait à peine le visage, qu'elle n'était même pas sûre de le reconnaître dans la foule qui attendrait à quai. Ce n'était pas vraiment éloigné de la vérité.

Peter tenta de lui changer les idées en lui lisant de nouveau quelques passages de son journal. Il avait un style littéraire plaisant et haut en couleur. Pour l'écouter, la jeune fille louait un transat, s'y installait à l'ombre d'une paillotte, fermait les yeux derrière des lunettes noires et laissait l'écrivain en herbe lui narrer tous les menus détails qu'il avait remarqués lors du voyage.

Il lui raconta les petites silhouettes vêtues de jute qui, un sac sur l'épaule, montaient la passerelle menant aux soutes lorsque, à Port-Saïd, l'*Albatros* avait accosté pour le ravitaillement. Il évoqua l'étrangeté de l'immense maison coloniale à la façade rythmée de colonnes grecques, qu'on avait érigée au milieu de nulle part, juste en bordure de la mer Rouge. Il décrivit les hommes noirs marchant sur la terre blanche de sel, dans les salines de Djibouti, et les Européens qui, les mains dans les poches de leurs vêtements immaculés, les regardaient ramasser les précieux cristaux sous un soleil implacable. Il s'amusa de cette carcasse de bateau échouée au milieu des dunes somaliennes.

Il lui parla aussi, un jour, de l'aéroplane.

L'appareil était à bord de l'*Albatros*, arrimé près des canots de sauvetage, bien à l'abri des embruns sous une épaisse toile huilée. Jezebel s'étonna de cette présence dont elle n'avait jamais entendu parler. Peter, heureux de trouver une oreille attentive, se lança dans un exposé passionné : il adorait les avions.

Il expliqua qu'il s'agissait d'un biplan monospace Sopwith Scout, un modèle familièrement baptisé *Pup*[1] à cause de sa petite taille. Sa fabrication était classique - bois et toile, entretoisé et haubané de fils d'acier - mais il était équipé d'un moteur Gnome à principe rotatif et d'une mitrailleuse Lewis. Un système de catapultage sur rails, mû par des pistons à air comprimé, permettait de le lancer depuis une rampe installée à l'arrière du navire.

Le *Pup* avait été embarqué pour protéger le paquebot en cas d'attaque ennemie. Heureusement, avec l'armistice, il n'avait

1. « Chiot », en anglais.

jamais servi. Peu de passagers étaient au courant de sa présence à bord.

— Je veux le voir, ordonna Jezebel qui n'avait jamais vu d'aéroplane de près.

Peter Asgulson fut ravi de pouvoir – enfin – accéder à un caprice de la jeune fille. Il l'amena vers la poupe du navire où, effectivement, était arrimé un aéroplane caché sous une épaisse bâche. Peter en souleva un coin et montra le monstre.

Une incroyable machine volante apparut, longue de vingt pieds, haute de neuf et large de vingt-six. Son fuselage conique, noir et blanc, était rehaussé d'orange. Ses grosses roues étaient posées sur des rails et l'on pouvait voir un drapeau britannique soigneusement peint à l'arrière, sur le gouvernail. Ainsi placé, l'aéroplane dégageait à la fois une impression de puissance et d'extrême fragilité.

Jezebel toucha religieusement la toile qui recouvrait la structure de bois.

— C'est fou d'avoir un appareil de cette sorte à bord, commenta-t-elle en observant de plus près l'impressionnant caoutchouc qui formait un pneu. Arrive-t-il vraiment à décoller depuis le paquebot ?

Peter se rengorgea, ravi de pouvoir la renseigner.

— Oui, bien sûr, grâce à ce système de catapultage dont je vous ai déjà parlé. Vous voyez ici ce mécanisme ? Il suffit de le mettre en route, de lancer les moteurs et de profiter de l'élan octroyé par cette machine d'appoint. Cet aéroplane a été utilisé durant les conflits, il a une réputation d'extrême maniabilité. Que pensez-vous de la mitrailleuse ?

Jezebel leva le nez et découvrit le lourd engin de tir vissé sur une tourelle. Elle frissonna en songeant aux morts qu'il pouvait causer.

— Effrayant.

Peter continua :

— Une chance que la guerre soit finie ! Il n'empêche, avec un tel appareil à bord, nous étions bien protégés.

— Ce *Pup* n'a donc jamais décollé de tout le voyage, n'est-ce pas ?

— Non, bien sûr. Nous l'aurions remarqué. Les moteurs sont extrêmement bruyants. Et la catapulte génère des vibrations que nous aurions ressenties dans tout le navire.

Il entraîna la jeune fille de l'autre côté de l'aéroplane pour soi-disant lui montrer l'aileron et, pour ce faire, l'incita à se faufiler sous la bâche. Là, dans une semi-obscurité qui sentait le bois, le cuir et la graisse de moteur, il se colla maladroitement à elle. Elle le regarda. Il souriait d'un air un peu gauche, en respirant trop vite. Lorsqu'il se pencha pour chercher ses lèvres, elle le laissa faire. Elle n'était pas attirée par lui mais elle éprouvait soudain beaucoup de curiosité à l'idée d'être embrassée par un autre homme que Lukas.

L'expérience ne fut guère agréable. Peter était brusque et malhabile. Il enfonça sa langue dans sa bouche et lui laboura si copieusement le palais qu'elle crut étouffer. Dégoûtée, elle s'efforça de le repousser mais le jeune homme ne parut pas comprendre. Il voulut de nouveau s'emparer de ses lèvres lorsqu'un bruit le fit tout de même reculer. Des pas approchaient. Jezebel paniqua à l'idée d'être découverte. Elle s'accroupit sous l'aile, obligeant Peter à faire de même. Il voulut parler mais elle le fit taire en posant sa main sur sa bouche.

Les pas s'arrêtèrent près de l'avion. Une main saisit la bâche et commença à la soulever.

— Que faites-vous ? retentit une voix sèche. Il est interdit d'approcher de l'appareil.

La main laissa retomber la bâche et son propriétaire fit face au nouveau venu. Lorsqu'il parla, Jezebel reconnut avec stupeur le fort accent hispanique d'Andres Agustin.

— Oh, vous êtes le pilote ? Je voulais juste jeter un coup d'œil à votre appareil. Je suis moi-même pilote. C'est un Scout de la dernière génération, n'est-ce pas ? J'ai volé au début de la guerre sur un Morane-Saulnier mais il paraît que le Sopwith Scout le surclasse en surface de voilure, ce qui réduirait considérablement sa surface d'atterrissage. Ne voudriez-vous pas en parler autour d'une bière ?

Le pilote parut heureux de l'invitation. Il continua à faire l'éloge de son aéroplane tout en accompagnant Agustin vers le bar.

— Le *Pup* est si maniable qu'il peut atterrir sur une surface aussi courte qu'un terrain de tennis ! Il faut certes un peu d'entraînement, mais l'exploit est facilement réalisable. Moi-même…

La voix décrut dans le lointain. Sans plus attendre, la jeune fille sortit de sous la bâche. Peter tenta de la retenir en l'attrapant par la main, mais elle se dégagea sèchement.

— Non ! protesta-t-elle. Regagnons le Grand Salon, ce sera bientôt l'heure du thé. Olga doit me chercher.

Ils remontèrent le pont en marchant côte à côte dans un silence gêné. Peter rougit jusqu'aux oreilles en osant soudain demander :

— Vous n'avez pas aimé, n'est-ce pas ?

Il avait l'air si malheureux qu'elle faillit le prendre dans ses bras pour le consoler, mais elle n'en fit rien, sachant d'instinct qu'il se méprendrait sur la signification de son geste.

— Peter, vraiment, je préférerai que nous demeurions amis.

Le jeune Suédois soupira à fendre l'âme mais n'osa pas insister.

*

Le paquebot fit une escale à Colombo puis contourna l'île de Ceylan vers l'est, en s'éloignant de l'Inde alors qu'il n'en était qu'à quelques encablures. Apparemment, son tonnage était trop grand pour remonter le détroit de Palk. Il aurait risqué de s'échouer sur les bancs de sable et autres hauts-fonds d'une série d'îles appelée le Pont d'Adam.

Après plusieurs jours de navigation, le navire revint vers la côte du sous-continent indien. Le temps était superbe et les alizés charriaient par moments des senteurs de jasmin et d'épices. Calcutta était encore loin, mais elle se rapprochait de jour en jour.

Depuis l'entrée dans le golfe du Bengale, la *Gazette* du bord publiait chaque jour, outre l'actualité internationale reçue par radio, d'immenses cartes qui faisaient rêver les passagers. La première fut celle de la côte de Coromandel. La deuxième celle du Bengale-Occidental et, par extension, de la Chine au-delà de la chaîne de l'Himalaya, du désert de Gobi et de la Mongolie.

Olga souriait, Olga chantait. La Russie lui paraissait proche. Tant pis pour les milliers de miles qui s'étendaient entre elle et sa patrie, elle avait presque l'impression de revenir chez elle.

Jezebel, au contraire, n'avait pas le cœur à rire. Calcutta lui paraissait plus que jamais sonner comme un glas et les dernières journées passées sur l'*Albatros* furent à ses yeux à la fois longues et courtes, et affreusement ennuyeuses.

Heureusement, il y eut ces dauphins roses batifolant dans le soleil couchant, au large de Jaffna. La lumière était orange et oblique, et soulignait parfaitement l'étrange silhouette des animaux, cette tête un peu trop ronde et ce rostre étroit qui se levait bien au-dessus des vagues. L'air était rempli de cris aigus.

Un autre jour, vers midi, retentirent des sons mystérieux, un peu effrayants. Un chant de baleine remontait des abysses. Quelques minutes plus tard, un corps gigantesque crevait la surface pour venir souffler à seulement quelques yards du paquebot.

Enfin, un matin de grand vent, il y eut cette merveilleuse danse des raies mantas. Leurs ailes de géant se déployaient au ras des flots et, à ce moment-là, rien ne parut plus beau que leur façon de se jeter hors de la mer comme si elles étaient soudain devenues des oiseaux.

Puis il y eut Pondichéry. Et Madras.

En Angleterre, ces noms pointés sur une mappemonde prêtaient au rêve mais, vus de l'*Albatros*, ils ne furent que des ports grouillant de marins en guenilles, couronnés de grues, de bâtiments industriels, de cheminées et de pollution. Jezebel s'attendait à un paysage idyllique de palmiers et de jungle, une rive délicieusement exotique avec des vols de perroquets multicolores, des cris de singes et des fleurs à foison. Elle fut terriblement déçue, et le fut plus encore lorsqu'enfin le paquebot approcha le delta du Gange.

Impossible de voir Calcutta. La ville était enfoncée dans les terres, à plus de soixante-quinze miles de la côte. Pour gagner le port, le paquebot devait pénétrer l'embouchure du fleuve, se faufiler entre de nombreuses îles en évitant les mangroves des Sundarbans, et remonter le fleuve Hooghly jusqu'à la capitale indienne. La navigation était si périlleuse qu'il était nécessaire de s'octroyer les services d'un pilote expérimenté, le seul capable de faire surfer le navire sur la marée ascendante au-dessus des bancs de vase et de sable qui truffaient ces eaux traîtresses.

Afin d'attendre cet homme envoyé par la commanderie, le capitaine Adler mouilla au large de l'île de Sagar et patienta une nuit et une partie de la matinée. Le temps était si clair que les phares de Middleton Point et de Dariapur se voyaient au loin. Les passagers profitèrent d'un magnifique crépuscule pour déambuler pour la dernière fois sur les ponts à la recherche d'un peu d'air frais. Olga avait depuis longtemps fait faire les bagages. Elle savait que le débarquement n'était plus qu'une question d'heures. Désœuvrée, Jezebel gagna le pont-promenade pour regarder le soleil se coucher sur les rives indiennes. Elle avait la gorge nouée par l'émotion. Elle n'avait pas envie de quitter le navire pour un monde inconnu. Elle n'avait même pas envie d'aller dîner.

De son observatoire, la terre lui paraissait plate, et aussi grise que l'eau limoneuse qui la baignait. Le soleil se noyait dans cette mare d'huile avec un ruissellement de feu. Au loin, une musique étrange attirait l'œil vers l'est, vers de grandes plages au sable clair bordées par une ligne de palmiers. Un temple indien en émergeait, sorte de couronne de Chantilly dont sortait dans le crépuscule une foule dense et multicolore. Cette marée faite de tissus orange, blanc, rouge, jaune se pressait vers la côte dans la clarté mouvante de centaines de torches.

— C'est l'Inde, toujours en prière…, souffla Olga en venant rejoindre Jezebel accoudée au bastingage.

La jeune fille luttait contre son chagrin depuis trop longtemps. Elle jeta tout à trac :

— Seriez-vous seule ce soir ?

Olga chercha son regard au travers des lueurs du couchant.

— Je suis avec vous, ma chérie.

— Je faisais allusion à…

— Je sais, coupa la jeune femme d'un ton à la fois triste et amusé. Je n'avais pas envie d'en parler mais vous avez raison, je suis seule. Jan doit régler quelques obligations avant notre arrivée. Il nous rejoindra sans doute pour le dîner.

Elle marqua un petit temps de silence, puis continua en choisissant soigneusement ses mots.

— Je sais que vous désapprouvez ma conduite, Jezebel. J'en suis déçue, car j'espérais vous convaincre que la liberté se doit d'être la même pour les hommes que pour les femmes. S'ils prennent des maîtresses, et que personne n'y trouve à redire, ne pouvons-nous pas prendre nous aussi des amants ?

Jezebel rougit violemment.

— Je… je ne sais pas. En fait, je ne vous juge pas. Je suis contrariée parce que je ne suis pas pressée d'être à demain. Je n'ai pas envie d'arriver à Calcutta.

— Je comprends. Vous n'êtes pas ravie de revoir votre parrain.

— Ce n'est même pas ça, admit Jezebel avec honnêteté. J'aime bien mon parrain. C'est juste que…

— Je vous taquinais, ma chérie. Je comprends vos appréhensions. Ne soyez pas inquiète. Michael vous a parlé d'un éventuel projet de fiançailles, je vous assure cependant que rien n'est décidé. Je vous le répète encore, le moment venu, vous aurez votre mot à dire.

— Vous croyez ? souffla Jezebel avec amertume. Je n'en suis pas aussi sûre.

— Je connais bien votre parrain, ma chérie. Je sais qu'il essaie surtout d'assurer votre avenir et votre bonheur.

— Eh bien, ne pourrait-il pas me laisser choisir cet avenir moi-même ? riposta Jezebel avec un soudain emportement qui provoqua chez Olga un sourire ironique.

— Cet avenir, sauriez-vous le reconnaître et ne plus le lâcher ? Vraiment ?

La jeune fille se tourna pour la scruter avec agacement.

— Faites-vous allusion à quelque chose de précis ?

— Non, bien sûr que non.

Olga Marushka n'avait pas envie de parler de Lukas, de cette absence qu'il avait lorsqu'il lui faisait l'amour, de son regard qui caressait en songe un autre visage que le sien, de ses mains qui suivaient d'autres courbes, de ses yeux qui cherchaient dans les siens une autre âme, un autre cœur. Elle n'était pas dupe, même si elle ne voulait pas le reconnaître. Elle préférait se bercer d'illusion, croire que tout était encore possible alors qu'elle le savait déjà, rien ne durerait, tout était fini avant d'avoir commencé.

Elle prit Jezebel dans ses bras et la serra contre elle pour la consoler. Elle lui caressa le dos comme à une enfant, tout en respirant son merveilleux parfum de jasmin et de violette, jusqu'à ce qu'elle comprenne que, en réalité, ce n'était pas elle qui consolait, mais plutôt elle qui avait besoin d'une consolation.

— Si d'aventure vous ne deviez retenir qu'une seule de mes recommandations, souffla-t-elle doucement, sachez qu'il vaut mieux être aimée qu'aimer. La douleur est toujours pour celui qui a le plus de cœur.

Jezebel s'accrocha à son épaule en hoquetant.

— Je suis une bien mauvaise élève. Je crois que mon cœur ne fait toujours que ce qu'il lui plaît.

La nuit tomba d'un coup, comme cela arrivait souvent si près de l'équateur. Le ciel devint lie de vin, l'océan passa du gris au bleu marine. De gros insectes tournoyèrent brusquement autour des lampadaires. Parfois, l'un d'eux approchait trop près des ampoules incandescentes et, les ailes brûlées, tombait sur le pont en bourdonnant pitoyablement.

Les deux jeunes femmes se réfugièrent dans le Grand Salon au moment où le chef de rang lançait le premier service du dernier dîner du voyage. Demain, l'*Albatros* arriverait à Calcutta. Pour respecter la tradition, aucun passager ne s'était mis en habit, préférant arborer des tenues confortables adaptées à la chaleur : fines robes de coton, chemises de popeline blanche, costumes de lin un peu froissés... Les lustres brillaient, attirant ici aussi de gros papillons gris aux ailes tachetées de brun.

On venait de servir le dessert lorsque Jan Lukas vint enfin s'asseoir près d'Olga. Il salua les deux jeunes femmes, le visage tendu, avant de jeter tout à trac :

— Auriez-vous récemment aperçu Andres Agustin ? Je le cherche en vain depuis des heures.

Olga lui coula un regard espiègle.

— Détendez-vous, mon ami. Andres est certainement en train de conter fleurette à une soubrette quelque part dans un couloir. Il a toujours été fort entreprenant et peu soucieux des horaires. Il en sera quitte pour se faire servir un repas froid dans sa chambre.

Lukas concéda à sa maîtresse un mince sourire.

— Vous savez bien que vous êtes la seule avec laquelle il a toujours eu envie de flirter ! Je crois qu'il a le béguin pour vous.

— Je pourrais vous citer au moins une demi-douzaine de personnes qu'il a entreprises, mon cher ! répliqua Olga avec beaucoup d'amusement. Votre Andres est un véritable Don Juan, ne faites pas semblant de l'ignorer.

— Pour l'heure, mon souci est plutôt de savoir qu'il a déjà fait ses bagages, et que ces derniers ont disparu.

— Sans doute les aura-t-il confiés par avance à un steward. Ne vous alarmeriez-vous pas pour rien, Jan ?

Le jeune homme s'adossa à son siège et commanda un whiskey sans glace.

— Nous sommes en désaccord sur nos affaires depuis plusieurs jours. À midi, nous avons eu une discussion particulièrement houleuse concernant la vente de certaines de nos acquisitions. Je ne vais pas entrer dans les détails, mais ces désaccords portaient essentiellement sur le médaillon Sher-Cîta, qu'il refusait de vendre au client qui nous l'avait commandé. Depuis, Andres est introuvable. J'en viens à me demander s'il n'a pas réussi à quitter le navire.

— Où voulez-vous qu'il aille, *dorogoy*[1] ? Nous arriverons à Calcutta demain. L'imaginez-vous vraiment descendre du paquebot dans un canot de sauvetage en pleine nuit ? Et pour quoi faire ? Je sais que vous êtes tous deux de nature aventureuse mais, enfin, soyez assuré qu'Andres n'a pas vos vingt-cinq ans. Bien qu'il danse merveilleusement le tango, je crois sincèrement que ses compétences sportives s'arrêtent là. Le voyez-vous passer la nuit sur une plage infestée de crocodiles ? Lui, le dandy de la pampa ?

Jan eut un petit rire tout en posant sa main sur celle de sa maîtresse. Olga lui coula un regard langoureux. Mal à l'aise, Jezebel voulut prendre son verre mais son geste resta en suspens. L'eau était animée de tremblements. Elle posa à plat ses doigts sur la nappe, de part et d'autre du verre, sentit un frémissement se propager au travers de sa paume, regarda tour à tour Jan et Olga.

Dans le Grand Salon, des passagers commençaient à s'étonner. Certains se levèrent et approchèrent des fenêtres. Jezebel lança d'un ton circonspect :

— Sentez-vous cette vibration ? Pensez-vous qu'elle puisse être due à un aéroplane en train de décoller ? Je… je crois que le *señor* Agustin s'intéressait à celui qui est à bord. Je l'ai vu discuter avec le pilote, lui poser des questions.

Pestant et jurant, Jan Lukas se leva et se rua à l'extérieur. Olga le suivit, entraînant Jezebel avec elle. Dehors, elles durent se frayer un chemin parmi une cohorte de badauds attroupés. Le rugissement d'un moteur couvrait le ressac.

1. « Chéri », en russe.

Elles arrivèrent à la poupe à l'instant où l'aéroplane s'affranchissait des rails de la catapulte. Il s'élança au-dessus de l'océan, prit de la vitesse et fila au ras des flots en direction du nord.

Jezebel le suivit des yeux aussi longtemps que possible, essayant de reconnaître l'homme qui était aux commandes. La distance grandit, la nuit s'intensifia. Elle renonça. L'aéroplane venait d'être englouti par l'obscurité.

On trouva le vrai pilote étendu sous un tas de cordages. Le malheureux s'était interposé pour empêcher le vol de son appareil mais il avait reçu un coup de poing qui l'avait à demi assommé. On ramassa la bâche qui menaçait de s'envoler, on dispersa les passagers. Le commandant Adler emmena Lukas dans son bureau. Les deux hommes armés qui montaient la garde devant le coffre-fort les reçurent avec des yeux ronds. Oui, le *señor* Agustin était bel et bien venu et, oui, il avait ouvert le coffre et retiré un objet. N'en avait-il pas le droit ? N'était-il pas l'un des propriétaires ?

Maîtrisant sa colère, Lukas récupéra la précieuse mallette qui contenait ses possessions, ouvrit la serrure avec sa propre clé et fut d'abord soulagé d'y trouver toutes les boîtes et les écrins qu'Agustin et lui y avaient placés.

Pourtant, après avoir fait un rapide inventaire, il pâlit et dut se rendre à l'évidence : le médaillon Sher-Cîta avait bel et bien disparu.

# 7

*28 janvier 1919*
*Port de Calcutta – Bengale-Occidental – Inde*

L'aube s'étendait sur le delta du fleuve. Jezebel était levée et prête depuis longtemps. Pour son arrivée à Calcutta, elle avait choisi de porter une robe d'été inspirée de Georges Dœuillet et réalisée par la couturière du bord dans une soie légère et vaporeuse, qui soulignait son buste de manière assez ajustée. Des incrustations de broderies lui donnaient une fraîcheur champêtre. La taille était marquée par un ruban ton sur ton. La jupe corolle descendait sagement jusqu'à la cheville, et ondulait à chacun de ses pas. Elle se sentait jolie, elle ferait bonne impression à son tuteur. Pour le reste, son moral n'était pas au beau fixe.

Il fallait dire qu'avec la lumière révélant le paysage, elle allait de désenchantement en désenchantement. Durant le voyage, elle avait imaginé une Inde qui, à défaut de la rendre heureuse, l'émerveillerait tout de même par une débauche de couleurs. Elle attendait donc, au minimum, le vert éblouissant d'une jungle épaisse, luxuriante.

Pourtant, le jour se levant ne révélait qu'un monde gris fait d'eau limoneuse, lente et épaisse comme de la boue, qui masquait des roches affleurant, des bancs de sable mouvants, des grèves instables que le courant délitait à chaque crue pour les déposer ailleurs avec traîtrise. Le Gange s'évasait en un delta de plusieurs centaines de miles avant de déferler dans l'océan en prenant une tout autre couleur, créant une véritable ligne de démarcation.

Ces eaux si calmes en cette saison n'en demeuraient pas moins impressionnantes, et la jeune fille, passé le premier moment d'effroi à aller et venir pour mieux mesurer cette immensité, avait fini par être émerveillée.

Des passagers étaient venus, comme elle, s'accouder au bastingage pour attendre le lever de l'ancre et la remontée du fleuve vers Calcutta. On chuchota, on s'étonna que ce soit si long, jusqu'à ce qu'un sloop apparaisse enfin toutes voiles dehors.

L'embarcation manœuvra habilement sous le vent puis, poussée par la force d'une vingtaine de *lascars*[1], aborda l'*Albatros* par le flanc. Le pilote que l'équipage attendait monta à bord avec l'agilité d'un singe. Il trouva d'instinct le commandant venu l'accueillir, s'inclina mains jointes devant lui puis le suivit jusqu'au poste de pilotage où il prit aussitôt la direction des événements.

Cet homme ne payait pas de mine. C'était un Indien de petite taille, les pieds nus et les mains calleuses à force de tenir la barre, mais dont l'habit bleu, une redingote à boutons dorés, assurait qu'il était bel et bien payé par l'honorable Company pour mener le paquebot à bon port.

Sur ses ordres, les matelots remontèrent l'ancre, puis le navire s'ébranla avec majesté vers l'embouchure du fleuve où, pour faciliter son passage, on allumait de ponton en ponton de grands feux éclatants. Il passa la barre du mascaret, pénétra dans les terres.

D'abord, il longea des prairies mouvantes, paradoxalement asséchées, et de grands bancs d'alluvions qui, de loin, ressemblaient à des îles mais n'étaient rien que des marécages salés. Dans une chape de brume, on devinait vers l'est les mille et un ruisseaux qui formaient un vaste terrain boisé appelé Sundarbans. Une famille complaisante prêta à Jezebel des jumelles qui lui permirent de détailler un labyrinthe impénétrable d'arbres accrochés les uns aux autres sur une terre aussi plate qu'une plage. Le père était un haut fonctionnaire un peu fat, qui abreuvait ses enfants d'anecdotes plus ou moins terribles. Les petiots poussaient des cris ravis mais leur mère ouvrait de grands yeux terrifiés lorsqu'il était question de tigre mangeur d'hommes ou d'épidémie de choléra.

Passé l'île de Sagar, Jezebel rendit les jumelles avec la vague déception de ne pas avoir aperçu le terrible prédateur. Les rives abandonnaient maintenant leur aspect de nature brute et sauvage pour sembler peu à peu se civiliser. Des villages apparurent,

1. Matelot indien.

d'abord de simples bicoques de bois accrochées au fleuve par des pontons vermoulus. L'embouchure devint un cours d'eau, certes encore imposant, mais dont les berges se rapprochaient. L'*Albatros* continua à progresser lentement. Régulièrement, il actionnait sa corne de brume pour avertir de son arrivée tous les rafiots qu'il croisait.

Le fleuve Hooghly était aussi encombré qu'une route malgré l'heure matinale. Il formait un passage plus aisé que ces chemins de terre incertains qu'on distinguait parfois au milieu des cultures avant qu'ils ne se perdent dans la jungle toute proche. Le courant amolli par le delta n'offrait guère de résistance à toute une cohorte de bateaux. Les plus imposants étaient des cargos qui venaient de l'amont, escortés par des remorqueurs depuis les jetées de Diamond Harbour. Ces géants saluaient aimablement leur homologue à coups de sifflet, en un joyeux charivari qui remplissait tous les cœurs d'une indicible excitation.

Jezebel oubliait peu à peu son inquiétude pour plonger dans cet univers mi-marin, mi-terrien, où des embarcations à fond plat servaient d'habitation à des familles entières serrées entre des chèvres et des poulets. Munies de voiles en fibres d'hibiscus, ces arches étaient le plus souvent pilotées par un patriarche maigre à demi nu, perché tout en haut d'une accumulation de caisses d'où il jouissait d'une meilleure vue d'ensemble, indispensable pour éviter la multitude de *dinghies*[1] qu'il croisait.

Ces chaloupes étaient les moins disciplinées. Elles n'échappaient à la collision qu'au dernier moment, dans un silence feutré uniquement peuplé d'yeux écarquillés. D'autres poussaient l'irrévérence à s'accrocher à l'*Albatros*, moins pour vendre leurs fruits que pour trouver à s'employer auprès des passagers lors du prochain débarquement.

Plus la ville approchait, plus les rives se peuplaient. Les villages devenaient des bazars aux marchandises étalées que séparaient des escaliers monumentaux descendant à pas de géant vers la berge. Déjà, dans les premiers rayons d'un soleil qui perçait difficilement les brumes matinales, des hommes et des femmes commençaient leur journée par des ablutions. Ils se faufilaient entre les embarcations, entraient dans l'eau grise jusqu'aux hanches

1. Le *dinghy*, d'origine indienne, est une petite embarcation non pontée.

et là, les mains jointes en prière, se lavaient tout habillés à la recherche d'une purification.

Sur les ponts, les passagers se pressaient pour détailler ces paysages exotiques auxquels ils devraient désormais s'habituer. Olga se fraya un chemin jusqu'à sa jeune amie en dispensant aux gens qu'elle connaissait sourires et amabilités. En quittant la suite « Francis Drake », elle avait confié ses innombrables bagages au chef steward. Elle s'était divertie de constater que la trentaine de malles avec lesquelles elle était montée à bord trois mois auparavant s'était enrichie d'une dizaine de valises supplémentaires. Il avait bien fallu caser toutes les nouvelles toilettes et les objets parfois encombrants achetés à chaque escale.

— Tout de même, j'ai hâte de retrouver mon chez-moi, glissa-t-elle à Jezebel en prenant cette dernière par la taille pour la serrer affectueusement contre elle.

Cette dernière se raidit.

— Continuerons-nous à nous voir ?

D'un geste caressant, la duchesse attrapa le visage de la jeune fille pour le tourner vers elle. Elle étudia un instant le teint trop pâle, les yeux qui cherchaient à fuir et ce petit tremblement qui animait pitoyablement la lèvre inférieure.

— Ma chérie, qu'allez-vous imaginer ? Bien sûr que nous continuerons à nous voir ! Nous sommes pour ainsi dire voisines. Si nos jardins étaient moins luxuriants, nous pourrions nous faire signe d'une fenêtre à l'autre ! Et puis, j'organise chaque week-end une petite fête intime, où vous serez naturellement conviée. Enfin, je donne une fois par mois une réception plus officielle où je pourrai vous présenter à la haute société. Vous verrez, nous allons bien nous amuser. Je vous emmènerai au cricket et au polo. Nous ferons des pique-niques charmants et de très belles excursions.

— Je ne sais pas si mon parrain m'autorisera…

— Pourquoi non ? Il vous a bien confiée à moi le temps de ce voyage ! Allez, cessez de vous inquiéter, retrouvez votre joli sourire et faites-moi confiance, je m'occupe de tout.

La jeune fille acquiesça en retenant ses larmes. L'émotion la submergeait, elle avait plus que jamais peur de l'inconnu, peur du lendemain, peur de cette ville tentaculaire qui déroulait ses faubourgs comme un tapis étrange et grouillant dans lequel elle n'était pas certaine de trouver sa place.

Jan Lukas vint les rejoindre. Il embrassa machinalement Olga sur la joue avant de faire un baisemain cérémonieux à Jezebel. La jeune fille rougit. Elle trouvait l'Américain plus beau que jamais, avec sa haute taille bien prise dans un complet sport à martingale et son panama légèrement repoussé vers l'arrière qui laissait retomber ses cheveux sur son front. Il s'accouda au bastingage en se plaçant entre elles. Son visage paraissait tendu.

— Aucune nouvelle d'Andres ? lui demanda Olga en passant son bras sous le sien.

Il se dégagea machinalement. La Russe en fut blessée, mais elle ne laissa rien paraître.

— Aucune, lança-t-il avec hargne, hormis que la Company a porté plainte pour le vol de l'aéroplane.

— Et vous, avez-vous également porté plainte pour le vol du Sher-Cîta ?

Elle avait parlé sans réfléchir, il la toisa avec un étonnement un peu sarcastique.

— Non, bien sûr que non ! Je connais Andres depuis plus de dix ans. Il est comme mon père. Je savais qu'il ne voulait pas vendre le médaillon, nous en avions discuté à maintes reprises, mais de là à imaginer qu'il allait s'enfuir avec !

— Peut-être vous attend-il quelque part dans Calcutta ? se rattrapa Olga en faisant cette fois-ci preuve de davantage de bon sens. Il aura sans doute voulu vous forcer la main…

Lukas afficha un air à la fois désespéré et furieux.

— Je vous avoue ne rien comprendre à ce geste. La seule chose dont je suis sûr, c'est que je vais devoir affronter un client qui n'a pas forcément une réputation d'enfant de chœur. Quelle partie de plaisir en perspective, que d'expliquer que le Sher-Cîta n'est plus à vendre parce qu'il s'est tout simplement volatilisé dans les airs, et ce sans jeu de mots ! Mais bon, mesdames, cessons là cette discussion stérile. Je m'en voudrais de gâcher votre arrivée à Calcutta, qui est toujours un grand moment pour celles et ceux qui n'en sont pas coutumiers.

Il se tourna vers Jezebel pour lui faire comprendre que c'était à elle qu'il s'adressait. Ils se prirent brièvement par les yeux, elle rougissante et gênée, lui presque caressant, tandis que le paquebot entamait une série de manœuvres afin de s'amarrer contre une jetée construite en eau profonde, à quelques dizaines de mètres de la rive. Jan Lukas en profita pour jouer au guide, désignant par-ci par-là quelques bâtiments qu'un œil néophyte n'aurait pu distinguer des constructions hétéroclites qui formaient les faubourgs de Calcutta.

— Cette flèche rose, au loin, est celle de l'église Saint-John. Et là, devant, en plein milieu du parc Maidan peu verdoyant en cette saison, voici les fortifications en étoile du Fort William. Dans ce même parc, et bien que vous ne puissiez le voir d'ici, vous trouverez le Victoria Memorial en cours de construction, qui est d'ores et déjà le pèlerinage obligatoire pour chaque Britannique venant sur ce sol…

Il se moquait, Jezebel lui fit une grimace tandis qu'Olga, qui n'entendait pas demeurer en reste, désignait au loin la cathédrale Saint-Paul, autour de laquelle s'organisait toute la vie coloniale.

L'*Albatros* s'immobilisa après un dernier frémissement contre un débarcadère flottant. Jezebel se pencha pour mieux voir la passerelle qui s'étirait jusqu'à un quai mal entretenu, encadré par des entrepôts d'aspect aussi misérables. Des dizaines de personnes s'agglutinaient sur la rive, averties de l'arrivée du paquebot par les sémaphores disséminés sur le parcours.

— Voyez, ma chérie, commenta Olga en se tournant vers sa jeune amie, à Calcutta tout demeure à jamais immuable.

Elle faisait référence aux boutiques éphémères qui s'étaient ouvertes en l'espace de quelques minutes pour proposer en un joyeux méli-mélo des ananas et des pamplemousses mais aussi des chinoiseries, des livres poussiéreux, des sacs et des coffres, et même des épices ou des parfums. Parmi ces commerçants installés à la sauvette à même le sol, des Européens à pied ou en palanquin avaient toutes les difficultés du monde à se frayer un passage, en tout cas jusqu'à ce qu'apparaisse un officier en uniforme rouge. Du haut de son cheval, il ordonna à son régiment de dégager un espace central où plusieurs automobiles s'engouffrèrent aussitôt. L'une d'elles portait sur ses ailerons des petits drapeaux rouges aux couleurs britanniques agrémentés de l'étoile d'Inde.

— C'est le blason du Raj, remarqua Olga. Certainement un personnage important…

— Il s'agit de mon client, lança Lukas en se dirigeant vers la plus proche passerelle. À plus tard.

Curieuse, Olga voulut le suivre lorsque le steward en chef vint lui parler de ses innombrables bagages. Le brave homme transpirait à grosses gouttes et faisait tant de manières que la duchesse se résolut à l'accompagner. Elle ne tenait pas à ce qu'une malle ou un carton à chapeau se perde en route.

Demeurée seule, Jezebel observa longuement la ville tentaculaire qui déroulait jusqu'au bout de l'horizon une marée de toits, de cheminées, de dômes et de flèches. Vue du fleuve, Calcutta n'avait rien de tropical et la jeune Anglaise en fut déçue.

Autour d'elle, les passagers montraient une excitation grandissante. Bientôt, un mouvement se fit sentir dans son dos, la bousculant de plus en plus.

Au début, elle résista à la pression, mais la rive toute proche offrait tout de même des détails exotiques qui excitaient son intérêt. Là, elle s'enthousiasma d'un palmier. Ici, elle découvrit une bougainvillée. Ici encore, elle remarqua une construction de pierre semblable à un autel orné par des myriades de fleurs. L'impatience la saisit, car Olga ne revenait pas. Or, elle voulait comme les autres mettre pied à terre.

Pour cela, il lui suffit de se laisser happer par le courant. Emportée, elle s'ingénia juste à garder en point de mire la haute silhouette de Lukas qui, tel un phare au-dessus de la foule, la guidait sans le savoir vers ce monde inconnu.

Elle descendit tous les étages dans le sillage du jeune homme, essuya de la même façon une pluie de confettis et de ballons de baudruche, parvint à l'une des passerelles réservées aux premières classes et s'y engouffra. Là, serrée de toutes parts par des gens pressés de parvenir à la fin du voyage, elle avança à grandes enjambées. La marée humaine faisait osciller l'appontement. Certains s'en effrayaient, mais pas elle. Elle n'avait qu'une obsession : se hausser de temps à autre sur la pointe des pieds pour repérer l'Américain.

Ce dernier sauta sur la berge. Un Asiatique en livrée de chauffeur l'aborda aussitôt. Ce géant était aussi grand que gros. À côté du jeune Américain, pourtant guère petit, il ressemblait à une véritable montagne de chair. Il salua son interlocuteur d'un air impassible, en ôtant respectueusement sa casquette, révélant un crâne entièrement rasé à l'exception d'une natte qui tombait bas dans le dos.

Il guida Lukas vers son maître, qui attendait au bout du quai, à l'écart de la foule et à l'ombre d'un mur. C'était un Européen vêtu avec élégance d'un costume blanc agrémenté de chaussures bicolores et d'une pochette de soie rouge. Il accueillit l'Américain d'une poignée de main et l'invita à faire quelques pas.

— Bagages, *memsahib*[1] ?

Jezebel venait de descendre du débarcadère. Elle sursauta, recula d'un pas effrayé en voyant le visage sombre se dresser devant elle. L'Indien la dépassait d'une tête. Il avait le regard noir, des sourcils épais, un turban jaune canari et il paraissait jeune, peut-être âgé d'une vingtaine d'années. Elle resta bouche bée en découvrant qu'il portait une inconcevable jupe courte nouée sur le devant, qui laissait voir ses jambes nues et musclées. Bien qu'il lui bloquât effrontément le passage, il souriait de toutes ses dents. Des dents incroyablement blanches.

— Moi porter bagages, *memsahib*, répéta-t-il en s'inclinant à plusieurs reprises.

— Non, non ! protesta-t-elle en passant devant lui sans plus le regarder. Je n'ai pas de bagages. Pas besoin d'un porteur.

Il s'écarta mais continua à la suivre des yeux. Elle longea la rive, légère dans sa robe de soie vaporeuse. Elle respirait en affichant une indicible émotion. Une odeur puissante montait à ses narines, une odeur à nulle autre comparable. Une odeur de poussière et d'humus, de mangue et de jasmin, à la fois chaude et âcre, pleine de relents de pourriture mais aussi d'innombrables parfums.

L'odeur de l'Inde, son nouveau pays.

Cette pensée fut si enivrante qu'elle tituba. Elle se retint au tronc d'un arbre, regarda les alentours avec le sentiment de découvrir les couleurs du monde pour la première fois. Le gris du petit matin s'était dissipé, le fleuve était devenu ocre et la brume en se levant avait laissé place à une foule dense et colorée.

Elle avança de quelques pas, portée par ce maelstrom sensitif. Des visages se succédaient, blanc, noir, brun, beige, café ou chocolat. Les vêtements se côtoyaient dans un chatoiement de couleurs. Saris de mousseline, costumes trois-pièces, chemises de popeline, turbans roses ou verts, avec des gemmes ou des plumes

1. Femme blanche étrangère de statut social élevé vivant en Inde.

sur le devant. Partout, des malles, des valises, des cartons à chapeau. Et aussi des fruits posés sur des nattes ou des plateaux, des goyaves, des pamplemousses, des bananes et des mangues.

Elle avança encore, pour essayer de trouver son parrain dans la cohue. Il l'attendait fatalement quelque part, peut-être près d'un palanquin ou d'une automobile, accompagné ou non de son futur fiancé. Chaque fois qu'elle croisait une personne, elle la dévisageait avec insistance. Elle dut pourtant bientôt se rendre à l'évidence : repérer un visage dont elle se souvenait à peine était une gageure. Comment retrouver sir Michael John Deckard alors qu'elle se rappelait uniquement qu'il était vieux, très vieux ? Elle n'avait pas d'autre souvenir d'enfance.

Un vendeur à la sauvette lui coupa le chemin. Il était ridé, édenté, et levait bien haut des morceaux de pastèque qu'il tenta de lui faire acheter. Elle refusa et s'éloigna avec vivacité. Olga ne l'avait toujours pas rejointe, elle commençait à s'inquiéter. La Russe n'était visible nulle part, ni sur le paquebot, ni sur le débarcadère. D'ailleurs, Jan Lukas avait lui aussi disparu... Elle recula devant un énième mendiant qui l'apostrophait, se retrouva acculée contre un hangar ouvert aux quatre vents où étaient entreposés des sacs de charbon.

Oppressée par la foule, elle chercha de l'air en grimpant sur un cageot. Là, elle regarda au-dessus de la mêlée, soupira de soulagement en repérant à nouveau la silhouette familière de Lukas. Le jeune homme était toujours à l'autre bout de la place, près des rails d'un chemin de fer probablement désaffectés, occupé à discuter avec son client. Ce dernier le toisait de haut, l'air peu commode. Jezebel ressentit une impression désagréable.

À nouveau, elle hésita. Que devait-elle faire ? Rejoindre Lukas, quitte à s'attirer les foudres de son irascible interlocuteur, ou retourner vers l'*Albatros* à la recherche d'Olga ?

Un violent crissement de pneus la fit sursauter. Elle tourna la tête. La foule avançait comme une vague, refoulée vers les berges par une vieille camionnette. Le véhicule, gris et rouillé, zigzaguait en tous sens avec une telle vitesse qu'il en tanguait dangereusement.

Pour mieux voir ce qu'il se passait, Jezebel descendit de son perchoir et avança de quelques pas. La camionnette approchait. Elle distingua une profusion de détails, la toile bâchée sur l'arrière, les grosses roues qui soulevaient d'impressionnantes volutes de poussière mais, surtout, le visage sombre du chauffeur indien, aux yeux si écarquillés qu'ils en devenaient blancs. À côté de lui, debout sur le marchepied, un jeune garçon baissait le nez, le regard éteint. Il n'avait pas douze ans.

Comme dans un mauvais rêve, elle vit les soldats se mettre en position de tir. L'officier à cheval hurlait comme un diable à uniforme rouge, le sabre tiré au clair pour galvaniser ses troupes. La camionnette accéléra. La poussière qu'elle soulevait était si dense qu'elle donnait à tous un air fantomatique.

— Tirez ! hurla l'officier.

Le chauffeur invectiva l'enfant. Ce dernier, la mine terrorisée, jeta le plus loin possible un paquet enveloppé de papier brun. L'objet rebondit plusieurs fois. L'enfant se redressa avec soulagement lorsqu'une détonation piqua son front d'une étoile rouge. Il tomba à la renverse, surpris, puis il roula au sol comme un pantin désarticulé. Il était mort.

Une seconde détonation brisa le pare-brise en mille morceaux. La camionnette continua sa course folle jusqu'au fleuve, où elle fit un plongeon de vingt mètres avant de sombrer mollement dans le courant. Le chauffeur partit à la dérive, la bouche ensanglantée. Une balle l'avait touché en plein cœur. Jezebel contempla la scène avec horreur.

— Ne restez pas là !

Quelqu'un la poussa vers les hangars, la jeta sans ménagement derrière d'énormes caisses en bois. Serrée contre un torse dur, elle sentit une odeur de coton puis celle d'une épice inconnue. Elle cria, se débattit. L'homme lui immobilisa les bras. Dans le même élan, il l'adossa contre des sacs de jute pour mieux se vautrer sur elle. Elle hurla de panique, se tortilla pour se libérer.

Une formidable explosion avala l'air, puis le recracha avec force.

La respiration coupée, Jezebel se crut sourde et aveugle, morte peut-être. Elle hurla encore et encore, affolée de ne plus entendre sa propre voix. Une fournaise pleine de cendres l'enveloppa. Elle fut heurtée de plein fouet par un mur fait de sons, de débris, de poussières, d'odeurs infectes, de lumière sombre mais violente. Elle s'enfonça dans une tornade où elle n'était plus rien, agrippa instinctivement l'homme qui la tenait, roula avec lui au milieu d'une tempête de charbon.

Là, dans un silence de fin du monde, elle courba la tête en s'accrochant à l'autre comme à une bouée et pria pour que tout redevienne comme avant.

*

Le silence. Le noir. L'odeur. La puanteur d'un incendie. Jezebel ne bougeait pas. Elle ignorait si elle en était capable ou non. Elle ne parvenait pas à penser. Tout se mêlait, s'embrouillait. Elle respirait des relents abominables : âcreté de la poussière, remugle d'une terre brûlée, acidité de la poudre, surchauffe du métal. Puis les couleurs revinrent, et avec elles les sons.

Sa surdité n'avait duré que le temps de l'explosion mais elle n'arrivait pas à s'en réjouir. Elle était perdue, agressée de toutes parts, écrasée par la violence des bruits. À demi inconsciente, elle se débattait dans un déferlement de cris, de pleurs et de hurlements sans savoir comment faire pour s'en échapper. Jusqu'à ce qu'une voix douce, précautionneuse, s'insinue dans sa conscience avec la légèreté d'une plume.

— Mademoiselle, m'entendez-vous ? Mademoiselle ?

Ils étaient encore accrochés l'un à l'autre, là, par terre, dans ce hangar sombre qui les avait protégés, au milieu de ces sacs de jute qui avaient amorti leur chute. Son visage brun couvert de charbon se penchait au-dessus d'elle, anxieux. Elle regarda avec incrédulité le turban jaune noirci de cendres, les yeux bruns qui la scrutaient avec intensité. L'air était saturé de poussière, de poudre consumée, de feu, pourtant elle ne sentait plus que l'odeur de sa peau épicée, ronde et douce, rassurante comme un bonbon.

— Mademoiselle, allez-vous bien ? demanda-t-il dans un anglais impeccable. Pouvez-vous me répondre ? Il ne faut pas avoir peur. Tout est fini.

— Je n'ai pas peur, souffla-t-elle sans le quitter des yeux.

Il démêla l'imbroglio de leurs bras, s'agenouilla au-dessus d'elle, palpa précautionneusement ses mains, ses poignets, ses épaules, avec une lenteur qui la fit frissonner. Elle avait froid, respirait mal ; il continua de lui parler d'une voix douce et rassurante.

— Tout va bien. Comment vous sentez-vous ?

Il souriait de toutes ses dents aussi blanches que des perles. Elle le reconnut à ce sourire : il l'avait abordée près du débarcadère quelques minutes auparavant, dans un autre monde, dans un autre temps, lorsqu'il n'était encore qu'un porteur indien un peu insolent et non celui qui venait de lui sauver la vie.

— Je crois que ça va, bredouilla-t-elle. Je ne pense pas avoir quelque chose de cassé.

Elle bougea une main, puis l'autre. Elle ne parvenait pas à savoir si elle avait mal ou non. Son corps était fourbu de partout.

— Que s'est-il… passé ? Je… Je ne me souviens pas… Cet enfant…, il a jeté quelque chose…

— C'était une bombe.

Elle refusa d'entendre ce qu'il venait de dire. Il mentait. Elle ne pouvait le croire. Dans le monde qu'elle connaissait, les enfants ne jetaient pas des bombes. Ils jouaient au cerceau et à la marelle.

— Je veux me lever, cria-t-elle.

— Je vais vous aider.

Il la soutint jusqu'à ce qu'elle parvienne à se redresser, à se mettre debout. Elle titubait, prise de vertiges. Elle dut s'appuyer à son épaule, s'en excusa avec confusion.

— Je suis désolée, balbutia-t-elle. J'ai du mal à retrouver mon équilibre.

Il se montra calme et patient.

— Ça va revenir, mademoiselle. Je vous tiens. Prenez votre temps. Je vais appeler à l'aide.

— Ne me laissez pas ! supplia-t-elle en s'accrochant à lui.

Il s'en émut mais la força tout de même à faire un pas, puis un autre. Ils ne pouvaient rester ici éternellement, il devait la ramener aux autorités anglaises, trouver un médecin. Être sûr qu'elle n'avait rien.

Elle avança avec difficulté, encore chancelante. Elle avait les yeux baissés sur sa jolie robe inspirée du couturier Georges Dœuillet irrémédiablement souillée et déchirée. Elle ravala un sanglot. Cette robe n'était qu'une robe, bien sûr, mais elle cristallisait ce qu'elle venait de vivre, ce à quoi elle avait échappé. Elle se rendit brutalement compte qu'elle aurait pu être gravement blessée. Voire tuée. Choquée, elle se mit à pleurer avec de violents hoquets.

— Cet enfant… cet enfant qui est… tombé… par terre…

Ses larmes creusaient un sillage clair au milieu de la suie qui recouvrait ses joues. Il arracha son turban et lui essuya consciencieusement le visage avec la partie qui lui parut la plus propre. Elle s'accrocha à lui comme à une bouée, il sentit ses pleurs imbiber sa chemise, mouiller sa peau. Il passa un bras autour de sa taille et, la soutenant au mieux, l'emmena à l'extérieur du hangar.

La poussière soulevée par l'explosion était encore en suspension, écrasée par un soleil cru. Ils clignèrent des yeux, continuèrent d'avancer au milieu d'un espace curieusement désert. Là, ils butèrent sur un trou d'où montait encore une fumée pestilentielle. L'explosion avait creusé dans le sable un cratère de sept pieds de diamètre. La plupart des gens s'en écartaient avec effroi. Certains s'étaient même réfugiés dans l'eau. Sur la berge, l'officier britannique à cheval beuglait des ordres pour que ses hommes sortent la camionnette du fleuve. Alentour, une majorité immobile et silencieuse regardait la scène avec des mines ahuries.

Plus loin, au centre d'un espace délimité par une ceinture de soldats, un petit tas pitoyable était couché dans la poussière. Une âme charitable l'avait recouvert d'un sari rose. Jezebel ne le quittait pas du regard. Elle tremblait de tout son corps.

— Il est tellement petit… Comment a-t-il pu ?

L'homme qui l'avait sauvée tenta de l'entraîner plus avant.

— Venez, *memsahib*. Il ne faut pas rester là.

— Répondez-moi, pourquoi a-t-il fait cela ?

— On lui a ordonné de le faire.

Elle ne comprit pas. Le jeune Indien tenta de lui expliquer qu'une faction terroriste était en train de mener une guerre.

— Mais la guerre est finie ! s'exclama-t-elle en secouant la tête d'un air perdu.

— Ce n'est pas la même guerre. Je vous parle d'une guerre d'indépendance. La guerre de l'Inde contre l'Angleterre.

Elle ne comprenait toujours pas. L'Inde n'était-elle pas l'Angleterre ? Ne parlait-on pas du Raj britannique ? D'un empire réuni sous le même drapeau ? Qui faisait la guerre à qui ?

Complètement perdue, elle regarda une cigogne descendre d'un toit. Le bel oiseau tournoyait, magnifique, parmi des restes de fumée. Lorsqu'il se posa près des cendres, il secoua ses ailes noires et blanches puis avança à grands pas rapides vers le petit sari rose. Là, il se mit à becqueter le tissu à grands coups voraces. Jezebel eut un haut-le-cœur. La scène était insoutenable. Tout tangua, le soleil trop blanc, la poussière trop rouge, la chaleur trop accablante. Elle vacilla tandis que son sauveur appelait à l'aide.

Des gens les entourèrent. L'officier britannique se précipita. Il sauta de cheval, repoussa les badauds, chassa le jeune Indien d'un mouvement de cravache. Son visage cramoisi était couvert de sueur. Ses yeux brillaient de colère.

— Écartez-vous ! Laissez-la respirer. Mademoiselle ? Appuyez-vous sur moi.

— Je vais bien, assura-t-elle en refusant son bras.

— Ann-Rose ? Ma petite Ann-Rose !

Elle tourna les yeux vers l'homme qui accourait, le reconnut à ses cheveux blancs et à cette façon agaçante de toujours l'appeler par son second prénom.

— Parrain Michael !

— Dieu merci, Ann-Rose, tu es en vie ! J'ai eu tellement peur. Je te cherchais dans la foule, je ne te voyais pas. Olga t'avait perdue et des yeux, nous avons imaginé le pire !

Elle se retrouva serrée contre une veste rugueuse qui sentait à la fois le tabac blond et le cèdre. Ce parfum la ramena des années en arrière, alors qu'elle n'était qu'une petite fille tout juste orpheline qu'on venait de présenter à l'austère savant qui allait la prendre en charge. Rien n'avait changé. Michael John Deckard avait toujours ce visage sévère, ce grand front d'intellectuel, cette bouche un peu étroite marquée aux commissures par un pli amer. Elle se rendit compte qu'elle avait fait un voyage de trois mois pour le rejoindre. Qu'elle l'avait enfin retrouvé. Qu'il était sa seule famille. Elle éclata en sanglots.

— Ma petite, ma toute petite…, chuchota le vieil homme en lui caressant maladroitement les cheveux. Quelles circonstances terribles pour des retrouvailles…

Comme quand elle était enfant, il ne savait pas quoi faire de son chagrin, aussi la prit-il à bout de bras pour mieux la regarder. Il avisa ses écorchures et sa robe déchirée, ainsi que les tremblements qui l'agitaient. La pauvrette avait échappé au pire. Elle était en état de choc. Il ôta sa veste et la lui posa sur les épaules.

— Viens, allons à la voiture. Je vais donner des instructions pour tes bagages puis nous irons à ta nouvelle maison. Il serait sans doute plus prudent qu'un médecin vienne t'examiner. Tu es toute pâle.

Elle ne l'écoutait pas. Elle regardait en tous sens à la recherche du jeune hindou qui lui avait sauvé la vie.

— Je veux d'abord le remercier ! Je dois le remercier !

— De qui parles-tu ? s'étonna son parrain qui ne comprenait rien à son agitation.

— Mais de l'homme qui m'a sauvée ! Je ne le vois plus. Il était là il y a quelques minutes à peine. Il faut que je lui dise… Sans lui… Je lui dois la vie !

Enfin, elle aperçut un turban jaune qui se fondait discrètement dans la foule. Elle l'appela. Il se raidit mais continua à s'éloigner.

— Monsieur ! cria-t-elle plus fort.

Il s'immobilisa, se tourna vers elle, la regarda.

— Merci, articula-t-elle.

Il la salua de ses mains jointes.

— Je m'appelle Charu, ajouta-t-il en un dernier regard, avant de se couler parmi les badauds et de disparaître.

Elle ne sut quoi dire, quoi faire, pour le retenir. Elle recommença à pleurer. Michael Deckard la prit contre lui et ne la lâcha plus.

*

Après la bombe, après le silence, il y eut le bruit.

Celui des oiseaux rouges et verts revenus en vagues pépier dans les arbres. Celui du vent agitant les feuilles d'un manguier penché au-dessus du fleuve. Celui du clapotis de l'eau contre la rive, là où de gros cailloux presque ronds formaient un mur naturel au milieu du limon.

Tout avait changé, pourtant chaque chose reprenait sa place. En quelques minutes à peine, les soldats avaient effacé tout ce qui rappelait l'attentat. Les corps avaient été emportés sur des civières, de grandes pelletées de terre avaient bouché le trou creusé par l'explosion et les dernières flammes avaient été écrasées à coups de bottes.

La cigogne, lassée par ce remue-ménage, avait quitté son toit pour rallier un autre observatoire. Son vol lourd s'était perdu au-dessus du fleuve Hooghly en direction du nord, vers les *ghats*[1] en périphérie du parc Maidan. À pas feutrés, la foule était revenue sur le quai, sagement contenue par un cordon de sécurité. L'officier britannique aux cheveux trop blonds et au visage cramoisi était remonté à cheval pour mettre en place les soldats de son régiment. Depuis, ces derniers se tenaient au garde-à-vous, le fusil Lee-Enfield bien en évidence entre leurs mains.

Mais cela aussi n'eut qu'un temps. Très vite, la retenue dictée par la crainte, par la prudence, fut balayée par un brusque déferlement de corps et de cris, et la vie, bruyante, indisciplinée, sans mémoire et sans sentiments, reprit ses droits de la plus naturelle des façons.

Aussitôt, les ventes à la sauvette recommencèrent. Les marchandages aussi. De tumultueuses criées survolèrent la mêlée : appel à l'eau, au thé, au fruit ou au *jhal-muri*[2] et, en quelques minutes, le débarcadère fut de nouveau plongé dans un véritable brouhaha.

Les ultimes passagers de première classe qui quittaient le paquebot mirent le pied sur la rive avec autant d'impatience que d'énervement. Les plus impétueux réclamèrent à grands cris des porteurs tandis que d'autres, plus émotifs, échangeaient une dernière fois leurs rires et leurs larmes en promettant de se revoir. Des *coolies*[3] se disputaient ces clients fortunés pour quelques *paises*[4]. Les autres, les besogneux qui avaient déjà hérité d'un bagage, s'éloignaient avec une charge de mulet sur le dos pour aller l'entasser au fond d'une charrette à bras spécialement affrétée. Là, des domestiques en livrée les supervisaient d'un regard supérieur.

Ceux-ci, impeccables dans leurs *sherwanis*[5] immaculés, attendaient patiemment leurs maîtres, qu'ils saluaient avec componction tout en ordonnant aux boys de les délester de leurs bagages à main et autres cartons à chapeau. Lorsque l'automobile était chargée, le chauffeur donnait un coup de manivelle qui lançait le

---

1. Les *ghats* sont des escaliers qui permettent d'accéder à un cours d'eau pour y effectuer des ablutions rituelles ou des offrandes sacrées.
2. En-cas très populaire constitué de riz soufflé avec des épices, nom bengali.
3. Le *coolie* était, durant la période coloniale, un portefaix ou un porteur dans les gares ou les ports.
4. Monnaie indienne, cent *paises* égalent une roupie.
5. Le *sherwani* est une chemise traditionnelle indienne arrivant au genou.

moteur. Pendant ce temps, bien à l'ombre du parasol que tenait avec fierté le majordome, les maîtres écoutaient les dernières nouvelles de leurs domaines.

Olga Marushka attendait près de son automobile, une Alfa-Romeo 20-30 HP rouge vif que ses gens lui avaient ramenée. Extrêmement nerveuse, elle faisait les cent pas en tirant sur son porte-cigarettes tout en déchiquetant son mouchoir. Elle s'efforçait de demeurer impassible mais, au fond d'elle-même, elle n'était que terreur. L'attentat l'avait surprise et d'autant plus choquée qu'il réveillait les terribles souvenirs de la révolution russe, l'assassinat de son époux Obolenski et sa propre fuite. La plupart du temps, elle parvenait à oublier ces terribles événements mais là, elle s'affolait d'avoir perdu de vue sa jeune amie et ne pouvait s'empêcher d'imaginer le pire.

Enfin, elle aperçut Michael Deckard traverser la foule pour revenir vers elle, traînant dans son sillage sa filleule. La pauvrette était noire de suie et de charbon, la jupe déchirée et les joues marquées par de vilaines écorchures, mais elle était en vie. Olga la prit dans ses bras en jurant ses grands dieux qu'elle ne pleurait pas, mais des larmes ruisselaient sur son beau visage.

Deckard regarda les deux jeunes femmes sangloter en ne sachant ni quoi faire, ni quoi dire. Il fut ému de les voir se pencher l'une vers l'autre pour s'embrasser, et de ces boucles blondes et brunes qui se mêlaient en une coulure de soie floche.

— J'ai cru… J'ai cru…, commença Olga avec une émotion qui ne lui ressemblait pas, avant de lever les yeux au ciel pour recouvrer sa mauvaise foi qui lui était plus naturelle. Ah mais vous, lady Tyler, je vous interdis de me refaire une angoisse pareille !

— Mais… je…, bafouilla Jezebel, choquée.

— Je sais, ce n'est pas votre faute, virevolta Olga, mais tout de même, évitez la prochaine fois de vous trouver par hasard sur les lieux d'un attentat !

— Je ferai attention, même si je préférerais que cela ne se reproduise plus…, commença Jezebel en adoptant le même ton. Tout le monde est-il sauf ? Savez-vous si Jan…, je veux dire monsieur Lukas… Savez-vous s'il va bien ?

Elle posait sur la duchesse un regard écarquillé par l'inquiétude. Olga souffla une bouffée de fumée vers le ciel. Elle avait réussi à se recomposer un visage impénétrable.

— Il n'y a ni morts ni blessés. Notre ami est toujours quelque part là-bas, en grande discussion avec son commanditaire. Mais nous en parlerons plus tard, il faut que je vous laisse. Mes domestiques m'ont appris que ma villa avait un problème de toiture depuis la dernière mousson. Je n'ai pas réussi à en savoir plus, ces inconscients n'ont pas jugé utile de me l'écrire. Bon, cela dit, ils ne savent pas écrire, malgré tout, je suis impatiente de voir de quoi il retourne. Je crains une mauvaise surprise. Il semblerait donc que ma mission de duègne soit terminée. Je vais vous laisser entre les mains de votre parrain.

Un éclair de panique traversa le regard de Jezebel. Olga tendit la main pour lui caresser brièvement la joue.

— Allons, milady, ne faites pas cette tête-là, je vous ai assurée que nous nous reverrions. Tenez, que diriez-vous de demain à l'heure du thé ? Michael, qu'en pensez-vous ? Je pourrais vous inviter pour le thé demain à quatre heures ?

Le vieux savant eut un moment de flottement.

— Un thé dites-vous ? Demain ? Mais c'est impossible, je suis attendu à la bibliothèque impériale à Metcalfe Hall pour consulter un ouvrage rarissime qu'on sort spécialement des collections pour moi !

— Oh, j'aurai dû préciser que je ne comptais pas sur votre présence, mon cher ! persifla Olga Marushka avec un certain agacement. Cela fait longtemps que je vous connais et je sais que vous n'aimez rien d'autre que rester le nez dans vos vieilles poussières. Eh bien, continuez ainsi si cela vous chante mais, de grâce, n'empêchez pas votre filleule de venir chez moi sous prétexte que vous ne pouvez pas l'accompagner ! Votre chauffeur ne pourrait-il pas la déposer ?

Michael Deckard afficha une mine contrariée.

— C'est que, je ne puis aller sur le Strand[1] à pied ! C'est à plus de trois miles de la villa Gokhra[2].

Olga souffla un nuage de fumée, exaspérée.

— Dieu du ciel, Michael, je me demande si vous n'êtes pas pire qu'avant ! Bon, très bien, j'enverrai mon propre chauffeur.

---

1. Le Strand est une route qui longe le fleuve à Calcutta.
2. La villa Gokhra est la propriété du baron von Rosenheim. En bengali, *gokhra* se traduit par cobra.

À demain, ma chérie. Reposez-vous bien. Et prenez un bain. Vous avec de la suie jusque sur le bout du nez.

Jezebel porta instinctivement ses mains à son visage, Olga lui coula une œillade moqueuse avant de se mettre au volant de son Alfa-Romeo et de démarrer. Deux charrettes à bras se mirent en branle dans son sillage, dûment chargées par toutes ses malles et ses valises. Ses chiens seraient récupérés plus tard.

L'étrange procession se faufila lentement au milieu de la foule avant de disparaître en tournant derrière un entrepôt.

— Bien. Te voilà donc arrivée à Calcutta, déclara Deckard en s'adressant à sa filleule. As-tu été heureuse de faire le voyage en la compagnie de la duchesse Obolenski ? Olga est parfois un peu trop… originale. Je suppose que c'est parce qu'elle est russe.

— Nous nous sommes bien entendues, répondit poliment Jezebel. Son Altesse la duchesse Obolenski est de fait une personnalité originale et, disons, assez… tumultueuse, mais elle est très attachante. Voyager en sa compagnie fut un plaisir très instructif.

— Tant mieux, tant mieux, acquiesça mollement son parrain, ne sachant déjà plus quoi dire pour alimenter la conversation.

Ils se dévisagèrent avec défiance. Ils ne s'étaient pas vus depuis deux ans, depuis le jour où Deckard avait annoncé à sa filleule qu'il partait aux Indes pour un voyage d'études. Elle se rappelait à peine de lui. Même lorsqu'il était encore en Angleterre, ils ne s'étaient guère côtoyés, hormis peut-être à Noël, lorsque l'archéologue venait la rejoindre dans sa propriété du Gloucestershire. Pourtant, même en ce moment plus convivial que le reste de l'année, ils avaient partagé peu de temps, peu de passions. Michael Deckard, en savant toujours le nez dans un livre, passait son temps dans la bibliothèque du château tandis que sa protégée n'acceptait d'y être confinée que lors des tempêtes de neige.

— Tu as changé, Ann-Rose. Tu es devenue une vraie jeune fille. Tu ressembles beaucoup à ta mère, bien qu'elle fût brune et que tu sois blonde. Quelque chose dans la bouche, je suppose. À moins que ce ne soient les yeux… J'ai gardé un de ses portraits, je te le montrerai.

— Vous avez un portrait de ma mère ?

Elle n'en avait jamais possédé aucun, aussi fut-elle sur le moment partagée entre l'espoir et la jalousie.

— Tu l'ignores, Ann-Rose, mais j'étais très proche de tes parents jusqu'à ta naissance. Nous en parlerons plus tard, si tu le veux bien. Ce n'est ni le lieu ni le moment de discuter des choses passées et aussi intimes.

Elle le regarda par en dessous, agacée, intimidée. Elle avait si peu de souvenirs de lui qu'elle avait l'impression d'être en train de le découvrir.

Son parrain était un homme de taille moyenne, ni gros ni maigre, l'air intelligent mais sévère, parfaitement respectable dans son complet trois-pièces à chemise col cassé agrémentée d'une cravate d'université un peu désuète. Son front haut était un peu dégarni, mais la chevelure coiffée en arrière demeurait abondante malgré son âge. Il avait près de soixante ans, et il était tout gris désormais.

Il l'observait de la même manière. Il nota que, malgré la suie et les écorchures, elle était belle. Bien plus belle que ce à quoi il s'attendait, et il se demanda si cela risquait de poser un problème. Von Rosenheim cherchait une épouse sage et respectable qui lui donnerait un héritier. Pas une maîtresse.

— Je vois que tu suis la mode, déclara-t-il finalement en détaillant de haut en bas la robe blanche qui, avant d'être déchirée et souillée, avait été fraîche et légère, longue à la cheville mais souple sur le corps comme ces nouveaux vêtements qui affichaient clairement une certaine liberté de mouvement.

Elle le toisa avec un peu d'insolence.

— Y trouvez-vous quelque chose à redire ?

— Certes non ! daigna-t-il sourire. Si je n'avais pas voulu que tu aies un peu de caractère, je ne t'aurais pas confiée à Chelseahall House. Tu as pu t'en rendre compte, cette institution est raisonnablement avant-gardiste quant à l'éducation des jeunes filles. Il me semble que sur toi, au moins, cela ait porté ses fruits.

Elle ne sut si c'était un compliment ou non, piqua du nez vers ses chaussures en rougissant. Elle était gênée d'être en présence de cet homme qu'elle connaissait finalement si peu.

— Je… je suis fatiguée, et cette explosion m'a vraiment secouée… Ne pourrions-nous pas regagner votre maison au plus tôt ? Olga est déjà partie ainsi que la plupart des passagers de première classe. Qu'attendons-nous ?

Il sembla se réveiller d'un long rêve, tourna la tête à droite et à gauche comme s'il cherchait quelqu'un puis, se décidant, il la prit par le bras et la guida jusqu'à une énorme automobile couleur crème.

— Je suis désolé, Ann-Rose, je manque à tous mes devoirs. Installe-toi sur la banquette arrière le plus confortablement possible et repose-toi en attendant que notre hôte nous rejoigne. Il ne va pas tarder, j'en suis certain.

— Notre hôte ? releva-t-elle en regardant autour d'elle pour voir de qui il parlait.

— Le baron Jürgen Heinrich von Rosenheim.

Elle coula un regard perplexe vers son parrain. Deckard n'avait pas l'air à l'aise et il frottait maladroitement ses mains moites l'une contre l'autre sans oser la regarder. Elle insista.

— Je ne comprends pas de quoi vous parlez. Qui est le baron von Rosenheim ? Je ne me souviens pas que vous ayez mentionné ce nom dans vos lettres. Il est vrai que ces lettres ne furent guère nombreuses..., ajouta-t-elle perfidement.

L'archéologue haussa un sourcil perplexe sans qu'elle parvienne à déterminer s'il était agacé par la teneur de sa remarque ou par le simple fait qu'elle ait osé lui répondre.

— Le baron a bien voulu nous accueillir dans sa somptueuse demeure. Tu verras, Ann-Rose, tu seras très bien installée. Il a fait refaire les peintures de la chambre qu'il te réserve. Il a choisi lui-même le papier peint.

— Ah, répliqua Jezebel, mal à l'aise. Vous n'avez donc pas de logement à vous ?

— Si fait, j'ai un logement de fonction aimablement assuré par la Royal Society, mais il est mal placé, bien trop éloigné de la bibliothèque et du muséum où je me rends presque tous les jours. Pour m'être agréable, von Rosenheim, que je considère comme un ami, a aimablement proposé que je m'installe chez lui. D'autant plus que, lorsqu'il a été question de te faire venir à Calcutta, cet arrangement est très vite tombé sous le sens. Je ne pouvais décemment t'accueillir dans une gentilhommière de vieux célibataire. Tu verras, tu vas te plaire dans cette belle maison. Le jardin est magnifique. Assurément l'un des plus beaux de la ville. Quatre jardiniers y travaillent à demeure.

— Ah, répéta Jezebel, de plus en plus mal à l'aise.

Deckard continua, étrangement prolixe.

— Cet arrangement sied merveilleusement à notre situation. Von Rosenheim est… comment dire… un mécène ? Il est très intéressé par mes travaux sur la civilisation gupta et c'est lui qui en finance toutes les recherches. Nous travaillons sur une théorie qui devrait aboutir dans les mois qui viennent. Une théorie sur une ville perdue qui, une fois étayée, fera beaucoup de bruit dans la communauté des archéologues. Comprends-tu que je te parle d'un Machu Picchu hindoustani ?

— La légende du médaillon Sher-Cîta.

Brusquement, le regard du vieil archéologue devint incisif. Il étudia longuement la jeune fille debout devant lui. Dans sa robe pleine de falbalas, elle ne lui avait paru être, de prime abord, qu'une demoiselle certes de bonne famille, mais inintéressante au possible.

— D'où connais-tu la légende de Pataliputra ? Je n'arrive pas à y croire !

— J'en ai entendu parler, répondit-elle vaguement.

L'archéologue eut un sourire ému.

— Eh bien, une telle culture ravira certainement notre bon ami von Rosenheim. Justement, le voilà qui revient.

Elle se tourna pour suivre la direction de son regard. Effectivement, deux hommes en train de discuter fendaient la foule pour venir vers eux. Elle reconnut avec surprise Jan Lukas et celui qui était sans doute son client, l'homme au complet blanc.

— Est-ce lui, cet homme en blanc, ce von Rosenheim dont vous parlez ?

Deckard ne répondit pas tout de suite. Il regardait les deux hommes se saluer en échangeant une poignée de main. Même à cette distance, il était facile de percevoir à quel point cette poignée de main n'avait rien de cordial. Elle ressemblait au contraire à un véritable bras de fer, plein de colère et de défi. Clairement, les deux hommes se détestaient.

— J'ai l'impression que notre ami revient bredouille de ses transactions, commenta Deckard, l'air chiffonné. C'est très fâcheux. Ann-Rose, je t'en prie, souris et montre-toi aimable.

— Je ne comprends pas, bafouilla Jezebel, étonnée par la remarque.

— Fais ce que je te dis, coupa Deckard avec aigreur. Ne comprends-tu pas que le fiancé dont je te parlais dans mes lettres, l'homme que je souhaite te voir épouser, c'est lui, le baron Jürgen Heinrich von Rosenheim, l'homme qui, effectivement, est vêtu de blanc ?

Elle se figea brusquement. Von Rosenheim avait plus de quarante ans, et paraissait vraiment peu aimable. Il marchait à grands pas en affichant une mauvaise humeur manifeste tout en martelant ses bottes d'une cravache nerveuse. Lorsqu'un domestique indien se présenta pour recevoir ses ordres, il eut un coup de sang et frappa l'infortuné d'un violent coup de cravache.

— Dégage de mon chemin, face de macaque ! éructa-t-il.

Cela suffit à Jezebel pour le détester viscéralement. Même le sourire dont il la gratifia plus tard, lorsqu'il s'avisa de sa présence et qu'il affecta d'en être charmé, et qui, en d'autres circonstances, aurait pu paraître séduisant, ne changea rien à son désespoir.

Elle ne voulait pas épouser cet homme qui affichait si clairement sa supériorité, sa vanité et son obstination haineuse.

Non, elle ne le pouvait pas.

Deuxième partie

# Le prince de Nandock

*Février 1919 – Villa Gokhra, Calcutta, Bengale-Occidental,*
*Raj britannique*
*Août 1919 – Sun Mahal, Calcutta, Bengale-Occidental,*
*Raj britannique*

# 8

*8 février 1919*
*Calcutta – Bengale-Occidental – Inde*

Jezebel n'avait pas souhaité venir aux Indes mais à présent elle était là, et tout indiquait qu'elle allait y séjourner longtemps. Elle n'en était pas ravie. La ville ne lui avait pas réservé un accueil chaleureux. Maintenant encore, elle demeurait choquée par l'attentat, et très malheureuse.

Les premiers jours, elle vécut avec l'impression de se déplacer dans un cauchemar. Elle ne parvenait pas à se concentrer sur ce qu'on lui disait. De la même façon, elle regardait sans rien voir. Et dormait beaucoup.

On l'avait installée dans une chambre à laquelle elle n'avait guère prêtée attention. Plus tard, elle ne s'était souvenue que d'une chose : un parfum puissant, merveilleux et grisant, auquel elle se raccrocha de peur de sombrer dans la folie. Un parfum de jasmin.

La plante était installée à foison dans les jardins, sur les murs, les soubassements et les clôtures. Elle profitait de tous les supports lui offrant un élan vertical pour se hisser vers le bleu du ciel. Elle se nichait aussi à l'intérieur de la villa Gokhra, dans les différentes vérandas où elle débordait de pots gigantesques, mais aussi et surtout dans les grands bouquets qui ornaient les buffets, les commodes et les tables.

Là, dans la pénombre des pièces aux volets tirés, son parfum suave envahissait l'espace. Pugnace, il se déposait même sur l'oreiller au cœur de la nuit.

Pour Jezebel, ce parfum refléta sa première rencontre avec l'Inde. Elle l'écrivit à Miss Helen dans sa première lettre. Elle joignit même quelques fleurs mises à sécher entre deux buvards. Elle ne fit aucune allusion à l'attentat. Elle ne voulait pas effrayer la chère femme. De toute façon, elle-même espérait l'oublier au plus vite.

Pour cela, elle se raccrocha à l'immuabilité de ses journées, dont le programme était identique depuis son arrivée. Netravati, la femme de chambre indienne qui la servait, venait la réveiller à pas feutrés entre sept et huit heures. Elle déposait un plateau garni d'une théière en porcelaine de Chine sur la petite table ronde juponnée d'une élégante cotonnade de couleur vive. Elle tirait les rideaux en prenant garde à en positionner avec grâce le bouillonné foisonnant. Ensuite, elle ouvrait les fenêtres, faisait glisser les volets ajourés pour laisser entrer la lumière et l'air frais du matin.

Pendant que la pièce s'aérait, l'Indienne servait une première tasse d'un thé noyé dans une mousse de lait onctueuse qui laissait à Jezebel une grosse moustache blanche. Parfois, si l'air se faisait plus frais que d'habitude, Netravati choisissait dans la commode une liseuse au crochet et la posait sur les épaules de sa maîtresse. Elle poussait même la complaisance jusqu'à lui nouer le ruban de soie sous le menton. Jezebel soupirait puis continuait à boire son *breakfast tea*.

Pendant ce temps, Netravati vaquait dans la chambre. La jeune Anglaise, les yeux au-dessus de la tasse, suivait aussi discrètement que possible ses allées et venues. L'allure exotique de sa domestique ne cessait de l'étonner.

L'Indienne était peut-être âgée d'une trentaine d'années. Son corps mince et souple était drapé dans un étonnant vêtement de soie très colorée, qui contrastait avec son teint sombre. Elle accusait quelques rides sur le front et aux coins de la bouche. Sa chevelure, tordue en un épais chignon piqué de fleurs, était d'un noir de jais brillant à peine ponctué de quelques fils d'argent sur les tempes.

Elle allait d'une tâche à l'autre avec une élégance nonchalante. Elle secouait les coussins et les couvertures, redressait les oreillers, disposait avec soin un déshabillé sur le valet en bois ou vérifiait si l'eau du broc était encore assez chaude. Ses gestes exprimaient une énergie à la fois douce et contenue. Son pas lent était silencieux ; Netravati allait toujours pieds nus.

Au début, Jezebel ne parvint pas à quitter ces pieds du regard. En Angleterre, ils étaient dissimulés dans des souliers de toutes sortes, qu'ils fussent précieux ou misérables, aussi n'avait-elle jamais vu d'autres orteils que les siens. Ceux de Netravati la fascinaient. La peau était foncée sur le dessus et plus claire en dessous. Un magnifique tatouage les décorait de la cheville à l'orteil.

Jezebel n'avait jamais rien vu de comparable. Si elle l'avait osé, elle aurait demandé à l'Indienne de les lui montrer plus en détail mais il était impossible de faire preuve d'autant d'inconvenance. Elle se contenta donc d'observer la femme de chambre du coin de l'œil tandis qu'elle allait et venait dans l'unique but d'exaucer le moindre de ses désirs.

De cela aussi, la jeune Anglaise s'étonna : bien qu'elle fût une lady, elle n'avait pas l'habitude de se faire servir. Les domestiques qu'elle connaissait étaient attachés au château Tyler, dont ils assuraient le bon fonctionnement, et non à sa personne. À Chelseahall House et même, plus tard, sur le paquebot l'*Albatros*, elle avait toujours pris soin d'elle-même seule, ne demandant d'aide éventuelle que pour lacer un corset ou parfaire une coiffure compliquée.

L'omniprésence de l'Indienne la troublait. Dès que sa tasse de thé était vide, elle la lui remplissait. Dès qu'elle voulait se lever, l'Indienne se précipitait pour lui enfiler ses mules. Dès qu'elle frissonnait, elle l'enveloppait au plus vite dans une écharpe.

Jezebel ne s'y faisait pas. Très vite, elle tenta d'instaurer de nouvelles règles. En réponse, elle n'obtint qu'un salut des mains jointes et un air impassible qui n'offrait aucune prise. Et chaque matin, le même rituel revenait : Netravati la nourrissait, la lavait, la massait, la parfumait, l'habillait comme si elle avait trois ans, et rien ne pouvait la départir de ce rôle-là.

Jezebel abdiqua.

De toute façon, depuis qu'elle avait échappé à l'attentat, la jeune fille avait perdu toute énergie et toute volonté. Elle avait constamment froid, ce qui fut d'ailleurs une de ses plus grandes surprises. Elle s'attendait à un climat tropical, elle découvrit des températures qui oscillaient de 50 à 59 °F[1]. On lui expliqua que c'était l'hiver et qu'il durerait jusqu'à fin mars.

Les premiers jours, elle grelotta tant que son parrain fit mander un médecin, la croyant prise de fièvre. Elle argua ne pas

1. Soit 10 à 15 °C.

être malade mais, lorsqu'elle vit sortir d'un double phaéton le Dr Francis Appleton et son jeune assistant Peter Asgulson, elle fut heureuse que Michael ne l'eût pas écoutée.

Les deux hommes avaient pris leurs fonctions au dispensaire de Bhawanipur, au sud de Fort William, mais, dès le début, le Dr Appleton n'avait pas caché son intention de remplacer le vieux Dr Helliway auprès de la riche clientèle européenne du quartier de Chowringhee. Certes, il consacrait deux matinées par semaine à l'hôpital civil, il avouait toutefois ne guère s'y sentir à l'aise. Il n'avait pas quitté les faubourgs londoniens et leurs cohortes d'indigents grouillant de vermine pour trouver aux antipodes une misère et une crasse plus navrantes encore.

Jezebel suivait la conversation sans comprendre de quoi il retournait. Elle n'avait pas encore eu l'occasion de sortir de la villa Gokhra. Elle ignorait qu'au-delà de la belle artère de Chowringhee Road où la demeure du baron von Rosenheim était située au milieu d'une quarantaine de jolies maisons, une ville tentaculaire s'étalait avec ses quartiers indigènes, commerçants et populaires, une ville d'usines et d'entrepôts, née du charbon et des industries dont on apercevait parfois les hauts panaches de scories s'élever dans le ciel.

Entre un thé et un brandy, le Dr Appleton l'ausculta puis assura que sa faiblesse était passagère. Elle résultait du contrecoup du voyage, et plus certainement encore de l'attentat. Pour maîtriser ses crises d'angoisse, il lui prescrivit du repos et de la racine de valériane à prendre en infusion au coucher.

Après plusieurs jours passés à se traîner de son lit à son divan, puis du divan à un fauteuil près de la fenêtre, Jezebel commença à s'ennuyer. Elle était de plus en plus lasse de ne boire que du bouillon ou de la tisane. Elle prétendit alors aller mieux.

Bien sûr, elle continua de se réveiller certaines nuits, en proie à des cauchemars récurrents qui la laissaient en sueur. Affolée par l'obscurité, elle se hâtait d'allumer la lumière et s'efforçait d'oublier ses peurs en prenant un livre. Mais les mots s'embrouillaient. Elle laissait alors les souvenirs remonter, les plus terribles et les plus charmants.

Jan en train de la regarder. Charu en train de lui sauver la vie. Jan la faisant danser. Charu lui souriant. Jan l'embrassant… Les traits des deux hommes se superposaient, se mélangeaient, finissaient par se confondre. Elle n'avait revu ni l'un ni l'autre. Sans doute ne les reverrait-elle jamais. Elle enlaçait son oreiller en soupirant. La nuit s'écoulait sous un double regard gris et noir. Elle finissait par s'endormir, vaincue par la fatigue tandis que l'aube pointait.

Le matin, le quotidien recommençait.

Netravati venait tirer les rideaux devant la large fenêtre qui ouvrait sur le parc Maidan. Jezebel s'en rapprochait, curieuse comme au premier jour de ce paysage qui, au-delà du foisonnement tropical du jardin, courait vers le nord en un vaste gazon anglais. Elle regardait l'église Saint-John, dont le clocher s'élevait au-dessus des toits de quelques villas, puis elle se tournait vers l'ouest, où la structure en étoile du Fort William servait de terrain de jeu à des parades militaires. Au sud, elle butait sur l'énorme Victoria Memorial en cours de construction puis sur les flèches néogothiques de la cathédrale Saint-Paul. L'herbe cédait ensuite la place à des toits dont l'unique trouée verdoyante demeurait l'hippodrome et son terrain de polo.

Plus tard, une fois lavée, coiffée, habillée, elle trompait son ennui en explorant la maison. La demeure était spacieuse et il lui fallut plusieurs jours pour en connaître les moindres recoins. Seule au monde dans une succession de pièces, elle écoutait ses pas résonner, partout accueillie par un luxe aussi extraordinaire qu'ostentatoire.

Malgré son nom effrayant – *Gokhra* signifiait cobra en bengali – la villa se révéla assez agréable à vivre.

Certes, elle était d'une grandiloquence qui confinait à l'arrogance, et ce dès l'entrée, avec six immenses colonnes néoclassiques qui couronnaient un interminable perron d'honneur. Elle était aussi trop vaste, trop carrée, avec des plafonds trop hauts, mais Jezebel n'en était pas vraiment choquée. Elle avait grandi dans un château datant du Moyen Âge, véritable monolithe de granit auprès duquel la villa Gokhra n'était qu'un pavillon sans élégance.

Quatre bâtiments dessinaient un carré, délimitant une cour intérieure formant un patio. Sur le devant, un parc à la française permettait à une route gravillonnée de desservir la porte principale. Le jardin arrière était une fantaisie à l'anglaise où des plantes tropicales jaillissaient avec exubérance.

L'intérieur était conçu avec la même emphase. Une entrée imposante ouvrait sur un double escalier menant aux étages avant de déboucher, au rez-de-chaussée, sur un lieu d'apparat où le baron aimait recevoir à dîner. Cette pièce facilement transformable en salle de bal était ouverte latéralement par des portes-fenêtres qui donnaient sur le patio. La nuit venue, une fontaine y était joliment éclairée. En face, hormis les communs, se succédait une enfilade de bureaux et de bibliothèques où le maître, lorsqu'il était présent, officiait dès l'aube. Le baron recevait beaucoup, des beaux messieurs en redingotes ou en uniformes, dont il faisait grand cas, mais aussi des contremaîtres moins cossus et mêmes des grouillots avec lesquels il s'entretenait des heures durant.

Jezebel observait aisément toutes ces allées et venues : elle était logée au premier étage. Pour accéder à son appartement, elle devait gravir l'escalier monumental de l'entrée, puis longer la mezzanine carrelée de marbre rouge. Elle pouvait aussi emprunter un ascenseur ou même passer par l'escalier de service situé au fond de l'aile ouest.

Sa chambre était une pure merveille, encore plus belle que celle de l'*Albatros*. La pièce était lumineuse, de forme rectangulaire animée par une alcôve qui se terminait en balcon au-dessus du patio. Un espace bureau y était aménagé, avec un petit secrétaire en bois de santal. D'époque Régence, cette écritoire sur pieds était accolée à un meuble-bibliothèque assorti, où une main bienveillante avait disposé quelques ouvrages choisis. Elle soupçonna son parrain d'en avoir dressé la liste car elle y retrouvait des titres qu'elle avait aimé lire et relire plus jeune, comme *Le Chasseur de daims* de Fenimore Cooper ou *Orgueil et Préjugés* de Jane Austen.

Les autres fenêtres ouvraient à l'ouest, sur le parc Maidan. Dans le fond, derrière un paravent chinois, le dressing était si vaste qu'il aurait pu accueillir toute une famille. Une salle d'eau équipée de tout le confort possible lui était contiguë. Quant à la décoration, elle était sans conteste aussi luxueuse que le reste de la villa. Sous un plafond à caissons peint en blanc, le lit en bois d'ébène avait un baldaquin qui servait de support à une vaste moustiquaire. Un joli volant de satin soulignait le ciel, dont le ton rouge était assorti à l'impression cachemire du couvre-lit. Des tapis persans en velours de soie réchauffaient le parquet tandis que des tapisseries, des tableaux et de multiples objets confortaient les lieux en un style certes raffiné mais trop chargé.

Jezebel était heureuse de s'y reposer même si elle s'y ennuya très vite. Olga Marushka avait promis qu'elles se reverraient mais, pour l'instant, la duchesse n'avait pas encore tenu parole. Elle lui avait fait parvenir un billet dans lequel elle l'informait qu'elle bataillait contre des termites qui avaient infesté sa toiture. Elle tenait à faire réparer les dégâts avant l'arrivée de la mousson.

Jezebel s'en était désolée. Elle détestait s'ennuyer, or la duchesse lui manquait. Parfois, au cours de ses journées désœuvrées, elle se promenait du jardin à la maison sans croiser un seul des autres habitants de la villa Gokhra.

Son parrain s'enfermait avant l'aube dans son cabinet de travail. Un jour, elle s'était risquée à passer la tête par la porte, pour le regarder travailler. Il était si occupé à déchiffrer un manuscrit couvert de signes mystérieux qu'il ne s'était pas même aperçu de sa présence.

Elle aurait souhaité discuter avec lui. Évoquer son avenir. Parler du fiancé qu'il lui avait choisi et dont, non, vraiment non, elle ne voulait pas. Elle aurait voulu lui proposer de l'accompagner à la bibliothèque de Metcalfe Hall ou à celle de l'Indian Museum, quitte à lui servir de secrétaire et à transcrire pendant des heures ses notes impossibles à déchiffrer. Elle aurait aussi voulu qu'il lui parle de ses parents, mais les jours passaient, lourds de déception.

Naïvement, elle avait cru qu'en le côtoyant au quotidien elle serait parvenue à instaurer une certaine complicité. Ce n'était pas le cas. Même lors des dîners qu'ils partageaient, l'archéologue affichait une telle distraction qu'il répondait à côté de ses questions.

Et puis, ils étaient rarement seuls, or Jezebel n'appréciait guère leur hôte, le baron von Rosenheim. Dès la première minute, il lui avait fait une impression odieuse en cravachant violemment son domestique. Elle avait revu le malheureux qui, depuis, officiait aux cuisines. Il affichait une cicatrice en travers de la joue.

— Vous plaisez-vous aux Indes, chère lady Tyler ?

Elle sursauta, regarda brièvement le baron qui venait de lui adresser la parole. Ils étaient en train de déguster un potage vichyssois dans la salle à manger d'apparat, sous un lustre à pampilles qui avait été allumé dès la nuit tombée. Des moustiquaires fermaient les fenêtres mais un papillon de nuit avait tout de même réussi à se faufiler. Il se cognait au plafond en bourdonnant, insufflant au silence du soir une sorte de colère.

Le baron était installé en bout de table, impeccable dans un costume de lin clair et une chemise de popeline du même ton. C'était un homme de quarante ans, à la beauté froide et aux traits virils bien qu'un peu osseux. Sa mâchoire carrée, presque épaisse, son nez présent mais sans excès, ses sourcils nettement marqués, sa lèvre excessivement mince au point d'avoir la même couleur que son teint, façonnaient un visage martial dont l'air supérieur découlait d'une évidente habitude à donner des ordres. Il aurait pu être séduisant, s'il avait été capable d'adoucir un peu son expression, mais une telle prouesse n'était pas dans son naturel. Il administrait sa demeure en maître absolu, comme au temps des châteaux forts, affichant sans équivoque qu'il était l'unique maître chez lui, de son domaine et de ses gens.

Pour lui répondre, Jezebel s'efforça d'observer la réserve qu'on attendait d'une jeune fille de bonne famille. Elle posa sa cuillère à soupe puis essuya délicatement sa lèvre de sa serviette.

— Je l'ignore, monsieur, déclara-t-elle avec honnêteté. Je suis arrivée depuis onze jours seulement et je n'ai pas encore eu l'occasion de découvrir la ville.

Le baron s'adossa à son siège, tandis que ses yeux bleus prenaient un éclat de glace. Il était de nationalité suisse, mais il parlait avec un accent germanique rugueux.

— Vous comptez les jours comme si vous étiez en prison ?

Elle se troubla.

— Eh bien, j'étais souffrante. J'avoue que j'ai compté les jours jusqu'à ma complète guérison. Maintenant que je vais mieux, je me languis de visiter le pays.

Le baron continua de la dévisager, avec une acuité telle que, mal à l'aise, elle se sentit obligée d'occuper ses mains. Saisissant son verre à eau, elle avala quelques gorgées. Elle se félicitait de s'être habillée sans falbalas excessifs avec une robe de cocktail au décolleté sage et aux petites manches ballonnées qui recouvraient ses épaules. De toute façon, elle avait constamment froid et elle avait enroulé autour de sa gorge un châle à frange un peu bohémien offert par la duchesse Obolenski. Les grandes fleurs roses recouvraient la moindre once de sa peau. Tant pis si elles lui donnaient un air de poupée russe.

À sa grande surprise, von Rosenheim la complimenta.

— Par les confidences de votre parrain, je vous savais belle et charmante, chère lady Tyler, je vous découvre en sus réservée et intelligente. Décidément, vous avez tout pour me plaire.

Elle rougit, coula vers son tuteur un regard l'appelant au secours. Elle fut consternée de voir que ce dernier se désintéressait de la conversation. L'archéologue britannique avait noué sa serviette autour de son cou, ce qui lui permettait de manger à son aise. Tandis qu'il enfournait bouchée après bouchée sans se préoccuper le moins du monde de ce qu'il avalait, il griffonnait des notes sur son carnet de moleskine.

— Parrain Michael, s'exclama Jezebel, ne me dites pas que vous êtes encore en train de travailler !

Le vieil archéologue releva le nez de son assiette comme un enfant pris en faute.

— Oh, juste quelques idées qui me sont venues et que j'avais peur d'oublier. Ma mémoire me fait parfois défaut, je préfère noter au plus vite ce qui me traverse l'esprit. Excusez-moi, de quoi étiez-vous en train de parler ?

— Votre filleule se languit de découvrir Calcutta.

— Oh, bien sûr, dit Michael Deckard sans sembler comprendre de quoi il était question.

Von Rosenheim se tourna vers Jezebel.

— Qu'à cela ne tienne, milady, tenez-vous prête demain à trois heures. Je vous emmènerai faire une petite excursion. Michael, serez-vous des nôtres ? ajouta-t-il à l'attention de l'archéologue.

Ce n'était pas une question. Deckard afficha un air perdu.

— J'aurai préféré continuer à développer ma dernière théorie en allant consulter quelques ouvrages supplémentaires à Metcalfe Hall, commença-t-il.

— Je vous en prie, parrain Michael, pressa Jezebel, dont l'envie de partir en excursion était gâchée par la perspective de la faire en tête à tête avec le baron suisse. Venez avec nous !

— Hm, hm, très bien, c'est entendu, ma petite, répondit l'archéologue en baissant les yeux. Je ne raterai à aucun prix une sortie qui semble te faire si plaisir.

— Parfait, commenta von Rosenheim d'un air plus que satisfait. Nous pourrons ainsi présenter à votre filleule la perspective dont nous avons récemment discuté.

— Ah oui, c'est vrai, approuva l'archéologue en jouant distraitement avec son potage. Une excellente occasion.

Sa voix sonnait comme un glas. Jezebel dut se faire violence pour composer un sourire.

— Me voilà remplie de curiosité !

— J'adore faire des surprises, milady, jeta le baron en affichant un air froid. Vous verrez, vous ne le regretterez pas.

Elle accentua son sourire mais, au fond d'elle-même, elle était terrorisée. Elle savait que, demain, il serait question de fiançailles. Pour retenir les larmes qu'elle sentait venir, elle se mordit l'intérieur de la bouche si fort qu'un goût de sang l'envahit.

# 9

*9 février 1919*

En ce début d'après-midi, il faisait si doux que Mogül, le chauffeur moghol du baron von Rosenheim, choisit de décapoter l'Hispano-Suiza. Les trois passagers purent ainsi profiter d'un soleil printanier accompagné des parfums enivrants de la végétation environnante, celui de l'omniprésent jasmin adouci par la fragrance plus douce des arbres à litchis plantés au bord de la route.

Jezebel, le baron von Rosenheim et Deckard étaient installés côte à côte sur la banquette en tissu derrière une vitre qui les séparait du chauffeur. Ce dernier était si grand et si large qu'il occupait une bonne partie de l'avant. Il avait à sa disposition un véhicule flambant neuf, de technologie récente, qui faisait évidemment la fierté de son maître. Le baron répétait à l'envi que sa belle Hispano-Suiza, outre le fait d'être l'une des automobiles les plus onéreuses du moment, était également l'une des plus sûres avec son système d'assistance mécanique de freinage sur quatre roues.

Dès que l'automobile franchit les grilles du parc, Jezebel fit preuve d'un enthousiasme excessif. Elle avait les nerfs à vif, à la fois ravie de sortir enfin de la villa Gokhra et très angoissée par ce que la journée allait lui réserver. L'élégance ostentatoire de von Rosenheim ne lui avait pas échappé.

Certes, le baron avait le chic facile. Depuis qu'elle le connaissait, jamais elle ne lui avait connu la moindre faute de goût vestimentaire. Même au petit-déjeuner, qu'il faisait servir en commun dans la grande salle à manger du rez-de-chaussée, il arborait la plupart du temps un costume trois-pièces au tomber irréprochable ou, au pire, une chemise-cravate sous une robe de chambre à pans croisés. Un matin, elle s'était demandé s'il dormait ainsi, sauf qu'au lieu de rire sous cape à cette idée, elle s'était empressée de cacher une grimace de dégoût au fond de sa tasse de thé. Dieu du ciel, pourvu qu'elle n'ait jamais de réponse concrète à cette question idiote !

Aujourd'hui, néanmoins, cette élégance quotidienne s'assortissait d'un détail supplémentaire : von Rosenheim avait passé un œillet blanc à sa boutonnière.

Jezebel ne cessait d'y revenir. Jamais fleur ne l'avait tant effrayée. Assurément, le baron allait profiter de cette promenade pour lui faire sa demande en mariage. Elle le sentait, elle le devinait avec tant de certitude qu'elle riait sottement pour un oui pour un non, par crainte de se mettre à pleurer.

L'Hispano-Suiza descendit vers le sud en brillant de tous ses cuivres. Elle quitta les faubourgs de Calcutta, passa devant le temple de Kalighat en se frayant un chemin parmi une foule bigarrée puis poussa au-delà du terrain de golf. La belle ligne, la couleur azur et le ronflement du moteur parfaitement réglé de l'automobile forçaient l'admiration. Attirés par le hurlement de l'avertisseur, que le chauffeur actionnait avec un malin plaisir à la moindre occasion, ce qui était fréquent vu l'encombrement des rues, des enfants se regroupaient sur le bord de la route pour la regarder passer. Leurs yeux étaient ronds comme des billes.

Au bout d'une heure, il commença à faire chaud et les pneumatiques soulevèrent une poussière qui collait à leur peau moite. Jezebel ouvrit son ombrelle en se félicitant d'avoir mis sur sa robe légère une veste de tricot qu'elle pouvait aisément enlever. Elle offrit ses bras nus à la caresse du soleil.

Puis la route devint une piste en terre qui serpentait à travers des cultures maraîchères. Jezebel regarda autour d'elle, déçue. Pour sa première excursion, le baron n'avait donc rien trouvé de mieux que lui montrer des champs remplis de choux et d'aubergines ! Elle avait espéré de l'exotisme, du folklore, de la jungle ou du désert, n'importe quoi qui l'eût dépaysée de son Angleterre natale, mais tout ce qu'elle voyait était cette terre plate et sablonneuse ensemencée de légumes que surmontaient à peine quelques bosquets rabougris.

Elle leva le nez vers l'horizon que modelaient quelques vagues collines. Le seul plaisir venait des couleurs : celle si bleue du ciel, celle si verte des rizières. S'y rajoutait les taches versicolores de quelques champs de coton, avec des fleurs jaunes veinées de pourpre, l'ocre du chemin, et le gris jaunâtre du fleuve dont les eaux se devinaient parfois au gré des lacets.

Il y avait aussi les vaches. Blanches et maigres, tordues et bossues, toujours à ruminer un vague brin d'herbe avec de doux yeux rêveurs. Elles allaient sans entrave où elles le souhaitaient. Certaines avaient des veaux tout aussi flegmatiques qui se couchaient parfois au milieu de la route, forçant le chauffeur à faire des embardées qui brinquebalaient les passagers l'un contre l'autre. Jezebel criait, s'accrochait à ce qu'elle pouvait, puis tout redevenait calme, avant de recommencer.

Elle était assise près d'une portière, le nez tourné vers le paysage. Contre sa cuisse, elle sentait par moments la cuisse dure de von Rosenheim, assis à sa droite. Elle s'efforçait autant que possible d'échapper à cette tiédeur désagréable, mais l'habitacle n'offrait guère la possibilité de reculer. Elle regrettait que son parrain ait préféré s'installer à l'autre bout de la banquette. Lui au moins n'aurait pas passé son temps à promener ses mains de manière inconvenante sur ses bras ou ses genoux, avec l'excuse imbécile de la retenir lorsque l'automobile la déséquilibrait.

Elle s'efforçait de ne pas y prêter attention, constamment tournée vers la campagne environnante. Elle parlait beaucoup. Le plus possible, en fait. Elle avait l'impression que, tant qu'elle parlerait, ces attouchements furtifs n'existeraient pas.

— Ce cours d'eau que nous suivons, comment se nomme-t-il ?

Elle désignait de l'autre côté des champs le miroitement jaunâtre du fleuve. Son chenal plus ou moins large s'écoulait entre de hautes frondaisons où soufflait le vent. Le débit était bas. L'hiver indien était une saison sèche.

— C'est un bras du Gange, échappé du Hooghly.

— Et là, ces plantes verticales, aux gros troncs jaunes ?

— Des bambous, répondit laconiquement le baron.

L'automobile traversa une ombre frangée de soleil qui amena une impression fugitive de calme et de sérénité.

— Ici, est-ce un palmier ?

— Ce sont des arecs à bétel.

Des palmes ondulaient dans le ciel, avec des grappes de fruits accrochées au tronc comme des boules de Noël.

— Leurs fruits sont-ils comestibles ?

— La population locale chique les noix en les mélangeant à du tabac, parfois à de l'opium.

— Ah, dit-elle en regardant déjà ailleurs, à la recherche d'une autre interrogation.

Elle avait remarqué que von Rosenheim ne répondait à ses questions qu'avec ennui. Naïvement, elle crut trouver une solution à son problème et força le trait, espérant le lasser par son bavardage. Après tout, s'il la trouvait sotte, peut-être changerait-il d'avis et ne ferait-il pas sa demande en mariage ?

L'automobile traversait maintenant quelques villages. Des paysans travaillaient dans les rizières, accroupis dans l'eau brune pour couper les hautes tiges avec de simples couteaux. Des femmes aux vêtements colorés triaient des feuilles vertes sur de vastes nappes étalées à même le sol, en bordure de chemin. Un homme labourait son lopin de terre en faisant avancer deux bœufs aux cornes curieusement enveloppées de tissu bleu. Une famille en promenade se poussa sur le bas-côté pour laisser passer l'automobile rugissante. Les enfants allaient nus. Plus loin, des pêcheurs en équilibre sur des *dinghies*, uniquement vêtus d'un chiffon blanc enroulé autour de leurs hanches, lançaient des filets de pêche dans les eaux d'un bras du fleuve revenu se coller à la route.

Jezebel n'en perdait pas une miette. Elle avait oublié sa déception première et allait maintenant d'émerveillement en émerveillement. La campagne ne ressemblait en rien à celle de l'Angleterre. Même les oiseaux étaient différents : elle apercevait des éclairs rouges, bleu métallique, jaune citron... Un aigle se posa sur la cime d'un arbre. Ses plumes étaient marron clair, ses yeux plus sombres que son habit. Il tenait un lézard entre ses serres. Elle était aux Indes. Elle avait envie de crier d'excitation.

Puis l'Hispano-Suiza traversa quelques menues collines et, soudain, le paysage changea. Partout, à perte de vue, les cultures maraîchères cédèrent la place à de vastes champs constellés de neige.

Jezebel crut d'abord à des plantations de coton, mais lorsque von Rosenheim donna l'ordre de s'arrêter près de quelques maisons aux toits de chaume, et qu'elle put observer de quelle plante il s'agissait, elle vit de grosses fleurs aux pétales blancs rosés à macule violette. Elle pensa à des coquelicots géants délavés par le soleil.

L'Hispano-Suiza se gara sous un manguier. Tous sortirent de voiture tandis que von Rosenheim allait au hameau, escorté par son chauffeur. Jezebel s'approcha du champ, en demandant à son tuteur qui la rejoignait :

— Quelles sont ces plantations ? On dirait un jardin pour un géant.

L'air était doux, agréablement agité par un vent léger qui atténuait l'ardeur du soleil. Une odeur amère, un peu sucrée comme celle d'un caramel brûlé, montait des corolles qui commençaient à faner. Partout apparaissaient de grosses capsules encore vertes mais déjà bien ventrues.

Michael Deckard essuya son visage en sueur à l'aide d'un mouchoir avant de réajuster son canotier. Jezebel lui trouva l'air fatigué. L'archéologue britannique avait vieilli et ne semblait guère prendre soin de sa personne. Sa chemise était froissée, comme s'il avait dormi avec, et son nœud papillon était de travers. Sans doute travaillait-il trop. Maintenant encore, il tenait à la main un crayon et l'éternel carnet de moleskine dans lequel il ne cessait de consigner les notes qui lui venaient à l'esprit au fur et à mesure de l'après-midi.

— Ce sont des champs de pavots, répondit-il à sa filleule d'un air gêné, en prenant soin de ne pas la regarder en face. Ces cultures appartiennent au baron von Rosenheim. À des miles à la ronde, aussi loin que peuvent se poser tes yeux, et même au-delà. Tout ce qui est blanc.

Jezebel tourna sur elle-même, subjuguée de voir effectivement les champs s'étendre à perte de vue. Elle ne comprit pas exactement ce que cela signifiait, et Deckard, le devinant, ne lui donna aucune explication.

Mais la jeune fille continua de l'interroger.

— Effectivement, ces champs sont vastes. À quoi servent-ils ?

L'archéologue garda d'abord le silence, puis il se racla la gorge.

— Ce sont des pavots à opium, Ann-Rose.

De nouveau, elle ne comprit pas puis, soudain, frissonna. Elle regarda le ciel bleu, le soleil éclatant, le champ blanc comme neige. Elle eut froid. Alors, en silence, le pas un peu raide, elle retourna vers l'automobile pour prendre son gilet et elle le mit frileusement sur ses épaules.

*

Von Rosenheim revint quelque temps plus tard, dûment escorté par son chauffeur et par des paysans indiens. Ces derniers arboraient un air si déférent qu'ils semblaient avancer en faisant des courbettes. Des femmes suivaient loin derrière, les visages cachés par leurs saris. Elles commencèrent à remplir de pétales de pavots les paniers qu'elles portaient sur les hanches.

— Venez-vous, très chère ? Faisons quelques pas, voulez-vous.

Von Rosenheim tendit la main vers Jezebel, en la regardant de ses yeux de glace à l'expression indéfinissable.

Elle ne bougea pas. Elle pensait de manière incongrue que le baron avait fort bien trouvé le nom de sa maison. Villa Gokhra. Le repaire du cobra. Rien n'était plus juste. Elle se sentait devenue un oiseau captif de la volonté d'un serpent.

— Venez, répéta-t-il en haussant le ton, avec une évidente impatience.

Le mot claquait comme un ordre, son ton sous-entendait une amorce de colère. Elle inspira un grand coup, regarda à droite à gauche à la recherche d'un quelconque soutien, soupira car il n'y avait rien à attendre de personne, ni de son tuteur en train de contempler un caillou, ni du chauffeur moghol fatalement acquis à son maître, ni même des quelques Indiens qui les dévisageaient, les yeux emplis de curiosité.

Elle se décida à accepter le bras du baron.

— Où allons-nous ? demanda-t-elle en espérant ne pas révéler dans sa voix la peur irrationnelle qui pesait sur son estomac depuis le matin.

— Ces hommes souhaitent me montrer quelque chose. Cela devrait vous plaire, marchons donc au milieu de ces champs, parmi ces fleurs. Deckard, mon ami, ajouta-t-il en se tournant vers l'archéologue resté gauchement en retrait, je vous trouve l'air fatigué. Reposez-vous donc à l'ombre de ce manguier. Je prendrais soin de votre filleule.

Jezebel se raidit. Von Rosenheim dut s'en apercevoir, car il couvrit d'une main de propriétaire la main qu'elle appuyait sur son bras. Elle continua à avancer comme dans un mauvais rêve, en se disant que, non, ce n'était pas possible, elle n'était pas en train de vivre cela, elle n'était pas en train de marcher tranquillement à côté de cet homme, comme si de rien n'était, alors qu'au fond d'elle-même elle n'était qu'un cri, une envie de hurler, de trépigner, de fuir au plus vite.

— La journée est très belle, sifflota-t-il d'un air satisfait.

Elle opina mollement. Elle essayait de se rassurer en se disant qu'elle n'avait pas grand-chose à reprocher au baron, qui avait jusqu'à présent été un hôte remarquable. Il les accueillait, elle et son tuteur, avec faste et magnificence, et il s'était toujours montré à son égard d'une galanterie un peu guindée, en somme assez vieille Europe. Du moins, si elle exceptait sa récente main baladeuse. Mais peut-être se faisait-elle des idées ? Peut-être avait-il *réellement* cherché à la retenir lorsque l'automobile l'avait déséquilibrée.

— Ce pays est magnifique, ne trouvez-vous pas ? dit-il pour engager la conversation.

— Eh bien, répondit-elle d'une voix polie, je ne puis guère en parler, je n'ai pas encore vu grand-chose, hormis des bambous, quelques palmiers et beaucoup de vaches. Et, bien sûr, l'horrible attentat du port.

— Allons, très chère, n'y pensez plus. Cet incident est clos. Les criminels sont morts. D'autres ont été arrêtés.

— Tout de même, insista-t-elle, les journaux ont parlé dès le lendemain d'un mouvement terroriste bengali que la guerre n'aurait pas suffisamment calmé. J'ai lu que les sikhs, je crois qu'il s'agit d'une tribu, se seraient engagés dans une lutte révolutionnaire tandis que les musulmans se seraient rangés du côté afghan, et donc contre les Britanniques. L'Inde serait-elle en proie à une guerre civile, baron von Rosenheim ?

Il la guida vers un étroit sentier au cœur des champs de pavots, la faisant passer au milieu des fleurs. Une pluie de pétales blancs escorta leurs pas. Parfois, une tige cassait, exsudant un latex blanc et poisseux, semblable à celui qui suintait des coquelicots. Des abeilles et des papillons s'y précipitaient avant de reprendre un vol erratique. La sève semblait les enivrer.

— Ce n'est pas un sujet pour une jeune fille, décréta von Rosenheim en la dirigeant cette fois-ci vers le fond d'un vallon où poussaient de gros arbres aux feuilles épaisses et vernissées. Cessez donc d'y penser. Vous êtes saine et sauve, voilà la seule chose dont vous devez vous préoccuper.

— Tout de même, je ne puis oublier si facilement ces terribles événements, répliqua-t-elle en passant une main agacée sur sa jupe pour ôter des brindilles qui s'y accrochaient. J'aimerais comprendre. J'aimerais aussi connaître les risques à venir. Vous n'avez pas le droit de me laisser dans l'ignorance.

Von Rosenheim lui jeta un coup d'œil glacé avant de sourire brièvement.

— Votre parrain m'avait prévenu que vous aviez du caractère. J'aime ça.

— Malgré cela, vous ne me répondez pas.

Ils se mesurèrent du regard, elle se forçant à l'effronterie malgré sa peur instinctive, lui de plus en plus froid, de plus en plus dur.

— *Liebe Fräulein*, la politique est une affaire d'hommes. Je ne continuerai pas à parler avec vous de ces activistes enfiévrés qui ne méritent pas l'intérêt que vous leur portez. Je préfère que nous contemplions le paysage. Après tout, le panorama que je vous offre n'est-il pas romantique ?

Elle soupira, mais se tourna tout de même vers la vue bucolique qui s'étalait devant eux.

— Cet endroit est effectivement très beau, calme et champêtre. Sans ces gros pavots, et ce temps un peu trop sec, je pourrais presque me croire en Angleterre. C'est une impression assez étrange.

— Deckard m'a précisé que vous aimiez peindre, milady. J'imagine qu'un tel horizon attire votre œil d'artiste.

— Je constate surtout que vous savez tout de moi alors que, moi, je ne sais rien de vous. Ce n'est pas de bonne guerre.

— Sommes-nous en guerre, milady ?

Son ton avait pris une telle froideur qu'il en était devenu tranchant. Elle tressaillit de peur, mais joua tout de même la provocation jusqu'au bout.

— À vous de me le dire !

— Vous êtes bien insolente, lady Tyler.

— Et vous bien autoritaire, baron von Rosenheim !

Elle crut qu'il allait la gifler, eut un mouvement de recul instinctif. Il se maîtrisa, mais l'attrapa tout de même par le poignet pour l'attirer contre lui, serrant son bras un peu plus fort que ne l'exigeait la bienséance.

— *Fräulein*, siffla-t-il d'un ton qu'il contenait visiblement, je craignais que vous ne soyiez fade, comme le sont si souvent les jeunes Anglaises, dressées depuis leur plus jeune âge à une respectabilité qui émousse leur tempérament, mais je m'aperçois avec plaisir que ce n'est pas le cas. Il est vrai que vous êtes orpheline, et que votre éducation fut sans doute un peu comme celle des chats sauvages. Or, j'aime les chats et je veux croire que cette particularité sera votre atout. À vous, je puis l'avouer, il n'y a qu'en affaires que j'aime la soumission !

Elle en eut la bouche sèche, n'osa pas répondre. Depuis quelques instants, elle espérait qu'en se montrant insolente au point de paraître mal élevée, il cesserait de la considérer comme un parti acceptable. Elle s'était trompée. Il venait de dire le contraire.

Le sentier descendait de façon presque abrupte vers d'autres champs de pavots. Cette pente était malaisée, car couverte de bosses et d'ornières. Von Rosenheim prit d'autorité Jezebel par la taille, pour l'aider à descendre jusqu'à un arbre imposant, dont l'étrange tronc étrangleur en enlaçait un autre de façon remarquable.

Le baron choisit un emplacement à l'ombre, ordonna aux paysans qui les avaient suivis de le défricher. Les indigènes aplatirent les mauvaises herbes à coups de bâton puis étalèrent sur cet espace dégagé un grand carré de tissu. D'autres *ryots*[1] les rejoignirent. Plusieurs portaient deux chaises en bois qu'ils disposèrent face à la vue glissant jusqu'au fleuve. D'autres amenaient des coussins et des paniers remplis de mangues et de petits pains.

Von Rosenheim supervisa soigneusement cette installation jusqu'à ce que, satisfait du résultat, il renvoyât tout ce petit peuple d'un geste autoritaire. Tandis que l'étrange escorte repartait silencieusement par où elle était venue, le baron invita Jezebel à s'asseoir comme s'ils étaient dans un salon. Elle remarqua qu'ils étaient seuls. Même le géant moghol s'était éclipsé. Elle eut un regard circulaire, essayant de deviner où il se cachait. Elle était certaine qu'il n'était pas loin. Elle avait déjà compris que Mogül était autant un chauffeur qu'un homme de main.

Von Rosenheim s'assit à son tour sur une chaise, juste à côté de la jeune Anglaise. La scène était inénarrable. Jezebel avait le

1. En Inde, le paysan, le cultivateur, celui qui a le droit de cultiver la terre mais qui n'en est pas le propriétaire.

sentiment de vivre un rêve étrange, une sorte d'aventure complètement décalée qui aurait eu sa place dans *Alice au pays des merveilles*.

— Ne sommes-nous pas bien installés, chère amie ? Désirez-vous un fruit ou l'un de ces pains *naans*[1] ?

— J'aurai bien bu un peu de thé, dit-elle avec une ironie qu'elle ne parvint pas tout à fait à retenir.

Von Rosenheim lui offrit une grimace amusée.

— Je puis appeler pour en demander, *junge Dame*.

— Non ! Non ! s'exclama Jezebel, les joues écarlates. Je voulais juste me moquer de tant de… tant de… d'organisation. C'était puéril de ma part, j'en conviens.

— Je suis suisse allemand. L'organisation est mon maître mot.

Il l'affirmait avec arrogance. Elle bafouilla.

— Je… je l'ai remarqué.

Le silence s'installa, étrangement couvert par le bourdonnement des insectes dans l'herbe, ainsi que par le pépiement des oiseaux dans les arbres. Un gecko approcha, regarda les deux humains en penchant la tête à gauche puis à droite avant de s'enfuir prestement. Brusquement, des gazouillis jaillirent des branches du figuier étrangleur au-dessus de leurs têtes. Jezebel leva le nez avec curiosité. De petits animaux se poursuivaient de branche en branche. Ils s'égaillèrent brusquement sous le couvert de la végétation après que la silhouette d'un oiseau de proie apparut dans le ciel.

— C'étaient des singes, s'exclama la jeune fille abasourdie, en se levant avec vivacité, c'est incroyable, c'étaient des petits singes !

Elle n'en avait encore jamais vu. Sous le coup de l'émerveillement, elle se mit à battre des mains comme une enfant, jusqu'à ce qu'elle croise le regard sévère du baron. Face à son expression aussi dure que réprobatrice, elle eut l'impression de recevoir un seau d'eau glacée au visage. Elle se calma aussitôt.

— Je n'avais jamais vu de singes, souffla-t-elle comme une excuse, affreusement gênée.

— J'ai cru le comprendre. J'espère qu'à l'avenir vous ne vous mettrez pas à danser dès que vous apercevrez quelque chose qui vous étonne, cela risquera d'être des plus inconfortables.

---

1. Petits pains plats à la farine de blé.

Elle se retint à grand-peine de riposter « pour vous ou pour moi ? ». Elle se rassit en lissant nerveusement les plis de sa jupe, puis croisa les mains sur ses genoux avec l'air le plus convenable possible.

— Reprenons où nous en étions, continua von Rosenheim d'un ton glacé. Vous avez demandé à mieux me connaître, milady, voici ce que vous devez savoir. Je m'appelle Jürgen Heinrich Gebhard von Rosenheim, je suis baron, d'origine suisse allemande, né dans le canton de Schaffhausen en 1876. J'ai hérité d'une fortune familiale que j'ai fait fructifier durant la guerre, et dont je suis l'unique dépositaire. Aux Indes, où je me suis installé en 1901, j'ai créé un empire commercial de grande envergure. J'ai des plantations de thé, de caoutchouc, d'indigo et, bien entendu, de pavots. Le commerce de l'opium n'est plus aussi florissant que naguère, mais il assure tout de même la grosse majorité de mes revenus. J'ai diversifié mes activités en établissant un réseau d'usines. Je m'enorgueillis de posséder une des fabriques qui assemblent les fusils Lee-Enfield, le fleuron de votre armée britannique. J'ai de surcroît des entrepôts pour stocker de l'import-export, des propriétés foncières à Calcutta, à Darjeeling et en Suisse, et même un journal à Delhi, *The Indian Daily*. Enfin, je possède mes propres docks sur le port et toute une flotte allant de la gabare[1] au clipper[2] en passant par de grands voiliers de fer[3] et des cargos à vapeur qui me permettent de livrer mes marchandises dans le monde entier. Je suis un des piliers économiques du sous-continent, ce qui me vaut d'être l'ami intime du gouverneur Henry Hatcliff et un proche du vice-roi. Enfin, je suis reçu comme un prince chez la plupart des maharajas du Bengale-Occidental, avec lesquels je commerce souvent.

Jezebel serra les dents. À n'en pas douter, le baron avait fait cette énumération pour l'impressionner et, d'une certaine façon, il avait réussi. Elle comprit à qui elle avait réellement affaire, et en fut effrayée. Si le quart de ce qu'il venait de lui dire était vrai, alors cet homme était extrêmement influent. En face de lui, elle n'était pas grand-chose. Elle se mit à trembler. Pour ne pas lui

---

1. Trois-mâts destiné au transport des marchandises.
2. Trois-mâts très rapide.
3. Type de voilier pour transport de charge allant jusqu'à sept mâts.

offrir le spectacle de son désarroi, elle cacha ses mains serrées dans les plis de sa jupe puis redressa fièrement le menton en le regardant bien en face.

— Je vous ai énuméré toutes mes charges et fonctions, lady Tyler, pour bien vous faire comprendre que je suis un homme puissant. Très puissant.

Il rapprocha sa chaise de la sienne. Il était si proche qu'elle sentit son souffle sur son visage. Elle faillit reculer, cette haleine avait quelque chose d'incommodant. Il attrapa sa main pour la malaxer entre les siennes, qui étaient sèches, osseuses et glacées.

— Je n'ignore rien de votre situation familiale, lady Tyler. Votre parrain a été suffisamment aimable pour m'en brosser une description détaillée. Je vous sais donc riche. Sachez néanmoins que je ne suis pas ici pour convoiter votre fortune, mais bien parce que votre personne a su me séduire. Depuis que je vous ai vue, je vous veux. Votre beauté est merveilleuse. Votre charme est fait de distinction, de grâce et aussi d'une sensualité qui ne peut qu'attirer l'esthète que je suis. Je vous regarde et je sais que vous me ferez des héritiers à la forte constitution. Ann-Rose, permettez que je vous appelle Ann-Rose… Je veux vous épouser.

Voilà, c'était dit.

Jezebel ne fut pas surprise, elle s'y attendait. Tout de même, elle crut qu'un orage venait de s'abattre sur la campagne, tant le ciel devint sombre, et le soleil voilé.

Von Rosenheim continua :

— Bien sûr, j'ai entendu votre parrain qui tient à vous ménager et je suis conscient du changement que ma demande amènera dans votre vie. Je conçois tout à fait qu'il vous faille un temps de réflexion. Vous êtes jeune, Deckard me l'a rappelé. Je ne vous presse donc pas de me répondre sur-le-champ. Au contraire, *Fräulein*, prenez tout le temps qu'il vous plaira, ce sera pour moi l'occasion de vous faire ma cour.

Joignant le geste à la parole, il la prit par la taille pour l'attirer contre lui et posa brutalement ses lèvres sur les siennes. Elle sentit qu'il ouvrait sa bouche, que sa langue sortait, heurtait ses dents, labourait ses gencives. Au bout d'un temps atrocement long, il recula enfin. Ses yeux brillaient d'une convoitise abjecte et ses pommettes, ordinairement pâles, étaient maintenant colorées par une teinte vineuse. Même son souffle avait pris la cadence d'une forge.

— Je vois que c'était votre premier baiser, jeta-t-il avec fatuité. Vous avez décidément tout pour me plaire. Si je m'écoutais…

Elle redressa son menton avec orgueil, en le regardant bien en face.

— Oui ? Que feriez-vous ?

Elle regretta presque aussitôt son insolence, mais à sa grande surprise il ne fit qu'en rire.

— Ah, *Liebling*, continuez tout votre saoul à vous faire désirer, ce jeu est loin de me déplaire. J'ai toujours aimé la chasse, ajouta-t-il avec au fond des yeux une lueur si remplie de convoitise qu'elle recula involontairement. Tenez, voici pour vous. Je ne suis pas un ingrat, je récompense toujours la bonne volonté. Sachez vous en souvenir lors de votre prochaine insolence.

Il se leva, sortit d'une poche intérieure un écrin de velours, qu'il jeta sur les genoux de la jeune fille de la même façon qu'il aurait jeté un os à une chienne obéissante. Jezebel rougit de honte.

— Vous ne l'ouvrez pas ? ajouta-t-il avec une arrogance qui la révulsa.

Elle baissa les yeux sur l'écrin en cherchant à maîtriser sa colère. Elle aurait voulu le lui jeter au visage mais elle savait qu'elle n'était pas de taille à lutter. Comment ne pas comprendre tous les messages qu'il venait de lui faire passer ? Ne venait-il pas de lui faire une demande en mariage au cœur des champs de pavots qui asseyaient sa fortune de la plus illégale des façons ? Elle était suffisamment intelligente pour comprendre qu'il n'était pas homme à s'embarrasser de scrupules.

Résignée, elle fit jouer la serrure. À l'intérieur de la petite boîte brillait un bracelet de diamants couché sur un lit de satin bleu : trois rangs de pierres taillées jusqu'à en devenir multicolores, qu'intercalaient trois cabochons aussi gros que l'ongle de son pouce.

— Oh, bredouilla-t-elle avec une recrudescence de rage. Je ne peux pas accepter un présent aussi… aussi…

— Ne faites pas votre bégueule, *Fräulein*, toutes les femmes aiment les diamants. Et puis, ce n'est qu'une avance sur votre cassette de future *madame* von Rosenheim, répliqua-t-il avec un rire sardonique.

Il lui attacha le bracelet au poignet gauche puis il claqua des doigts pour appeler son serviteur moghol.

— Mogül, amène-nous le champagne ! C'est jour de fête aujourd'hui.

Comme par enchantement, le géant apparut de derrière les futaies d'où, sans aucun doute, il avait épié toute la scène, attendant l'instant où son maître l'appellerait. Ses mains épaisses tenaient un coffre garni de pains de glace où trônait une bouteille de champagne de la prestigieuse marque Louis Roederer.

Le bouchon sauta, le vin pétillant moussa dans les verres.

— Trinquons à notre futur bonheur, milady, déclara le baron en trempant les lèvres dans sa coupe.

Elle faillit répondre qu'elle n'avait pas encore dit oui, mais le courage lui manqua subitement, et elle préféra se taire.

*

Après plusieurs coupes, von Rosenheim ramena Jezebel vers l'Hispano-Suiza. Il n'était pas ivre, il appartenait à cette catégorie de personnes qui entendaient toujours garder le contrôle de la situation. Néanmoins, la jeune fille lisait maintenant sur son visage une expression déplaisante, et dans ses yeux un intérêt pour ses seins, ses hanches, qui l'effrayait. Mal à l'aise, elle resserra les bras autour de son buste et s'efforça d'avancer d'un pas plus vif. À plusieurs reprises, tandis qu'elle se retrouvait à contre-jour, elle s'inquiéta de la transparence de sa robe et jura qu'à l'avenir elle rajouterait d'épais jupons sous toutes ses tenues.

Elle ignorait encore que se cacher n'avait pas d'incidence sur la lubricité d'un homme. Il suffisait qu'il se sente puissant.

À mi-chemin, un incident confirma son malaise.

Le soleil commençait à se coucher. La lumière se dorait, déposant sur le lointain une belle couleur chaude. L'horizon se teintait d'un magnifique ton turquoise. Les grands arbres aux feuilles vernissées s'assombrissaient. Maintenant que les humains s'éloignaient, les singes langur étaient revenus et jacassaient à tue-tête. Jezebel fit une pause pour mieux les observer, regrettant de ne pas avoir pris son carnet de croquis.

Les adultes arboraient un pelage gris clair tandis que celui de leurs rejetons était presque noir. Tous s'accrochaient aux branches en faisant mille pitreries et les regarder était follement amusant. Pour Jezebel, il s'agissait assurément du meilleur moment de la journée, un moment qui allégeait un peu le poids qu'elle avait dans la poitrine.

— Ne vous attardez pas outre mesure, *Fräulein*, éructa von Rosenheim. Ces herbes sont parfois pleines de serpents.

Le cri du baron effraya des perroquets qui s'élevèrent lourdement au-dessus du champ de pavots. Ces oiseaux n'étaient pas très grands, de la taille d'un merle tout au plus, mais ils étaient nombreux. L'air semblait soudain grouiller de battements d'ailes et de petits cris aigus. Jezebel trouva magnifiques ces plumages vert vif qui contrastaient avec le vermillon des becs.

— Va prévenir les villageois, ordonna brusquement von Rosenheim à son serviteur. *Diese Bastarde* sont revenus.

Mogül disparut au pas de course tandis que son maître ramassait un bâton et se précipitait sur les oiseaux. Jezebel en resta les bras ballants. Les perroquets, effrayés, tentèrent de s'envoler, mais la plupart ne parvenaient plus à le faire qu'avec maladresse. Ils retombaient mollement dans le champ, où ils continuaient à battre des ailes au ralenti, en poussant de petits pépiements affaiblis et rêveurs. La plupart rampaient au milieu des fleurs, incapables de s'enfuir. Tous avaient mangé du pavot. Ils étaient complètement gris.

Von Rosenheim frappa le plus proche. La pauvre bête s'écrasa au sol dans un nuage de plumes vertes. Jezebel écarquilla des yeux horrifiés.

— Mais que faites-vous ! Arrêtez !

Elle se précipita, tenta de s'accrocher au bras du baron pour l'empêcher de continuer son massacre. Il se tourna vers elle, le visage déformé par la colère et, d'une violente bourrade, il la repoussa vers les fleurs. La respiration coupée, elle tomba en arrière dans les tiges qui amortirent par bonheur sa chute. Il marcha vers elle, les yeux meurtriers. Elle prit peur, rampant de la même façon que les oiseaux autour d'elle. Il leva son bâton.

— Ne… recommencez… jamais… à… vous… mêler… de… mes… affaires ! hurla-t-il, hors de lui.

Elle crut vraiment qu'il allait la frapper, tendit le bras pour se protéger le visage. Heureusement, Mogül revenait avec les *ryots* et leur présence fit diversion. Ils se dispersèrent dans le champ et se mirent à frapper les perroquets trop drogués pour fuir. Tout était bon pour perpétrer ce massacre : des bâtons, des serpes, de simples pierres ramassées sur le chemin. Au bout de longues minutes d'enfer, seuls quelques oiseaux parvinrent à s'échapper. Moins saouls que les autres, ils s'éloignèrent à tire-d'aile en abandonnant derrière eux une multitude de cadavres verts.

Jezebel avait assisté au reste du carnage sans même oser se lever. Von Rosenheim vint la remettre brutalement debout. Il était toujours animé d'une fureur inouïe, il lui postillonna au visage une haleine remplie d'aigreur.

— Ne tentez plus jamais de me dire ce que je dois faire, lady Tyler !

— Oui… oui…, bafouilla-t-elle, terrorisée, en tentant vainement d'échapper à la poigne de fer qui meurtrissait son poignet.

— Ces oiseaux sont des parasites. Ils mangent près du quart de ma récolte !

— Je ne savais pas ! Je ne savais pas ! hurla-t-elle, folle de peur.

Il la lâcha soudain. Il n'était pas encore calmé, elle le voyait à la lueur folle qui dansait dans ses yeux, mais il faisait un effort manifeste pour se maîtriser. Au bout de quelques secondes, durant lesquelles la jeune fille n'osa ni bouger, ni parler, ni même respirer, il parvint à se forger une allure presque civilisée.

— C'est bien, *liebe Fräulein*. Vous apprenez vite. Je pense que nous finirons vraiment par être les meilleurs amis du monde.

Elle se mordit la lèvre jusqu'au sang pour ne pas lui donner la satisfaction de la voir pleurer.

*

Deux heures plus tard, l'Hispano-Suiza passa le portail de la villa Gokhra et emprunta lentement la route bordée de hauts palmiers royaux. L'automobile s'arrêta devant le perron d'honneur en faisant crisser les pneus sur le gravier. Jezebel était si impatiente de se réfugier dans sa chambre qu'elle attendit à peine que l'automobile s'arrête pour ouvrir la portière et se ruer à l'extérieur.

Son tuteur l'appela. Elle refusa d'entendre et continua à gravir les marches deux par deux. Des domestiques indiens attendaient la venue de leur maître dans l'ombre des hautes colonnes néo-grecques. Ils la saluèrent respectueusement.

— Bienvenue, *Missy-mem*, dirent-ils tous en chœur.

Elle ne ralentit pas.

— Ann-Rose! insista Deckard en montant à son tour le perron. Attends-moi!

— Laissez-moi, riposta Jezebel, furieuse de le voir courir derrière elle alors qu'il n'en avait visiblement pas la constitution, avec ses jambes percluses de rhumatismes et son souffle court de vieil asthmatique. Nous n'avons rien à nous dire, retournez donc à vos travaux d'archéologie! Tenez, voilà, retournez à votre bibliothèque sans prononcer un seul mot. Par pitié, taisez-vous!

— Ann-Rose! Je dois te parler.

Il haletait, tremblait, montait les marches avec difficulté en s'accrochant pitoyablement à la rampe. Elle s'arrêta à mi-chemin dans l'escalier de marbre rouge qui menait à l'étage, rageuse, au bord des larmes, mais tout de même incapable de le voir plus longtemps claudiquer aussi maladroitement à sa suite. Quoi qu'il ait fait, ou plutôt omis de faire, elle savait qu'elle n'aurait pas supporté de le voir s'effondrer, en proie à une attaque d'apoplexie dont elle aurait été la cause.

— Vous saviez, et vous n'avez rien dit! attaqua-t-elle en premier. Vous saviez quel homme il était, et vous m'avez laissée y aller seule!

En revenant du champ de pavots, elle avait trouvé Michael en train de somnoler sur la banquette arrière de l'Hispano-Suiza. L'ouverture de la portière l'avait réveillé, il avait aussitôt tâtonné à la recherche de son précieux carnet pour le ranger soigneusement dans la poche poitrine de sa veste, comme s'il craignait qu'on le lui vole. Lorsqu'elle avait boudé la banquette pour s'asseoir avec inconfort sur le strapontin, il l'avait regardée avec des yeux un peu ronds, tout de même étonné par sa robe couverte de terre et de brindilles, mais il n'avait rien dit. Il n'avait pas même posé une question.

Plus tard, lorsque von Rosenheim était à son tour entré dans l'automobile, les mâchoires serrées et les yeux emplis d'une lueur mauvaise, Deckard était resté coi. Écœurée, Jezebel en avait déduit qu'il trouvait certainement normal qu'une jeune fille revienne d'une promenade avec un fiancé potentiel dans un tel état. D'ailleurs, durant tout le trajet du retour, il avait conservé le même silence, acharné à regarder au loin en prenant soin de ne jamais croiser le regard de sa pupille.

Elle l'avait haï.

Maintenant, pourtant, elle ne savait plus trop quoi penser. Le vieil homme s'était arrêté sur la même marche qu'elle. Il cherchait son souffle, en postillonnant dans son mouchoir. Elle remarqua ses joues moites, son teint jaune, ses yeux injectés de sang et son haleine fétide. Elle comprit soudain qu'il était malade.

— Malaria, dit-il en répondant à son regard interrogatif. Ne t'inquiète pas, je prends soigneusement ma quinine.

— Je suis navrée, balbutia-t-elle, choquée par la nouvelle. Vous auriez dû me le dire.

— Cela aurait-il changé quelque chose ? Je suis un peu fatigué, certes, mais j'arrive tout de même à travailler sur mon projet. Il ne faut pas t'inquiéter. Il faut juste que tu comprennes l'importance de ce mariage. Von Rosenheim est riche et puissant. Il te manifeste beaucoup d'intérêt, il saura prendre soin de toi.

— Ne me parlez pas comme si vous alliez mourir demain ! se révolta-t-elle.

Deckard eut un petit sourire penaud.

— Nous mourrons tous un jour, Ann-Rose. Ce jour est simplement plus éloigné ou plus proche en fonction de notre destin. Crois-moi, je me ménage autant que possible. Je ne voudrais pas mourir si près de mon but.

— Je n'ai pas besoin de me marier. Je vais m'occuper de vous. Je vais vous soigner.

Le vieil homme parut ému, mais il la gronda tout de même.

— Allons, une jeune fille n'a pas à gaspiller sa jeunesse en s'occupant d'un vieux barbon comme moi. Tu dois profiter de la vie. Rire, t'amuser…

— En me mariant avec von Rosenheim ? cracha-t-elle. Vous ne parlez pas sérieusement, n'est-ce pas ? Cet homme est… est… comment dire ? (Elle baissa d'un ton.) Il frappait ces petits perroquets sans défense. Si vous l'aviez vu… Il avait changé de tête ! Et ses yeux… Ses yeux ! Quand il me regardait… Je… Il me fait atrocement peur !

— Ne parle pas de la sorte, Ann-Rose, la réprimanda-t-il sévèrement. Le baron von Rosenheim nous accueille aimablement dans sa magnifique demeure. Il met à notre disposition tout ce que nous pouvons souhaiter, y compris une armée de domestiques, des mets raffinés, sa propre automobile. Il finance mes recherches avec un intérêt passionné, se réjouit de mes moindres progrès. Sais-tu qu'il est très curieux de cette idée de cité perdue ? Vraiment, je n'ai jamais rencontré quelqu'un d'aussi attentif. Son soutien est primordial. Je ne saurais m'en passer…

— Vous me vendez contre un tesson de bouteille ? trancha-t-elle, atterrée.

Le vieil archéologue parut offusqué. Pourtant, c'était bien ce dont il était question : troquer des finances et une logistique de terrain contre un mariage forcé.

— Vous m'écœurez ! cria-t-elle.

Il la prit par les mains pour lui faire entendre raison, mais elle se débattit comme s'il l'avait mordue, hurlant de plus belle :

— Ah, c'était bien la peine de m'envoyer à Chelseahall House ! N'aurait-il pas mieux valu m'envoyer directement dans un bordel, j'aurai su comment me comporter pour faire plaisir à vos mécènes !

Il la gifla. Elle recula, épouvantée. Courut se réfugier dans sa chambre dont elle claqua violemment la porte.

— Ann-Rose ! appela-t-il, consterné d'en être arrivé là.

Pour seule réponse, elle s'enferma à double tour avant de s'effondrer en pleurs en travers de son lit. Cela devenait une habitude. Cette constatation la fit sangloter de plus belle.

# 10

*10 février 1919*

Jezebel n'avait pas revu Olga Marushka Obolenski depuis son arrivée à Calcutta. Elle en avait été considérablement attristée, d'abord parce que ce n'était pas ce qui avait été promis, ensuite parce qu'elle se sentait seule et que, mine de rien, elle avait bel et bien fini par apprécier dans sa vie la présence de la pétulante duchesse.

Durant les premières semaines d'installation, la Russe n'avait pas jugé utile de lui rendre visite, mais elle avait tout de même pris le temps de lui envoyer plusieurs missives, assez longues au demeurant, dont l'écriture spectaculaire aux jambages ornementés avait laissé la jeune Anglaise dubitative. À la lecture de ces écrits qui sentaient bon la tubéreuse, Jezebel s'était rendu compte, avec une certaine malice, que la duchesse était tellement nourrie de littérature slave qu'elle en avait gardé un sens inné du romanesque dramatique.

Ainsi, à chaque lettre, Olga couvrait plus de trois feuillets pour narrer longuement une vie amoureuse tumultueuse. Elle racontait dans les moindres détails ses disputes extraordinaires, puis ses réconciliations enflammées, avant de s'abîmer dans les affres d'une dépression de femme délaissée par un amant volage.

Jezebel n'avait su que faire de tant de passion. En lisant entre les lignes, elle avait supposé que l'amant en question était Jan Lukas. L'Américain avait été le soupirant d'Olga sur l'*Albatros*, il n'y avait pas de raison qu'il ne le fût plus sur la terre ferme.

Cependant, elle n'avait guère envie d'en savoir davantage. Penser au bel Américain la remplissait déjà de confusion, et la prose d'Olga ne cessait de la rendre jalouse d'elle ne savait pas exactement quoi.

Bien sûr, elle n'oubliait pas le baiser qu'il lui avait donné. Impossible d'en effacer le goût, ni la moelleuse chaleur, ni les ondes de désir qu'il avait fait naître et qui, maintenant encore, vrillaient son ventre, sa poitrine, son cœur. Parfois, elle imaginait ce baiser comme le premier joug d'une liberté tronquée. Parfois aussi, elle avait l'impression qu'il était la seule chose bien que la vie lui avait accordée.

Cependant, les longues lettres racontaient aussi les déboires d'Olga en tant que propriétaire fraîchement revenue de voyage. L'adage du chat absent et des souris qui dansent avait pour elle un véritable sens. Ainsi, elle avait découvert que ses plantations de sisal étaient attaquées par une pourriture blanche qui étouffait les racines, que l'usine de jute avait atteint un seuil de rendement proche de zéro qui imposait une modernisation et que le chenil où elle entendait commencer son élevage de lévriers barzoïs n'avait pas encore de clôture.

Quant à sa demeure, la belle villa Gulaabee, la « villa Rose » dont elle était si fière, des termites logeaient dans le toit et fragilisant les poutres maîtresses. Or l'hiver finirait bientôt et des réparations s'imposaient en urgence avant que ne se déversent les trombes de la mousson.

Chaque pli annonçait finalement un autre souci, un autre délai. Jezebel soupirait, taillait sa plume puis répondait poliment que son amie serait la bienvenue dès qu'elle en aurait le loisir. Elle comprenait parfaitement que des termites fussent prioritaires sur un *teatime*.

Du moins avait-elle répondu ainsi jusqu'à la promenade dans les champs de pavots, qui avait tout changé. Le soir même, elle avait craqué.

Assise à son secrétaire en bois exotique qui fleurait bon le santal, elle avait écrit une diatribe décousue dans laquelle elle s'était longuement épanchée. Les mots étaient sortis, confus, sans ordre apparent hormis celui de sa grande détresse. Elle évoquait ses probables fiançailles, le champagne sous les manguiers, le silence abject de son parrain, qui finalement la vendait contre une promesse de financement. Elle décrivait l'opium, le massacre des perroquets à coups de bâton, et toutes ces allusions, ces menaces déguisées qui l'avaient tant effrayée. À maints endroits, ses larmes délavèrent tellement l'encre bleue qu'elle avait dû réécrire par-dessus.

« Je viens », fut la réponse laconique d'Olga.

Effectivement, la duchesse arriva tambour battant en début d'après-midi, actionnant avec effronterie l'avertisseur de sa petite Alfa-Romeo rouge sang, un adorable vieux modèle 20-30 daté d'avant-guerre, dont la vitesse de pointe atteignait les 72 milles par heure.

Jezebel dévala aussitôt les grands escaliers et se rua à l'extérieur. La duchesse l'attendait, debout dans sa torpédo, une main sur le volant, l'autre faisant de grands signes de joie. L'événement avait attiré la presque totalité de la domesticité, les gardiens, bien sûr, mais aussi les majordomes, les valets et les femmes de chambre, et toute la petite armée de balayeurs qui entretenait quotidiennement la villa Gokhra.

Face à ces regards curieux, Jezebel s'efforça de donner à son pas un peu plus de pondération. Elle en profita pour détailler son amie comme si elle ne l'avait pas vue depuis dix ans.

Cela aurait d'ailleurs pu être le cas, tant la Russe lui parut avoir changé.

Olga était certes toujours d'une grande beauté, apprêtée avec goût et avec ce luxe extravagant qui était sa signature. Comme à son habitude, elle faisait montre d'originalité, ce qui signait son plus grand charme. Elle ne s'était jamais cachée d'adorer les bijoux ethniques, pourvu qu'ils fussent faits de diamants ou de toutes autres pierres hautement précieuses. De la même façon, elle appréciait les fourrures, les écharpes brodées et perlées, et toutes ces étoffes d'origines variées qui, la drapant avec superbe, révélaient ses ascendances tatares.

Aujourd'hui, cependant, elle avait ajouté une pointe de provocation en se vêtant à l'indienne, avec un *salwar*[1] rose vif et un *kameez*[2] assorti. Elle portait aussi sur la tête, en guise de couvre-chef, un grand turban qui laissait s'échapper quelques mèches de cheveux noirs travaillés en accroche-cœur sur ses tempes. Elle y avait cousu des plumes de paon et de grosses gemmes brillantes dont le foisonnement précieux, en plein après-midi, semblait presque déplacé.

1. Un *salwar* est un pantalon large qui s'attache à la taille et est rétréci aux chevilles, porté au Cashmere ou au Penjab de préférence.
2. Une *kameez* est une tunique plus ou moins longue.

Ultime extravagance, Olga avait installé sur la banquette arrière de sa torpédo deux de ses plus beaux lévriers, *Lyubov* et *Zvezda*[1], qui reconnurent d'emblée Jezebel et la saluèrent avec toute leur dignité aristocratique, en remuant imperceptiblement le bout de leur queue.

— Ah, je suis tellement heureuse de vous revoir, s'exclama la jeune Anglaise en se pendant au cou de son amie. Vous êtes venue me sauver ! Je vous en prie, emmenez-moi avec vous.

Olga répondit à son étreinte avec un sourire des plus mystérieux.

— Non pas, ma chérie, j'ai mieux encore : que diriez-vous si je venais m'installer ici ? À la villa Gulaabee, je n'en puis plus des marteaux, des scies et autres joyeusetés uniquement destinés à me donner la migraine. Impossible de dormir, impossible de jouer du piano. Ici, assurément, je serai bien mieux.

De fait, trois carrioles à bras franchissaient déjà l'entrée du parc et se dirigeaient vers l'office, tellement chargées de malles, de valises et de cartons à chapeau qu'il avait fallu attacher l'ensemble avec des cordes pour être certain de ne rien perdre en route.

— Mais... vous n'êtes pas sérieuse ? Que va dire le baron von Rosenheim ? s'inquiéta Jezebel, en pâlissant soudain. Après tout, nous sommes ici chez lui. Jamais il ne voudra ! De plus, je l'ai vu partir ce matin pour affaires. Je crains qu'il ne soit absent pour plusieurs jours.

— Décidément, commenta Olga en levant les yeux au ciel, vous me connaissez depuis plus de trois mois et vous ne savez pas encore qu'aucun problème ne me résiste ? Effectivement, le baron est parti ce matin même pour sa résidence de Darjeeling. Je le sais car je lui ai téléphoné juste avant qu'il ne grimpe dans sa voiture. Il était pressé, je n'y suis pas allée par quatre chemins : je lui ai demandé de me sauver de ma migraine, il m'a répondu oui avec une courtoisie extrême.

— Vraiment ? continua Jezebel, qui ne parvenait pas à croire à ce merveilleux conte de fées. Von Rosenheim a accepté ?

Olga lui dédia une moue charmante. Elle était si satisfaite d'elle-même qu'elle ne parvenait pas à s'en cacher.

---

1. *Zvezda* signifie « étoile », en russe.

— Je dois avouer que nous avons aussi évoqué une multitude d'autres choses. En particulier que, parmi la bonne société de Calcutta, on commence à jaser.

— À jaser ? rougit Jezebel sans même savoir de quoi il s'agissait. Jaser à quel propos ?

— C'est que, ma chère, une jeune fille logeant dans une grande maison avec pour seule compagnie celle de deux hommes, l'un fût-il son tuteur et parrain, met toujours dans la bouche des gens malintentionnés des rumeurs pleines de suppositions malveillantes. J'ai donc proposé à von Rosenheim de sauver sa réputation. Et de sauver la vôtre par la même occasion ! Êtes-vous heureuse, ma chérie ?

On l'eût été à moins. Jezebel se pendit derechef au cou de son amie, ne parvenant plus à retenir ses larmes. Olga lui souffla gentiment à l'oreille :

— Allons, allons, ma chérie. Ressaisissez-vous. Ne vous laissez pas aller devant les domestiques. À Calcutta, ces derniers sont d'incroyables commères. Ils colportent les us et coutumes de leurs maîtres jusqu'aux plus lointains *ghats*, et ils se battent en duel en comparant l'excellence des maisons auxquelles ils appartiennent. Relevez la tête, cachez vos larmes, et dites-moi où je puis garer mon automobile.

*

Une vie placée sous la houlette d'Olga Marushka était tout de suite plus gaie et plus folle, et l'atmosphère de la villa Gokhra parut s'en ressentir comme par enchantement, au point que Jezebel en fit confidence à son amie dès le soir venu.

— Je ne sais comment vous remercier. Je commençais vraiment à avoir peur. J'ignore pourquoi j'attire les tragédies à ce point… à croire que la mort de ma mère a posé sur moi, dès ma naissance, une sorte de sort funeste.

— Houlà, ma petite chérie ! Que de vilaines pensées derrière un front si charmant ! Je crois que j'ai bien fait de venir. Regardez-moi et souriez. La vie est belle, pour peu qu'on veuille bien s'en apercevoir. Dois-je vous rappeler la leçon que je vous ai donnée au premier jour sur l'*Albatros* ?

— Vous m'aviez dit que nous étions peu ou prou maîtres de notre destin. Du moins, c'est ce que j'ai cru comprendre.

Depuis, je vous avoue que je trouve cette assertion des plus fausses…

Elles étaient toutes deux installées sur la varangue, une terrasse recouverte d'un sur-toit qui donnait sur le jardin arrière. Jezebel aimait beaucoup cet endroit, à la fois confortable et intime, et nettement moins guindé que l'intérieur. Les palmes volubiles des lataniers passaient au travers de la balustrade. Une énorme bougainvillée enlaçait de ses sarments la façade jusqu'au toit. Lorsqu'un oiseau venait s'y poser, une profusion de fleurs fanées tombait en avalanche pour tapisser de rose vif les dalles en grès Modak.

Avec la fin de l'hiver, les températures commençaient à monter même si les domestiques avaient pris soin d'allumer un brasero près des deux *memsahibs*. Il était près de six heures du soir, les jeunes femmes étaient assises côte à côte sur un sofa de rotin garni de coussins en shantung. Elles bavardaient, heureuses d'être à nouveau ensemble, attendant le dîner tout en grignotant des *muris*[1] et en écoutant les grillons chanter.

Olga s'était fait servir ce qu'elle appelait son « médicament », un gin tonic sur glace dont l'un des ingrédients à base de quinine, l'Indian Tonic Water, avait effectivement la réputation de prévenir la malaria. Pour l'accompagner, Jezebel avait accepté de goûter une « limonade » arrangée, la Pimm's cup. La Pimm's était une liqueur à base de gin et de quinine, à laquelle on prêtait le même statut de médicament. On la servait allongée à volonté de glace et de limonade, décorée d'une fraise. Jezebel l'avait demandée faiblement dosée mais elle avait si peu l'habitude de boire de l'alcool que le rouge lui montait déjà aux joues.

Olga détailla son amie avec soin.

La jeune fille portait une confortable robe de tennis blanche sur laquelle elle avait enfilé un cardigan bleu marine. La tenue lui allait assez bien, parce qu'elle était jeune et que, lorsqu'on est jeune, un rien souvent vous habille, mais Jezebel y perdait de son éclat.

Elle avait maigri, et son teint était trop pâle. Ses yeux tristes se posaient sur toute chose sans entrain, comme si leur feu intérieur s'était soudain éteint. Olga la trouva molle et effacée, et comprit qu'elle craignait surtout de se faire remarquer.

1. Snack indien, fait de riz soufflé parfumé aux épices.

— Qu'avez-vous retenu de mes leçons ? soupira-t-elle en avalant une gorgée de son *longdrink*. Pas grand-chose apparemment.

Jezebel rougit sous la remarque, mais leva tout de même un petit menton belliqueux.

— Que voulez-vous dire ? Que me reprochez-vous encore ?

— Ma chérie, depuis longtemps j'essaie de vous faire comprendre que la force d'une femme est dans sa séduction. Une femme qui se dissimule est toujours une victime.

— Je ne comprends pas…, bafouilla Jezebel, cette fois-ci en baissant les yeux sans doute parce que, justement, elle comprenait très bien ce qu'Olga lui disait.

La Russe avait toujours été perspicace. D'un simple coup d'œil, elle parvenait à lire au fond de son âme et à déterminer ce qui n'allait pas.

— Votre robe est un sac, continua sèchement la Russe. Votre chandail est informe, votre coiffure laisse à désirer, et vous n'êtes même pas maquillée !

— C'est que je n'avais pas de raison de l'être, je ne vous attendais pas si tôt.

— Parce que vous vous maquillez pour moi ? s'insurgea Olga. Décidément, vous n'avez rien compris !

Jezebel se troubla. Elle serra nerveusement ses mains l'une contre l'autre.

— Ce n'est pas ce que j'ai dit !

— Ah bon ? railla Olga. Écoutez, ma petite, vous filez un mauvais coton. Dites-moi donc, von Rosenheim vous a-t-il vue ainsi ce matin ?

Jezebel foudroya la duchesse du regard.

— Mais dans quel camp êtes-vous ? Entendez-moi bien, je ne veux pas séduire cet homme ! Il me fait peur. Il est écœurant et violent. Ce matin, je me suis arrangée pour ne pas le croiser. Ne comprenez-vous pas qu'hier m'a amplement suffi ? Il m'a bousculée au point de me faire tomber. J'ai vraiment cru qu'il allait me frapper. Et ces perroquets… si vous aviez vu ces petits perroquets… Ils ne s'envolaient même pas. Et lui, il frappait, frappait…

Elle éclata en sanglots nerveux. Olga lui tendit un mouchoir mais ne fit pas un geste pour la consoler. Au contraire, elle continua avec la même dureté.

— J'ai lu votre lettre avec attention, milady, et j'ai parfaitement compris la répulsion que vous inspire le baron. Je pense que vous avez surtout été choquée, en tant qu'Européenne, par la dureté de ce que vous avez vu. Vous venez d'Angleterre, vous ne connaissez pas l'hostilité de la nature indienne. Vous voyez des fleurs magnifiques, et des petits singes charmants, et de jolis papillons, mais la réalité est différente. Les hommes qui arrachent à la terre quelques maigres ressources doivent constamment lutter contre les fléaux de toutes sortes, les maladies, les sauterelles, le manque ou le trop-plein d'eau. Moi-même, ce matin, j'ai fait arracher trois cents hectares de sisal, ça m'a fendu le cœur, mais les racines étaient pourries. Ces petits perroquets que vous avez vus, qui vous ont paru si mignons, viennent manger la sève des pavots, voilà pourquoi ils ne s'enfuyaient pas. Ces oiseaux sont des opiomanes. Même s'ils n'avaient pas été tués à coups de bâton, ils auraient fini par mourir. Ils n'ont plus conscience des réalités. Ils ne parviennent même plus à voler. Ils se font attraper au sol par des renards ou des mangoustes, ou même par des aigles.

— Il n'empêche, cet homme est un véritable démon, siffla Jezebel d'un air buté, en frissonnant parce qu'elle se rappelait ses yeux de fou, et l'atroce expression de son visage.

Olga lui caressa la joue.

— Croyez-moi, si vous voulez garder un minimum d'ascendant sur lui, ne lui montrez pas votre peur et, surtout, ne vous cachez pas dans un sac de pommes de terre !

— Cette robe que vous qualifiez de sac est tout de même signée Jean Patou, riposta Jezebel avec aigreur.

— Oh, si l'habit faisait le moine, cela se saurait depuis longtemps ! Cette jupe plissée soleil est peut-être, à la rigueur, fort jolie en mouvement, sur un court de tennis, mais certainement pas étalée comme elle l'est maintenant sur ce divan. C'est heureux que je sois venue. Je vais à nouveau pouvoir surveiller votre propension au laisser-aller.

Jezebel lui jeta un regard torve avant d'avaler une gorgée de limonade à la liqueur.

— Olga, il m'arrive de vous détester !

La duchesse russe lui prit le menton dans la main pour mieux se mirer dans ses jolis yeux bleus. Elle s'aperçut que la jeune fille était au bord des larmes, et elle se radoucit. Cette gamine était trop jeune, trop naïve. Elle ne voyait pas la vie comme un jeu. Au contraire, elle jaugeait chaque jour de façon extrêmement sérieuse. Avec élan, elle la prit dans ses bras pour la réconforter.

— Vous êtes loin de me détester, ma chérie. En réalité, vous détestez cette idée de vous-même que je pointe aujourd'hui de fort méchante façon. Et vous faites bien. Notre premier devoir est d'être fier de ce que nous sommes. Nous devons nous aimer, car sinon qui le fera ?

C'étaient les mots de quelqu'un qui avait beaucoup souffert. Jezebel se leva brusquement. Elle manquait d'air, d'exercice, aussi marcha-t-elle de long en large pour essayer de se calmer.

Elle avança jusqu'à un angle de la terrasse où, parmi la décoration d'inspiration locale, un échiquier géant apportait une touche incongrue. Le plateau posé sur des trépieds faisait un bon mètre de chaque côté, et les pièces, les blanches en ivoire, les noires en ébène, proposaient un bestiaire étrangement fantasmagorique. Les tours étaient des palais orientaux ornés de moucharabiehs. Les chevaux étaient en réalité des éléphants, les fous des tigres, et la reine portait un sari tandis que le roi arborait un turban.

Machinalement, elle avança un pion pour lancer une partie.

— Vous voulez jouer aux échecs ? s'étonna Olga.

— Oh, non, pas vraiment... Je n'ai jamais été une très bonne stratège au jeu. Pas assez passionnée, je pense... De toute façon, en ce moment, je n'ai goût à rien.

Elle abandonna l'échiquier pour s'appuyer à la rambarde. Elle dominait le jardin où le soir déposait des ombres comme un géant muni d'un grand pinceau. Les couleurs changeaient, certains verts devenaient bleus, d'autres se ternissaient de brun. Un domestique vêtu de blanc, fantôme tremblotant, allumait des torches le long du chemin.

— Le jardin est beau, pourtant je n'ai plus envie de peindre. Je n'ai plus envie de rien.

— Tout est nouveau et différent. Vous allez vous habituer.

— Pourquoi devons-nous grandir ?

Olga eut un rire sec.

— Ah, la grande question philosophique du jour... Grandir est un regret de femme... parce que grandir nous fait perdre nos libertés. Enfant, nous pouvions tout faire, et le monde nous appartenait. Nous grimpions aux arbres, nous nagions dans les étangs, nous nous battions avec les garçons et parfois même nous pouvions gagner. Et puis, un jour, nous sommes devenues femmes et, dès lors, tout a changé, nous voilà prisonnières des murs qu'on dresse autour de nous. Parfois même, nous devenons prisonnières de nous-mêmes. La peur est notre plus grande ennemie.

Elle posa son verre vide sur une table basse, se leva pour rejoindre sa jeune amie. D'une main, elle se mit à lui caresser les cheveux, défaisant quelques rubans pour passer et repasser les doigts au milieu des boucles floches que les flammes du brasero teintaient d'orange. Jezebel se laissait faire, les yeux mi-clos, comme une petite chatte qui aurait quémandé une caresse.

Un des domestiques avait disposé sur la terrasse de grands chandeliers d'argent. Il était venu et reparti en silence, sans qu'elles l'entendent marcher, sans même qu'elles remarquent sa présence autrement que par une clarté soudainement accrue.

Maintenant, la lumière les nimbait toutes deux d'une douceur qui accentuait leur intimité. Tout autour, l'obscurité les enserrait. C'était un mur rempli à l'aveugle de bruits, le bruissement de quelques gros insectes se heurtant au plafond, le piaillement bavard des perruches regagnant leurs nids, le criaillement sonore des paons se juchant sur quelque branche basse...

Tout était calme, presque immobile, et dans ce silence d'une texture charnelle, Olga contemplait le profil de sa protégée ressemblant à un camée sur fond végétal. Elle se disait que la jeune fille avait un charme sensuel qui prenait au cœur et qui, l'air de rien, l'enserrait comme un filet pour ne plus jamais le lâcher.

Elle comprenait ce qui attirait Lukas. Le jeune homme ne lui avait rien dit, mais elle avait deviné dès le début qu'il était amoureux. Sans doute l'ignorait-il lui-même. Les hommes ne sont pas toujours très prompts pour comprendre ce genre de chose, à la différence des femmes, qui savent toujours lorsque l'amour s'éloigne d'elles.

Elle s'ébroua pour sortir de cet instant empli de regrets. Les lamentations n'amenaient jamais à rien. Et cette petite, de toute façon, n'était faite que pour être aimée.

— Bon, déclara-t-elle d'une voix pragmatique. Essayons de comprendre ce qui se passe avec votre tuteur. Pourquoi n'a-t-il pas pris votre défense ? Von Rosenheim est-il si important pour lui ?

— Oui, rétorqua Jezebel en la regardant gravement, et elle raconta tout ce qu'elle avait sur le cœur. La maladie de Deckard. La crainte du vieil archéologue de perdre les subsides qui lui permettaient d'avancer dans ses recherches. Son acharnement à travailler sur la légende du médaillon Sher-Cîta et l'histoire de la cité disparue. Depuis des années, Michael Deckard espérait être le nouveau Hiram Bingham. Il rêvait de découvrir son propre Machu Picchu et sans doute avait-il réussi à convaincre le baron suisse que son rêve pouvait devenir réalité. Von Rosenheim, qui possédait déjà toutes les richesses du monde, aspirait sans doute, lui aussi, à quelque chose que l'argent n'achèterait jamais : la connaissance, la gloire, les honneurs.

— Cette légende possède peut-être un fond de vérité, murmura rêveusement la duchesse russe. Après tout, un autre homme au moins la croit possible : Andres Agustin. Je comprends mieux pourquoi il a volé le médaillon. Il aura voulu mener sa propre chasse au trésor. En tout cas, c'est ainsi que Jan Lukas voit les choses.

— Ah, mais… Avez-vous des nouvelles de… de… d'Agustin ? demanda Jezebel, le regard rivé obstinément sur ses ongles.

Olga sourit. Elle n'était pas dupe, elle devinait que la jeune fille aurait bien voulu poser une autre question, mais qu'elle n'osait pas. Elle entra dans son jeu avec un certain amusement, détaillant tout ce qu'elle savait de cette affaire.

— Non. Aucune. Jan a une seule certitude : Agustin est venu en aéroplane à Calcutta, où il a atterri pour faire le plein de carburant. Des soldats britanniques ont tenté de l'intercepter, apparemment en vain. Depuis, Jan s'acharne à retrouver son associé, mais force est de constater que ce dernier a tout bonnement disparu. Aucun mot, aucune nouvelle. Jan est sur des charbons ardents. Il tente en ce moment d'obtenir des informations auprès des gouverneurs ou des quelques maharajas qu'il connaît mais ce n'est pas simple. Personne ne donne jamais rien sans attendre un service en retour.

Elle alla sonner un domestique, réclama un second gin tonic, et alluma une cigarette en attendant.

— Mais, dites-moi, ma chérie… Cela vous dirait-il de revoir Jan Lukas ? Savez-vous qu'il vient d'intégrer l'équipe de polo du maharaja de Nandock ? Dans quelques jours, cette équipe rencontrera en match amical celle des officiers de Fort William. Des Indiens et des Américains contre des Britanniques, cela promet un duel passionnant. Qu'en pensez-vous ? Avez-vous déjà vu un match de polo ? Les chevaux sont extraordinaires. On les appelle des *criollos*[1]. Ils sont importés d'Argentine parce qu'il paraît que c'est là-bas, dans la pampa, qu'on élève les meilleurs du monde.

Jezebel se mordilla la lèvre, ne sachant que répondre. Elle n'avait jamais vu de match de polo mais n'était pas vraiment certaine d'avoir envie d'en voir un. Plus exactement, elle n'était pas certaine de vouloir revoir Jan Lukas.

Elle se demandait d'ailleurs pourquoi, chaque fois qu'on parlait de lui en sa présence, elle se mettait à écouter de toutes ses oreilles, et même avec ses yeux, son nez, sa peau tout entière, comme pour mieux absorber la moindre nouvelle qui lui permettrait de caresser en secret, au fond de son cœur, le nom et l'image de l'homme qu'elle avait pourtant repoussé.

1. Terme regroupant plusieurs races de petits chevaux originaires d'Amérique du Sud.

## 11

*15 février 1919*

Le baron von Rosenheim revint de son voyage en pleine nuit. Jezebel ne dormait pas. Il faisait trop chaud. Depuis deux jours, l'air qui stagnait au-dessus de Calcutta était anormalement sec et brûlant. Le ciel dégagé de tout nuage brillait d'un bleu extraordinaire uniquement troublé par les colonnes des fumées d'usines. Parfois, un vol de grues le traversait ; les oiseaux migrateurs remontaient déjà vers la Sibérie.

Olga annonça un été précoce et caniculaire. Jezebel en fut contrariée. Elle détestait les extrêmes même si, à tout prendre, elle préférait quand même la neige. Cet « hiver » indien était un véritable paradoxe. Comment pouvait-on parler d'hiver sous les tropiques ? Elle n'avait eu froid que le temps d'une fièvre. Depuis, se pelotonner sous une couverture au coin du feu tout en sirotant un vin chaud était devenu un simple souvenir.

Ce soir en particulier, l'air dans sa chambre ne fraîchissait pas malgré l'heure tardive. Un lointain carillon sonna minuit. Jezebel se tournait et se retournait dans son lit en cherchant le sommeil en vain. Heureusement, le gros ventilateur de plafond était électrique et non pas manuel comme celui du salon d'apparat, qu'un domestique actionnait des heures durant à l'aide d'une corde passée autour de son orteil. Elle l'avait mis en marche avant de se coucher. Maintenant, elle se tenait sous les pales qui tournaient, en simple camisole sans manches et les bras en croix au milieu du matelas. Elle avait repoussé les draps et les couvertures pour bénéficier au maximum de l'air brassé qui tombait sur elle avec une régularité de métronome.

Son absence de fatigue ne naissait pourtant pas d'un manque d'activités. Olga était maîtresse en l'art d'improviser. Chaque jour amenait son lot de surprises : partie de croquet dans le jardin, balade sur le *strand* avec les chiens, virée en automobile dans les magasins de Chowringhee Road, parcours au Golf Club s'achevant par un thé glacé, visite du zoo d'Alipur… La duchesse débordait d'énergie. À la villa Gokhra, les domestiques de von Rosenheim, habitués à plus de rigueur, la regardaient passer les yeux ronds, autant ébahis par ses tenues excentriques que par ses grands rires de gorge qui éclataient dans les couloirs, tels des roulements de tonnerre.

Les lévriers barzoïs qu'elle avait amenés dans ses bagages n'arrangeaient pas l'affaire. Ces grands chiens hiératiques mettaient dans la maisonnée un émoi considérable. Il ne se passait pas un jour sans que résonne un hurlement d'effroi. Lorsque Jezebel se précipitait, elle découvrait toujours un chien vautré au milieu du passage, assiégeant plus ou moins volontairement un domestique affolé qui n'osait pas l'enjamber. Olga arrivait et d'un claquement de doigts chassait l'intrus. Le domestique se pliait en courbettes reconnaissantes puis détalait comme poursuivi par une armée de démons. Jezebel éclatait de rire, Olga l'imitait, et les deux jeunes femmes repartaient bras dessus, bras dessous, pleines d'une bonne humeur contagieuse.

Jezebel en oubliait presque la demande en mariage de von Rosenheim.

En fait, pour se convaincre de la réalité de la journée passée dans les champs de pavots, il lui fallait un moment de calme. Un de ces instants d'indolence passés dans une chaise longue à l'ombre d'un figuier, à humer le parfum divin du jasmin. Ou l'un de ceux qui la laissaient le soir en travers de son lit, bien éveillée dans la moiteur de sa chambre.

Là, immanquablement, ses pensées partaient à la dérive et l'angoisse surgissait.

— Gagnez du temps, ma chère, recommanda un jour Olga interrogée à ce propos. « Oubliez » de donner votre réponse à von Rosenheim.

Elle expliqua à sa protégée qu'elle devait s'affirmer. Par exemple, réclamer aux serviteurs du matin, en même temps que son thé au lait, un exemplaire du *Statesman* qui était *le* quotidien indispensable de Calcutta. Tous les Occidentaux le lisaient, il n'y avait pas de raison que seuls von Rosenheim ou son tuteur l'aient à leur disposition.

— Mettez aussi votre nez dans la cuisine le plus souvent possible. Et faites changer tous les jours les fleurs des grands vases des pièces d'apparat.

— Mais je ne suis qu'une invitée, protesta Jezebel, que ces travaux domestiques ne tentaient guère et qui, surtout, n'avait pas l'intention de donner à sa présence dans la villa Gokhra un caractère trop définitif. À vous entendre, on croirait que vous voulez à tout prix me marier !

Olga fit preuve de bon sens.

— Ma chère, que vous le vouliez ou non, cette maison est votre nouveau logis. Autant vous y installer le mieux possible. Et puis, si vous craignez que von Rosenheim vous dispute vos initiatives, sachez que l'homme qui s'insurgera parce qu'une femme entend s'occuper à sa place des affaires domestiques n'est pas encore né.

— C'est que... Tout de même..., je n'ai jamais rêvé de devenir maîtresse de maison..., ici moins qu'ailleurs.

— Ah, je l'entends bien et ce n'est pas exactement ce que je vous demande. L'organisation de cette maison est bien rôdée, il n'y a pas de raison que vous vous en mêliez. Je vous invite néanmoins à faire la capricieuse. Exigez. Inventez-vous des envies. Tenez, commencez par réclamer des desserts à votre goût. Vous y gagnerez en assurance et en respect, aussi bien de la part des domestiques que du maître de céans. Il faut que vous montriez votre caractère. Je suis persuadée que le baron vous voit comme une brave petite fille bien obéissante qui ne posera aucun problème dans sa future vie conjugale. Il ordonnera, et vous obéirez. Faites-lui entrevoir que ce ne sera pas le cas.

— Ah mais, je n'ai pas votre assurance !

Elle paniquait, les mains serrées l'une contre l'autre pour éviter de les voir trembler. Attendrie, Olga se leva pour prendre ces doigts frémissants entre les siens. Elle força la jeune fille à la regarder.

— Ne vous sous-estimez pas, ma chérie. Vous êtes belle à damner un saint. Avec un peu de science, vous parviendrez à faire manger n'importe quel homme dans votre main.

— L'amour est donc une science ? s'étonna la jeune fille un rien amère.

Olga lui saisit le visage pour le tourner vers le sien.

— Sommes-nous en train de parler d'amour ?

La jeune Anglaise rougit violemment.

— Non ! Bien sûr que non. Je déteste cet homme. Il frappe ses serviteurs. Et ses mains sont sèches et osseuses.

Olga la scruta de plus belle.

— Alors, dans ce cas, parlons-nous d'amour pour un autre ?

Jezebel sentit le sang quitter son visage. Elle se détourna, parvint à répondre d'un ton presque enjoué.

— Je vais suivre vos instructions et m'inventer des caprices. Cela sera sans doute assez amusant.

— Assurément, répondit Olga, l'esprit ailleurs.

Les jours suivants virent deux changements majeurs : une farandole de sucreries à la fin de chaque repas et des conversations recentrées sur les événements internationaux.

Olga Marushka avait toujours aimé commenter les articles des journaux, surtout ceux qui parlaient de sa patrie, la Sainte Russie. En moins de vingt-quatre heures, Jezebel rattrapa tout son retard sur les avancées de la « sale » Armée rouge, apprit que ces « ostrogoths » venaient de récupérer Kharkov et Kiev, et marchaient maintenant vers le sud. Les adversaires des bolcheviks étaient malheureusement mal coordonnés. Depuis l'armistice, la plupart des Alliés, « ces vendus ! », s'étaient désistés. Seules demeuraient en lice la France et la Grèce, au demeurant peu enthousiastes. L'hiver moscovite sabordait le moral des troupes. À n'en pas douter, le premier prétexte déclencherait une mutinerie.

— Les misérables ! hurla la duchesse en avalant d'un trait son *longdrink* à la quinine sans qu'il fût possible de déterminer si elle parlait des États-Unis qui venaient de voter la prohibition de l'alcool ou des Rouges qui tentaient d'acheter la défection des gouvernements capitalistes en leur offrant leurs matières premières.

Ce souvenir fit sourire Jezebel. Elle roula sur le ventre en tendant l'oreille. Des bruits montaient de la cour intérieure. Une automobile traversa le parc avant de s'arrêter devant le porche d'entrée. Ses pneus crissèrent sur le gravier. Les portières et la malle arrière claquèrent. Des domestiques accoururent. Ils s'invectivèrent en sourdine. Leurs sandales glissaient sur les dalles des couloirs accompagnées du bruissement des vêtements. Un claquement de bottes suivit, sec, martial. Von Rosenheim rentrait chez lui en réclamant un repas à corps et à cris. Jezebel plaqua son oreiller contre ses oreilles. Elle aurait tellement voulu ne plus jamais entendre cette voix !

Après un certain temps, l'effervescence provoquée par le retour du maître se calma. Sans doute le baron s'était-il installé dans la salle à manger, à lamper un verre de schnaps dans l'attente de sa tranche de rôti froid. À moins qu'il ne se fût enfermé dans son bureau, pour prendre connaissance du courrier en retard. Il pouvait aussi être en train de fumer dans le patio l'un de ces cigares qu'il faisait venir de Sumatra.

Jezebel était furieuse. Ce retour inopiné l'agaçait tellement qu'elle en perdit définitivement le sommeil. Ne supportant plus de ne rien faire, elle se leva et risqua un coup d'œil par la fenêtre. La cour intérieure était éclairée comme en plein jour grâce à une profusion de torches. Ces lumières magnifiaient la rigueur architecturale du décor, en particulier la fontaine centrale qui prenait les tonalités mouvantes d'un aquarium. Près d'une vasque remplie de bégonias, Kiriki, la mangouste du cuisinier, furetait en quête de souris ou de lézards.

Un instant, elle suivit le petit animal des yeux. De loin, la mangouste ressemblait à un chat aux mouvements vifs et au nez pointu. Netravati, sa femme de chambre indienne, avait raconté, tout en lui brossant les cheveux, qu'une maison qui accueillait une mangouste était bénie des dieux : la petite bête excellait à chasser les cobras. Depuis, Jezebel se demandait quelle était la part de fable dans cette histoire.

Elle ne croyait pas qu'un serpent puisse s'introduire dans une maison aussi bien tenue que la villa Gokhra, même si cette dernière en portait le nom. Les jardiniers l'auraient attrapé avant qu'il ne franchisse la moindre porte.

Surtout, elle imaginait difficilement un animal aussi minuscule qu'une mangouste se poser en grand prédateur de serpents. Olga lui avait décrit des cobras indiens atteignant facilement les six pieds de long. Combien mesurait une mangouste ? Treize pouces sans la queue ?

Emportée par son imagination, Jezebel craignit soudain qu'une bestiole ne se cachât dans sa chambre, peut-être pas un serpent, plutôt l'un de ces petits geckos qui grimpaient si facilement le long de la façade ou même l'une des grosses sauterelles jaune rayée de bleu qui grignotaient la bougainvillée. Elle n'était pas particulièrement impressionnable, mais l'idée de partager sa chambre avec l'un ou l'autre bestiau n'avait rien de plaisant. Elle alluma sa lampe de chevet. Les ombres refluèrent, elle regarda sous le lit et sous les meubles. Tout lui parut calme et normal, elle se moqua d'elle-même, choisit un livre dans sa bibliothèque et s'installa dans un fauteuil.

Elle commença à lire, mais elle continuait à penser à mille choses. À l'étang qui servait de citerne qu'elle avait découvert au fond du parc, enfoui dans la verdure, avec des canards qui nichaient dans les roseaux. À l'oiseau bulbul venu picorer des miettes de pain presque dans sa main, dont elle avait tenté de peindre les couleurs incroyables, mais si vif qu'elle avait seulement pu coucher dans son carnet de croquis une tache rouge, noire et jaune. Elle se rappela aussi cette carriole insolite, recouverte d'un parasol à franges, que tirait un zèbre, un vrai zèbre d'Afrique vu au milieu du flot d'automobiles qui remontait Chowringhee Road.

— Certainement la charrette d'un enfant de maharaja, avait susurré Olga, pince-sans-rire. Aucune extravagance n'effraie ces nababs.

Après quelques paragraphes sur lesquels elle ne parvint pas à se concentrer, elle abandonna sa lecture et posa son exemplaire de *Jane Eyre* sur la table de chevet. Il faisait décidément trop chaud, autant pour dormir que pour lire. Elle se balança en écoutant le silence revenu dans la villa. Tout le monde avait certainement regagné ses quartiers, les serviteurs dans les communs, von Rosenheim dans ses appartements. Dans le jardin, la majorité des torches avait été éteinte, seules demeuraient celles qui encadraient la porte d'entrée. Un oiseau de nuit lança un appel étouffé. Sur un coup de tête, elle enfila un déshabillé et ouvrit silencieusement la porte.

Elle songea d'abord à se rendre dans le parc, dans la partie aménagée à l'anglaise qui était sa préférée, pour se promener au milieu des fleurs de la nuit et des colibris. Elle craignait cependant de tomber nez à nez avec von Rosenheim, qui ne dormait peut-être pas encore. Elle préféra alors monter à l'étage, sur le toit-terrasse où elle aimait à rêvasser. Là-haut, elle risquerait moins de faire une rencontre inopportune. Qu'il s'agisse d'un serpent ou d'un baron suisse aux mains osseuses et aux lèvres froides.

Elle s'y rendait souvent et connaissait le chemin par cœur: d'abord descendre le grand perron d'honneur jusqu'au rez-de-chaussée, suivre à droite le couloir périphérique qui longeait les bureaux puis s'engouffrer dans l'étroit escalier de service qui grimpait jusqu'au toit. Là, il fallait longer un dernier corridor encombré de meubles et de bibelots remisés avant d'atteindre la terrasse délimitée par un surplomb joliment ajouré de colonnettes en stuc.

Cette terrasse avait de belles proportions. Il aurait été facile d'y abriter une cinquantaine de convives si le maître des lieux en avait eu l'idée. Au lieu de ça, elle servait surtout de rafraîchissoir lors des étés longs et lourds, lorsque les pales des ventilateurs plus bas dans la demeure brassaient inutilement un air épais à couper au couteau. En hiver, elle était à peine entretenue.

Jezebel aimait à y venir car elle avait une vue plongeante sur la fontaine et par extension sur le parc à l'anglaise, agréablement touffu.

Elle s'installa dans le noir, à demi allongée sur un divan garni d'un coussin, et ferma les yeux pour mieux s'imprégner des parfums. Le jardin exhalait des odeurs de fleurs et de terre, celle du jasmin, bien sûr, mêlée discrètement au parfum des roses. On devinait aussi des relents de fruits trop mûrs ou d'essences curieusement épicées.

L'ouïe n'était pas en reste: de menus cris traversaient l'obscurité, comme une respiration nocturne faite de bruissements, de frémissements, de stridulations graves ou aiguës. Jezebel sentit sa peau se hérisser d'une fine chair de poule. L'air était ici plus frais que dans le corps du bâtiment. Elle se découvrit frissonnante, quitta son siège pour faire quelques pas. Personne n'avait rangé le pion qu'elle avait avancé quelques jours auparavant sur l'échiquier géant. Elle sourit, bougea par jeu un pion adverse puis vint s'appuyer à la balustrade. Quelque part dans la maison, les lévriers d'Olga aboyèrent. La Russe les avait pris dans sa chambre pour s'en occuper elle-même. Sans doute les réprimanda-t-elle promptement, car les barzoïs se turent assez vite.

Le jasmin dominait la nuit, encore et encore. Jezebel se tourna pour admirer la coulée blanche posée face à l'énorme bougainvillée accrochée elle aussi à la façade. Plus bas, dans le carré qui entourait la fontaine, des topiaires parfaitement entretenues apportaient de grosses silhouettes ventrues dans des massifs naturellement impétueux. Les tiges étaient par endroits si hautes et si volubiles qu'elles accrochaient la moindre brise pour se ployer en une vague ondulante.

Ce phénomène était étonnant et Jezebel se pencha pour mieux l'observer. L'ondulation dans le feuillage avançait lentement. Bien trop lentement pour être due au seul mouvement du vent.

Soudain, une ombre se détacha du noir de la terre. La jeune fille retint un cri : un animal venait de sauter sur la margelle et s'accroupissait pour laper l'eau de la fontaine. Elle crut à un chat mais, bien vite, elle estima que cette bête était de loin bien plus imposante qu'un chat. Au jugé, elle mesurait au moins quatre pieds de long et sa silhouette occultait presque la totalité de la source. Son superbe pelage tacheté roulait sur ses omoplates et révélait les muscles noueux de son dos. Une longue queue fouettait nerveusement ses flancs.

Jezebel en resta bouche bée.

Bien sûr, elle savait que de gros fauves vivaient en Inde, dans la jungle, dans des taillis impénétrables, et certainement plus haut, dans les neiges éternelles de la chaîne himalayenne. Elle n'avait cependant jamais imaginé pouvoir en voir un ici, dans le jardin d'une villa située en plein cœur de Calcutta. Elle en fut si émerveillée que, durant de longues secondes, elle retint son souffle, l'esprit envahi d'une émotion qui confinait au religieux.

— Mon Dieu, chuchota-t-elle finalement, incapable de retenir plus longtemps son admiration. Mon Dieu, mon Dieu, mon Dieu, c'est une panthère !

Son souffle de voix, pourtant ténu, suffit à attirer l'attention du fauve. Il leva les yeux. Elle oublia de respirer. Même à cette distance, les pupilles qui la scrutaient étaient terribles et impassibles. Dures. Carnivores.

La jeune fille fut saisie d'une peur irraisonnée. Elle recula dans l'ombre du toit. Le félin se ramassa sur lui-même tout en la suivant du regard.

— Mon Dieu ! répéta-t-elle, inquiète.

Le fauve pouvait-il bondir ? Grimper sur la façade ? Elle fut heureuse d'entendre de nouveau les lévriers d'Olga aboyer. Presque aussitôt, le fauve disparut d'un bond magnifique dans l'ombre des topiaires, fantôme ondulant, évanescent.

Aucun craquement, aucun bruit. Seul demeurait en souvenir de cette rencontre le vague déplacement de certaines graminées et le lent balancement de quelques branches rapidement revenues à leur place.

Jezebel tremblait d'émotion.

Elle se précipita à l'intérieur de la villa, descendit quatre à quatre une volée de marches. Il fallait qu'elle en parle à quelqu'un. Elle pensa tout de suite à son parrain.

Michael Deckard passait l'essentiel de ses nuits à compléter ses notes. Avec un peu de chance, il serait encore penché au-dessus de quelque vieux grimoire dont il déchiffrait avec application la langue mystérieuse.

Elle courut jusqu'à son bureau, vit avec satisfaction qu'elle ne s'était pas trompée : un mince filet de lumière filtrait sous la porte. Son tuteur ne dormait pas. Elle s'immobilisa le temps de donner à sa respiration un rythme plus convenable, puis elle s'approcha. Là, elle hésita encore.

Michael n'allait-il pas trouver inconvenant qu'elle fasse ainsi irruption chez lui, en plein milieu de la nuit ? Et croirait-il à son histoire ?

Elle respira un grand coup, leva la main pour toquer contre le battant, laissa son geste en suspens. Des éclats de voix fusaient de l'intérieur. Elle reconnut le timbre de Michael, horrifié, haché, plein de colère désespérée, et celui de Jürgen Heinrich von Rosenheim qui répondait avec froideur et sécheresse. Bouleversée, elle laissa retomber son bras le long de son corps. Elle aurait voulu reculer d'un pas, s'éloigner, partir, mais elle s'était statufiée.

Les deux hommes se disputaient violemment.

Elle hésita. Devait-elle faire preuve de courage, entrer et les séparer ? Ou au contraire devait-elle ignorer la scène et retourner dans sa chambre comme si elle n'avait jamais rien entendu ?

Soudain, von Rosenheim se mit à ricaner.

— Cet imbécile d'Agustin l'a bien cherché !

Le nom la rendit irrésistiblement curieuse et, lentement, avec d'infinies précautions, elle avança d'un pas pour coller son oreille contre la porte. Là, elle écouta avec un effroi grandissant le baron von Rosenheim expliquer ce qu'il était advenu de l'associé de Jan Lukas.

*

— Vous êtes complètement fou ! hurla Deckard. Qu'avez-vous fait ? Comment avez-vous pu penser que je vous suivrais dans cette voie ?

Jezebel colla plus étroitement son oreille contre la porte, sidérée d'entendre son tuteur afficher une telle colère. Depuis toujours, Michael Deckard était un homme au tempérament étale et au comportement pondéré. Jamais elle ne l'avait vu hurler ni tempêter, même pour réprimander l'enfant turbulente qu'elle avait été.

Plus jeune, cette placidité l'avait prodigieusement agacée même si, intuitivement, elle ne s'était attendue à rien d'autre. Les enfants délaissés savent très tôt que l'amour qu'ils déversent n'est jamais payé en retour. Leur cœur grandit, partagé entre illusion et lucidité, et les rêves qu'ils s'inventent ne sont que les moyens de supporter la réalité.

Petite, Jezebel avait tenté de se faire aimer de son père. Elle avait échoué. Lord Philip Tyler n'avait aimé que son épouse. La perdre avait été le déchirement de sa vie, le début de sa fin. Dans ce chagrin, il n'y avait pas de place pour un autre amour, fût-ce celui pour sa propre enfant.

Plus tard, la fillette avait espéré gagner l'affection de son parrain mais, là encore, elle avait échoué. À cette époque, elle avait peut-être neuf ou dix ans, elle rêvait qu'il fût son père. Elle cherchait par tous les moyens à lui plaire, à creuser dans son cœur indifférent la place de l'enfant qu'il n'avait jamais eu. Lorsqu'il venait lui rendre visite à Chelseahall House, elle était fière que ses amies lui envient le fait qu'il soit un grand savant. Elle souffrait pourtant de ses absences, de son indifférence. Elle s'inventait alors un autre personnage, en racontant qu'il voyageait beaucoup, qu'il allait en Égypte et au Mexique, qu'il était un aventurier extraordinaire toujours entre deux expéditions. La réalité était fort différente. L'archéologue ne visitait que les bibliothèques et, surtout, s'occupait d'elle uniquement par devoir. Ce n'était même pas de la charité ; il avait hérité de cette charge par testament après que son meilleur ami s'était pendu. Très proches durant leur jeunesse, les deux hommes s'étaient perdus de vue après le mariage de lord Tyler et Jezebel avait dû attendre le jour du drame pour connaître l'existence de ce parrain. Elle avait cinq ans.

Elle avait rapidement cerné le nouveau venu. Sir Michael Deckard était un scientifique, par définition égocentrique. Trop réfléchi, trop perdu dans ses pensées, trop blasé de tout, il était notoirement distrait, pas foncièrement méchant mais pas gentil non plus. Le nez constamment enfoui dans un précieux manuscrit, il accordait une importance maladive à des détails improbables, parlait peu, criait moins encore. Il avait des habitudes de vieux célibataire.

Jezebel l'avait en fin de compte peu côtoyé et elle s'étonnait vraiment de le voir aujourd'hui étaler une colère aussi spectaculaire : il vitupérait si fort que sa voix s'éraillait.

— Je ne cautionnerai jamais un tel acte ! Qu'est-ce qui vous a pris ? Êtes-vous devenu fou ?

— Maîtrisez-vous, Deckard, lui répondit son interlocuteur avec un calme singulier, empreint de froideur. Vous dépassez les bornes. Je ne vous laisserai pas indéfiniment me traiter de fou. N'est-ce pas vous qui êtes venu me trouver, en me faisant miroiter gloire et fortune, pour me demander mon aide ?

— Vous m'avouez l'inavouable et je devrais me maîtriser ? Comment avez-vous pu faire saboter cet aéroplane ? Mais quelle sorte d'homme êtes-vous donc ?

La voix de l'archéologue passait du grave à l'aigu, parfois dans le même mot. Jezebel pensa d'abord que c'était à cause de sa colère puis elle se rendit compte que son parrain était terrifié. Elle hésita à se manifester.

— J'ai fait ce qui devait être fait, dit von Rosenheim.

— Dans ce cas, vous avez raison, Rosenheim, ce n'est pas vous que je dois traiter de fou, mais moi-même ! Je suis fou de vous avoir suivi, fou de vous croire, fou de m'être reposé sur vous !

— Ne faites pas l'innocent, Deckard. Vous saviez à quoi vous attendre, ma réputation n'est pas usurpée. D'ailleurs, n'est-ce pas *vous* qui m'avez précisé que le Sher-Cîta était l'élément nécessaire à la découverte de la cité disparue ? N'est-ce pas *vous* qui m'avez demandé de récupérer ce médaillon à n'importe quel prix ? *Vous* vouliez cette babiole, je n'ai fait que vous obéir.

— Je ne vous ai jamais demandé de tuer le pilote !

Jezebel eut un vertige. Elle étouffa un cri d'horreur dans ses mains jointes. De quoi parlait von Rosenheim ? Était-il en train de dire qu'il avait fait tuer Andres Agustin pour récupérer le médaillon que ce dernier ne voulait plus lui vendre ? Était-il possible de tuer un homme pour cette simple raison ? En définitive, devait-elle comprendre que l'Argentin était mort ?

Elle devina qu'elle ne devait pas rester ici, pas devant cette porte, à écouter les divagations des deux hommes. Elle devait retourner dans sa chambre, se dire qu'elle avait rêvé, qu'elle n'avait rien entendu, mais elle continua malgré elle à écouter, poussée par une curiosité aussi morbide qu'effarée.

— Je n'avais pas le choix, trancha le baron d'une voix glaciale. Agustin s'était emparé de notre bien. Comprenez-vous ce que je suis en train de vous dire ? L'Argentin nous a volé le Sher-Cîta ! Ne vous trompez pas de cible, le méchant de l'histoire, ce n'est pas moi, c'est lui. Nous lui avions passé une commande, qu'il avait acceptée. La transaction était parfaitement honnête. Sauf que ce sale fouineur a découvert de quoi il s'agissait et qu'il s'est mis en tête d'agir pour son propre compte. Je n'ai pas ordonné sa mort, quoi que vous puissiez penser. Je me suis contenté de donner des instructions pour récupérer notre bien avant que l'aéroplane ne franchisse la frontière afghane. Là-bas, c'est la guerre. Nous aurions perdu sa trace et adieu le médaillon. Mes hommes l'ont intercepté avant, comme ils en avaient reçu l'ordre. Sauf qu'Agustin a ouvert le feu dès qu'il les a vus. Il a été touché. Il n'aurait jamais dû continuer son vol.

— Parce que vous l'auriez épargné ? railla Deckard.

— Pourquoi l'aurais-je fait tuer ? répliqua von Rosenheim. Je tentais uniquement de récupérer notre bien. Agustin a préféré fuir comme le voleur qu'il était. Il était blessé. Il a décollé à ses risques et périls.

— Et, comme par hasard, son appareil a fini par s'écraser au pied de l'Himalaya.

— C'était un accident, Deckard. Un simple accident malencontreux. Agustin a dû perdre connaissance…

— Cet accident vous arrange bien ! insinua Deckard d'une voix de fausset. Agustin mort, c'est un concurrent en moins sur notre projet !

— La disparition d'Agustin a assurément un côté pratique.

— Un côté pratique ? coupa une fois de plus l'archéologue excédé. Est-ce ainsi que vous qualifiez la mort d'un homme ? De pratique ?

— *Vollidiot!* Agustin voulait nous doubler ! Il fallait lui donner une leçon. Personne ne peut me rouler impunément.

— Et vous l'avez tué ! hurla Michael Deckard qui perdait son sang-froid.

Von Rosenheim tapa du poing sur la table. Jezebel manqua s'évanouir de terreur.

— *Genug*[1], Deckard ! Vous réclamiez le Sher-Cîta, je vous l'offre sur un plateau. Cessez donc de vous plaindre, vous aurez bientôt ce médaillon entre vos mains.

La voix de Deckard trahit alors sa lassitude.

— Parce que, bien sûr, dit-il, vous êtes certain de récupérer facilement un médaillon de deux pouces de diamètre dans les décombres d'un appareil écrasé en pleine jungle himalayenne ? Désolé, mais je ne parviens pas à partager votre optimisme. Cette pièce indispensable à nos recherches est sans aucun doute perdue.

— Deckard, vous me fatiguez, allez vous coucher. J'ai tous les éléments en main, y compris les coordonnées exactes de l'accident. Dès que j'aurai obtenu les autorisations, je me rendrai sur place pour récupérer le médaillon. J'ai rendez-vous demain matin avec le secrétaire du vice-roi pour déterminer les modalités de ce voyage. D'ici à quelques jours, au pire quelques semaines, le Sher-Cîta vous sera rendu. Continuez donc à étudier toutes les énigmes de votre découverte. Vous savez à quel point ce projet me tient à cœur. Depuis le temps que vous m'en parlez, j'ai vraiment pris goût à cette fable d'eldorado indien. Si tout cela se révélait faux, je serais extrêmement déçu.

Jezebel n'eut pas le réflexe de s'éloigner. Elle avait l'impression de vivre un cauchemar éveillé. Lorsque la porte du bureau s'ouvrit, elle sursauta violemment. Il était trop tard pour reculer. Von Rosenheim lui faisait face. Elle remarqua ses cheveux gominés vers l'arrière, sa mâchoire osseuse, ses yeux de glace. Elle crut se liquéfier de peur.

— Que faites-vous ici ? lui jeta-t-il, surpris.

Elle recula d'un pas nerveux. Il la suivit du regard, s'attardant avec indécence sur sa gorge, sur sa taille, sur ses hanches. Elle se souvint avec une gêne affreuse qu'elle était en tenue de nuit et, instinctivement, resserra sur sa poitrine les pans de son

1. « Ça suffit ! », en allemand.

déshabillé. Ce qu'elle avait entendu l'effrayait, mais ce n'était rien en comparaison de ce qu'elle ressentit lorsqu'elle vit une lueur vicieuse s'allumer dans les yeux du baron.

— Je… J'ai vu une panthère dans le jardin, hasarda-t-elle d'une petite voix minable. Je voulais le dire à mon parrain, parce que, quand même, une panthère dans le jardin…

— Une panthère ?

Un bref instant, l'incongruité de la remarque sembla le prendre au dépourvu mais, bien vite, il recouvra sa dureté naturelle.

— Vous étiez en train de nous espionner !

Elle n'eut pas le temps de nier. Il la gifla à toute volée. Un goût de fer envahit sa bouche, elle se rattrapa au mur pour ne pas tomber. Là, elle porta une main incrédule à sa lèvre fendue, qui se tacha de sang.

— *Kleine Schlampe*[1], qu'avez-vous entendu ? hurla-t-il, hors de lui.

Deckard se précipita pour l'empêcher de la frapper une seconde fois.

— Vous venez de gifler ma filleule !

— Cette petite garce écoute aux portes. Laissez-moi régler cela à ma manière !

Il repoussa le vieil archéologue, leva le bras. Jezebel cria en se protégeant le visage derrière sa main. Michael Deckard s'interposa.

— Je vous interdis de la frapper !

Un uppercut le cueillit en plein visage. Le vieil archéologue bascula vers l'arrière, touché au menton. Il tomba de tout son poids sur le parquet où il demeura sans bouger, assommé.

— Mon Dieu !

Elle voulut lui porter secours mais von Rosenheim l'attrapa au passage. Elle se débattit. Il lui enserra violemment les poignets en la toisant d'un air menaçant.

— Je vous ai posé une question. Qu'avez-vous entendu ?

Elle se tortilla comme une folle. Il lui tordit le bras dans son dos. Elle gémit de douleur en réalisant qu'il était le plus fort, qu'elle ne parviendrait jamais à se libérer. Il la secoua.

— Allez-vous me répondre, espèce de petite putain ?

---

1. « Petite garce », en allemand.

Il ne parlait plus. Il sifflait entre ses dents serrées, le visage déformé par le vice. La jeune fille n'osait plus le regarder. Elle n'avait jamais apprécié sa physionomie arrogante mais là, ce soir, elle devinait que son intuition ne l'avait pas trompée. Cet homme était corrompu et dangereux. Poussée par la nécessité, elle mentit avec aplomb :

— Je ne comprends pas votre question. Je m'apprêtais à frapper lorsque vous avez ouvert la porte. Que vouliez-vous que j'entende ? Auriez-vous des choses à cacher ?

Elle regretta cette dernière insolence. Il la plaqua contre lui en ricanant. Son haleine recouvrit son visage. Elle lutta pour ne pas broncher, elle ne voulait pas lui donner la satisfaction de lui montrer sa peur.

— Vous êtes une belle menteuse, milady.

Il était si près qu'elle voyait les pores dilatés de son nez. Ses mains enserraient ses poignets en un étau de fer. Elle ne parvenait plus à comprendre ce qui se passait. Elle n'avait jamais rien vécu de semblable. Elle était une lady, une aristocrate anglaise. Les hommes ou les femmes qu'elle rencontrait faisaient toujours preuve à son égard d'un minimum de politesse. Cet individu était un moins que rien. Un parvenu sans éthique ni honneur. Elle leva bien haut le visage.

— Frappez-moi, monsieur, répliqua-t-elle crânement, parce qu'elle n'avait pas d'autre idée pour se sortir de ce mauvais pas. Frappez-moi donc puisque c'est ainsi que vous parlez aux femmes !

Son ricanement lui parvint en plein visage, la faisant sursauter. Elle détourna la tête, pour ne pas sentir les mots qu'il crachait se coller sur sa peau.

— Très bien, petite traînée, puisque vous me mettez au défi, je vais vous apprendre comment un homme doit parler à une femme.

Il la traîna dans le corridor. Elle s'arc-bouta autant que possible, il l'attrapa par la taille pour la maintenir fermement. Elle s'efforça de lui donner des coups de tête mais elle ne réussit qu'à se faire mal.

Au bout du couloir, il ouvrit une porte d'un coup de pied, la jeta au milieu d'un grand lit. Soudain, elle comprit ce qu'il voulait, rampa pour s'échapper en appelant au secours de toutes ses forces. Dans sa terreur, elle oubliait qu'elle était chez lui, dans sa maison, et que personne parmi les domestiques ne viendrait jamais l'aider. Il les payait. Ils étaient fatalement tous acquis à sa cause.

Il la bâillonna d'une main. Elle essaya de lui mordre les doigts. Il la rejeta sur le matelas. Elle chercha à le griffer, à lui donner des coups de pied, de coude, de genou. Il la gifla de nouveau à toute volée. Elle retomba en arrière, à moitié sonnée. Il en profita pour s'agenouilla au-dessus d'elle, saisit sa chemise de nuit à deux mains et la déchira d'un coup sec, dénudant sa poitrine qui palpitait d'affolement.

Elle recommença de se débattre, cria encore et encore. Il se vautra sur elle, l'immobilisant de son poids. Ses mains lui bloquaient les poignets. Ses jambes écrasaient les siennes. Sa bouche humide se posait sur sa gorge, descendait sur sa poitrine, léchait et mordait ses seins. Elle se débattit du mieux qu'elle put, mais elle luttait à armes inégales. Elle ne parvenait même plus à respirer. Elle ne pouvait rien faire contre sa force.

Cette sensation l'effraya plus que tout. Elle détourna la tête lorsqu'il chercha sa bouche. Elle serra la mâchoire. Leurs dents se cognèrent. Elle manquait d'air, avait envie de vomir. Elle n'était que douleur. Un corps meurtri dépourvu de toute pensée. Un leitmotiv éternel, une prière répétée inlassablement.

Elle se mit à lui parler, tandis qu'il haletait sur elle, fébrile et dégoulinant de sueur. Elle répéta mille fois la même chose en donnant à sa voix un ton raisonnable, dans l'espoir que ces mots rallumeraient en lui cette étincelle de correction qu'il avait perdue.

— Il faut me lâcher, il faut me laisser partir. Je ne dirai rien. Il faut me lâcher. Il faut me libérer.

Il lui malaxa les seins. Elle gémit de douleur et de dégoût, se tordit pour échapper à sa poigne. Il lui écarta les cuisses d'un violent coup de genou et se dressa soudain au-dessus d'elle pour déboutonner son pantalon. Elle ferma les yeux mais frappa de toutes ses forces son torse, son ventre, ses épaules. Il ne broncha pas. Ses poings étaient dérisoires. De nouveau il se vautra sur elle, elle oublia de respirer. Elle n'avait jamais cru en rien mais brusquement elle se mit à prier avec ferveur. Elle était prête à promettre n'importe quoi, à Dieu, aux cieux, à n'importe qui, et même d'aller brûler un cierge à la cathédrale Saint-Paul en échange d'un miracle.

On frappa à la porte.

Elle l'entendit mais n'y crut pas. Un membre dur se frottait vicieusement sur son ventre, sur ses cuisses. Elle pria pour s'évanouir.

La porte s'ouvrit. Olga Obolenski s'encadra dans l'ouverture. Elle était accompagnée de ses deux lévriers, qu'elle retenait par le collier. Elle demeura un instant immobile, à détailler la scène.

— Sortez, siffla le baron von Rosenheim.

— Vous avez une visite, répliqua la duchesse en mentant effrontément. Un envoyé du vice-roi, ce me semble. Il patiente dans le Grand Salon. Du coup, j'ai réveillé les domestiques. Ils sont tous là, dans le couloir. Ils attendent vos instructions.

Von Rosenheim se raidit. Olga affichait une mine impassible mais ses mains se crispaient sur le collier de ses chiens avec tant de force qu'elles blêmissaient. Les barzoïs grondaient, menaçants. Le baron se leva, réajusta posément sa tenue et sortit en frôlant la jeune femme plus que nécessaire.

— N'allez pas trop loin, duchesse Obolenski. Il faudra vous en souvenir…

Olga ne répondit rien. Il n'y avait rien à répondre. Raide et immobile, elle se contenta d'écouter les pas du baron décroître. Lorsque le silence revint dans la demeure, elle appuya très brièvement son front glacé contre le chambranle et soupira imperceptiblement. Puis, poussant les chiens à l'intérieur, elle ferma la porte derrière elle et se tourna lentement vers Jezebel.

La jeune fille était recroquevillée à l'autre bout de la chambre, accroupie à même le sol, ses bras enserrant les genoux, le regard éteint. Ses cheveux défaits tombaient en mèches folles sur son visage privé de couleurs. Elle ne pleurait pas. Elle ne gémissait pas. Elle avait vieilli de mille ans, ces même mille ans qu'Olga avait un jour reçus sur les épaules alors qu'elle n'avait que quatorze ans.

Sans dire un mot, puisque tout mot en cet instant était vain, la Russe s'agenouilla et prit la jeune fille dans ses bras. Jezebel se raidit, refusant tout contact. Elle tremblait, serrait les dents, évitait tout regard.

Olga l'étreignit plus fortement. Elle lui caressa le dos et les cheveux. Elle la berça comme une toute petite enfant.

Au bout d'un certain temps, la jeune fille se détendit mais ce fut pour être prise de tremblements convulsifs. Sa respiration s'emballa. Elle étouffa un gémissement désespéré dans le cou de son amie.

— C'est fini, chuchota Olga en continuant à la bercer. C'est fini. C'est fini.

Jezebel s'effondra. Dans un hoquet terrible qui portait en lui toute la douleur des femmes de tous les temps, elle éclata brusquement en sanglots.

# 12

*23 février 1919*

Le galop déferla, faisant trembler la terre. Jezebel faillit se lever de son siège, emportée par le tumulte du jeu. Les sabots des chevaux étaient venus marteler l'herbe rase en bordure des tribunes. Ils s'incrustaient violemment dans le gazon, arrachaient des mottes grasses que des jardiniers avaient passé la nuit à arroser. Au-dessus de la mêlée montaient les cris des cavaliers, ainsi que les « ho » et les « ha » des spectateurs admiratifs devant un geste particulièrement réussi. Les applaudissements roulaient, dominant brièvement la clameur du match avant de s'éteindre face au galop qui recommençait.

Ce fracas se déplaça à l'autre bout du terrain avant de revenir en cavalcade infernale. Huit chevaux s'affrontaient, quatre contre quatre, les officiers britanniques d'une élégance folle dans leurs uniformes rouges contre l'équipe du maharaja de Mahavir en culottes beiges, chemises blanches et turbans. On entendait les maillets taper contre la balle en bois. On voyait ce petit point blanc s'envoler comme un oiseau, retomber, revenir, s'élever à nouveau et tenter soudainement de passer entre les deux poteaux en osier qui marquaient les buts.

Durant l'affrontement, car c'était bien de cela dont il s'agissait, un affrontement primaire et rude, les corps des centaures se frottaient, se dressaient l'un contre l'autre, s'ancraient dans la terre pour résister de toute leur masse avant de s'extirper de la mêlée comme une flèche, le tout dans le silence des montures qui jouaient autant que leurs cavaliers.

Jezebel était aux anges. Elle n'avait jamais vu de match de polo, ce fut une révélation. Elle oubliait qu'au départ elle n'avait pas voulu venir. Depuis l'incident avec von Rosenheim, elle refusait les invitations et les présentations en public. Elle craignait que sa honte ne se lise sur son visage, même si elle camouflait au mieux sa lèvre blessée sous du fard.

Olga Marushka avait longuement insisté, exposant argument après argument. Jezebel avait lutté puis, comme d'habitude, avait cédé. Après tout, qu'elle demeure enfermée ou qu'elle s'étourdisse dans un semblant de fête, l'enjeu était le même : il fallait oublier.

Olga la prit sous son aile, lui offrant de partager son lit durant les premières nuits. La jeune fille dormit pelotonnée contre son amie, rassurée de sentir sa main aller et venir dans son dos, et son souffle chatouiller le creux de son cou. Le reste du temps, elle s'ingéniait à éviter autant que possible l'exécrable baron suisse.

Elle eut de la chance. Von Rosenheim était très occupé par ses affaires. Le cycle de l'opium commençait. Pour superviser la récolte de la sève, il se levait aux aurores et se rendait dans les champs de pavots. Les pétales des fleurs commençaient à tomber. Les *ryots* passaient entre les plants pour scarifier les capsules encore vertes à l'aide d'un couteau à plusieurs lames. Un suc laiteux perlait, qui séchait durant la nuit pour être ramassé à l'aube suivante.

Aussitôt, les bouilleries[1] entraient en action pour produire les *chandoo*, ces galettes d'opium agglomérées par la chaleur que de jeunes enfants entassaient dans des sacs de jute. La récolte était ensuite chargée sur des charrettes à bœufs qui l'acheminaient au port. Là, les cargos de contrebande prenaient la relève jusqu'en Chine où cet opium était revendu dans les fumeries.

Jezebel ne s'intéressait guère au processus mais il était difficile de totalement l'ignorer tant la villa Gokhra vivait tout entière au rythme du pavot. Parfois, la jeune fille voyait des ballots transiter par les hangars situés en périphérie de la propriété, juste en bordure du fleuve Hooghly, où ils étaient chargés sur des barges. Ces ballots étaient d'une qualité prétendue supérieure et bénéficiait d'un traitement de faveur. Olga expliqua qu'ils partaient pour l'Europe.

— S'il est vrai que le commerce de l'opium est régi par des lois internationales depuis le traité de 1912, expliqua-t-elle un jour, cela signifie surtout qu'il n'y a pas officiellement de contrebande. Le commerce du *chandoo* est des plus lucratifs, pourquoi

1. Une bouillerie d'opium est une manufacture d'opium raffiné.

l'interdirait-on ? L'Angleterre en a besoin pour inonder le marché asiatique et ainsi équilibrer la balance commerciale du thé. Seuls les Chinois tentent d'endiguer ce commerce qu'on leur impose et osent parler de contrebande. La cargaison que vous voyez est tout ce qu'il y a de plus légal. Elle part pour l'Allemagne qui, depuis toujours, utilise de l'opium dans la recherche pharmaceutique.

Olga savait toujours tout sur tout. Lorsque Jezebel lui en fit la remarque, elle gloussa longuement :

— Mon usine produit des sacs de jute. Justement ces sacs de jute que vous voyez là, dans ces hangars. Dans le commerce, tout est toujours lié.

— Vous vous enrichissez donc sur le dos de l'opium, accusa Jezebel.

Olga alluma une cigarette et lui souffla la fumée au visage.

— Ah, l'idéalisme de la jeunesse… Personne n'oblige quiconque à se droguer. Et puis, quand il s'agit d'argent, la notion du bien et du mal devient relativement floue.

— Comment pouvez-vous commercer avec von Rosenheim ? J'exècre tout ce qui vient de lui !

— Je le conçois aisément, ma chère, mais ne faut-il pas vivre ?

Jezebel serra les poings de rage. Oui, il fallait vivre. Elle y pensait tous les jours, parce qu'elle se levait tous les matins, ici, dans cette villa des serpents qu'elle ne parvenait pas à fuir. Et c'était un calvaire.

Son tuteur s'était remis de son uppercut au menton aussi bien que possible, c'est-à-dire en oubliant. Sitôt sorti de son évanouissement, il avait fait comme si rien ne s'était passé. Jezebel lui en voulait énormément. Après l'incident, elle s'était précipitée dans son bureau pour exiger une explication. Elle voulait repartir pour l'Angleterre. Il était hors de question qu'elle demeure plus longtemps dans la maison d'un fou dangereux, et encore plus qu'elle l'épouse !

À aucun moment Michael Deckard n'avait regardé sa pupille en face. Il s'était contenté d'abandonner les parchemins qu'il étudiait pour marcher de long en large, les mains croisées dans le dos, les épaules un peu voûtées. Jezebel avait senti qu'il brûlait du désir d'accéder à sa requête mais, au lieu de le lui dire, il s'était mis à examiner une petite statuette représentant une divinité hindoue et il avait paru oublier la jeune fille.

Son bureau était aménagé en cabinet de curiosités. D'habitude, Jezebel adorait farfouiller dans tous les coins pour admirer la collection d'hyménoptères punaisés dans la vitrine ou le classement du plus petit au plus grand de quelques magnifiques nautiles. Dans un meuble à tiroirs, des feuilles séchées, des fruits dans des bocaux, des crânes d'oiseaux. Sur le haut de l'armoire, des iguanes empaillés et une enfilade de statues. L'une d'elles était fascinante. Elle représentait une femme à demi-nue. Uniquement vêtue d'un pagne, elle portait sur sa poitrine, ronde comme des melons, un collier macabre constitué de crânes ricanant. Jezebel l'avait fixée avec des larmes dans les yeux. Michael était en train de lui expliquer, d'une voix atone et pleine de circonvolutions, qu'elle ne pouvait pas repartir en Angleterre. Il avait donné sa parole au baron von Rosenheim.

— Mais moi, je n'ai rien promis, tenta-t-elle de plaider. Vous ne pouvez me laisser aux mains de cet enragé. Il n'a rien d'un gentleman.

— Sans doute avait-il un peu trop bu, allégua Michael Deckard. Cela ne se reproduira plus. Nous en avons discuté, il s'est excusé.

— Il s'est excusé auprès de *vous* ?

L'archéologue se rendit compte de l'indécence de son propos. Il s'empara nerveusement d'une dague sikhe à la pointe recourbée, dont il se servait comme coupe-papier, et la tritura en tous sens.

— Ann-Rose, je te demande d'être patiente. Nous devons gagner du temps.

— Gagner du temps ?

Elle comprit que son parrain était lié au baron d'une façon ou d'une autre.

— Contre quoi m'avez-vous vendue ? l'interrogea-t-elle brusquement.

Il sursauta sous sa voix froide, s'entailla légèrement avec le couteau qu'il tripotait, suça la plaie en ne sachant que répondre.

— Je ne t'ai pas vendue, Ann-Rose, se récria-t-il finalement. J'ai sincèrement pensé que ce mariage serait un projet judicieux. Von Rosenheim est riche et puissant. Il est un peu plus âgé que toi mais il est encore séduisant. Il a beaucoup de succès auprès des femmes. J'ai pensé qu'il te plairait. Il aime monter à cheval.

Toi aussi. Il est curieux d'art et d'histoire, toi aussi… Vraiment, à mes yeux, c'était parfait.

— En échange de quoi ? insista-t-elle.

Il la regarda avec surprise.

— Je te trouve bien dure, tout à coup…

— Un homme me frappe et vous vous étonnez que je m'endurcisse ? ironisa-t-elle. Là, clairement, c'est vous qui êtes naïf.

Il voulut la prendre dans ses bras, mais elle le repoussa. Après tout, ils n'avaient jamais été proches au point de se permettre une telle familiarité. Et puis, surtout, elle ne voulait pas de sa pitié dégoulinante, mais bien qu'il la sorte de ce piège.

— Je suis sur le point de réaliser la découverte de ma vie. Ann-Rose, il faut comprendre, ce n'est qu'une question de jours, de semaines, peut-être de mois…

Il tenta de poser sa main sur son épaule. Cette fois encore, elle ne se laissa pas émouvoir. Elle se dégagea d'une secousse.

— Combien d'hommes allez-vous sacrifier à l'autel de cette découverte ? chuchota-t-elle en le regardant droit dans les yeux. Vous êtes d'ores et déjà complice d'un meurtre. Je vous ai entendus !

Il recula d'un pas chancelant. Son visage semblait exsuder sa vieillesse par tous les pores de sa peau. Elle le trouva usé, malade. Des cernes gris entouraient son regard éteint, des rides de vieil éléphant creusaient son front, sa bouche, et, surtout, son teint jaune n'augurait rien de bon.

Qu'arriverait-il si, demain, il mourait ? Elle se radoucit.

— Donnez-moi une seule bonne raison de ne pas le dénoncer aux autorités.

— Ne fais pas cela, Ann-Rose. Personne ne te croirait. Un homme tel que lui est protégé par toute la société : son commerce équilibre la balance commerciale et fait vivre des milliers de personnes. L'opium n'amène pas que de l'argent. Il est à l'origine d'une guerre économique contre laquelle tu ne pèserais pas lourd. Qu'adviendrait-il de toi ? Au mieux tu perdrais ta réputation, tu finirais dans la rue, sans le sou, obligée de te prostituer pour survivre. Au pire tu serais internée comme folle dans un asile. Est-ce cela que tu veux ?

Elle se tut. Elle était pâle comme un linge mais s'efforçait de demeurer digne. En réalité, elle luttait surtout pour ne pas laisser la panique l'envahir.

Elle sortit du bureau sans un mot. Elle venait de comprendre qu'elle était perdue. Pour lui changer les idées, Olga décida de la traîner à ce match de polo.

Traîner était le mot exact. Jezebel n'avait pas le cœur à se pavaner au milieu de la société la plus huppée de Calcutta, en lançant à la cantonade des sourires mensongers. Elle commença par refuser ; elle craignait de revoir Jan Lukas. Le jeune homme l'effrayait.

En réalité, ce n'était pas de la peur. Du moins, ce n'était pas la même peur que celle qu'elle ressentait face à von Rosenheim. En présence du jeune Américain, il s'agissait plutôt d'une sorte de trouble diffus, qui réchauffait son ventre, embrasait ses joues… Une peur délicieuse, en somme.

Elle pensait à lui tout le temps. Elle ne parvenait pas à oublier leur première rencontre. Souvent, elle regardait les copies qu'elle avait faites du joli tableau aux oiseaux bengalis. Elle caressait les esquisses en répétant tout bas les mots qu'il avait eus, évoquant si facilement l'amour éternel. En fermant les yeux, elle croyait encore sentir sa voix caresser sa nuque.

Fatalement, elle en venait au baiser. Leur étreinte avait été si tendre et si charnelle, et aussi aimable qu'exigeante. Chaque détail de cette minute merveilleuse était gravé en elle avec une précision formidable. Elle n'oublierait jamais le goût de ses lèvres, le parfum de sa peau, sa langue suave contre la sienne, son souffle mêlé au sien, ses mains… ses mains.

Elle n'oubliait pas non plus qu'il était l'amant d'Olga. La Russe en était complètement folle. Aujourd'hui encore, elle ne parlait que de lui. Elle savait tout. Que Jan jouerait au poste d'attaquant dans l'équipe du prince de Nandock contre les officiers britanniques du Fort William. Que ce serait un simple match amical mais que l'enjeu prendrait la mesure d'un derby puisque l'honneur des deux équipes était en jeu. Les Britanniques n'envisageaient pas de perdre face à des indigènes, fussent-ils fils de maharaja, tandis que l'équipe bengalie rêvait de mettre une déculottée à ceux qui les dominaient au quotidien.

Jan Lukas n'était pas un joueur professionnel. Il affichait toutefois un handicap de six, ce qui en faisait un joueur occasionnel plus qu'honorable. Aux côtés du fils cadet du maharaja de Mahavir, il inventait des combinaisons de jeu qui donnaient du fil à retordre aux meilleurs cavaliers du Fort William et enthousiasmaient le public. Ses exploits lui valaient d'ailleurs l'admiration de la gent féminine. Après un match, qu'il fût perdu ou gagné, lady Esket et lady Birmigham se disputaient toujours sa présence à leur *party* respective. Ce qui faisait ricaner Olga, cette fois-ci certaine d'avoir l'avantage.

Jezebel écoutait en se moquant comme d'une guigne de l'honneur des officiers britanniques. Elle craignait bien plus l'insupportable insolence de l'Américain, sa gouaillerie, son irrévérence et sa merveilleuse façon d'éveiller ses sens. Le revoir était à chaque fois un combat avec sa propre éducation, ses certitudes, ses convictions. En fin de compte, il était son double sensuel et dévergondé. Elle n'avait pas peur de lui, mais bien d'elle-même. De ce qu'il révélait d'elle. De cette soif de vie, cette soif de plaisir.

L'affaire lui parut donc entendue, elle n'accompagnerait pas Olga. Puis elle se souvint qu'Andres Agustin était mort et que Jan l'ignorait. Elle n'en avait parlé à personne, pas même à Olga. Il lui semblait toutefois que le jeune Américain était en droit de connaître la vérité. L'Argentin avait été son ami, presque son père, celui qui l'avait recueilli enfant, qui l'avait protégé, élevé, éduqué. Elle n'avait pas le droit de se taire.

Elle se décida pour cette seule raison. Et aussi parce qu'elle avait un cierge à brûler à la cathédrale Saint-Paul.

Jezebel n'était guère attachée à la religion. Son enfance, en la privant de ses parents, l'avait aussi privée de tout repère spirituel. Petite, elle accompagnait les domestiques aux célébrations dominicales. Elle en avait peu de souvenirs. Elle se rappelait uniquement les messes de Noël, lorsqu'elle marchait dans une neige fraîchement tombée au cœur de la nuit. Parfois, elle découvrait la trace d'un lapin coursé par un renard ou recevait comme un trésor une branche de houx que l'une des servantes cueillait pour elle.

En grandissant, elle avait fait comme tout le monde, elle avait suivi les cours de catéchisme qui précédaient la confirmation. À Chelseahall House, elle allait à confesse parce que personne n'aurait compris qu'elle n'y allât point. Le reste du temps, elle oubliait de prier. Elle n'en avait jamais eu besoin, jusqu'à ce soir terrible où, dans une panique effroyable, elle avait promis à un

Dieu imaginaire que si elle sortait saine et sauve des griffes de von Rosenheim elle brûlerait un cierge à la cathédrale.

C'était une forme de superstition assez idiote. Pourtant, lorsque ce fut fait, elle crut se sentir un peu mieux. Elle n'avait plus de dette envers quiconque, fût-ce envers une entité mystérieuse aux contours nébuleux. Maintenant, elle pouvait accompagner Olga la conscience tranquille.

Ce dimanche de fin d'hiver était des plus radieux. Olga souriait, l'air heureux. Jezebel s'efforçait de ne pas paraître trop sinistre à ses côtés.

Les deux jeunes femmes étaient assises au premier rang de la tribune officielle, sous un dais qui dispensait une ombre agréable. Dès leur arrivée, elles avaient été saluées par diverses connaissances, en particulier l'inénarrable lady Esket accompagnée de sa fille endimanchée, suivies du Dr Appleton et de Peter Asgulson, tous deux très rouges d'avoir fait à eux seuls un sort à une bouteille de champagne. Plus loin, près des paddocks, le capitaine James Algrey discutait canon, fusil et revolver avec d'autres officiers de sa garnison, tous magnifiques dans leurs uniformes de parade.

Pour l'heure, les deux jeunes femmes faisaient face à un terrain de trois cents yards de long, engazonné. Sur leur droite, une fanfare résonnait de tous ses cuivres. De l'autre côté, des spectateurs hors tribune avaient installé des nappes de pique-nique et des barbecues. Dans l'air flottait une odeur de grillades épicées. Des enfants couraient en tous sens au milieu d'une foule bigarrée dont le maître mot semblait être une élégance un peu tapageuse. La journée était placée sous le signe de l'extravagance. Aucun chapeau n'était suffisamment démesuré, aucune robe suffisamment originale et aucun costume trois-pièces suffisamment chic.

Soudain, des chevaux hennirent et un grand cri monta de la foule. Les joueurs arrivaient. On les acclama.

Jezebel remarqua tout de suite le jeune Américain, à croire que son cœur était aimanté. À côté d'elle, Olga se leva avec enthousiasme pour agiter bien haut sa main mais Lukas ne la vit pas. Il était déjà dans le jeu, concentré, les mâchoires serrées, le regard incisif.

Les deux équipes défilèrent au petit trot le long des tribunes, le casque sous le bras, le maillet dans la main droite. Jezebel se pencha pour mieux détailler *son* cavalier. Son cœur faisait des bonds désordonnés dans sa poitrine.

La partie débuta dans une envolée de mottes de terre. Galop. Poitrail contre poitrail. Épaule contre épaule. Bottes contre bottes. Force brute. Arrêt net. Démarrage en trombe. Jezebel était suffisamment bonne cavalière pour admirer le travail de ces centaures aux jarrets d'acier. Le jeu était rapide, violent, rude, avec des corps à corps de titans. Le maillet valsait, la balle de bois s'envolait, revenait, dansait sur des espaces infinis. Le bruit semblait un roulement de tonnerre qui donnait à la terre un tremblement que l'on ressentait jusque dans les jambes. Une cavalcade comme une vague, tour à tour lointaine puis se rapprochant en un rythme aléatoire avant de se jeter avec fracas sur un sol tremblé.

Il était difficile de suivre un cavalier en particulier dans cette tempête de sabots, d'encolures, de voltes et de contre-voltes, mais Jezebel se passionna suffisamment pour y parvenir rapidement. Le premier *goal*[1] fut pour les Britanniques. Ainsi que le deuxième. L'équipe du maharaja se cherchait. Le groupe était hétéroclite, composé de deux Indiens, de Lukas et d'un Argentin au faciès patibulaire. Ils avaient visiblement peu l'habitude de jouer ensemble. La qualité de leurs chevaux les sauvait.

Les cavaliers changeaient de monture à la fin de chaque *chukka*[2], pour leur permettre de se reposer. Le jeu était intense. Les chevaux étaient sollicités sur des mouvements parfois peu naturels. Ils étaient capables, en pleine course, de s'arrêter net, de démarrer tout aussi rapidement, et de faire des pointes de vitesse qui leur permettaient de traverser le terrain en quelques secondes à peine.

À la mi-temps, les femmes dans le public se soumirent à la tradition. Elles allèrent sur le gazon pour remettre en place les mottes que les sabots avaient arrachées. Or, le spectacle de ces femmes en grande tenue, occupées à replacer herbes et racines du bout de leurs escarpins tout en retenant leurs capelines que la brise essayait d'emporter, était très drôle. Les cinq minutes de

1. « But », en anglais. Au polo, il est d'usage d'utiliser la forme anglaise.
2. Un match de polo se divise en quatre à huit périodes de sept minutes trente, appelées *chukkas*.

repos règlementaires se passèrent donc dans une franche gaîté. Même Jezebel, d'une humeur pourtant morose, se surprit à éclater de rire plusieurs fois.

Le match reprit de plus belle, encore plus acharné, encore plus violent. L'équipe du maharaja égalisa, puis Lukas réussit une échappée, que protégea avec panache l'un de ses coéquipiers. Il envoya la balle entre les deux poteaux d'osier, hurla de joie puis vint fêter son exploit en allant taper dans les mains que lui tendaient les spectateurs installés dans la tribune.

Emportée par l'élan général, Jezebel se leva. Lukas immobilisa son *poney*[1] dans un jaillissement de terre, attrapa les doigts de la jeune fille, les serra le temps de la regarder bien droit dans les yeux puis, la lâchant, relança son cheval au galop.

Jezebel se rassit en rajustant avec gêne son chapeau qui avait légèrement glissé de travers. Olga la toisa d'un air un peu agacé.

— Un jour, ma chère, il faudra me dire ce qu'il y a entre vous deux.

— Mais… rien. Absolument rien, soutint Jezebel en s'efforçant de sourire avec innocence.

— Permettez-moi d'en douter, ma chère. Il est de notoriété publique que je suis la maîtresse de Jan Lukas, or c'est devant vous qu'il s'arrête pour vous caresser les doigts.

— Nous ne nous sommes pas vus depuis longtemps, ce n'était qu'un jeu, vous ne devriez pas en prendre ombrage. Jan m'a assurée un jour que vous étiez pour lui une femme parfaite.

— Vraiment ? s'étonna Olga, le regard soudain brillant. Et pourquoi donc parliez-vous de moi, je vous prie ?

Jezebel rougit délicieusement. Elle pointa ses jumelles, feignant de s'absorber dans la partie qui recommençait.

— Il me décrivait votre relation comme étant idéale. Il prétendait que vous étiez comme lui, à ne toujours prendre de l'amour que le meilleur, aucun lien, aucun attachement, juste… juste… enfin, vous voyez, ajouta-t-elle un peu mal à l'aise.

— Vraiment, il vous a dit ça ? Aucun lien, aucun attachement… ?

Olga en fut quelque peu blessée, mais elle ne le montra pas. À son tour, elle feignit de se concentrer sur la partie en cours. Elle n'était pas naïve. Elle savait de longue date qu'il n'existait que

---

1. Le cheval au polo est communément appelé ainsi.

deux sortes de femmes, celles à qui l'on aimait faire l'amour, et celle à qui l'on aimait faire des enfants. Assurément, elle n'aurait jamais d'enfant.

— Que se passera-t-il si jamais il y a égalité entre les deux équipes ? s'enquit Jezebel pour changer de sujet, car elle avait senti la soudaine tristesse de son amie et en était embarrassée.

— Ce sera une prolongation de type mort subite, disputée lors d'une *chukka* supplémentaire.

L'équipe du prince de Nandock concéda un *goal* peu de temps avant la fin réglementaire. L'honneur des Britanniques fut sauf. Jezebel se demanda un instant si le fair-play des Indiens ne les avait pas poussés à accorder la victoire à leurs adversaires. La politique a parfois des répercussions jusque dans le sport. Or, à cette période du Raj, les rajas et autres nababs avaient tout intérêt à s'adjuger les bonnes grâces du gouvernement britannique.

Tandis que la fanfare recommençait à jouer, la pelouse fut envahie par les spectateurs. Lukas descendit de cheval pour accueillir convenablement les personnes venues le féliciter. Parmi elles, lady Esket tenait sa fille par les épaules, s'efforçant à tout prix de la lui placer dans les bras.

Jezebel avait d'abord pensé faire de même mais, finalement, elle n'eut pas envie de se mêler à toutes ces admiratrices qui gloussaient comme des poules. Olga s'était éloignée pour discuter avec quelques notables. Elle essayait d'obtenir à un prix intéressant un lot de terres en jachère situé près de sa propriété, qui appartenait à un fringant lieutenant n'ayant visiblement aucune envie de se lancer dans l'agriculture.

Tandis que Jezebel patientait, désœuvrée, le jeune Peter Asgulson vint lui proposer une coupe de champagne. Ils échangèrent quelques mots, mais une gêne nouvelle s'était installée entre eux depuis qu'il l'avait embrassée. Au bout de quelques minutes, ils n'eurent plus rien à se dire, et Peter prit congé.

Jezebel fit quelques pas de-ci, de-là, regrettant de ne pas avoir emmené son carnet de croquis. La scène était belle, pleine de couleurs, de soleil, de ciel bleu. La plupart des montures étaient emmenées vers le paddock où une armée de *petitsero*[1] leur prodiguaient des soins dignes de grands athlètes.

---

1. Grooms chargés de soigner et de panser les chevaux.

— Voulez-vous faire un tour sur mon *poney* ?

Elle sursauta en percevant dans son cou la douceur de velours des naseaux d'un cheval. Elle se retourna, découvrit une belle tête fine au front étoilé de blanc et la caressa plaisamment.

Jan Lukas se tenait à côté de son cheval, les cheveux humides de sueur, encore essoufflé de ses récents efforts. Il tenait sa monture par la bride tout en détaillant la jeune Anglaise d'un air impassible. Elle lui trouva un œil trop sévère et, gênée, baissa pudiquement les yeux vers ses bottes, qu'il tapotait distraitement de son maillet.

Ce fut une belle diversion, car ces bottes-là étaient des plus curieuses. De forme cavalière, elles étaient fermées sur le devant par des lacets qui allaient du coup de pied jusqu'au genou. Des boucles les consolidaient au niveau de la cheville. Le tout était d'un bon cuir épais, brillant, qui donnait au reste de la tenue une élégance particulière. La culotte de cheval avait une coupe audacieuse. Elle était si étroitement ajustée aux cuisses qu'elle ne cachait rien des muscles, au point d'en être indécente. Rougissant, Jezebel leva les yeux vers la chemise, qu'elle découvrit entrouverte sur un torse musculeux.

L'examen eut le mérite de détendre l'atmosphère, Jan lui sourit.

— L'ensemble vous paraît-il satisfaisant ? lança-t-il avec malice, en se penchant vers son oreille pour n'être entendue que d'elle seule.

Elle recula d'un pas en rougissant de plus belle, mais elle avait été à bonne école sous la houlette d'Olga Marushka. Elle eut suffisamment d'esprit pour lui jeter d'un ton insolent :

— J'admirais cet air sportif que je ne vous connaissais pas.

Il sourit, elle en fut éblouie. Grand Dieu, comment avait-elle pu oublier ce sourire-là, qui éclairait jusqu'au ciel !

— Je suis ravi que mon air sportif vous plaise mais vous ne m'avez pas répondu, *darling*. Ne voulez-vous pas essayer mon *poney* ? Un jour, vous m'avez assuré que vous aimiez monter. Si le cœur vous en dit, je vous le prête avec plaisir.

Elle laissa glisser son regard sur la fine silhouette nerveuse, à la robe baie assez commune mais à l'arrière-train puissant et à l'encolure souple. L'offre était tentante mais elle secoua d'un air navré la fine dentelle blanche superposée en mille jupons qui formait sa robe d'après-midi.

— Je crains que cette tenue ne soit guère indiquée pour monter. Comment s'appelle votre jument?

Il sourit tendrement.

— Elle s'appelle Nartan. Ça signifie « la danse ».

— Ce nom lui va fort bien, on pourrait effectivement croire qu'elle sait danser. Je ne connaissais pas ce sport, j'ai été agréablement surprise.

— Vous avez aimé?

— Oui, beaucoup. Mais il est vrai que j'aime les chevaux. Vous montez extrêmement bien.

— Je ne suis pas un joueur professionnel, contrairement à mes amis qui passent beaucoup de temps à s'entraîner et qui participent aux championnats, parfois même en Europe ou en Argentine. Aujourd'hui, je dépannais le prince de Nandock, qui est aussi le capitaine de l'équipe, et qui était marri d'avoir l'un de ses joueurs blessé. Les relations entre Indiens et Britanniques sont en ce moment assez tendues. Mon ami, le prince, ne voulait pas annuler le match. Une rencontre sportive peut parfois désamorcer la pression politique. Tenez, voici justement le prince dont je vous parle. Venez, je vais vous présenter.

Elle eut une moue contrariée. Elle songeait à Andres Agustin, qui avait été argentin et qui avait sans doute beaucoup aimé le polo.

— C'est que, je pensais que nous pourrions marcher un peu. J'aurais souhaité vous parler.

Elle levait vers lui ses grands yeux bleus, il leur trouva un air inquiet et même un peu effrayé. Il se pencha à nouveau vers son oreille. Elle frissonna lorsque le souffle de sa voix glissa le long de sa gorge.

— Avez-vous des soucis, milady?

— Non, bien sûr que non! s'exclama-t-elle avec trop de véhémence.

Maintenant, elle tremblait sous son regard inquisiteur, ignorant comment faire pour lui révéler ce qu'elle savait. Il revint vers son oreille.

— Pardonnez-moi de jouer les mufles, milady, mais j'ai vu votre blessure à la bouche.

Elle porta machinalement sa main gantée de dentelle à sa lèvre. Elle était désolée que le nuage de poudre assorti de rouge n'ait pas suffi à masquer la croûte qu'elle portait depuis le soir de son altercation avec von Rosenheim.

— Ce n'est rien, balbutia-t-elle. Je suis distraite. J'ai manqué une porte.

— Une porte avec un poing ? lança-t-il sèchement, poussé par une intuition malsaine.

Elle recula, se détourna. Il sut qu'il avait touché juste en voyant le frémissement de ses épaules et il faillit la prendre dans ses bras pour la forcer à lui avouer qui avait osé lever la main sur elle.

— Vous pouvez tout me dire. Je vous aiderai.

Elle faillit se confier, puis elle eut peur. Peur de ce qu'il penserait. Peur pour son parrain, aussi. Qu'adviendrait-il si von Rosenheim apprenait qu'elle s'était plainte ? N'avait-il pas déjà prouvé qu'il ne s'embarrassait d'aucun scrupule ? Pouvait-il aller jusqu'au meurtre ? *Oui, bien sûr,* songea-t-elle en pâlissant. Il l'avait démontré en se débarrassant d'Andres Agustin. Elle était prise au piège. Elle devait affronter son avenir seule. Elle mentit une nouvelle fois.

— Je viens de vous dire que je me suis cognée à une porte, je ne comprends pas ce que vous insinuez.

Elle était sèche et agacée. Il la crut, mais ce qu'il imagina ensuite fut bien pire. Il la vit ployée sous une bouche avide, offerte à une dent cruelle, se pâmant sous la poigne d'un amant. Pris de nausée, il se redressa. Il était redevenu froid et distant. Jaloux.

— Savez-vous que l'on jase en ville ? Votre installation chez le baron von Rosenheim n'est pas passée inaperçue. Elle a aiguisé les langues de vipère.

— Je me moque des commérages, répliqua-t-elle en refusant de le regarder. Je… Je…

Il la prit par le coude, pour la tourner doucement vers lui.

— C'est votre droit d'aimer les voyous, mais de là à les défendre en toute occasion…

Elle leva une main outrée pour le gifler. Il lui attrapa le poignet et ils demeurèrent ainsi à lutter en silence, à se défier du regard, à essayer scrupuleusement de croire qu'ils ne s'aimaient pas. Il était trop difficile, pour l'un comme pour l'autre, d'accepter cet amour dévorant. Depuis qu'ils s'étaient rencontrés, ils avaient l'esprit et le corps pris au piège. Ils y perdaient leur liberté.

Tout à leur combat, ils seraient sans doute restés longtemps ainsi si les deux hommes qui venaient vers eux, bras dessus, bras dessous, ne les avaient involontairement séparés. Le plus âgé, un Européen d'une cinquantaine d'années, sans doute un Anglais ou un Écossais à en juger la belle couleur rousse de ses cheveux coupés court, interpella aussitôt le jeune homme.

— Jan, mon ami, je tenais à vous féliciter pour votre match. Je crains cependant de vous interrompre en pleine conversation…

Il dévisagea avec curiosité la belle jeune fille qui semblait tenir tête à l'Américain. Il la trouvait fort mignonne, dans sa robe de dentelle blanche agrémentée d'un long collier de perles porté en sautoir comme c'était la mode en ce moment. Jan Lukas avait toujours eu du goût en matière de femmes.

Tout de même, celle-ci était un peu trop jeune, dix-sept ou dix-huit ans, mais sa beauté était radieuse. L'expression du visage encore un peu enfantin présentait des moues et des rondeurs attendrissantes. Surtout, ses magnifiques yeux bleus reflétaient une détermination qui plaisait d'emblée.

— Ah tiens, Jim, vous étiez donc parmi les spectateurs ? s'étonna Lukas en se tournant vers les visiteurs. Piètre journée, n'est-ce pas ? Nous avons perdu.

— Oh, vous êtes loin de jouer comme un débutant. Ce fut un plaisir de vous regarder. Le point que vous avez marqué résultait d'ailleurs d'une magnifique échappée, magistralement menée de bout en bout. Ne nous présenterez-vous pas à mademoiselle ?

Agacé par l'évidente curiosité de ses deux amis, Jan fit les présentations d'un ton un peu trop sec.

— Jim, voici lady Jezebel Tyler, qui vient d'arriver aux Indes. Milady, je vous présente Jim McCorball, le célèbre chasseur de fauves, et Son Altesse Royale Charu Bakhtavar, prince de Nandock, qui est également le capitaine de notre équipe de polo. Charu est le fils cadet du maharaja de Mahavir. L'écurie lui appartient.

Jezebel salua les deux hommes en s'efforçant de prendre un air aimable. Elle était encore en colère et ignorait sincèrement si elle était ravie de cette interruption. Néanmoins, l'étonnante profession de Jim McCorball retint son attention.

— Vous chassez les fauves, monsieur ? s'enquit-elle poliment.

— Oui, répondit le chasseur en affichant clairement sa satisfaction à l'idée d'intéresser une personne aussi charmante. Je chasse le fauve autant que faire se peut. Des tigres, des léopards, des loups et des chiens sauvages, et parfois même un crocodile ou un serpent. J'ai même tâté du silure et du poisson-chat géant. Je précise toutefois, avant que vous ne me jetiez au pilori, que je ne chasse que des mangeurs d'hommes. Je ne suis pas un collectionneur de trophées.

Comme d'habitude, la petite phrase fit son effet et il se lissa la moustache d'un air fort satisfait en regardant la jeune fille écarquiller ses grands yeux bleus.

— Des mangeurs d'hommes ? Vous voulez dire que des fauves mangent parfois des hommes ?

Lukas réprima un mouvement d'humeur. Faisait-elle exprès de prolonger la conversation alors qu'elle avait prétendu vouloir lui parler ? Lui parler de quoi, d'ailleurs ? Assurément rien d'important s'il fallait en juger la façon qu'elle avait de faire la coquette devant ses deux amis.

Jim McCorball et Charu ne la quittaient pas des yeux. À leur décharge, il fallait reconnaître qu'elle était vraiment belle. Sa capeline dessinait des raies de lumière sur son visage tandis que ses boucles blondes se défaisaient doucement dans la brise, en glissant le long de sa gorge comme un ruban de soie aguichant. Et puis, surtout, elle savait écouter. Tout en elle écoutait, son visage offert, ses grands yeux bien ouverts, et cette façon de pencher légèrement la tête avec l'air de dire : « Je comprends. Oui, je comprends. »

Assurément, cette façon d'écouter avec tout le corps était son plus grand charme. C'était cela qui la rendait aussi attirante. Jan réprima un juron et se calma les nerfs en s'occupant de son cheval. Jim McCorball ne s'en formalisa pas. Il était en train de dire des horreurs et, comme d'habitude, s'en délectait.

— Effectivement, milady, il arrive que des fauves mangent des hommes. L'homme est une proie facile pour un animal affamé.

Jan défit la sangle de selle de deux trous puis vérifia les jambes de sa jument à la recherche d'une quelconque blessure. Le jeu de polo était rude. Malgré les bandes qui protégeaient les antérieurs, les *poneys* étaient souvent blessés. D'ailleurs, il arrivait aussi aux cavaliers de prendre accidentellement une balle en pleine face ou un maillet sur l'avant-bras.

Tandis qu'il s'affairait, Jim McCorball continua de raconter mille anecdotes. À côté de lui, le troisième homme gardait le silence, se contentant de fixer la jeune fille. Charu Bakhtavar de Nandock était long et mince comme on l'est à vingt ans, le visage doré au point d'en être presque brun et le regard noir piqueté d'étoiles. Vêtu comme son coéquipier et ami Jan Lukas d'un pantalon de cheval moulant, d'une chemise entrouverte sur son torse sportif et de hautes bottes de cuir, il tenait son casque sous le bras et fourrageait de l'autre dans son épaisse chevelure noire. De temps à autre, il affichait un sourire éclatant, opinait du chef au moindre bon mot mais, en réalité, il n'écoutait pas vraiment la conversation tant il était subjugué par la jeune Anglaise.

Jezebel se rendait parfaitement compte de l'insistance de son regard, dont elle ne savait que faire. Pour être polie, elle souriait imperceptiblement, du bout des lèvres, tout en continuant de prêter une oreille attentive aux récits passionnants du chasseur de fauves.

— Me direz-vous où vous trouvez tous ces mangeurs d'hommes, monsieur le chasseur ? demanda-t-elle soudain.

Jim McCorball lissa derechef sa fine moustache rousse. Il s'amusait par avance de la réponse qu'il allait faire. Il était si facile d'impressionner les Anglais fraîchement débarqués de leur île et qui, en fait de fauve, ne connaissaient que le renard.

— Ces mangeurs d'hommes sont plus communs que les gens ont tendance à le croire.

— Vous parlez de la jungle et même de la chaîne himalayenne, bien sûr…

— Dites-moi donc où vous logez, milady.

Elle parut surprise de la question, répondit cependant.

— Je suis logée à la villa Gokhra, chez le baron von Rosenheim.

— Je connais le baron… J'ai travaillé pour lui il y a environ trois mois. Il avait des soucis avec un tigre qui terrorisait ses paysans. Ces derniers refusaient d'aller dans les champs.

— Ce qui peut se comprendre lorsque l'on risque de rencontrer un tigre mangeur d'hommes ! riposta Jezebel en posant hardiment son regard bleu sur celui du chasseur qui riait. Mais dites-moi, monsieur McCorball… Vous n'êtes tout de même pas en train de me parler de ces champs que le baron possède au sud de la ville ? Pour s'y rendre, il faut à peine une heure en automobile !

— Si fait, milady, il s'agit bien de ces champs-là. Le tigre a eu le temps d'y faire quatre victimes avant que je n'intervienne.

— Monsieur, vous cherchez à m'effrayer ! Je me suis promenée dans ces champs il y a quelques jours à peine ! Le baron…

Elle se tut brièvement, coula un regard gêné vers Lukas qui continuait à s'occuper de son cheval sans avoir l'air de les écouter, changea légèrement le sens initial de sa phrase :

— Le baron avait organisé un pique-nique sous l'ombre d'un manguier. C'était le milieu de l'après-midi. Je n'ai vu que des singes et des perroquets. Était-ce donc dangereux ?

— Dangereux ? Assurément, milady. Mais moins par le tigre que par le serpent. Les cobras sont la plaie de ce pays. Ils investissent les villages car ils mangent des rats, or les rats vivent près des greniers à grain. Il y a donc énormément de serpents près des villages. Je pense que les cobras tuent beaucoup plus de gens que les tigres.

— Il n'empêche, continua Jezebel d'un ton rêveur, j'ai vu récemment une panthère traverser le parc de la villa où je demeure. C'était la nuit, à une heure plutôt avancée. La bête venait boire à la fontaine. J'étais sur la varangue, elle m'a fixée, j'étais morte de peur. Elle avait un regard impressionnant.

— Une telle visite à la villa Gokhra, même de nuit, est exceptionnelle car le parc est bien entretenu et considérablement peuplé par toute une armée de jardiniers. Cela arrive néanmoins, comme vous avez pu en être le témoin. Il faut bien vous rendre compte, milady, vous êtes ici chez eux, sur leur territoire. La plupart des léopards s'approchent des villages pour manger les chiens errants qui fouillent les dépotoirs. Rien à voir avec des mangeurs d'hommes qui le deviennent parce qu'ils sont blessés. Ceux que j'ai abattus l'étaient parce qu'ils boitaient ou qu'ils avaient une dent cassée qui les empêchait de chasser leurs proies habituelles. Un être humain est une prise facile. D'ici à quelques jours, je pars pour le Sikkim à la demande du maharaja de Mahavir. Des villageois se plaignent d'une tigresse. Elle vient de faire sa onzième victime. Je la traquerai en compagnie du prince Charu Bakhtavar, qui est le fils cadet du maharaja et qui connaît bien ces terres.

Le prince, entendant son nom, salua avec ravissement la jeune Anglaise, qui lui rendit son sourire avec une certaine froideur. Depuis qu'elle avait été présentée au jeune Indien, elle était gênée par son regard insistant. Son sourire franc lui donnait l'impression qu'ils se connaissaient mais comment cela aurait-il pu être possible ? Elle n'avait encore été conviée à aucune cérémonie officielle et encore moins présentée à un prince ou à tout autre nabab.

De toute façon, elle avait l'esprit ailleurs. L'indifférence de Jan lui pesait. Elle avait espéré lui parler de la mort d'Andres Agustin or, plus le temps passait, moins cela semblait facile à faire. Elle ne pouvait quand même pas annoncer cela ainsi, en public, entre deux conversations mondaines !

Enfin, le prince de Nandock prit congé. Jim McCorball l'imita aussitôt : il tenait à discuter avec le fils du maharaja des derniers détails concernant leur prochaine chasse. Jezebel fut heureuse de se retrouver seule avec Jan même si ce dernier affectait de s'occuper de son cheval sans lui accorder le moindre regard.

Elle s'exhorta à la patience tout en l'observant à la dérobée. Rapidement, elle nota ses gestes trop brusques et sa façon de passer et repasser distraitement au même endroit. Il n'avait pas l'esprit à ce qu'il faisait et cela l'amusa car elle devinait que son attitude n'était qu'une excuse. Ses coéquipiers l'attendaient certainement dans le paddock. Rien ne le retenait ici, hormis elle. Inondée d'une joie soudaine, elle passa sous l'encolure du cheval pour se planter devant lui. Elle lui adressa un sourire lumineux. Il lui jeta un vague coup d'œil. Il aurait bien voulu continuer de bouder mais elle était là, si adorable dans sa robe de dentelle qui moussait joliment dans la brise, qu'il céda :

— Très bien, que vouliez-vous me dire ? bougonna-t-il en lustrant pour la énième fois l'épaule de son *poney*.

Le ton de sa voix n'avait rien d'engageant. Jezebel soupira. Les spectateurs s'étaient dispersés sur le terrain. Vues de loin, ces robes blanches ou roses mêlées à des costumes clairs semblaient être des bouquets de fleurs. La fanfare jouait, l'atmosphère était résolument bon enfant. Près des tribunes, Olga était toujours en grande conversation avec le propriétaire du terrain qu'elle convoitait. Charmeuse, elle riait sous son ombrelle, tout en retenant son chapeau d'une main. De temps à autre, elle jetait un regard en coin vers le couple qui semblait danser autour d'un cheval, s'évitant puis se rapprochant, s'évitant encore puis se rapprochant de nouveau. Elle les trouvait merveilleusement assortis et son cœur se serrait de tristesse.

— Alors, vous ne dites rien ? insista sèchement Jan. Je vous écoute cependant.

Elle se rapprocha, osa glisser son bras sous le sien.

— Si, bien sûr. Il faut que nous parlions.

Elle avait une toute petite voix mais il ne le remarqua pas. Il faillit la repousser, réussit à se maîtriser. Que voulait-elle ? Que cherchait-elle à faire ? N'était-il pas suffisant qu'il passât la majeure partie de ses nuits à rêver d'elle ou à s'oublier dans des bras qu'il essayait pourtant de trouver semblables à son image ?

Ignorant ses états d'âme, elle s'appuya contre sa hanche, le forçant à avancer de quelques pas. Le *poney* les suivit docilement. Jan, troublé de sentir sa cuisse embraser la sienne, attaqua le premier :

— Je vous dois des excuses, milady.

— Des excuses ? s'étonna-t-elle.

— Oui. Je ne vous ai pas crue lorsque vous m'avez dit que vous étiez fiancée.

Elle se raidit sous le ton mordant, anormalement agressif. Elle dégagea son bras, inspira lentement, longuement, en levant vers lui un visage attristé.

— Je ne suis pas fiancée, ni maintenant, ni avant.

Il éclata d'un rire forcé. Ses yeux gris brillaient comme une tempête.

— *Damned!* M'auriez-vous menti ? Et qui dois-je croire aujourd'hui ? La jolie demoiselle un peu trop naïve qui me paraissait sincère ou la courtisane qui s'affiche ouvertement avec un baron de la drogue ?

Il s'attendait à la gifle, il l'évita en reprenant méchamment :

— Décidément, c'est tout ce que vous savez faire, des yeux d'épagneul ou des gifles mélodramatiques ! Il faudra changer de tactique, *honey*, je vous ai démasquée.

Elle recula, le dévisageant avec incrédulité. Que se passait-il ? Pourquoi la haïssait-il soudain ? Pourquoi fallait-il qu'ils se déchirent constamment ? Était-elle donc la seule à se sentir attirée ? Des larmes perlèrent au bord de ses cils.

Il serra les dents devant ces pleurs. Il en était presque amolli, et il faillit la prendre dans ses bras en hurlant de lui pardonner, mais il peinait encore à maîtriser une colère qu'il ne s'expliquait pas. Qu'était-il en train de faire ? Elle n'était même pas sa maîtresse. Elle pouvait bien coucher avec qui elle voulait, il s'en contrefichait. Sauf que, l'imaginer… Il se forgea un visage de marbre.

Elle murmura lentement, tristement.

— C'est ainsi que vous me voyez ? Comme une courtisane ?

Il bougonna :

— Milady, Calcutta est pleine de rumeurs…

— Quelles rumeurs ?

— Ne vivez-vous pas à la villa Gokhra ?

Elle haussa un sourcil perplexe.

— Certes, j'y loge. Je n'y suis d'ailleurs pas seule, puisque accompagnée de mon parrain, qui est un ami du baron von Rosenheim. Et puis, votre amie Olga Marushka est venue m'y rejoindre à la suite de son problème de toiture. En quoi cet arrangement vous déplaît-il ?

Il se pencha, la mine dure, lui murmurant tout contre le visage, comme un souffle de fiel.

— Votre lèvre qui porte cette marque. On croirait un baiser un peu trop… mordant.

De nouveau, elle porta son doigt ganté sur la blessure. Elle rougissait, tremblait un peu, détournait les yeux.

— Je suis tombée…

— Je croyais que c'était une porte.

Elle leva la tête, chercha courageusement son regard, s'y plongea avec ce qui lui parut être une détresse infinie. Il la trouva bonne comédienne, croisa les bras pour attendre la suite, comme un spectateur s'amusant d'un bon spectacle.

— Vous aviez raison, monsieur, admit-elle d'un air attristé, lorsque vous disiez que j'étais sotte et naïve. La seule chose sur laquelle je fus un jour réaliste fut de savoir que nous n'aurons jamais rien à nous dire. Je vous laisse entre les mains d'Olga ou de toutes ces autres maîtresses dont les « rumeurs » assurent que vous faite grande consommation.

Elle tourna des talons. Pour la seconde fois de sa vie, il la laissa partir en sachant parfaitement qu'il le regretterait plus tard. Il aurait dû la rattraper, la serrer dans ses bras, lui demander un baiser. Au lieu de cela, il céda à son orgueil imbécile et cracha dans son dos une méchanceté sortie Dieu sait d'où.

— C'est l'avantage de coucher avec des femmes mûres. Elles savent prendre le plaisir lorsqu'il se présente, sans jamais rien attendre d'autre, à la différence des vierges effarouchées qui jouent par devant les bégueules et par derrière se vautrent dans la luxure.

Elle se retourna à peine.

— Monsieur, continuez donc d'être un bon Américain, à ne pas savoir ce que vous voulez, entre votre puritanisme éhonté et votre goût pour les prostituées ! Définitivement, adieu.

Il en resta stupéfait, mit quelques secondes à répondre.

— C'est un mot que notre amie commune aurait pu avoir. Couchez-vous aussi avec elle ?

Pour Jezebel, c'en fut trop. Elle se boucha les oreilles et partit en courant. Le *poney* s'ébroua, elle s'en moqua. Qu'ils aillent tous au diable !

Elle se réfugia derrière les tribunes en serrant les poings et en traitant l'Américain de tous les noms. Puis elle dut s'adosser à un mur, prise de faiblesse, lorsqu'elle se rendit compte qu'elle n'avait toujours pas parlé de la mort d'Andres Agustin.

Bouleversée, elle éclata en sanglots.

*

Elle mit longtemps à se calmer. Enfin, elle essuya ses yeux avec un mouchoir et essaya de se rendre présentable. Elle dégagea quelques mèches de cheveux de sa coiffure, les fit tomber sur son visage pour cacher ses traits rougis par les larmes. Avec sa capeline rabattue sur le front, elle sauverait peut-être les apparences. Elle se doutait qu'elle n'échapperait pas aux yeux perspicaces d'Olga mais elle espérait tout de même ne pas attirer l'attention d'autres personnes de sa connaissance. Il était déjà assez embarrassant d'imaginer que des rumeurs circulaient à son sujet. Inutile d'en ajouter d'autres. Surtout que lady Esket, cette langue de vipère, était très forte à ce jeu-là. Jezebel la savait tout à fait capable de colporter des calomnies pour le seul plaisir de nuire.

Prise d'un regain de colère, elle sortit si brusquement de sa cachette qu'elle bouscula l'un des serviteurs indiens. Surprise, elle lâcha un cri et serait sans doute tombée si l'indigène ne l'avait retenue.

— Pardon, *memsahib*, pardon!

Elle secoua le bras pour se dégager. Il la lâcha, ramassa le chapeau qu'elle avait perdu et le lui tendit. Elle s'en empara, l'enfonça sur sa tête avec humeur.

— Pardon, *memsahib*, répéta-t-il en la fixant de ses yeux noirs.

— Tout va bien, répliqua-t-elle avec un reste d'agacement. Je n'ai rien, ce n'est pas grave.

Il aurait dû partir, mais il restait là, planté devant elle en souriant de toutes ses dents.

— C'est un grand honneur, *memsahib*, un très grand honneur de vous revoir aujourd'hui.

Elle détailla le visage brun qui se penchait vers elle, nota la chemise raccommodée, le pagne entortillé sur les hanches et les pieds nus dans des sandales poussiéreuses. Il semblait croire qu'ils se connaissaient. Il souriait d'un air engageant. Il n'était même que ce sourire-là, blanc de perle, large et magnifique, irrésistiblement charmeur.

— Je suis Charu, *memsahib*, ne vous rappelez-vous pas? Je suis celui qui vous a sauvé la vie, vous savez, quand la bombe a explosé.

Il tapota d'un air enthousiaste son grand turban jaune. Elle leva les yeux vers le bout de chiffon entortillé au sommet de son crâne, le reconnut finalement à cela, ce grand lambeau jaune avec lequel il lui avait essuyé le visage quelques semaines auparavant, alors qu'elle était à demi ensevelie sous les gravats de l'explosion. Le souvenir lui ramena dans la bouche un goût de feu et de cendres. Elle dut se forcer à respirer.

— Je me souviens, souffla-t-elle, à nouveau oppressée.

Il s'inclina plusieurs fois, les mains jointes comme en prière. Maintenant, à mieux l'observer, elle reconnaissait sa haute silhouette filiforme, ses avant-bras à la peau brune et aux muscles noueux, et sa bouche mince si souriante.

— Je suis heureux de voir que vous allez bien, *memsahib*. Je me suis fait beaucoup de soucis.

Elle opina de la tête, ne sachant pas trop quoi répondre.

— C'est très gentil. Je vais bien, grâce à vous. Quel hasard de vous revoir ici… Faites-vous partie des domestiques?

Elle comprit un peu tard à quel point sa question était idiote. Dans ce club de polo comme dans tous les clubs de la ville, les indigènes étaient fatalement des domestiques. Heureusement, le jeune Indien ne sembla pas se formaliser de la question. Au contraire, il tendit fièrement la main en direction du paddock, avec un sourire tellement large qu'elle se demanda comment il parvenait à parler. Il ne faisait que rire.

— Je suis là-bas, *memsahib*, *petisello* dans le paddock, je m'occupe des chevaux du prince de Nandock.

— Ah, vous travaillez pour le prince. C'est bien. Les chevaux sont très beaux, très bien soignés, ajouta-t-elle pour lui faire plaisir. Au revoir, Charu.

Il la retint en posant familièrement sa main sur son bras. Elle s'immobilisa, le regarda. Il avait des yeux magnifiques, noirs comme une nuit pleine d'étoiles. Sur sa peau, sa paume était douce et chaude, rassurante malgré ce côté trop intime qu'un domestique n'aurait jamais dû se permettre, surtout un hindou assujetti aux ségrégations des mille et une castes. Elle attendit la suite. Elle savait qu'il lui proposerait fatalement une suite.

— Si vous voulez, je peux vous faire visiter ?

Elle tourna la tête vers le paddock, imagina Jan en train de bouchonner son cheval, déclina la proposition avec beaucoup de gentillesse.

— Non. Je n'y tiens pas. Pas aujourd'hui.

— Une autre fois alors ?

— Oui, une autre fois.

Elle s'éloigna, il la suivit encore.

— Je crois au destin, et vous, *memsahib* ?

Elle le dévisagea sans comprendre. Elle s'étonnait de sa familiarité mais ne parvenait pas à en prendre ombrage. Il riait avec tant de plaisir. Elle n'avait jamais vu quelqu'un rire ainsi, même pas Olga qui, pourtant, dévorait la vie à pleines dents. Elle accepta soudain de céder à ce rire. Il avait un visage magnifique, incroyablement beau à cause de ce rire.

— Pourquoi devrais-je croire au destin ? demanda-t-elle.

— Parce que vous revoir là, aujourd'hui, c'est un vrai miracle, non ?

Il était sans doute plus âgé qu'elle de quelques années mais il avait encore l'enthousiasme et la gaieté d'un enfant. Elle sourit.

— Le miracle, c'est lorsque vous m'avez sauvé la vie. Je n'oublierai jamais. Vraiment.

Il l'accompagna en marchant à côté d'elle. Elle le laissa faire. Elle ne se sentait plus gênée. Il dégageait une forme de douceur, de gaieté, qui la faisait se sentir bien en sa compagnie. Rassurée. Calmée. Elle éclata soudain de rire, s'exclamant avec beaucoup de joie :

— Vous avez raison, c'est un vrai miracle. Je reviendrai vous voir, vous me montrerez les chevaux.

— Demain ?

Elle s'esclaffa encore.

— Je ne sais pas.

Il se planta devant elle, elle dut lever les yeux car il était nettement plus grand qu'elle, bien plus grand que dans ses souvenirs. Malgré son turban crasseux, il exhalait un merveilleux mélange d'épices qu'elle avait déjà senti sur lui, lorsqu'il l'avait sortie des gravats juste après la bombe.

— Demain, répéta-t-il en la mangeant des yeux. Venez demain, je vous emmènerai voir le banian.

Ce n'était plus une question.

— Le banian ?

— C'est une surprise. Venez avec vos carnets de dessin. Vous ne le regretterez pas.

— Comment savez-vous que je dessine ?

Il ne répondit pas immédiatement. Il s'éloigna à grandes enjambées, se retournant juste pour lui sourire à pleines dents.

— Vos mains, *memsahib*, ce sont des mains d'artiste.

— C'est idiot, commença-t-elle en levant avec étonnement ses mains gantées.

Il continua à glousser, très moqueur, avant de disparaître derrière les tribunes comme un farfadet heureux du bon tour qu'il venait de jouer.

# 13

*24 février – 14 mars 1919*

Demain, c'était aujourd'hui.

Jezebel envisagea de retourner au paddock sur l'invitation du jeune Indien, attirée autant par la bonne humeur contagieuse de son sauveur que par l'envie de louer une monture et de faire un peu d'exercice. En dehors du cheval mécanique si drôle qu'elle avait testé durant son voyage, elle n'avait pas eu l'occasion de pratiquer l'équitation depuis son départ d'Angleterre. Elle se rendit compte que cela lui manquait.

Ce projet équestre tomba malheureusement à l'eau dès le milieu de la matinée, lorsqu'elle reçut un bristol de lady Esket la conviant, elle et son amie la duchesse Obolenski, à un *teatime* impromptu prévu vers quatre heures.

Jezebel ne pouvait refuser ; lady Eugenia était, par la position diplomatique de son mari, une figure incontournable des grands salons bourgeois de Calcutta. Elle était intime avec la femme du vice-roi, connaissait très bien l'épouse du secrétaire général Farges et celle du général Pottewin, et voyait souvent lors de ses dîners de charité celle du pasteur anglican, Mrs Penelope Ingalls, une créature maigre boutonnée jusqu'au col dans une sévère robe bleu marine.

Ce *teatime* promettait d'être une corvée mais Jezebel se consola en se disant qu'aller sur le paddock n'aurait de toute façon pas été une bonne idée. Elle aurait risqué d'y revoir Jan Lukas, or c'était au-dessus de ses forces. Jamais elle ne lui pardonnerait ses piques méchantes et ses certitudes idiotes.

Toute à ses pensées, elle se prépara à affronter lady-dragon en enfilant une robe taillée dans un joli shantung de soie ivoire, qu'elle avait choisie autant pour sa simplicité que pour son élégance. Olga, prête depuis longtemps, la houspillait pour qu'elle se hâte, l'assaillant du feu croisé de ses questions. Fine mouche, la Russe avait deviné qu'il se tramait quelque chose avec l'Américain et entendait lui extorquer des confidences. Jezebel, gênée, s'efforçait de rester dans le vague. Par chance, elle réussit à détourner la conversation en évoquant les tigres mangeurs d'hommes dont lui avait parlé le chasseur Jim McCorball. Ce n'était pas un sujet bien gai mais, sur le moment, ce fut le seul qui lui vint à l'esprit.

Comme elle s'y attendait, le thé chez lady Esket fut ennuyeux à mourir. L'imposante femme, vêtue d'une robe violette alourdie de grosses pivoines en soie, pérorait à n'en plus finir. Jezebel cachait son ennui derrière son éventail. Seule Olga, comme toujours partout à son aise, parvenait à tenir un semblant de conversation avec leur hôtesse.

Le seul plaisir de Jezebel fut de revoir Amely Esket, la fille cadette d'Eugenia. Les deux jeunes filles s'étaient embrassées avec effusion, puis avaient commencé à guetter le moment où elles pourraient se parler en privé. Amely avait laissé entendre qu'elle avait beaucoup de choses à lui raconter. Jezebel brûlait de curiosité.

Les deux jeunes filles trompèrent leur impatience en faisant un sort aux scones et autres *gingerbreads*, au demeurant délicieux, qu'on leur avait servis tout en buvant tasse de thé sur tasse de thé.

Eugenia s'était mise à parler de son potager, dont elle était extrêmement fière. Jezebel y vit soudain le parfait prétexte et s'exclama avec un enthousiasme exagéré :

— Oh, mais j'adorerais visiter ce jardin ! J'ai toujours aimé regarder pousser les légumes.

— Voulez-vous que je vous fasse visiter ? proposa Amely, en se levant prestement.

— Quelle bonne idée, intervint lady Esket. Allez donc prendre l'air, mes chéries.

Les deux jeunes filles ne se le firent pas dire deux fois. Bras dessus, bras dessous, elles ouvrirent leurs ombrelles et se précipitèrent dans une allée soigneusement ratissée qui serpentait entre de hauts palmiers.

— Ouf, gloussa finalement Amely lorsqu'elles furent suffisamment loin des oreilles maternelles, j'ai cru que ce thé ne finirait jamais.

— Ne le prenez pas mal, Amely, mais votre mère est vraiment très bavarde.

Amely eut un petit rire qui lui rosit les joues.

— Oui, je vous le confirme ! Je m'y suis sans doute habituée, il arrive que parfois je ne l'entende même plus, tant j'arrive à penser à autre chose en même temps. Mais pour quelqu'un qui n'en a pas l'habitude, je conçois aisément que ce soit un calvaire.

Elles se mirent à rire, tout en passant au milieu de fougères dont l'envergure rétrécissait le chemin. Jezebel en sonda l'épaisseur.

— Savez-vous que j'ai vu une panthère dans le jardin de la villa Gokhra ?

— Oh, cela arrive de temps en temps, sourit Amely. Mère en devient à chaque fois enragée et n'a de cesse que de faire venir des chasseurs qui font beaucoup de bruit, agitent leurs clochettes et leurs piques, piétinent les plates-bandes mais s'en repartent toujours bredouilles. Évidemment, le fauve a autre chose à faire que les attendre.

Elles marchèrent jusqu'à un petit potager placé sous l'ombre claire de grands arbres aux cimes élaguées. Eugenia n'avait finalement pas exagéré : les carrés étaient foisonnants et bien soignés, remplis d'aubergines blanches et vertes, de haricots verts et de petits pois.

— Vous vouliez me dire quelque chose ? demanda Jezebel en se tournant vers Amely.

Cette dernière pencha la tête vers l'épaule de son amie avec un bel abandon. Elles marchaient au même rythme en se tenant par le bras. Les plis de leurs jupes tourbillonnaient autour de leurs genoux. Jezebel se sentait à l'aise dans sa robe de cocktail toute simple, Amely était adorable dans une tenue un peu sport, blanche à fin liseré bleu marine. Elle avait fait couper ses cheveux et cette coiffure moderne adoucissait ses traits jusqu'à présent un peu ingrats. Jezebel la trouva particulièrement fraîche et pimpante. Elle le lui dit.

— Vous êtes très belle, Amely.

La jeune fille rougit.

— C'est parce que je suis amoureuse ! Il a demandé ma main ce matin, et mes parents n'ont rien contre. C'est d'ailleurs pour cela que je tenais à vous parler et que j'ai insisté pour que Mère vous invite cet après-midi. Je voulais être sûre, voyez-vous, je sais que, enfin, il a toujours été très proche de vous.

Le cœur de Jezebel s'arrêta un instant. Elle pensa à Jan Lukas, l'imagina demander la jeune Esket en mariage. Un goût de fiel emplit sa bouche.

— Je… e suis heureuse pour vous, parvint-elle à articuler en se forçant à sourire.

— Peter est issu d'une famille suédoise très aisée. Évidemment, cette situation sociale a aidé mes parents à se forger une opinion favorable.

— Peter ?

— Oui, bien sûr, Peter Asgulson. De qui pensiez-vous que nous étions en train de parler ? Mère aurait préféré un mariage un peu plus… enfin… Peter n'est que l'assistant du Dr Appleton, mais Père est prêt à lui faire obtenir une charge militaire ou commerciale, c'est selon.

Jezebel sentit soudain son cœur faire des bonds démesurés. Elle pleurait presque de soulagement, avait envie de se mettre des gifles tant elle se trouvait idiote mais ne parvenait pas à se maîtriser. Amely la regarda attentivement.

— Bien sûr, si cela vous dérange, Jezebel, je suis prête à…

— Non ! Bien sûr que non ! Je pleure parce que je suis vraiment heureuse pour vous. Peter est formidable, très doux, très gentil. Vous allez être extrêmement heureuse. Comme je suis contente !

Elle tomba en sanglotant dans les bras de la jeune fille un peu surprise de cette réaction excessive même si elle préféra n'en rien dire.

Les jours suivants n'eurent rien d'exceptionnels. La frénésie de la récolte du pavot était un peu retombée même si von Rosenheim continuait à s'affairer. Le baron surveillait le chargement du *chandoo* sur des barges qui descendaient en convoi vers le port. Là, cette précieuse cargaison était placée dans les cales de gros navires en partance pour la Chine. Une odeur douceâtre flottait sur les docks.

Le soir, von Rosenheim rentrait dîner à la villa Gokhra et Jezebel était alors forcée de le côtoyer. Au début, elle ne parvenait même pas à le regarder. Son estomac se nouait, ses doigts tremblaient si fort qu'elle ne parvenait plus à porter la fourchette à sa bouche. De toute façon, elle n'avait pas faim. À l'autre bout de la table, son parrain lui faisait les gros yeux, lui intimant de se montrer aimable. Elle le haïssait. Elle avait envie de se lever et de hurler. Elle se demandait comment elle arrivait à se contenir.

Heureusement, von Rosenheim n'avait plus eu aucun geste déplacé. Au contraire, il usait à son égard d'une courtoisie si parfaite qu'elle doutait parfois d'avoir subi sa violence. Avec un aplomb extraordinaire, il la saluait en gentleman, lui adressait la parole juste ce qu'il fallait. Elle aurait presque pu s'en sentir rassurée si, de temps à autre, elle ne surprenait son regard de glace posé sur elle, insondable, indéchiffrable, détestable.

Que pensait-il ? Attendait-il toujours une réponse à sa demande en mariage ? Croyait-il vraiment qu'elle puisse accepter ?

Cependant, la santé de Michael se dégradait. Son teint avait pris le ton jaune de la maladie et la texture un peu grasse d'une mauvaise sueur. Jezebel trouvait qu'il passait trop de temps dans son bureau, courbé sur ses manuscrits à respirer de la poussière. Bien qu'il fît des efforts pour se vêtir avec quelque élégance d'un costume bien taillé dans un tissu de bonne qualité, son goût n'était pas toujours très sûr et elle devait souvent corriger le choix d'une cravate ou d'une paire de chaussures.

Un jour, alors qu'elle s'était installée dans le bureau du savant pour lire une encyclopédie et qu'elle laissait errer son regard vers une récente collection de figurines d'origine gupta, en argile incrustée de corail, de turquoise et autres minéraux colorés, elle remarqua que Michael l'observait. Le vieil archéologue avait levé le nez de ses travaux pour siroter l'un de ces cocktails à la quinine qu'il ingérait régulièrement en milieu d'après-midi. Elle ferma son livre, voyant l'occasion de lui parler.

— Mon parrain, dites-moi, pourquoi restons-nous ici, chez le baron von Rosenheim ? Est-ce uniquement à cause de l'argent que cet homme vous verse pour financer vos travaux ?

Deckard prit l'air embarrassé qu'il affichait dès qu'elle tentait de lui parler sérieusement.

— La villa est fort agréable, vous ne trouvez pas ?

— Non, répliqua-t-elle avec une mauvaise foi qui ne rendait pas justice à la demeure effectivement plaisante à vivre. Ce n'est pas ce que je vous demande. Pourquoi ne voulez-vous pas me dire si c'est à cause de l'argent que nous restons ?

— Il est vrai que je ne puis me passer des émoluments que me verse le baron. Les subventions proposées par la Royal Society sont insuffisantes. Là-bas, personne ne croit en mes recherches. On m'accuse de vouloir plagier Hiram Bingham alors que, non, vraiment, j'ai une piste tout à fait sérieuse.

Il crut la discussion close, mais elle avait en tête une idée qu'elle entendait exposer. Elle continua doucement :

— Parrain, dites-moi, suis-je riche ?

Il sursauta, la regarda bien dans les yeux.

— Oui, assurément, Ann-Rose.

— Riche à quel point ?

— Eh bien, ce n'est pas une discussion qu'une jeune fille honnête devrait avoir…

— Parrain ! le gronda-t-elle.

Il avala d'un trait le reste de son gin tonic.

— Eh bien, tu es l'unique héritière d'une des plus vieilles familles anglaises, ce qui te rend effectivement très riche.

— Vous êtes mon tuteur, c'est vous qui administrez cette fortune.

— Oui, jusqu'à ton mariage, répondit-il d'un ton méfiant, en se demandant où elle voulait en venir.

— Dans ce cas, pourquoi ne pas me faire vous verser suffisamment d'argent pour vous rendre indépendant vis-à-vis du baron von Rosenheim ? S'il le faut, je suis prête à vous signer n'importe quel papier…

— Non, Ann-Rose, non.

— Mais pourquoi ? Ne comprenez-vous pas que je serais d'accord ?

— Il n'en est pas question, Ann-Rose. C'est une question d'éthique, et puis je l'ai juré à tes parents.

Contrariée, elle se leva, et se mit à arpenter la pièce nerveusement.

— Cessez, je vous prie, de m'appeler par mon second prénom. Je m'appelle Jezebel.

— Ce n'est pas le prénom que j'ai choisi.

Elle s'immobilisa pour mieux le détailler.

— Et pourquoi, je vous prie, auriez-vous choisi mon prénom ? s'étonna-t-elle.

— Je suis ton parrain, rappela-t-il. Un parrain a le droit de choisir un prénom. Surtout que celui pour lequel ton père s'est décidé est, à mon sens, peu facile à porter.

— Que voulez-vous dire ? Ne vous arrêtez pas maintenant. Vous en avez trop dit, ou pas assez.

Il se passa la main devant les yeux, visiblement las. Elle eut un sentiment de pitié, mais elle voulait savoir, aussi demeura-t-elle froide et distante. Au bout de quelques instants, il reprit d'une voix affaiblie, qui tremblait un peu. Elle ne parvint pas à savoir si cette faiblesse venait de sa santé chancelante ou surgissait de souvenirs douloureux, mais elle écouta de tout son cœur.

— À ta naissance, l'accouchement fut difficile. Ta mère en est morte, tu le sais. Je crois bien que ton père est devenu fou ce jour-là. Fou de douleur, fou de chagrin. Il était extrêmement amoureux de ta mère. Il t'a vue, toi son enfant, comme une dévoreuse de chair, une cannibale qui avait tué l'amour de sa vie. La Bible en décrit une qui s'appelle Jezebel. C'est une reine sanglante. Une femme à l'instar d'une mante religieuse, aux multiples amants qu'elle faisait mettre à mort dès qu'elle n'en avait plus l'usage. J'ai insisté pour qu'il t'appelle Ann-Rose en second. Il te fallait un prénom plus ordinaire, quelque chose de doux et de calme. Jezebel est le nom d'une femme en guerre.

Il se tut, passa un mouchoir sur son visage en sueur. Elle se leva, s'approcha de lui. Elle était inquiète. Il avait l'air bien plus mal que d'habitude. Elle posa la main sur son front et le trouva brûlant de fièvre.

— Voulez-vous que je fasse venir le docteur Appleton ? Vous semblez souffrant.

Il repoussa sa main.

— Non, ce n'est rien, ce sont ces chaleurs qui reviennent. Je les supporte très mal. Il fera bientôt très chaud.

L'hiver indien touchait effectivement à sa fin. Dans la journée, les températures avoisinaient déjà les 30°C. Les nuits demeuraient agréables mais elles devenaient tièdes et languides, propices aux insomnies.

Un matin, après avoir particulièrement mal dormi, Jezebel trouva près de sa tasse de *Breakfast Tea* un écrin de velours noir. Elle s'étonna. Elle était seule en compagnie d'Olga, qui sirotait son café au lait tout en lisant le journal.

— Un cadeau du baron, expliqua cette dernière. Il vous a laissé un petit mot.

Son premier réflexe fut de refuser d'ouvrir l'écrin. Elle ne voulait pas de cadeau de cet homme. Ni maintenant, ni jamais.

— Croit-il donc que j'ai déjà répondu oui ? vitupéra-t-elle en repoussant d'un geste agacé la brioche qu'elle n'avait plus envie de manger. Ou qu'il va m'acheter avec une quelconque verroterie ? Cet homme est détestable en tout point.

Olga haussa les épaules en avalant une gorgée de café au lait.

— Calmez-vous, ma chérie. N'oubliez pas que vous êtes l'hôte de cet homme. De toute façon, je ne vous conseille pas de refuser. Ce cadeau a certainement une grande valeur. C'est de l'argent qui vous appartiendra en propre, au cas où.

Avec agacement, Jezebel saisit l'écrin et le passa d'une main à l'autre sans se décider à l'ouvrir. Un bijou, à accepter au cas où. En était-elle arrivée là ?

Pleine de soupirs et de désespoir, elle entrouvrit le coffret de velours et découvrit effectivement un très beau bracelet d'or filigrané incrusté de diverses pierres multicolores, peut-être des émeraudes, des saphirs, des grenats et des topazes.

— Prenez-le, insista Olga en beurrant une gaufre avant de l'engloutir d'un air gourmand. Un cadeau ne se refuse pas. De toute façon, il semblerait qu'aujourd'hui soit bel et bien votre journée. Vous avez dans la cour un autre cadeau qui vous attend. Une automobile de chez Bugatti modèle 1914, certes un peu ancienne, mais à la ligne élégante.

— Je n'en veux pas ! hurla Jezebel. Il ne m'achètera pas ainsi !

Sans se départir de son calme, Olga sortit une carte d'une très belle enveloppe dorée agrémentée qu'un sceau rubané.

— Attendez au moins de savoir qui vous l'envoie… Car ce cadeau-là ne vient pas du baron qui, soit dit en passant, est très classique dans ses goûts.

Jezebel repoussa violemment sa chaise et se précipita à la fenêtre. Effectivement, une superbe automobile de course, de ce bleu France si particulier qui avait fait la renommée du célèbre constructeur alsacien, attendait devant le perron d'honneur.

— C'est une plaisanterie ? s'exclama-t-elle. Qui pourrait bien m'envoyer un tel présent ?

Olga lui répondit, pince-sans-rire.

— Le carton est très succinct, je vous le lis : « À l'attention de la très chère lady Tyler, avec tous les compliments du prince de Nandock. »

Elle ajouta, en posant l'air de rien le carton à côté de son assiette avant de se beurrer un second gâteau :

— Le moins que l'on puisse dire, ma chérie, c'est que vous avez tapé dans l'œil d'un maharaja.

Jezebel tressauta de nervosité.

— Mais je ne le connais même pas !

— Lui semble très bien vous connaître.

— C'est assurément une erreur… à moins que…

Elle venait de se rappeler avoir été présentée à un prince indien le jour du match de polo, lorsque Jan s'était montré si odieux. Occupée à se disputer avec l'Américain, elle n'avait guère prêté d'attention à ce visiteur qui accompagnait Jim McCorball, le chasseur de fauves. Elle avait même oublié son nom et son visage… Pouvait-il s'agir de ce fameux prince de Nandock ?

Maintenant curieuse, elle sortit de la demeure, descendit vivement les marches du perron et s'approcha de l'automobile. Un homme se tenait debout du côté du volant, dans une attitude un peu compassée. Dès qu'il la vit, il se courba avec respect. Elle le reconnut à son turban jaune, eut un rire étonné :

— Charu ? C'est bien vous ? Mais que faites-vous là ?

Le visage de l'Indien s'éclaira d'un grand sourire étincelant. Ses yeux noirs pétillaient de malice. Elle le trouva soudainement très beau, et en eut le cœur tout chaud.

— Bonjour, *memsahib*, répondit-il. Je suis envoyé par le prince de Nandock pour vous servir de chauffeur et aussi pour vous apprendre à conduire le cadeau qu'il a l'extrême plaisir de vous faire.

*

— *Was ?* hurla le baron von Rosenheim lorsqu'il apprit que le fils du maharaja de Mahavir avait offert une Bugatti Brescia à celle qu'il considérait comme sa fiancée. Qu'est-ce que cela veut dire ? D'où le connaissez-vous ? Qu'avez-vous fait pour obtenir un tel présent ?

Jezebel courba le dos. Chaque fois qu'elle était confrontée au baron, elle était morte de peur, ce qui ne l'empêchait pas de le défier autant que possible, la tête levée bien haut, avec son menton pointé d'un air belliqueux et ses yeux grands ouverts sur l'éclat de sa colère. Elle allait d'ailleurs répondre vertement lorsque Olga la prit de vitesse.

— Allons, allons, cher baron, tempéra la duchesse en continuant à lire tranquillement son journal. Ne voyez pas le mal partout ! Le maharaja est connu pour ses prodigalités. Certes, une automobile de cette valeur n'est pas un présent commun, mais ne nous avez-vous pas dit que vous entendiez conclure une affaire avec cet homme influent ? Sans doute n'a-t-il trouvé que ce moyen pour vous faire patienter en attendant de vous envoyer une invitation officielle.

Le baron plissa ses petits yeux bleus. Il réfléchit un instant. Depuis qu'il s'était laissé pousser une fine moustache sur la lèvre supérieure, il avait pris le tic de la caresser en permanence, ce qui lui donnait l'air d'un matou constamment en train d'évaluer un adversaire.

— *Mein Gott*, votre esprit est tout bonnement machiavélique, chère duchesse Obolenski.

— Je vous remercie, baron.

Von Rosenheim revint vers Jezebel qui, l'appétit coupé par ces constantes escarmouches, n'avait plus le cœur à finir son thé.

— Eh bien, souriez, ma chère, voilà sans doute un cadeau à bon compte qu'il serait déraisonnable de bouder. Je vous invite à profiter au mieux de ce petit joujou que le prince de Nandock met si aimablement à votre disposition. Votre bonne amie Olga a raison, il ne peut s'agir que d'un présent diplomatique destiné à m'amadouer en attendant la date de notre prochain entretien. Vous voilà gâtée par procuration.

Il éclata d'un gros rire ironique avant de continuer de façon mielleuse.

— Je n'imaginais pas vous utiliser comme ambassadrice, *mein Schatz*, mais il semblerait pourtant que ce soit un rôle qui vous convienne à la perfection.

Elle se leva de table, excédée. La cohabitation se révélait difficile même si, quelques jours auparavant, von Rosenheim avait tout de même pris la peine de lui présenter de brèves excuses à propos de son comportement. En réalité, il lui avait surtout demandé de cesser de bouder.

— Ma chère, cet air fâché vous va à la perfection mais je regrette malgré tous vos gentils sourires. Sommes-nous partis sur de mauvaises bases ? Acceptez mes excuses, cela ne se reproduira plus.

Que répondre ?

Elle avait acquiescé d'un souffle, puis s'était enfuie aussi rapidement que possible. Il avait tenté de la retenir, sans doute pour lui coller un baiser vorace quelque part sur le visage mais elle avait été si vive qu'il avait finalement dû se contenter de lui embrasser le bout des doigts. Toute la matinée, elle s'était frotté la main avec un mouchoir, espérant se débarrasser de la désagréable impression que ce geste lui avait laissée. Le dégoût, la colère la submergeaient. Elle n'avait envie que d'une chose : partir ! Elle ne prit même pas la peine de monter dans sa chambre, elle se contenta de demander à Netravati de lui apporter son matériel de dessin, une capeline et une ombrelle. Puis, elle attendit en enfilant ses gants et en tournant autour de la belle automobile bleue garée dans la cour comme un objet d'art précieux.

La Bugatti Brescia était décidément une jolie petite voiture de course, au corps racé et aux accessoires amusants. Sur le côté droit avait été placé un avertisseur en forme de trompe. Derrière, sur la malle de coffre très réduite, trônait une roue de secours. Le volant était en acajou, le siège à deux places de cuir capitonné. Le sigle de la marque française se découpait en rouge sur une calandre dorée qui avait la forme d'un cœur inversé.

Tandis qu'elle s'extasiait, Charu, sorti de nulle part, vint la saluer respectueusement. Il était vêtu de son habituelle chemise blanche, d'un *dhoti* plutôt propre et de l'éternel turban jaune. Il sentait bon les épices, qu'agrémentait une odeur supplémentaire, subtile et agréable, qu'elle n'identifia qu'en passant près d'un énorme bosquet de frangipaniers en fleur.

— Avez-vous donc dormi ici ? s'étonna-t-elle sincèrement.

Il répondit d'un geste vague tout en l'aidant à grimper dans l'habitacle. Tandis qu'elle s'installait au mieux sur le siège assez étroit, il tourna vigoureusement la manivelle pour mettre le moteur en marche puis grimpa agilement dans l'habitacle pour s'installer derrière le volant.

— Nous pouvons partir, la Bugatti est prête. Où voulez-vous aller, *memsahib* ?

Il souriait aux anges sous son gros turban jaune. Elle le taquina gentiment :

— Votre maître, le prince de Nandock, ne souhaite-t-il pas que vous me fassiez visiter l'Inde, Charu ?

Il s'inclina, la main sur le cœur. Ses yeux noirs brillaient comme des billes de jais.

— C'est effectivement ma mission, *memsahib*.

— Dans ce cas, Charu, obéissez au prince et éblouissez-moi.

Il sourit de plus belle.

— *Memsahib*, vous avez devant vous l'homme de tous les défis !

Elle s'étonna de la formule, mais il démarra sur les chapeaux de roue et elle dut s'agripper de son mieux à la portière pour ne pas tomber sur lui. Il tourna la tête pour crier en couvrant le rugissement du moteur.

— Y a-t-il des marchés aux fleurs en Angleterre, *memsahib* ?

— Oui, bien sûr, répondit-elle en retenant d'une main sa capeline qui menaçait de s'envoler.

— En êtes-vous certaine ?

— Mais… certainement !

Il éclata d'un long rire moqueur. Jezebel ferma à demi les yeux et tendit son visage au vent. Elle était heureuse d'échapper à la villa Gokhra. Elle voyait trop les murs de la propriété comme ceux d'une prison.

Au début de la promenade, Charu conduisit plutôt raisonnablement, en coulant vers sa passagère de nombreux regards obliques. Il était si heureux que Jezebel lui répondit chaque fois d'un sourire.

— Je ne crains pas la vitesse, hurla-t-elle pour se faire entendre. Si c'est la question que vous vous posez…

Pour seule réponse, il appuya un peu plus fort sur la pédale d'accélération et, dans un rugissement, négocia plusieurs virages dans lesquels les roues patinèrent sur de la terre trop sèche. À chaque fois, Jezebel tombait sur lui, et il la regardait en riant. Elle se redressait, confuse, avec les narines emplies d'effluves d'épices et de frangipanier. Elle trouvait ce parfum de plus en plus agréable.

Ils remontèrent Chowinghee Road vers le nord, prirent Bow Bazar Street vers la gauche, gagnèrent Dalhousie Square. C'était la première fois que Jezebel sortait des beaux quartiers européens et elle découvrait une autre Calcutta, nettement plus populaire. Il y avait tant de choses à voir qu'elle ne savait plus où donner de la tête. Elle se découvrait une âme d'enfant excitée, les yeux grands ouverts sur les mille et une scènes de cette vie quotidienne foisonnante. Elle aurait souhaité s'arrêter à chaque coin de rue pour prendre le temps de tout dessiner mais son guide ne le lui proposa pas, et elle n'osa pas le lui demander.

Charu conduisait avec détermination. Elle observait souvent son profil à la dérobée. Elle trouvait que ses traits couleur pain d'épice se découpaient sur le bleu du ciel avec la beauté d'une médaille.

Ils arrivèrent sur le Strand Road et longèrent le fleuve Hooghly jusqu'à un point appelé Armenian Ghat. Là, les maisons se raréfièrent et un espace s'ouvrit brusquement. Abasourdie, Jezebel prit toutes les couleurs du monde dans les yeux.

Le marché aux fleurs était à ciel ouvert. Il s'étirait entre une voie de chemin de fer envahie de mauvaises herbes et un conglomérat de tôles, de planches, de tissus accrochés tant bien que mal à quelques arbres, et qui formaient des habitations rudimentaires. Entre les deux, sur une étendue d'à peine une douzaine de mètres, grouillait une marée humaine, hommes, femmes, enfants, avec des ballots à leur pied, dans leurs bras, sur leurs têtes, et des tas de fleurs posés parfois à même le sol de terre brune.

Du rouge, de l'orange, du jaune, du vert, du blanc.

Des teintes saturées comme dans une boîte de couleurs, en grosses flaques informes ou au contraire joliment arrangées en guirlandes, suspendues aux épaules qui les portaient précautionneusement ou avachies dans des sacs ouverts, sur des toiles ou des planches, portées à bout de bras ou autour de la gorge, en un décor improbable.

Jezebel en eut la chair de poule.

Ils confièrent l'automobile à une bande de gamins qui jouaient avec un chiot. Elle prit son ombrelle et son carnet de croquis tout en sachant déjà qu'elle ne dessinerait rien. Il y avait trop de gens, trop de saturation, trop de couleurs et d'odeurs. Il fallait d'abord s'habituer, par exemple à tous ces tons de jaunes : citron, poussin, bouton d'or, ambre, blé, soufre, champagne, mimosa, paille, miel, ocre jaune, ocre rouge, terre de mars, or, safran… Chaque couleur était déclinée à l'infini, accompagnée de parfums tout aussi différenciés.

Lourdeur des lis et des tubéreuses, suavité des roses, fraîcheur sucrée des orangers, puissance des tagetes d'Inde, mais aussi délicatesse presque invisible des œillets, acidité des verveines… Odeur de la terre poussiéreuse, des corps et des tissus, des épices et de la vanille, de la toile de jute et du bois un peu pourri. Parfums des fruits trop mûrs, des fientes de pigeons, de l'urine stagnante, puis revenir aux fleurs, avec toujours en note de fond le jasmin, fort ou délicat, évident ou secret.

— Merci, dit-elle lorsque après s'être promenés dans cette cohue, ils revinrent vers la Bugatti. Je crois bien n'avoir jamais rien vu de semblable.

Elle avait contemplé tant de choses qu'elle se sentait un peu ivre.

Charu sourit. Il était constamment gai et avenant, et les gens venaient le saluer spontanément. À plusieurs reprises, il acheta une guirlande de fleurs à un *maalakaar*[1], l'un de ces artisans qui, assis à même le sol, fabriquaient avec dextérité ces grandes tresses multicolores composées de centaines de corolles. Pour ce faire, le jeune homme fouillait dans son *dhoti*, ramenait un peu de monnaie, choisissait une couleur ou un parfum pour elle, pour lui et, à la fin de la transaction, recevait avec plaisir les remerciements du marchand qui se répandait en courbettes à n'en plus finir.

— Tous ces colliers ont une signification, expliqua-t-il en passant au-dessus de la tête de la jeune Anglaise une guirlande faite de roses. Ainsi, je ne puis vous offrir l'un de ces colliers de jasmin, qu'on appelle *taali*[2], car ils sont réservés aux cérémonies de mariage. En le présentant à une jeune fille, l'homme signifie à la communauté qu'il la prend comme épouse.

Il sourit avec gaieté, mais la fixait en même temps avec une telle intensité qu'elle se sentit tout à coup embarrassée et se détourna. Un silence s'instaura, durant lequel ils marchèrent côte à côte, en évitant de se regarder.

---

1. Artisan fabriquant et vendant des *maalai*, un *maala* étant un collier de fleurs ou de perles.
2. Collier de mariage en jasmin.

— Allons manger des *karasev*? proposa-t-il soudain pour mettre fin à cette gêne. Ce sont des boulettes en farine de riz et de pois chiches, assaisonnées avec du sésame et des épices. Je parie que vous n'en avez jamais mangé.

Elle sourit. Le pari était facile, elle n'avait eu jusqu'à présent que fort peu d'occasions de goûter à un plat local hormis quelques sucreries que sa servante Netravati ramenait parfois, et qu'elle appelait *sandesh*[1]. Von Rosenheim employait à temps plein un cuisinier français qui préparait des recettes raffinées à base de nourriture européenne. Elle avoua donc son ignorance, ce qui sembla plaire au jeune Indien.

— Venez, lui dit-il en la prenant spontanément par la main, je tiens à être votre initiateur en plein de choses.

La phrase pouvait paraître équivoque mais elle préféra ne pas le relever.

Ils choisirent une petite gargote où une vieille femme cuisinait à même un feu alimenté dans une vasque de terre cuite, commandèrent des *samossas* et des petits *vada pav*, des sortes de sandwiches garnis de pommes de terre, de coriandre et de dattes. Ils s'installèrent ensuite sur un petit mur à l'ombre d'un jaquier, face au fleuve Hooghly. Dans ce quartier populaire, la vie grouillait, pleine d'enfants, de chiens, de vaches blanches, et même de petits singes. Des bandes de vingt à trente macaques rhésus guettaient du haut des toits les marchands qui installaient leurs étals. Ils attendaient patiemment l'instant d'inattention qui leur permettrait de voler une mangue, une papaye ou un épi de maïs. Jezebel observait le manège en essayant de ne pas rire trop fort. Elle voyait bien la détresse de ces gens, qui refusaient de chasser les singes car ils étaient sacrés.

— Oh, parfois, l'un d'eux prend tout de même un coup de bâton, commenta Charu. Mais ça ne sert pas à grand-chose. Ces singes sont trop nombreux. Et puis, quand un marchand s'occupe de l'un, l'autre en profite pour venir voler l'étal laissé sans surveillance. C'est sans fin.

— À vous écouter, on croirait que vous ne partagez pas ces croyances.

---

1. Friandise spécifique du Bengale et de Calcutta, à base de lait caillé solidifié, dont le nom signifie « message ».

— Je suis progressiste.

Elle le regarda, amusée, intriguée. Pour un simple domestique, Charu avait beaucoup d'érudition. Son anglais était parfait, teinté parfois d'une pointe d'accent américain typique de Harvard ou de Princeton. Il racontait avec talent de nombreuses anecdotes, expliquait des traditions culturelles ou des moments d'Histoire avec des détails passionnants tout en portant des jugements clairs et rapides. Jezebel avait grand plaisir à converser avec lui, car elle apprenait mille choses sur ce pays qui lui paraissait de plus en plus fascinant.

Et puis, il était gai et rieur. Et beau.

Oui, de cela elle en était de plus en plus certaine, Charu était différent de ce qu'elle connaissait mais il était beau, avec sa peau brune de pain d'épice soigneusement rasée, ses épais sourcils sombres, ses yeux noirs pétillants, ses traits aux pommettes hautes, son nez un peu fort qui apportait cependant du caractère à son visage, son front large à demi masqué par le turban et ses lèvres minces mais charnues, qui riaient tout le temps en dévoilant des dents aussi blanches que des perles. Son corps était long et mince, et certainement musclé à en juger ses avant-bras secs et noueux.

Elle soupira de bien-être. L'instant était paisible et si naturel. Ils étaient là, ils avaient faim, et le fleuve était incroyablement beau, recouvert à perte de vue de barques ou d'embarcations à plusieurs étages. Des passeurs faisaient traverser des voyageurs. Des pêcheurs lançaient des filets. À leurs pieds, un *ghat* formé par de grandes marches de pierre dorée descendait jusqu'à l'eau. Des saris multicolores, des chemises et des *dhotis* s'y pressaient en une bousculade de couleurs. L'Inde était définitivement le pays des pigments rouge, jaune, orange ou rose vif.

Tous ces gens pénétraient dans l'eau pour y faire leurs ablutions mais surtout pour prier. Le fleuve était sacré et purificateur. Il lavait les péchés, les emmenait au loin dans le courant, vers le delta puis vers l'océan Indien. Des hommes, des femmes entraient dans l'onde couleur de vase jusqu'à la taille, s'accroupissaient pour s'immerger jusqu'à la pointe des cheveux. Plus tard, ces silhouettes mouillées ressortaient en se faufilant entre les bateaux arrimés à la rive, les pagnes ou les saris collant à leur peau. Quelques-uns d'entre eux déposaient délicatement sur l'eau des petites embarcations faites avec une feuille de bananier sur lesquelles avait été placée une offrande de fleurs ou de la nourriture. Le fleuve était partout opaque et sale. On s'y lavait, on y déféquait aussi. Partout, des branches mortes, des agglomérats de feuilles, des choses indéfinies flottaient parfois, taquinées par les silures. Ces gros poissons approchaient de la rive au risque de s'enliser, leurs grandes bouches toujours ouvertes pour attraper les boulettes de riz qu'on leur jetait parfois.

— Venez, *memsahib*, dit soudainement Charu en se levant.

— Où m'emmenez-vous ?

— Il y a quelques jours, je vous avais promis un banian[1]. Je vais vous le montrer maintenant. Je crois que vous êtes prête.

Jezebel ignorait ce qu'était un banian, mais elle était d'accord pour partir à sa recherche. Cela faisait longtemps qu'elle ne s'était pas sentie aussi bien, aussi heureuse.

Quelques minutes plus tard, Charu fit passer l'automobile sur le spectaculaire pont flottant au-dessus du Hooghly en direction du quartier de Howrah, au milieu des piétons, des charrettes à bras, des ânes et des bœufs chargés de mille et un ballots. Au loin, sur la rive du quartier d'Howrah, des cheminées d'usine crachaient de grosses fumées noires.

Arrivé sur l'autre rive, Charu s'éloigna du quartier de Shibpur pour emprunter vers le sud-ouest des chemins bordés de grands arbres. Plus tard, il arrêta la Bugatti près d'une grille peinte en jaune et vert, submergée par de la végétation luxuriante. Au-dessus du portail était écrit en belles lettres anglaises : *Acharya Jagadish Chandra Bose Indian Botanic Garden*.

Le jeune Indien aida Jezebel à descendre en la tenant par la main, puis il attrapa un gamin qui cirait des chaussures et lui jeta une roupie pour qu'il surveille l'automobile.

Il raconta que le jardin botanique avait été fondé en 1786 par un Britannique du nom de Robert Hyd. On y entrait par une large avenue bien entretenue, puis on prenait des voies secondaires qui permettaient de découvrir les différentes collections. Charu marchait à côté de la jeune Anglaise, en tenant respectueusement son ombrelle.

Le jardin botanique était peu fréquenté en semaine, *a fortiori* le matin. Jezebel apercevait surtout des jardiniers qui s'échinaient à finir leur labeur avant les grosses chaleurs de la mi-journée ou

1. Figuier étrangleur.

quelques militaires faisant de l'exercice, certains à cheval, d'autres à pied. Ces derniers étaient tout de même beaucoup moins nombreux que dans le parc Maidan, plus proche des garnisons du Fort William.

Bientôt, les chemins se ramifièrent encore et encore, et une atmosphère sereine se dégagea peu à peu du foisonnement végétal. Jezebel ralentit pour adopter la cadence d'une promenade. Elle avait envie de profiter au mieux des beaux paysages luxuriants offerts par le jardin.

Charu la laissa cheminer à sa guise. Il marchait à ses côtés en domestique averti, et elle en fut d'abord gênée. Puis elle oublia, émerveillée par le magnifique spectacle offert par la végétation.

Elle aurait voulu tout peindre, mais elle ne savait quelle scène choisir et elle hésitait à déjà se poser. De toute façon, marcher lui faisait un bien fou. Depuis longtemps, elle n'avait pas eu l'occasion de se détendre ainsi, loin des regards, loin des jugements de chacun. Elle était presque heureuse qu'Olga ait refusé de l'accompagner. Elle adorait son amie russe mais sa présence était souvent trop étouffante.

Charu la guida dans un dédale verdoyant en parlant et riant sans cesse. Il semblait si heureux de vivre que sa bonne humeur devenait contagieuse. Elle souriait, hochait sagement la tête en écoutant le babil charmant dont le jeune Indien l'inondait puis souriait plus encore.

Elle se sentait vraiment bien. Calme et sereine, pleine d'allégresse. C'était tellement inattendu après la panique des derniers jours qu'elle n'osait pas encore s'abandonner tout à fait. Elle se contentait d'être là, à respirer une multitude de parfums tout doucement, très lentement, en se disant qu'elle était vivante, qu'il y avait encore de la joie possible et que c'était merveilleux.

Cela faisait très longtemps qu'elle n'avait pas éprouvé un tel sentiment. Même auprès de Jan, pour lequel elle ressentait pourtant une attirance si forte et si exaltante, elle n'approchait pas cette sérénité. Au contraire, en compagnie de l'Américain, elle était toujours sur le qui-vive, avec dans la tête une idée de guerre, comme si entre eux ne pouvaient exister que tensions, violences assourdies, disputes, réconciliations, dépendance aussi, qui poussaient leurs volontés réciproques à s'échapper loin l'une de l'autre, car ce sentiment-là n'était finalement qu'une prison.

— Venez, lui répéta Charu.

Il l'emmena sur un petit sentier qui serpentait entre des bambous. Les gros fûts raides montraient des couleurs lisses et gaies. Du rouge. Du jaune rayé de vert. Du brun acajou. Plus loin, dans un sous-bois luxuriant, des fougères arborescentes étalaient leurs frondes à hauteur d'homme. Ce n'était qu'une succession de noms exotiques : anacardier, giroflier, longanier, pamplemoussier, ébénier, cannelier. Une trouée de lumière les guida vers une clairière. Il s'agissait d'un étang, vert comme une pelouse, dont la surface était complètement cachée par un foisonnement de plantes aquatiques : des lentilles et des jacinthes d'eau et, au milieu, d'énormes feuilles flottantes, rondes et bardées d'urticants, d'un vert presque jaune somptueusement bordé de rouge, avec des fleurs semblables à de gros nénuphars, bleues, magnifiques.

Ils s'immobilisèrent dans le même élan, le cœur saisi par la beauté du lieu.

— On les appelle les Étangs verts.

— C'est un nom qui leur va bien, répliqua-t-elle avec un sourire. Il serait difficile de trouver un étang plus vert.

Ils rirent, puis ils contournèrent les berges recouvertes de roseaux, de papyrus et de lotus. Le chemin grimpait à l'assaut d'une butte en serpentant sur une longue prairie à l'herbe soigneusement fauchée. Le sommet était recouvert d'un petit bois. De loin, ce toupet ressemblait à une couronne. Les troncs les plus proches étaient maigres et lisses. Les autres se noyaient dans une ombre glauque, pleine de cris et de chuchotements.

— L'Inde vous plaît-elle ? demanda Charu à brûle-pourpoint.

Elle hésita, ne sachant d'abord que répondre, puis avoua finalement.

— Je n'en connais pas grand-chose.

— Dites-moi ce que vous en connaissez.

— Eh bien, en dehors de ce que vous m'avez montré aujourd'hui, je connais Chowinghee Road, bien sûr. Et le parc Maidan, les abords du Fort William, la cathédrale Saint-Paul, le golf, le terrain de polo, plusieurs hôtels particuliers où habitent des amis. J'ai aussi été à la campagne, vers le sud, dans des champs où… j'ai vu des singes et des perroquets…

— Et une panthère, coupa-t-il avec un sourire.

— Oh, c'était dans le parc de la villa Gokhra, mais comment le savez-vous ?

Elle le scruta soudain, les sourcils froncés de façon charmante. Il hésita, et lui avoua.

— Vous l'avez dit au prince de Nandock.

— C'est vrai, effectivement, j'ai vu cette panthère et j'ai eu très peur. En revanche, je n'ai même pas vu un seul éléphant.

— Pas d'éléphant ? répéta-t-il en gloussant.

— Pas un seul ! C'est quand même incroyable ! En Angleterre, on m'avait pourtant assurée que l'Inde était le pays des éléphants.

— C'est le pays des éléphants ! affirma Charu avec force, avant de plisser ses yeux de rire.

Elle continua le jeu en se moquant :

— Alors où sont-ils ?

Ils rirent jusqu'à ce que leurs pas les conduisent dans le sous-bois. L'ombre amena de la fraîcheur. Jezebel ralentit en regardant autour d'elle avec étonnement. La terre nue, totalement dépourvue de végétation, était jonchée de feuilles mortes brunes et jaunes. Partout, des tiges en sortaient, raides, parfois filiformes, ou complètement tarabiscotées. Elle leva la tête pour admirer les hautes feuilles qui dessinaient des éclats de lumière en contre-jour. L'atmosphère était merveilleusement calme et sereine.

— Cette forêt est magnifique. De quels arbres s'agit-il ?

Charu sourit d'un air espiègle.

— *Memsahib*, me croirez-vous si je vous dis que cette forêt n'est constituée que d'un seul et unique arbre, qui relie la terre et le ciel de toutes ses branches et de toutes ses racines ?

Ébahie, elle observa cette enfilade de troncs qui courait sur plusieurs dizaines de mètres, incapable de croire ce que Charu lui disait.

— Comment est-ce possible ?

— C'est la particularité de cet arbre, qui est un banian sacré. Nous l'appelons *kalapvriksha*[1] et, à ma connaissance, il est le plus vieux de toutes les Indes. D'après une légende, Alexandre le Grand a un jour fait camper toute son armée sous un de ces arbres. Le banyan est un figuier étrangleur. Il germe dans les branches d'un autre arbre, il fabrique des racines qui descendent jusqu'au sol en

1 Littéralement « l'arbre qui répond aux désirs ».

enserrant l'arbre hôte qu'il finit par étouffer. Dès lors, il est suffisamment fort pour s'ancrer seul dans la terre. Au fur et à mesure de sa croissance, d'autres racines aériennes descendent de ses branches pour former des troncs secondaires. Nous marchons donc au milieu du même arbre. Venez, *memsahib*, le tronc principal est ici.

Il montra, au milieu du sous-bois, un enchevêtrement d'écorces, de branches, de lianes qui se tressaient les unes aux autres sur une épaisseur impressionnante d'au moins treize pieds de diamètre. Jezebel s'approcha. Dans ce foisonnement végétal, elle distinguait plusieurs petites statues directement imbriquées dans le bois. Certaines semblaient récentes, joliment peintes et garnies de petits colliers de fleurs, mais d'autres étaient nettement plus anciennes, sculptées dans une pierre patinée par le temps et les intempéries, recouverte de mousse et parfois même disloquée par la croissance des branches ou des racines, qui avaient séparé la tête du corps, ou les pieds des cuisses. Des guirlandes de papier étaient partout accrochées à des branches. De belles écharpes de soie colorée étaient enroulées par-ci, par-là. Un autel de pierre était garni d'un tissu en damier noir et blanc. Devant, une assiette remplie de nourriture ou un bol garni de fleurs formaient une offrande colorée.

Un paon cria, Jezebel sursauta, puis s'amusa de sa propre frayeur. L'oiseau sublime n'était qu'à quelques pieds. Son poitrail bleu métallique bombé avec arrogance, il faisait la roue, royal au milieu de plusieurs paonnes qui picoraient des figues sans sembler lui prêter grande attention.

— Les banyans sont sacrés dès que leurs racines s'enfoncent dans la terre. Ils symbolisent alors le lien entre le monde céleste et le monde terrestre. Voilà pourquoi vous trouvez ici tant de statues, tant d'offrandes. C'est un lieu de communion avec le divin.

Charu murmurait, visiblement respectueux du silence, du recueillement.

— C'est aussi un arbre qui exauce les vœux.

Elle faillit lui dire qu'elle n'était pas superstitieuse, puis elle se retint, elle ne voulait pas le froisser. D'ailleurs, l'idée était plaisante. Faisait-on jamais suffisamment de vœux dans une vie ?

— Puis-je en faire un ? demanda-t-elle.

— Approchez-vous, *memsahib*.

Ils traversèrent la forêt, arrivèrent sous un déploiement d'écharpes et de banderoles. Charu s'adressa à un homme entre deux âges, accroupi contre un tronc. Un prêtre, un brahmane, elle ne savait pas trop quel titre lui donner.

— Voici le *pujari*[1]. Il va appeler la divinité pour que vous puissiez lui présenter votre vœu.

L'homme débuta l'invocation dans un tintement de clochette puis il récita des mantras. De la pénombre du sous-bois sortait une musique irréelle, si douce que Jezebel douta de son existence. Charu se tourna vers elle. Il avait un air grave qu'elle ne lui connaissait pas.

— Êtes-vous prête à faire une offrande ?

— Bien sûr, répondit-elle en s'accroupissant à côté de lui, en face d'une longue statue que le brahmane rinçait d'eau et de lait avant de l'oindre d'une pâte de santal. Que dois-je offrir ? De l'argent ?

— Simplement des fleurs, de la nourriture, de l'encens, à votre convenance, *memsahib*.

L'idée des fleurs lui plut. Elle détacha une des guirlandes de fleurs qu'elle portait autour du cou et la plaça sur la statue. Un dernier tintement de clochette confirma que la divinité invoquée acceptait l'offrande. Jezebel eut un sourire amusé. Charu se tourna vers elle.

— Le vœu se réalisera, affirma-t-il avec un large sourire confiant.

Elle hocha la tête. Décidément, les rites religieux étaient tous les mêmes. Ils ne visaient qu'à soulager les cœurs lourds de trop de chagrins.

*

Ils prirent l'habitude de faire tous les jours des escapades similaires. Parfois, Olga les accompagnait. Ils partaient alors dans sa belle automobile rouge où, à trois, ils étaient moins à l'étroit que dans la Bugatti à deux places. La journée se passait joyeusement, pleine de découvertes passionnantes et de gourmandises inédites, de rires et de discussions. Jezebel apprit à conduire.

Le reste du temps, la duchesse vaquait à ses propres affaires. Elle venait de recevoir d'Italie une série de machines neuves qu'il

1. L'officiant.

avait fallu faire installer dans son usine. Et puis, les travaux de toiture dans sa propriété de Gulaabee n'avançaient guère, alors que la saison de la mousson approchait.

Jezebel se retrouvait souvent seule avec son chauffeur mais personne n'y trouvait rien à redire, sans doute parce que Charu n'était qu'un domestique. Parfois, elle rendait visite à Amely mais, la plupart du temps, elle laissait Charu décider seul du but de leur promenade. Pour la première fois de sa vie, elle se sentait libre, alors même qu'elle ne décidait rien.

Le jeune Indien était un guide merveilleux. Il connaissait Calcutta sur le bout des doigts, y compris les quartiers les plus tarabiscotés ou les plus populaires, et même de l'autre côté du fleuve. Toujours, il avait une bonne idée ou un endroit étonnant à visiter. Avec lui, il était impossible de s'ennuyer.

Jezebel devenait heureuse. Son joli visage perdait peu à peu la mine boudeuse qui plissait ordinairement ses lèvres et voilait son regard. Elle riait spontanément, de tout, de rien, et c'était un bonheur de la voir courir en tous sens, virevoltante et gaie, pleine de passions et d'énergie.

Tous s'aperçurent du changement, Olga, bien sûr, ravie de l'indépendance de sa jeune amie, mais également Deckard qui, du fond de sa bibliothèque, ne sut que penser de ses escapades dont il n'était, en fin de compte, pas sûr qu'elles soient tout à fait convenables. Olga le rassura : allons donc, il n'allait quand même pas reprocher à sa filleule de commencer enfin à s'habituer à l'Inde. Et puis, ce Charu n'était qu'un domestique !

Charu emmena la jeune Anglaise visiter de nombreux monuments. Elle emportait son carnet de croquis et, parfois, un panier de pique-nique. Au gré de l'inspiration, elle s'installait pour peindre, et lui s'asseyait non loin, calme et immobile, à la regarder tout simplement aquareller ses dessins. Ils n'avaient pas besoin de parler. Ils savaient se comprendre en silence. Il suffisait d'un regard, d'un geste, d'un sourire. Les heures passaient. Il admirait ses gestes, sa science des mélanges, la transparence de ses touches, la justesse de son trait. Il était comme elle. Il était heureux.

Ils visitèrent de nombreux monuments. Ce fut facile, il y en avait beaucoup, qu'ils fussent anglais ou indiens. Ils grimpèrent à l'intérieur du monument d'Ochterlony, qui était une colonne creuse, imposante et blanche, pas très belle architecturalement parlant, mais qui offrait une vue magnifique sur la ville de Calcutta et le fleuve Hooghly, en particulier sur le parc Maidan et le tramway électrique qui le traversait. Elle avait été construite près d'un siècle auparavant en hommage à un général de la Compagnie des Indes.

Ils se promenèrent ensuite dans le parc Maidan, autour du Fort William. Charu expliqua que ces vastes prairies n'avaient d'autre but que de laisser les alentours du bâtiment militaire vierge de toute construction. Il raconta aussi l'histoire terrifiante du « trou noir » dans lequel un *nawab*[1] avait fait enfermer près de cent cinquante militaires britanniques lors d'une ancienne guerre indo-anglaise, prétendument dans un réduit si petit que la plupart des prisonniers y seraient morts étouffés.

Un autre jour, ils marchèrent sous le couvert ombrageux qui enveloppait de fraîcheur la fontaine Panioty. Calcutta regorgeait de ces petites constructions qui étaient toujours un hommage à quelqu'un.

Les parcs leur plaisaient, avec leur atmosphère agréable et calme, où il était facile de s'isoler de tout bruit, de toute rumeur. Jezebel aimait à s'y poser pour reproduire les perspectives végétales qui s'entrelaçaient de façon plus ou moins policée. Elle rêvait de jungle, elle dessinait des étangs cernés de bancs, des chemins droits bordés de palmiers, des canards dans une flaque.

Et puis il y avait les rues de Calcutta. Grouillantes. Vivantes. Sales. Pauvres. Remplies de couleurs et d'odeurs. Elle en faisait des centaines de croquis au hasard de ses découvertes. Le mendiant nu et maigre qui dormait à même le trottoir. L'enfant qui nourrissait des pigeons en bordure du fleuve. Une accumulation de *rickshaws* qui attendaient des clients. Le marché aux fleurs, encore et toujours. Un coiffeur de rue accroupi près d'un carrefour. Des enfants des rues. Partout. Seuls. Crasseux. Petits et grands. En bande ou non. Des cuisinières installées sous des auvents de planches. Le brouillard sur le fleuve. Le pont Howrah comme un fantôme. Le marché de la noix de coco. De vieux yogis en position du lotus sur une natte, aux visages marqués et les cheveux gris noués comme des écheveaux de laine.

---

1. Titre donné à un souverain indien ou à un aristocrate de religion musulmane.

Le soir, Jezebel revoyait toutes ces images avant de s'endormir. Le lendemain, tout recommençait. Charu lui parlait du Raj britannique et de son fonctionnement. Des aristocrates indiens alliés avec les Anglais parce qu'ils avaient tout à y gagner. Des différentes communautés ethniques ou religieuses. Des revendications du petit peuple besogneux saigné à blanc par les cultures d'opium imposées par les coloniaux au détriment des cultures alimentaires. Depuis des années, les Bengalis les plus agressifs fomentaient des attentats. La répression militaire ne changeait rien. Un ventre vide n'a rien à perdre.

Il évoqua aussi des courants nationalistes plus pacifistes. L'émergence de personnalités différentes, très charismatiques, comme ce Gandhi qui haranguait les foules en préconisant la non-violence et la résistance civique. Sous son émule, de grands rassemblements avaient lieu partout en Inde pour protester contre le vote en février du *Rowlatt Act*[1]. Les rajas laissaient faire, inconscients ou consentants, c'était selon. Aucun ne se sentait concerné. Les *bubas*[2] de toutes sortes étaient les grands gagnants des accords passés avec les Britanniques. D'ailleurs, Charu lui-même ne s'en plaignait pas. Il appartenait à la maison d'un maharaja très fortuné. Son avenir était assuré.

Il parla aussi des castes.

— Imaginez, lui dit-il un jour tandis qu'ils étaient assis sur un banc en face d'un étang du parc Elliot, si j'étais rétrograde, je n'aurais pas le droit de vous toucher car vous pourriez être d'une caste inférieure et me rendre impur.

Il avait posé sa grande main brune sur son poignet et remontait lentement le long de son bras pour se faufiler sous la petite manche du corsage de dentelle qu'elle portait ce jour-là. Il trouva la rondeur de l'épaule et l'enferma au creux de sa paume dans un mouvement caressant. Il s'y attarda si longuement qu'elle finit par le regarder. Ils plongèrent dans les yeux l'un de l'autre, les siens noirs comme une nuit étoilée, ceux de Jezebel aussi clairs qu'un ciel d'été. Elle s'était mise à respirer un peu plus vite, les lèvres entrouvertes. Il se pencha, mais elle se leva subitement.

---

1. Loi adoptée par le Conseil législatif impérial de l'Inde britannique en 1919 permettant l'emprisonnement sans procès et le jugement sans jurés de certains opposants politiques.
2. Riches Indiens.

— Je ne peux pas, lui lança-t-elle sans autre explication.

Il s'inclina pour cacher la tristesse de son sourire. Évidemment, elle était anglaise et lui un chauffeur indien. Il ignorait qu'elle pensait à Jan, comment aurait-il pu le savoir ? Et qu'aurait-ce changé ?

— Demain, je ne viendrai pas.

Elle eut une moue un peu fâchée.

— Ne jouez pas les vexés. C'est ridicule.

Il lui accorda un rire tout de même un peu désabusé.

— Je suis vexé mais ce n'est pas à cause de cela que je ne viendrai pas demain. Je dois accompagner une chasse au tigre mangeur d'hommes, loin vers le nord, près du royaume de Sikkim. Je serai absent pendant plusieurs semaines.

— Ah, lâcha-t-elle, soudain glacée. Vous accompagnez sans doute le prince de Nandock et Jim McCorball ? Ils m'ont parlé d'un tigre…

— Oui, répondit-il laconique.

Elle le regarda en se frottant nerveusement une paume contre l'autre. Il baissa les yeux. Il avait envie de prendre ses mains dans les siennes mais n'osa pas le faire.

— Vous savez, lui dit-elle finalement. Vous allez me manquer.

— Je reviendrai, lui promit-il.

# 14

*5 avril 1919*

Jezebel et Olga furent invitées aux fiançailles d'Amely Esket et de Peter Asgulson le 5 avril 1919, dans la superbe demeure de lord et lady Esket en bordure du fleuve Hooghly. Il faisait très chaud. Depuis plusieurs jours, le ciel était lourd, bas et couvert, il n'amenait cependant aucune pluie. La mousson n'était attendue qu'aux alentours du mois de juin même si des averses épisodiques, aussi soudaines que brèves, tombaient parfois sur la terre sèche et assoiffée. Ces quelques gouttes ne suffisaient pas à rafraîchir l'atmosphère. Au contraire, les températures continuaient à grimper, annonçant de futures canicules dépassant les 40°C.

Le jeune Charu était parti vers le nord en compagnie de Jim McCorball. Durant son absence, Jezebel trouva le temps long même si elle n'eut pas le loisir de s'ennuyer. Depuis plusieurs semaines, toutes les maîtresses de maison se disputaient sa visite. Elle ramenait d'Europe des nouvelles fraîches, elle était jeune et charmante, spirituelle et, surtout, unique héritière de la fortune des Tyler, l'une des plus anciennes familles de l'aristocratie anglaise. Au cours d'une multitude de pique-niques, de *teatime*, de dîners plus ou moins officiels et de grandes soirées chez les plus riches armateurs, propriétaires terriens ou ambassadeurs, on lui présentait une kyrielle de fils à marier qui rivalisaient pour s'attirer ses faveurs. Olga était ravie d'avoir réussi ce tour de force.

— À quoi bon ? soupirait Jezebel entre deux fox-trot endiablés, mon parrain n'acceptera jamais aucune autre demande en mariage que celle de von Rosenheim.

— Ciel ! répliquait Olga, la lèvre moqueuse. Auriez-vous déjà un soupirant ? Il est vrai que vous êtes parfois entourée par plus de quinze jeunes hommes qui vous dévorent tous du regard !

— Mais non ! s'exclamait Jezebel en rougissant. Je n'ai pas de soupirants.

— Vous avez raison, ma chérie, susurrait la Russe d'un air mielleux. Contentez-vous d'avoir des admirateurs. Pour s'amuser, c'est bien mieux !

Au cours de ces soirées tumultueuses, le vin de Champagne coulait à flots, escorté d'une variété infinie de cocktails à base de gin, de vermouth et de rhum. Des orchestres « nègres » importés des États-Unis balançaient à tout-va jazz, ragtime et autres charlestons. Les robes raccourcissaient, se terminaient par des franges qui trichaient sur la longueur et dévoilaient au gré des danses un genou ou parfois un porte-jarretelles. L'impudeur était de mise. Les corsages s'ouvraient sur des décolletés vertigineux soulignés d'une écharpe de mousseline et d'un amoncellement de sautoirs.

Olga incitait sa jeune amie à la frivolité. Régulièrement, elle se faisait expédier des colis de Paris qu'elle passait en revue durant de longs après-midi. Avec un air de conspirateur, elle extirpait de papiers de soie multicolores des *coldcreams* parfumées à la rose, des toniques à la lavande, des vinaigres de fleurs et des houppettes en duvet de cygne. Sur sa coiffeuse s'amoncelaient des tubes de crème Simon, selon elle le *must* pour lutter contre les intempéries du bout du monde, mais aussi des savons de Nice à l'huile d'olive qui ne desséchaient pas la peau, de la crème médicale Diadermine ou de la cire Aseptine, aussi appelée Fontaine de Jouvence, et même de la crème Nivea fabriquée à Hambourg, dont le prix et le petit pot jaune ne payaient pourtant pas de mine. Elle collectionnait les rouges Bourjois et les poudres de Coty ou de Caron, ses marques préférées, dont elle usait pour embellir son teint diaphane à la façon des Pola Negri, Asta Nielsen et autre Theda Bara aux yeux charbonneux et aux cheveux de jais coupés court qui peuplaient les films muets.

À ses côtés, Jezebel avait plus que jamais, avec ses boucles blondes et sa bouche en cœur, un petit air angélique digne de Mary Pickford, la célèbre actrice américaine.

Malgré cette apparente futilité, Olga Marushka ne menait pas pour autant une vie oisive. Ses matins étaient dévolus aux affaires, en particulier celles concernant sa fabrique de jute. Elle réussit à régler les problèmes liés à ses récents investissements et engagea un nouveau contremaître, un sikh qui portait un énorme turban vert et qui prit son rôle très au sérieux. Ainsi, elle put se dégager du temps libre pour surveiller les travaux de réfection de toiture qui, décidément, n'avançaient guère.

La villa Gullabee, qui pouvait se traduire par la villa Rose, était une charmante demeure installée au bord d'un étang, dont le plus grand attrait était un kiosque chinois posté près d'un ponton. Le jardin y gagnait le romantisme qu'une pelouse, aussi vaste que desséchée en cette saison, lui ôtait. La maison en elle-même était plaisante. La façade était en pierre de grès rose, montée sur deux étages et ornée de fenêtres en ogive dont certaines étaient des vitraux Art nouveau. L'escalier principal tournait dans un imbroglio de fougères, de palmiers et de yuccas, tandis qu'un petit chemin transversal rejoignait les dépendances où logeait le personnel et près duquel avait été construit le chenil.

L'élevage de barzoïs avait officiellement débuté avec la naissance de six petits dont Olga était très fière. Pour les habituer à la présence humaine, elle les emmenait constamment avec elle, installés dans un joli panier muni d'un parasol. Rapidement, les visiteurs s'extasièrent devant cette race peu connue, si altière et si élégante, qui ne semblait exister que pour décorer la pelouse devant un perron ou se promener avec nonchalance auprès d'une élégante originale.

La duchesse s'ingénia alors à prouver que ses chiens étaient capables d'autre chose. Avec un indéniable génie de la publicité, elle organisa des chasses à la course chez ses voisins et chez d'autres connaissances. Rapidement, il devint du dernier chic de voir un barzoï poursuivre un daim mais, lorsqu'au cours d'une de ces chasses, les chiens délaissèrent soudain la proie qu'ils poursuivaient pour débusquer une panthère, cette popularité grimpa en flèche. Des maharajas se déclarèrent prêts à dépenser des fortunes pour acquérir l'un de ces fameux lévriers qu'Olga présentait comme les chiens attitrés du tsar de toutes les Russies. Les petits furent vendus au plus offrant.

Jezebel adorait câliner les chiots mais détestait les mises à mort qui clôturaient invariablement les courses. Elle préféra revenir à la peinture, d'autant plus que ses promenades dans Calcutta lui manquaient énormément. Les leçons de Charu avaient fait d'elle une conductrice honorable, mais elle n'osait cependant pas se rendre seule au marché aux fleurs ou dans tout autre quartier populaire. Sans le jeune Indien, elle s'y sentait trop étrangère.

À plusieurs reprises, elle essaya d'intéresser Olga à ces excursions, mais son amie ne se passionnait guère pour les ruelles sordides, les échoppes à ciel ouvert et les petits cireurs de chaussures. Avant de voir les couleurs, elle remarquait la crasse et la misère, or elle ne les avait que trop connues pour vouloir encore les côtoyer.

De toute façon, la Russe n'avait pas la patience d'un Charu, capable de rester assis durant des heures à côté de l'artiste, à simplement la regarder peindre. Olga se targuait d'être une femme active, sans cesse en train de préparer mille choses. Elle avait donc toujours une excuse pour ne pas accompagner la jeune Anglaise : elle devait se rendre chez la couturière pour essayer un nouveau chemisier, ou chez le coiffeur pour discipliner ses boucles brunes que la canicule desséchait, ou encore chez la dentellière pour dénicher une pièce qui donnerait une extraordinaire étole, ou même chez le fourreur.

L'été arrivait, la température dépassait déjà les 30°C. La duchesse russe était à nouveau prise d'une crise de nostalgie pour sa Russie natale. Elle lisait les journaux et s'attristait de voir que l'Armée blanche reculait devant la Rouge et que les villes tombaient les unes après les autres aux mains des bolcheviks. En soutien à ce monde qui s'écroulait, elle fit coudre sur ses tenues des colifichets en fourrure qui accentuaient son côté slave.

Jezebel ne sut qu'en penser. Une telle extravagance aurait été ridicule chez n'importe qui, sauf que son amie, avec son élégance excentrique et sa faconde habituelle, sut la tourner en mode éphémère que toutes les dames de la région s'ingénièrent à suivre, quittes à suer sang et eau dans l'été arrivant. Tandis que les serviteurs s'ingéniaient dans les demeures à fermer les rideaux et les stores à la recherche d'une fraîcheur impossible, les maîtresses faisaient coudre sur leurs jupes des volants de zibeline, des galons de martre ou de castor, et même des festons de vison qui ondulaient à la mode sibérienne au bas des robes d'été.

La jeune fille aurait pu en rire si elle n'avait été inquiète. Elle avait remarqué qu'Olga se félicitait de l'avancée des travaux sur sa toiture. La Russe logeait encore à la villa Gokhra mais, bientôt, rien ne l'empêcherait plus de retourner chez elle. D'autant plus qu'elle avouait sans pudeur se languir de son amant. Jan

Lukas était toujours par monts et par vaux, elle ne le voyait pas suffisamment à son goût.

Ses commentaires heurtaient Jezebel, mais la Russe affectait de ne rien remarquer. Peut-être même le faisait-elle exprès. Elle avait depuis longtemps deviné qu'entre l'Américain et la jeune Anglaise se jouait une partie étrange, faite de je t'aime moi non plus, qu'elle entendait bien exorciser en sa faveur.

De toute façon, Lukas nc tenait pas en place. Fort blessé par l'incompréhensible défection de son associé Andres Agustin, il compensait l'absence de ce dernier en travaillant pour deux. Courant à droite à gauche, il thésaurisait dans son catalogue toute une collection d'antiquités en vue de futures ventes aux enchères prévues dès son retour à New York. Il commerçait avec des maharajas désargentés ou échangeait des objets auprès d'artisans soucieux de se moderniser. Il récupérait ainsi des pièces d'orfèvrerie somptueuses, des poteries finement ouvragées, des statues aux détails raffinés, et même des armes fabriquées par des tribus primitives. Il allait du Ghatar au Keshpur, traversait au nord le Dhaniakhali et arpentait même plus à l'ouest la forêt de Godapiasal. Il n'avait pas de logement attitré. En véritable nomade, il allait d'un hôte à l'autre, accueilli çà et là dans les palais des nababs avec lesquels il traitait. Il aimait aussi à séjourner au Great Eatern Hotel, dont il appréciait le luxe discret.

Olga était fine mouche. Elle comprit vite qu'elle pouvait attirer ce vagabond chez elle, pourvu qu'elle mette à sa disposition un appartement plus que confortable. Elle choisit dans le rez-de-chaussée de la villa Gullabee une grande chambre fraîche, ouvcrte de plain-pied sur le gazon qui descendait doucement vers le fleuve. La vue était imprenable sur le bras du Gange et les innombrables embarcations qui y naviguaient.

Elle aménagea l'appartement avec des boiseries sculptées, des tapis d'Orient multicolores et de belles lampes exotiques dont les lumières ajourées dansaient joliment sur les murs. Les meubles étaient de cuir et de bois précieux. Les tableaux d'un certain prix. Dans la salle d'eau, elle fit installer un tub anglais suffisamment vaste pour qu'on puisse s'y baigner à deux.

Lorsque Lukas s'éternisait en voyage, elle emmenait Jezebel jouer à la nostalgie de l'absent en lui faisant visiter les lieux. Elle lui montrait l'élégant bureau en bois parfumé au patchouli.

Elle lui prenait la main pour la passer lentement sur les dos de cuir afin qu'elle en perçoive la différence de grains. Elle la poussait à essayer le nécessaire d'écriture en ivoire qu'elle avait spécialement fait venir de Shanghai. Elle ouvrait en grand toutes les armoires pour montrer les chemises et les costumes et lui faisait sentir les parfums et les savons qu'il utilisait. L'après-midi s'enfonçait dans une langueur moite ; elles s'amusaient à enfiler ses chemises ou à essayer ses chapeaux. Elles tombaient ensuite en soupirant sur le grand lit à baldaquin, serrées dans les bras l'une de l'autre. Leurs cheveux mêlés d'or et de jais répandus sur les oreillers, elles se respiraient dans le cou en rêvant à un autre corps, un autre visage, à d'autres mains plus grandes, plus fortes.

Un jour, l'absent revenait et Olga courait s'enfermer avec lui dans sa villa Rose. Jezebel enfouissait au plus profond de son cœur son chagrin et sa colère. Puis, lorsqu'elle rêvait un peu trop souvent de lacérer le visage de l'impudent avec ses ongles, elle partait s'étourdir de vitesse au volant de sa Bugatti Brescia. Elle prenait des virages trop serrés, avalait des miles et des miles comme une fugitive. Elle s'efforçait surtout de ne pas penser aux retrouvailles des deux amants, à leurs gestes, à leurs baisers, tout comme elle tentait de ne pas remarquer le visage chiffonné de son amie lorsqu'elle revenait enfin à la villa Gokhra, seule, la bouche pleine de rires appuyés et le regard lourd de sensualité comblée.

Elle savait qu'Olga n'était pas heureuse. Les brèves visites de Lukas ne suffisaient pas à satisfaire son tempérament volcanique. Après un bref épisode qui semblait la mener au septième ciel, elle redescendait brutalement sur terre et pestait haut et fort contre l'ingrat déjà reparti courir l'antiquité indienne, et sans doute aussi une ou deux bayadères[1]. Prise de fureur, elle cassait quelques vases précieux, tombait à genoux pour pleurer sur leur débris, puis revenait se réfugier dans les bras de Jezebel. La jeune Anglaise était alors promue grande consolatrice, sans doute parce qu'elle savait écouter comme personne. Avait-elle seulement le choix ? Olga s'imposait, tempétueuse, le verbe disert et la confidence haute en couleur. Jezebel aurait bien voulu ne pas tendre l'oreille, mais son cœur assoiffé était avide de ces quelques miettes, aussi

1. Femmes dont la profession est de danser devant les temples ou pagodes en Inde, souvent assimilées à des prostituées.

écoutait-elle, heureuse tout de même de ne plus être seule dans la vaste villa Gokhra.

Bien que von Rosenheim ne se fût plus permis la moindre incorrection à son égard, elle ne parvenait pas à oublier l'odieux incident. D'ailleurs, elle se sentait d'autant moins en sécurité que le baron n'entendait pas se faire oublier d'elle. Il avait apparemment décidé que toute femme a un prix et, depuis, multipliait les cadeaux. Chaque matin, Jezebel trouvait donc près de sa tasse de thé quelque babiole : menus bracelets plus ou moins précieux, chaînettes d'or et d'argent, colliers de perles du Japon ou colliers de ruban, écharpes de soie de Chine, bandeaux brodés du Cachemire incrustés de verroterie, gants de chevreau parfumés au frangipanier arrivés droit d'Italie, diadèmes de plumes de paon fabriqués au Rajasthan et même, extravagance ultime, une peau de léopard dont elle ne sut que faire et qu'elle caressa longuement en retenant des sanglots…

La liste était longue et elle dut s'en faire une raison. Elle aurait bien voulu jeter ces objets qui la dégoûtaient mais Olga, toujours aussi pragmatique, lui répéta à l'envi que toutes ces fariboles constituaient un pécule qu'il valait mieux garder précieusement, « juste au cas où ».

Bien sûr, ce « juste au cas où » n'était pas très drôle à envisager mais la duchesse savait de quoi elle parlait. N'avait-elle pas raconté à sa protégée qu'elle avait, elle aussi, amassé des fariboles lors de ses fiançailles avec le duc Obolenski ? Ce petit ruisseau était devenu une grande rivière qui lui avait permis d'échapper à la révolution russe et de s'installer à Calcutta où elle avait pu acheter une usine de jute et bien d'autres propriétés.

Jezebel suivit donc ses conseils. Elle entassa dans un coffret les largesses du baron suisse, tout en priant pour qu'il ne vienne pas un jour réclamer le paiement de ce qu'il aurait considéré comme un dû.

Heureusement, von Rosenheim était très occupé ailleurs.

Depuis des semaines, il cherchait à obtenir un sauf-conduit pour partir au nord de Darjeeling, à la recherche de l'épave où avait péri Andres Agustin. L'hydravion s'était écrasé dans la province de Tammam, dans une forêt qui servait de repère à des insurgés et dont les frontières étaient contrôlées par l'armée britannique. Tous les matins, von Rosenheim partait faire le siège du secrétariat du vice-roi dans l'espoir d'obtenir le précieux document, et tous les soirs revenait bredouille. Jezebel, ravie de cette absence, remerciait donc l'actualité internationale, en particulier les luttes de succession qui agitaient l'Afghanistan depuis l'assassinat de l'émir Habibullah, et qui rendait le vice-roi Chelmsford de fort méchante humeur.

Von Rosenheim ne décolérait pas. Non seulement il devait obtenir un sauf-conduit auprès des autorités britanniques mais il lui fallait également quémander une autorisation de circulation signée par le roi de Nandock, le maharaja de Sikkim. Or, ce dernier faisait traîner l'affaire. Il préparait en grande pompe son cinquantième anniversaire et n'avait rien à faire des humeurs d'un trafiquant d'opium avec lequel il était certes en affaires mais qu'il ne portait pas dans son cœur.

Depuis que les Britanniques inondaient la Chine d'opium, ce dernier alimentait effectivement les coffres des princes indiens mais générait des conflits à n'en plus finir. Les *ryots,* contraints de cultiver le pavot, n'avaient plus le temps de s'occuper d'autres cultures et, dans les villages au-dessus du Gange, tout le monde ne mangeait pas forcément à sa faim. La révolte grondait, et avec elle son lot d'attentats, d'assassinats de contremaîtres anglais, de mises à sac de magasins, d'émeutes et de rassemblements haineux. Un nouveau venu haranguait les foules. Il s'appelait Gandhi, était avocat diplômé à l'University College de Londres, prônait l'*ahimsa* – la non-violence –, mais ses discours d'insubordination excitaient tant ses disciples qu'ils dégénéraient parfois en émeutes meurtrières.

Le Raj avait répliqué en instaurant le *Rowlatt Act* qui permettait des incarcérations sans procès. Cette loi ne fit qu'exacerber les esprits déjà échauffés.

Les fiançailles d'Amely Esket n'échappèrent pas à cette morosité. Lors de la *garden party* qui suivit l'échange des vœux, presque tous les hommes présents se mirent à parler du nationalisme montant, refroidissant un peu l'ambiance. Les plus optimistes s'efforçaient de ne pas accorder d'importance démesurée à des événements qu'ils jugeaient isolés, mais d'autres s'en inquiétaient. Le mouvement autonomiste n'était pas limité à l'Inde. Partout, l'Empire britannique était mis à mal. Au-delà de la frontière du nord-ouest indien, un nouvel émir osait proclamer l'indépendance de l'Afghanistan tandis qu'en Égypte une révolution n'avait été mâtée qu'au prix de milliers de morts.

Olga participait aux débats masculins avec passion. Elle avait vécu la révolution bolchevique et ne voyait pas d'un œil serein toutes ces agitations populistes. Au contraire, elle osait prédire, en voyante éclairée, que ces événements signaient le début de la fin. Elle avait vu ce qu'un peuple opprimé pouvait libérer de violence. Lorsque les chaînes se brisent, les souffrances accumulées forment une vague que rien n'endigue.

Jezebel suivait ces échanges de loin. Elle s'était laissé monopoliser par lady Esket qui tenait à la présenter à toutes ses amies nostalgiques de l'Angleterre. Au bout d'un certain temps, elle fut pourtant lasse d'être exhibée comme un perroquet savant auquel on posait toujours les mêmes questions stupides : avez-vous été présentée au roi George ? Est-il aussi séduisant que sur les photographies ? A-t-il vraiment les yeux clairs et le poil blond ?

Comment diable aurait-elle pu le savoir ?

Embarrassée, elle ne savait que répondre, s'efforçait d'être spirituelle mais manquait de conviction. L'arrivée des petits fours fut une diversion bienvenue. Tandis que ses tortionnaires s'empiffraient de pâtisseries à la française, elle courut se réfugier à l'arrière de la villa, dans un sous-bois dont l'ombre était délicieusement tentatrice.

Le jardin de lady Esket était un joyau exotique travaillé dans la plus pure tradition anglaise, plein de recoins, de végétation échevelée, de petits ponts chinois et de bosquets étagés aux fleurs romantiques qui aurait dû lui plaire. Pourtant, elle n'en vit pas grand-chose. Elle se sentait triste et abandonnée. Amely présidait sa fête de fiançailles avec un sourire qui la métamorphosait et Peter était devenu un monolithe de joie. C'était normal, mais auprès de qui se changer les idées ? Son parrain Michael était introuvable, sans doute terré dans l'une ou l'autre bibliothèque où il s'occupait à déchiffrer un quelconque grimoire. Quant à Olga…

L'impétueuse duchesse avait abandonné le débat politique pour parader au bras de Jan Lukas, enfin arrivé. L'Américain attirait tous les regards, plus beau que jamais dans un costume trois-pièces, chemise blanche col cassé, cravate nouée à la négligée et agrémentée d'un cabochon. Rien qu'à le regarder, Jezebel en avait eu des palpitations. Lorsqu'il l'avait saluée d'un baisemain trop sensuel à son goût, avec ses lèvres s'attardant sur sa peau, elle avait failli dire des sottises. Elle avait préféré s'éloigner. Son regard l'avait suivie comme un fer rouge appliqué sur sa peau.

Depuis, elle se cachait dans le jardin, ne prêtant attention à rien. Elle ne parvenait pas à penser à autre chose qu'au désir qui montait dans son ventre, encore et encore, à cette envie d'aller se jeter dans les bras du jeune homme, de le laisser l'embrasser, la cajoler, la caresser jusqu'à en mourir. Elle se trouvait folle et impétueuse, triste et furieuse, elle-même avait du mal à s'y retrouver. Sa seule certitude était de ne pas vouloir d'un amour qui asservisse ses sens. Elle voulait demeurer à jamais maîtresse d'elle-même.

Toute à ses pensées, elle aperçut trop tard von Rosenheim et son garde du corps moghol se dirigeant dans sa direction. Prise de panique, elle voulut battre en retraite mais le baron l'avait vue. Il accéléra le pas pour la rejoindre. Il était, comme à son habitude, très élégant dans un veston de lin, la moustache finement taillée, les cheveux plaqués vers l'arrière, une main négligemment passée à la poche de sa montre-gousset, l'autre maniant avec dextérité une canne à pommeau d'or. S'il avait été un autre, elle aurait presque pu le trouver séduisant.

— Êtes-vous perdue, *meine Liebste* ?

Il se voulait aimable, mais son regard la détaillait de haut en bas avec la mine d'un chat observant un mulot. Elle se crut un instant aphone, puis réussit à articuler une banalité.

— Il fait très chaud. Je cherchais un peu de fraîcheur.

Il la prit d'autorité par le bras et l'entraîna vers les profondeurs du sous-bois. Elle se crispa, déjà aux abois. Passant outre, il lui caressa la main d'un air presque aimable.

— Je suis ravi de cette rencontre inattendue, milady. Mais l'était-elle vraiment ? Après tout, peut-être désiriez-vous me parler ?

Elle secoua la tête, la gorge sèche. Le jardin n'avait plus aucun charme. Il était devenu un piège aux racines traîtresses et aux arbres érigés comme des barreaux. Elle avait trop chaud. Elle étouffait.

— N'y voyez nulle offense, baron von Rosenheim, souffla-t-elle avec une certaine insolence, sans pour autant oser le regarder, cet endroit me vide la tête. J'avoue que je ne pensais à rien de particulier.

Il se permit un sourire froid. Il était parfumé à outrance. Une odeur de clou de girofle, forte, presque acide. Médicamenteuse. Elle en reçut une pleine bouffée lorsqu'il se pencha vers elle.

— N'est-ce pas le propre des femmes ? J'ose cependant espérer que vous n'ayez pas oublié la question que je vous ai posée il y a quelque temps ?

Elle ne savait plus si elle respirait encore. Ou plutôt, elle respirait trop vite, trop fort, tandis que son cœur cessait tout simplement de battre.

— Je n'oublie pas, répondit-elle d'une voix tremblée.

— Pourquoi ne me donneriez-vous pas votre réponse aujourd'hui ? Nous pourrions faire une annonce publique tout à l'heure. Le même jour que votre amie Amely Esket, ce serait un doublé charmant, ne trouvez-vous pas ?

— C'est que, monsieur, ce jour est le sien, je vous en prie, laissons-le lui.

— Soit. Mais répondez-moi tout de même.

Elle ne sut où elle trouva la force de lever les yeux vers lui, de lui sourire avec une mine enjôleuse.

— Êtes-vous donc las de me faire votre cour ?

Il fut tellement sidéré qu'elle crut avoir dépassé les limites. Elle se figea, complètement paniquée, prête à subir sa violence. Pourtant, il se contenta de lisser sa moustache d'un air fat.

— Vous êtes déroutante, *Liebling*, mais j'avoue que votre inconstance me plaît.

— Oh, je ne suis qu'une femme, *mein Herr*, continua-t-elle sur la même lancée, démontrant une témérité qu'elle ne se connaissait pas. J'adore votre façon de me gâter.

Il lui enserra la taille d'un bras, l'attira à lui. Ce n'était pas le but escompté mais il souriait d'un air presque amusé. Elle tenta d'y voir un signe rassurant.

— Vraiment ? dit-il en la dévorant des yeux.

— Quelle femme n'apprécierait pas ces merveilleuses petites surprises déposées tous les matins à son intention ? Je suis tellement flattée.

Il la collait si étroitement qu'elle recevait son haleine en pleine face. Il avait sucé un comprimé Vichy[1] mais cela ne suffisait pas à atténuer le relent qui sortait de sa bouche. Elle retint une grimace de dégoût.

— Vraiment ? répéta-t-il un peu plus sèchement.

Il n'était pas dupe. Il ne pouvait pas l'être. Tout en elle se révulsait, hurlait son effroi, son horreur, son mépris. Il la prit soudain par les épaules, riva sa bouche à la sienne, chercha à forcer le barrage de ses dents.

— Attendez ! cria-t-elle.

Il la pénétra de sa grosse langue, lui laboura le palais, la relâcha après une éternité pour la scruter d'un œil jubilatoire. Elle se sentait rouge, sale, nauséeuse. Elle ne sut où elle puisa la force d'un sourire.

— Décidément, monsieur, vous êtes trop pressé. Pour me conquérir, il faudra perdre cette habitude de tout faire à la hussarde. Je ne suis pas une gourgandine qu'on trousse sur un ballot de paille, mais une lady, héritière d'une des plus vieilles familles d'Angleterre. Montrez-vous digne de moi, baron von Rosenheim, et je vous donnerai une réponse favorable.

Avec arrogance, elle tourna des talons, voulut s'éloigner. Il la retint par le coude. Il ne souriait plus.

— J'aime jouer, milady, mais prenez garde à ne pas faire durer ce petit jeu trop longtemps. Pensez à votre vieux parrain. Il est votre unique famille. Bientôt, je n'aurai plus besoin de lui. Comprenez-vous ce que je vous dis ?

C'était une menace, elle ne pouvait en douter. Elle déglutit avec difficulté. Elle avait l'impression que sa gorge était constellée d'épines.

— Michael est très malade, balbutia-t-elle. Ne lui faites pas de mal.

— Cela ne tient qu'à vous.

— Je vous ai promis une réponse. Vous vous êtes engagé à attendre.

— Soit, répondit-il après quelques secondes passées à la jauger. Je veux bien m'amuser encore un peu. Je sais que, dans tous les cas, vous finirez par entendre raison. Ce n'est qu'une question de temps.

---

1. Aujourd'hui, on parlerait d'une pastille de Vichy.

Son visage reflétait une certitude emplie de cruauté. Elle recula, elle avait l'impression d'avoir les jambes en coton. Elle aurait voulu lui jeter d'un ton très théâtral: « Jamais ! » Mais elle n'en eut pas le courage.

Il n'était pas facile d'être Andromaque.

# 15

*8 avril 1919*

— J'avance dans le sous-bois, j'écoute mais je n'entends rien. Ou plutôt, si, il y a ce léger vent dans les feuilles, un vent fleuri et lourd d'odeurs, celles de la terre humide, de la mousse verte qui recouvre tout, de fruits un peu pourris, et puis, surtout, cet autre relent, épais, presque chaud, animal. Celui du tigre.

Jezebel ouvrit de grands yeux, et Charu eut un imperceptible sourire : il la tenait. Personne ne résistait à son talent de conteur, surtout lorsqu'il racontait une chasse au tigre mangeur d'hommes.

Il continua en donnant à sa voix une lenteur qui la rendait encore plus rauque.

— Je suis sous le vent. Je sens le tigre mais lui ne peut pas me sentir. Du moins, c'est ce que je crois. Ses traces sont partout, maintenant je m'en aperçois. Des empreintes autour de moi, sur le sol, dans la boue. Elles sont énormes, plus de six pouces. Je m'agenouille précautionneusement. J'observe la plus proche. Elle est nette, avec des bords précis. Elle est fraîche, la terre n'a pas eu le temps de sécher, les feuilles n'ont pas encore eu le temps de la recouvrir. Je jauge sa profondeur avec mon index. Ce tigre est lourd. C'est un gros tigre. Un très gros tigre. Il a lacéré le tronc d'un jeune manguier de ses griffes, et ces sillons arrivent largement au-dessus de ma tête.

Charu marqua une pause, coula un regard vers la jeune Anglaise assise à côté de lui sur la marche de pierre, là, dans l'ombre d'un parasol loué sur le *ghat*. Ils s'étaient installés de bon matin un peu à l'écart de la foule qui venait faire ses ablutions dans le fleuve Hooghly. En se tournant vers la gauche, ils voyaient les impressionnantes colonnes doriques du *babughat* baigner dans les lueurs encore rosées du soleil. Il avait plu cette nuit, comme cela arrive parfois à cette période de l'année, une *kaal baishakhi*[1] violente qui avait arraché les feuilles des arbres. Celles-ci flottaient maintenant au milieu des immondices abandonnées dans le courant, entre les barques arrimées à des pontons, les canots qui servaient d'habitation à des mariniers et les petites offrandes flottantes faites de fleurs garnies de lumignons.

— Je vous en prie, Charu, continuez, mendia Jezebel. Vous mettez trop de suspense dans votre récit, je frissonne littéralement. Avez-vous, oui ou non, vu ce terrible tigre ?

Le jeune Indien était revenu de son expédition de chasse quelques jours auparavant, plus mince peut-être, lui qui n'était déjà pas bien gros, et le regard plus dense, comme s'il avait vu des choses qui le hantaient. Il s'était présenté à la villa Gokhra avec une boîte de cigares de Sumatra et un mot aimable du maharaja de Mahavir qui assurait le baron von Rosenheim de sa meilleure amitié.

Le Suisse avait accepté les cigares tout en grommelant qu'il attendait toujours et encore un sauf-conduit lui permettant de se rendre à la frontière du Sikkim, dans la forêt de Singalila, en vue d'explorations archéologiques. Il était prêt à en payer le prix, pour peu que le nabab veuille bien lui en indiquer le montant. Charu avait assuré qu'il ferait part de cette requête à son maître. Dorénavant certain d'obtenir gain de cause – en vertu de l'adage certifiant que tout homme a son prix – von Rosenheim retourna à ses affaires en affichant une indicible satisfaction.

Charu était resté seul face à Jezebel. Elle était visiblement heureuse de le voir. Il avait à son tour souri, en lui proposant une excursion tôt le lendemain matin. Pourquoi ne pas aller en bordure du fleuve pour guetter le *baan* qui, deux fois par jour au moment des marées, remontait le courant sur une hauteur de plusieurs mètres ? Ce mascaret était craint et adoré de la population, comme tout ce qui venait du fleuve sacré. Avec raison, d'ailleurs, puisque à la pleine lune, lorsque la vague était au faîte de sa puissante, il arrivait souvent qu'elle fît des victimes parmi les résidents du bord de l'eau. Les malheureux se laissaient surprendre. Ils étaient emportés comme des fétus de paille puis recrachés plus

---

1. Tempête saisonnière violente, en bengali.

tard au milieu des roseaux, morts, gonflés et désarticulés, une manne pour les vautours.

— Quelle promenade romantique! avait ironisé la jeune fille, son magnifique regard bleu posé sur lui avec espièglerie.

Charu en avait encore le cœur gonflé d'allégresse, tandis qu'il reprenait son histoire là où il l'avait interrompue.

— *Memsahib*, fermez les yeux et imaginez la jungle. Imaginez le vent tout là-haut dans les arbres, qui agite les feuilles sèches avec un petit bruit de crécelle. Imaginez le cri des oiseaux qui peuplent cette végétation dense, le kak-kak-kak d'une perdrix rouge, le chit-chit-chit du tisserin, le tiiai du bengali…

— L'oiseau bengali? souffla Jezebel, soudainement émue.

Charu acquiesça.

— Vous connaissez les oiseaux bengalis, ces oiseaux qu'on appelle des inséparables?

— J'en ai entendu parler, répondit-elle, troublée mais furieuse de l'être. Continuez donc avec votre tigre, je vous prie. Vous racontez merveilleusement bien.

Il reprit doucement:

— Alors fermez de nouveau les yeux, *memsahib*, et écoutez le silence de la jungle qui n'en est pas tout à fait un. Tout semble normal. Je me suis arrêté, j'écoute de tout mon corps, je cherche un autre bruit, le pas d'un gros animal se déplaçant parmi les bambous. Je n'entends rien que le bourdonnement des insectes jusqu'à ce que je me rende compte que les oiseaux se sont tus. La perdrix et les tisserins se sont envolés. Le silence n'est plus animal, uniquement végétal. Je me fige, tous mes sens en alerte. De son affût, Jim McCorball lève son fusil. Il sait ce que moi aussi je sais: le tigre est là, quelque part. Impossible de le voir, ses rayures se confondent avec les raies de lumière qui traversent les bambous mais il est là, tout proche, j'en suis certain. Fermez les yeux, *memsahib*!

Elle obéit, presque effrayée. Il chuchota près de son oreille.

— Je tourne imperceptiblement la tête. Je ne vois rien, que les fûts des bambous, les feuilles rousses sur le sol, les feuilles vertes à hauteur de mes yeux. J'avance d'un pas précautionneux. Devant moi, je découvre un point d'eau. Une simple flaque au milieu de la végétation, avec une rive de terre brune écrasée par des éléphants sauvages. Je m'immobilise. Cette fois j'en suis certain, j'ai entendu un bruit. On pourrait croire le vent, mais un vent lent et régulier, qui demeure à la même place comme un souffle qui sortirait d'une monstrueuse caverne. J'écoute et je sais. C'est la respiration d'un tigre, là, juste au-dessus de moi, à trois ou quatre pieds de distance, proche à le toucher. Maintenant je le vois. Il est tapi sur le tronc incliné d'un arbre mort. Il est grand comme une montagne. Dans la pénombre, le soleil qui le touche est une succession de lignes et de points qui dansent. Je ne pouvais pas le voir, il est comme ces feuilles accumulées au sol, un tapis roux et noir, une fourrure rousse et blanche. Son regard me fixe, impersonnel, ardent. Je n'aurai pas le temps de lever mon fusil.

— Charu ! s'écria-t-elle.

Le jeune Indien gloussa.

— Je suis vivant.

— Mais comment ?

— Jim McCorball est un excellent tireur.

— Mais le tigre vous attendait !

— Effectivement, le tigre nous guettait. Nous ne l'avions pas remarqué mais, depuis le début, alors que nous suivions ses traces, lui aussi nous suivait. Il avait l'avantage de connaître le terrain. Il était vieux et rusé. Il dédaignait les appâts que Jim installait. Il ne voulait pas manger une chèvre. Il voulait de la bonne chair bien humaine.

— C'est horrible !

Charu ne souriait plus.

— En réalité, ce tigre avait une canine supérieure cassée aux deux tiers, et il boitait de la patte avant gauche. Peut-être avait-il été blessé par un éléphant ? Cela arrive parfois, lorsqu'un tigre rôde trop près d'un troupeau. De telles blessures sont handicapantes. Le cerf sambar n'est pas une proie facile et ce tigre serait certainement mort de faim si, un jour, il n'avait découvert que les hommes se laissent aisément surprendre lorsqu'ils sont seuls en forêt. Mais je n'aurai pas dû vous raconter cela, *Missy*, vous tremblez.

Elle se tenait assise sous le parasol de tissu blanc à franges, les bras serrés autour de son buste, le teint trop pâle, la lèvre frémissante. Pour se racheter, il sortit du panier de pique-nique qu'il avait posé à ses pieds une bouteille de limonade dont il lui versa un verre.

— Je suis désolé, *memsahib*. Cette histoire vous a effrayée.

— Non, non, c'était passionnant. Terrible mais passionnant. Je… Je pensais juste à ces pauvres gens que le tigre avait… avait…

Elle ne put achever, effrayée par ce qu'elle imaginait, ces corps dévorés par le fauve, ces membres détachés du corps, ces abdomens vidés de leurs entrailles, ces gorges entrouvertes… Elle balbutia :

— Quelle horreur…

— Les gens vivent, les gens meurent, répondit le jeune Indien avec philosophie.

— Tout de même, être tué par un tigre, quel destin funeste…

— Il n'y a pas de belle mort. Qu'elle soit perpétrée par un tigre ou par un autre être humain, la mort est toujours la mort.

Elle le dévisagea. Depuis qu'il était revenu de cette chasse lointaine, elle le trouvait différent sans qu'elle sache exactement en quoi. Cela ne venait pas de ses vêtements, qui étaient toujours les mêmes : *dhoti* court, chemise blanche à manches retroussées, énorme turban jaune. Cela ne venait pas non plus de son attitude, toujours aussi respectueuse et complaisante, avec ce magnifique sourire si blanc au milieu de son teint de pain d'épices.

Non, cela tenait à autre chose et, pour le déterminer, elle dut longuement l'observer, jusqu'à percevoir ce petit air nouveau, qui n'était finalement qu'une autre façon de se tenir, moins courbée, moins servile, avec une sorte de raideur dans les épaules qui donnait à son port de tête une assurance subtile mais inédite.

Elle s'en étonna. Elle l'avait toujours connu en train de se plier de mille façons pour saluer, saluer encore, toujours saluer. Maintenant, lorsqu'il la regardait, il le faisait avec une hardiesse pleine de franchise qui la remuait, et dont elle ne savait que faire.

— Racontez-moi la jungle, demanda-t-elle vivement pour cacher son trouble.

— Il n'y a pas grand-chose à en dire, *memsahib*. La jungle n'est qu'une forêt pleine d'arbres. Tout y est humide, même en cette saison sèche. L'humain qui s'y aventure s'y sent toujours un intrus.

— Vous n'aimez pas y aller ?

Il sourit et, une fois de plus, ce fut un rayon de soleil se posant sur son visage.

— Je ne me suis jamais posé la question en ces termes. Je vais souvent là-haut, dans la forêt primaire qui borde le Sikkim. J'y suis né. Ma mère était une Adivasi, c'est un mot qui pourrait se traduire par « aborigène ». Elle était de la tribu des Khasi. Lorsqu'elle a épousé mon père, elle est venue vivre à Calcutta par amour, mais elle n'a jamais oublié ses origines. Elle m'a appris sa langue, ses coutumes, le respect de la nature qui nourrit la tribu. Je suis souvent allé dans sa famille pour y apprendre la chasse, comment pister un gibier ou tirer à l'arc. Avec les autres enfants, nous traînions dans la jungle des journées entières. Nous observions tout, les oiseaux, les insectes. Il y a là-bas des papillons merveilleux, plus grands que la main et recouverts de fourrure. Nous partions en exploration dans les ruines de civilisations anciennes depuis longtemps disparues. Nous jouions parmi ces vestiges de maisons, de temples. Des animaux se réfugiaient sous les murs déchaussés par des racines. Des lianes pendaient des toits écroulés. Nous n'avions qu'à nous baisser pour ramasser des petits trésors : des pierres sculptées, tombées de bas-reliefs, des idoles moussues patinées par le temps, des objets usuels, fragments de poterie ou manches de couteau. J'ai tout gardé.

Jezebel l'écoutait, fascinée, oubliant qu'il était un simple chauffeur indien prêté par un maharaja excentrique dans le but, purement diplomatique, d'être aimable envers un puissant trafiquant d'opium. Elle appréciait sa façon de parler, son érudition, la justesse de son accent anglais, la richesse de son vocabulaire. Elle aimait son parfum de frangipanier relevé d'épices et son sourire de perles blanches. Elle adorait aussi plonger vers les étoiles dorées qui miroitaient dans son regard de jais.

Lui aussi l'observait, plein d'une gravité nouvelle qui donnait à ses yeux une distance qui la troublait. Une atmosphère différente était en train de naître, ils en avaient parfaitement conscience l'un et l'autre. Lorsque son front se creusa d'une ride inattendue, elle faillit se lever pour l'effacer du bout des doigts.

— Regardez, déclara-t-il à cet instant, en tendant la main vers le fleuve. Le *baan* arrive.

La vague remontait le courant. Elle avait la vitesse d'un cheval au galop. Sur les marches les plus basses du *ghat*, la foule cessa ses ablutions pour regagner la rive. Avec un grand roulis d'eau, le mascaret déferla. Il heurta les constructions de pierre, éclaboussant les gens et emportant dans la violence de son flot les offrandes de riz et les colliers de fleurs. Un chien maigre perdit pied, Jezebel se leva en criant mais il n'y avait rien à faire, le malheureux animal disparut dans un tourbillon d'eau brune.

Le phénomène s'éloigna avant de disparaître comme il était venu. Presque aussitôt, la vie reprit son cours habituel. Les fidèles revinrent tremper leurs vêtements. D'autres recommencèrent à se laver. Les mains montèrent au ciel, les lèvres psalmodièrent des prières. Plus loin, des pêcheurs lancèrent leurs nasses près de roseaux ondulants tandis que des passeurs emportaient leurs clients vers l'autre côté du fleuve sur de frêles esquifs.

— Voulez-vous un sandwich au concombre, *memsahib* ? proposa aimablement Charu en explorant le panier de pique-nique. Ils ont l'air terriblement bon. Le cuisinier du baron von Rosenheim est vraiment un artiste dans sa catégorie. Si je vantais ses qualités au maharaja de Mahavir, ce dernier pourrait être fort tenté de le débaucher.

Jezebel mordit de bon cœur dans le sandwich qu'il lui tendait.

— Ma foi, ce pourrait être drôle de voir von Rosenheim perdre le cuisinier français dont il fait si grand cas. Je suis tentée de vous en donner l'ordre. Avec un peu de chance, notre cher baron pourrait en faire une crise d'apoplexie.

Charu s'inclina devant elle, la main sur son cœur.

— *Memsahib*, il est probable que je sois prochainement extrêmement bavard.

Son visage trahissait une si parfaite innocence qu'elle éclata d'un rire joyeux.

— Mon Dieu, Charu, si vous faites cela, je crois que je pourrais vous adorer !

Presque aussitôt, elle se rendit compte de l'inconvenance de cette phrase adressée à un domestique. Elle rougit violemment. Heureusement, Charu affecta de ne rien remarquer. Il sortit du panier quelques fruits de la Passion, qu'il ouvrit à l'aide d'un couteau tranchant. Le parfum embauma les alentours. Il lui offrit la moitié d'une coque remplie d'une pulpe gélatineuse parsemée de graines noires. Elle tendit la main. Il déposa le fruit en attardant volontairement ses doigts sur sa paume.

Elle leva des yeux étonnés.

La caresse perdura, au point qu'elle ne put avoir aucun doute sur l'intention délibérée de ce geste. De toute façon, tandis qu'il la cajolait ainsi, longuement et de façon éhontée, il la regardait bien en face, avec autant de hardiesse que de tendresse.

*Ah*, pensa-t-elle, confuse, *l'avenir risque fort de ne pas être simple.*

Cette perspective aurait dû la paniquer.

Ce fut tout le contraire : elle en fut particulièrement exaltée.

## 16

*17 avril – 4 mai*
*Palais de Nandock – Calcutta – Bengale-Occidental – Inde*

Jezebel taquinait Kiriki la mangouste à l'aide d'un ruban, comme elle aurait pu jouer avec un chat, lorsque Netravati arriva en courant près de la fontaine où elle s'était installée. C'était le matin et le soleil avait encore une douceur agréable.

La servante indienne s'inclina une multitude de fois dans un joli bruit de bracelets entrechoqués. Jezebel interrompit son jeu de ruban pour lui sourire. Elle admirait depuis le premier jour la grâce de la jeune femme, toujours drapée avec une rare perfection dans un sari aux couleurs magnifiques. Netravati ressemblait à une fleur précieuse dont les déplacements étaient tour à tour silencieux ou tintinnabulants à cause de ses anneaux de cheville.

— *Sahib* Deckard demande vous dans son bureau, *Missis* Ann-Rose.

Jezebel corrigea machinalement :

— *Sahib* Deckard « *vous* » demande dans son bureau. Merci beaucoup, Vati. A-t-il dit ce qu'il me voulait ?

— Non, *Missis*, jeta Netravati avec un air de conspirateur, *sahib* Deckard rien dit du tout mais mes yeux remarquer très beau carton d'invitation posé sur bureau. Papier qualité. Belles lettres en or.

— Oh, souffla Jezebel avec autant de contrariété que d'amusement face aux explications de sa servante. Je ne crois pas être concernée par une quelconque invitation.

— Si, si, insista Netravati en hochant plusieurs fois la tête. *Sahib* Deckard avoir lu carton puis faire sa grimace étonnée tandis que figure *master sahib* faire comme cela…

Elle imita avec beaucoup de talent la mine sévère du baron Jürgen von Rosenheim, ce qui provoqua chez sa jeune maîtresse un petit rire embarrassé. La grimace était fort drôle mais soulignait un fait que Jezebel ne trouvait guère rassurant : von Rosenheim était dans le bureau de son parrain. Il était certainement venu se plaindre de la lenteur qu'elle mettait à répondre à sa demande en mariage et son tuteur, trop complaisant, s'apprêtait à lui faire un sermon.

Avec un soupir, elle abandonna le ruban à la mangouste. Le petit animal s'en empara avec vivacité puis courut se réfugier sous un yucca pour le mordiller à son aise. Jezebel le suivit à peine du regard. Elle luttait contre une bouffée de rage mêlée à un fort sentiment d'injustice, venu sournoisement lui picoter les yeux.

— *Missis ?* insista Netravati.

— Je viens, répondit la jeune fille avec humeur.

Malgré l'heure matinale, on avait déjà fermé tous les volets de la villa en prévision de la canicule de la mi-journée. Pour affronter un été chaud et sec, les pièces du rez-de-chaussée baignaient dans une pénombre qui donnait à la décoration une absence de relief peu flatteuse.

Netravati frappa à la porte du bureau de Michael Deckard puis s'éclipsa silencieusement. Jezebel lissa machinalement sa jupe, vérifia sa coiffure dans un miroir accroché au-dessus d'une console, prit une profonde inspiration puis entra.

Ici aussi, les stores étaient baissés et les rideaux tirés, mais le cabinet de curiosités semblait y gagner. La pénombre masquait avec bonheur l'incroyable bazar que les femmes de ménage n'avaient pas le droit de dépoussiérer. Les différentes collections y prenaient une résonance encore plus mystérieuse. De minces raies de lumière se posaient de-ci de-là. Elles mettaient en valeur ici un papillon *Creatonotos gangis*, aux glandes odoriférantes déployées comme de gros tentacules gris, là un tatou empaillé accroché par des fils à une poutre maîtresse, ici un Nâga du IIe siècle avant J.-C. , gravé dans du grès rose et protégé par une cloche de verre, là des sceaux pakistanais en stéatite représentant des animaux composites sortis directement de mythes religieux.

Jezebel se laissa emporter par la curiosité. Elle adorait venir fouiner dans le cabinet de travail de son tuteur, à la recherche d'objets et d'animaux aussi insolites qu'étranges. Rapidement, elle dénicha une nouveauté : une collection de bas-reliefs simplement déposée contre le mur, juste derrière le bureau qui croulait sous des monceaux de papiers et de vieux grimoires. Les œuvres d'art reproduisaient des éléphants de toutes les formes et dans toutes les positions.

— Ann-Rose ?

Elle sursauta, se tourna vers la voix qui sortait d'un gros fauteuil de cuir. Michael y était assis, un plaid sur les genoux et une écharpe de cachemire autour du cou. Bien qu'il prétendît ne pas supporter la chaleur estivale, et qu'il insistât pour que les domestiques calfeutrent au mieux toutes les pièces qui donnaient au sud, il grelottait de froid. Ses poussées de fièvre étaient de plus en plus nombreuses. Lors de ses visites, le Dr Appleton insistait pour qu'il se repose. Le vieux savant persistait à refuser d'écouter un corps qui le trahissait. Il préférait obéir aux injonctions de son cerveau encore bien vivace, qui réclamait son lot quotidien d'énigmes sorties du passé.

Aujourd'hui, cependant, Jezebel s'immobilisa devant ce visage au teint jaunâtre qu'elle reconnaissait à peine. Dans l'ombre de la pièce, elle lui trouvait une mine encore plus affreuse que d'habitude. La maladie continuait à ronger son tuteur malgré les remèdes ingurgités, amaigrissait son buste et creusait ses joues. Elle avança vers lui en se reprochant de ne pas l'avoir remarqué plus tôt. Le baron von Rosenheim lui coupa le chemin en s'emparant de sa main, qu'il porta à ses lèvres en s'inclinant.

— Mes hommages, chère Ann-Rose…

Elle coula un regard oblique à l'importun, salua avec juste ce qu'il fallait de politesse puis se hâta vers son tuteur.

— Mon parrain, il semblerait que vous m'ayez fait demander.

Le vieux savant tapota l'accoudoir à côté de lui.

— Viens ici, ma petite, rapproche-toi. Je n'ai qu'un filet de voix aujourd'hui, et je n'ai pas la force de parler plus fort.

Elle jeta au sol un coussin sur lequel elle s'agenouilla comme lorsqu'elle était petite et qu'elle avait la permission de le regarder travailler, réajusta affectueusement son écharpe. Il lui attrapa les mains et la força à le regarder, pour mieux l'observer.

— Ann-Rose, dis-moi, connais-tu le maharaja de Mahavir ?

La question l'étonna, elle haussa un sourcil perplexe tout en regardant alternativement son parrain et le baron von Rosenheim qui s'était rapproché. Il se tenait au-dessus d'elle, si près que sa jambe lui frôlait le bas du dos. Elle se leva nerveusement, ramassa le coussin et le tint contre elle comme une défense.

— Eh bien, je ne sais trop… Il y a quelque temps, je crois avoir été brièvement présentée à son fils lors d'un match de polo, mais c'est tout ce dont je me souviens.

— C'est curieux, reprit Michael en se frottant le menton, vraiment curieux.

— Qu'est-ce qui est donc si curieux, mon parrain ?

Le vieil homme la regarda d'un air perplexe.

— En fait, Jürgen et moi venons de recevoir nos cartons d'invitation pour la fête que le maharaja Mani Singh de Mahavir organise dans son palais de Sunahara en l'honneur de son cinquantième anniversaire.

— Oui ? s'enquit-elle poliment, parce qu'elle ne comprenait pas le problème. Et ce n'est pas normal ?

Von Rosenheim se pencha vers elle en lâchant un rire moqueur.

— *Teufel, nein!* Ce n'est vraiment pas normal. Parce que nous avons également reçu un bristol à votre nom. Or, à notre connaissance, aucune femme n'est jamais conviée à une soirée de ce genre. Vous serez la seule et unique invitée féminine de ces festivités. N'est-ce pas étonnant pour quelqu'un qui affirme ne pas connaître le maharaja ?

Elle retint une remarque acerbe face à son sous-entendu et s'efforça de répliquer d'un ton aussi neutre que possible.

— Je ne connais pas ce maharaja, ni aucun autre d'ailleurs. Il y a certainement une erreur.

— Non, répliqua son tuteur en attrapant un bristol sur son bureau. Il n'y a aucune erreur. Vois par toi-même.

Elle prit le carton avec un agacement manifeste et lut avec une surprise croissante :

*« Par ordre de Sa Très Haute Altesse*
*Mani Sarthak Shantimay Singh,*
*maharaja de Mahavir,*
*roi de Nandock, roi de Priyaranjan, roi du Sikkim,*
*Grand Tâkhur[1] de Sudhyang,*
*"Joyau de Ranipool",*

1. Titre anglicisé en tagore.

*le Chambellan a l'honneur d'inviter*
*Lady Jezebel Ann-Rose, comtesse de Tyler,*
*aux festivités organisées en l'honneur*
*du cinquantième anniversaire de Son Altesse Royale*
*le 4 mai 1919 à partir de 9.30 PM au Sunahara Mahal.*
*Tenue de soirée exigée.* »

C'était effectivement curieux, et elle le dit en rendant le carton d'invitation à son parrain.

— Je ne connais pas ce monsieur-là. Du coup, soyez rassuré, je n'ai pas l'intention de me rendre à son invitation.

Inexplicablement, les deux hommes parurent contrariés. Ils échangèrent un bref coup d'œil, puis von Rosenheim se rapprocha à nouveau de la jeune fille. Elle se raidit. Il jeta d'un ton presque aimable :

— En fait c'est tout le contraire, ma chère Ann-Rose, nous serions vraiment très heureux de vous voir nous accompagner à cette soirée.

Elle s'attendait à tout sauf à cela et son premier mouvement fut assez naïvement de se réjouir.

Comme n'importe qui, elle avait entendu parler du maharaja, dont la résidence officielle était surnommée le Palais d'Or autant par son faste que par son excentricité. Elle croyait même se rappeler avoir un jour entendu dire que le souverain collectionnait les voitures de luxe, les diamants et les chevaux. Visiter une telle demeure était donc loin de lui déplaire, surtout que les festivités annoncées promettaient de fort beaux spectacles, dont un feu d'artifice.

Elle se réjouit aussi de peut-être y croiser Charu. Le jeune Indien lui avait dit y être domestique. Or, elle ne l'avait pas revu depuis le 14 avril. Des rumeurs venues d'Amritsar, une lointaine bourgade du Pendjab située dans le nord-ouest, avaient fait état de violences répétées à l'encontre des Anglais. Plusieurs personnes avaient été assassinées après des rassemblements contestataires et deux Anglaises avaient été molestées et laissées pour mortes dans la rue. L'armée britannique avait riposté par des tirs de mitrailleuse sur une foule confinée dans un parc, tuant plusieurs centaines de manifestants et faisant des milliers de blessés. Cela avait entraîné une recrudescence de l'élan nationaliste. À ces nouvelles,

Michael Deckard avait préféré interdire à sa filleule de sortir en la seule compagnie d'un domestique indien.

Elle se permit donc d'ironiser :

— N'y a-t-il aucun risque de se rendre chez un maharaja indien ?

— En fait, coupa étourdiment son tuteur, nous ne saurions faire autrement. Von Rosenheim et moi-même avons une requête à soumettre au souverain, concernant mes travaux d'archéologie. Nous avons besoin d'une autorisation pour nous rendre au-delà de Darjeeling, près de la frontière avec le royaume du Sikkim. Or, nos invitations à rencontrer le maharaja sont apparemment conditionnées par ta présence. Sans toi, ma chère petite, nous n'avons pas le droit de solliciter un entretien. Il est donc primordial que tu nous accompagnes à cette soirée.

La jeune fille en resta muette. Son parrain venait-il de lui avouer qu'elle était une sorte de monnaie d'échange ? De plus en plus furieuse, elle laissa délibérément le silence s'installer. Son parrain semblait mal à l'aise mais von Rosenheim posait sur elle un regard empreint de sa grossièreté coutumière. Elle ne parvenait pas à s'y habituer même si, avec le temps, elle réussissait à ne plus systématiquement paniquer dès qu'elle se trouvait dans la même pièce que lui.

— C'est donc entendu, finit par jeter le baron d'un ton doucereux, vous nous accompagnerez. En revanche, vous avez noté que, d'ici à demain, le temps vous est compté pour vous rendre présentable. J'ai donc pris la liberté de faire venir une couturière. Vous avez rendez-vous cet après-midi à trois heures.

Cette fois-ci, Jezebel explosa :

— Gardez donc votre couturière, *Herr* von Rosenheim ! La façon dont je m'habille est mon unique liberté. Je vous certifie qu'il s'en faudra de beaucoup avant que vous ne mettiez un jour votre nez dans ce domaine. Quant à vous, monsieur mon parrain, n'ayez aucune crainte, je serai prête pour vous accompagner demain soir à votre maquignonnage. J'ose espérer que je vous rapporterai un bon prix et que, grâce à moi, le maharaja vous donnera toutes les autorisations que vous espérez !

Des larmes de rage la gagnaient. Elle se hâta vers la porte. Son parrain tenta de la retenir en l'appelant mais von Rosenheim lâcha d'un ton jubilatoire :

— *Bei Gott*, vous m'aviez parlé de son petit caractère, mon ami, je vois que vous aviez raison. Je la veux comme mère de mon héritier. Arrangez-vous pour lui faire entendre raison au plus tôt. De toute façon, elle sera bientôt à moi. Vous me connaissez suffisamment pour savoir que j'obtiens toujours ce que je veux. De gré ou de force.

Écœurée, elle claqua la porte, monta les escaliers quatre à quatre et courut à perdre haleine vers sa chambre. Le baron von Rosenheim révélait de jour en jour sa nature ignoble. Elle le haïssait autant qu'elle le craignait. Elle savait parfaitement qu'il ne se vantait pas lorsqu'il assurait qu'il obtenait toujours ce qu'il désirait. Il ne s'embarrassait d'aucun scrupule. Au besoin, il la frapperait, il la violerait jusqu'à la mettre enceinte de lui. Elle n'aurait alors d'autre choix que d'accepter de l'épouser pour sauvegarder la réputation de l'honorable famille Tyler.

*Michael Deckard, je vous hais d'avoir accepté ce marché misérable!* hurla-t-elle intérieurement.

Netravati l'attendait près du lit à baldaquin en marchant de long en large comme un tigre en cage. En voyant ce modèle de calme et de sérénité en proie à un tel tumulte, Jezebel eut les jambes coupées. Elle se laissa tomber assise sur un petit banc en bout de lit. C'en était trop! Quelle autre catastrophe allait donc s'abattre sur elle aujourd'hui?

Netravati se précipita vers elle.

— *Missis!* Serviteur vient du Palais d'Or pour amener paquet. Je... Je pas oser ouvrir!

Elle avait déposé sur le lit un grand carton enrubanné de rouge. Jezebel le regarda d'abord comme elle aurait pu considérer un serpent, puis se décida à se lever. Un bristol était joint au nœud. Elle le prit, l'ouvrit et découvrit des mots joliment calligraphiés à l'aide d'une encre dorée.

*« Je ressentirais un immense honneur*
*Si la plus belle des belles acceptait*
*De se mettre à l'heure indienne demain soir*
*En portant cet humble vêtement. »*

Il n'y avait aucune signature, aucun sceau ou tampon.

Perplexe, elle tira sur le ruban de satin, défit l'emballage et découvrit à l'intérieur de la boîte, joliment enveloppée dans du papier crépon, une splendeur arachnéenne faite de soie rebrodée de fils d'or et d'argent, de perles et de paillettes qui avaient la brillance de véritables pierres précieuses. L'ensemble était formé d'un corsage très court au décolleté plongeant complété par un jupon de mousseline et un magnifique sari. Au fond de la boîte, un bel écrin en acajou incrusté de nacre offrait une parure étincelant de mille feux : un tour de cou impressionnant comme un plastron, des pendants d'oreilles sublimes, un ornement de main et un diadème remarquablement ouvragés, sans compter les traditionnels bracelets de bras et de chevilles.

Netravati tomba à genoux, la bouche arrondie par l'émerveillement.

— Véritable tenue de *maharani*[1]. Cadeau magnifique !

Jezebel s'assit sur le bord du lit en brassant à pleines mains la merveilleuse mousseline de soie. La broderie était complexe et d'une extraordinaire finesse. Elle l'étudia sous toutes les coutures, en admiration devant la beauté des motifs, la vivacité des teintes et la délicatesse des points.

À n'en pas douter, une telle tenue était une véritable œuvre d'art qui avait nécessité des heures et des heures de travail.

— Ça magnifique, répéta Netravati, les yeux écarquillés.

Jezebel hocha la tête puis s'intéressa aux bijoux en les faisant couler entre ses doigts comme de l'eau vive. La parure était une vraie splendeur et devait valoir une fortune. Chaque ornement était constitué de dizaines de perles et de diamants, auxquels on avait ajouté de gros rubis taillés en goutte à facettes. Leur couleur rendait superbement sur sa peau claire. Elle dut réfléchir longuement avant de réussir à déterminer sa ligne de conduite. Sa servante ne l'aidait guère, car elle répétait inlassablement :

— Ça beau, ça sublime.

— C'est vrai, Netravati, tu as raison, c'est un cadeau absolument magnifique. J'ignore pourquoi il m'échoit. Cependant, une chose est sûre, je suis une lady anglaise, et non une princesse indienne. Demain, au Palais d'Or, je serai l'ambassadrice de la culture de mon propre pays. Je ne porterai donc pas ces vêtements dont j'ignore tout.

1. Épouse d'un maharadja ou souveraine.

— Pas bijoux ? mendia Netravati visiblement déçue. Pas vous les porter ? Pourtant être une reine avec !

— Les porter, c'est les accepter. Or, je ne puis accepter un tel présent.

— Maharaja peut-être vexé car, bien sûr, lui donner présent pour être accepté, pas pour être repoussé.

Jezebel eut un bref sourire. Elle avait refusé la couturière de von Rosenheim, elle n'allait certainement pas accepter un costume de harem offert par un inconnu.

— Ma chère Vati, tant pis si ce mystérieux donateur est vexé. Après tout, je ne lui ai rien demandé.

*

Le lendemain, Jezebel découvrit le Sunahara Mahal du maharaja de Mahavir, le fabuleux Palais d'Or, avec autant d'émerveillement que d'appréhension.

Elle était installée sur la banquette arrière de l'Hispano-Suiza, dûment encadrée par un Michael au visage sombre et un von Rosenheim toujours aussi arrogant. Elle affichait une mine morose. Elle était persuadée qu'elle allait passer une soirée particulièrement ennuyeuse, pleine de décorum et de protocole, où il lui faudrait demeurer assise durant des heures sans rien dire, en grignotant des plats trop épicés du bout des lèvres et en applaudissant poliment au moindre bon mot de son hôte.

Olga avait été mise au courant de cette invitation et en avait presque fait une crise de jalousie. Délaissée par Jan Lukas qui continuait à chasser l'antiquité par monts et par vaux, elle était d'une humeur de chien et les confidences de Jezebel lui avaient d'abord fait lever les bras au ciel de façon mélodramatique. Plus tard, calmée, elle avait confirmé les dires de von Rosenheim, à savoir qu'aucune femme occidentale n'avait jusqu'à présent été admise dans le Palais d'Or, pas même l'épouse d'un diplomate ou d'un ambassadeur.

Le maharaja de Mahavir était connu pour recevoir peu. Bien qu'il entretînt avec les Européens des relations commerciales très courtoises, il ne conviait que rarement ces derniers aux fastueuses réjouissances qu'il organisait une fois l'an à l'occasion de son anniversaire.

Cette année, pourtant, les circonstances avaient dû lui paraître différentes. Le massacre d'Amritsar était encore sur toutes les lèvres et l'élan nationaliste indien s'ancrait de jour en jour dans une réalité indéniable. Mani Singh espérait donner à sa fête une connotation diplomatique. En tant que prince de l'Inde, il souhaitait calmer les esprits échauffés.

Comme à son habitude, Olga était parfaitement renseignée. Elle révéla à Jezebel que le vice-roi en personne serait présent, ainsi que son secrétaire particulier et son chef d'état-major. Il y aurait aussi l'un des plus importants nababs du Bengale-Occidental, Wasif Khan, et un artiste renommé, Rabindranath Tagore, qui avait reçu en 1913 le prix Nobel de littérature.

Ces précisions avaient tellement étonné Jezebel qu'elle était réellement convaincue être victime d'une erreur. Elle était persuadée qu'au lieu d'entrer dans le prestigieux Palais d'Or, elle en serait tout simplement refoulée.

Le Sambar Mahal portait bien son surnom. Dans la nuit brune criblée d'étoiles, il resplendissait de milliers de torches, bougies et lampes de toutes sortes qui donnaient à ses murs l'impression de refléter la lumière du jour. Dès la porte de l'immense parc franchie, son architecture grandiose se détachait sur le ciel comme un énorme gâteau couronné de Chantilly, brillant et parfaitement symétrique. Les automobiles des invités s'en approchaient par la droite, en contournant un magnifique gazon anglais parfaitement arrosé, que bordait une allée monumentale de palmiers royaux hauts de plus de trente mètres. Le jardin d'apparat ouvrait vers le palais une perspective à la française, pleine de topiaires et de murets végétaux taillés. Un labyrinthe bordé par des bassins promettait des divertissements rafraîchissants.

Le chauffeur moghol de von Rosenheim suivit le mouvement général. Il amena l'Hispano-Suiza jusqu'à l'entrée officielle, l'arrêta devant un escalier monumental d'une soixantaine de marches, sur lequel avait été disposé un tapis de velours rouge. Des jarres remplies d'huile enflammée le bordaient de part et d'autre. La lumière qui irradiait de ces flammes colorait d'or les moindres détails du majestueux palais.

Dès qu'une automobile s'arrêtait, des serviteurs vêtus de blanc se précipitaient pour ouvrir les portières. Jürgen von Rosenheim sortit en premier et tendit sa main à Jezebel qui n'osa pas la refuser. Les yeux baissés sur son agacement, elle descendit de l'Hispano-Suiza en balançant avec provocation la belle cape de soirée en dentelle noire et brocard d'or qu'elle portait sur son fourreau de soie lamée. La texture voluptueuse du vêtement s'accordait agréablement à la tiédeur de la nuit, nimbant son corps d'une élégance mystérieuse que le capuchon accentuait en maintenant son visage dans l'ombre. Parfaitement consciente des regards qui se posaient sur elle, et qui provoquaient des chuchotis emprunts de curiosité, elle leva la tête avec un brin d'arrogance.

Un orchestre placé au sommet des marches jouait une musique aux accents délicieusement exotiques. Un voiturier partit garer l'Hispano-Suiza tandis que l'imposant chauffeur moghol se coulait à nouveau dans son emploi de garde du corps. Von Rosenheim entraîna sa cavalière jusqu'à une porte monumentale encadrée par une enfilade de colonnes. Ils patientèrent le temps de montrer leurs cartons d'invitation, tandis que des serviteurs leur proposaient des rafraîchissements.

Lorsque leurs noms furent listés, un majordome les guida vers l'intérieur du palais où Jezebel put se débarrasser de sa cape au vestiaire. Elle réapparut dans son sublime fourreau en faille de soie rose lamée or qui épousait étroitement son corps, sur lequel avaient été cousues des mousselines du même ton, si vaporeuses qu'elles servaient tour à tour d'écharpe, de ceinture, de jupe arachnéenne et de traîne. Autour de sa gorge, elle avait enroulé un long collier de perles dorées qui ornait son décolleté et, autour de ses poignets, elle avait enfilé plusieurs bracelets de pacotille qui lui donnaient un air de princesse barbare.

En quittant la villa Gokhra, elle s'était sentie fière du résultat mais, maintenant que les yeux du baron se posaient sur elle, remplis de convoitise, elle craignit d'en avoir trop fait.

— Ma chère, vous êtes une rose au milieu de tous ces fracs, lui glissa-t-il.

Elle répondit à contretemps, étonnée qu'un compliment puisse revêtir autant de vulgarité et de lourdeur simplement en étant dit par une personne détestée.

— Je veux bien être une rose, baron, répliqua-t-elle sèchement, pourvu que vous vous rappeliez que les roses ont toujours des épines.

Il s'inclina en affectant de sourire avec bonhomie mais son œil s'était durci. Elle l'avait mouché, mais à quel prix ? Elle accéléra le pas pour se mêler aux autres convives. Elle regrettait maintenant d'avoir choisi une robe rose. La couleur était seyante à son teint mais la rendait trop visible au milieu de ces hommes quasi exclusivement vêtus de redingotes et de smokings noirs.

Elle déboucha dans un hall d'entrée où elle se sentit si minuscule au milieu de la magnificence de l'architecture qu'elle en eut le souffle coupé.

Le vestibule était immense, de forme circulaire. Il ouvrait sur un escalier d'apparat qui se déployait en corolle sur une hauteur de deux étages ramassés sous un magnifique dôme en stuc. Un lustre gigantesque y était accroché. Orné de mille pampilles réfléchissant autant de bougies, il était si grand, si vaste, qu'il aurait pu écraser dix hommes d'un seul coup s'il s'était soudainement détaché du plafond.

Tous les convives gravirent l'escalier d'honneur jusqu'à déboucher dans une salle de réception grandiose. Des gardes en livrée cramoisie au parquet en mosaïque, des galeries périphériques aux perspectives décorées de miroirs, tout était une ode au luxe et à la volupté. L'espace était garni de fauteuils installés sur des tapis persans, de divans et de sofas couverts de coussins parfois cachés derrière des paravents. Des recoins intimes masqués par des plantes luxuriantes lui donnaient une échelle humaine et confortable.

Au milieu, un chambellan vêtu de rouge et d'or, au turban agrémenté d'aigrettes multicolores, égrenait les titres et les qualités des invités au fur et à mesure qu'ils se présentaient. Sa voix de stentor couvrait une musique dont la source semblait impossible à localiser. Derrière lui était installé un vaste dais à pompons qui recouvrait une estrade tapissée de peaux de tigres et de tapis incrustés de pierres précieuses. Deux hommes s'y tenaient. Le premier était installé sur un trône et était sans conteste possible le maharaja de Mahavir. L'autre était légèrement en retrait. Il se tenait debout et semblait beaucoup plus jeune.

Jezebel focalisa son attention sur le monarque. Elle était déçue de son physique si ordinaire. Elle s'était attendue à une sorte de dieu d'airain alors que le maharaja n'était qu'un homme d'âge mûr, petit et rondouillard, dont la majesté ne semblait être due qu'au sublime trône de marbre blanc à tête d'éléphant duquel il dominait toute la réception ou, peut-être également, au luxe évident de ses atours.

Il était vêtu d'une longue tunique traditionnelle sur un pantalon qui plissait aux chevilles, le tout réalisé dans des étoffes brodées magnifiques, qui le faisait scintiller. Un collier de perles d'une vingtaine de rangs formait autour de sa gorge un plastron qui descendait jusqu'au milieu de sa poitrine. Son côté gauche était chamarré par de multiples décorations militaires, dont certaines étaient britanniques. Les yeux sombres semblaient un peu globuleux mais démontraient une grande vivacité, sans doute à cause de l'épais trait de khôl qui les ourlait. Enfin, un collier de barbe cachait habilement le double menton même si la moustache demeurait désuète.

Point d'orgue sur cette silhouette précieuse, le turban attirait l'attention. Il semblait lourd. Il devait au moins peser ses onze livres tant il était recouvert de pierreries, de perles enchâssées sur des fils d'or et couronné sur le devant par un bijou en diamant qui représentait un aigle ou un cygne.

— C'est le *Saphed Baaz*[1] que le joaillier Cartier a récemment réalisé sur commande, siffla Jürgen von Rosenheim sans qu'il fût possible de déterminer si le ton qu'il employait était de l'admiration ou du mépris.

Jezebel ne l'écoutait que d'une oreille. Le chambellan venait d'énoncer son nom et elle sortit des rangs, suivie par Michael et von Rosenheim. Elle tremblait un peu. Elle n'avait pas l'habitude d'un tel faste et en était impressionnée.

Elle avança jusqu'au trône puis fit une profonde révérence. Sa traîne prit dans le mouvement la charmante apparence d'une aile d'oiseau. Le maharaja cligna des yeux et sembla se réveiller de sa torpeur. Il se redressa, posa sur elle un œil soudain rempli d'intérêt.

— Ah, lady Tyler, s'exclama-t-il d'une voix au fort accent guttural. Quel grand plaisir de vous recevoir ce soir. Mon fils cadet parle tant et tant de vous qu'il me fallait voir par moi-même la divine personne dont il ne cesse de faire un tableau flatteur.

---

1. Se traduit par « Faucon blanc ».

Jezebel s'étonna. Elle allait protester, dire que, non, vraiment, elle n'avait pas l'honneur de connaître le fils cadet de Son Altesse lorsque l'homme qui se tenait derrière le souverain vint dans sa direction. Il était grand, magnifique dans une *sherwani*[1] traditionnelle et un pantalon *churidar*, la poitrine barrée d'une écharpe brodée. Il ne portait pas de turban, ses cheveux noirs aux larges boucles formaient une véritable crinière de lion.

Elle eut un sursaut incrédule tandis qu'il se postait devant elle et qu'il souriait avec malice. Elle venait de le reconnaître alors qu'il n'avait ni son turban jaune, ni son *dhoti* crasseux, ni même ses sandales de *ryot*.

— Charu ! souffla-t-elle, incapable de croire ce qu'elle voyait, et le jeune Indien lui sourit plus encore, de ce merveilleux sourire qui découvrait ses dents brillantes comme des perles.

— Milady.

Elle plongea en une révérence confuse tandis que le maharaja de Mahavir éclatait d'un bon gros rire plein de joie, visiblement ravi de l'énorme farce qui se jouait devant lui et dont il était le complice complaisant.

— Lady Tyler, gloussa-t-il, très chère lady Tyler, laissez-moi vous présenter mon fils cadet, le prince Charu Bakhtavar de Nandock.

Elle ploya pour une autre révérence car elle ne savait pas quoi faire d'autre, tant elle se sentait naïve et idiote, mais cette fois-ci Charu descendit de l'estrade pour lui prendre aimablement la main.

— Je vous en prie, lady Tyler, relevez-vous.

Elle obéit. Ils se regardèrent longuement. Il était vraiment amusé, elle très gênée par la situation.

— Vous m'avez menti, Charu, souffla-t-elle très bas pour n'être entendu que de lui. Mais comment dois-je vous appeler ? Votre grandissime royauté ?

Le sourire du prince s'accentua.

— Que diriez-vous si je vous faisais visiter le Palais d'Or, milady ? Messieurs, ajouta-t-il en se tournant vers Michael Deckard et le baron von Rosenheim qui ne comprenaient rien à la scène qui se déroulait sous leurs yeux, vous nous accompagnez bien sûr ? Mon père s'apprête à recevoir quelques dirigeants politiques, j'imagine

1. Chemise arrivant au genou.

qu'une conversation de cette nature ne vous intéresse pas outre mesure… Allons plutôt découvrir les jardins, le zoo exotique et, pourquoi pas, la collection de Bugatti de mon père.

Avec une élégance un brin ostentatoire, il offrit son bras à la jeune aristocrate anglaise. Jezebel mit plusieurs secondes à accepter de s'y appuyer. Elle était furieuse du tour qu'il lui avait joué et entendait le lui faire comprendre mais il feignait de ne rien remarquer. Pour l'heure, il jouait avec beaucoup d'enthousiasme au guide touristique, leur montrant au passage des pièces d'art ou d'orfèvrerie, et racontant mille anecdotes.

— Mon père reçoit peu. Je suis donc très fier de vous faire faire le tour du propriétaire.

— C'est pour nous un très grand honneur, prince de Nandock, riposta von Rosenheim avec un rien de sécheresse. Nous sommes désolés d'avoir mis tant de temps à comprendre qui vous étiez. Si nous l'avions su, nous vous aurions accueilli à la villa Gokhra avec beaucoup plus de panache.

Charu eut un grand rire.

— J'avoue, c'était facétieux et j'en suis un peu honteux. J'espère que vous saurez me pardonner ?

Il emmena ses hôtes dans un dédale grandiose de pièces toutes plus somptueuses les unes que les autres. Certaines étaient petites et entièrement tapissées de bas-reliefs en marbre. D'autres étaient vastes, ou décorées de mosaïques et de fragments de miroir qui en agrandissaient étrangement les perspectives.

Au fil de cette pérégrination, Jezebel oublia peu à peu son ressentiment. Les merveilles se succédaient comme dans un musée et, appuyée au bras du prince qui lui offrait une conversation érudite, elle posait d'innombrables questions. Elle partageait avec son cavalier une si évidente complicité que le baron von Rosenheim en éprouva rapidement de la rancœur.

Ils déambulèrent aussi à l'extérieur, sous une palmeraie, près de fontaines chantantes puis dans une véritable forêt de bambous où étaient disséminées des cages de fer dont les aimables circonvolutions semblaient être inspirées de l'ère victorienne. Tous admirèrent des perroquets brésiliens ou de terribles fauves, dont un lion d'Asie, un ours lippu originaire d'Himalaya et un tigre blanc apprivoisé qui vint se frotter aux barreaux en ronronnant tel un immense chat.

Plus tard, le prince fit visiter l'impressionnante collection automobile du maharaja. Daimler, Rolls-Royce, Bugatti, Hispano-Suiza se succédaient dans un déploiement de luxe et d'excentricité. La Daimler était entièrement dorée à l'or fin. L'une des Rolls était en acajou et argent massif. Dans un circuit aménagé près des garages, un petit garçon approcha au volant d'une automobile miniature ornée d'une tête de cygne. Il avait onze ans et il était le quarante-neuvième enfant du maharaja qui en comptait quatre-vingt-deux. Entendant cela, Jezebel eut une exclamation incrédule. Le prince Charu précisa qu'avoir tant d'enfants n'était pas du tout extravagant lorsqu'on avait douze épouses et vingt-sept concubines. Il rappela également que la mortalité infantile était extrêmement élevée. Combien d'enfants morts en bas âge pour seulement un ou deux vivant ?

— Moi-même, je suis le deuxième fils.

— Vous n'êtes donc pas le prince héritier ? interrogea le baron von Rosenheim avec une condescendance presque insultante.

Charu dédia au Suisse son plus éblouissant sourire.

— Je suis effectivement placé en seconde position dans l'ordre d'accession au trône et, croyez-moi, je m'en félicite tous les jours. Mon frère aîné, Omja Singh, en tant qu'héritier du trône, n'est jamais libre de ses mouvements. Ou de ses désirs, ajouta-t-il *mezzo voce*, son regard ardemment posé sur Jezebel qui prit l'allusion pour elle et en rougit violemment.

Jürgen von Rosenheim avait également entendu. Il serra plus que de raison son poing sur le pommeau de sa canne. À quoi jouait le prince ? Ce métèque osait-il réellement faire les yeux doux à une lady anglaise, de surcroît une lady qu'il avait l'intention de s'approprier ?

Le baron ne se contint qu'à grand-peine, et uniquement parce qu'il visait un but supérieur : obtenir enfin du maharaja le précieux sauf-conduit qui les autoriserait, lui et Michael Deckard, à se rendre dans le Sikkim. Une fois que cela serait fait, le prince aurait intérêt à mieux se conduire s'il ne voulait par recevoir la monnaie de son impudence.

La visite continua en admirant une série de Bugatti accrochées au mur comme des tableaux précieux.

— Ces magnifiques bolides sont tous arrivés sur un podium lors de prestigieuses courses en Europe ou aux États-Unis, précisa le prince. Mon père a voulu leur rendre hommage en les installant ainsi, comme des trophées à l'abri du temps.

— Décidément, votre famille est une adepte de la collection, glissa le baron avec un nouveau soupçon de provocation. Après les palmiers exotiques, les automobiles, les fauves himalayens et les femmes, où s'arrêtera l'appétit du maharaja de Mahavir ?

Il y eut quelques secondes de silence, durant lesquelles le prince parut sur le point de frapper le baron, puis il se contint et répliqua finalement avec finesse.

— Ah, cher baron, chacun s'offre les plaisirs qu'il souhaite, n'est-ce pas ? J'ai cru comprendre votre propre intérêt pour l'histoire ancienne et les grandes civilisations de l'Indus.

Le sujet de la conversation réveilla Michael Deckard. L'archéologue n'avait, jusqu'à présent, guère pris de plaisir à suivre cette déambulation qui le fatiguait.

— En réalité, prince, le baron et moi-même nous ne nous intéressons pas à la vallée de l'Indus, mais plus spécifiquement à celle du Gange et à la civilisation gupta dont les réalisations, à une époque où l'Europe balbutiait encore à l'âge des tribus barbares, furent si remarquables.

Charu apprécia le compliment et s'inclina devant l'archéologue, la main sur le cœur.

— Nous savons votre intérêt pour l'histoire ancienne de notre pays, sir Deckard. Je puis d'ores et déjà m'exprimer au nom de mon père, qui a entendu votre requête concernant votre demande de sauf-conduit et entend y accorder une suite favorable. En tant que souverain éclairé, il ne saurait s'élever contre une ambition scientifique qui révélera une fois de plus la grandeur de la civilisation indienne. Il sait que l'art élève l'esprit. Sous sa directive, je me suis déjà entretenu avec notre cousin le *Chogyal*, qui accepte notre recommandation et vous autorise à franchir les frontières du royaume de Sikkim. Croyez bien que vous recevrez sous peu les papiers nécessaires à votre expédition.

Michael se confondit en remerciements émus. Von Rosenheim lui-même s'inclina avec une évidente satisfaction.

— Nous vous remercions, prince de Nandock. Bien entendu, nous serions fort honorés d'offrir à Son Altesse un présent qui saluerait sa bienveillance à notre égard…

Charu lui coula un regard insolent.

— La présence de lady Tyler à ces festivités est déjà pour mon père une excellente surprise. D'ailleurs, j'entends qu'on annonce le dîner. Venez, allons rejoindre les autres.

Le repas fut à la mesure de la fête : grandiose, abondant et extrêmement raffiné. Les plats se succédaient avec une profusion qui rendait impossible de tous les goûter. Charu, assis à la droite de Jezebel, mettait un point d'honneur à lui faire découvrir les spécialités de la cuisine bengalie. La jeune Anglaise grignotait à peine tant elle prenait plaisir à regarder autour d'elle, admirant autant le spectacle des souverains indiens couverts de pierres précieuses que celui des officiers de Sa Majesté britannique aux poitrines alourdies par des décorations militaires. Chaque convive avait à sa disposition plusieurs serviteurs qui s'occupaient de remplir ses verres et ses assiettes, et qui veillaient à son bien-être. Une musique entraînante s'échappait de derrière des tentures. Des danseurs des deux sexes passaient entre les tables avec des tourbillons de mousseline, ainsi que des jongleurs et des charmeurs de serpent. Un cobra s'échappa, mais ce n'était qu'un tour de magie.

Jezebel, passé le premier mouvement de panique, rit de bon cœur. Elle se sentait un peu ivre, peut-être l'effet du champagne mais plus certainement l'euphorie de l'instant, la gaieté de la fête, la profusion des couleurs et le charme de Charu qu'elle n'avait jamais trouvé aussi séduisant.

Elle n'en revenait pas qu'il ait réussi à la tromper de la sorte. Comment avait-elle pu croire qu'il était un simple domestique, alors qu'il parlait l'anglais avec un réel raffinement et qu'il faisait montre à son égard d'une éducation sans faille ?

— Savez-vous que je vous déteste ? lui souffla-t-elle peu avant le dessert.

Il comprit aussitôt de quoi elle parlait, se pencha vers elle en lui adressant un sourire lumineux. Elle perçut une vague de son divin parfum de frangipanier aux épices et faillit fermer les yeux pour mieux s'en imprégner.

— Vous ne m'auriez pas cru, milady. Ne dit-on pas chez vous que l'habit fait le moine ?

Elle s'amusa du proverbe si joliment détourné.

— En fait, c'est tout le contraire. On dit que l'habit ne fait *pas* le moine.

— Ah oui, vraiment ? releva-t-il avec une aimable raillerie.

Elle cacha son trouble en goûtant le *ledikeni* qu'on avait placé devant elle. Il s'agissait d'un dessert en forme de boule brune que Charu lui présenta comme né de l'influence britannique et nommé en hommage à la première vice-reine, lady Canning.

C'était une espèce de beignet imbibé de sirop doux et moelleux qu'elle trouva délicieux. Le moment était parfait. Tout était beau, brillant, irréel. Elle était heureuse et légère comme une bulle de champagne.

Puis le baron von Rosenheim se leva en faisant tinter sa fourchette sur son verre, attirant l'attention de tous. Immédiatement, elle eut un mauvais pressentiment.

Le tintement du cristal fit taire le brouhaha et von Rosenheim s'en montra satisfait. Il échangea un regard avec Michael Deckard, poussant ce dernier à se mettre debout à son tour. Tous deux levèrent leurs verres pour un toast. Jezebel comprit que quelque chose de terrible était en train de se produire. Son visage se vida de son sang. Inexplicablement, elle sut qu'elle était prise au piège et n'eut soudain qu'une seule envie, fuir le moment qui s'annonçait.

Mais il était trop tard. Von Rosenheim avait contourné la table pour se poster dans son dos. Maintenant, il lui prenait la main et la portait à ses lèvres. Elle leva la tête pour affronter ses yeux de glace. À l'intérieur de son corps, tout n'était que tremblement.

— Votre Altesse, permettez-moi de profiter de cette merveilleuse soirée pour faire une annonce officielle, d'ordre privé.

Le souverain consentit aimablement, et le baron continua en baissant les yeux vers Jezebel qui avait cessé de respirer.

— Votre Altesse, Son Excellence le vice-roi, messieurs, j'ai le grand plaisir de vous annoncer mon prochain mariage avec lady Jezebel Ann-Rose, comtesse de Tyler, ici présente. Nous voici donc officiellement fiancés.

Un tonnerre d'applaudissements éclata. Jezebel ne parvenait plus à bouger. Von Rosenheim lui embrassait passionnément la main mais elle s'en apercevait à peine. Elle vivait un cauchemar terrible. Là-bas, au fond de la salle, parmi cette foule qui la félicitait bruyamment, se tenait une silhouette qu'elle aurait reconnue entre toutes.

Jan Lukas.

Debout en bordure de table, l'Américain la regardait. Son visage était indéchiffrable. Elle chercha ses yeux. Au travers de l'immensité de la salle, il lui sourit froidement, puis il leva son verre et lui porta un toast silencieux.

Elle eut envie de hurler « non » mais elle ne parvenait même pas à bouger la tête. Elle était là, étrangère à son propre corps, totalement figée par le désespoir. La main de von Rosenheim pesait une tonne sur son épaule. Elle était sa prisonnière. Elle le serait toute sa vie.

Pourtant, ce n'était pas cette certitude qui poignardait son cœur mais le mépris qu'elle lisait dans le regard de l'Américain. Elle se leva machinalement. Elle ne pouvait plus rester ainsi sans bouger. Elle étouffait. Elle mourait. Von Rosenheim la prit par la taille d'un air de propriétaire. Elle n'échapperait plus jamais au piège que lui avait tendu le baron.

On se bouscula pour féliciter l'heureuse fiancée. Le vice-roi en personne quitta sa chaise pour lui souhaiter tous ses vœux de bonheur. D'autres se succédèrent en un foisonnement de fracs noirs, de smokings noirs, de vestes noires. Des croque-morts dont elle reconnaissait à peine le visage. Elle crut mourir sur place lorsque Lukas se dressa à son tour devant elle, en souriant avec une fausse amabilité qui ne s'étendait pas jusqu'à ses yeux. Elle reçut ses compliments comme une gifle, retomba sans force sur sa chaise. Tout tanguait autour d'elle. On s'empressa de l'éventer, on lui fit boire un cordial, on lui humecta les tempes avec un linge parfumé d'eau d'oranger.

— Voulez-vous rentrer ? demanda Michael avec une sollicitude qu'elle eut envie de lui faire avaler à coups d'ongles sur le visage.

— Non, répliqua-t-elle en relevant crânement le visage. Ce n'était qu'un malaise dû à l'émotion. Je vais bien. Retournez à votre place, mon parrain. Je n'ai pas l'intention d'interrompre une soirée où vous vous amusez aussi bien.

— Ann-Rose…

Elle lui tourna ostensiblement le dos, avala d'une traite un grand verre d'eau. Ses joues étaient en feu. Son cœur était de glace. Elle plaqua sur ses lèvres un sourire artificiel tandis que tout le monde regagnait sa place. Le reste du repas fut un véritable enfer sur terre. Elle n'entendait plus rien, ne voyait plus rien. Elle ne toucha à aucune des sucreries qu'on déversait dans son assiette, ne but rien non plus. Von Rosenheim pérorait avec fatuité. Elle n'osa plus regarder vers Lukas, ni même vers Charu.

Le monde venait de s'écrouler.

*

— Vous avez demandé à me voir, milady?

Oui, c'était ce qu'elle avait osé faire, demander à Charu d'organiser un ultime rendez-vous avec Jan Lukas, car elle ne pouvait pas demeurer comme ça plus longtemps, sans rien faire. Elle devait parler à l'Américain, lui dire ce qu'elle savait d'Andres Agustin mais aussi lui raconter ces nuits qu'elle passait à ne plus dormir, à étreindre stupidement son oreiller, à se tourner encore et encore sous le coup de la chaleur et de l'insomnie, à s'imaginer nue au point de se caresser de façon impudique. Elle devait lui dire qu'elle rêvait de ses mains, de sa bouche, de son corps écrasant le sien, de ce désir moite qui montait dans son ventre, durcissait ses seins, asséchait sa bouche. Qu'elle se rappelait le moindre détail de leurs baisers, son souffle noyé dans le sien, sa voix rauque glissant le long de sa gorge, ses doigts s'attardant dans son dos comme sur un violon parfaitement accordé. Et aussi les oiseaux bengalis.

Oui, elle devait lui dire tout cela, et pourtant elle savait qu'elle n'en ferait jamais rien. On ne disait pas ces choses-là, même dans le secret d'un parc noyé par l'ombre d'une nuit indienne.

— Il faut que je vous parle, glissa-t-elle sobrement.

Jan attendit la suite sans chercher à s'approcher d'elle. Dans son élégant smoking, il était raide et réprobateur, hostile jusque dans son froncement de sourcils. Pourtant, sa beauté demeurait intacte. Peut-être même était-elle exacerbée par l'obscurité, qui donnait au creux de ses pommettes ou à l'angle de sa mâchoire un mystère supplémentaire. Le regarder était comme un coup de couteau dans le cœur. Jezebel avait conscience d'être devenue un corps amolli, un corps modelé par un désir insensé. Elle se hâta de fermer à demi ses paupières, pour qu'il n'aperçoive pas dans ses pupilles dilatées cette nécessité.

— Très bien, je vous écoute, milady, déclara-t-il poliment.

Il forçait sur les convenances, milady par-ci, milady par-là, pourtant il était venu. S'il n'avait pas voulu la revoir, il ne se serait pas tenu ici maintenant. Elle s'accrocha à cette idée, tenta de le provoquer.

— Je vous ai connu plus aimable.

— Je n'ai plus guère envie de l'être avec vous.

— Oh, s'exclama-t-elle, choquée. À vous entendre, on pourrait croire que je suis une espèce de serpent.

— Vous êtes assurément un cobra de la pire espèce, confirma-t-il sèchement.

Elle inspira lentement, accusant le coup. La conversation était mal engagée, il aurait fallu tout recommencer, garder un ton plus conventionnel, plus mondain, mais elle n'avait jamais été douée pour les planifications. Au contraire, elle laissa parler son instinct. Et s'enlisa stupidement dans la question qu'il ne fallait pas poser.

— Pourquoi m'imaginez-vous en serpent ?

— Pourquoi ? hurla-t-il en la rejoignant à grandes enjambées pleines de colère, pour la saisir par les épaules et la secouer brutalement. Pourquoi ? Mais parce que tous les jours je pense à vous, à votre visage de charmante petite fille, à votre corps de sirène, à vos gestes délicats. Tous les jours, je me souviens de l'adorable fillette que vous étiez sur le paquebot. Je vous revoie émue par l'histoire des oiseaux bengalis que je vous racontais. Comme vous étiez hypocrite et déjà fort menteuse !

Il lui serrait trop fort les épaules, elle en avait des larmes aux yeux mais elle levait tout de même vers lui un petit visage de chatte avide de caresse, si lumineux qu'il la lâcha comme si elle l'avait soudain brûlé. Il recula avec la même brusquerie, se réfugiant dans l'ombre végétale où il fit quelques pas pour se calmer les nerfs.

Ils étaient dans le jardin tropical, près de la cage du tigre blanc. Le fauve allait de long en large en les dévisageant de ses prunelles d'agate. Gêné par leur proximité, il lâchait de temps à autre un feulement agacé, secouait sa longue queue puis reprenait son errance étriquée, ombre blanche et fantomatique au milieu de la nuit indienne.

— Restons-en là, milady. Nous n'avons décidément rien à nous dire. Continuez donc à vous complaire dans les bras du baron de l'opium, puisque vous avez vendu votre âme au diable.

Elle trouva sa remarque injuste et déplacée, riposta sur le même ton :

— Décidément, monsieur, vous avez beau jeu de reprocher aux autres ce que vous vous octroyez à vous-même !

— Que dites-vous ?

— Simplement que pour vendre votre fameux médaillon, vous n'aviez aucun état d'âme à vous adresser à ce même baron de l'opium !

Il revint vers elle, s'arrêta proche à la toucher, le corps raidi par la colère. Elle leva effrontément le nez, ferma les yeux. Qu'il la frappe donc, puisque les hommes n'avaient pas d'autre langage. De toute façon, elle pouvait bien mourir. La vie ne lui avait jamais rien apporté d'heureux.

— Il s'agissait d'affaires commerciales. Mais vous, milady, qu'avez-vous vendu au baron ?

Elle rouvrit les yeux, le toisa avec une rage désespérée. Décidément, il ne comprenait rien à rien. Croyait-il donc qu'elle avait le pouvoir de refuser l'époux que son tuteur lui avait choisi ?

— Il est vraiment difficile d'avoir une conservation sérieuse avec vous. Vous avez raison, il est inutile d'insister. Je voulais vous parler d'Andres mais je regrette d'être venue. Adieu.

Elle pivota vers la nuit brune. Il la rattrapa, la força à lui faire face.

— Que voulez-vous me dire au sujet d'Andres ? Je n'ai reçu aucune nouvelle de sa part depuis qu'il a quitté le paquebot l'*Albatros*. Il est plus qu'un associé. Il est comme mon père. Après l'accident qui a coûté la vie à mes parents en Argentine lorsque je n'avais que douze ans, il m'a pris sous son aile en évitant que j'aille dans un orphelinat. Tout ce que je sais, c'est lui qui me l'a appris. Son silence m'inquiète. Je sens qu'il est arrivé quelque chose de grave. Si vous savez quelque chose à son sujet, vous devez me le dire.

Elle leva vers lui un petit visage terriblement désolé. Il lui fallut une bonne dose de courage pour oser continuer.

— Je... Je n'ai pas de bonnes nouvelles, Jan. Je suis tellement triste.

Il serra si fort son bras qu'elle en eut un gémissement de douleur.

— Que voulez-vous dire ?

— Andres est mort, Jan.

— Vous mentez ! cria-t-il en la dévorant du regard.

— Je suis tellement désolée.

— Que pouvez-vous savoir alors que personne ne sait rien, ni la police, ni l'armée, ni même aucune ambassade ?

— Jan, je vous en prie…

— C'est vrai, suis-je bête ! Si vous savez qu'Andres est mort sans doute est-ce parce que vous êtes la complice de son assassin J'espère que vous avez au moins récupéré le Sher-Cîta ? J'espère aussi que sa malédiction vous emportera dans la tombe, vous et le baron !

Elle songea à le gifler mais, au lieu de ça, elle baissa les bras, molle et sans volonté. Elle n'en pouvait plus de toute cette violence. Des larmes inondaient son visage.

— Comment pouvez-vous croire que c'est moi qui ai tué Andres Agustin ? gémit-elle. J'ai appris sa mort par hasard, en surprenant une conversation que je n'aurais jamais dû entendre. Depuis, j'ai essayé maintes fois de vous le dire. Je voulais que vous sachiez pour que… que… vous n'ayez pas d'espoir en vain. Je trouvais que c'était mieux que de demeurer dans l'incertitude mais vous ne comprenez jamais rien à rien ! Vous êtes stupide et caractériel. Égocentrique.

Il recula, s'éloigna de nouveau de quelques pas. Demeura tourné vers la nuit, à respirer lourdement. Elle ne distinguait que sa nuque un peu courbée et ses épaules affaissées.

— Jezebel, il faut m'en dire plus.

— Que voulez-vous que je vous dise ? soupira-t-elle. J'ai entendu von Rosenheim l'annoncer à mon parrain. Depuis, j'ai peur, constamment. J'essaie de ne me mêler de rien. Je ne veux plus rien entendre, plus rien voir. Je n'ai pas choisi de me marier avec von Rosenheim. Je n'ai jamais eu le choix en rien, pas même de venir en Inde.

— Jezebel…

Elle sursauta parce qu'il se tenait à nouveau devant elle, en la dominant de sa haute taille. Elle ne l'avait pas entendu venir. Or, elle se trouvait bien petite et fragile face à son regard sévère qui se posait sur elle en semblant vouloir la consumer.

— Pardonnez-moi, Jezebel.

Elle baissa la tête, regarda ses mains qui tremblaient. Ne dit rien. Il continua.

— D'accord, j'ai été stupide… Je vous suis reconnaissant de m'avoir prévenu. Je me doutais du sort d'Andres mais je n'avais aucune certitude, aucune preuve… Et puis, je ne voulais pas y croire. Pardonnez-moi de m'être emporté. Je sais que la colère, le chagrin ne sont pas des excuses. Je suis un fieffé imbécile, n'est-ce pas ?… Je vous trouve très courageuse.

Il lui prit les mains, les caressa entre les siennes.

— Jezebel ? Êtes-vous avec moi ? M'entendez-vous ?

Elle n'avait pas envie de parler. Elle avait juste envie d'être prise dans ses bras, d'être serrée contre sa poitrine, de poser sa tête sur son épaule, de respirer le grain de parfum de son cou. Il lui prit le menton dans sa main, leva son visage vers lui avec une infinie douceur.

— Ce médaillon n'amène que des malheurs. Je suis presque heureux de ne plus l'avoir en ma possession. Promettez-moi de vous en tenir éloignée.

— Je ne sais même pas de quoi vous parlez. Je n'ai jamais vu aucun médaillon.

— Tant mieux. Cet objet est maudit. Rappelez-vous la légende.

— Croyez-vous donc à ces superstitions ?

— Non. Mais je ne supporterais pas qu'il vous arrive…

Il n'acheva pas, l'enlaça étroitement. Ses yeux brillaient d'un désir qui l'amollit plus encore. Elle attendit son baiser mais, à l'instant où leurs lèvres allaient se joindre, il se ravisa et apposa sur sa joue un simple bécot quasi fraternel.

— *Sweetie*, votre fiancé a de grands airs aristocrates mais ce n'est pas un enfant de chœur. Il a l'aval de vos compatriotes anglais lorsqu'il s'agit de cultiver l'opium et d'inonder la Chine d'un *chandoo* de contrebande mais il use de pratiques douteuses. Ses navires trafiquent de tout : des hommes, des femmes, des armes à feu, de l'ivoire, des diamants et des antiquités. Croyez-moi, le baron von Rosenheim est loin d'être un honnête marchand.

— Je sais, déclara-t-elle.

— Pourquoi vouloir jouer avec le feu ?

Elle voulut lui dire qu'elle n'avait pas le choix, qu'elle cherchait avant tout à protéger un vieil homme malade que rongeait un rêve un peu trop fou, mais il la lâcha bien avant. Son visage s'était fermé. Ses yeux l'évitaient. Il lui serra la main très conventionnellement.

— Au revoir, milady. Je vous souhaite bonne chance.

Elle resta seule dans la nuit, à le regarder s'enfoncer inexorablement dans l'obscurité. Elle pensa d'abord l'appeler, puis elle ne le fit pas. Il avait choisi, qu'y pouvait-elle ? Elle sentait son cœur battre si fort qu'elle le crut capable de s'envoler. Elle posa ses mains sur sa poitrine pour l'y contenir. Un froid de glace la saisit. Elle se mit à trembler comme une feuille. Au loin, un orage grondait mais ce n'était qu'un feu d'artifice. Elle se dit qu'elle pouvait aussi bien se laisser tomber par terre, mourir sur place, elle n'avait plus aucun avenir, aucun espoir. Jan la détestait.

— Jezebel ?

Elle sursauta, crut qu'il était revenu, reconnut Charu. Le prince vint poser un bras sur ses épaules. Elle le vit au milieu de ses larmes, le trouva magnifique dans ses vêtements soyeux garnis de broderies précieuses. Il était comme un dieu sculpté dans du bronze, avec son teint brun, ses yeux ourlés de khôl et son sourire éclatant. Ses cheveux ondulés lui donnaient la grâce animale d'un jeune lion.

Elle se laissa aller contre son corps chaud. Ses bras étaient doux et accueillants. Ses muscles roulaient sous ses mains.

Elle n'était que naufrage. Jan l'avait quittée. Jan la haïssait.

Elle baissa les paupières, tendit son visage à la nuit. Charu se pencha, posa délicatement ses lèvres sur les siennes. Elle se laissa aller.

C'était tout ce dont elle avait besoin, un pansement pour son cœur.

Les baisers de Charu étaient doux et sans tumulte. Elle les reçut comme une offrande, en ne songeant à rien d'autre qu'à leur moelleuse nécessité. Enfouie comme au creux d'un nuage de coton, elle oubliait le passé, elle oubliait surtout le présent. Cela seul comptait.

Très vite cependant, il fallut redescendre sur terre. Le feu d'artifice avait cessé. L'air amenait une odeur de poudre. Le ciel s'était étrangement couvert, les étoiles semblaient toutes avoir disparu. Une brise soudaine soufflait entre les cages des fauves, exhalant des relents sauvages que le jasmin ne suffisait plus à édulcorer.

Charu prit les mains de la jeune fille et, debout devant elle, la regarda avec une intensité qu'elle ne lui avait jamais connue. Elle admira son beau visage mat et aux belles proportions.

Le front, qu'elle découvrait pour la première fois sans l'éternelle présence du turban jaune, se révélait finalement plutôt grand, et parfaitement mis en valeur par l'abondance des boucles noires rejetées en crinière vers l'arrière. Les pommettes en paraissaient plus saillantes, les mâchoires plus marquées, révélant qu'un sang népalais s'était sans doute mêlé aux traits un peu ronds propres au peuple bengali. Le tout formait un visage d'une rare beauté, où le meilleur atout était son sourire merveilleux.

— Savez-vous que je pourrais vous garder dans ce palais, et faire de chacune de vos minutes un moment charmant ?

Elle plongea dans ses beaux yeux sombres qui brillaient comme du jais. Il lui caressait les mains, amenant sur sa peau une chaleur presque brûlante.

— Je ne peux pas rester, Charu, chuchota-t-elle doucement.

— Est-ce parce que vous êtes une Anglaise et moi un Indien ? commenta-t-il sans parvenir à totalement masquer sa soudaine amertume.

Elle se mordilla la lèvre. Elle n'avait pas songé à cette différence qui compliquerait sans doute les choses même si ce n'était pas ce qui l'inquiétait le plus.

— N'avez-vous pas entendu le baron von Rosenheim faire part de notre prochain mariage ? murmura-t-elle d'un ton presque inaudible, parce que cette réalité-là avait vraiment du mal à sortir de sa bouche. Je… Je ne suis pas libre de mes actes.

— Des fiançailles peuvent se rompre.

Elle baissa les yeux. Elle ne voulait pas qu'il lise la peur dans ses yeux.

— Le baron von Rosenheim n'est pas un homme que l'on quitte facilement.

— Je vous protégerai.

— Ce n'est pas pour moi que j'ai peur. Enfin, pas uniquement. Mon parrain…

— Un seul mot de vous, *meri sajani*[1], et je vous installe tous les deux ici, dans ce palais, à mes côtés.

Elle se jeta contre lui, appuya sa joue contre sa poitrine et ferma à demi les yeux. Il lui proposait un si beau rêve, elle regrettait tellement de ne pas avoir la force d'y croire.

---

1. « Ma chérie » en hindi.

— Vous êtes si gentil, je voudrais être capable de…

— M'aimer ? ironisa-t-il en lui caressant doucement les cheveux.

Elle baissa la tête, troublée, attristée. Elle ne parvenait pas à savoir ce qu'elle ressentait pour lui. Depuis qu'elle l'avait rencontré, depuis qu'il lui avait sauvé la vie, elle appréciait vraiment sa compagnie. Elle adorait l'écouter parler de son pays, de ses coutumes, lui raconter des anecdotes ou des légendes, lui décrire la vie indienne par le menu, évoquer cette infinité de dieux qui logeaient dans une vache sacrée. Elle chérissait ses sourires, son attitude désinvolte, sa gaieté si contagieuse. Avec lui, tout devenait limpide et vrai, comme une évidence dont elle n'était pourtant pas certaine, parce qu'au fond de son corps existait une autre exigence, une vague qui amenait dans son ventre, dans ses membres, dans son cœur, un désir dont elle ne parvenait plus à se défaire.

— La vie n'est jamais simple, n'est-ce pas ? déclara-t-elle en évitant de le regarder.

Il répondit doucement, la tête baissée pour caresser de ses lèvres la soie de ses cheveux.

— Au contraire, elle l'est extrêmement, *meri sajani*. Un homme, une femme, l'amour. Cette vie-là est simple comme une source, simple comme le vent, simple comme la pluie ou le soleil.

Elle soupira, ce qui le fit rire.

— Mais peut-être ne me voyez-vous pas comme l'homme qui rendrait tout cela simple comme un rayon de soleil ?

— Je vous aime beaucoup, Charu, n'en doutez pas.

— Je n'en doute pas, *meri sajani*, mais peut-être aimez-vous aussi beaucoup mon ami Jan Lukas ?

— Oh, s'exclama-t-elle en levant cette fois-ci le visage pour mieux le regarder. Je… Non ! Bien sûr que non ! Je n'aime pas cet homme qui est si… si… Je devais le rencontrer car j'avais quelque chose à lui dire le concernant, c'est tout.

— Je ne suis pas naïf. Jan Lukas est un homme extrêmement séduisant.

Elle réussit à sourire.

— Charu, vous savez bien que j'ai adoré les moments que nous avons passés ensemble.

Il rejeta vers l'arrière son épaisse crinière de lion. Dans la nuit dépourvue d'autre lumière que celle des torches qui délimitaient un chemin serpentant entre les cages des fauves, il était sombre comme une ombre, sombre comme tous les mystères d'Extrême-Orient.

— Alors, peut-être est-ce simplement le fait que je sois le fils d'un maharaja qui vous perturbe ?

Elle se força à rire.

— Ce fut effectivement une surprise déstabilisante ! Il me faut un peu de temps pour m'habituer à l'idée. Après tout, j'aimais beaucoup ce jeune homme assez simple…

Il choisit de plaisanter :

— Laissez-moi vous dire que vous avez des goûts douteux. Comment pouvez-vous préférer mon vieux *dhoti* sale à ces magnifiques vêtements brodés de pierres précieuses ?

— C'est que, gloussa-t-elle, votre vieux *dhoti* montre vos jambes, qui sont fort bien musclées.

Il éclata de rire :

— Oh, si cela peut vous faire plaisir !

Il commença à déboutonner sa *sherwani* pour accéder à la ceinture de son pantalon. Lorsqu'il s'apprêta à dénouer le lacet qui le retenait, elle se précipita pour retenir ses mains.

— Je plaisantais ! Ne faites pas cela.

— Non ? insista-t-il en lui coulant un regard amusé.

— Non, répéta-t-elle en levant la tête pour mieux le regarder.

Ils plongèrent dans les yeux l'un de l'autre. Elle songea qu'elle l'aimait parce qu'avec lui tout était toujours simple et gai. Aucune dispute, aucun orgueil, aucune passion. Un amour étale, doux comme ces accents de musique distillés par la nuit brune, suave comme son parfum de frangipanier et d'épices.

Il la prit par les épaules avec une gravité qu'elle ne lui connaissait pas, l'attira vers lui, approcha ses lèvres.

— Je vous aime, chuchota-t-il contre sa bouche offerte.

— Je sais, répondit-elle avec une cruauté involontaire.

Une pluie soudaine interrompit leur baiser. En quelques secondes, des trombes d'eau particulièrement violentes s'abattirent, les trempant de la tête aux pieds. Ils se séparèrent en riant, se mirent à courir au milieu des torches éteintes qui grésillaient encore. Les fauves dans leurs cages rugissaient tous ensemble, saluant avec nervosité la déchirure du ciel, et exhalant la haine que presque tous les félins du monde ont pour l'eau.

Ils s'engouffrèrent dans le palais, cessèrent de courir pour se regarder et continuer de rire. Les cheveux dégoulinaient sur leurs visages. Les vêtements collaient à leur peau. Charu arracha une tapisserie du mur et vint en draper Jezebel pour éviter qu'elle n'ait froid.

— Vous êtes fou, chuchota-t-elle. Que va dire votre père ?

— Mon père comprendra. Il a toujours aimé les histoires d'amour.

Assurément, de la part d'un monarque qui avait douze épouses et vingt-sept concubines, ce n'était pas étonnant.

— Tout de même, riposta-t-elle d'un ton léger, j'espère que vous ne ressemblez pas trop à votre père, je ne suis pas partageuse.

— *Āmāra bāgha*[1], chuchota-t-il avec vénération, ma très belle tigresse anglaise, moi non plus je n'ai pas envie de vous partager.

Il la ramena à regret vers la fête. Il était tard, un domestique était venu le prévenir que la plupart des invités étaient déjà partis. Le baron von Rosenheim patientait encore, mais il avait déjà fait part de son étonnement à propos de l'absence de sa fiancée. Jezebel craignait qu'il ne fasse un scandale.

— Le baron ne dira rien. Il a trop envie de ce fameux sauf-conduit l'autorisant à se rendre au Sikkim. Au fait, savez-vous ce qu'il compte faire là-bas ?

— Cela concerne les travaux archéologiques de mon tuteur. Il serait question d'une cité disparue mais, je l'avoue, je n'en sais pas plus.

Il la retint sans aucun à-propos.

— Allons-nous nous quitter ainsi ?

Il l'attira dans une alcôve tapissée de marbre rose. Les murs étaient des sculptures ajourées. Dans un angle, d'énormes céramiques offraient des bouquets géants de fougères et d'orchidées. Des bâtonnets d'encens brûlaient dans des coupelles. L'odeur ressemblait à celle d'une église. Elle s'attendait à ce qu'il l'embrasse une dernière fois mais il se contenta d'ôter le collier de diamants qui ornait sa poitrine pour le lui offrir. Elle recula.

— Non.

— Non ?

— Charu, il faut que vous compreniez. Je ne puis accepter tous les présents que vous me faites. D'abord la Bugatti, ensuite

1. « Ma tigresse », en bengali.

le sari et la parure de rubis, car c'était vous, n'est-ce pas, qui m'avez envoyé cette magnifique tenue, et maintenant ce collier… Comprenez-vous que ce n'est pas convenable pour une jeune fille anglaise de recevoir de la part d'un homme qui n'est ni son fiancé, ni son époux, des bijoux aussi précieux.

— Ce ne sont que des gages de mon amour…

— Justement ! Si cela se savait, ma réputation serait perdue.

Il hésita un moment puis, mettant la main dans une des poches de son *churidar*, il en sortit un objet qui avait la taille approximative d'une pièce de monnaie.

— Je ne veux pas vous embarrasser, *meri sajani,* mais, je vous en prie, je serais si heureux que vous ayez toujours avec vous un petit morceau de moi. Tenez, puisque vous ne voulez pas de pierres précieuses, acceptez au moins cette médaille. Elle est en or mais elle n'a pas grande valeur, elle ne peut vous compromettre. Elle ne vaut que pour son histoire peu banale. Écoutez plutôt…

Il lui mit la médaille dans la main, et la lui ferma avec les siennes.

— Vous rappelez-vous ma dernière expédition, lorsque je fus le guide de Jim McCorball, le célèbre chasseur de fauves ? Je vous avais dit que nous chassions un tigre mangeur d'hommes. Nous étions sur un territoire que je connais bien, dans une portion de jungle qui s'étire entre les plantations de thé de Darjeeling et le royaume du Sikkim. Ces terres sont rudes et sauvages, c'est déjà l'Himalaya. Le fauve que nous traquions en était à sa vingt-troisième victime. Lorsque Jim l'a abattu, nous avons fait la photographie d'usage puis la tête et la peau ont été prélevées pour devenir des trophées. L'écorcheur a fouillé les entrailles. Certaines parties se vendent très cher en Chine. Il a trouvé cette médaille dans l'estomac. Je suppose que le tigre l'avait avalée alors qu'il était en train de dévorer l'une de ses proies. J'ai demandé aux familles si elles voulaient récupérer la médaille, mais personne n'est venu la réclamer.

— Vous allez me faire regretter d'avoir refusé vos diamants, s'écria Jezebel en faisant une grimace. Votre histoire est vraiment affreuse.

Le prince eut un petit rire embarrassé.

— Je conçois qu'elle n'est pas très romantique, mais puisque vous ne voulez ni mes perles ni mes diamants, acceptez au moins ce petit bijou dont l'histoire est peu commune. Après tout, qui peut se vanter de posséder un objet qu'un tigre aurait un jour avalé ?

Jezebel hésita entre le rire et le dégoût. Le prince ajouta un peu ironiquement :

— Au moins, nous serions seuls à en partager le secret. Et puis, avouez que le hasard est assez extraordinaire. Cette médaille est gravée d'un tigre. Regardez, on distingue nettement le corps couvert de rayures, et la gueule ouverte sur ces crocs. Nous pourrions y voir un signe…

Elle regarda. Il avait raison. La médaille reproduisait de façon stylisée un fauve vu de face. D'ailleurs, elle n'était pas laide. Et elle avait été scrupuleusement nettoyée. Elle brillait comme un sou neuf. Ne sachant que faire d'autre, elle l'accepta en gloussant :

— Décidément, monsieur le prince, vous avez de drôles de façons de déclarer votre flamme. Une médaille mangée par un tigre ! Si je fais des cauchemars lors des prochaines nuits, je vous en tiendrai personnellement responsable.

— Tout, plutôt que de ne jamais nous revoir.

— Ne faites pas l'oiseau de mauvais augure, déclara-t-elle en le regardant avec une soudaine gravité. Nous nous reverrons, je le promets sur ce médaillon.

— *Debotara tai chaye*[1].

Plus tard, l'Hispano-Suiza s'éloigna dans la nuit pluvieuse. À travers la vitre arrière, le reflet du palais du maharaja de Mahavir se diffractait en mille gouttes d'or.

— J'ai trouvé votre conduite inqualifiable, siffla soudainement le baron von Rosenheim.

— Vraiment ? répliqua Jezebel en essayant de passer outre à la peur qu'elle ressentait chaque fois que le baron s'adressait à elle. N'avez-vous pas reçu le fameux sauf-conduit que vous convoitiez tant ?

— Que voulez-vous dire ? jeta sèchement von Rosenheim.

Il la dévisageait avec morgue. À côté d'elle, Michael Deckard s'humecta les lèvres de la pointe de sa langue. Le vieil homme était mal à l'aise. Elle s'emmitoufla plus étroitement dans sa cape de soirée. Sa robe était encore mouillée par l'orage. Elle était

1. « Que les dieux le veuillent », en bengali.

gelée. Et puis, entre ses seins, bien caché sous son corsage de soie, le médaillon offert par Charu faisait frissonner sa peau.

Elle répondit avec sarcasme :

— N'est-ce pas ce que vous souhaitiez par-dessus tout, recevoir ce sauf-conduit ? Je me suis arrangée pour que vous l'obteniez. J'ai fait des sourires et des compliments, j'ai agi en courtisane en cajolant et en minaudant, j'ai parfaitement tenu mon rôle afin que vous ne repartiez pas les mains vides. Il vous faut me remercier.

Les yeux du baron scintillèrent dans la pénombre comme une coulure de glace.

— Fort bien, Ann-Rose. Je ne serai pas un ingrat. Dès demain, pensez à préparer vos bagages. Nous partons bientôt pour un voyage inoubliable.

Elle sursauta violemment.

— Je vous demande pardon ?

Une expression de triomphe apparut sur le visage du baron. Il se pencha vers elle, frôla sa joue de ses lèvres, pour chuchoter tout contre sa peau, d'une voix qui se voulait tout sucre et tout miel :

— Ma chère fiancée, vous ne connaissez pas encore ma propriété de Darjeeling… La saison est idéale pour une croisière sur le Gange. Nous visiterons les plantations de thé et nous partirons en excursion dans les contreforts himalayens… Vous verrez, sur les hauteurs, l'air est toujours plus frais, à cause de l'altitude. Ce sera un bonheur d'échapper aux chaleurs si étouffantes qui accablent Calcutta avant la mousson. Et puis, si votre tuteur l'agrée, nous fixerons dès notre retour une date de mariage.

Le tuteur agréa d'un vague mouvement.

Jezebel sentit un goût de fiel lui monter aux lèvres.

Troisième partie

# Le cobra et le lion

*28 mai 1919 – de Calcutta à Darjeeling,*
*Bengale-Occidental, Inde*
*1^er^ janvier 1920 – Calcutta, Bengale-Occidental, Inde*

# 17

*28 mai – 12 juin 1919*
*de Calcutta à Darjeeling – Bengale-Occidental – Inde*

Le fleuve Hooghly.

Long. Large. Jaune.

De l'eau à perte de vue s'écoulant, morne, entre deux rives presque plates, une fuite de limon presque aussi large qu'une mer, qui serpentait entre des forêts vertes et des terres asséchées par l'été. Des villages de terre et de palmes munis de ponton. Des villes ou des temples dont les *ghats* grouillaient à toute heure du jour, et même de la nuit, envahis par une population aussi dévote que colorée. Des tissus orange, rouge, jaune, et blanc. Des ablutions sans fin. Et dans le même élan, des lessives, des offrandes, des pêches miraculeuses, des enfants en train de jouer, des buffles ou des chevaux menés au bain, des vaches sacrées lavées à grande eau, des brahmanes en prière, et le soleil qui se levait et embrasait de son or rougeoyant ces scènes immémoriales sans cesse renouvelées.

*L'Inde, enfin,* songea Jezebel avec exaltation.

Elle s'accouda à la rambarde du bateau à aube en essayant de contenir son excitation. Avant d'entamer ce voyage, elle avait détesté la volonté du baron von Rosenheim qui, une fois de plus, exigeait qu'elle l'accompagne. Elle avait tout de suite deviné que, en expédition sur un fleuve ou dans une jungle, elle n'aurait guère de latitude pour échapper à son insistance amoureuse. Plus tard, lorsqu'elle avait appris que le périple souffrirait d'un évident manque de confort, entre une cabine aux commodités spartiates et, plus tard, un possible bivouac sous une tente, elle avait encore plus regretté de devoir quitter Calcutta à un moment où les invitations se succédaient, plus prestigieuses les unes que les autres.

L'intérêt que lui portait le maharaja de Mahavir lui avait valu une petite notoriété. Tout le monde tenait à la rencontrer. On la questionnait sans fin sur le Palais d'Or, on l'écoutait religieusement décrire la décoration intérieure et le luxe incomparable d'un souverain connu pour sa discrétion. Bien sûr, personne ne lui demanda un avis politique, elle n'était qu'une femme, mais sa popularité atteignit tout de même un summum lorsque le vice-roi, lord Thesiger en personne, lui donna du « mon petit » d'un ton paternaliste au cours d'une *afternoon* chez lady Esket. Il la complimenta sur une beauté qui, à ses dires assez narquois, formait le meilleur garant de paix en ces périodes troublées. Le vice-roi assura même, en ne plaisantant qu'à demi, qu'il aurait été judicieux de nommer les plus belles femmes d'Angleterre ambassadrices extraordinaires, car leur charme permettait d'aplanir toute difficulté politique. Avec une ironie qui provoqua le rire de toute l'assistance, il ajouta même qu'en termes de traités économiques, les femmes étaient tout à fait capables d'en remontrer à leurs homologues masculins. Il illustra son propos avec l'exemple assez douteux d'une femme désirant un châle en laine du Cachemire et n'acceptant pas que la frontière avec ledit Cachemire soit fermée.

— Assurément, notre belle dame aurait dans son bagage une solution diplomatique des plus rapides !

Dans cette anecdote, Jezebel avait décelé un sous-entendu qu'elle n'avait pas compris, jusqu'à ce que son tuteur lui apprenne qu'elle ne participait pas à l'expédition sur le seul caprice de von Rosenheim mais aussi et surtout à cause d'une condition imposée par le grand *Chogyal* du Sikkim, sur la recommandation du maharaja de Mahavir.

— Je ne comprends pas pourquoi, s'était étonnée la jeune fille. En quoi ma présence aurait-elle une quelconque importance aux yeux du maharaja, que je n'ai vu qu'une seule fois ?

Deckard avait avancé l'hypothèse que le souverain du Sikkim cherchait sans doute à confirmer auprès de l'Empire britannique l'indépendance très récemment acquise de son royaume. De plus, exiger la présence d'une femme dans une expédition scientifique était également le moyen de s'assurer à bon compte que cette expédition n'avait rien de militaire.

— C'est un peu tiré par les cheveux, avait commenté Jezebel, puis elle ne s'en était plus préoccupée.

Un mois plus tard, elle respirait l'air au-dessus du fleuve. L'eau avait des relents de vase et de pourriture, de fruits trop mûrs et de moisissure, mais elle s'en moquait, trop heureuse de renouer avec un presque goût de liberté. Von Rosenheim n'était pas sur le bateau. Il était parti en avance pour préparer leur séjour dans sa propriété de Darjeeling. Infiniment heureuse de cette absence, elle trouvait à tout un petit air de fête.

Ces dernières semaines n'avaient pas été faciles. Depuis que le baron avait officiellement annoncé leurs fiançailles au Tout-Calcutta, il affichait des velléités de propriétaire qu'elle abhorrait. Nanti de son bon droit, il s'était mis en tête de tout gérer dans sa vie au point qu'elle n'avait pu sortir de la villa Gokhra sans la constante surveillance de Mogül, le garde du corps moghol. Osant réclamer des explications, elle n'avait obtenu qu'un sourire mielleux, et l'assurance que von Rosenheim ne cherchait qu'à la protéger. Il avait reçu des menaces. Il craignait pour sa sécurité.

Avec un soupir, la jeune fille tourna les yeux vers la rive la plus proche. Depuis que le bateau à vapeur avait quitté Calcutta, elle contemplait un paysage plat et monotone, où l'Inde semblait s'écouler à l'horizontale. La prédominance du fleuve imposait ses eaux jaunes pleines de tourbillons, bordées de chaque côté par une falaise de terre brune haute de dix à vingt pieds, que couronnaient quelques buissons verts d'où s'échappaient parfois des oiseaux. Au-delà, n'existait que le ciel.

Jezebel repensa aux fameuses menaces. Elle croyait savoir de qui elles venaient. Quelques jours après la réception chez le maharaja, Jan Lukas s'était présenté à la villa Gokhra, accompagné de deux policiers à la mine onctueuse. Tout ce beau monde s'était enfermé en compagnie du baron dans un bureau du rez-de-chaussée mais, très vite, l'entrevue avait tourné à l'esclandre. Le ton était monté, puis l'Américain était sorti le premier, le visage blanc de rage. Il s'était heurté à Jezebel qui s'était approchée par curiosité en feignant d'arranger des fleurs dans un vase. Il l'avait dévisagée d'un air éteint en oubliant de la saluer.

Machinalement, elle avait noté qu'il portait une élégante veste de lin, une culotte beige et de hautes bottes cavalières. Sans doute était-il venu à cheval. La respiration un peu saccadée, comme elle en avait pris l'habitude lorsqu'elle le voyait, elle avait cherché son regard dans la pénombre. En cette saison de canicule, les volets étaient à demi fermés. Quelques raies de soleil jouaient avec des grains de poussière en suspension et cette rare lumière tombait sur le visage du jeune homme, révélant l'abrupt d'une mâchoire ombrée d'une barbe naissante. Brusquement, elle avait eu l'envie folle de se jeter à ses genoux, de l'enlacer comme une mendiante, de promettre tout et n'importe quoi pour qu'il l'emmène avec lui, qu'il la sauve de cette situation dans laquelle elle se débattait depuis trop longtemps sans même savoir pourquoi, simplement parce qu'elle était une femme et qu'une femme ne naissait que pour subir, encore et encore. Oui, elle avait failli le faire, jusqu'à ce qu'il la regarde avec une ironie méchante, en lui soufflant cruellement au visage :

— Voici donc à quoi ressemble la fiancée d'un assassin, à une jolie sirène faussement pleine de candeur, dont les attraits trompeurs n'ont d'autre but que de vous engluer dans ses rets perfides !

Ces mots parfaitement gratuits, d'une méchanceté éhontée, l'avaient cueillie comme une gifle. Choquée, elle s'était vue toisée comme si elle n'était qu'une harpie ou une gorgone, avec tant de mépris et même tant de haine au fond des yeux qu'elle en avait eu un sursaut d'orgueil. Elle avait répliqué avec toute la dignité dont elle s'était sentie capable :

— Sortez.

Jan était parti. Elle ne l'avait pas revu. Tout comme elle n'avait pas revu Charu bien que ce dernier ait tout de même pris la peine de lui envoyer un bouquet de roses. Là non plus, elle n'avait pas compris. Le bouquet était énorme. Rouge comme la passion. À l'intérieur était niché un bristol doré couvert d'un mot au sens mystérieux : « *āśā* ».

Elle ne parlait ni hindi ni bengali. Elle avait dû se résoudre à interroger Netravati pour obtenir une traduction dont le sens lui avait paru encore plus obscur : *āśā* signifiait « espoir » en bengali.

Espoir pour qui ? Espoir pour quoi ? Pour se revoir ? Pour éventuellement s'embrasser ?

Ce mot lui était rapidement devenu détestable lorsque sa servante était revenue de l'office avec des ragots qu'Olga Marushka, toujours bien informée, avait confirmés : le prince Charu de Nandock avait quitté Calcutta à bord d'un bateau royal. La rumeur prétendait qu'il voulait rouvrir le palais de Sambar tombé en décrépitude depuis la mort de sa mère.

Jezebel en avait été atterrée. Qu'était-ce encore que ce caprice ? Pourquoi Charu avait-il décidé de jouer de la truelle alors qu'elle avait tant besoin de lui ? Pleine d'amertume, elle avait passé la nuit à pleurer cet abandon avant de comprendre que, en Shéhérazade moderne condamnée à un mariage forcé, elle était seule et ne pouvait compter que sur elle-même pour se sauver. Personne n'aurait l'audace, ou l'inconscience, de braver un trafiquant d'opium notoire que protégeaient inconditionnellement les autorités britanniques.

Depuis longtemps, le Raj encourageait ce commerce qui permettait d'équilibrer la balance des échanges commerciaux de l'empire. Sans l'opium, la Chine aurait continué à vendre son thé et sa soie sans rien acheter en échange, et les compagnies commerciales britanniques n'auraient généré aucun profit. Aux Indes, la plupart des princes contribuaient à l'effort impérial en faisant cultiver sur leurs terres un pavot dont ils tiraient des revenus substantiels. Jan Lukas s'était cassé les dents face à cette institution. Sa plainte contre von Rosenheim n'avait pas abouti. Le vice-roi lui-même avait menacé de le faire arrêter s'il ne cessait ses « ignominieuses » allégations à l'encontre d'un honnête membre du commerce international.

Malgré ces circonstances, Jezebel n'avait trouvé d'excuses à personne. Au contraire, elle ne décolérait pas, tant elle était persuadée d'avoir été dupée par ces hommes qui n'aspiraient finalement qu'à un même but : la séduire.

« Ah, vitupérait-elle intérieurement en mélangeant tout, incapable de comprendre ce qu'elle voulait, ce qu'elle attendait, ce dont elle rêvait. Celui-là se donne des grands airs alors qu'il vient d'une nation d'esclavagistes, l'autre est un Sarrasin ! Quelle importance peut bien avoir une femme, lorsque l'on sait que son père en a plus de douze ? Et l'autre, là, avec ses airs de faux mormon, qui me reproche on ne sait quoi et m'accuse d'être une aventurière de la pire espèce alors que lui couche à droite à gauche ! Ah, ce donneur de leçons aurait-il su quoi faire si on lui avait imposé un mari dont il n'aurait pas voulu ? Ils ont beau jeu d'être des hommes. Je les déteste. Lorsque je les reverrai, je les ferai plier. Je les mettrai à mes genoux. Ils ramperont pour me demander pardon. Et je serai trop heureuse de ne pas le leur accorder ! »

Dans sa colère, elle avait failli se débarrasser du petit médaillon que Charu lui avait offert. Elle ne s'était ravisée qu'au dernier moment pour l'enfouir parmi un lot de breloques qu'elle avait jeté avec rage dans la malle qu'elle emmenait. L'annonce officielle de son futur mariage n'arrangeait pas son humeur. Elle en voulait à son parrain pour ses manigances. Sauf que le vieil homme était de plus en plus malade et qu'elle n'arrivait pas à lui faire la guerre.

Elle avait l'impression de le voir dépérir de jour en jour. Il était fatigué, usé, insomniaque ou, au contraire, somnolent comme un impotent. Il avait considérablement maigri. Il se nourrissait à peine. Pour lutter contre ses fièvres, il passait ses journées à siroter des cocktails à la quinine, titubant de son fauteuil à son bureau, et de son bureau au salon. Elle se demandait s'il était ivre ou s'il avait perdu la raison. Parfois, elle imaginait le pire et elle était saisie de panique : malgré tous ses griefs, elle savait que son tuteur demeurait son unique rempart face à la brutale convoitise de von Rosenheim. Qu'arriverait-il s'il disparaissait brusquement ? Elle se mettait alors à l'observer, à la recherche d'un miracle, jusqu'à trouver au fond de ses yeux une autre fièvre, qui lui faisait comprendre que, tenu par son rêve de cité inconnue, l'archéologue pouvait encore vivre mille ans.

Ne lui avait-il pas parlé, aujourd'hui encore, de ses recherches avec une passion vibrante ?

— Sais-tu que j'ai réussi à délimiter une zone géographique en bordure de la vallée du Gange, entre Pataliputra et Angkhurili, expliqua-t-il alors qu'ils se retrouvaient pour l'habituel *teatime* à l'ombre d'un parasol à franges, sur le toit du bateau aménagé en terrasse. Il me manque encore quelques données pour localiser avec précision la cité perdue mais lorsque von Rosenheim aura récupéré le Sher-Cîta, je réussirai à traduire les inscriptions présentes au dos et j'obtiendrai une carte ou quelque chose d'approchant. Je suis certain qu'elle sera suffisamment précise pour que nous puissions envisager une expédition. Ce sera un grand jour. Mon grand jour. Une découverte majeure dans l'histoire de l'Inde et des civilisations indo-européennes. Ma revanche sur la Royal Society qui n'a jamais cru en ce projet.

La rive défilait lentement. Le voyage s'étirait au même rythme. Le fleuve était particulièrement bas en cette fin d'été, avec des bancs de sable apparents qui poussaient le pilote à naviguer avec une extrême prudence. Parfois, Jezebel apercevait des crocodiles étendus au soleil, la gueule ouverte sur le rose de leur gorge. Lorsque le vapeur approchait, ils se jetaient vivement dans l'eau limoneuse et disparaissaient entièrement, comme s'ils n'avaient jamais existé.

La jeune fille but une gorgée d'un merveilleux thé Oolong importé de Chine en coulant vers son tuteur un regard indécis. L'enthousiasme du vieil archéologue la gênait et elle aurait voulu lui parler d'Andres Agustin, qui avait été le propriétaire du Sher-Cîta, et lui demander si la mort de l'Argentin ne pesait pas sur sa conscience. Elle aurait aimé lui décrire les yeux rieurs qu'elle avait connus, et la politesse un peu désuète mais si charmante qui avait caractérisé le Sud-Américain. Elle se taisait cependant. Elle n'osait pas exprimer ses sentiments à voix haute, dire son chagrin et son incompréhension. Ils n'étaient pas seuls sur ce bateau que von Rosenheim avait fait affréter pour les emmener vers le nord. Mogül les accompagnait en les surveillant de son regard éternellement oblique tandis que deux soldats britanniques les escortaient, aimablement prêtés par le commandant du Fort William. Sans oublier l'équipage et son capitaine d'origine malaise, maigre et couvert de balafres, ainsi que le cuisinier et le gamin hilare qui servait de commis.

Le nord de l'Inde n'était pas stable. Du moins, c'était ce qu'Olga avait cru utile de préciser. Les contreforts himalayens étaient peuplés de tribus rebelles qui jouaient de la proximité des frontières avec le Népal, le Tibet, la Chine pour se découvrir des vocations de brigands. Pour la Russe, ce voyage serait moins une croisière qu'une expédition militaire. Il serait dangereux.

Jezebel ne s'était pas départie d'un certain optimisme. Pour le moins, elle était heureuse de quitter les rues trop européennes de Calcutta, avec ses théâtres, ses salles de concert, ses clubs nocturnes, pour s'immerger enfin dans une Inde plus authentique. Elle était emplie de curiosité pour le monde étrange dans lequel elle s'enfonçait de jour en jour, si différent de celui qu'elle connaissait. Parfois, elle essayait de comprendre ce qui poussait son tuteur à défier leur sécurité et elle l'interrogeait, mais il répondait à tort et à travers, l'invitant plutôt à observer avec des jumelles les flèches blanches du temple de Jabalpur, qui était si beau dans son écrin de palmiers, ou les dômes soulignés de rouge du temple de Kali.

— Que se passera-t-il si vous ne retrouvez pas le Sher-Cîta ? osa-t-elle tout de même demander un jour. Après tout, un aéroplane perdu dans une jungle doit être à peu près aussi facile à trouver qu'une aiguille dans une botte de foin.

Michael la conjura de se taire.

— Ne t'en mêle pas, Ann-Rose. Tu n'es pas censée savoir quelque chose à propos de cet accident d'aéroplane.

— C'est vous qui m'y avez mêlée le jour où vous avez décidé de me vendre à von Rosenheim, accusa-t-elle, agacée de ses faux-fuyants.

— Je ne t'ai pas vendue, Ann-Rose. Comment peux-tu penser une chose pareille ?

— Ah oui ? répondit-elle avec véhémence. Et comment appelez-vous ces fiançailles forcées et ce mariage que je ne peux refuser ? Ne m'avez-vous pas vendue contre des subventions, des conditions de travail confortables, un cabinet de curiosités et de l'argent destiné à financer une expédition ?

Le vieil archéologue se pencha pour chercher ses yeux. Les siens étaient brumeux, usés, mais remplis d'une lueur mortifère. Il chuchota :

— N'as-tu donc pas compris que tous mes actes ne cherchent qu'à te préserver ? Il avait vu ton portrait sur mon bureau, celui où tu as quatorze ans et où tu poses avec ce cheval blanc après un concours d'obstacle. Je… Je n'avais pas pensé que… Enfin, tu n'étais qu'une enfant mais j'ai tout de suite su qu'il te voulait. Tous les étés, aux vacances scolaires, il insistait pour que je te fasse venir. J'ai expliqué que tu étais jeune, beaucoup trop jeune, mais il n'a rien voulu entendre. Ce n'est pas un homme à qui l'on dit non.

Elle se mit à frissonner alors qu'il faisait près de 40°C, répliqua d'une voix bravache :

— La prochaine fois que je le vois, je lui dirai non.

— Tu ne diras rien, supplia-t-il. Quoi que tu puisses penser, tout se passe bien. Nous devons juste gagner du temps. Von Rosenheim a déjà accepté l'idée de ce mariage. C'est bien.

— C'est bien ? s'écria-t-elle avec trop de véhémence, s'attirant le regard d'un des matelots.

Michael posa une main sur la sienne, autant pour la calmer que pour la rassurer.

— Le baron von Rosenheim obtient toujours ce qu'il veut. Il faut que tu me fasses confiance, Ann-Rose, je n'agis que pour te protéger. Ces fiançailles sont un excellent moyen de gagner du temps. Un mariage peut se repousser indéfiniment. Sans lui, sans cette idée de convenances qui, finalement, l'amuse beaucoup, il t'aurait déjà prise de force depuis longtemps.

Elle faillit tomber de sa chaise, s'accrocha à la table où tout se renversait, regarda les biscuits s'éparpiller dans les airs. Elle crut que la peur lui donnait des vertiges puis comprit que le choc venait d'autre chose : le bateau s'était enlisé sur un banc de sable.

Il fallut quatre heures pour le remettre à flot.

*

La croisière dura onze jours. Ce fut à la fois long et très court.

Le bateau avançait durant la journée et s'arrêtait la nuit par crainte d'autres bancs de sable. Lorsque le capitaine mettait à l'arrêt, les soldats sortaient de leur torpeur pour monter la garde à tour de rôle. Ils prétendaient que les tigres étaient capables de grimper sur le navire. Jezebel ne les croyait pas, même si elle savait que des fauves erraient sur la rive car elle les entendait parfois rugir. En soirée, elle adorait se poster sur la terrasse en compagnie de son parrain, pour prendre le frais tandis qu'il sirotait un dernier gin fizz. Elle soufflait sur les bougies que le commis avait allumées, pour ne garder que la clarté de la lune et, enveloppée dans un châle parfumé de citronnelle, elle écoutait la nuit d'encre et ses sons invraisemblables.

D'abord naissait la cacophonie des grenouilles, des centaines, des milliers de grenouilles, puis le hululement d'une chouette dominait le lointain, rappelant étrangement la forêt anglaise et la laissant la gorge serrée de nostalgie. D'autres oiseaux prenaient le relais, avec des sifflements, des bavardages sans fin, des braillements laids, des trilles merveilleux et des roucoulements graves, un véritable concert qu'entrecoupaient de légers clapotis contre la coque du bateau. Un crocodile frôlait la proue, suffisamment près pour qu'elle puisse apercevoir ses yeux brillant au ras de l'eau. Plus tard, le même bruit trahissait un poisson, un menu fretin attrapant une mouche ou un monstre abyssal à la gueule bordée de dents. Elle en avait vu de très gros, des espèces de poisson-chat qui étaient capables d'attraper des canards ou même des hérons. Leurs corps gigantesques n'apparaissaient que trop tard, juste avant de se renfoncer sous le limon en emportant une proie qui se débattait encore.

Dans ces nuits brunes et bleues ponctuées d'étoiles, il n'était pas rare d'entendre un tigre. Elle en avait à chaque fois la chair de poule, tant ce feulement, reconnaissable entre tous, l'impressionnait.

Le cri commençait toujours de la même façon, loin, faible, insignifiant, émergeant à peine du galimatias environnant, puis il éclatait brusquement en fanfare, avec une puissance telle qu'elle était prête à jurer que le félin était passé de l'horizon jusqu'au bateau en un seul saut.

Dès lors, elle se sentait épiée. Elle apercevait des ombres se déplaçant et croyait entendre des brindilles craquer. Puis le feulement reprenait, sorti du fond d'une gorge profonde avant de s'éteindre en souffle asthmatique. La seconde d'après, le silence régnait de nouveau, uniquement peuplé par les oiseaux et les grenouilles.

Elle savait que, le lendemain, les militaires lui raconteraient pour l'impressionner des récits terribles de tigres sortant des eaux et attaquant les occupants d'une barque mais, pour l'heure, elle se tournait et se retournait sous sa moustiquaire, incapable de trouver le sommeil dans une nuit si chaude. Au milieu d'un cauchemar, elle entendait des griffes raclant le pont. Le matin la trouvait exténuée, à vite courir compter les matelots tant elle était persuadée qu'il en manquerait un.

Ils étaient tous là, dans leurs pagnes, maigres et sales, avec leurs gros turbans qui renfermaient tous leurs trésors et leurs bouches rouges de bétel. Ils se hélaient de barge en barge, en crachant par-dessus bord de longs jets de salive écarlate. Le fleuve était une route sur laquelle ils se reconnaissaient.

Si près de Calcutta, l'eau jaune voyait défiler des barques de toutes les tailles et de toutes les couleurs. D'autres navires à aube assuraient à la fois le fret et le transport de voyageurs. D'étranges embarcations traditionnellement faites en bois de jaquier et en coques de noix de coco, que les matelots appelaient des *kettuvalams*, abritaient des familles entières dans des cabanes de bambou.

Tandis que les parents naviguaient, les enfants regardaient passer le navire à vapeur en agitant leurs cerfs-volants.

Remonter le fleuve était presque une entrée en religion. Les jours passaient, et tout semblait devenir sacré, même aux yeux des Occidentaux, à commencer par l'eau du fleuve dans laquelle les matelots faisaient tous les matins d'acrobatiques ablutions.

Ce courant sale et boueux était l'âme de la déesse qui descendait des montagnes. Il symbolisait la pureté originelle. Il lavait les péchés des hommes en les emportant de la même façon qu'il charriait les immondices et les milliers d'offrandes déposées par les dévots.

Le fil du voyage égrenait les lieux devenus sacrés par la force de l'habitude. La plupart était des temples en ruine, parce que construits trop près du fleuve. L'eau grignotait la rive, rongeait les fondations, et les murs s'écroulaient un jour de mousson. Sous les pluies diluviennes, l'Hoogly sortait de son lit et avalait tout sur son passage destructeur, comme un ange brutalement métamorphosé en démon.

Finalement, pour le contenir, il n'y avait que ces myriades de lieux saints, dont certains étaient parfaitement inattendus, comme ces trois rochers qui soudain se dressaient au milieu de l'onde.

Tandis que le bateau à vapeur les contournait à bonne distance, les matelots les reconnaissaient pour sacrés et se prosternaient avec dévotion. Sur le plus gros – presque une île avec un manguier entouré de buissons –, un fakir avait élu domicile. Toute la journée, il bénissait ceux qui défilaient tout près de son refuge. Parfois, des bateaux lourdement chargés de fidèles s'en approchaient si près que c'était effectivement un miracle s'ils ne chaviraient pas.

Les religions s'alimentent d'elles-mêmes.

Évidemment, pour une jeune Anglaise, ce *sâdhu*[1] était une véritable curiosité. Entièrement nu à l'exception d'un pagne de raphia entortillé autour de ses reins, il avait la peau teinte en bleu, un grand sourire édenté et des cheveux agglomérés par la crasse. Les matelots, pour le remercier de son infinie sagesse, lui jetèrent des fruits qu'il attrapa en remerciant mille fois.

Le navire continua sa route en passant devant Chandernagor.

---

1. Celui qui a renoncé à la société pour se consacrer, selon l'hindouisme, au but de toute vie, la fusion avec la puissance cosmique.

Jezebel avait entendu parler de cette enclave française dans le territoire britannique. Prise de curiosité, elle fouilla la rive du regard, s'attendant presque à recevoir en écho les musiques et les lumières qui avaient fait la renommée du château de Goretty.

Cependant, l'ancien faste français n'était plus qu'un souvenir et d'autres noms se succédaient déjà, apportant d'autres images, d'autres souvenirs, telle Imambara et son étrange mosquée rectangulaire, ou Mayapur et sa foule d'adorateurs de Krishna, sans oublier les monumentales statues de Shiva étendues, à maintes et maintes reprises, comme des ombres grises au-dessus du fleuve.

Les cultures de colza alternaient avec celles de l'indigo. Des villages faits de torchis et de paille se succédaient à l'arrière des temples qui brillaient de mille couleurs volubiles. Dans les lueurs de l'aube ou du couchant, lorsque des *ghats* s'annonçaient, les matelots se postaient à la proue pour repousser de leurs gaffes les obstacles qui dérivaient dans le courant.

Au début, Jezebel avait cru qu'il s'agissait d'arbres morts. Certains flottaient à la surface, d'autres s'échouaient sur la rive parmi les roseaux. Des corbeaux se posaient sur les premiers, pour essayer de les picorer. Des chiens errants s'approchaient des seconds et, devant les yeux effarés de la jeune fille, arrachaient à pleines dents des lambeaux de chair boursoufflée encore enveloppée dans un linceul.

— Le bois coûte cher, expliqua Michael Deckard d'un ton docte devant la mine offusquée de sa filleule. La famille du mort économise sur le bûcher mais parfois le corps ne brûle pas suffisamment pour se transformer en cendres. Le corps est alors jeté à l'eau sans avoir été entièrement consumé. Et puis, certains cadavres n'ont pas droit aux rites funéraires, comme les suicidés, les assassinés, les malades…

Pour une sensibilité occidentale, habituée à des rites funéraires différents, ces scènes qui mettaient en évidence la mort et le cycle perpétuel de la vie étaient difficiles à accepter. Jezebel s'en détournait avec dégoût, préférant accorder toute son attention à des moments de beauté ou de joie. Elle avait recommencé à peindre. Les couleurs des fleurs, des saris, des temples étaient partout magnifiques.

Le bateau à vapeur remonta ainsi jusqu'à Farakka. Le fleuve Hooghly se séparait du Gange à cet endroit. On continua vers le nord. Le cours demeurait le même, large, tranquille, moins jaune cependant, comme si les eaux avaient ici, enfin, réussi à tutoyer la couleur du ciel.

La plupart du temps, Jezebel se tenait sur le toit-terrasse, à l'ombre du parasol. Elle faisait des croquis, feuilletait machinalement un roman ou passait tout simplement le temps à observer le lent déroulement du paysage.

Le matin, une brume blanche montait des eaux, noyait le ciel et toutes les couleurs, puis s'évaporait au faîte de la journée pour ne laisser jusqu'à l'horizon qu'une terre pleine de poussières. De temps à autre, un cri tombait de l'azur, un sifflement aigu, perçant, qui attirait l'œil vers un point dans le ciel. Un aigle planait dans un courant d'air ascendant.

Il y avait d'autres oiseaux, ici une bergeronnette indienne, là un martin des rives au plumage un peu terne. Plus loin, et plus facile à repérer, un vautour installé au sommet d'un arbre regardait en propriétaire le reste de la terre.

À cet endroit, le bateau négocia un vaste méandre et le fleuve ouvrit le paysage de manière si inattendue que la jeune fille se leva. Repoussant légèrement le bord de sa capeline, elle admira avec une excitation grandissante la vaste plaine qui filait jusqu'à l'horizon. Là-bas, au-delà de l'eau grise, au-delà de la végétation terreuse, le ciel offrait une ligne plus dense, d'un bleu presque marine.

Émue, elle devina que cette ombre délétère était l'Himalaya.

*

L'Himalaya ne s'offrit pourtant pas immédiatement.

Mystérieux, ce géant jouait la fille de l'air, laissant au mieux deviner une vague silhouette pudique qui, rapidement, se drapait dans d'épaisses brumes violettes.

Parfois, Jezebel croyait deviner une ligne blanche. Elle pensait à des nuages, retenait tout de même son souffle en voulant croire que, là-bas, peut-être, un peu de neige… Mais ce n'était encore qu'un rêve.

L'Himalaya.

Cent fois par jour, elle regardait vers le nord en se demandant à quoi pouvait bien ressembler le colosse. Elle venait d'une terre où les collines culminaient à trois mille pieds. Comment parvenir à imaginer, au-delà de la plaine alluvionnaire qu'elle traversait depuis Calcutta, une soudaine verticalité faite de flèches blanches grimpant dix fois plus haut ?

Lorsque le bateau accosta à Sahebganj, une petite ville du Santhal Pargana, un convoi militaire les attendait. L'officier anglais se présenta à la tête de plusieurs sikhs en culottes courtes et turbans rouges. Il avait été prévenu par radio, il avait ordre de conduire sir Deckard et lady Tyler jusqu'à la gare où ils emprunteraient le chemin de fer en direction de Siliguri.

Le major était un homme de grande taille, au teint couperosé, parfaitement sanglé dans un uniforme impeccable. Son plus bel atout était sans conteste son regard bleu, aimable et souriant. Il était surpris de rencontrer sur ces terres éloignées de toute civilisation européenne une Anglaise aussi jeune et aussi charmante et, bien qu'il sût qu'elle fût la fiancée du baron von Rosenheim, il se montra disert pour lui plaire.

Au cours de la conversation, il lui apprit que Siliguri n'était qu'à cent soixante-dix miles, une distance que le train couvrirait en une petite huitaine d'heures. La voie ferrée passait par le fameux *Chicken'Neck*, un étroit corridor de terre délimité par de hautes falaises qui conduisait au Sikkim. Le major fut ravi de préciser qu'il avait reçu des ordres pour qu'un wagon soit affrété à leur seul usage. La jeune lady pourrait ainsi se reposer à son aise.

Sous ses directives, les malles furent chargées dans des camions militaires bâchés, puis l'archéologue et sa pupille furent invités à monter dans un blindé Lanchester. Jezebel s'amusa beaucoup de cette aventure sportive qu'elle n'avait pas prévue et pour laquelle, il fallait bien le reconnaître, sa petite robe d'été pleine de volants ne convenait guère.

Enfin, le convoi s'ébranla. Il suivit une piste au-dessus du fleuve, dominant plusieurs bûchers funéraires. L'un d'eux achevait de se consumer. Une grosse fumée grasse montait par à-coups dans le ciel bleu. Jezebel préféra détourner le regard. Elle ne parvenait pas à s'habituer à ces rites qui étaient si différents de ceux de l'Angleterre, et qui la remplissaient de questions : valait-il mieux cacher ses morts, ou au contraire les exposer ?

Cependant, une autre scène attira bien vite son attention. Prise cette fois-ci d'enthousiasme, elle se pencha par-dessus la portière pour ne rien perdre du premier troupeau d'éléphants qu'elle voyait enfin.

Les mastodontes allaient en file indienne sur le rebord du chemin, le pas lent et pesant. Ils étaient conduits par leurs cornacs qui les menaient au bain. Immenses, gris et denses, ils avaient la peau en apparence si épaisse que les poils qui en sortaient ressemblaient par endroits à des épines. Jezebel tomba en admiration devant leurs trompes. Ce membre était extraordinaire. Constamment en mouvement, il touchait, palpait, jouait, frappait ou ramassait avec délicatesse une miette minuscule, tandis que les petits yeux joliment bordés de cils suivaient d'un air rêveur, tout emprunt d'une sagesse séculaire, les véhicules en train de passer.

— N'avons-nous pas le temps de les regarder se baigner ? supplia-t-elle en se tournant vers l'officier qui les escortait.

Ce dernier eut un sourire indulgent.

— Désolé, milady, mais votre train ne vous attendra pas plus longtemps. Il a déjà été retardé de deux jours pour que vous puissiez le prendre à temps. Si vous deviez le rater, vous seriez obligée d'attendre le suivant.

— Faisons cela, je vous en prie ! Après tout, nous ne sommes pas à un jour près.

Surtout, elle n'était guère pressée de rejoindre son détestable fiancé.

— Je suis désolé, lady Tyler, répondit avec regret l'aimable major, mais ce n'est pas possible. Il n'y aura pas d'autre train avant la semaine prochaine.

— Ah…, lâcha Jezebel, l'enthousiasme tout à coup refroidi.

Ils traversèrent une petite ville écrasée de chaleur dont elle ne vit pas grand-chose, hormis qu'elle était prise en étau entre le Gange et de lointaines collines verdâtres. À peine eut-elle le temps d'admirer quelques beaux bâtiments, des temples aux toits colorés et d'innombrables masures accolées les unes aux autres en un aimable fouillis de torchis, déjà le train s'ébranlait en un tumultueux jet de vapeur.

Comme d'habitude, von Rosenheim n'avait pas fait les choses à moitié et le wagon privatisé proposa aux voyageurs un confort bienvenu à défaut de grand luxe. La décoration était tout de même désuète, avec des banquettes de brocard usées jusqu'à la trame et le velours des rideaux passablement déteint, mais Jezebel fut ravie de découvrir qu'elle disposait d'un cabinet de toilette muni de commodités. Elle put ainsi se débarbouiller et changer de tenue.

Leur garde du corps avait eu la présence d'esprit d'acheter une collation pour tous dans les *street-shops* qui fleurissaient en bordure de gare. La promiscuité du voyage n'avait pas beaucoup déridé l'impressionnant Moghol, qui continuait d'afficher un visage morose aussi rond que la lune. Jezebel avait fini par s'habituer à sa présence silencieuse. Elle ne sursautait plus lorsqu'elle le remarquait soudain à quelques pas d'elle alors qu'elle ne l'avait pas entendu venir.

Le repas fini, Mogül reprit sa faction à l'entrée du wagon tandis que Michael se mettait à somnoler. Jezebel n'avait pas sommeil. Tout excitée, elle appuya son front contre la vitre et s'émerveilla du paysage qui défilait sous ses yeux.

La contrée avait cessé d'être plate. La plaine s'était muée en de petites montagnes plus ou moins rocheuses, ravinées par des torrents bordés d'une végétation luxuriante. Au hasard des tournants, l'horizon reculait ou se rapprochait, alternativement barre bleue fondue dans le ciel ou blanche éclaboussée de soleil. Jezebel eut un véritable coup au cœur. La chaîne infinie se dessinait telle une fresque sur le lointain. Elle était de neige et de glace, magnifiquement ciselée, drapée avec majesté dans le vertige des plus hauts sommets du monde.

L'Himalaya, enfin, dans toute sa splendeur immaculée.

Elle eut envie de rire et de battre des mains comme une enfant.

L'heure avança, le soir vint, et avec lui les couleurs enflammées d'un soleil mourant. Cette fois-ci, la neige s'embrasa en mille tons rougeoyants, splendeur à couper le souffle.

Perdue vers cet horizon sublime, Jezebel pressait ses mains contre son cœur pour mieux percevoir son émotion. Elle comprenait qu'elle n'était venue en Inde que pour cet instant magique, ce moment hors du temps, cette impression terrible de petitesse face à la démesure. Pour la première fois depuis le début de son voyage, elle ne regrettait plus d'être venue.

Qu'importait ce qu'elle avait d'ores et déjà vécu, ses chagrins, ses joies ou ses peurs, qu'importait ce qu'elle vivrait encore, elle pouvait bien mourir demain.

Elle venait de voir ce que la terre offrait de plus merveilleux. Elle regardait le Toit du monde, et c'était tout ce qui comptait.

*

Les voyageurs arrivèrent à Siliguri bien après la tombée de la nuit. Ils durent prendre un hôtel. On leur offrit du thé et la spécialité locale, des bouchées cuites à la vapeur farcies de viande, qu'on appelait des *momos*.

Le lendemain, la ville apparut de petite taille, et construite au milieu d'une vallée. Quel que fût le point de vue choisi, partout se déployait la chaîne himalayenne en arrière-fond.

Siliguri était un carrefour entre différents pays, elle était cosmopolite et gaie. Bordée par la rivière Mahananda au cours tumultueux, elle prospérait depuis qu'on y avait construit une gare qui permettait de convoyer les innombrables récoltes qui, tout au long de l'année, descendaient des champs de thé.

Michael Deckard envisagea de louer les services d'un chauffeur avec automobile pour se rendre dans la propriété de von Rosenheim mais Mogül, qui avait dans leur trio valeur de chef, décida que non. L'air parfaitement impassible, il les emmena prendre le *Toy Train*.

— Plus joli, commenta-t-il sobrement, en continuant d'afficher ce visage sinistre dénué du moindre sourire qui permettait d'en douter.

— Es-tu certain ? insista Deckard lorsqu'il découvrit l'extraordinaire chemin de fer d'altitude, si petit qu'il faisait effectivement penser à un jouet. Arriverons-nous à Darjeeling par ce… ce… Enfin, ce tortillard roule-t-il vraiment ?

Le grand Moghol coula à l'archéologue un regard si sévère que ce dernier préféra battre en retraite.

— Plus joli, répéta le garde du corps. Paysages plaire à *Missy* Tyler.

Jezebel eut un sourire poli. Elle aussi regrettait la location d'une automobile confortable. Ce train à vapeur miniature peint en bleu, qui portait bien son nom car il avait vraiment la taille d'un jouet, ne lui disait rien qui vaille. La locomotive était posée sur des rails minuscules et, bien qu'elle portât le sigle de la sérieuse maison Sharp-Stewart, elle tirait des wagons dépourvus de tout standing. Sous un simple toit de toile, deux bancs se faisaient face, sur lesquels il fallut prendre place. Jezebel faillit ne pas voir le marchepied. Il était si petit qu'il en paraissait inexistant. De toute façon, il ne servait pas à grand-chose.

Le chef mécanicien indigène fut ravi de les voir monter à bord de son train. Il vint obligeamment les saluer et leur donna avec beaucoup de fierté toutes les informations techniques qu'ils purent souhaiter.

Jezebel apprit donc que, de Siliguri à Darjeeling, la voie ferrée était longue de cinquante miles pour un dénivelé passant de quatre cent dix pieds à plus de six mille cinq cents. Cela ne lui parla guère, mais il paraissait qu'une telle ascension était une prouesse. Pour y parvenir, les ingénieurs avaient inventé des *loops* et des *zigzag reverses* qui revenaient en arrière ou sur eux-mêmes, et permettaient au train de gravir en douceur une pente trop raide pour n'importe quel moteur.

Le *Toy Train* s'ébranla dans un sifflement aigu. La voie ferrée grimpait de village en village, parfois si près des habitations qu'il semblait possible d'attraper un fruit sur un étal rien qu'en tendant la main. Les noms des stations se succédaient, délicieusement exotiques : Rangtong, Chunbhati, Mahanadi, Kurseong.

Le plus beau, le plus extraordinaire, demeurait cependant le panorama.

De boucle en boucle, de mile en mile, une vue grandiose se déployait en sublime carte postale. Jezebel, émerveillée, oubliait de respirer. Elle allait d'un banc à l'autre, incapable de tenir en place tant elle craignait de rater quelque chose.

Au début, elle avait pourtant essayé d'être sage. Fort studieusement, elle avait sorti son matériel de croquis et s'était évertuée à traduire ce que ses yeux voyaient. Bien vite, néanmoins, elle avait compris que ses œuvres ne rendaient pas justice à la mirifique réalité qu'elle contemplait. Elle rangea ses carnets et ses crayons, pour se contenter de regarder.

Ce fut un moment extraordinaire.

Le *Toy Train* traversa d'abord les champs autour de Siliguri, dans une plaine plate couverte de céréales et de rizières plutôt ordinaire, puis l'ascension commença. Les corniches rocailleuses se succédèrent, accrochées à flanc de montagne. Parfois, les rails étaient doublés par une piste qui empruntait le même itinéraire et il arrivait qu'une automobile roule durant quelques minutes à la hauteur d'un wagon. Les passagers en profitaient pour se faire des signes joyeux.

Le train continua sa montée dans de grands jets de vapeur, jusqu'à ce qu'explose le blanc soudain, magnifique, d'une crête enneigée.

Jezebel laissa échapper un cri d'émerveillement. L'air avait ici une pureté originelle. Le ciel était tout à la fois translucide et bleu comme un saphir. Il formait un écrin parfait à la ligne glacée dessinée là, à portée de main, comme une frise de dentelle.

Puis le train s'enfonça dans une forêt humide, presque froide, dégoulinante d'eau et de verdure, en amenant comme une ombre sur le cœur avant de rejaillir dans la lumière, face à un précipice qui dévalait jusqu'à d'autres neiges éternelles, celles des plus hauts sommets du monde.

Jezebel en avait des larmes aux yeux. Michael s'en aperçut et, avec un geste de tendresse inattendu, la prit par l'épaule et la serra contre lui. Elle s'abandonna, heureuse comme une petite fille. L'ascension continua.

Partout, la voie ferrée était bordée d'arbres foudroyés qui étendaient leurs squelettes gris à côté de hauts palmiers maigrelets et de yuccas hirsutes. Vers le bas, certaines vallées étaient recouvertes de brume. D'autres éclataient d'un soleil triomphant. L'air fraîchissait. Jezebel sortit un châle de son bagage à main et s'y enveloppa. À perte de vue, d'impressionnants viaducs enjambaient des failles étroites, des précipices verdoyants, des torrents mugissants. Inexorablement, les bananiers furent remplacés par des pins, des marronniers, des cyprès. Les premières plantations de thé apparurent en un vert puissant. Le ciel se brouilla. Les sommets enneigés disparurent sous une chape de plomb. Le *Toy Train* arriva en gare de Darjeeling dans un grand panache de fumée grise. Il siffla trois fois, et la mousson creva les cieux.

*

La propriété de von Rosenheim était située plus bas dans la vallée des Quatre Éléphants, à deux ou trois miles du centre de Darjeeling. Une automobile attendait les voyageurs, une vieille Rolls Light 20 de 1905, à la carrosserie défoncée. Ce modèle était dépourvu de capote. Le chauffeur, un garçon qui avait tout au plus quinze ou seize ans, avait protégé les sièges de cuir capitonné en déployant avec astuce deux parasols sur lesquels la pluie tambourinait follement.

Tandis que les voyageurs s'installaient sous cet abri relatif, les bagages furent placés dans une charrette tirée par deux buffles. Comprenant que l'automobile irait certainement plus vite que ces animaux réputés pour leur lenteur, Jezebel préféra garder avec elle son petit nécessaire de voyage.

Darjeeling apparut comme une ville purement européenne. De nombreux Anglais venaient y prendre leurs quartiers d'été lorsque la canicule sévissait à Calcutta ou dans toute autre métropole indienne. Les bâtiments accrochés à la falaise étaient tous des cottages très *british*, des manoirs d'apparence écossaise ou des églises anglicanes que noyaient des jardins suspendus ourlés de roses. La partie basse, plus populaire, et dans laquelle aucune automobile ne parvenait à passer tant les rues étaient étroites, logeait les indigènes dont la plupart servaient de personnel de maison.

La Rolls quitta les faubourgs pour suivre une piste de terre ocre qui descendait vers une vallée verdoyante. En réalité, il s'agissait d'un plateau encaissé où s'étageaient à perte de vue des plantations de thé. De temps à autre, un arbre décharné sortait de cet alignement parfait pour dresser vers le ciel son tronc filiforme et tordu. Il ressemblait à un cri de liberté.

De-ci, de-là, des bicoques brunes abritaient des familles de paysans. Malgré la pluie qui tombait à verse, des hommes sarclaient la terre entre les théiers, et des femmes cueillaient des feuilles en s'abritant parfois sous des parapluies. D'immenses hottes en rotin étaient accrochées à leur front par un bandeau de coton.

La propriété du baron von Rosenheim était annoncée par un portique de bois peint en rouge sur lequel était inscrit en belles lettres gothiques : « *Elefantenhaus* ». C'était le nom de la marque du thé qu'il commercialisait eu Europe.

Jezebel n'était pas particulièrement au courant des affaires de l'aristocrate suisse mais elle se doutait bien que ce n'était pas de ce commerce qu'il tirait la majorité de ses revenus. Elle fut donc étonnée de voir l'étendue du domaine. Évidemment, elle aurait dû s'en douter. Le baron n'était pas connu pour sa modestie.

La Rolls remonta une allée bordée de hauts palmiers, dont les bases étaient noyées dans un fouillis végétal du plus bel effet. Un chemin piéton y musardait, passant alternativement sur des passerelles à pilotis, des escaliers de bois et de petits ponts japonisants qui semblaient enjamber maints ruisseaux.

La maison était moins grande que la jeune fille ne s'y attendait. Elle était de plain-pied, avec une assise simple et rectangulaire, une belle varangue englobant la porte d'entrée et des murs d'un blanc éclatant sous un toit de tuiles rouges. L'escalier qui y menait était large, et décoré par d'énormes poteries. Il était flanqué par des cyprès et des cèdres au milieu desquels se déployaient les palmes arrondies de quelques cycas.

À leur arrivée, un homme descendit les marches du perron, bravant la pluie avec d'autant plus de facilité qu'une domestique en sari le suivait pas à pas pour l'abriter sous un gros parapluie. Jezebel reconnut sans peine le baron, autant à ses vêtements toujours aussi élégants, culotte de cheval beige, chemise blanche et veston traditionnel allemand de la marque Schneider, qu'à son attitude impérieuse. Elle retint un soupir. Le voyage avait été si riche en émotions qu'elle en avait oublié le but véritable. Or, tandis que von Rosenheim saluait Michael Deckard qui s'extirpait avec raideur de la Rolls, elle fut de nouveau confrontée à cette réalité qui lui déplaisait tant : même en souriant, le baron lui était toujours aussi antipathique.

— *Liebe Mademoiselle*, quel plaisir de vous accueillir, je me languissais de vous.

Il lui prit la main, l'aida à descendre de l'automobile puis, se rapprochant d'elle, embrassa le bout de ses doigts avec insistance. Elle reçut une bouffée de son parfum de vétiver et de clou de girofle, essaya de ne pas montrer son dégoût tandis que les yeux bleu de glace l'accrochaient.

— Bonjour baron, réussit-elle à répondre sobrement, alors qu'intérieurement elle paniquait.

Les miracles n'existaient pas. Von Rosenheim ressemblait toujours à un serpent.

# 18

*Du 16 au 22 juin 1919*
*Forêt de Singalila – Bengale-Occidental / Royaume du Sikkim*

Depuis trois jours, l'expédition s'embourbait dans une forêt d'altitude.

Trois jours qu'ils avaient abandonné les automobiles en lisière de la jungle et que les guides, arrivés avec des éléphants, les emmenaient sur un sentier improbable, noyé dans un fatras végétal.

Trois jours que des lianes s'accrochaient aux vêtements, que des palmes giflaient leurs figures et que des branches fouettaient leurs bras et leurs cuisses.

Trois jours que le bruit ne s'interrompait jamais, ni le jour ni la nuit, entre une pluie torrentielle qui tambourinait avec violence un plafond de feuilles, les grenouilles et les oiseaux de concert, et toutes ces autres bestioles impossibles à reconnaître, qui grognaient, hululaient, ronflaient, feulaient, crachaient.

Jezebel regardait autour d'elle d'un air halluciné. Cela faisait trois jours que le monde était devenu liquide et vert sous ce ciel de mousson qui semblait fondre. Trois jours qu'elle déambulait dans la brume et la grisaille, à traverser non seulement une couleur mais aussi une matière, parce qu'un géant facétieux n'avait rien d'autre à faire que jeter des seaux d'eau à la figure des misérables êtres humains qui rampaient ici-bas.

Trois jours qu'elle ne décolorait pas.

Von Rosenheim l'avait obligée à les accompagner, lui et son tuteur Michael. Il décrivait cela comme une excursion mais, en réalité, l'entreprise était absurde. Elle avait été installée sur un éléphant, sur un grossier palanquin de bois vaguement décoré de tissu, lui-même accroché à l'échine du mastodonte par d'épaisses cordes de jute. Chaque fois qu'elle tentait de se tenir à quelque chose, elle se plantait une écharde dans un doigt.

Le palanquin était censé lui apporter du confort et la protéger du soleil mais bien sûr, depuis trois jours il la protégeait surtout de la pluie. De toute façon, l'éléphant était aussi inconfortable que possible et un palanquin ne changeait pas grand-chose à l'affaire. Juchée sur une épaule osseuse, un paradoxe pour un animal aussi gros, Jezebel était sans cesse déséquilibrée, une fois à droite, une fois à gauche, et était heureuse de la lente démarche de l'animal car, sinon, elle n'aurait pas échappé au mal de mer.

Pourtant, elle avait l'habitude de monter, sauf que galoper à cheval était radicalement différent qu'être juchée sur un éléphant. Sur un pur-sang, on faisait corps avec sa monture. On le serrait entre ses cuisses. On donnait à son bassin l'élan du trot ou du galop. On sentait les émotions de sa monture. On connaissait son tempérament.

Avec un éléphant, seul le cornac conduisait la danse. Les autres, tous les autres, étaient éternellement des passagers.

Enfin, il fallait reconnaître qu'un éléphant, c'était quand même bien gros, avec une odeur forte, des poils durs, et parfois l'envie assez agaçante de ne faire que ce qu'il voulait. Le sien adorait grappiller de sa trompe des touffes d'herbe et les engouffrer dans une bouche rose qui semblait sourire éternellement. Pour le rappeler à l'ordre, son cornac, un homme maigre et jaune uniquement vêtu d'un turban et d'un *dhotî* rapiécé, le piquait d'une pointe de fer. À chaque fois, le pachyderme s'en agaçait. Il soufflait et rugissait, et accélérait la cadence en représailles, obligeant la malheureuse jeune fille à s'accrocher à tout ce qu'elle pouvait pour ne pas tomber.

La première nuit fut un cauchemar. Les *coolies* avaient dressé des tentes, dont une pour elle seule, plutôt confortable, avec des tapis et un lit de camp sous une moustiquaire. Elle s'en était montrée ravie jusqu'au moment du coucher, jusqu'à ce qu'elle se retrouve seule dans le noir, seule au milieu de la jungle, avec comme seul rempart contre tous les tigres et les léopards de l'univers cette simple toile de tente.

Terrorisée, elle avait sursauté au moindre bruit et n'était parvenue à s'endormir qu'à l'aube, quelques minutes seulement avant qu'on ne vienne la réveiller. Là, elle s'habilla dans l'obscurité presque totale précédent l'aube, en faisant attention à bien secouer ses brodequins par crainte d'insectes ou de serpents qui auraient pu s'y cacher. Elle évita soigneusement de penser à ce qui se passerait si, effectivement, un serpent avait élu domicile dans une de ses chaussures. De la même façon, elle agita ses vêtements du jour, une jupe-culotte de velours choisie pour son confort, un corsage de coton dont l'ampleur lui laissait une pleine liberté de mouvement et une veste militaire garnie de poches qu'on lui avait prêtée. Enfin, elle ajusta sur son crâne un casque colonial qui était plus gênant qu'autre chose, et pesta à de nombreuses reprises.

Elle le fit toutefois en silence, car le baron était de fort mauvaise humeur. Lui aussi détestait cette escapade, mais pour d'autres raisons : ses guides peinaient à retrouver l'épave de l'hydravion qu'il leur avait pourtant demandé de repérer quelques semaines auparavant. Les plantes avaient poussé, dissimulant les coupes à la machette et toutes les marques faites en amont. La piste n'était plus aussi nette mais, surtout, elle s'entrelaçait avec d'autres, plus récentes. La forêt de Singalila semblait aussi fréquentée que Piccadilly Street.

Plusieurs fois, les guides forcèrent une halte en discutant âprement. Dans leur jargon mâtiné de népalais, d'hindi et d'anglais, un mot revenait constamment : « *Bāgha* ». Le tigre.

Jezebel n'en fut guère rassurée. Son imagination s'était emparée des traces grandes comme une assiette à dessert qu'on lui montrait dans la boue en gloussant. Depuis, elle sondait sans arrêt le mur végétal qui l'entourait, à la recherche d'une rayure suspecte, d'un œil luisant ou du reflet d'un croc. Parfois, elle croyait apercevoir quelque chose, puis elle revenait à la raison. Ce n'était qu'une feuille morte brillante de pluie.

Le cinquième jour, le paysage changea subrepticement et Jezebel crut revivre. L'indéfinissable sente qu'ils suivaient depuis le début ne cessait de grimper, les amenant peu à peu dans un bois plus clair constitué de rhododendrons et de châtaigniers. La déclivité devenant rocheuse, les *coolies* installèrent les tentes en prévision de la nuit. Il fut décidé que, le lendemain, les éléphants resteraient au camp et que la troupe continuerait à pied. Jezebel n'en fut pas mécontente. Elle avait envie de se dégourdir les jambes. Lorsqu'il cessa de pleuvoir, elle le vit comme un bon présage.

Le lendemain, ils traversèrent le bois jusqu'à déboucher sur une crête. Là, ils s'arrêtèrent, le souffle court. Une lumière sublime tombait des nuages, amenant sur les versants d'en face des chatoiements dorés. Un arc-en-ciel courait d'un arbre à l'autre. Jezebel inspira profondément, longuement, en s'imprégnant des parfums résineux qui montaient de la terre. À ses pieds, des bruyères s'exfiltraient d'une rocaille, ombragées par des camélias nains et de hautes balsamines en fleur.

Soudain, la lumière s'intensifia, les nuages se délitèrent et une vue splendide émergea d'un lit de brume. Le ciel parut s'éloigner, découvrant le magnifique Kanchenjunga dans une splendeur de roche et de glace. La montagne était si haute que l'horizon en paraissait fermé.

— *Tyahām*[1] ! s'écria l'un des *coolies*, dans son dialecte népalais.

Il se tenait au sommet d'un mamelon de gneiss, d'où il gesticulait pour attirer l'attention. Jezebel crut qu'il voulait leur montrer le pic vertigineux mais, en fait, il désignait la pente en contrebas.

Von Rosenheim le rejoignit en quelques enjambées hâtives, regarda à son tour de l'autre côté de la crête, puis interpella bruyamment Michael Deckard. Ce dernier voulut se précipiter et manqua trébucher. Jezebel le prit par le bras pour l'aider à monter. Depuis le début de l'expédition, le vieil archéologue peinait à suivre ces chemins de montagne que la pluie rendait difficiles. Il avait cependant refusé de demeurer au camp pour se reposer. Ses yeux étaient emplis d'une fièvre qui n'était pas uniquement due à la malaria. Parfois, Jezebel avait l'impression de ne pas le reconnaître puis elle se disait qu'il avait toujours été ainsi, entièrement tourné vers cette flamme intérieure qui le poussait à avancer, à défier la maladie qui gagnait, à refuser à son corps amoindri le légitime droit de se poser.

Ils parvinrent au sommet. Michael eut un soupir heureux. Jezebel baissa les yeux à son tour. Plus bas, parallèlement à une maigre corniche rocheuse recouverte de petits sapins, les rhododendrons avaient été hachés sur une distance d'une centaine de pieds. Au bout, contre une falaise qui semblait brutalement l'arrêter, la piste finissait dans un amas de troncs renversés, de branches arrachées, de tôles et de toiles déchiquetées. Un reste d'aile pendait au-dessus d'une carcasse éventrée. Une hélice

1. « Là ! »

tordue était accrochée dans un cyprès. Malgré la pluie qui s'était abattue sans relâche, une vague odeur d'incendie, d'huile et d'essence planait encore sur les lieux.

C'était donc vrai.

L'hydravion d'Andres Agustin s'était écrasé ici.

Bouleversée, Jezebel tomba assise à même le sol. L'humidité de la terre traversa sa jupe mais elle n'y prit pas garde. Elle regardait les décombres, la gorge sèche, la poitrine oppressée. Elle venait de se rendre compte qu'elle n'avait jamais vraiment cru à la mort de l'antiquaire argentin. La fable inventée de toutes pièces par la folie de von Rosenheim lui avait sans doute paru trop horrible, trop inconcevable pour qu'inconsciemment elle ne la nie pas. Or, voilà que ces pitoyables débris lui confirmaient qu'elle s'était trompée, qu'il n'y avait aucun espoir. Andres Agustin était bel et bien mort dans un accident d'aéroplane.

— Ainsi, vous l'avez vraiment fait, déclara-t-elle en se tournant vers von Rosenheim avec un écœurement grandissant. Vous avez réellement tué cet homme.

Michael tenta de la faire taire, mais elle se leva en le repoussant méchamment.

— Restez à votre place, siffla le baron d'un air glacial. Cela ne vous regarde pas.

Elle devint blême de colère, reprit d'un ton plus fort, tellement remplie de rage que plus rien n'avait d'importance, hormis ce qu'elle voyait là, devant elle, ces restes navrants d'un hydravion qu'on avait délibérément poussé à l'accident.

— Rester à ma place ? Celle d'être votre complice ? Celle de cautionner vos meurtres ?

Le baron la gifla si violemment qu'elle tomba à la renverse dans les rhododendrons.

— Si vous étiez moins sotte, *Fräulein*, éructa-t-il avec une colère froide, monstrueuse, vous sauriez que votre intérêt est de me soutenir en tout point. Dans quelques semaines, tout au plus quelques mois, mon nom passera à la postérité. Parce que je suis l'homme qui aura trouvé la cité oubliée de Pachamashutra.

Elle le regarda avec effroi. Il était fou. Il ne pouvait qu'être fou.

*

Les derniers mètres les rapprochant de l'accident furent pour Jezebel les plus difficiles à couvrir. À tout instant, elle craignait de buter sur le corps d'Andres Agustin, aussi osait-elle à peine regarder où elle mettait les pieds, ce qui la faisait souvent trébucher.

Parti en avance, et presque en courant, von Rosenheim fouillait déjà les décombres. Avec l'aide de ses *coolies*, il remuait avec une indécence folle les morceaux de carlingue, soulevait des tôles, déplaçait des débris qu'il accumulait en tas à quelques mètres de distance. Le remue-ménage amenait une immonde odeur d'huile surchauffée. La marque de l'accident était visible à plus de trente pieds de haut, sur les arbres les plus proches dont les feuilles avaient été roussies par l'incendie.

Jezebel refusa de s'approcher davantage. Prise d'une extrême lassitude, elle se laissa choir contre une souche et enfouit sa tête entre ses bras.

— Venez nous aider, ordonna von Rosenheim.

— J'ignore ce que vous cherchez.

— Un médaillon en or d'environ trois pouces.

— À quoi bon ? L'incendie l'aura détruit.

Il la regarda comme si elle avait proféré une insanité. Elle ne bougea pas, alors il retourna à ses recherches. Il était dans un état second, tandis qu'il répartissait les *coolies* en équipes et qu'il leur donnait des ordres méthodiques pour quadriller la zone. Il ne remarquait ni la pluie qui recommençait à tomber, ni la boue qui empesait de plus en plus ses vêtements. Parfois, il échangeait quelques phrases avec Michael Deckard. Le vieil archéologue participait à la curée. Sa filleule en avait la nausée.

Au bout d'une heure d'immobilité, Jezebel eut froid et elle se leva. Ses jambes étaient ankylosées, elle marcha de long en large pour refaire circuler le sang. Par ennui, elle se mit à explorer les environs, non pour essayer de retrouver ce Sher-Cîta dont elle n'avait absolument rien à faire, mais plutôt pour observer ces plantes qui lui étaient inconnues, et ces innombrables insectes que la mousson forçait à se réfugier sous les feuilles. L'eau tombait avec tant d'abondance que des ruisseaux spontanés naissaient entre les rhododendrons. La terre s'en gorgeait, s'alourdissait, devenait spongieuse. Un lointain roulement de tonnerre annonça une avalanche. Elle regardait encore vers l'horizon sans rien voir d'autre que le gris du ciel tombé sur la terre lorsqu'une coulure de boue arracha soudainement un pan de la corniche. Avec un effroyable bruit de succion, elle emporta au passage un *coolie* qui, heureusement, se releva quatre mètres plus bas avec plus de peur que de mal. Par miracle, il était indemne.

Cet homme revint vers l'épave en s'accrochant péniblement aux racines devenues apparentes, tandis que ses pieds glissaient dans la glaise. Il riait tout de même, parce qu'il avait eu de la chance, mais son rire se figea soudain. Se mettant alors à crier, il montra la plaie brune que le glissement de terrain avait générée sous la corniche.

— *Ēkaṭā̆ukō*[1] *! Ēka ṭā̆ukō !*

Jezebel ne comprit pas mais, comme tout le monde, elle regarda dans la direction que l'homme montrait. Elle eut un sursaut d'horreur. Sur le rebord de l'arête, au départ de la coulure de boue, un crâne se tenait en équilibre instable, les orbites vides tournées vers la vallée.

Le reste du corps d'Andres Agustin fut découvert une demi-heure plus tard, à bonne distance de sa tête et à moitié enseveli sous des lianes coureuses et des capillaires[2]. L'accident avait projeté le malheureux pilote sur la corniche, à plus de trente pieds de l'impact. Personne ne l'avait remarqué avant car il n'en restait pas grand-chose. La cage thoracique était écrasée, les jambes détachées du tronc, la tête était ailleurs, et un bras manquait.

Pris de frénésie, von Rosenheim fouilla copieusement le cadavre mais, malgré ses efforts, ne trouva nulle part trace du Sher-Cîta, ni sur les os, ni dans les lambeaux de vêtement tombés en putréfaction qui demeuraient encore accrochés au squelette. Furieux, il revint vers l'hydravion accidenté en interpelant sèchement Michael Deckard.

— J'espère que vous avez une solution de rechange, *Herr* Deckard, parce que le médaillon semble s'être volatilisé dans les airs.

L'archéologue secoua la tête d'un air découragé.

— Désolé, baron, mais il me faut le Sher-Cîta. Sans lui, l'énigme de la cité restera entière et nous ne pourrons jamais la découvrir.

---

1. « Une tête ! », en népalais.
2. Variété de fougère, ici *Adiantum venestum*, ou capillaire chinoise.

Ils continuèrent à fouiller les lieux durant de longues heures, s'acharnant sur les moindres détails, allant jusqu'à déplacer des pierres et à défricher le terrain. Malgré le temps passé, ils demeurèrent bredouilles.

— *Verdammtes Medaillon !* hurlait von Rosenheim en renouant avec la langue de ses ancêtres germaniques. Il doit être là ! Agustin l'avait sur lui, cela ne fait aucun doute.

La nuit tombait. Ils retournèrent au camp, au grand soulagement de Jezebel qui n'en pouvait plus. Elle était trempée, frigorifiée, et elle avait l'estomac au bord des lèvres. Elle ne put rien avaler d'autre qu'un peu de thé bouillant. Très vite, elle prit congé des deux hommes pour s'enfermer dans sa tente. Elle aurait voulu avoir le pouvoir de disparaître sous terre pour ne plus jamais entendre parler de cette journée sordide.

Elle dormit d'un mauvais sommeil, entrecoupé de cauchemars. Par moments, elle sanglotait, à d'autres elle écoutait les bribes d'une étrange conversation. Von Rosenheim avait regroupé les *coolies* autour d'un feu pour mieux les interroger. Et pour être sûr d'obtenir des réponses à ses questions, il distribuait des roupies tout en faisant circuler une bouteille de vodka.

— Savez-vous qui est venu dans la forêt de Singalila depuis l'accident ?

Un temps de silence, puis Jezebel imagina facilement toutes les mains se tendre vers le *sahib* pour réclamer leur roupie, tandis que les *coolies* répondaient en chœur :

— Nous, pour chercher bois, plantes médicinales, miel, racines.

L'un d'eux eut cependant une réponse plus étonnante :

— *Bāgha* aussi venir plusieurs fois pour manger homme mort.

Von Rosenheim éclata d'un rire glaçant.

— Que dis-tu ? Un tigre serait venu manger le cadavre ? D'où sais-tu cela ?

Le guide était un guerrier de la tribu shepna. Il avait l'habitude de chasser le daim à la course, de tuer un ours ou un léopard avec une seule flèche. La forêt était sa maison, il savait de quoi il parlait. Il expliqua que les marques sur les os étaient celles de morsures. Les fémurs avaient été broyés, les côtes arrachées, la tête rongée.

Dans son demi-sommeil, Jezebel frissonna.

— Ça, pas venir accident, continua le *coolie*. Ça *bāgha*, tigre. Peut-être même tigre amener homme sur corniche. Blessé ou mort. Corniche protéger proie contre autres charognards.

Michael Deckard intervint dans la conversation. Il était un savant, il avait des doutes.

— Pourquoi le corps n'aurait-il pas été entièrement dévoré ? Un tigre ne mange-t-il pas sa proie en entier ?

— Tigre dérangé, expliqua le guide avec beaucoup de bonne volonté. Grand chasseur Jim McCorball venu Singalila ce printemps, pour tuer mangeur d'hommes de Sandakphu. Sans doute même tigre que celui manger cadavre. Moi croire que si lui tué, lui plus venir manger restes. Logique.

Michael allait répondre mais le baron flaira une piste et il questionna, non sans âpreté :

— Tu dis que le chasseur Jim McCorball était ici au printemps ? Dans la forêt de Singalila ?

Le guide acquiesça dans un gloussement.

— Oui, ici, à Singalila. Moi être avec lui pendant chasse, quand lui tuer tigre mangeur d'hommes de Sandakphu. Moi avoir pris balles dans carcasse tigre mort. Une dans tête, une dans cœur. Regarde, moi les avoir encore.

Les *coolies* approuvèrent bruyamment. Von Rosenheim posa sa dernière question d'un ton triomphant :

— Très bien, mais lors de cette chasse, qui accompagnait ce Jim McCorball ?

— Nous tous, répondirent plusieurs guides tandis que le premier avalait une rasade de vodka avant de conclure :

— Aussi prince Charu de Nandock, car prince Charu grand guerrier tribu shepna, chef des guides. Lui excellent chasseur.

Von Rosenheim eut un lent sourire. Il avait appris tout ce qu'il voulait savoir. Satisfait, il jeta aux *coolies* une nouvelle poignée de roupies. Dans sa tente, Jezebel s'était enfin endormie.

*

Ils revinrent de la forêt de Singalila couverts de boue, sales et hirsutes. Jezebel était fatiguée, frigorifiée et affamée, et elle ne rêvait que d'un bain chaud et d'un scone tiède sur lequel elle ferait fondre une noisette de beurre.

Un Indien vêtu de soie et de dorures l'attendait au domaine depuis deux jours. Il avait pour ordre de lui remettre de la part du prince Charu de Nandock une lettre de papier bleu qui fleurait bon la cannelle. L'air indifférent, elle la saisit du bout des doigts et l'abandonna dans le même élan sur un guéridon, sans même daigner en prendre connaissance.

Charu n'avait donné aucune nouvelle depuis plusieurs semaines. Que croyait-il donc ? Qu'il suffisait d'écrire une lettre pour qu'elle lui pardonne aussitôt son silence ? Elle n'était pas une biche dans son sérail !

— Son Altesse attend un retour, crut cependant utile de préciser l'Indien vêtu de soie et d'or, qui se voyait mal patienter deux jours supplémentaires avant d'obtenir la réponse tant attendue.

Jezebel le gratifia d'un haussement d'épaule agacé.

— Eh bien, que Son Altesse attende ! Aurait-il donc quelque chose d'autre à faire ?

Elle allait gagner sa chambre, estimant l'incident clos, lorsque le baron von Rosenheim s'empara de la lettre. Le regard ostensiblement tourné vers elle, il renifla l'enveloppe parfumée d'un air entendu puis, saisissant un coupe-papier, la décacheta avec sécheresse. Ce n'était que pur défi de sa part, mais Jezebel vit rouge. Elle vint se planter devant lui, furieuse.

— Vous ouvrez mon courrier, *mein Herr* ?

— Uniquement lorsque vous n'y prêtez pas suffisamment d'attention.

Sans réfléchir, elle le gifla de toutes ses forces. Il accusa le coup puis, avec un sourire onctueux, il l'attrapa par le coude avant de l'immobiliser contre lui en passant son bras autour de sa gorge. Elle tenta de se débattre. Elle était trop en colère pour avoir peur. Il la plaqua étroitement contre son torse et, les lèvres appuyées contre sa tempe, chuchota d'un air faussement aimable.

— La forêt de Singalila vous aurait-elle rendue tigresse ? Vous savez, j'adore ça.

Il lui lécha la joue d'un grand geste obscène puis, riant silencieusement tout en continuant à la tenir contre lui, il extirpa de l'enveloppe bleue un bristol sur lequel il déchiffra le message à voix haute, tout en faisant des commentaires ironiques.

— Ce petit prince est décidément fort aimable. Savez-vous qu'il nous convie tous à une partie de chasse sur ses terres de

Nandock ? Vous aurez encore une fois l'occasion de vous conduire comme une traînée.

Rouge de honte, elle siffla en retour.

— N'ayez crainte, je n'irai pas !

— Ah mais, ce serait dommage, j'adore la chasse. Pas vous ?

— Puisque je vous dis que je n'irai pas !

Il la lécha une seconde fois tandis que, de sa main libre, il glissait le bristol dans l'échancrure de son décolleté, caressant au passage la tiédeur d'un sein.

— Nous irons tous les trois, ma chère. J'ai besoin de parler au prince et quelle meilleure occasion qu'une chasse royale ? Je compte sur vous pour donner à cette invitation une réponse charmante et pleine de grâce. Après tout, autant vous habituer au plus tôt à être madame la baronne von Rosenheim…

# 19

*Fin juin 1919*
*Principauté de Nandock – Bengale-Occidental – Inde*

Le prince Charu Bakhtavar de Nandock accueillit ses invités directement sur le lieu de chasse. Pour dresser un camp confortable, il n'avait pas lésiné sur les moyens. Il avait fait abattre des arbres et débroussailler un espace dont le diamètre approximatif était de cent cinquante pieds. Là, autre caprice, des tentes inspirées de yourtes mongoles avaient été dressées et garnies luxueusement.

Dans celle qu'on lui destinait, Jezebel découvrit un intérieur circulaire où chaque détail était un pur ravissement. La tente était tapissée au sol comme au mur de tapis d'origine persane. Elle marchait sur un moelleux de laine et de soie, et bien vite elle ôta ses brodequins pour fouler pieds nus cette douceur incroyable. Vers le centre, un poêle à bois en fonte dispensait une chaleur sèche, qui parfumait l'air de résine et d'épices. Un tuyau de fer servait de cheminée en évacuant la fumée par le ciel.

Outre l'énorme lit à baldaquin muni de l'obligatoire moustiquaire, d'autres meubles artisanaux avaient été disposés pour compléter le décor : un secrétaire et une chaise de facture un peu grossière, mais joliment peints de couleurs vives, une estrade qui surélevait le sol, ornée d'une multitude de coussins de toutes sortes, à franges, à pompons, en fourrure, et une descente de lit qui servait également de coffre, recouvert d'une soie brodée.

Au fond, Jezebel découvrit, derrière un paravent ajouré sculpté d'animaux, une baignoire émaillée et tout un nécessaire de toilette qui lui firent pousser des cris de ravissement. L'eau dans le broc était tiède, elle se rafraîchit immédiatement le visage.

Le prince avait fait honneur à son métissage en décrétant que la chasse au tigre serait organisée sur le mode népalais. Par sa mère, il était originaire d'une des tribus shepna qui vivaient dans les forêts de Nandock. Cette tribu était remarquable par son lignage matriarcal qui laissait aux femmes les affaires commerciales tandis que les hommes se devaient de devenir chasseurs ou guerriers. La plupart étaient des pisteurs hors pair. Le prince de Nandock faisait toujours appel à leurs services lorsqu'il s'agissait d'organiser une chasse à dos d'éléphant.

En attendant l'heure du départ, les pachydermes étaient parqués à l'autre bout du camp, sous un auvent qui les protégeait de la pluie. Leur pied avant gauche était pris dans une chaîne de métal attachée à un piquet solidement fiché au sol. La plupart de ces animaux somnolaient debout ou ruminaient les énormes bottes de foin que leurs cornacs avaient placées devant eux. Quelques-uns manquaient à l'appel : ils étaient déjà dans les bois, à accompagner les éclaireurs chargés de repérer les tigres que le prince proposerait au tir dès le lendemain.

— Votre Altesse, nous vous remercions pour cette invitation qui, nous osons tout de même vous l'avouer, nous a surpris, sir Deckard et moi-même, glissa von Rosenheim en s'inclinant brièvement devant le jeune prince de Nandock.

— Surpris ? Vraiment ? répliqua Charu avec un art consommé de la diplomatie. C'est oublier un peu vite les liens commerciaux et surtout amicaux qui nous unissent, baron von Rosenheim. Lorsque j'ai su que vous étiez en villégiature aux portes de ma principauté, je n'ai eu qu'une seule hâte, vous convier à quelques divertissements agréables.

— Dois-je comprendre que nous sommes les seuls invités ?

— Cette chasse n'a été organisée que dans le but de vous plaire, confirma le prince en coulant un bref regard vers Jezebel, qui le lui rendit en souriant.

— Je n'en doute pas un seul instant, répliqua von Rosenheim d'un ton glacé.

Avec la tombée de la nuit, les bruits de la jungle prirent une sonorité accrue mais Jezebel dormit comme jamais. Certes, elle était encore fâchée contre Charu, à qui elle reprochait son trop long abandon, mais lorsqu'elle l'avait vu les accueillir, si grand, si beau dans son *sherwani* boutonné et brodé d'or, le visage impassible sous un turban de couleur jaune, en clin d'œil à leur première rencontre, elle s'était sentie incroyablement heureuse. Prise de la nostalgie de ses bras autour d'elle, de sa joue appuyée contre son épaule, de son amicale chaleur qui semblait pouvoir la protéger éternellement de tout, elle dut retenir l'élan qui la poussait à courir vers lui.

Évidemment, le prince souriait, et ce sourire-là était un rayon de soleil.

Dès lors, tout parut facile. Pour être heureuse, la jeune fille n'avait qu'à croiser le beau regard noir. C'était comme un jeu d'aimant. Elle avait alors le sentiment de vivre sur un nuage.

La chasse au tigre fut lancée tôt le lendemain matin. Le soleil se levait à peine. Une brume humide étendait ses bras entre les troncs des tamariniers. Charu avait troqué ses vêtements princiers de la veille contre une tenue traditionnelle plus confortable, d'une couleur beige qui se fondait dans le décor. Il avait cependant conservé sur son crâne son inaltérable turban jaune. Jezebel, dès qu'elle le vit, lui sourit.

Il amena en personne ses hôtes près des éléphants qui allaient leur servir de monture et, en chemin, il fut très fier de leur expliquer le détail de cette étrange cavalerie.

Les éléphants étaient plus de vingt. C'était un spectacle fort impressionnant à voir. Un mur vivant, haut de neuf pieds, des têtes larges comme des tonneaux, des défenses aussi longues que des lances. Les plus grands serviraient au transport des tireurs, les autres feraient office de rabatteurs.

Les pachydermes du prince de Nandock étaient magnifiques. Jezebel les trouva bien plus racés que ceux qu'elle avait côtoyés lors de l'expédition dans la forêt de Singalila. Ils étaient mieux soignés, plus propres, et enduits de différentes peintures qui dessinaient sur leur tête d'admirables circonvolutions colorées. L'explication en était religieuse. Les éléphants avaient été bénis par un *sâdhu* pour être protégés de l'attaque du tigre.

Les deux choisis pour transporter le prince et ses invités sortaient du lot autant par leur taille que par le luxe de leurs harnachements. Charu révéla, avec cette complaisance naturelle qui caractérisait les nantis, que l'éléphant était en Inde un symbole de puissance et de richesse. Pour faire honneur au prince et à ses invités, les *mahouts*[1] avaient embelli leurs éléphants avec des

1. Autre nom pour cornac.

étoffes et des bijoux. Une selle rembourrée avait été placée sur le dos de la bête, puis masquée par une épaisse étoffe brodée sur laquelle était installé un *howdah*. Celui du prince était dans la famille de Nandock depuis des générations. Il ressemblait tellement à une œuvre d'art que Michael Deckard sortit de sa torpeur pour en étudier les mille détails.

Le *howdah* était une sorte de siège de bois divisé en deux compartiments. Il était recouvert à l'extérieur de feuilles d'or et d'argent ciselées, et à l'intérieur de velours rouge. Le compartiment avant était réservé au prince. Il était sécurisé par une pièce de métal supplémentaire qui protégeait parfaitement les jambes et le buste. Il était également couronné d'un parasol à franges d'or. Le compartiment arrière était celui des gardes du corps.

À la fin de cet exposé, Charu s'inclina devant Jezebel.

— Me ferez-vous l'honneur de choisir mon éléphant, milady ?

Il lui tendait une main qu'elle ne pouvait ignorer. Devant les regards indéfinissables de von Rosenheim et de Michael, elle laissa le jeune prince la conduire près d'un éléphant au port royal, dont les gigantesques défenses avaient été somptueusement décorées d'or.

— Je vous présente *Hastiraj*, annonça Charu avec humour, tandis que le cornac frappait les pieds du pachyderme pour le faire agenouiller. Cela signifie en bengali « Roi des éléphants ».

— Oh, s'exclama Jezebel devant l'énorme bête dont la trompe se levait vers elle pour renifler son odeur, ce nom lui va assurément bien. Il est vraiment très grand.

— Il vient de vous bénir, c'est un signe de bon augure.

Jezebel était en train de se demander comment elle allait faire pour grimper dans le *howdah* placé à une hauteur si vertigineuse quand deux serviteurs arrivèrent en courant. Ils portaient une échelle. Elle se mit à rire. Il allait falloir grimper les barreaux comme sur un arbre, puis enjamber la nacelle avant de parvenir enfin à s'asseoir sur le siège. Elle se félicita d'avoir eu la présence d'esprit de mettre ce matin une jupe-culotte un peu sport, pas forcément seyante mais certainement très pratique.

Pendant qu'elle s'installait avec l'aide d'un serviteur qui, tandis qu'elle gravissait les barreaux de l'échelle, grimpait à côté d'elle sur le corps de l'éléphant comme un véritable singe, en utilisant des cordages prévus à cet effet, le baron von Rosenheim prit Charu en aparté.

— Votre Altesse, puis-je vous rappeler que nous avions convenu de poursuivre notre conversation d'hier soir. J'imaginais que nous partagerions le même éléphant…

— Je vous ai promis de reprendre notre conversation, *Herr* von Rosenheim, je ne m'en dédie pas. Mais est-ce vraiment le moment ?

— Votre Altesse, je me permets d'insister. Ce que je demande est, pour sir Deckard et moi-même, d'une extrême importance.

— Je l'ai bien compris ainsi, assura le prince Charu, mais je continue à penser que je ne puis vous être utile en rien. La chasse à laquelle j'ai eu l'honneur de participer aux côtés de Jim McCorball fut une chasse somme toute assez ordinaire. Nous avons traqué le tigre, puis nous l'avons abattu. Que pourrais-je ajouter d'autre ?

— Vous savez bien que ce n'est pas ce que je vous demande, riposta le baron suisse d'un air glacial.

Charu eut un léger sourire.

— Je suis bien embarrassé pour vous répondre autre chose. Je ne me souviens de rien en particulier.

— Il serait malvenu de vouloir garder un objet qui…

Le prince l'interrompit sèchement.

— Êtes-vous en train d'insinuer que je puisse vous voler ?

— Votre Altesse, je suis tout de même persuadé que…

— Cessez là, von Rosenheim. Vous devenez insultant. Dans l'unique but de vous être agréable, je ferai interroger mes serviteurs et je vous soumettrai leurs réponses. Ne me demandez pas plus.

Les deux hommes se mesurèrent du regard avec une franche hostilité. Von Rosenheim n'était pas satisfait de la réponse. Charu croisa les bras sur sa poitrine en affichant clairement son courroux. Le baron le perçut et jugea qu'il n'était pas en position de force. Il s'inclina, croyant toutefois nécessaire de préciser, avec une voix sifflante de colère.

— Soit, Votre Altesse, reprenons cette conversation après la chasse. Je vois que *notre* chère comtesse Tyler commence à s'impatienter. Pour lui plaire, allons donc, je vous prie, chasser sur le même terrain. Et que le meilleur gagne !

La réplique était lourde de sous-entendus. Charu suivit le baron d'un œil perplexe tandis qu'il rejoignait Deckard. S'agissait-il d'un défi ? D'une menace ?

— Que vous voulait le baron ? chuchota Jezebel lorsqu'il s'installa enfin à côté d'elle dans le palanquin royal.

Il lui offrit un sourire rassurant.

— Rien qui ne vaille la peine de s'y arrêter, milady.

Elle voulut insister, parce qu'elle avait senti l'hostilité de von Rosenheim, mais le prince s'inclina vers elle d'un ton enjoué.

— Vous savez, je suis extrêmement déçu. J'imaginais vous proposer une initiation, or je constate qu'Hastiraj n'est pas votre premier éléphant.

— L'Inde est le pays des éléphants, répliqua-t-elle en le suivant dans son marivaudage. Difficile de ne pas en rencontrer dès que l'on sort de Calcutta.

— L'Inde est le pays de plein de choses, *Kā̆unṭēsa*[1], rétorqua-t-il avec un sourire charmant. Tenez, par exemple, l'Inde est aussi le pays du *lingam*[2].

Il la provoquait. Cette fois-ci, elle n'entra pas dans son jeu. Elle savait parfaitement ce qu'était un *lingam*. Olga le lui avait suffisamment expliqué. De toute façon, elle était encore fâchée d'avoir été abandonnée de façon si cavalière. Elle garda un silence boudeur.

Charu en profita pour vérifier que le baron von Rosenheim et sir Deckard étaient confortablement installés, puis il donna le signal du départ. Hastiraj était un éléphant royal. Il prit naturellement la tête.

— Dites-moi, Jezebel, chuchota Charu en se penchant de nouveau vers sa voisine. Seriez-vous fâchée à mon égard ? Depuis votre arrivée, je crois déceler dans votre voix un reproche latent.

— Pourquoi le serais-je ? riposta-t-elle aussitôt, d'un ton agacé qui conforta le prince dans son idée. Je n'ai reçu aucune nouvelle de votre part depuis…

Il l'interrompit.

---

1. « Comtesse », en bengali.
2. Objet dressé, souvent d'apparence phallique, représentant symboliquement le dieu Shiva et l'énergie masculine.

— Vous vous en souciez donc, *āmāra priẏa*[1] ?

Il ressentait une joie soudaine qui emplissait son corps de chaleur.

— Bien sûr que je m'en soucie ! répondit-elle gravement. Vous êtes mon meilleur ami.

Le sourire de Charu s'effaça. Ce n'était pas ce qu'il attendait.

— Ah, je suis votre meilleur ami…

D'une manière un peu puérile, elle fut ravie d'être parvenue à lui rendre la monnaie de sa pièce et s'amusa de sa déconvenue.

— Ne l'êtes-vous pas ?

— Je suis surtout heureux de comprendre enfin le rôle que vous entendez m'allouer dans votre vie de future femme mariée.

La pique était méchante. Elle regarda au loin, vers le bout du large chemin qu'ils suivaient et qui disparaissait dans une forêt de bambous. Des pousses vertes, stimulées par les pluies de mousson, commençaient à s'élancer hors des chaumes de l'année dernière. Un arbre biscornu s'extirpait parfois de ce désordre, le tronc noir, les branches tordues. Charu gloussa devant son silence.

— Vous êtes bien une Anglaise !

— Et pourquoi cela, je vous prie ?

— Les Anglais sont toujours en représentation. Ils apprennent dès leur plus jeune âge à garder à l'intérieur d'eux-mêmes leurs sentiments, leurs joies, leurs peines. Impossible de savoir ce qu'ils pensent.

Il avait tourné vers elle un visage passionné qui ne laissait aucun doute sur l'amour qu'il lui portait. Elle aurait voulu avoir la liberté de se glisser dans ses bras, de se coller à sa chaleur, à sa force, à sa certitude. Au lieu de cela, il avait raison, elle n'affichait qu'une vie retenue, théâtralisée. Elle ne sut quoi lui répondre, et ils s'abîmèrent dans le silence de la jungle. Les pas lourds des pachydermes se posaient comme des ventouses sur un sol spongieux. Les insectes tournoyaient en vrombissant. Au fond d'une vallée, la troupe se sépara. Les éléphants de tête, qui transportaient le prince et ses invités, continuèrent sur la droite tandis que les autres s'enfonçaient sur une piste tortueuse que l'on distinguait à peine au milieu de la végétation. Charu se mit debout pour expliquer aux deux Européens le déroulé des opérations.

1. « Ma chère », en bengali.

— Nous allons à présent rejoindre le point d'affût où nous nous tiendrons prêts à tirer. Lorsque nous serons installés, les rabatteurs se mettront en marche avec force vacarme, et le tigre, cherchant à les fuir, se dirigera vers nous. Mes serviteurs vont vous présenter des armes, parmi lesquelles vous pourrez choisir celle qui vous conviendra le mieux. Vous aurez le choix entre des carabines Enfield et Webley, et vous pourrez éventuellement compléter votre armement avec un *howdah pistol*[1]. J'ai quelques jolis exemplaires de canons sciés, mais aussi des Lancaster et de vieux revolvers qui devraient vous plaire.

— J'ai toujours mon Luger sur moi, annonça von Rosenheim en sortant d'un étui qu'il portait à sa ceinture une arme de poing allemande, à la forme caractéristique.

Le prince ne sourcilla pas.

— Le Luger Parabellum est une belle arme, mais le calibre sera sans doute un peu léger pour arrêter un tigre en train de charger.

— Tout dépend de celui qui vise, non ?

Von Rosenheim avait la voix pleine de défi. Le prince l'enveloppa d'un regard méprisant.

— C'est vous qui le pensez, baron von Rosenheim. Je vous souhaite une bonne chasse.

Par principe, Jezebel se choisit une carabine Enfield. Elle n'avait jamais tiré de sa vie mais elle n'avait pas l'intention de jouer les potiches. Puisque ce prince des mille et une nuits entendait l'impressionner avec cette chasse au tigre, qu'à cela ne tienne, elle allait lui montrer de quoi était capable une femme anglaise ! Tirer à la carabine ne devait pas être sorcier. D'autant plus qu'avoir une telle arme entre les mains était rassurant. Ils ne chassaient pas le faisan, mais le tigre.

— À partir de maintenant, silence s'il vous plaît, ordonna Charu.

Ils ne s'exprimèrent plus que par chuchotis. La chasse était ouverte. Les deux éléphants s'enfoncèrent dans une gorge envahie par une brousse d'herbes hautes, jaunes et desséchées, que des pluies violentes avaient aplaties par endroits. Au fond coulait

---

1. Arme de poing de fort calibre essentiellement destiné à se protéger des animaux dangereux de forte taille.

un ruisseau aux eaux grossies, qu'ils traversèrent. Les éléphants s'enfoncèrent jusqu'au ventre dans un courant tumultueux. De l'autre côté, un pré de roseaux montait vers un sous-bois ombreux. Le ciel était lourd, bas et gris. Une averse était imminente.

— Regardez, souffla Charu en tendant la main vers une clairière embrumée.

Un paon faisait la roue au milieu de ses femelles. Les poules étaient si ternes qu'on les voyait à peine mais le mâle lâchait de grands cris sonores pour mieux se faire remarquer. Son poitrail bleu métallique, les reflets verts du reste de son corps, sa petite couronne agitée et les plumes de sa queue étaient magnifiques.

Au point d'affût attendaient déjà des serviteurs. Ils accueillirent les invités avec des rafraîchissements tandis que les cornacs mettaient les éléphants en position. Charu fit sortir un magnum de Moët & Chandon d'un coffre rempli de pains de glace et ils se restaurèrent ainsi, confortablement installés dans leur palanquin, leurs armes prêtes à l'usage tournées vers l'extérieur, vers une pente d'herbes jaunes d'où montait de temps à autre le cri d'une perdrix.

Cet endroit avait été choisi avec soin. Il était placé à l'étranglement de deux falaises qui obligeraient le tigre à venir du nord. Les éléphants piétinaient un corridor large d'une quarantaine de pieds. Le fauve ne pourrait leur échapper.

On attendit, d'abord silencieux et attentifs, puis avec une indiscipline croissante au fur et à mesure que le temps s'écoulait. Une souris émergea des hautes herbes, suivie quelques secondes plus tard par un serpent. D'innombrables mouches tournoyaient autour des éléphants. Certaines avaient des dards et étaient agressives. Jezebel s'enveloppa la tête dans une écharpe de mousseline. Le soleil s'était définitivement éclipsé au profit d'un temps couvert, et une première ondée tomba dans un brusque crépitement. S'abritant sous le parasol, Jezebel regarda les gouttes toucher le sol en rebondissant comme des billes. Les mouches continuaient à piquer, pas même incommodées. Remarquant que Jezebel en était gênée, Charu donna un ordre en bengali. L'un des serviteurs grimpa aussitôt sur l'éléphant, s'aidant des cordes qui tenaient le palanquin, jusqu'à se tenir en équilibre sur le large flanc du pachyderme. Là, il agita un chasse-mouches en crin de cheval pour éloigner les insectes.

La battue se rapprocha. Jezebel entendait maintenant les cris, les bruits de tambours, de cornes et de trompettes. Tout à coup, un craquement d'herbe sèche attira son attention. Elle retint un cri. Le tigre était là.

Il chargea avec une rapidité époustouflante. Jezebel se leva, les jambes flageolantes. Peut-être cria-t-elle, elle ne s'en rendit pas compte. Le fauve mesurait au moins neuf pieds de long, ses bonds en faisaient trente. Rugissant avec agressivité, il sauta sur la tête de l'éléphant le plus proche, en l'occurrence celui qui transportait von Rosenheim et Deckard. Le cornac échappa à ses griffes en se jetant au sol. Le tigre l'ignora pour s'accrocher à l'*howdah* et le malmena tant que des sangles craquèrent. Le palanquin tangua dangereusement. Michael Deckard perdit l'équilibre et tomba dans les hautes herbes tandis que von Rosenheim, agrippé à une pièce métallique, déchargeait son Luger à bout portant. Le fauve en fut à peine incommodé. Se dressant sur ses pattes arrière, il ouvrit une gueule gigantesque. L'une de ses pattes se tendit vers le baron, cherchant à le saisir. Charu tira. La balle atteignit le tigre en plein crâne. La bête tomba mollement en arrière tandis que le cornac éloignait promptement son éléphant. Une seconde balle provoqua un dernier sursaut, puis le fauve demeura au sol, inerte.

Un silence terrible tomba sur la terre. Un silence de mort, épais, lourd, sans chants d'oiseaux, sans même un vrombissement de mouche. Puis la pluie revint, abrupte et violente et, avec ce son, Jezebel reprit conscience de son corps, qui tremblait de la tête aux pieds.

— Vous allez bien ? demanda Charu en la détaillant avec anxiété.

— Je vais bien, je vais bien, répéta-t-elle plusieurs fois, un peu hébétée, avant de se rappeler la chute de son parrain et de le chercher des yeux.

Le vieil archéologue était sain et sauf, si l'on exceptait l'entorse qu'il s'était faite en tombant. Tandis qu'il boitait bas, plusieurs serviteurs s'empressèrent autour de lui. Charu descendit de son éléphant comme un acrobate mais Jezebel refusa de le suivre. Même si les événements avaient prouvé le contraire, elle se sentait plus en sécurité sur l'*howdah* qu'au sol.

Charu se tourna vers von Rosenheim, qui s'accrochait encore au palanquin à demi renversé.

— Baron ? Êtes-vous blessé ?

L'aristocrate suisse tenait toujours à la main son Luger inutile.

— Vous aviez raison, prince.

— Oh, vous auriez sans doute fini par tuer ce fauve, mais cela aurait pris du temps. Le calibre de vos balles était insuffisant pour arrêter la charge d'un tigre du Bengale de près de cinq cents livres.

Von Rosenheim leva vers Charu un regard un peu fou.

— Sachez-le, prince de Nandock, à votre place, j'aurais laissé le tigre faire son boulot.

Charu eut un grand sourire ironique :

— Je n'en doute pas une seule seconde, baron von Rosenheim. C'est d'ailleurs ce qui différencie un prince de son peuple. Le prince est altruiste tandis que le peuple est opportuniste. Voilà pourquoi je suis heureux de vous avoir sauvé la vie.

La remarque était volontairement condescendante. Se maîtrisant avec force, le baron rangea le Luger dans son étui puis posa sur son interlocuteur des yeux devenus de glace.

Charu comprit que, dorénavant, la guerre était déclarée.

*

Aucun autre tigre ne fut tué ce jour-là. Deckard souffrait de son entorse à la cheville, von Rosenheim était de fort mauvaise humeur et Jezebel, après être tombée à genoux devant le fauve abattu et avoir pu le toucher, le caresser, admirer sa taille et sa beauté, ne tenait pas à ce que d'autres périssent.

— D'habitude, nous en abattons cinq ou six, commenta Charu avec un peu de regret, mais devant la mine horrifiée de la jeune Anglaise, il donna l'ordre de cesser le massacre. Cela lui convenait tout aussi bien ; il était temps de rallier le Sambar Mahal[1].

Le palais des cerfs était sa résidence d'été. Il y avait convié les trois Occidentaux en prolongement de la chasse, pour un dîner et pour y loger autant de jours qu'il leur plairait. Évidemment, il n'agissait ainsi que pour avoir le plaisir de garder Jezebel encore un peu à ses côtés.

---

1. « Le palais des cerfs Sambar », en hindi.

La jeune Anglaise avait récemment visité le Palais d'Or près de Calcutta, qui était gigantesque et prestigieux et attendait inconsciemment quelque chose de similaire. Elle avait vu que les palais des princes indiens étaient presque toujours démesurés et d'une architecture complexe, construits avec des proportions gigantesques qui traduisaient la richesse des propriétaires. De loin, ils ressemblaient souvent à d'énormes gâteaux de Chantilly qui montaient vers le ciel en couches successives.

Le palais Sambar était tout autre. Il fut une réelle surprise.

Pour s'y rendre, les invités furent d'abord emmenés en automobile sur des routes tortueuses qui descendaient vers une lointaine vallée. Là, au fond d'une cuvette encaissée, un lac dormait sous une brume d'altitude, environné de toutes parts par de hautes montagnes bleues. Il était alimenté par la rivière Teesta, dont les eaux grossies par la mousson descendaient avec tumulte de lointains pics enneigés. Sur sa rive ouest, un grand ponton de bois permettait aux véhicules d'embarquer sur un bac privé. Les automobiles y prirent place, sous l'œil d'authentiques Malabars[1] armés de sabres et de pistolets, qui montaient une garde impavide.

Avec des airs mystérieux, le prince de Nandock convia ses hôtes sur le toit-terrasse aménagé avec grand luxe, où des mignardises furent servies, puis le bac s'ébranla. Très agitée, Jezebel allait d'une rambarde à l'autre, cachant sous une feinte curiosité un embarras croissant. Depuis l'incident avec le tigre, le baron von Rosenheim considérait, à juste titre, le prince comme un rival. À plusieurs reprises, il afficha son autorité sur la jeune fille, en posant une main sur son épaule pour en caresser au travers de l'étoffe légère du corsage la forme un peu ronde. À chaque fois, Jezebel se dérobait par une pirouette, en montrant d'un doigt excessivement extasié le sublime panorama que la traversée révélait.

— Comme c'est beau ! s'écria-t-elle maintes fois, en s'agitant derechef.

Elle applaudit même lorsque le Sambar Mahal émergea brusquement du brouillard comme un bijou dans son écrin. Au milieu du lac de velours, le palais des cerfs était semblable

---

1. Originaire de la côte Malabar.

à un diamant. Construit dans une pierre légèrement dorée, il avait une forme carrée même si, au fur et à mesure que l'on s'en approchait, apparaissaient des tours et des alcôves, des arcades et des belvédères. Une trouée dans les nuages l'inonda brusquement de soleil. Il prit dans cette lumière précieuse un relief inattendu qui le fit paraître encore plus extraordinaire.

— Bienvenue au *Sambar Mahal*, le palais aux cerfs, jeta le prince Charu avec une immense fierté.

Jezebel se rapprocha de lui pour lui demander :

— Pourquoi l'avoir appelé ainsi ? Avez-vous des cerfs ?

Elle regardait le joyau approcher avec au fond du cœur une émotion extraordinaire, comme si, subitement, elle venait de comprendre qu'en ces pierres sublimes se jouerait son destin.

Charu sourit.

— Il y en a quelques-uns, je vous l'accorde, qui gambadent en liberté à l'intérieur du jardin mais le nom du palais ne vient pas d'eux. Il viendrait plutôt d'une légende qui expliquerait sa construction. Contrairement à ce que l'on pourrait croire, le Sambar Mahal n'est pas bâti sur l'eau, mais sur une île au milieu du lac. Lorsque Nabin Dahal, le premier maharaja de notre lignée, arriva sur ces terres et en prit possession, il aimait à chasser le cerf. Or, un jour, une biche qu'il traquait sauta dans le lac et se réfugia sur cette île où, le soir venu, elle devint une jeune fille jouant du sitar. Émerveillé par le prodige, Nabin Dahal tomba immédiatement amoureux de la divine musicienne qui tirait des sons si beaux, si cristallins, de son instrument. Il la demanda en mariage, elle accepta et, pour commémorer ce jour, il fit construire ce palais, qui devint ainsi le témoignage de son amour. Depuis, tous les princes de Nandock perpétuent la tradition en venant épouser en ces murs leur maharani.

Le bac accosta, amenant à point nommé une diversion, tant Jezebel avait été troublée par la dernière phrase de Charu. Les automobiles furent débarquées une à une puis stationnées dans une cour prévue à cet usage tandis que le prince et ses convives étaient accueillis par une ribambelle de serviteurs. Certains se précipitèrent pour décharger les malles, d'autres amenèrent des plateaux couverts de fruits et de rafraîchissements. Charu se lava les mains à une aiguière et incita ses hôtes à faire de même.

— Je vais vous conduire à vos chambres, j'imagine que vous souhaitez vous reposer avant le dîner. Si vous voulez bien me suivre…

Ils passèrent par un dédale de couloirs et de patios qui ressemblait à un labyrinthe, suivis par les domestiques qui portaient leurs malles. Jezebel fut la première à prendre possession de ses quartiers. La chambre était spacieuse et d'un luxe intime, joliment ouverte sur un petit balcon surplombant le lac. La vue était splendide malgré le brouillard du soir. Elle remercia le prince d'un sourire chaleureux.

— Le dîner est prévu à neuf heures, dit Charu en s'inclinant. Je vous enverrai chercher.

Michael Deckard se vit proposer une chambre semblable, dans laquelle il s'installa avec soulagement. Il boitait bas, et sa cheville avait considérablement gonflé. Le vieil archéologue n'en pouvait plus de se tenir debout.

— Je vous envoie tout de suite mon médecin personnel, proposa le prince après l'avoir sommairement ausculté. Il jugera de l'état de votre cheville bien mieux que moi et vous proposera un traitement. N'ayez crainte, ajouta-t-il avec un sourire un peu ironique lorsqu'il vit Deckard tiquer, mon médecin n'est pas un charlatan, il a été formé à Oxford.

Il conduisit en dernier le baron von Rosenheim à sa chambre.

— Le dîner sera habillé, lui précisa-t-il. Si vous n'avez pas de smoking dans votre bagage, je vous ferai prêter un des miens. Nous avons sensiblement la même taille. Ce sera parfait.

Von Rosenheim eut un regard flamboyant. L'onctuosité du prince l'énervait au plus haut point.

— J'ai amené un smoking. Je connais le goût des princes indiens pour le décorum. Dites-moi plutôt ce que vous avez fait de mon chauffeur ?

— Votre serviteur est bien traité, le rassura Charu avec un large sourire, n'ayez aucune inquiétude. Je l'ai fait installer dans le quartier des domestiques, d'où il pourra aisément surveiller votre automobile. J'ai également donné des ordres pour qu'il soit nourri. Il attirera probablement l'attention d'une bayadère, qui lui accordera peut-être ses faveurs. Vous-même, si vous le souhaitez…

Von Rosenheim sursauta comme piqué par un insecte. Une vilaine rougeur monta à ses pommettes, tandis qu'il éructait :

— C'est une plaisanterie?

Charu ploya le buste d'un air faussement aimable.

— Vous savez, certaines de ces danseuses sont très jeunes. Vous pourrez en juger par vous-même lorsque vous les verrez évoluer durant le dîner. Bien sûr, si l'une d'elles venait à vous plaire, vous n'aurez qu'un signe à me faire…

Von Rosenheim lui claqua la porte au nez, mais Charu continua à sourire. Il avait entendu des rumeurs qui ne lui paraissaient pas si infondées que cela.

*

Jezebel demeurée seule dans sa chambre se découvrit soudain des plus lasses. Elle attrapa une pomme dans le compotier, la croqua tout en ôtant sa veste humide. Faisant quelques pas, elle jeta un coup d'œil par la fenêtre qui donnait sur le lac, se débarrassa du trognon en l'offrant aux poissons. Elle bâilla, ôta sa jupe-culotte et son corsage maculés. Dans le même élan, elle se jeta en travers du lit en petite tenue, se roula en soupirant d'aise dans un drap de satin et s'endormit presque aussitôt.

Elle rêva d'une musique douce, étrange, qui semblait naître de partout et nulle part à la fois. Des tourterelles roucoulaient sur le rebord de sa fenêtre. Elle se réveilla en sursaut. Le soleil avait basculé de l'autre côté de l'horizon, abandonnant sur le lac des reflets de sang. Quelqu'un, sans doute une servante, avait allumé plusieurs lampes. Ses malles avaient été ouvertes, ses vêtements dépliés, défroissés. Sur un fauteuil en rotin, on avait disposé une tenue indienne, petit corsage court et ajusté, sari long et vaporeux.

On frappa à la porte. Elle s'empara du sari, se drapa tant bien que mal dedans et alla ouvrir. Elle s'attendait à une servante, elle reçut en plein visage le sourire éclatant de Charu.

— Je viens vous chercher.

— Je… je ne suis pas prête, bafouilla-t-elle en se cachant derrière la porte. Je… J'ai un peu paressé, je n'ai pas encore réfléchi à ce que je vais mettre.

— Je vous ai fait porter des vêtements.

— Oui, mais…

— Le sari ne se drape pas ainsi, laissez-moi faire.

— Non ! s'exclama-t-elle, affolée.

Il la dévisagea sévèrement.

— Jezebel, je veux juste vous aider.

Elle baissa le nez. Elle était rouge comme un hibiscus. Il lui sourit tendrement. Il se réjouissait de la soirée à venir. Il était tellement rempli de joie qu'il avait envie de danser.

— Finalement, nous serons seuls pour dîner. Votre tuteur s'est excusé, sa cheville le fait trop souffrir, il préfère demeurer dans sa chambre. Je lui ai fait porter une collation. Quant à von Rosenheim...

Il se tut. Il souriait benoîtement.

— Oui ? demanda-t-elle. Que se passe-t-il avec von Rosenheim ?

— Il dort.

— Je vous demande pardon ?

— Il dort, répéta-t-il en riant.

— C'est une plaisanterie ? dit-elle, incrédule.

— Je vous assure qu'il dort !

Elle regarda ses yeux noirs se plisser d'amusement, vit son visage tout entier se mettre à rire et comprit qu'il était trop ravi du tour qu'il venait de jouer pour être honnête.

— Ne me dites pas que vous l'avez drogué ? s'écria-t-elle.

— Oh, rien de bien méchant, juste quelques gouttes de soporifique, il ne s'en rappellera pas demain.

Elle semblait si incrédule qu'il haussa un sourcil, et cela dessina comme une virgule sur son visage.

— Je croyais que vous comprendriez, Jezebel, je voulais demeurer seul en votre compagnie. Ne le désirez-vous pas de la même façon ?

Elle ne répondit rien. Elle paraissait tout à la fois choquée, indécise, amusée. Il la trouva si belle qu'il faillit se mettre à genoux comme devant une déesse.

— Laissez-moi vous offrir une soirée que vous n'oublierez pas, chuchota-t-il d'une voix si grave qu'elle en eut des frissons à l'intérieur du cœur. Laissez-moi vous montrer une nuit indienne dans toute sa splendeur.

Elle pensa en vrac à ses fiançailles détestées, au dégoût que lui inspirait le baron, à la violence dont il avait déjà fait preuve. Elle revit les rides de son cou, sa peau trop pâle de blond, les pores dilatés sur son nez. Elle renifla avec écœurement l'odeur de girofle dont il se parait. Elle sentit par avance ses mains froides sur ses seins, sur son ventre. Il pénétrerait dans sa bouche avec sa grosse langue de veau, il se frotterait contre elle en la dominant de son sourire cruel. Il lui labourerait le corps pour lui faire des enfants, peut-être en mourrait-elle, il était si facile de mourir d'un enfant qui voulait naître.

N'avait-elle pas, avant tout cela, le droit d'être un peu heureuse ?

Elle regarda Charu, acquiesça lentement. Elle n'avait plus peur, elle était sûre d'elle. Il entra dans la chambre. Il savait qu'il aurait pu l'embrasser là, maintenant, et sans doute la caresser, la ployer à son désir sans qu'elle se refuse, mais il ne voulait pas d'un acte à la sauvette. Il la voulait sienne entièrement, avec le corps, avec l'âme, totalement et absolument. Sûr de l'étonnement qu'il allait provoquer, il tapa dans ses mains pour appeler une armée de servantes.

Elles arrivèrent dans le doux murmure de leurs pieds nus et de leurs bracelets de cuivre. Il leur donna ses ordres, puis s'allongea sur le lit, ferma les yeux et attendit que les petites mains s'occupent de la jeune fille qu'il aimait. Dans un tourbillon de rire et de parfums, cette dernière fut lavée, maquillée, coiffée et vêtue. Lorsqu'on vint le prévenir qu'elle était prête, il rouvrit les yeux, et faillit pleurer de bonheur.

Elle était là, au milieu de la pièce, droite et un peu raide, son corps parfait moulé dans ces vêtements de princesse indienne qu'il avait choisis pour elle, ses bras et ses jambes tintinnabulant d'une ribambelle d'anneaux, son visage à demi voilé par une mousseline, ses grands yeux un peu écarquillés, étonnés, magnifiques dans leur couleur saphir, et ses lèvres roses, ses lèvres merveilleuses, ses lèvres comme un fruit qu'il eut subitement envie d'embrasser à l'infini.

— Je vous aime, souffla-t-il en n'osant pas bouger, parce qu'il se disait qu'elle était une *devî*[1], qu'elle ne pouvait être faite de chair et d'os, qu'elle était bien comme ces intemporelles dont les destins étaient grandioses, une déesse blanche et brillante, mère et épouse à la fois.

Elle sourit, mais au lieu de venir vers lui comme il l'attendait, comme il l'espérait, elle s'échappa vers le balcon dans un tourbillon de voiles et regarda la ligne sombre de la montagne qui

1. « Déesse » en sanskrit, divinité de l'Inde.

les encerclait. Elle respirait comme on sanglote, pourtant elle ne pleurait pas. Elle s'imprégnait de la nature isolée, de la mousson qui crépitait sur le lac, de la brume qui montait en fumerolles lascives. Les eaux sombres reflétaient en miroir le palais éclairé de ses milliers de torches, de lampes, de bougies, et cette lumière montait vers les étoiles en un tournoiement empli de parfums. La nuit bleue sentait le bois et la résine, le feu, la cire et l'huile chaude, la cannelle et le gingembre, le miel et la rose.

— Je vous en prie, mendia-t-elle lorsqu'il vint dans son dos. Faites de cette nuit un long rêve éveillé. Je ne veux pas avoir de trêve, je ne veux pas dormir.

Il eut un soupir content.

— Vous êtes comme une enfant.

Elle changea de visage, devint grave et sérieuse, nostalgique aussi.

— On me l'a déjà dit, chuchota-t-elle, puis elle s'ébroua pour chasser ce souvenir qui ramenait Jan Lukas à un moment inopportun, prit Charu par la main et l'entraîna vers la porte.

— Venez, ne gaspillons pas ce moment de liberté. Emmenez-moi partout. Je veux tout voir. Tout connaître. Je veux devenir vos yeux, vos mains, vos pensées.

Il la retint, dévora du regard son visage parfait qui se levait vers lui. Maintenant qu'il touchait du doigt ce dont il rêvait depuis des jours, des semaines, des mois, il avait presque peur de l'avenir.

— Et si demain vous regrettiez ?

— Je ne regretterai que si vous m'en donnez des raisons.

Il eut un long soupir vibrant. Ils étaient arrivés au point de non-retour, ce moment fragile où tout pouvait basculer d'un côté comme de l'autre. Il se décida avec autant d'angoisse que de joie, la conduisit vers un bas-relief sculpté dans une pierre noire, qui ornait l'un des murs, devant lequel il l'arrêta. Le panneau mêlait dans un joyeux méli-mélo de corps dénudés et enlacés des divinités, des avatars, des esprits et des animaux. L'air mystérieux, il appuya ses mains contre un *Ganesh*[1] un peu rondouillard. Quelque part dans la roche, un déclic se produisit, suivi d'un grincement emplissant la pièce, et une ouverture secrète se révéla, devant laquelle le prince triomphant s'effaça avec une révérence théâtrale.

---

1. Dieu-éléphant.

— J'espère que vous n'avez pas sommeil, *Sveetee Jezebel*[1], parce que *mon* palais secret est terriblement grand et que la visite sera longue.

Elle battit des mains avec ravissement et pénétra dans le souterrain en premier.

*

Jezebel n'était pas tout à fait une oie blanche. Elle avait parfaitement compris ce que son choix impliquait, et savait aussi qu'elle ne parviendrait sans doute pas à revenir en arrière. Nerveuse, elle essayait de faire bonne figure en affichant un entrain excessif. Elle se sentait un peu comme dans ces attractions de fêtes foraines pleines de toiles d'araignées et de surprises effrayantes, où l'on savait que tout était faux mais où l'on tremblait quand même. Visiter le palais n'était qu'une excuse. Une façon de demeurer encore un peu une enfant. De retarder le moment où il faudrait grandir, devenir une femme.

Le Sambar Mahal était pour ce jeu-là un véritable écrin.

Construit sur une île qui, au fil des siècles, avait été entièrement recouverte par des bâtiments qui s'additionnaient les uns aux autres en un labyrinthe tortueux, le palais des princes de Nandock était un joyau alternant niches et jardins suspendus, tonnelles et cryptes, grottes énigmatiques et cours secrètes.

Sur l'invitation de Charu, la jeune fille choisit un corridor au hasard, parce qu'il était sombre et secret. Après quelques circonvolutions qui les firent longer le lac en une alternance d'intérieur-extérieur, ce couloir déboucha dans une pièce à demi enclavée dans une falaise.

Jezebel remarqua en premier la couleur ocre qui recouvrait le sol et le plafond. Puis Charu alluma plusieurs torches et cette lumière se refléta brusquement dans le regard d'un fauve qui les épiait. La jeune fille crut qu'il était vivant. Elle se figea, faillit crier. Puis elle se rendit compte que ses yeux étaient de verre, et que l'animal était empaillé. Elle s'étonna de plus belle ; ce tigre n'était pas seul. En réalité, la pièce était remplie de fauves.

---

1. Chérie.

Des tigres partout, de toutes les formes et dans toutes les positions. Des tigres en train de rugir, d'autres immobilisés dans un bond, des tigres assis, couchés, debout pour l'éternité.

Charu approcha d'une des bêtes et la toucha avec des gestes lents et caressants, presque amoureux.

— Le hasard est souvent étonnant. La première pièce que vous découvrez dans mon palais est celle des mangeurs d'hommes. Voyez-vous, tous ces tigres ont été abattus parce qu'ils terrorisaient une contrée, un village, des hommes. Voici le tigre de Pandna, soixante-quatre victimes. La tigresse de Chandasar, deux cents victimes. La tigresse de Nadhalliwaptu, quatre-vingt-six hommes, femmes et enfants… Enfin, voici ma propre contribution à cette galerie, le tigre de Sandakphu, dont je vous ai déjà parlé… Il n'a tué qu'une trentaine de personnes. Je suis heureux que nous ayons réussi à l'abattre avant qu'il ne fasse davantage de victimes.

— C'est une collection assez étrange, murmura Jezebel en avançant au milieu de ces fauves avec un certain malaise.

— Les princes de Nandock font empailler ces tigres pour toujours se rappeler qu'un destin peut constamment basculer à cause d'un petit détail. Ces fauves sont devenus des mangeurs d'hommes à cause de blessures parfois insignifiantes : une canine brisée, une griffe arrachée. Savez-vous qu'un tigre ne réussit qu'une chasse sur dix ? Avec ces blessures, ils auraient dû mourir, mais voilà, ils ont survécu parce qu'ils ont trouve une solution alternative. J'aime venir ici pour méditer. Je m'assieds là, par terre, à même le sol, et je pense à ces tigres, aux hommes qu'ils ont dévorés. De quoi s'agit-il ? Est-ce la victoire de la vie ou celle de la mort ? Tout n'est-il pas qu'une question de point de vue ?

Elle ne répondit rien. Elle ne voulait pas le suivre dans sa gravité philosophique. Elle tournait autour des bêtes empaillées en affectant une désinvolture qu'elle ne ressentait pas. Ces mangeurs d'hommes l'effrayaient, par leur taille énorme, leurs griffes monstrueuses et leur air bonhomme de grand chat inoffensif. Elle les imaginait trop facilement en train de briser la nuque d'un *ryot* surpris dans son champ, d'arracher des morceaux de chair sanguinolente en rugissant effroyablement. Elle s'immobilisa devant le tigre de Sandakphu, le dernier arrivé dans cette abominable collection.

— Ce tigre-là, est-ce bien celui que Jim McCorball a abattu et dans les entrailles duquel vous avez retrouvé un étrange petit bijou ?

Charu se rapprocha d'elle.

— Oui, c'est bien ce tigre-là. Je suis impressionnée que vous vous souveniez de cette anecdote.

— C'est une histoire qui ne s'oublie pas facilement, répondit-elle avec une certaine ironie.

Il caressa rêveusement l'échine du tigre empaillé. Il pensait au baron von Rosenheim qui remuait ciel et terre pour retrouver un objet qui pouvait fort bien être ce bijou. Les coïncidences n'existaient pas. Tout était toujours lié dans la grande cosmologie de l'univers.

— Avez-vous donc gardé ce ridicule petit présent ?

— Bien sûr ! s'étonna-t-elle. Je l'ai d'ailleurs emporté avec moi. Il est dans ma chambre, dans mon sac de voyage, au milieu de quelques autres colifichets... Voulez-vous le récupérer ? Je n'ai jamais réussi à le porter.

— Non, non, s'exclama-t-il vivement, je vous en prie, gardez-le. C'est un secret que nous partageons, je suis heureux de voir que vous lui accordez suffisamment d'importance pour l'avoir emmené dans vos bagages.

Elle rougit un peu.

— C'est une importance un peu embarrassée.

Il se pencha vers elle, charmant et charmeur.

— Embarrassée parce qu'il s'agit d'un objet au triste destin, ou parce qu'il s'agit de notre secret ?

Elle rougit de plus belle. Elle sentait qu'elle avançait sur un terrain glissant mais elle y alla tout de même.

— J'aime l'idée d'un secret.

L'aveu le combla de joie. Il faillit la prendre dans ses bras, mais il craignait encore que ce fût trop tôt, qu'elle puisse s'envoler comme un petit oiseau découvrant soudain que sa cage avait toujours été ouverte.

— Continuons notre visite, *meri sajani*. Ces tigres ont suffisamment accaparé notre esprit. Essayons de trouver quelque chose de plus joyeux. Où voulez-vous aller ?

Elle écarta une tenture, entra dans une pièce décorée par des tableaux impressionnistes français : Bazille, Forain, Vignon... Elle les détailla avec beaucoup de plaisir, puis passa dans la pièce suivante. Au milieu de gros fauteuils de cuir et de murs couverts par des étagères et des vitrines organisées en cabinet de curiosités, une très belle statue de marbre néoclassique reproduisait à échelle humaine les *Trois Grâces* enlacées, rondes et sensuelles, liées entre elles par de longs colliers de perles.

— C'est une œuvre de Bartolini datée de 1824.

Elle détailla la statue avec perplexité.

— Ce palais de maharaja est décidément très décoré à l'occidentale.

— Le Raj britannique sait imposer ses modes, remarqua-t-il avec ironie.

— Tout de même, n'y a-t-il rien de plus traditionnel, voire de plus personnel, parmi toutes ces pièces se succédant les unes aux autres ? Quelque chose qui ne doive rien à l'Angleterre ou à l'Europe ? Il me semblait qu'à Calcutta vous aviez pris l'habitude de me montrer le vrai visage de l'Inde. N'était-ce qu'un mensonge pour épater une Occidentale naïve ?

Elle le regardait effrontément. Il s'inclina, assez amusé.

— Puisque vous le réclamez, je vais vous faire une leçon d'histoire. Vous l'avez noté, le Sambar Mahal est un palais extravagant. Il résulte de la volonté de tous les princes qui l'ont possédé, chacun de ces princes cherchant à y laisser une empreinte personnelle. Cette pièce, par exemple, fut le cabinet de curiosités d'Abar Lashar, mon prédécesseur, qui était mon oncle et le frère cadet de mon père. Le palais des princes de Nandock est depuis des générations la propriété du second-né. L'aîné hérite du titre de Mahavir, ainsi que du Palais d'Or, tandis que le cadet devient prince de Nandock dans le Sikkim.

— Et donc, si je comprends bien votre exposé, la pièce qui reflète le plus votre personnalité serait celle des tigres car vous aimez à y méditer ?... Laissez-moi vous dire que vos goûts sont des plus macabres !

Il éclata de rire.

— Je vous rassure, j'ai parfois aussi des goûts plus ordinaires, *misveetee*[1]. J'aime le polo et la natation. Récemment, j'ai fait rénover les écuries et j'ai fait construire deux pièces qui me tenaient à cœur. Puis-je vous montrer l'une d'elles ?

---

1. Surnom affectueux que le prince donne à Jezebel, dérivé de « *my sweetie* ».

Il la guida au travers d'un dédale de couloirs, de galeries, de salles et de terrasses jusqu'à une pièce aménagée en piscine, où l'air était humide et chaud. De belles arcades ouvraient le mur côté lac. En journée, le paysage vu par ces ouvertures devait être sublime mais, pour l'heure, il se résumait à une profonde obscurité. Le bassin éclairé par de nombreux flambeaux formait un contraste magnifique. L'eau verte et bleue se reflétait jusqu'au plafond.

Charu arracha son turban. Une épaisse tignasse se répandit sur sa nuque en grosses boucles noires. La jeune Anglaise ouvrit de grands yeux. Tête nue, le prince avait décidément un charme fou. Elle adorait son teint de pain d'épices, ses belles dents blanches de perle, ses yeux brillants d'étoiles, ses pommettes un peu orientales et maintenant ses cheveux denses et foisonnants, qui retombaient en mèches sauvages sur son front.

Il déboutonna sa tunique, la jeta nonchalamment sur un petit banc de pierre.

— Nous baignons-nous ?

— Non, rétorqua-t-elle, gênée.

Il était torse nu, uniquement vêtu de son pantalon *churidar*. Sa silhouette longue et sportive était harmonieusement révélée par le clair-obscur des torches. La jeune fille ne détourna pas le regard. Elle était embarrassée, mais aussi fascinée. Il ressemblait à ces statues grecques finement ciselées, au corps parfait, aux muscles parfaits, aux gestes parfaits.

Conscient de son admiration, il pivota avec une grâce alanguie et s'élança dans l'onde, plongeant telle une flèche brune pour réapparaître à vingt pieds de là. Il nageait comme une ombre entre deux eaux. Elle le suivit des yeux, le souffle court. Au bout de quelques brasses, il revint vers le rebord de pierre, prit appui sur ses avant-bras noueux et s'extirpa du bassin avec l'aisance d'un sportif rompu à de nombreux exercices.

Elle ne l'avait pas quitté des yeux et retint sa respiration lorsqu'il vint vers elle en s'ébrouant comme un jeune lion. Sa crinière noire envoyait en tous sens des gouttes d'eau qui atteignaient parfois une des torches où elles grésillaient au contact de la résine brûlante.

Il accrocha ses yeux. Elle avança d'un pas, puis d'un autre. Elle résistait difficilement à l'envie de se jeter dans ses bras, rougissait à cette idée mais continuait à le regarder, heureuse de sa beauté, heureuse de sa présence. Il lui attrapa la main, la porta à ses lèvres pour embrasser le petit morceau de peau fine où battait son pouls accéléré.

— Viens, chuchota-t-il, en passant à un tutoiement des plus naturels. Il est temps de découvrir ma chambre.

Elle le suivit comme un automate. Elle essayait de se convaincre que ce n'était qu'un jeu, un simple jeu, pourtant un sang violent pulsait à ses tempes. Elle avait l'impression d'être en apnée.

Il l'amena dans un minuscule jardin où un cheval piaffait d'impatience. Lorsqu'il l'appela, le *criollo* vint vers lui, l'encolure fière et magnifique. Il arrêta son pas dansant devant son maître et enfouit ses naseaux de velours dans ses cheveux. Après lui avoir accordé une longue caresse, Charu se tourna vers la jeune Anglaise, la prit dans ses bras et la mit en selle. Il monta à cru derrière elle, l'enveloppa de tout son corps pour saisir les rênes. Sa peau était fraîche et humide. Elle se laissa aller contre son torse nu en fermant à demi les yeux. Son dos épousait les pectoraux puissants, le creux du ventre, l'entrecuisse brûlant. Elle en eut la chair de poule, mais qui ne devait rien à l'effroi.

— Où allons-nous ? chuchota-t-elle.

— Chut, répliqua-t-il en effleurant ses lèvres de ses doigts.

Le cheval remonta une galerie qui longeait le lac par l'est. La nuit était calme et silencieuse. Le palais était désert, à croire qu'aucune âme ne vivait au milieu de cette architecture millénaire. Les sabots résonnaient sur le marbre, masquant parfois le léger clapotis de l'eau. Une pluie de mousson se déversa, aussi soudaine que brève. Les deux cavaliers regardèrent les gouttes crépiter sur le lac comme un feu d'artifice. Des odeurs mouillées montaient de la pierre. Tout proche, un hibou hulula. Des chauves-souris volaient au ras de l'onde. Près des torches, de gros papillons gris tournoyaient indéfiniment jusqu'à se brûler. Elle y vit une métaphore de sa propre existence, et un trop-plein d'angoisse étreignit son cœur.

— Charu…, murmura-t-elle comme une prière.

Il se pencha vers ses cheveux, respira leur parfum de vanille et de jasmin.

— Il ne se passera rien que tu ne désires, promit-il gravement.

Le palais avait dans cette partie de l'île une dimension plus intime. L'architecture était plus ancienne, semblable à un labyrinthe. Tout n'était que coins et recoins, décorés par des bas-reliefs surchargés, par des vasques regorgeant de lianes fleuries, par des fontaines chuchotant. Poussé par son maître, le *criollo* gravit un escalier qui menait à un appartement creusé directement dans la roche. Ici, les murs étaient décorés de femmes et d'hommes sculptés dans du gypse, nus et enlacés dans des positions équivoques. Jezebel rougit.

Le prince arrêta sa monture dans un vestibule, se laissa glisser au sol puis saisit la jeune Anglaise par la taille. Son sari était humide, elle eut froid et frissonna. Il libéra le *criollo*, enlaça la jeune fille dans ses bras forts, l'enveloppant tout entière dans son vaste corps. Elle s'abandonna contre sa peau nue. Elle voulait juste absorber sa chaleur, sa force. Il lui souleva le menton, lui effleura la bouche d'une brève caresse.

— Viens, chuchota-t-il.

Il la fit avancer au milieu de torches qui exhalaient une bonne odeur de résine. Des fenêtres à moucharabiehs ouvraient sur le lac. Des pétales de roses avaient été répandus sur le sol en tapis parfumés. Des coussins peuplaient tous les angles. Des plaques décoratives étaient incrustées de perles et de rehauts d'or. La pièce était aussi précieuse que magnifique. Charu s'immobilisa.

— Il est temps de parler.

— Parler ? souffla-t-elle en plongeant dans son regard sombre qui brillait de désir. Ne devrais-tu pas plutôt m'embrasser ?

Elle avait passé ses bras de sirène autour de sa nuque, il dut se faire violence pour les dénouer et la maintenir à bonne distance.

— Je serais à ton service lorsque tu auras choisi.

— Je ne comprends pas, que dois-je choisir ?

— Il te faut choisir entre von Rosenheim et moi.

Elle ne parvint pas à croire ce qu'elle venait d'entendre, s'écria avec un subit affolement :

— Je ne comprends pas ! Que dois-je choisir ? Ne m'aimes-tu pas ? Ne veux-tu pas de moi ?

Le regard perdu, elle se tordait les mains l'une contre l'autre sans même s'en rendre compte. Il la lâcha, recula d'un pas agacé, le visage fermé, impitoyable. Elle le suivit en tentant de lui caresser la joue, il l'attrapa par les poignets et la maintint une nouvelle fois à bonne distance. Si elle continuait à le toucher, il savait qu'il ne répondrait plus de rien.

— C'est pourtant simple, je refuse d'être la récréation exotique d'une lady anglaise ! jeta-t-il avec l'intention évidente de la blesser, de la faire réagir.

Elle suffoqua, chercha de l'air. Des larmes jaillirent de ses yeux.

— Comment peux-tu dire cela ? Est-ce ainsi que tu me vois ? Tu ne comprends donc pas ? Crois-tu que je puisse échapper à von Rosenheim ? Il a menacé de tuer mon tuteur si je refusais de l'épouser ! Que veux-tu que je fasse ? Que je laisse mon parrain se faire assassiner ?

Charu soupira imperceptiblement. Il venait enfin de comprendre et il remercia tous les dieux de l'Inde pour avoir exaucé ses prières. Il attira la jeune fille sur son cœur.

— Je peux vous protéger, *meri sajani*. Toi et ton tuteur.

Sur le visage qu'elle levait vers lui se disputaient l'espoir et l'incrédulité.

— Tu ne sais pas de quoi tu parles, Charu. Le baron von Rosenheim est un homme très dangereux. Je l'ai vu rire en massacrant des perroquets à coups de bâton. Je l'ai entendu parler de sabotage et de meurtre avec le même détachement. Il n'a aucun scrupule, aucune forme d'honneur. Il ne respecte rien, ni moi, ni mon parrain, ni personne. Son trafic d'opium le met à la tête d'une véritable organisation criminelle dont il est le maître absolu. Des dizaines, des centaines de personnes animées par le même appât du gain travaillent sous ses ordres. Il bénéficie du soutien des plus hauts dirigeants du Raj. Il ne me laissera jamais partir. Pour lui, je ne suis qu'une chose qui lui appartient, au même titre qu'une de ses demeures ou un de ses navires.

— Je sais que tu as peur. Mais tu es ici chez moi, dans mon palais, et même si j'ai éloigné mes serviteurs pour que nous soyons seuls, sache qu'ils sont tout de même plus de deux cents sur cette île. Que veux-tu que cet homme fasse contre toi, ici, entre ces murs ? Il est drogué. Il dort comme un enfant. Demain matin, je le renverrai dans son automobile, il disparaîtra à jamais de ta vie.

— Il ne te laissera pas faire..., chuchota-t-elle malgré elle, en proie à une dernière appréhension. Il ira jusqu'au meurtre, j'en suis persuadée.

— Raison de plus pour ne pas rester avec lui. Tant que tu partageras sa vie, tu seras en danger. Je suis prince de sang, fils d'un des maharajas les plus puissants du Bengale-Occidental. Ma fortune vaut la sienne. Crois-moi, il n'osera pas m'affronter en cette période troublée qui voit la montée du nationalisme. L'Inde est une poudrière. Qui crois-tu que le vice-roi choisira, entre un prince inféodé à l'empire britannique et un ressortissant étranger aux visibles accointances allemandes ? La Grande Guerre a laissé des traces indélébiles. Les Alliés ne sont pas prêts à pardonner tout et n'importe quoi. D'autant plus que son florissant commerce d'opium est tout de même sur le déclin.

Dans la bouche de Charu, tout paraissait simple et possible. Elle se colla contre son torse, caressa de sa joue la peau glabre si douce et si tiède. Elle entendait battre son cœur fort, puissant. Était-il possible que l'odieux baron disparaisse enfin de sa vie ? Pouvait-elle croire à ce rêve merveilleux ? Il la serra plus fort contre lui.

— Tu dois me le dire, insista-t-il.

— Que dois-je dire ?

— Que tu veux rester avec moi.

Elle leva le visage, souffla une réponse que l'émotion rendait plus rauque que la normale.

— Oui, je le veux.

Cela ressemblait à un serment de mariage. Saisi d'une joie infinie, il se pencha, chercha ses lèvres. Elle s'ouvrit à son baiser en se demandant si l'amour était ce bonheur, cet espoir, cette merveilleuse tendresse. Il l'enlaça étroitement. Il lui caressa le dos, les épaules, la taille. Il embrassa ses joues, sa gorge, revint à sa bouche pour s'y perdre à nouveau.

Il était doux et tendre. Il était chaud et fort. Ses mains étaient des papillons, ses baisers avaient le parfum d'un fruit exotique enrobé de vanille.

Il l'enleva dans ses bras, la déposa sur un amoncellement de coussins, défit lentement, bouton après bouton, nœud après nœud, les soies et les mousselines qui l'enveloppaient. Il découvrit son ventre, ses cuisses, ses seins, s'étendit à côté d'elle, chair brune contre chair blonde, promena sur sa peau frissonnante ses mains musiciennes et la cajola jusqu'à ce qu'elle ne fût plus qu'une chatte comblée, ployant sous la caresse et ronronnant de plaisir. Alors seulement, du doigt et de la langue, il lui donna sa première vague de plaisir.

*

Une main épaisse écrasa sa bouche. Jezebel se réveilla brutalement.

L'aube était pâle et grise. Un paon perché sur le rebord de la fenêtre lâchait son cri rauque. Plus loin, des bulbuls gazouillaient. Elle sursauta en voyant le visage rond et gras de Mogül se pencher sur elle. Le garde du corps de von Rosenheim lui écrasait les jambes de tout son poids. Sa main libre lui pétrissait l'épaule. Affolée, elle se tortilla du mieux qu'elle put, essaya de mordre les doigts boudinés qui la meurtrissaient, mais ses soubresauts ne réussirent qu'à réveiller Charu qui dormait à côté d'elle.

Le malheureux n'eut pas le temps de comprendre ce qu'il se passait. Un coup de poing le cueillit brutalement à la tempe. Il retomba en arrière, à demi inconscient. Un second coup lui broya l'estomac, vidant l'air de ses poumons. Il s'effondra dans les coussins, définitivement hors de combat.

Durant ces brèves secondes, Jezebel essaya de ramper hors du lit, mais Mogül eut un ricanement qui la figea sur place. Les entrailles nouées par la peur, elle fit face au Moghol. Le colosse posa sur elle ses petits yeux porcins tout en sortant de sa manche un couteau *bilasong*[1]. D'un coup sec, il déploya l'arme puis, agrippant violemment la chevelure de Charu toujours inconscient, il plaça sa lame sur la gorge du prince.

— Non ! cria Jezebel, affolée. Non, ne lui faites rien !

— Toi habiller sinon moi égorger.

Elle s'aperçut qu'elle était totalement nue. La veille, elle s'était endormie ainsi, sans vêtements et dans les bras de Charu. Dans une confusion proche de la panique, elle tâtonna frénétiquement autour d'elle pour trouver de quoi se vêtir, ne dénicha que sa petite brassière et le *churidar* de Charu. Elle tremblait tellement qu'elle dut s'y reprendre à deux fois avant de parvenir à enfiler l'un et l'autre.

---

1. Un couteau *bilasong* est un couteau papillon originaire des Philippines, souvent utilisé par les organisations criminelles pour sa facilité de maniement.

Mogül n'attendit pas qu'elle ait fini de resserrer le cordon du pantalon pour lui saisir le poignet et la tirer violemment vers l'avant. Elle résista du mieux qu'elle put, cria de toutes ses forces, mais ne réussit qu'à se faire bâillonner avec un mouchoir d'une propreté douteuse. Le Moghol la jeta ensuite sur son épaule comme un sac et partit au trot.

Une pluie de mousson crépitait sur le lac et les toits. Le palais s'éveillait lentement. De rares domestiques qui étaient venus chercher de l'eau à la fontaine les regardèrent passer sans qu'aucun ne songe à s'interposer. Jezebel tenta d'attirer leur attention, mais le mouchoir l'étouffait et l'imposant colosse ne tressaillait même pas sous les coups qu'elle lui portait dans le dos.

Von Rosenheim attendait près de son automobile en fumant un cigare. Sur le siège arrière de l'Hispano-Suiza, Michael Deckard était recroquevillé, le visage blanc comme un linge. Il ne broncha pas lorsque le Moghol amena sa prisonnière à son maître.

Von Rosenheim toisa la jeune fille, puis il la gifla violemment. Jezebel lui cracha au visage. Il leva la main pour la frapper une seconde fois lorsqu'une cavalcade l'interrompit. Des soldats de la garde personnelle du prince de Nandock les encerclaient. Ils armèrent froidement leurs fusils. Mogül, sur l'ordre de son maître, attrapa Jezebel par un bras et, la collant à sa grosse bedaine, agrippa sa gorge.

Les soldats du prince les tenaient en joue mais von Rosenheim continuait à sucer son cigare sans afficher le moindre embarras. Enfin, Charu apparut à un balcon. Encore sous le choc, sa démarche était si peu assurée qu'un serviteur devait le soutenir. Du sang coulait de son cuir chevelu. Dans sa hâte, il avait revêtu l'unique vêtement qu'il avait trouvé, en l'occurrence le sari que Jezebel portait la veille, qu'il avait drapé autour de ses reins à la façon d'un vieux *dhotî*. Elle aurait pu en rire si le moment avait été moins dramatique.

— Libérez la jeune fille, cria le prince, ensuite je vous laisserai embarquer sur le bac, vous et votre automobile.

Von Rosenheim gloussa en tirant de plus belle sur son cigare.

— Je ne crois pas que vous ayez parfaitement évalué la situation, Votre Altesse.

D'un hochement de tête, il ordonna à son garde du corps de serrer le cou de Jezebel. L'énorme main s'enfonça dans sa chair.

Totalement paniquée, elle sentit que l'air ne passait plus. Elle se débattit, frappa des pieds et des poings, mais le Moghol était un roc qu'elle ne parvenait pas même à ébranler. Elle suffoqua, l'esprit embrumé, ouvrit désespérément la bouche pour aspirer de l'oxygène qui ne venait pas. Von Rosenheim se tourna vers elle et, d'un air faussement bonhomme, lui souffla la fumée de son cigare au visage.

— Encore quelques secondes, Votre Altesse, et notre belle lady s'évanouira.

Charu s'agrippa des deux mains à la rambarde du balcon.

— Arrêtez ! Laissez-la respirer !

— Ordonnez d'abord à vos soldats de déposer leurs armes.

Charu eut une grimace désespérée. Sur son ordre, les fusils furent jetés à terre. Mogül relâcha son étreinte, Jezebel s'écroula à genoux. Ses jambes avaient perdu toute force, elle ne parvenait plus à tenir debout. Toussant et crachant, elle inspira goulûment. Sa gorge était si douloureuse qu'elle en avait des haut-le-cœur. Charu la regarda, accablé de douleur.

— J'ai déposé les armes, baron. Remplissez votre part du marché et libérez votre prisonnière.

Von Rosenheim eut un sourire mielleux.

— Allons, allons, Votre Altesse, vous pensiez sérieusement que j'allais vous laisser mon otage ? Une fois lady Tyler à vos côtés, vous auriez beau jeu de me faire tirer comme un lapin.

— Vous avez ma parole d'honneur que non.

— La parole d'un moricaud ? ricana le baron avec un infini mépris. Vous m'excuserez de préférer garder avec moi notre chère petite *Fräulein*. J'ai pu apprécier hier soir à quel point vous êtes traître et faux ! Vous m'avez drogué. Sans mon fidèle serviteur, qui m'a abreuvé d'un infâme café destiné à réveiller les morts, je n'aurais rien su de vos viles manœuvres. Mogül, mets la demoiselle dans l'Hispano et étrangle-la si quelqu'un fait mine de tenter quelque chose. Parfait. Maintenant que cela est clair, mon prince, je vous invite à donner des ordres pour que mon automobile soit placée sur le bac et ramenée de l'autre côté du lac. Ah, j'oubliais… Une dernière précision : ne cherchez plus jamais à revoir ma fiancée. Je vais l'épouser, mais si je devais apprendre que vous continuez à poser vos sales pattes sur elle, je n'hésiterai pas, je l'étranglerai de mes propres mains.

Durant un instant, Charu envisagea de donner tout de même l'assaut. La plupart de ses hommes étaient armés de couteaux et ils étaient largement supérieurs en nombre. Von Rosenheim ne pouvait s'en sortir. Un cafard de cette espèce ne méritait que d'être écrasé d'un coup de talon. Cependant, le jeune prince craignit que Jezebel ne fût blessée. Refusant d'en prendre le risque, il finit par céder et, la mort dans l'âme, donna les ordres que le baron attendait.

Jezebel fut jetée sans ménagement dans l'automobile. Michael la reçut contre lui mais elle s'écarta aussitôt, non sans lui jeter un regard tellement empli de haine que son tuteur sembla s'en recroqueviller.

— Ann-Rose, chuchota-t-il, je t'en prie, qu'aurais-je pu faire ? C'est la meilleure solution. Tu n'avais pas le droit d'agir ainsi. Tu as un rang, un nom, des devoirs.

Elle regarda droit devant elle, refusant de répondre. Sa peur cédait peu à peu la place à une rage qui lui donnait une seule envie, se jeter sur l'un ou l'autre de ces trois hommes et leur lacérer le visage de ses ongles. Même son tuteur, qu'elle avait cru ouvert d'esprit parce qu'il était un scientifique, était confit dans des certitudes pitoyables. Elle aurait dû se douter qu'elle ne pouvait espérer aucun allié parmi des hommes qui considéraient les femmes comme des marchandises. Être une femme mariée contre son gré ou une prostituée était exactement la même chose.

L'Hispano-Suiza fut amenée sur le bac. Mogül descendit pour caler les roues avec des morceaux de bois. Jezebel se retourna, chercha à apercevoir Charu à travers la vitre arrière. Von Rosenheim ouvrit la portière et s'installa à côté d'elle. Il colla volontairement sa cuisse contre la sienne. Elle tressaillit mais continua à scruter avidement la magnifique construction où elle avait été si heureuse. Le bac commença à s'éloigner. Elle désespéra d'apercevoir la silhouette du prince, la repéra enfin. Il était debout sur un ponton. Un de ses gardes le soutenait. Son visage était en sang. Elle colla son front contre la vitre. Il la vit.

Ils restèrent ainsi les yeux dans les yeux, le plus longtemps possible, jusqu'à ce que la distance les sépare involontairement. Très vite, trop vite, le Sambar Mahal s'éloigna pour ne plus demeurer qu'une île lointaine émergeant à peine de la brume.

Puis le mirifique palais disparut à son tour, totalement englouti par les nuages.

Jezebel se mit à trembler. Son tuteur se méprit, crut qu'elle avait froid. Il venait de remarquer qu'elle ne portait qu'une petite brassière indienne bien trop décolletée. Il ôta sa veste, la posa sur elle.

— J'ai fait prendre ta malle et ton sac de voyage, crut-il bon d'ajouter. Ils sont là derrière, dans le coffre.

Elle haussa les épaules. Ses bagages étaient le dernier de ses soucis. Son tuteur se pencha vers elle. L'odeur aigre de son corps assaillit ses narines, elle comprit qu'il avait peur.

— Ça va aller, chuchota-t-il d'une voix presque inaudible. Tout va bien se passer.

Elle serra les dents. Croyait-il la rassurer ? Malgré l'envie qu'elle avait de lui dire ce qu'elle pensait réellement de lui, elle préféra garder le silence. Elle savait que si elle parlait, sa voix se briserait dans un sanglot or, cela, elle ne voulait l'offrir à personne, ni à lui ni à von Rosenheim.

*

L'Hispano-Suiza avala les miles à une allure folle. Sur la banquette arrière, Jezebel regardait droit devant elle en essayant de ne pas prêter attention à la cuisse du baron qui revenait constamment se coller à la sienne. Quelques instants auparavant, il avait poussé l'outrecuidance jusqu'à poser sa main sur son genou. Elle avait été ravie de porter encore le *shuridar* de Charu. Au moins, avec ce pantalon d'homme, von Rosenheim ne pouvait toucher sa peau.

La jeune fille était effondrée. Le beau rêve que lui avait fait miroiter Charu était devenu un cauchemar ; l'automobile retournait à Darjeeling. En écho à son cœur, une tempête se déchaînait dans le ciel. Par moment, les salves de pluie crépitaient sur la capote de l'automobile avec une violence qui faisait croire à une fin du monde. La mousson s'infiltrait partout, y compris dans l'habitacle. Le cuir beige se tachait.

Elle n'avait pas desserré les dents de tout le voyage, même lorsque Michael montrait, avec un enthousiasme factice, un cerf traversant la course ou, plus effrayant, un glissement de terrain qui venait d'emporter le bas-côté sur plus de douze pieds. À midi, le paysage était gris et noir. La route était une rivière que l'automobile fendait en deux, envoyant à droite à gauche de grandes giclures d'eau sale.

Plus tard, avec cette rapidité qui caractérisait les pluies tropicales, une accalmie illumina le début de l'après-midi, faisant oublier l'apocalypse d'un simple rayon de soleil.

Le baron von Rosenheim sembla se réveiller. Il frappa du pommeau de la canne la vitre qui le séparait de son chauffeur et intima à ce dernier de s'arrêter. Docilement, le Moghol rangea l'Hispano-Suiza sur un chemin de traverse. Von Rosenheim se tourna vers Michael Deckard en affichant un sourire faussement aimable.

— Cher ami, restez ici en compagnie de Mogül, je vous prie. J'emmène votre charmante pupille faire une petite promenade. Nous avons besoin de parler.

— Je n'ai rien à dire, répliqua Jezebel avec sécheresse, en se renfonçant dans le siège avec un air buté, mais le baron n'avait pas l'intention de s'en laisser conter. Il la saisit durement par le poignet et, lui tordant le bras, l'obligea à sortir de l'automobile. Elle trébucha en s'efforçant de retenir les gémissements de douleur qui montaient à ses lèvres.

Michael, voyant cela, tenta de contrevenir aux ordres en les suivant. Mogül s'interposa aussitôt, les bras croisés sur son ventre proéminant. Son gros visage rond affichait un air peu amène. L'archéologue se rassit sur la banquette sans oser insister. Jezebel s'inquiéta de la tournure des événements.

— Où m'emmenez-vous ? questionna-t-elle. Que voulez-vous faire ?

Sans prendre la peine de répondre, le baron poussa la jeune fille sur un chemin d'herbes courtes et vertes. De part et d'autre, le foisonnement végétal ruisselait.

— Que voulez-vous ? continua-t-elle à crier, tout en s'arc-boutant pour résister de son mieux.

Von Rosenheim avait une corpulence maigre à la force trompeuse. Ses muscles étaient tout en nerfs, d'autant plus qu'il s'entraînait quotidiennement en pratiquant de nombreux exercices de lutte. Il ricana :

— Hurlez donc, très chère. Ne voyez-vous donc pas où nous sommes ? Qui pourrait bien vous entendre ici, à part un ou deux perroquets ?

Il la traîna sur une centaine de pieds, jusqu'à une petite clairière dégoulinante d'eau. De hautes fougères mouillèrent le visage de la jeune fille lorsqu'elle passa au travers. Des cris d'oiseaux tombaient des hautes frondaisons. Elle regarda autour d'elle en se demandant s'il était judicieux d'essayer de s'échapper en plongeant dans cette jungle, puis elle se souvint des tigres mangeurs d'hommes qu'elle avait vus dans le Sambar Mahal, et elle demeura sur place, paralysée par la panique.

Elle ne pouvait guère s'enfuir. Elle ne survivrait pas trois heures dans cette nature drue et hostile.

Von Rosenheim l'attira à lui. Elle le repoussa. Il la gifla puis l'attrapa par la taille pour la coller contre lui. Dans le même élan, il se pencha sur son cou et déposa sur sa peau révulsée un baiser de sangsue. Ses mains glacées pénétrèrent sous sa veste, remontèrent contre son ventre nu jusqu'à la brassière en soie. Elles trouvèrent le renflement de la poitrine, malaxèrent un sein puis un autre comme s'ils avaient été en terre glaise. Il s'activait en la regardant droit dans les yeux, la bouche entrouverte sur un mauvais sourire. Sa respiration s'accélérait. Puis il se mit à souffler fortement.

La joue encore cuisante, elle n'osa pas bouger. Elle aurait voulu le frapper mais elle savait qu'il la cognerait en retour, au point de la blesser, et peut-être même de la tuer. Elle comprit qu'elle n'avait d'autre choix que d'être une poupée de chiffon, et prier pour que tout se passe très vite.

— Sale petite catin, tu aimes ça, tu aimes ça !

Il l'embrassa à pleine bouche. Sa langue épaisse laboura ses dents. Elle sentit qu'il s'acharnait sur le cordon qui maintenant le *shuridar* serré à sa taille, elle ne sut où elle puisa le courage de se mettre à parler.

Sans doute l'avait-elle trouvé en pensant à Olga Marushka, son amie Olga qui avait réussi à survivre à un duc libidineux et à une révolution russe, Olga qui avait traversé la Russie, la Mongolie et la Chine en mangeant des racines, et qui n'était restée en vie que par la grâce des hommes qu'elle avait séduits. Chère Olga, qui lui avait constamment répété, un peu comme une mère à son enfant, que le destin ne se choisissait pas, mais qu'il s'interprétait. Qu'il y avait ceux qui survivaient, de jour en jour plus forts, et les autres, les éternels perdants.

Pleine de courage, elle releva la tête. Elle ne voulait pas perdre. Pas sans se battre. Elle cracha :

— Prenez-moi là, dans cette jungle, comme l'animal que vous êtes, mais sachez alors que jamais vous ne m'épouserez !

Il lui écrasa la poitrine d'une main de fer. Elle retint un gémissement de douleur.

— Crois-tu donc que je veuille passer après ce moricaud ?

— Je suis encore vierge.

Sa déclaration amena d'abord le silence, puis il la prit violemment par la gorge, plongea dans ses yeux, et siffla tout contre sa bouche :

— Oseras-tu le répéter si ta vie est en jeu ?

Il l'étranglait à moitié, elle parvint à peine à parler.

— Je suis encore vierge ! hurla-t-elle comme on se noie.

Il relâcha son étreinte pour lui permettre de respirer, puis lécha sa joue de haut en bas avec une complaisance crasse.

— Si c'est réellement la vérité, voilà enfin une bonne nouvelle, très chère. J'ai failli croire que notre mariage était compromis.

— Pourtant, il l'est, continua-t-elle en tremblant de peur mais en se disant qu'elle n'avait rien à perdre. Je ne veux plus vous épouser.

Le baron gloussa en lui caressant la joue d'un geste obscène.

— Vraiment ? Parce que vous croyez que je ne pourrais pas vous contraindre ?

Il avait repris le vouvoiement. Elle comprit qu'elle l'intéressait suffisamment pour gagner un peu de temps. Elle s'efforça de le regarder droit dans les yeux.

— Vous voulez me contraindre par la violence ? Impossible, car vous souhaitez un mariage qui légitimerait votre statut social. Vous n'êtes qu'un baron d'opérette, von Rosenheim, un faux aristocrate ni suisse ni allemand, avec une fortune bâtie sur des affaires frauduleuses. Moi, je suis l'héritière des comtes Tyler, une des plus vieilles familles nobles d'Angleterre. Vous savez que le vice-roi, ou n'importe quel autre membre de l'intelligentsia britannique, ne cautionnera jamais un mariage où une lady anglaise est traînée de force. Vous avez besoin que je vous dise oui.

Il continua à rire, mais ses yeux la fouillaient comme une lame de couteau.

— Je vous l'ai déjà dit, je n'hésiterai pas à tuer votre cher tuteur.

— Tuez-le, cracha-t-elle avec toute la haine dont elle se sentit capable. Il n'est pas mon « cher » tuteur. Depuis que je le connais, il n'intrigue que pour récolter sa part du gâteau sans jamais m'en laisser aucune miette.

Les yeux du baron se plissèrent en évaluant sous un nouveau jour la situation.

— Êtes-vous en train de me faire une proposition ?

— Je ne veux pas vous épouser, baron.

Elle marqua un temps, ajouta avec un sourire qu'elle espéra ironique :

— Sauf si vous me fournissez des garanties.

Il continua à lui montrer sa supériorité en lui faisant comprendre qu'il pouvait l'étrangler quand il le souhaitait, mais elle sut que c'était parce qu'il ne parvenait pas à déterminer si elle bluffait ou non.

— Quelles seraient ces garanties ? lui demanda-t-il brusquement.

Elle le toisa, singeant involontairement le ton condescendant d'Olga.

— J'ai toujours rêvé d'un mariage en blanc et d'une rente personnelle.

— Vierge à l'autel, c'est cela ?

— Vierge à l'autel, confirma-t-elle en le dévisageant de ses grands yeux bleus.

Il lâcha sa prise sur sa gorge, mais ce fut pour glisser sur ses seins. Il les brassa à pleines mains durant quelques longues secondes avant de descendre de son ventre à ses cuisses. Là, il faufila ses doigts avec un malin plaisir.

— Pourquoi devrais-je vous croire ? Vous êtes comme toutes les femmes, à vous vendre au plus offrant.

Elle releva crânement le menton en essayant d'oublier ces doigts qui la fouaillaient.

— Qu'avez-vous à perdre ? Dans tous les cas, je vous appartiendrai.

Il l'attira plus près. Elle tressaillit, parce qu'il pressait maintenant son membre dur contre son ventre.

— Qui sait ? gloussa-t-il. Peut-être portes-tu déjà un petit bâtard dans ton ventre ? Peut-être est-ce même pour cela que tu cherches à m'épouser ?

Elle déglutit, mais ne cessa à aucun moment de le regarder droit dans les yeux.

— Je ne cherche pas à vous épouser. Je cherche à passer un accord. Et à vous faire comprendre que si vous me prenez de force aujourd'hui, vous aurez toujours un doute sur votre possible paternité.

Il la fixa avec une méchanceté accrue. Son visage était le reflet d'une haine pure. Elle sentit ses cheveux se dresser sur sa nuque, crut qu'il avait décidé de la tuer là, maintenant, et qu'il abandonnerait son corps aux charognards de la jungle.

De fait, il la jeta avec brutalité à genoux, dans l'herbe et la boue, mais au lieu de serrer son petit cou affolé, il déboutonna sa braguette, sortit son sexe turgescent et, attirant sa tête tout contre, entreprit de se masturber en se frottant contre sa bouche, contre sa joue, contre ses yeux et jusque dans ses cheveux.

Il jouit dans un borborygme écœurant, maculant son visage de son sperme jusqu'à ce que, à bout de nerfs, elle ne parvienne plus à retenir ses larmes. Satisfait, il se rajusta tout en lui tapotant la tête comme il aurait pu le faire à un petit animal de compagnie.

— D'accord, *liebe Fräulein*, faisons ainsi. Je m'engage à vous verser par notaire une rente mensuelle et à ne pas vous déflorer avant la nuit de noces. En échange, vous me céderez votre titre de comtesse par héritage. Enfin, comme je tiens à être le père de ce qui sortira de vos entrailles, et que vous avez la fâcheuse tendance à écarter assez facilement les cuisses, nous ne nous marierons pas avant janvier de l'année prochaine, afin que je sois certain que vous n'êtes pas enceinte d'un autre.

Il n'attendit pas sa réponse, il n'en avait pas besoin. Il retourna vers l'Hispano-Suiza en sifflotant joyeusement tandis qu'elle demeurait prostrée, à genoux dans l'herbe, son visage maculé de stupre tourné vers la pluie qui recommençait.

Elle demeura ainsi longuement, à laver sa bouche, ses joues, ses cheveux dans l'onde tiède qui se déversait des cieux. Elle était trempée, mais peu importait. Il fallut que Mogül vienne la chercher pour qu'elle se lève et retourne sur la banquette arrière de l'automobile.

# 20

*De juin à décembre 1919*
*Calcutta – Bengale-Occidental – Inde*

Les jours qui suivirent furent, pour Jezebel, un moment presque permanent de pur effroi. La nuit, elle pleurait. Le matin, elle se levait mécaniquement, avalait avec peine un peu de thé au lait puis repartait s'enfermer dans sa chambre pour la journée. Elle y demeurait prostrée, enfouie dans un châle et allongée sur une méridienne en rotin, à écouter en boucle de la musique qu'elle passait sur le phonographe. C'était un vieux modèle au son nasillard qu'elle avait trouvé dans un placard, mais il l'aidait à ne penser à rien.

Dès qu'un bruit venait du couloir, elle était prise de panique. Elle avait fermé sa porte à double tour, une protection bien dérisoire. Elle savait pertinemment que le moindre coup de pied suffirait à n'importe qui pour l'arracher de ses gonds. Finalement, elle était comme ces enfants effrayés par l'ogre, qui se cachaient sous leurs couvertures plutôt que de regarder sous le lit. Sauf que son ogre à elle était bien réel.

Après plusieurs jours passés ainsi, son tuteur vint tout de même prendre de ses nouvelles. Elle mentit en prétextant une migraine ; il ne fut pas dupe mais peu importait, cela faisait longtemps qu'elle avait compris qu'elle ne pouvait rien attendre de lui.

Aujourd'hui, comme hier et demain, l'archéologue se montrait semblable à ce qu'il était, un vieil homme égoïste prêt à nier toutes les évidences qui risqueraient de compromettre son but. À aucun moment, il ne la questionna sur Charu, sur ce qu'elle ressentait à son propos ou sur la nuit passée au Sambar Mahal. Il l'interrogea encore moins sur ce qui était arrivé alors qu'elle était à la merci de von Rosenheim, seule dans la jungle avec lui.

En réalité, il ne parla que de ses sempiternelles recherches sur la cité perdue et de l'espoir qu'il fondait en von Rosenheim qui prenait son enquête tellement à cœur. Il se réjouissait comme un enfant de la promesse de ce dernier de tout faire pour retrouver le Sher-Cîta.

Jezebel jeta entre ses dents serrées qu'un homme avait déjà été tué, mais l'archéologue feignit de ne pas l'entendre. Il était tellement obnubilé par la cité gupta, par la possible richesse de sa découverte, par l'étendue du savoir qui en naîtrait, qu'elle se mit à haïr ces pierres dont l'existence n'était pourtant même pas avérée.

Comment son tuteur pouvait-il faire abstraction d'événements qui faisaient son malheur ? Comment osait-il montrer tant d'inquiétude pour de simples objets, fussent-ils anciens et précieux, alors qu'elle était là, et qu'elle risquait à tout moment d'être violentée ? Avait-elle à ses yeux une quelconque importance ? Elle se dit qu'il avait perdu la tête. Pourtant, elle savait que ce n'était qu'une façon de l'excuser, encore et encore.

Le baron von Rosenheim sembla cependant tenir les engagements qu'il avait pris à son égard. Ils se croisaient rarement mais, lorsque cela arrivait, l'aristocrate suisse montrait à chaque fois une courtoisie si excessive que la jeune fille en demeurait dubitative. En public, il se permettait au mieux un baisemain. En privé, il n'exigeait qu'un baiser quasi paternel sur son front à l'heure du coucher. Elle mit un certain temps à comprendre que ces petits gestes d'apparence anodine ne faisaient que confirmer la mainmise qu'il avait sur elle.

Le séjour à Darjeeling se prolongea.

La première raison en fut la mousson, particulièrement abondante cette année, qui rendait tout voyage périlleux. Une portion de voies ferrées avait été emportée dans un glissement de terrain et un tronçon de route avait tout bonnement disparu sous un pan de montagne. Partout, des ruisseaux, des torrents, des rivières et des futurs fleuves sortaient de leur lit, arrachant les ponts qui les enjambaient, emportant des villages. La population commença à compter ses noyés.

L'autre raison fut que le baron, qui ne venait à Darjeeling que très rarement, était sollicité par toute une kyrielle de problèmes d'intendance à résoudre, plus ou moins liés à la culture et à la récolte du thé. La propriété Elefantanhaus était de moyenne importance, ce qui l'agaçait.

Son ambition naturelle le poussait à être le premier en tout. Déjà magnat de l'opium, armateur richissime et important exportateur de main-d'œuvre vers les îles de La Réunion ou de Mayotte, il n'avait pas l'intention de jouer plus longtemps les seconds couteaux dans le marché florissant du thé. Une rapide analyse lui avait fait comprendre à quel point ce commerce était primordial pour les Britanniques. Or, un jour, peut-être bientôt, l'opium ne génèrerait plus le même lucre. Les Chinois luttaient de plus en plus efficacement contre la contrebande tandis que, à l'autre bout du monde, ces puritains d'Américains influençaient de façon exponentielle les opinions internationales. Non contents d'user de tout leur poids à la Convention internationale de l'opium qui, depuis 1912, mettait déjà son nez dans les commerces parallèles, les États-Unis avaient voté la taxe Harrison[1] avant de s'attaquer plus récemment à l'alcool.

Ces mouvements ne concernaient *a priori* que le territoire américain, mais ils dénotaient un état d'esprit qui, comme toute maladie insidieuse, risquait dans les prochains temps de gangréner la totalité du monde.

Von Rosenheim n'avait pas l'intention d'abandonner le commerce du *chandoo*, qui était son commerce le plus lucratif, mais il ne détestait pas l'idée d'une diversification. Le thé lui paraissait parfait : énorme marché mondial, positionnement de luxe ou bas de gamme en fonction des périodes de récoltes, monopole facilement envisageable. Surtout, il attendait des Britanniques un appui inconditionnel qui se solderait par de nouveaux avantages commerciaux, par des droits de douane au rabais et par le soutien d'une logistique militaire prête à garantir, au besoin par les armes, la pérennité de ses affaires.

Il profita donc de son séjour forcé dans sa propriété de Darjeeling pour conforter sa prise de position. En quelques jours, il acquit tous les terrains qui jouxtaient son domaine avec une évidente jubilation, car il n'aimait rien tant que devenir propriétaire terrien.

---

1. Harrison Narcotics Tax Act : loi américaine qui réglemente et taxe l'importation, la distribution et l'utilisation des opiacés dans des situations non médicales, votée fin 1914.

Jezebel avait consenti à réapparaître au dîner. Après plusieurs jours passés enfermée dans sa chambre, elle n'en pouvait plus de cette inaction. Elle était jeune et vive, pleine de santé et peu habituée à ne rien faire. Elle avait besoin de bouger.

Elle apprit les moindres détails de ces transactions entre une tourte à la carotte et des brochettes de foie. Von Rosenheim pérorait, la jeune fille écoutait et devinait que les voisins de l'*Elefantanhaus* n'avaient pas vendu par hasard. La plupart avaient peur. Depuis quelque temps, des bandes de pillards issues de tribus népalaises en rébellion descendaient des montagnes pour mener de violentes exactions contre les colons. Certains domaines étaient pillés, brûlés et, parfois, leurs occupants mis à mal. La majorité des propriétaires ne se sentait plus en sécurité et les plus petits cherchaient à vendre.

Von Rosenheim était arrivé comme un messie avec ses francs suisses. Il les avait fait miroiter en proposant des prix largement sous-évalués que personne n'avait osé contredire. Très vite, on fêta dans le vin de Champagne plusieurs actes notariés hâtivement conclus.

À son corps défendant, Jezebel fut la reine de ces fêtes. Depuis qu'elle avait accepté de reprendre une vie sociale, elle était la coqueluche de la ville. Tous les notables se la disputaient, parce qu'elle était la fiancée du richissime baron von Rosenheim, une personnalité dont tout le monde cherchait à s'attirer les faveurs, mais aussi parce qu'elle était charmante et qu'elle aimait à danser. Chaque nuit, Darjeeling revêtait des habits de fête pour plaire à ses colons européens, et le charleston retentissait follement dans une débauche de lumière et d'alcool.

Jezebel allait d'une fête à l'autre jusqu'à l'étourdissement. Elle avait vite compris que le baron, pris par de constantes obligations, n'appréciait guère les débordements mondains et ne tenait pas forcément à s'y rendre. Elle en profita avec d'autant plus de facilité que son fiancé n'y trouva rien à redire. Au contraire, il la présenta partout comme sa petite ambassadrice et ne lésina devant aucune dépense, car il jouissait véritablement de la voir lui être enviée par la majorité des planteurs.

Il eut toutefois la prudence de lui adjoindre Mogül en garde du corps attitré.

Étonnamment, la présence du terrible Moghol conforta le succès de la jeune fille. Le colosse était tout simplement spectaculaire. Devenu l'ombre de la demoiselle anglaise, il allait dans son dos, silencieux et énigmatique, sa face ronde totalement impassible. Lorsqu'il apparaissait dans un salon, avec son costume chinois, sa tresse dans le dos et la lame papillon qu'on devinait à sa ceinture, il faisait sensation.

Évidemment, le Moghol était moins là pour la protéger que pour la surveiller. Elle sut cependant jouer de sa présence avec talent, en s'apprêtant en princesse exotique drapée dans des soies brodées et parée d'innombrables bijoux, ses grands yeux bordés de khôl et sa coiffure parfaitement assortis à un garde du corps aussi original. Avec un plaisir pervers, elle s'amusait à lui confier le temps d'une danse son écharpe ou son éventail, ou à réclamer en claquant des doigts un verre d'eau ou un sorbet.

Ce n'était qu'une minuscule satisfaction que de se venger ainsi de l'homme qui avait failli l'étrangler sur simple ordre de son maître, et dont elle avait gardé l'empreinte des doigts sur son cou durant plusieurs jours, mais elle le fit avec un cynisme grandissant.

Au cours de ces nombreuses soirées, elle se lia à une jeunesse dorée, oisive et futile, dont les passe-temps de nantis ne visaient qu'à patienter jusqu'au soir pour s'enivrer de multiples cocktails. Cela lui convint parfaitement. Elle avait comme eux beaucoup de temps à tuer. Et des pensées à oublier.

Depuis qu'elle était revenue du Sambar Mahal, Charu lui manquait. Ses bras, ses baisers, ses rires. Ses lèvres, ses yeux, ses mains. Ses sourires et ses rires. Ses caresses et ses cajoleries d'amant.

Elle s'était durcie. Elle ne pleurait plus. Elle avait enfin compris qu'il ne lui ferait parvenir aucun mot, aucun billet, aucune explication. Elle l'avait voué aux gémonies. Elle avait même scrupuleusement appris à le détester, le traitant en son for intérieur de lâche et d'inconséquent, même si, de nuit en nuit, elle continuait trop souvent à s'endormir en imaginant qu'elle était dans ses bras, et qu'il la protégeait du monde entier.

Ce rêve était idiot. Les jours s'écoulaient sans que Charu ne se manifestât. Elle avait bien guetté, au début et durant des heures, l'arrivée d'un coursier qu'il lui aurait envoyé. Elle s'asseyait près d'une fenêtre qui donnait au-delà du portail, sur le chemin boueux qui grimpait jusqu'à Darjeeling en se disant que Charu lui avait fait une promesse, qu'il allait tenir parole, qu'il enverrait bientôt un message et peut-être même qu'il viendrait la chercher en personne.

Sauf que les semaines passaient, n'amenant ni cavalier ni Rolls-Royce de maharaja cherchant à l'enlever. La mort dans l'âme, elle avait bien été obligée de s'installer dans une vie où le prince n'était pas.

Elle en fut terriblement attristée mais elle releva crânement la tête. Qu'aurait-elle bien pu attendre de la part d'un *babu*[1] qui jouait à faire comme s'il était un Occidental, en dépensant sans compter et en s'affichant fièrement avec une Anglaise ? Qu'aurait-elle dû attendre d'un homme, tout simplement ? N'étaient-ils pas tous ainsi ? Son amie Olga ne lui avait-elle pas seriné que la seule personne sur laquelle une femme devait compter était elle-même ?

Le mois de juin passa ainsi, tout en tristesse et colère. Juillet fut celui de l'oubli, parsemé de nombreuses fêtes. Août amena chez le vieil archéologue une nouvelle crise de paludisme dont les accès de fièvre durèrent plus de trois semaines. Jezebel crut qu'il allait succomber. Sa température monta jusqu'à 40°C, son corps fut agité de soubresauts, et dans ses délires revenaient sans cesse sa double obsession : la cité oubliée qu'il espérait découvrir, et le médaillon gupta qui lui échappait.

Von Rosenheim partageait également la même obsession. Lui aussi ne cessait d'en parler, racontant à qui voulait l'entendre qu'il entendait récupérer au centuple le temps et l'argent qu'il avait investis. Tandis que l'archéologue luttait pour se rétablir, lui continuait son enquête sur la disparition du médaillon. Il recalcula le trajet de l'hydravion, revint sur les lieux du crash, fouilla la jungle encore et encore, retournant chaque pouce de terrain. Il interrogea tous les habitants qu'il put trouver, des guides ou de simples paysans, des bûcherons, des chasseurs et des ramasseurs de miel. Il posa même certaines questions avec une brutalité excessive. Et acquit la conviction que Jim McCorball, le célèbre chasseur de fauves, avait traqué en compagnie de trois guides et sept *coolies* le tigre mangeur d'hommes de Sandakphu sur les lieux mêmes de l'accident.

Persuadé qu'il tenait enfin une piste, von Rosenheim se frotta les mains.

---

1. Élite indienne.

Pendant ce temps, Jezebel vivait en noctambule, indifférente à tout. La nuit la faisait danser jusqu'à ce que la fatigue la jette sur son lit dans un sommeil quasi immédiat. Les jours étaient peuplés de longues promenades solitaires durant lesquelles elle rêvait de s'évader.

À plusieurs reprises, elle caressa l'idée d'une fuite, mais, à chaque fois, elle renonça. Pour réussir, il fallait rejoindre l'océan et embarquer sur un navire en partance pour l'Europe. Sans véhicule, sans guide, sans vivres, sans argent et sans l'aide d'un éventuel complice, elle ne se donnait pas trois jours avant d'être rattrapée.

Que se passerait-il alors ? Qu'oserait lui faire le baron ? La maintenir prisonnière dans une chambre fermée à double tour ?

Au moins, pour l'instant, elle jouissait d'une liberté relative. Elle pouvait se promener comme bon lui semblait, arpenter ces merveilleux paysages himalayens et admirer les champs de thé qui lui rappelaient, par leurs couleurs verdoyantes, son Angleterre natale.

Ces promenades devinrent son oxygène, sa raison de vivre. Elle les fit à pied les premiers jours, ce qui la confina dans les limites de la propriété. Le parc était laissé à l'abandon. Elle cheminait parmi des plantes étranges, surprenait tout un peuple d'oiseaux et découvrait des fleurs merveilleuses ou des fruits inattendus. Arrivée au portail, elle s'accoudait à la barrière et regardait pendant des heures la vallée en contrebas, qui ne semblait sortir des nuages que pour mieux s'y replonger.

Un jour, elle en eut assez de ne pouvoir aller au-delà et, mue par un soudain courage, osa réclamer un cheval. Von Rosenheim se fit un plaisir de lui en offrir un, sauf qu'il exigea en retour un baiser goulu assorti d'une main dans son décolleté, sèche et froide, qu'elle subit avec dégoût.

Lorsqu'enfin il la lâcha, le regard trouble mais le sourire satisfait, elle partit se brosser les dents avec cette nouvelle pâte qu'Olga lui avait vantée, un savon-dentifrice qui purifiait l'haleine grâce à ses extraits de menthe. Puis, les mains posées de par et d'autre de la coiffeuse, elle se regarda avec dureté dans le miroir, en se promettant de ne plus jamais rien demander à personne.

Toutefois, ce cheval changea ses habitudes. C'était un hongre de bonne composition, facile à manier, assez petit au garrot, avec une robe d'un joli ton isabelle alezane.

Grâce à lui, elle retrouva le plaisir de chevaucher et put arpenter d'immenses espaces plus ou moins sauvages. Elle n'y allait jamais seule. Von Rosenheim lui avait imposé un soldat sikh prêté par la garnison de Darjeeling qui était censé la protéger d'éventuels pillards descendus des montagnes.

Cet homme était âgé d'une cinquantaine d'années. Il maniait avec arrogance un fusil de fabrication britannique et dormait dans les écuries par choix personnel, car il ne voulait pas se mêler à la domesticité, qu'il jugeait de caste inférieure. Son visage ridé était émacié, avec d'impressionnantes moustaches d'un autre âge. Ses cheveux, que Jezebel n'aperçut qu'une seule fois tandis qu'il nouait son turban, étaient si longs qu'ils n'avaient vraisemblablement jamais connu de ciseaux. Chaque matin, après les ablutions rituelles, le sikh les enfouissait dans un volumineux turban rouge qu'il portait en permanence. Il possédait également un étrange petit poignard à la pointe recourbée, qu'il appelait *kirpan* et qu'il portait de curieuse façon, enserré dans une bande de toile brodée qui s'enroulait autour de son épaule.

Pour le reste, ce soldat de Sa Gracieuse Majesté affublé du grade de sergent était britannique jusqu'au bout des ongles, avec un bermuda et une chemise réglementaires, une cartouchière sur sa poitrine et une machette passée à la ceinture. Il était censé la protéger de tout : des fameux pillards, mais aussi des serpents, des tigres et des léopards, et même des éléphants qui traversaient de temps à autre les champs de thé. Plus prosaïquement, il était aussi chargé de la surveiller, mais ce dernier point n'avait pas été défini avec clarté.

Jezebel s'accommoda de cette présence. Elle avait décidé une fois pour toutes qu'elle ferait ce que bon lui semblait, qu'importait la présence de ce soldat sikh. En fin de compte, ce dernier était plutôt à plaindre. Elle tenait si peu en place qu'elle lui menait involontairement la vie dure. Plutôt que d'arpenter les collines, il aurait préféré rester à l'abri des averses, en paressant sur le tas de paille qui lui servait de lit. Non sans vice, elle lui proposa plusieurs fois de rester au chaud, mais le brave sergent n'osa jamais enfreindre les ordres qu'il avait reçus. Ni son commandant ni von Rosenheim n'étaient des hommes à pardonner un manquement.

Chaque jour, elle guettait une accalmie dans la mousson puis partait à l'aventure, vêtue à l'indienne d'un *shuridar* d'homme, d'une tunique et d'une veste imperméable, ainsi que de hautes bottes cavalières et d'un casque colonial qui empêchait la pluie de lui tomber dans les yeux.

Le chemin qu'elle préférait suivre serpentait sur une corniche en surplomb de la magnifique vallée du Thé Blanc. Les noms des parcelles de terrain étaient, ici, poétiques et imagés, et toujours terminées par *Tea Garden* comme si, définitivement, le thé ne poussait que dans des jardins et non dans des portions de jungle hérissées de lianes et de végétation exubérante.

Très vite, elle adora surplomber lors de ces éclaircies ces pentes recouvertes par une épaisse toison de feuilles perpétuellement vertes. Les théiers étaient une variété de camélia. Presque aussi hauts que des hommes, ils gommaient les moindres reliefs dans une épaisseur de velours. Parfois, un pin ou un palmier d'altitude sortaient de ce tapis, en pointe hirsute. Partout, les chemins étaient des tranchées de terre rouge que les habitants assuraient avoir été tracés depuis la nuit des temps par des milliers éléphants.

Ces derniers traversaient souvent les *garden*. Il valait donc mieux éviter de construire une palissade ou une maison sur leur chemin ancestral, qu'ils arpentaient à toute heure du jour et de la nuit, car ils prenaient ombrage des obstacles et, chaque fois, les détruisaient méticuleusement. Il arrivait aussi qu'un habitant cherchant à s'interposer fût molesté, voire tué.

Un matin, alors que la brume semblait jouer à cache-cache dans les vallons, Jezebel vit sa première harde et en resta bouche bée. Elle allait au pas tranquille de sa monture, sans rien attendre de particulier, mais son instinct l'avait alertée. Elle était sous le vent et, par chance, surplombait les pachydermes d'à peine une centaine de pieds dans la pente.

Les éléphants ne s'aperçurent pas de sa présence. Elle put les observer longuement. Un rayon de soleil sortait des nuages éclairant leur dos d'une lumière rasante. Ils avançaient en file indienne au milieu des théiers, le pas lent et séculaire, une matriarche en tête, les petits au milieu. De là où elle se tenait, ils ressemblaient à une falaise en marche, haute et grise, presque immobile. Leur peau mouillée par la pluie avait l'aspérité du granit. Leur silence était impressionnant.

Elle garda de ce moment de grâce des étoiles plein les yeux, qui perdurèrent longtemps après que le dernier des pachydermes eut disparu de l'autre côté de la montagne.

Puis septembre arriva, et avec lui la fin de la saison des pluies. Il fallut faire les bagages pour retourner à Calcutta mais, auparavant, elle s'accorda un dernier moment de communion avec la vallée du Thé Blanc, en hommage aux éléphants.

Elle partit très tôt un matin ; ils étaient à nouveau là, marchant dans le même sens immuable que la première fois qu'elle les avait vus, comme si le temps ne s'était pas écoulé depuis. Elle descendit de cheval tout doucement, s'assit avec la même lenteur sur une pierre plate et les regarda passer. Sa gorge était nouée. Ses yeux la piquaient. Elle regrettait de quitter cet endroit. Elle avait fini par s'habituer à la pluie, à la brume, aux paysages à la fois doux et âpres, à la tranquillité éternelle des journées, à la fraîcheur des nuits gorgées d'eau. Elle regretterait ces montagnes vertigineuses, les sommets du Kangchenjunga, du Kubra et du Junna qu'elle apercevait pleinement aujourd'hui, si hauts qu'ils en étaient blancs comme de la crème. Elle se disait qu'à force de contempler ces sommets tour à tour cachés ou révélés par toute une armée de nuages, elle avait souvent eu l'impression de vivre ici entre deux mondes, comme si sa vie n'était qu'une faille entre bonheur et malheur, entre amour et haine, entre joie et tristesse. Un purgatoire cotonneux où rien n'avait jamais d'importance, parce que tout finissait par passer.

À Darjeeling, elle avait fini par se croire en sursis. Elle avait imaginé que tout pouvait encore changer. Puis elle avait compris que tout a toujours une fin, y compris l'espoir.

Ils prirent la route le 3 octobre.

Elle se réjouit d'une seule chose : elle allait enfin revoir sa chère amie Olga Marushka.

*

À Calcutta, quatre mois de mousson avaient tout lavé à grande eau. Le sable, la poussière, les brins de foin desséchés et toutes les feuilles mortes avaient été emportés jusqu'au fleuve en crue qui se diluait maintenant dans l'océan Indien. Sur un sol encore gorgé d'eau, tout avait reverdi. Les grandes étendues du parc Maiden vues de la villa Gokhra avaient repris un aspect de pelouse anglaise. Partout, des fleurs explosaient sur les murs et dans les jardins en une profusion de couleurs : bougainvillées aux tons vifs, jasmins purs et odorants, hibiscus de toutes les formes. Les manguiers étaient en fleur. De loin, ces arbres majestueux paraissaient poudrés de jaune.

Arrivée au milieu de l'après-midi, Jezebel n'eut pas longtemps à attendre avant qu'Olga ne remonte l'allée bordée d'agaves au volant de son Alfa Romeo. Elle le fit en actionnant follement son avertisseur et en chantant à tue-tête. Les deux jeunes femmes tombèrent dans les bras l'une de l'autre, ravies de se retrouver. Il y eut des larmes et beaucoup de cajoleries. Retenue à dîner, la belle duchesse ne cessa de parler, les joues enflammées, le regard enfiévré. Comme d'habitude, son visage pâle attirait toutes les attentions et Jezebel la trouva encore plus belle qu'avant son départ, avec ses boucles noires coiffées en accroche-cœur sur son front, ses paupières assombries de poudre brune et sa grande bouche rouge, mobile et pleine de rire.

La Russe raconta mille anecdotes de sa voix roucoulante. Des grenouilles s'étaient invitées dans son jardin lorsque la crue avait été à son comble, s'introduisant même jusqu'au rez-de-chaussée de sa villa Rose. Ses domestiques avaient dû les chasser à coups de balai. Pendant ce temps, les rues du centre-ville étaient noyées et les bidonvilles alentour avaient été envahis par de monstrueux poissons-chats qui venaient fouiller les immondices à la recherche de nourriture. Certains jours, les *rickshaws* ne parvenaient plus à circuler de Barabazar à Alipur. De l'eau sale investissait les plus belles avenues et les rats remontaient à la surface, se cognant aux gens qui circulaient pieds nus dans le courant. Le dispensaire du Dr Appleton avait rapidement été rempli d'une multitude de gens malades. L'eau nauséabonde s'infiltrait partout et pourrissait les puits, les vivres, les greniers à grain. Impossible de se déplacer, de rencontrer ses amis, de se divertir. Pour éviter de s'ennuyer, Olga avait proposé au Dr Appleton de lui servir d'infirmière.

Tout au long de cette énumération pourtant sinistre, Olga avait lâché de grands éclats de rire, la bouche rendue gourmande par un nom qu'elle prononçait à tout-va, et qu'elle avait agrémenté de mille et une manières : Jan par-ci, Jan par-là, Jan toujours.

Elle raconta que le jeune homme avait beaucoup voyagé. Qu'il était monté jusqu'à la frontière pakistanaise, avait suivi une caravane de soie, était redescendu dans le Rajasthan où il avait rejoint un camp de fouilles dans le désert du Thar. Il y avait acheté diverses antiquités qu'Olga entreposait dans sa villa en attendant qu'il les fasse expédier à New York.

Jezebel écoutait ce voyage fabuleux de toutes ses oreilles, en tressaillant à chaque fois que le prénom du jeune homme était prononcé. Elle ne l'avait pas oublié. Elle s'était juste efforcée de le ranger dans un compartiment de son cœur, à l'abri de tout. Sauf que maintenant, à force d'entendre parler de lui, elle se retrouvait saisie en traître, les joues rougies par une multitude de souvenirs qui réveillaient un désir qu'elle avait cru oublié. Des souvenirs la brûlaient, celui d'un baiser, d'une main posée sur sa nuque, d'un souffle qui soulevait ses cheveux. S'efforçant de conserver une apparente impassibilité, elle croisa ses doigts sur les plis de sa jupe et écouta sa poitrine battre trop fort.

Très vite, elle comprit qu'il serait inutile de raconter ses propres aventures ; Olga était heureuse, or les gens heureux vivaient dans une bulle. Ils n'entendaient jamais les cris de ceux qui souffrent. Ils pouvaient même les piétiner sans même s'en apercevoir. Ce n'était pas de l'indifférence, juste le fait que le bonheur appartenait à un autre monde que le malheur.

Les yeux baissés, elle se mit à triturer une boulette de mie de pain. Ce soir plus que jamais, elle se sentait terriblement seule.

Les jours suivants s'écoulèrent avec une morne lenteur alors qu'ils étaient remplis par une multitude d'activités. Il fallut faire des emplettes pour le trousseau, ce que Jezebel fit soit avec Olga, soit avec Amely. En fin d'après-midi, cette dernière l'invitait invariablement pour un *teatime* très londonien qu'elles prenaient souvent dans le jardin de lady Esket. La jeune fille avait perdu un peu de sa véhémence agressive. Depuis que sa dernière-née était fiancée, elle avait grossi, ce qui lui donnait un air de poule ravie d'avoir enfin réussi à caser son dernier poussin.

La jeune Amely croyait son amie heureuse, puisqu'elle-même l'était. Amoureuse de son Suédois, elle comptait les jours qui la séparaient de son mariage en imaginant que Jezebel faisait de même. Ce n'était pas tout à fait faux. Jezebel décomptait aussi les jours, mais pour une autre raison : elle n'aimait pas son fiancé. Pire que tout, elle le détestait et elle le craignait.

Parfois, Peter Asgulson s'échappait du dispensaire où il officiait et venait rejoindre les jeunes filles. Jezebel s'éclipsait discrètement sans que personne ne s'en aperçoive. Elle ordonnait alors à Mogül, qui était devenu son chauffeur attitré, de l'emmener au jardin botanique où elle se promenait des heures sous le grand banian, à respirer les odeurs d'encens que les *sâdhus*[1] faisaient brûler lors de leurs prières immuables. Guidée par ses souvenirs, elle achetait même un *maalais*[2] de fleurs rouges qu'elle faisait déposer en offrande autour du cou d'une statue de pierre qui s'appelait *Shakti*[3] et qui, aux dires des brahmanes, était la mère de toutes.

Elle ne priait pas. Les dieux lui avaient toujours été étrangers. Mais l'encens qui montait lentement au ciel la réconfortait. À moins que ce ne fût la ferveur des fidèles, dont les visages reflétaient une force qu'elle n'aurait jamais, et que, en cet instant de crainte, elle enviait.

La date du mariage avec le baron von Rosenheim fut fixée au 13 février 1920. Novembre arriva, empli d'appréhension ; il amena aussi un match de polo.

Olga vint l'apprendre à sa jeune amie en sautillant partout avec une extrême excitation. Elle n'avait pas revu son amant Jan Lukas depuis plusieurs semaines et se réjouissait tant de son retour qu'elle avait à nouveau vingt ans.

Jezebel la laissa s'agiter dans un silence qui parut vite assourdissant à l'impétueuse duchesse. S'arrêtant brusquement devant la jeune fille, elle examina la robe simple, excessivement simple, que cette dernière portait, prit son menton dans une main pour détailler sa mine de papier mâché et ses yeux trop brillants, puis lâcha tout de go, avec sa délicatesse habituelle :

— Hum, ma chérie, vous êtes laide à faire peur. Je crois qu'il est temps que nous discutions.

Elle l'emmena dans le jardin, sur une balancelle en rotin garnie de coussins, installée à l'ombre d'un énorme lilas des Indes en fleur. Elle l'y fit asseoir puis, lui prenant la main, elle l'interrogea avec sa franchise coutumière qui ressemblait souvent à de la dureté, jusqu'à ce qu'elle comprenne à quel point les événements de Darjeeling avaient terrassé le cœur de sa jeune amie. La prenant alors dans ses bras, elle la serra contre elle tout en caressant

---

1. Moine ascète.
2. Guirlande de fleurs.
3. Dans l'hindouisme, déesse de l'Énergie éminine.

longuement les boucles de soie blonde que Jezebel avait négligé de coiffer ce matin, et qui tombaient pêle-mêle dans son dos.

— Je me demandais justement pourquoi vous aviez changé d'avis concernant votre mariage avec le baron. J'étais restée sur l'idée que vous le détestiez…

— Je n'ai pas changé d'avis, siffla Jezebel avec humeur. Je le déteste toujours autant. Mais je n'ai pas le choix. Il me menace, il menace mon parrain. Il m'a même menacée de m'étrangler. J'ai gardé les marques sur mon cou pendant plus de trois semaines !

Olga se leva et marcha de long en large avec beaucoup d'agitation. Jezebel la suivit du regard. Son amie réfléchissait tant et tant qu'il semblait possible de suivre ses pensées dans ses beaux yeux poudrés de noir. Enfin, après un laps de temps interminable, la Russe revint vers elle et, posant ses mains sur ses épaules, la força à la regarder :

— Bien. Je n'avais pas pris la mesure de la situation, j'en suis désolée. Je précise néanmoins en aparté, ma chérie, que vous me décevez énormément. Je vous laisse cinq minutes et voilà que vous vous laissez embarquer dans des situations qui ne vous conviennent pas ! Quand comprendrez-vous que vous avez un physique d'héroïne, et qu'il faudra bien vous en accommoder en évitant de faire des vagues ?

— Qu'aurais-je dû faire ? répliqua Jezebel en se tordant les mains si nerveusement qu'Olga préféra les prendre dans les siennes pour tenter de la calmer. Ne voyez-vous pas que j'attire les hommes comme un pot de miel attire les guêpes ?

— Agir, ma chère, agir ! Le problème vient justement de ce que vous vous voyez comme un pot de miel dont tout le monde peut se servir, alors que vous devez être une guêpe armée d'un dard !

— Mais comment ? s'exclama la jeune fille, tandis que des larmes coulaient lentement sur ses joues.

Olga ne se laissa pas attendrir. Au contraire, elle prit sèchement le menton de la jeune fille entre ses doigts et le pinça presque méchamment.

— Ah mais, cessez de vous apitoyer sur votre sort, milady ! Ne vous ai-je rien appris ? Je ne vous reconnais pas. Où est votre fameux petit caractère ? Et votre volonté de ne pas vous laisser faire ?

Elle se mira au fond des grands yeux couleur saphir que les larmes rendaient encore plus beaux, se radoucit un peu et continua d'une voix où perçait maintenant un soupçon de tendresse :

— Dites-moi, ce jeune prince de Nandock… L'aimez-vous ?

Jezebel eut un sursaut incrédule. Que signifiait cette question ?

— Il est charmant et souriant, commença-t-elle d'un ton prudent. Et très beau, et très…

— Ce n'est pas ce que je vous demande ! s'impatienta Olga.

Jezebel eut un haussement de sourcil circonspect.

— Eh bien… oui… je crois…

— Ah, dit Olga, je vois. Bon, je connais ce prince, il joue au polo dans la même équipe que Jan, avec lequel il est très lié. Il est effectivement très beau, carrure bien développée, silhouette grande et sportive, teint de pain d'épices. Je l'imagine aisément poli et charmant. On fera avec.

Jezebel continua à s'étonner.

— Je ne comprends pas. Que devra-t-on faire avec ?

La duchesse se rassit à côté d'elle dans un mouvement un peu brusque. Elle avait une idée derrière la tête et arborait un large sourire.

— Sommes-nous bien d'accord, ma chérie ? Vous ne souhaitez pas épouser von Rosenheim ?

— Non ! Bien sûr que non ! Je crois que j'en mourrai.

— Tout de suite les grands mots ! s'écria Olga avec un certain agacement. Ça suffit maintenant, n'est-ce pas ? Me faites-vous confiance ? Vous m'avez toujours fait confiance. Êtes-vous prête à changer le cours de votre vie ?

— Mais comment ?

Son cœur bondissait d'un espoir tout neuf, insensé. La duchesse lui sourit de sa grande bouche rouge sang.

— Pour commencer, ma petite chérie, vous allez m'accompagner au prochain match de polo et, pour cela, vous allez vous faire extrêmement belle. Je veux que la terre entière vous remarque, et que le soleil lui-même en soit ébloui !

*

Jezebel avait imaginé plus de mille fois ses retrouvailles avec Charu. Dans la version la plus gaie, elle le voyait courir vers elle, la prendre dans ses bras, la faire tournoyer en l'air avant de l'embrasser avec infiniment de tendresse. Dans une version plus cruelle, ils se disputaient avec autant de colère que de tristesse. Dans une ultime variante, ils s'ignoraient. Celle-ci était celle qu'elle détestait le plus, car elle lui paraissait la plus probable.

Depuis le matin, elle n'était que nervosité. Elle respirait si mal qu'elle avait l'impression d'avoir remis un de ces corsets antédiluviens qui, avant la guerre, comprimaient autant son cœur que ses poumons. Peu concentrée sur ce qu'elle faisait, elle trébuchait constamment et ne cessait de réclamer un verre d'eau tant elle avait chaud. Il faisait pourtant doux et la journée promettait d'être magnifique. Le ciel au-dessus de Calcutta se teintait déjà d'un bleu profond malgré la pollution que crachaient sans arrêt les usines. Et puis, grand moment de bonheur, le baron von Rosenheim était parti depuis la veille pour Delhi, où il comptait rencontrer le chasseur de fauves, Jim McCorball.

Olga s'était occupée de tout. Elle avait choisi la tenue, la coiffure, le maquillage et Jezebel n'eut guère le choix, il lui avait fallu devenir une poupée entre ses mains expertes. Lorsque enfin elle avait eu le droit de s'observer dans un miroir, elle avait convenu que le résultat était pas mal : teint clair joliment poudré par Caron, yeux charbonneux qui rendaient son regard bleu saphir encore plus lumineux, bouche rose bonbon, pleine et gourmande, coiffure toute en boucles relevées par des nœuds, des perles, des rubans de soie, des plumes virevoltantes et des roses en mousseline.

La robe était sublime.

Olga l'avait fait venir pour elle de Paris mais, devant l'urgence de la situation, l'avait cédée de bon cœur à sa jeune amie. La merveille de soie brochée était signée Jeanne Lanvin. Sa coupe longiligne mettait parfaitement en valeur les silhouettes minces aux formes délicates. Le décolleté était profond. Il choqua Jezebel mais la duchesse s'en montra satisfaite : on devinait l'échancrure de la poitrine, ce qui était, à ses dires, un avantage certain lors d'une entreprise de séduction.

— Les hommes aiment les seins, ma chérie, or les vôtres sont très beaux, ce serait un péché de les cacher, commenta-t-elle en jetant sur le doux renflement un nuage de poudre parfumée à l'iris dont la senteur suave ne manquerait pas d'attirer un nez gourmand.

— On croirait que vous me préparez comme une volaille pour l'étal du boucher ! s'agaça Jezebel qui n'en pouvait plus de se lever, tourner, pencher en tous sens à la recherche de la perfection.

— Pour séduire, il faut plaire. Ou inversement. Mettez-y du vôtre, tout de même !

Jezebel serra les dents. Elle n'osait pas dire à son amie que si le prince Charu n'avait pas cherché à la revoir, ce n'était peut-être, tout simplement, que parce qu'elle ne lui plaisait plus.

— Ma chérie, vous ne vous rendez pas justice, observa la Russe en semblant deviner le cours de ses pensées. Pour qu'un homme ne veuille plus de vous, il faudrait qu'il soit rassasié, or, en vous regardant, on comprend aisément que c'est impossible !

Elles se disputèrent sur le choix du chapeau. Olga voulait une petite cloche en paille d'Italie qu'elle estimait à la mode, Jezebel insista pour une capeline à large bord qui maintenait son visage dans une ombre mystérieuse toute piquetée de lumière. L'essayage lui donna raison.

— Avez-vous bien compris les objectifs ? questionna finalement la duchesse en donnant un dernier bouffant au nœud de ceinture.

Jezebel répéta sa leçon du bout des lèvres.

— Je dois parler à Charu pour lui donner envie de me revoir.

C'était dit bien sagement, mais Olga s'en contenta.

*

Au grand étonnement de Jezebel, Olga ne choisit pas de se rendre au match de polo dans sa petite Alfa Romeo qu'elle adorait pourtant conduire. Elle voulait être certaine qu'aucune rumeur désobligeante ne parvienne à von Rosenheim dès son retour de Dehli, aussi avait-elle demandé à Mogül de les conduire dans l'Hispano-Suiza. Le baron était parti en chemin de fer en laissant sa fiancée sous la garde du Moghol qui, depuis, prenait son rôle si au sérieux qu'il la collait comme une ombre sournoise. Olga avait donc estimé qu'il serait plus prudent de le conforter dans son rôle. Le seul caprice sur lequel elle ne dérogea pas fut de faire monter sur la banquette arrière deux de ses lévriers, qu'elle emmenait autant pour souscrire à son image d'aristocrate russe un peu originale que pour rappeler que son élevage de barzoïs venait de s'agrandir d'une nouvelle portée.

Arrivées à destination, les deux jeunes femmes furent accueillies dès le passage du portique d'entrée par Robert Farges, le secrétaire principal du vice-roi, qui leur lança plusieurs compliments onctueux avant de céder la place au général Puttewin. Ce dernier les gratifia d'un impeccable claquement de talons puis leur fit l'honneur d'échanger avec elles des banalités durant plusieurs minutes, tout en roulant sa moustache d'un air supérieur.

Lorsque Olga parvint enfin à s'en défaire, elle se départit d'une remarque ironique que Jezebel ne sut comment interpréter.

— Êtes-vous certaine, ma chérie, que vous ne souhaitez pas épouser votre baron ? Vous y trouverez certains avantages. Après tout, ces deux hommes n'auraient jamais pris la peine de nous saluer si vous n'étiez pas sa fiancée.

— Votre cynisme gâche toujours tout, répliqua la jeune fille avec une moue vexée, mais déjà son amie l'entraînait vers les tribunes.

Elles s'installèrent au premier rang, juste derrière le ruban qui maintenait une certaine distance avec le jeu. Au-dessus de leurs têtes, un auvent avait été installé qui dispensait une fraîcheur agréable. De nombreux domestiques vêtus de blanc proposaient régulièrement aux spectateurs des plateaux recouverts de rafraîchissements. Le temps était printanier, avec un magnifique soleil qui donnait au ciel un éclat bleu luminescent.

— Voyez-vous la femme là-bas, en arrière sur votre gauche ? chuchota Olga derrière son éventail. Il s'agit de Ramabai Medhavi, la femme de lettres indienne. C'est une grande humaniste. Elle a reçu cette année la médaille *Kaisar-I-Hind*[1] accordée par votre gouvernement pour son dévouement à la cause des veuves et des femmes les plus pauvres en Inde. Et ses poèmes sont remarquables. Je l'ai en très haute estime.

La femme en question était une Indienne assez âgée, drapée dans un sari blanc. Elle portait sur sa chevelure encore bien noire

1. Distinction civile britannique.

un *dupatta*[1] de coton immaculé. Jezebel fut impressionnée par la sérénité qui se dégageait de son visage.

Olga revint vers l'oreille de Jezebel.

— Cela fait longtemps que je me suis détachée des affaires religieuses mais, malgré tout, retenez ce conseil même si j'espère de tout cœur que vous n'ayez jamais à l'utiliser : si un jour vous vous retrouvez dans une situation extrême, vous ne savez où aller, qui contacter, quoi manger, et que vous n'ayez d'autre ressource que de vivre dans la rue, allez frapper à la porte d'un dispensaire religieux, d'un couvent ou d'une église. Vous y trouverez toujours une bonne âme pour vous aider.

Jezebel ressentit tout à coup une peur prémonitoire, et un long frisson agita son dos. Olga le remarqua et la prit affectueusement par le bras :

— Allons, ma chérie, ne faites pas cette tête d'enterrement, je ne voulais pas vous effrayer. Je voulais juste vous dire qu'en cas de besoin, il y a toujours une solution quelque part. Ne vaut-il pas mieux être averti ?

Les chevaux entrant sur le terrain amenèrent une diversion bienvenue. Jezebel se joignit aux vivats des spectateurs avec un faux enthousiasme. Elle se demandait ce qu'elle faisait là. Elle avait envie de disparaître dans un trou, de pleurer à chaudes larmes ou, mieux encore, de partir en courant à l'autre bout de la terre.

Olga se leva avec enthousiasme pour acclamer les cavaliers. Jezebel suivit son exemple de façon plus modérée. Pleine de confusion, elle venait de remarquer que son regard s'était arrêté en premier sur Jan Lukas, qui était tout simplement magnifique sur un cheval aux étranges oreilles incurvées en croissant de lune. Ses cuisses d'airain parfaitement moulées dans sa culotte cavalière collaient aux flancs de sa monture, qui semblait aussi sauvage que souple et agile.

Un voisin obligeant lui parla de cette race marwari, mais elle l'écouta à peine, trop occupée à chercher des yeux la silhouette de Charu. Enfin, elle le reconnut, et son cœur cessa de battre un instant : il ne portait pas le casque règlementaire, mais un turban jaune.

---

1. Vêtement assimilé à une écharpe ou prolongé par un voile, aussi appelé voile de modestie, porté par les femmes indiennes.

Les joues en feu, elle essaya de se concentrer sur le jeu. L'engagement fut lancé. La balle traversa le terrain et les mottes de terre se mirent à voler. Comme la dernière fois, le galop des chevaux était impressionnant de vitesse et d'acrobatie. Se rappelant à quel point elle avait aimé son premier match, la jeune fille se prit au jeu et son corps suivit presque physiquement certains mouvements qui lui paraissaient plus magnifiques que les autres.

Dans les tribunes, l'ambiance était électrique. De nombreux Britanniques avaient oublié leur flegme légendaire et n'hésitaient pas à hurler et à siffler. Ils semblaient se moquer des chevaux et Jezebel s'en étonna auprès de son voisin décidément fort complaisant. Le bavard se rengorgea pour lui répondre, ravi qu'une aussi belle demoiselle daigne lui demander son avis.

— Ce cheval-ci, ce petit palomino[1] aux oreilles incurvées, est issu d'une race locale qu'on appelle marwari. Bien que l'on concède à ces chevaux indigènes une certaine bravoure au combat, ils ne peuvent prétendre rivaliser avec nos pur-sang britanniques ou des poneys argentins. Ce cavalier s'en sort plutôt bien, mais son talent ne l'emportera pas. Le polo est un jeu, non une guerre.

Sur le terrain, on pouvait en douter. La bataille pour la balle était particulièrement passionnée, avec des gestes âpres et une rudesse qui prêtait à frémir. L'équipe du maharaja de Mahavir affrontait une fois de plus des militaires anglais, sauf que ces derniers ne venaient pas du Fort William tout proche mais de la lointaine garnison d'Aminabad, dans l'Uttar Pradesh. Ils n'entendaient pas repartir en vaincus et, de fait, ils avaient à leur avantage d'être de parfaits cavaliers, dotés d'une expérience avérée et parfaitement à l'aise dans leur stratégie.

Face à eux, leurs adversaires offraient des actions plus décousues, et même un peu sauvages, avec des gestes inattendus bien qu'assez inventifs. Leurs mouvements avaient un style barbare qui semblait être un héritage direct des lointaines steppes où le jeu était né, qui déstabilisaient le public habitué à plus d'élégance.

Les huit cavaliers se disputaient âprement la balle. Sous leurs ordres, les chevaux se coursaient, se frottaient les uns aux autres, se bousculaient avec violence, arc-boutés sur leurs jambes dont on pouvait distinguer les moindres muscles. Leurs sabots

1. Couleur de robe d'apparence dorée.

s'ancraient dans la terre, puis s'envolaient dans un bruit de tonnerre. Et toujours ce silence des chevaux, qui ne laissaient échapper aucun hennissement, aucun gémissement, alors que les coups pleuvaient.

Une fois de plus, l'enjeu dépassait le simple affrontement d'une équipe locale contre une équipe de visiteurs. Il s'agissait d'un combat et, quoi qu'ait prétendu le voisin de Jezebel si bavard, il s'agissait bien d'une guerre, celle des Indiens contre les Britanniques et, par extension, celle d'un peuple contre un empire colonial.

Partout en Inde, des manifestations nationalistes se multipliaient. Gandhi prenait de l'importance malgré quelques tentatives de réformes sociales. De plus en plus, il appelait au boycott des produits anglais, mais aussi des écoles, des tribunaux ou des élections. Par bonheur, il préconisait la non-violence et, depuis le massacre d'Amritsar, il n'y avait pas eu d'autres débordements.

La société indienne continuait à être divisée. D'un côté, les *babus* s'adaptaient au Raj en parvenant à édifier des fortunes indécentes. Ils s'intéressaient à l'Occident, envoyaient leurs fils étudier en Europe ou en Amérique tout en s'intégrant à une culture dont ils phagocytaient les avantages. De l'autre, un peuple miné par la faim et la maladie, assujetti aux castes et à la mousson, crevait de misère en rêvant de liberté. Olga aimait à en discuter. Elle avait vu en Russie ce que la misère faisait aux peuples et n'avait guère de raison d'être optimiste pour le Raj britannique. Elle assurait que, tôt ou tard, ces prémices de mouvement nationaliste deviendraient un flot impossible à endiguer. Les maharajas ne suffiraient plus à canaliser leurs *ryots*. Un jour, plus ou moins proche, les paysans en auraient assez de devoir cultiver de l'opium pour enrichir les Anglais au détriment de leurs enfants. Les dettes seraient trop lourdes à porter, les impôts trop conséquents. Le Raj se déliterait, comme tant d'autres empires avant lui.

— N'est-ce pas le prince héritier de Mahavir, là, à côté du représentant du vice-roi ? demanda soudain Olga en regardant vers la tribune réservée aux officiels. Très bel homme, assurément, mais quel homme ne le serait pas avec un diamant gros comme un œuf au milieu de son turban ? Je crois qu'il s'agit du

*Pāhāṛēra Cōkha*, l'Œil de la montagne, un diamant bleu d'une extrême pureté. Ce séduisant héritier n'est-il pas le frère aîné de votre petit prince ? ajouta-t-elle d'un ton perfide.

— Oui, c'est lui, commença Jezebel, la mine chiffonnée par le sarcasme. Mais je ne comprends pas…

— Ah, pardonnez-moi, ma chérie, vous connaissez ma nature moqueuse. Je voulais simplement vous dire que, comme amoureux, vous auriez pu plus mal tomber… Le prince ne s'était-il pas présenté à vous comme un simple domestique ?

Jezebel rougit.

— C'est vrai, mais ne vous en déplaise, ce fut ma période préférée.

Olga lui jeta un regard désespéré.

— Décidément, ma chérie, j'ai parfois l'impression que je perds mon temps avec vous.

Jezebel ne l'écoutait pas. Elle détaillait le frère de Charu, admirant effectivement ses vêtements brodés de diamants et cousus de fil d'or, son collier de perles enroulé au moins dix fois autour de son cou et ce magnifique diamant qui, même à l'ombre, irradiait d'un feu sublime.

Le prince héritier était venu en grand équipage, accompagné de son épouse, une jeune créature très souriante enveloppée de rose comme un bonbon, de ses quatre maîtresses, dont l'une était une danseuse espagnole au regard de braise, et d'une douzaine de gardes du corps armés de sabres et de lances. Il buvait un *lassi* tout en commentant le jeu. Jezebel reporta son attention sur le terrain.

Rien n'avait changé, hormis les *goals*. L'affrontement était toujours aussi rude. Les antérieurs heureusement protégés par des bottes de cuir se levaient, les croupes fléchissaient, les encolures se tendaient, les jambes s'arc-boutaient. Les maillets accrochaient la cible, faisaient des passes, tiraient au but puis recommençaient. Les cris galvanisaient la scène, ceux des cavaliers s'interpellant avant une passe, ceux du public emporté par la brutalité du jeu.

Jezebel plongea dans ce mouvement avec l'impression de s'y noyer. Depuis le début de la rencontre, depuis que Jan et Charu étaient entrés sur le terrain, elle était en apnée totale. Les yeux écarquillés, la poitrine oppressée, les joues brûlantes de fièvre, elle suivait alternativement l'un ou l'autre, incapable de choisir, et il lui fallut plus de la moitié de la rencontre pour qu'elle comprenne l'évidence : elle les aimait tous les deux.

Ils l'avaient vue mais, déjà concentrés sur leur jeu, ils n'esquissèrent aucun geste, ni aucun sourire, pour lui faire comprendre qu'ils l'avaient reconnue et qu'ils étaient heureux qu'elle fût là. Elle qui espérait naïvement un signe fut blessée de cette indifférence et leur en voulut.

Pourtant, au cours de la seconde *chukka*, tout bascula. Jan réussit à marquer un *goal* et manifesta sa joie en venant taper les mains du public installé au premier rang, comme il en avait l'habitude. Jezebel ne voulut pas se faire remarquer et elle recula, mais il s'en aperçut. Il arrêta son cheval devant elle avec son insolence habituelle, puis fit faire à ce dernier une révérence de cirque. Jezebel regretta de s'être tenue à l'écart de la liesse. Maintenant, tout Calcutta avait remarqué la scène et des commères comme lady Esket ou lady Birmigham en feraient leurs gorges chaudes dès l'heure du thé.

Les joues cramoisies, elle se cacha derrière son éventail tandis qu'Olga, riant aux éclats, jetait une rose que Jan attrapa au vol avant de la passer à sa boutonnière. Il envoya à la ronde un baiser du bout des doigts avant de revenir dans le jeu au petit trot. La scène n'avait duré que quelques secondes.

Charu, au contraire, s'était enfermé dans une morosité qui ne lui correspondait pas. Depuis le début de la rencontre, il s'évertuait à ne jamais croiser le regard de la jeune fille, au point que cette dernière ne sut plus du tout que penser. Ne l'aimait-il plus ? L'avait-il donc déjà oubliée ?

À la fin du match, elle était dans un tel état de nervosité et de colère qu'elle aurait bien été incapable de donner le score. Se levant, elle s'apprêtait à partir sans saluer personne lorsque Olga prévint son geste en la saisissant par le poignet.

Jezebel se rebella. Les deux femmes se dressèrent l'une en face de l'autre, jusqu'à ce qu'Olga siffle entre ses dents serrées.

— Pas de scandale. Venez.

Sur la pelouse malmenée par la rencontre, il apparut que l'équipe de Charu avait remporté la partie : les quatre cavaliers ne cessaient de se congratuler bruyamment. Des journalistes leur demandèrent de poser à côté d'une énorme coupe dorée posée sur un tréteau. L'un d'eux assura que la photographie paraîtrait dès le lendemain dans le journal. Olga se précipita pour embrasser Jan. Jezebel en profita pour s'éloigner. La Russe avait tort, elle n'aurait jamais dû venir. Elle avait juste envie de pleurer.

Sortant un mouchoir pour se tamponner les yeux, elle vit Mogül la chercher et, furieuse de cela aussi, elle accéléra le pas pour contourner la tribune et se cacher de lui au moins quelques minutes supplémentaires.

— Jezebel!

Elle sursauta violemment tandis que Charu l'attrapait par le bras. Il la saisit par la taille, la poussa dans l'ombre d'un mur. Elle retint avec peine l'irrépressible envie de se jeter sur lui, de marteler sa poitrine avec ses poings, de le gifler à tout-va. Mue par elle ne sut quel miracle né de son éducation, elle réussit au contraire à demeurer impassible, à taire sa rage et son exaspération, à ne rien révéler de son trouble alors qu'il était là, devant elle, exhalant une odeur de poussière, de cuir et de sueur.

— Jezebel, répéta-t-il, avec son grand sourire éblouissant.

Elle lâcha du bout des lèvres une remarque acerbe.

— Tiens, j'ignorais que vous étiez revenu à Calcutta, Votre Grandissime Altesse.

Il s'approcha d'un pas, si près qu'elle crut sentir sa fièvre. Il portait une chemise entrouverte sur sa peau brune et arborait une barbe de trois jours. Elle le trouva brut et sauvage, incroyablement beau.

— Je suis venu pour le polo mais j'espérais vous voir.

— Vraiment? cracha-t-elle en voulant s'éloigner, parce que déjà elle se sentait mollir face à ses grands yeux noirs.

Il la retint une fois de plus en posant une main sur son bras.

— Jezebel…

Elle haussa les épaules. Elle était infiniment triste. Où étaient passés leur complicité, leur tendre intimité, leurs baisers charmants, leurs caresses suaves et tous ces petits moments qui les avaient fait se serrer l'un contre l'autre, heureux d'être ensemble? Il la dévorait des yeux mais elle ne voulait plus croire à ces yeux-là, même s'ils étaient pleins d'étoiles. Elle l'avait cru une fois, il l'avait ensuite abandonnée.

— Jezebel, il faut que je vous dise…

— Taisez-vous, coupa-t-elle sèchement. Vous ne diriez que des choses insupportables.

— Jezebel, je vous ai écrit d'être patiente. Écrire n'est pas parler. Écrire demeure, tandis que parler s'enfuit. Je pensais que vous le comprendriez.

Elle n'avait que faire de ses discours à l'eau de rose. Elle siffla, de nouveau prise de colère.

— Écrire ou parler, la belle affaire, quand le cœur n'y est pas !

— Ah mais, vous m'en voulez ? Avez-vous cru que je vous avais abandonnée ? Je pensais que vous comprendriez. Ces fleurs disaient tout. Je ne vous laisse pas tomber. Je... Je suis en train de réfléchir, je cherche une solution pour vous aider...

— Et vous comptez y parvenir après mon mariage ? persiffla-t-elle, tellement furieuse qu'elle en devenait injuste.

— *Meri sajani*, murmura-t-il en la prenant dans ses bras. *Meripranpriya*[1].

Elle se raidit, mais le laissa faire. Les mots qu'il chuchotait étaient doux. Lorsqu'il chercha ses lèvres, elle s'abandonna et il l'embrassa avec une infinie tendresse.

— Il faut que tu me croies, chuchota-t-il contre sa bouche. J'ai un plan, je dois juste régler quelques détails. Ce n'est pas simple, von Rosenheim est une personnalité importante qui bénéficie de l'appui de nombreuses personnes, mais j'ai le soutien de mon père et de mon frère. Encore un peu de patience, mon amour, je vais te sauver, je vais te libérer, et nous serons heureux.

Il l'embrassa de nouveau, et elle le crut.

Parce qu'il fallait que ce soit vrai.

*

Novembre arriva avec un temps splendide et fut mémorable pour deux choses : le mouvement nationaliste indien mené par Gandhi confirma sa phase de non-coopération, ce qui donna lieu à des rassemblements impressionnants dans tout le pays, et Jezebel fêta ses dix-huit ans.

Pour l'occasion, von Rosenheim tint à organiser un grand bal.

Naïvement, la jeune fille crut qu'il voulait lui faire plaisir mais, bien sûr, le baron ne s'attachait pas à des considérations de ce genre. Foncièrement calculateur, il ne faisait jamais rien sans

---

1. « Mon très cher amour », dans le sens « amour de ma vie », en hindi.

raison, or, quelques jours auparavant, il avait enfin pu s'entretenir avec le célèbre chasseur de fauves Jim McCorball.

Il apprit une foule de choses fort intéressantes, en particulier que le prince Charu de Nandock avait bel et bien accompagné McCorball lors de sa traque du mangeur d'hommes de Sandakphu. Le prince Charu avait commandité l'abattage du fauve, qui terrorisait des villages sur ses terres. Il s'était proposé comme guide. Il était originaire de la région par sa mère, née dans une tribu montagnarde, et avait passé une grande partie de son enfance sur ce terrain boisé dont il connaissait parfaitement les secrets. Lorsque le tigre avait été tué, le prince Charu l'avait dépecé lui-même. Il avait alors trouvé dans les viscères un petit objet en or, qui ressemblait effectivement à un médaillon. McCorball s'en souvenait parfaitement, car il était extrêmement rare qu'un objet de ce genre se retrouve dans l'estomac d'un tigre, même si ce dernier était un mangeur d'hommes avéré. Sans doute par superstition, personne parmi les parents des victimes n'avait réclamé le bijou. Il était donc raisonnable de penser que le prince de Nandock l'avait encore en sa possession.

Revenu de Delhi, von Rosenheim avait exigé d'être reçu en audience par le maharaja de Mahavir, mais ses manières autoritaires agaçaient le monarque qui refusa sa requête. Furieux, le baron remua ciel et terre. Il remonta jusqu'au vice-roi en personne mais ce dernier ne voulait pas embarrasser un Raja qu'il considérait comme très influent alors que, partout en Inde, des manifestations ne parlaient que du Congrès, de Gandhi, des réformes législatives et de la non-coopération. Le *Rowlatt Act* n'avait que trop enflammé les esprits. Le vice-roi exhorta von Rosenheim à la patience.

Blême de rage, mais prenant sur lui de ne rien montrer, le baron n'abandonna pourtant pas. Puisque les autorités britanniques ne voulaient pas le soutenir, et que la voie diplomatique lui était interdite, il ne restait que la ruse. Sa très chère fiancée allait fêter son anniversaire. Ne serait-elle pas heureuse d'apprendre qu'il lui organisait une fête extraordinaire et que le prince de Nandock en serait l'invité d'honneur ?

Tout Calcutta se réjouit. Jezebel, en revanche, prit la nouvelle avec beaucoup de perplexité. Depuis le match de polo, elle n'avait pas revu Charu. Bien sûr, elle se réjouit de sa venue, mais elle s'inquiétait aussi de savoir pourquoi le baron tenait à inviter un homme qu'il considérait comme son rival et dans les bras duquel il l'avait surprise.

— Que sais-je ? s'exclama Olga lorsque la jeune fille la mit au courant de ce fait étrange. Peut-être ce cher baron ne cherche-t-il qu'à étaler sa prochaine victoire ? Ce serait bien dans son tempérament, une telle fatuité ! Oyez, oyez, cher rival, venez prendre la mesure de votre défaite !

Jezebel ne trouva pas cela drôle, et les deux jeunes femmes en restèrent là. De toute façon, il y avait encore beaucoup à faire : von Rosenheim, dans sa grande magnanimité, avait invité une centaine de personnes, à charge pour sa future épouse de s'occuper de toute l'intendance.

Depuis des jours, elle surveillait une véritable armée de petites mains embauchées pour laver, cirer, lustrer les moindres parties de la villa Gokhra. Les vastes salons de réception du rez-de-chaussée avaient été ouverts et aérés, les meubles sortis des housses et les grands lustres d'apparat garnis de nouvelles ampoules.

La veille de la soirée, un défilé de fournisseurs amena aux cuisines une quantité indécente de nourriture et de boissons. Le cuisinier français menaça plus de cent fois de rendre son tablier s'il n'avait pas à disposition du beurre bien frais, des pommes garanties de Normandie et des anchois de Collioure. Jezebel courut partout pour arrondir les angles, entre les marmitons que le cuisinier excédé frappait à coups de cuillère en bois, les valets de chambre d'origine penjâbie qui refusaient de faire la poussière car ce n'était pas digne de leur caste, les danseuses arrivées bien trop tôt et qui se prélassaient sous des parasols dans la cour intérieure, devant des jardiniers qui en oubliaient de tailler les topiaires.

Le matin même, enfin, elle effectua une dernière ronde avant d'estimer que tout était à peu près calé et s'enferma dans sa chambre pour se consacrer tout entière à sa toilette. Elle étala sur son lit la robe qu'elle avait achetée la semaine dernière dans la luxueuse boutique du *Chic parisien*, avenue Chowinghee, après un après-midi d'essayage passé dans une franche gaîté en compagnie d'Amely et d'Olga.

La tenue en question était un fourreau de grand soir extrêmement audacieux, en faille de soie blonde aux reflets abricotés qui révélait les moindres courbes de son corps. Le décolleté était rond et profond sur le devant, et échancré jusqu'aux reins dans le dos. Des rubans froufroutaient sur les hanches tandis que de petites mousselines de soie enveloppaient la poitrine d'un mystérieux nuage d'or. Une écharpe transparente brodée de grands oiseaux exotiques descendait en traîne jusqu'au sol.

Cette robe sculpturale était signée Dœuillet de Paris. Elle lui allait parfaitement, et révélait autant la beauté de ses courbes que leur sensualité. Olga fut extrêmement surprise de ce choix. Elle ouvrit de grands yeux puis applaudit en roulant les *r* encore plus que d'habitude.

— Vous êtes magnifique, ma chérrrrie !

Jezebel tourbillonna avec fierté, pour qu'elle puisse l'examiner sous toutes les coutures, puis courut se jeter à ses pieds et l'enlaça de ses bras suppliants, comme une enfant qui refuse que sa mère sorte le soir en la laissant seule.

— Je vous en prie, Olga, mendia-t-elle pour la millième fois. Pourquoi ne restez-vous pas ? Vous êtes invitée et je serais si heureuse que vous soyez près de moi ! Il y aura même un feu d'artifice à minuit.

— Ah, je suis extrêmement tentée, j'adore les feux d'artifice à minuit…, railla la Russe avant de l'embrasser gentiment sur la joue en continuant d'un petit ton désolé. Vous n'ignorez pas que je suis engagée ailleurs de longue date.

— Où pourriez-vous bien aller, tout Calcutta sera ici !

— Jan Lukas n'y sera pas.

— Ah, répliqua Jezebel en fronçant le nez de contrariété. Vous savez bien que s'il ne tenait qu'à moi, il aurait reçu un carton d'invitation…

— Je le sais, ma chérie, mais cela n'aurait rien changé. Jan n'ira jamais à une fête organisée dans la maison de l'assassin d'Andres Agustin.

Jezebel se rembrunit. L'argument la culpabilisait d'autant plus qu'il la renvoyait à sa propre angoisse, à son absence de courage, à cette forme de lâcheté qu'elle se reprochait chaque jour, contre laquelle elle ne parvenait pas à se battre, quand bien même elle savait que rien n'était sa faute. Elle était confrontée à un monstre contre lequel elle ne pouvait pas lutter.

Depuis des mois, elle s'efforçait de faire comme si rien n'était arrivé. Elle voulait se persuader qu'elle n'avait jamais entendu cette horrible conversation dès son arrivée à Calcutta, ni cet aveu du baron von Rosenheim sur la mort préméditée d'Andres Agustin. Elle se persuadait de n'avoir jamais vu l'épave de l'hydravion dans la jungle de Singalila, ni les restes du malheureux Argentin à demi dévoré par les bêtes sauvages. Elle s'acharnait à croire qu'elle n'avait jamais été frappée ni embrassée de force par le baron, encore moins caressée intimement de ses doigts ignobles avant d'être arrosée de sa semence comme une vulgaire prostituée.

Chaque jour, elle s'évertuait à oublier que la constante présence du baron lui donnait des sueurs froides, au point de se réveiller avec la peur au ventre, la gorge serrée à en étouffer, les yeux rougis d'avoir pleuré au cœur d'un sommeil éternellement angoissé.

Chaque matin, elle avait besoin d'imaginer qu'elle était une jeune fille comme les autres promise à un avenir radieux, une jeune fille qui considérait même qu'elle avait plus de chance que les autres, car elle vivait dans un monde fait de luxe et d'argent, à l'abri de tout besoin matériel.

Mais pour cela, elle avait besoin d'Olga, qui était son seul soutien, son seul lien vers un monde délicieusement normal, la seule qui lui prodiguait de l'affection.

Elle insista donc, la voix tout à coup tremblante.

— Mais vous, Olga ? Ne pourriez-vous pas venir ? Je vous en prie.

— C'est que, Jan m'a demandé de rester avec lui.

La piètre excuse exaspéra la jeune fille déjà trop à vif. Elle s'enflamma avec une véhémence inhabituelle.

— Cet homme ne vous mène-t-il pas trop facilement par le bout du nez ? J'ai l'impression qu'il n'a qu'à paraître et claquer des doigts pour qu'aussitôt vous accouriez ! Voilà des mois que vous m'enseignez à être libre, à ne me fier qu'à mon seul jugement, or vous faites exactement le contraire de ce que vous recommandez !

Ébranlée par cette diatribe, Olga baissa les yeux, en femme amoureuse prise en flagrant délit. Surprise, et maintenant gênée, Jezebel se calma presque aussitôt. Elle s'empara impulsivement de la main de la duchesse pour s'en caresser la joue d'un air câlin.

— Pardon. Je suis heureuse pour vous. Je crois que je vous envie un peu…

La Russe eut un petit rire triste.

— Oh, ne m'enviez pas, ma chérie. Je suis amoureuse, j'ose le dire sans détours, mais je crains que mon amour ne soit pas payé de retour.

— Allons donc ! s'écria Jezebel avec candeur. Il me semble pourtant que Jan se précipite chez vous dès qu'il vient à Calcutta.

— Oh, cela ne se comprend-il pas ? Après tout, je le loge gratuitement dans un certain confort.

— Vous êtes trop cynique ! S'il ne vous aimait pas un peu, il ne passerait pas ses soirées en votre compagnie.

— Voilà, je crois que vous venez de dire le mot juste, ma chérie : il m'aime *un peu*. C'est tout. Je sais de longue date qu'il en aime une autre d'un amour qui n'a rien à voir avec l'affection qu'il me porte.

L'annonce était anodine, mais elle fit sur Jezebel l'effet d'un coup de canon. Les jambes soudain devenues de coton, elle tomba dans un fauteuil en levant vers son amie des yeux horrifiés. Jan était-il donc infidèle ? Elle en eut la nausée.

— Vous a-t-il donc trompée ? chuchota-t-elle d'une voix presque atone. Avec qui ?

Olga ne remarqua pas son trouble. Elle agita une petite main désabusée.

— Oh, ça, ma foi... Je l'ignore, je n'y accorde pas d'importance. C'est un aventurier, une femme dans chaque ville, pourrais-je dire, un peu comme un pirate qui prend ce qu'il y a à prendre là où il va.

— Vous en parlez tout de même avec un peu trop d'aise, s'insurgea Jezebel en passant de la catatonie à une vive colère, toute remplie de la fougue de la jeunesse. Moi, il me semble que jamais je ne supporterai son infidélité ! Je la lui ferai payer au centuple ! Je le ferai ramper à mes pieds en implorant mon pardon ! Je... Je...

— Oh, n'ayez crainte, je vous assure que vous n'auriez pas à supporter son infidélité. Un homme amoureux ne s'éloigne jamais de l'objet de ses désirs.

La Russe comprit trop tard la portée de l'aveu qui lui avait échappé. Elle ouvrit la bouche pour se rattraper mais Jezebel avait déjà pris un teint de coquelicot.

— Que voulez-vous dire ? commença la jeune fille. Je ne comprends pas…

Olga lui caressa lentement la joue, en la regardant droit dans les yeux. Sans doute aurait-elle dû dire à sa jeune amie ce qu'elle avait deviné de longue date, mais cet aveu lui laissait dans la bouche un tel goût de cendre qu'elle ne parvint pas à le faire. Elle soupira.

— Il n'y a rien à comprendre, ma chérie, hormis que je suis une sotte depuis que j'ai rencontré cet homme. Vous aviez raison de dire que j'accours dès qu'il siffle. C'est on ne peut plus vrai. Il est mon seigneur et mon maître, moi qui n'ai jamais voulu avoir aucun dieu, aucun homme, aucune chaîne. Si j'étais aussi sentimentale que vous, j'en pleurerais. Demeurons-en là. Il se fait tard, vos invités vont bientôt arriver. Profitez bien de votre petit prince, ma douce amie. Avec lui, vous ne courez aucun risque. Il vous aime plus que vous ne l'aimez. Il ne sera jamais votre chaîne, c'est vous qui serez la sienne.

— Mais j'aime beaucoup Charu ! protesta Jezebel.

— C'est exactement ce que je viens de dire, vous l'aimez beaucoup. Le monde est bien mal fait, entre moi qu'on aime un peu, et vous qui aimez beaucoup. L'amour se passe d'adverbe et de tout superlatif. L'amour n'est vrai que lorsqu'il est naturel. Si d'aventure vous en croisiez un de cette sorte, je vous en prie, soyez égoïste, écoutez votre cœur. Je vous pardonnerai tout.

Elle partit sans que Jezebel parvienne à comprendre ce qu'elle venait de lui dire.

*

Jezebel dansait. Les grands lustres ornés d'une multitude de pampilles brillaient au-dessus de sa tête comme des phares, elle les fixait comme pour s'enivrer, elle voulait être gaie, folle et heureuse.

Depuis le début de la soirée, l'orchestre jouait surtout des valses de Vienne, parce que le baron von Rosenheim était un Suisse alémanique qui admirait tout ce qui venait d'outre-Rhin. Pour se venger des sévices qu'il lui avait infligés, Jezebel l'imaginait coiffé d'un casque à la Bismarck et se mettait à rire comme une folle. Elle avait bu un peu trop de champagne, et aussi de ce cocktail à la fraise dont elle raffolait, doux et sirupeux comme un bonbon, qui lui laissait un goût de fruit et de sucre dans la bouche.

Sans cette ivresse, elle se serait terriblement ennuyée.

Certes, elle ne manquait pas de cavaliers. Après tout, lors d'une fête d'anniversaire donnée en son honneur, il eût été inconvenant qu'elle fasse tapisserie. En revanche, elle manquait fort de soupirants. Personne n'osait la courtiser. On la faisait danser, on lui offrait à boire, on la gavait de sucreries, on lui parlait beaucoup. C'était tout.

Tout au long de la soirée, elle eut droit à tous les sujets de conversation imaginables : la météo changeante, les fêtes de Noël qui approchaient et quelques faits divers sans grande importance. On lui recommanda d'un ton infiniment sérieux un nouveau magazine pour femmes, qui s'appelait *Modes & Travaux* et qui venait d'être créé par un certain Édouard Boucherit, éditeur français. On évoqua brièvement les dernières actualités, en particulier le *Volstead Act* qui, aux États-Unis, interdisait depuis fin octobre la vente et la consommation d'alcool dans les bars et les restaurants. Son cavalier du moment s'en esclaffa bruyamment, alors que son haleine trop chargée en gin suffisait largement à faire comprendre à quel point il trouvait cette loi stupide.

Pour le reste, elle en fut pour ses frais. Aucun de ses chevaliers servants n'osa outrepasser un minimum de convenance. Pas de regards langoureux, pas de compliments trop appuyés, pas de gestes équivoques. Les rares qui s'y risquèrent finirent invariablement avec la main de Mogül sur l'épaule. À chaque fois, ils furent conduits avec une extrême courtoisie dans une pièce adjacente d'où ils revinrent les joues trop rouges et la cravate un peu de travers. Ils s'excusèrent puis disparurent vers le bar qu'ils ne quittèrent plus.

Évidemment, à ce compte-là, Jezebel ne dansa bientôt plus qu'avec de vieux barbons décrépis dont les vêtements dégageaient une telle odeur de naphtaline qu'elle devait se retenir de grimacer.

Charu se présenta tardivement, accusant un retard qui rendit son arrivée encore plus spectaculaire.

Le prince était en grand équipage, une bayadère à demi dévêtue pendue à chacun de ses bras, deux gardes du corps musculeux dans son dos. À sa droite, un adolescent chassait des mouches imaginaires, à sa gauche un second serviteur agitait des plumes d'autruche pour l'éventer.

Vêtu de rose pâle, le second fils du maharaja de Mahavir rutilait comme un diamant. Sur son corps, tout n'était que paillettes, perles et pierres précieuses, le tout brodé avec des fils d'or et d'argent ou attaché avec des petites chaînettes précieuses. Un immense collier de grenat était superposé à un quintuple rang de perles noires. Des bagues prodigieuses rutilaient à chacun de ses doigts, pouces y compris, tandis qu'il avançait en s'appuyant avec une élégance réellement majestueuse sur une canne sertie d'émeraudes et de lapis-lazulis.

Jezebel le reconnut à peine, tant il lui parut précieux et maniéré. Il avait même poussé l'extravagance à se maquiller les yeux de khôl et à teindre ses lèvres avec un jus qui les faisait paraître plus sombres, plus rouges, plus charnelles. Médusée, elle plongea dans une profonde révérence.

Elle l'avait longuement attendu. Elle savait pourtant qu'elle ne pourrait ni l'approcher, ni même lui parler, mais lorsqu'il fut là, debout comme un diamant brillant de mille feux, ce fut encore pire. Leur fausse promiscuité était une torture. Mogül l'observait, les yeux plissés. Et Charu, en apparence indifférent à tout, ployait pour la saluer en grande pompe, avec toute l'arrogance irrévérencieuse d'un fils de nabab.

Le cœur serré, elle afficha à son tour une impassibilité qui aurait fait se rengorger Helen McGiven, la directrice de Chelseahall House, qui, à la voir, aurait été persuadée que son enseignement portait enfin ses fruits alors qu'en réalité ce n'était que le chagrin qui imposait sa loi.

Ils échangèrent quelques banalités puis Charu s'éloigna d'un pas royal, escorté par sa cour clinquante, pour aller saluer le vice-roi et divers membres du gouvernement.

Jezebel faillit crier de frustration. Il l'avait à peine regardée, alors qu'elle en avait une envie folle. Elle s'était faite belle pour lui. Elle avait choisi le tissu, la couleur, la forme de sa robe en ne pensant qu'à lui. Elle aurait voulu qu'il le sache, mais elle ne pouvait risquer la colère de von Rosenheim.

Les mains tremblantes, elle demanda à son amie Amely de l'accompagner au buffet. La cadette de lord Esket le fit de bon cœur. Elle avait remarqué sa pâleur excessive et, croyant à un coup de chaud, elle lui fit servir un sorbet à la mangue. Jezebel le mangea lentement, sans même en reconnaître le goût. Elle venait de voir le baron von Rosenheim s'adresser à Charu. Les deux hommes se dirigeaient vers le bureau du baron en parfaits gentlemen. Ils semblaient discuter avec affabilité. Elle devinait cependant la tension qui les habitait.

Follement inquiète, elle retourna danser pour ne pas penser à ce que les deux hommes risquaient de se dire. Elle se sentait chancelante et manqua plusieurs pas, s'attirant le regard réprobateur du vieil amiral bardé de médailles qui lui servait de cavalier.

De l'autre côté de la salle de bal, le baron von Rosenheim ouvrit la porte de son bureau et s'effaça pour laisser passer Charu. Les deux gardes au physique impressionnant entrèrent à leur tour et se postèrent d'un air bravache derrière leur prince. Le baron afficha un sourire moqueur.

— Sont-ils nécessaires ?

— Oui, répliqua le prince en le toisant, le regard dur.

Von Rosenheim serra les dents. Ce petit prince de Nandock était tout ce qu'il exécrait : jeune, beau, grand et sportif, d'une belle prestance et d'un charme agréable, né dans de l'argent à ne plus savoir qu'en faire, au point d'inventer mille extravagances idiotes comme ces monstrueux bijoux qui ornaient un vêtement déjà trop clinquant… S'il s'était écouté, il lui aurait élargi le sourire d'un coup de couteau, mais il espérait encore obtenir un arrangement commercial, aussi se composa-t-il un visage impassible à défaut d'être aimable.

Il désigna un fauteuil, prit celui d'en face, approcha sur une table basse une boîte en bois d'acajou admirablement filigrané d'or et l'ouvrit.

— Puis-je vous offrir un cigare des Philippines ? Ils sont doux mais extrêmement aromatiques, je les trouve plus subtils que ceux de Cuba.

— Je ne fume pas. Je surveille ma condition physique. Je joue régulièrement au polo.

Von Rosenheim prit un cigare, le caressa d'un geste d'amant sur toute la longueur, le reposa dans la boîte et en prit un autre.

— Félicitations pour votre dernière victoire, déclara-t-il en portant la vitole près de son oreille pour mieux juger du degré d'humidité en la faisant délicatement craquer sur toute la longueur. J'ai entendu dire que la partie fut particulièrement acharnée.

— Est-ce pour discuter polo que vous m'avez fait venir ce soir ?

Von Rosenheim eut un sourire arrogant tout en amenant le cigare près de son nez pour en humer tous les arômes. Il saisit ensuite un coupe-cigare et, d'un geste vif, coupa l'extrémité de la vitole. Puis il fuma à cru en aspirant bruyamment, les yeux presque fermés.

— Vous avez raison, je ne vous ai pas convié pour parler polo, mais parce que vous m'avez menti, Votre Altesse.

Son impudence confondit Charu qui se leva brusquement. Von Rosenheim l'imita dans le même élan, et les deux hommes se retrouvèrent face à face, à se toiser avec morgue. Les gardes du prince avancèrent d'un air menaçant. Le baron calma le jeu en se rasseyant.

— Je ne cherche pas à vous insulter, Votre Altesse. Je vous prie d'ailleurs de m'excuser si vous avez ressenti ma remarque de cette façon. J'imagine qu'à aucun moment vous n'avez cherché à me tromper ou à me nuire.

Les mots avaient un sens que le ton démentait clairement. Charu demeura debout en continuant à mesurer du regard cet impudent aristocrate suisse dont les manières faussement affables ressemblaient au déplacement d'une mante religieuse. L'homme avait saisi une boîte d'allumettes. Il en alluma une puis chauffa délicatement le pied du cigare en le faisant tourner sur lui-même. Lorsque cette extrémité devint rougeoyante, il téta la tête en aspirant profondément.

Charu s'impatienta.

— Cessez de tergiverser et expliquez-vous, baron von Rosenheim.

— Voulez-vous un whiskey, un gin, une vodka ?

— Je ne bois pas !

Une fine fumée bleue commençait à se répandre dans l'atmosphère. Von Rosenheim se renfonça dans son fauteuil en tenant son cigare d'un air jouissif.

— Très bien, reprenons. Il y a quelque temps, je vous ai parlé d'une relique archéologique, un médaillon d'art gupta qui m'avait été volé et que je savais perdu dans la jungle à la suite d'un accident d'aéroplane. Mes sources m'indiquaient la région de Singalila, qui se trouve sur vos terres de Nandock, dans le royaume de votre cousin le *Chogyal* du Sikkim. Vous m'aviez dit ne pas être au courant, or, j'ai incidemment appris que vous l'aviez retrouvé… dans l'estomac d'un tigre. C'est une curieuse histoire, n'est-ce pas ? Franchement, je me demande comment on peut oublier un tel événement. Cela n'arrive pas souvent, d'ouvrir un tigre et de découvrir un petit objet en or dans ses viscères.

Le ton de von Rosenheim était devenu franchement menaçant. Charu hésita. S'il s'était écouté, il se serait levé et parti. Le baron l'insupportait, avec ses sous-entendus et son onctuosité provocante. Il jugea cependant plus prudent de faire preuve de politesse et de diplomatie. Il craignait que Jezebel n'essuie plus tard la frustration de ce désagréable personnage. Il concéda du bout des lèvres.

— Je crois m'en souvenir, maintenant que vous m'en parlez…

— Bien. Nous avançons dans le bon sens. Sachez que je suis prêt à vous acheter cet objet le prix qui vous conviendra.

— Je ne l'ai pas gardé, répliqua Charu. Voilà pourquoi je ne m'en rappelais pas.

Von Rosenheim se pencha vers lui, les muscles bandés avec agressivité sous son smoking trois-pièces. Charu en fit autant. Il trouvait pourtant la situation ridicule. Ils ressemblaient à deux coqs dressés sur leurs ergots, en train de se défier avant de se battre. Mais avait-il le choix ? Ce moment était semblable à un match décisif. Hésiter, montrer sa faiblesse un seul instant, reculer au lieu d'avancer, c'était perdre avant de jouer.

Le baron lui souffla la fumée de son cigare au visage.

— Vous l'avez donc vendu. Dites-moi à qui.

— Je ne l'ai pas vendu, je l'ai offert. En revanche, je ne vous dirai pas le nom de cette personne. Lorsque je fais un présent, je n'ai pas pour habitude de le clamer au monde entier. Ce serait de la dernière vulgarité.

— Il me faut ce médaillon ! rugit le baron.

Charu se leva. Il en avait assez entendu. Jamais personne n'avait osé lui parler sur ce ton. Si son père en avait été témoin, il aurait immédiatement fait couper la tête de cet impudent. S'efforçant de conserver une voix neutre, il chercha une dernière fois à paraître conciliant.

— Je comprends, baron von Rosenheim. Je suis désolé de ne pouvoir vous aider. Comme je vous l'ai dit, je n'ai plus cet objet en ma possession. Si j'avais su qu'il revêtait une telle importance pour vous, je vous l'aurais réservé. Pour moi, ce n'était qu'une babiole sans importance, j'aurais vraiment aimé vous l'offrir.

Le baron était dans une colère noire. Il n'apprécia guère le ton lénifiant, cracha en retenant à peine sa rage :

— J'imagine que vous avez offert ce médaillon à notre concurrent, ce Jan Lukas qui, depuis le début, joue un double jeu regrettable.

— Je ne dirai rien. Pardonnez-moi.

Charu salua en joignant les deux mains devant sa poitrine. Il n'avait jamais partagé les superstitions de ses compatriotes concernant les castes mais, là, il en était sûr, il refusait d'accorder le moindre contact à cet homme.

— Tôt ou tard, j'obtiendrai une réponse, siffla von Rosenheim.

Charu salua à nouveau. Cet homme avait une âme si sombre qu'elle ne pouvait qu'être impure. Il avait l'impression de la voir rayonner avec maléfice.

## 21

*31 décembre 1919 – 1er janvier 1920*
*Calcutta – Bengale-Occidental – Inde*

Jezebel remonta d'un pas vif la belle allée bordée de palmiers royaux qui formait l'ossature principale du jardin de lady Esket. Elle s'était échappée du bal de la Saint-Sylvestre juste après minuit, après les pétards et l'éternel champagne, après les bises et les vœux réjouis qui saluaient la nouvelle année. Elle se doutait que sa robe claire risquait d'être repérée un peu trop facilement au milieu de la nuit, surtout avec cette lune pleine et ronde qui éclairait franchement l'obscurité, mais elle espérait que la plupart des convives seraient suffisamment avinés pour que personne ne remarque son escapade.

Amely lui avait donné le pli juste avant le décompte officiel. À moins dix, elle avait ouvert la petite enveloppe discrète. À moins cinq, elle dépliait la feuille de papier gris et déchiffrait la haute écriture penchée, pleine de jambages et d'application qu'elle aurait reconnue entre toutes.

À minuit pile, le monde devint un cri de joie et une folle embrassade, au point de couvrir l'orchestre qui jouait pourtant avec cœur. Une tempête de confettis et de serpentins s'accrocha à ses cheveux mais elle ne s'en rendit même pas compte. Elle était dans sa bulle, seule et silencieuse, immobile au milieu des invités. Elle lisait les mots que Charu venait de lui adresser.

« *Mon Amour…* »

Dès ces premiers mots, ses yeux se brouillèrent, et elle dut respirer un grand coup avant de reprendre sa lecture.

« *Mon Amour, je sais que tu seras ce soir chez ton amie Amely, seule, puisqu'il est bienheureusement retenu à Delhi. Je t'en prie, rencontrons-nous, parlons-nous, je me languis de toi, de ta peau, de tes baisers. Retrouvons-nous après minuit dans le jardin de ton amie. Il y a, d'après mes souvenirs, une grande avenue royale bordée de palmiers, que tu suivras jusqu'au sentier qui descend à l'étang. Je t'attendrai, viens, nous serons sages, je puis te le promettre si c'est cela que tu crains, du moins aussi sages que possible lorsque deux personnes s'aiment de toute la force de leur cœur et de leur corps… Ton Charu Bakhtavar Singh, prince de Nandock.* »

Maintenant, la lettre était là, dans son corsage. D'une main tremblante, elle tâta de nouveau le papier qu'elle avait soigneusement glissé entre sa peau et le satin du soutien-gorge. Son cœur battait à tout rompre. Charu lui avait écrit. Charu la réclamait enfin.

À deux doigts de sangloter de bonheur, elle leva le nez à la recherche d'un dieu à remercier. Elle n'avait jamais appris à croire mais, dans ce trop-plein de bonheur, elle devenait mystique.

Ses yeux émerveillés s'emplirent de la beauté du monde, admirant les hautes palmes qui découpaient un ciel tant chargé d'étoiles qu'il en était plus magique que d'habitude. Elle ressentit le besoin de s'arrêter quelques secondes, de respirer lentement pour calmer les battements effrénés de son cœur. En jetant un coup d'œil en arrière, elle vit qu'elle était encore trop près de la villa des Esket. Elle se hâta de trouver le sentier qui descendait à l'étang, s'enfonça dans un massif de brugmansias plus hauts qu'elle. Les énormes corolles distillaient dans la nuit un parfum délicieux. Elle s'immobilisa, la tête levée vers la lune. Jamais ciel anglais ne lui avait fait cet effet-là. Là-bas, il n'y avait pas tant d'étoiles. En toute saison, une couverture grise stagnait en permanence, donnant aux journées ce ton pâle qui n'avait rien de bleu, et aux nuits cette opacité qui dévorait les astres.

La nuit indienne était merveilleusement différente. L'air avait une pureté originelle qui autorisait le regard à porter loin, très haut vers l'infini, vers ces milliards d'étoiles qui formaient une poussière luminescente. Face à un tel miracle, il était facile de redevenir un enfant et de croire qu'un immense géant avait jeté en l'air, le temps d'une nuit de la Saint-Sylvestre, des poignées de confettis lumineux qui créaient dans ce velours noir des amas de lumière, des lustres et des chandelles, et des myriades de dessins étranges qui portaient des noms de dieux grecs.

Jezebel reprit sa marche lentement. Aujourd'hui, elle croyait au destin parce que tout avait contribué à rendre cette soirée mémorable. Von Rosenheim était parti trois jours plus tôt pour Delhi, d'où il avait téléphoné en catastrophe cet après-midi, afin de s'excuser de ne pas rentrer à temps pour le réveillon. Apparemment, il avait eu la désagréable surprise de trouver la gare de Delhi Junction bloquée par des manifestants nationalistes. Tous les trains au départ avaient été annulés. Le baron ignorait quand il pourrait rentrer. Il demandait à sa fiancée de l'excuser auprès des Esket, chez qui ils étaient attendus. Jezebel avait suggéré de se décommander. Son parrain était de nouveau cloué au lit, peut-être valait-il mieux qu'elle demeure auprès de lui ? Von Rosenheim l'en avait découragée.

— N'en faites rien, *mein Schatz*[1], je vous demande au contraire de me représenter auprès de lord Esket. Je suis actuellement en affaires avec lui, il serait malvenu de se conduire de la sorte. Je vous prie donc d'user de toute votre diplomatie pour que notre ami ne nous tienne pas rigueur d'événements indépendants de ma volonté.

Elle avait raccroché en manquant crier de joie : elle serait seule pour le réveillon du Nouvel An ! Comment ne pas y voir un excellent augure pour l'année 1920 à venir ? Le cœur gonflé d'allégresse, elle reprit sa marche en respirant pleinement les divines senteurs exhalées par les fleurs qu'elle frôlait.

Le jardin de lady Esket était renommé pour sa beauté, sa superficie et son merveilleux agencement. Outre un espace à la française qui formait sur le devant de la vaste demeure victorienne un écrin assez maniéré, l'arrière du parc, au-delà du potager dont s'occupait Amely, déployait un fouillis soigneusement maîtrisé rempli de multiples bonheurs. Chaque promenade révélait des surprises, ici un nuage de jasmin, là un petit pont japonais, le tout disséminé dans une végétation magnifiée dans sa structure informelle.

Le chemin se mit à grimper, marqué par des escaliers pavés de bois. Par endroits, quelques bouquets de palmiers épars apportaient un élan vertical que contrebalançaient des ravines mystérieuses. La lune éclairait presque comme en plein jour, même si cette lumière ourlée d'argent accentuait en mystère ce qu'elle avait perdu en verts phosphorescents.

1. « Ma chérie », en allemand.

Cette clarté demeura belle et forte jusqu'à ce que le sentier pénètre dans une jungle de bambous. Les fûts les plus proches avaient été évidés de leurs feuilles mais l'arrière-fond était dense et opaque. Le sol jonché de débris desséchés craquait sous les pas. Jezebel s'enfonça plus avant, troublée par le changement d'atmosphère.

Peu à peu, la végétation devint plus brute, plus sauvage. Les bambous cédèrent la place à des graminées touffues elles-mêmes couronnées par des arbres dont il était difficile de reconnaître les essences dans une pénombre envahissante. Bientôt, la densité végétale devint telle que la lune n'éclaira plus que les plus hautes cimes.

Jezebel s'inquiéta. Elle se rappela sa rencontre fortuite avec une panthère venue boire l'eau d'une fontaine à la villa Gokhra et, prise par une peur aussi soudaine qu'irrationnelle, elle s'immobilisa, les sens aux aguets.

Que se passerait-il si un fauve sortait brusquement de la nuit et dardait sur elle ses yeux jaunes ? Ou si brusquement un monstre se jettait sur ses épaules, brisait sa nuque de son poids, saisissait son cou entre ses mâchoires brutales et l'étranglait lentement, sûrement, sans espoir de salut ?

— Ah ! s'exclama-t-elle, en regardant autour d'elle paniquée.

Le jardin était pourtant calme et silencieux. Du moins, silencieux comme peut l'être une jungle, avec ses pépiements d'oiseaux nocturnes invisibles, ses stridulations d'insectes, grillons ou autres inconnus, ses bruissements d'animaux se déplaçant dans les fourrés, ses craquements de brindille, d'écorce…

— Jezebel ?

Elle faillit hurler, mais une main se colla sur sa bouche, achevant de la glacer d'effroi.

— Chut, c'est moi, Charu. Ne crie pas.

Elle se retourna, se jeta contre lui, l'enlaça de ses bras, de ses cuisses, enfouit son visage contre sa poitrine et respira avec folie le parfum d'épices qui montait de ses vêtements.

— Charu… Charu… Charu…, répéta-t-elle comme une litanie.

Il la prit dans ses bras, la serra contre lui.

— C'est moi, la rassura-t-il en lui embrassant la racine des cheveux. Je suis là, tout va bien.

— J'ai cru qu'il y avait une panthère, avoua-t-elle finalement d'une voix chevrotante.

— Il n'y a pas de panthère à Calcutta, lui assura-t-il.

— Une fois, j'en ai vu une, insista-t-elle, en tremblant de plus belle.

— Vraiment ? répliqua-t-il distraitement, parce qu'elle le regardait de ses yeux de saphir, grands ouverts comme une lumière de ciel perdue au milieu de l'obscurité et qu'elle était merveilleusement belle, déesse de marbre blanc, esprit de la nuit magique et envoûtant.

Il souffla comme une prière :

— N'aie pas peur, mon amour… Les panthères connaissent le nom de ma famille. Je suis un *Singh*[1], un lion depuis la nuit des temps. Que peut une panthère contre un lion ? Le lion est le plus grand des fauves. Le lion est le plus fort. Le lion gagne tous ses combats.

Il l'enveloppa de sa force, de sa puissance, de ses muscles d'athlète vigoureux et parfaits. Elle se calma. Son front, ses pommettes prenaient dans la lumière de la lune un velouté parfait. Il se pencha plus encore, suivit des lèvres la rondeur de sa joue jusqu'à trouver sa bouche. C'était un fruit dont il rêvait chaque jour, un fruit rond et suave parfumé de vanille et de violette anglaise, qu'elle lui tendit sans réserve ni timidité, pour qu'il en explore le moelleux à petites touches délicates et sensibles. Il la sentit venir à sa rencontre, découvrit sa langue exquise comme une plume, à peine plus qu'un effleurement, mais une caresse si délicieuse qu'il en gémit de désir.

Il lui prit la main, l'entraîna avec lui. Le jardin était un foisonnement de fougères et de jasmin. Ils s'arrêtaient tous les dix pas pour s'embrasser, se goûter, se lécher, se rassasier l'un de l'autre, mais leurs caresses ne faisaient qu'attiser une envie encore plus exigeante. Le désir raccourcissait leur souffle, amenait des vagues dans leurs ventres, dans leurs cuisses, dans leurs reins. Ils descendirent le sentier de cette façon décousue, acharnés dans leur plaisir. Leurs mains couraient sur leurs corps, s'infiltraient sous les tissus en petits serpents malicieux, caressaient une peau tiède et élastique, qui frémissait de plaisir.

---

1. Nom de famille d'origine indienne, issu du mot sanskrit *sinha*, et signifiant « lion ».

Le fond du vallon était occupé par un étang. À sa surface miroitaient en ondulant les rayons de la lune. Au pied de la dénivellation, un pavillon rouge de Chine se reflétait sur l'eau noire. Il avait un toit de tuiles assez pentu, des linteaux sculptés et des lanternes de pierre que Charu alluma.

— Non, non, s'exclama Jezebel. On pourrait nous voir.

— Personne ne viendra ici, pas ce soir. Cette nuit est à nous.

— Non, supplia-t-elle. Non. Non.

Elle avait peur d'être aimée à la sauvette, dans une cabane de jardin perdue au milieu des hautes herbes. Elle refusait de vivre dans la clandestinité et de connaître la soumission d'une maîtresse à son amant. Elle détestait l'idée d'être fiancée à von Rosenheim mais admettait que le baron avait les lois et les convenances pour lui.

Si ses fiançailles étaient rompues par un scandale, que se passerait-il pour elle ? Elle n'était pas majeure. Elle ne serait pas autorisée à administrer elle-même la fortune héritée de sa famille. Du jour au lendemain, un scandale pouvait la propulser au ban de la société et lui fermer toutes les portes. Elle se retrouverait privée de son héritage, sans ressources pécuniaires, sans logement, sans rien. Que signifieraient alors ces doux moments, ces baisers merveilleux, si elle devait se retrouver demain dans le caniveau ?

Charu lui caressa le visage, en soufflant contre sa bouche.

— Je sais tout cela. Je t'ai demandé de me faire confiance. Je ne voulais pas t'en parler avant d'en être certain.

Elle attendit, devinant quelque chose de grave, à tout le moins de sérieux. De fait, il s'humecta les lèvres et reprit lentement, presque à regret.

— J'en ai parlé à mon père et à mon frère. J'attends leur décision.

— Une décision à propos de quoi ? De nous ? Tu leur as parlé de nous ?

Elle était si incrédule qu'elle le tutoya pour la première fois, en secouant la tête, méfiante, les sourcils légèrement froncés, les traits de marbre. Il se raidit, reprit son visage entre ses mains pour la hausser jusqu'à lui et plonger dans son regard. Il était tendu comme un arc. Il guettait ses moindres réactions avec le sentiment de se tenir au bord d'un gouffre et de pouvoir basculer dans le vide à tout moment.

— *Meri sajani*, il me faut d'abord savoir, m'aimes-tu ?

Elle plongea à son tour dans ses yeux sombres qui reflétaient les mille étoiles du ciel, pensa de façon incongrue à Jan Lukas et aux petits oiseaux inséparables qui les avaient faits un jour se rencontrer, chassa du mieux qu'elle put cette image importune qui n'avait aucune raison d'être et murmura avec infiniment de douceur.

— Oui.

Charu fut si heureux que son visage sembla refléter la lumière de son cœur. Ce n'était qu'une pâle clarté de lune, mais Jezebel fut émue aux larmes. De toute sa vie, elle n'avait jamais été aimée. Sa mère était morte en couches. Son père l'avait élevée comme une étrangère, pire même, comme une ennemie. Comme prénom, il lui avait donné celui biblique d'une reine des ogres qui dévorait la chair de ses détracteurs, une créature cannibale qui cultivait la discorde. Il l'avait tant haïe qu'il s'était tué en s'arrangeant pour que ce soir elle, petite fille de cinq ans, qui trouve son corps pendu, et qu'elle inscrive à tout jamais dans ses cauchemars sa face bleuie et sa langue gonflée. Plus tard, elle n'avait reçu de son parrain qu'indifférence et agacement. Dans sa vie de grand savant, elle avait toujours été de trop, au point d'être vendue au baron von Rosenheim, qui n'avait besoin que d'un ventre fertile pour assurer sa descendance.

Elle répéta avec force et ferveur, quémandant inconsciemment que Charu l'aime encore et encore :

— Oui, je t'aime.

— Je t'aime aussi, répondit-il en l'embrassant. Tu sais… je… j'ai parlé… j'ai demandé… Je crains tellement de te donner de faux espoirs, ils ne seront peut-être pas d'accord. Il y a beaucoup d'intérêts en jeu. Tu es une lady anglaise… Je suis un Indien, et même si je suis fils de maharaja, je…

Elle l'interrompit d'un doigt sur sa bouche, mais il insista.

— Tu m'as toujours demandé ce que je faisais sur le débarcadère le jour de ton arrivée à Calcutta. Eh bien, je savais qu'il y aurait un attentat, mes informateurs m'avaient prévenu, j'attendais en espérant l'empêcher. J'aurai pu informer les Anglais mais je ne voulais pas me mettre politiquement en porte-à-faux avec mon propre peuple. J'ai voulu sauver l'enfant et le vieil homme, je n'ai pu que te sauver toi.

— Charu…

— Plus tard, lorsque j'ai parlé de nous à mon père, il m'a rappelé ce jour. Il m'a dit que notre destin était scellé, que les dieux s'étaient exprimés. Mon père est parfois d'un autre temps, néanmoins je sais qu'il n'a pas tort. Il y a eu des précédents, des maharajas ont déjà épousé des Occidentales, mais… C'était une autre époque… Lorsque vous êtes arrivés en Inde, vous, les Britanniques, vous étiez respectueux, emplis de curiosité et d'enthousiasme. Vous aviez le feu de la découverte et nous, nous étions une nation millénaire, ancienne, dotée d'un passé riche en arts et en dogmes subtils. Il y avait de l'admiration de part et d'autre, et la volonté de nous unir pour grandir. Que s'est-il passé entre-temps ? Les tiens sont maintenant pétris de certitude et de précellence. Ils se voient en maîtres du monde, fort d'une supériorité raciale qui nous écrase. Leur dédain est offensant. Mon père m'a parlé de toutes ces choses, des difficultés que nous rencontrerons. Des gens qui nous tournerons le dos, parmi les tiens, parmi les miens.

Elle brassait à pleines mains ses boucles noires et foisonnantes qui, ce soir, n'étaient pas dissimulées sous un turban. Ses doigts s'y enfonçaient comme dans une fourrure luisante avec une évidente jouissance. Elle était heureuse. Elle ne paraissait pas l'avoir écouté, pourtant elle lui répondit avec un rire un peu malicieux qui disait bien à quel point elle ne voulait rien prendre au sérieux.

— Es-tu en train de me dire quelque chose ?

Il pencha la tête comme un petit garçon qui tente de faire du charme alors qu'il vient de commettre une sottise.

— Ce que j'essaie de te dire, mon amour, c'est que j'ai demandé à mon père l'autorisation de t'épouser.

Le feu d'artifice éclata au-dessus de leurs têtes avec la brutalité d'un coup de feu. Elle sursauta, leva lentement le nez vers le ciel, pour regarder les multiples couleurs qui explosaient dans des superpositions d'étincelles. Une odeur de poudre parvint jusqu'à eux. Les lumières se transformèrent en détonations. Elle garda le silence durant tout le charivari, jusqu'à ce que des applaudissements étouffés coulent vers eux de l'autre côté du jardin, s'échappant comme des bulles de champagne de la haute maison victorienne qu'ils ne voyaient pas.

— Es-tu en train de me dire que, si ton père est d'accord, von Rosenheim acceptera bien gentiment de me laisser partir tout simplement parce que tu viendras le lui demander ?

Il lui attrapa les mains, les trouva glacées, les serra dans les siennes pour les réchauffer, pour la rassurer.

— Non, répondit-il gravement. Bien sûr que non. Mais si mon père est d'accord, alors j'organiserai ton enlèvement.

— Et si ton père n'est pas d'accord ?

Il sourit de ses dents si blanches, en agitant sa crinière de lion.

— Mon amour, je t'enlèverai quand même.

*

Jezebel était parcourue de longs frissons. Ce n'était pourtant pas de froid, puisque la nuit ruisselait d'une moiteur tropicale presque désagréable. Simplement, dans ce jardin sauvage, au cœur de cet instant placé en équilibre entre deux années, elle se rendait parfaitement compte qu'elle était à la croisée des mondes. Dans les minutes qui suivraient, ses actes décideraient de la route qu'elle prendrait, or le poids de cette décision pesait lourdement sur ses épaules. Elle en était autant fébrile qu'effrayée.

Charu ne la quittait pas de son regard rempli d'étoiles. Peut-être devinait-il les affres qui la tourmentaient ? Elle l'avait toujours trouvé beau et charmant comme un prince de conte de fées. Il était même particulièrement irréel, avec ses diamants cousus sur ses vêtements, ses dizaines de serviteurs, sa collection d'automobiles de chez Bugatti, ses matchs de polo. Elle appréciait sa présence et sa retenue, sa façon d'être présent sans la brusquer, ses mains caressantes et son teint de pain d'épices qui, ce soir, se confondait avec la nuit brune. Dans l'obscurité, son sourire luisait sous la clarté de la lune.

Elle se détourna en feignant de ne pas remarquer l'attention qu'il lui portait. Ce n'était pas de la coquetterie. Simplement, elle ne voulait pas encore répondre au jeune prince. Elle avait besoin d'encore un peu de temps pour s'accorder d'être une enfant durant quelques instants supplémentaires.

Prise d'une soudaine tristesse, elle appuya sa joue contre la douce écorce du jacquier. L'arbre était tiède, vivant. Au-dessus de sa tête, de gros fruits granuleux sortaient du tronc comme d'étranges excroissances. En arrière-fond, la lune irisait l'étang d'une lumière qui se morcelait dans la brise. Les lanternes de pierre se miraient à la surface, captivant des scarabées et des petits papillons de nuit qui, à leur tour, attiraient des chauves-souris. Jezebel enlaça le tronc en fermant à demi les yeux. Cette nuit n'était pas comme les autres. Elle s'imaginait marcher sur une corde raide, comme une équilibriste qui ne pouvait revenir en arrière.

Charu approcha dans son dos à petits pas comptés. Elle attendit sans bouger, le cœur gonflé de tendresse et de curiosité. Le jeune prince s'arrêta à la frôler, posa ses mains de part et d'autre de son cou, enveloppant chacune de ses épaules dans une paume pleine de chaleur. Durant quelques secondes, il demeura immobile au-dessus d'elle, à simplement respirer le parfum qui montait de ses cheveux. Plus tard, lorsqu'il descendit sur sa peau nue jusqu'à trouver sa robe, elle se remit à trembler, la bouche entrouverte à la recherche de son souffle.

Oui, cette nuit ne serait pas comme les autres. C'était inscrit au fond de sa chair comme une vague, dans la brusque montée de désir qui enflammait ses sens. Elle n'avait qu'une envie irrépressible, être enfin aimée.

Charu se pencha et lui embrassa le lobe de l'oreille tandis que ses mains glissaient à la rencontre du premier bouton, qui céda. Le deuxième céda à son tour, puis le troisième, et ainsi de suite tout le long de son dos. Au fur et à mesure que la robe s'entrouvrait, Jezebel sentait un air tiède caresser sa peau enfiévrée, et les doigts de Charu la frôler.

Enfin, le dernier bouton s'ouvrit et la robe ne tint plus sur son corps que par un équilibre étrange. Le jeune homme continua à lui mordiller le lobe de l'oreille avec une délicatesse affolante, tout en repoussant avec une lenteur affectée les bretelles qui empêchaient le vêtement de tomber. La soie coula en un doux bruissement semblable à un ruisseau, avant de s'amonceler sur les hanches en un imbroglio de plis et de dentelles. Elle soupira. Elle était tendue comme un arc sur son désir.

Charu se pencha vers ce dos presque nu, posa ses lèvres sur la nuque qui frémissait, descendit en papillonnant sur la peau douce. Sa bouche découvrit un soutien-gorge des plus modernes, mordilla le petit bouton de nacre qui le tenait fermé puis l'ouvrit.

Jezebel tressaillit, appuya plus fort sa joue contre l'arbre qui la soutenait. Sans lui, elle serait tombée au sol telle une chatte amollie par tant de câlinerie.

Le sous-vêtement chuta à son tour, puis Charu remonta par petits effleurements de la taille jusqu'aux seins libérés, qu'il saisit tout entiers dans ses mains. Jezebel se cambra pour mieux s'offrir à la caresse. Le désir tendait sa poitrine, durcissait ses pointes, faisait palpiter son ventre. Elle gémit.

Il la caressa longuement, jouant de ses volumes parfaits, s'attardant avec infiniment de volupté sur les aréoles gonflées qui roulaient sous ses doigts. Il s'était penché sur le creux de son épaule, avait posé la bouche sur sa peau si fine qu'il sentait battre son pouls. Avec émotion, il devinait son cœur à portée de main, à portée de baiser… Saisissant le bas de son visage, il le tourna délicatement jusqu'à ce que ses lèvres se retrouvent face aux siennes. Il ne l'embrassa pas tout de suite, bien qu'il perçût l'élan qu'elle eut pour se tendre vers lui. Avec un art consommé de la sensualité, parce qu'il savait que l'attente décuplerait le plaisir, il demeura ainsi, la gardant prisonnière de son souffle, tandis qu'il ôtait sa tunique.

Torse nu, il se riva à son dos, peau contre peau, les muscles presque douloureux de trop l'aimer. Son désir avait une dureté de pierre. Il fit glisser son *jodhpur* le long de ses jambes tout en prenant la bouche qu'elle lui tendait. Il l'embrassa d'une langue aussi précise que suave. Elle sombra dans un maelstrom de sensations, étonnée que son corps oublie si facilement la violence de von Rosenheim et puisse encore s'émouvoir, vibrer, se sentir en confiance. Elle rougit en se disant qu'elle avait un amant. Elle avait envie de rire et de pleurer. Son ventre était une vague. Sa chair était une attente. Elle répondit au baiser comme on s'ouvre à la vie, laissant Charu la dénuder entièrement en faisant glisser vers le sol les plis de sa robe dégrafée et une dernière petite culotte en dentelle.

Il recula pour l'admirer. Elle avait gardé sa pose alanguie contre le tronc, il ne voyait dans la lune que sa cambrure de statue, et son velouté de marbre blanc. Éperdu d'admiration, il se laissa tomber à genoux et, la bouche posée au creux de ses reins, il descendit plus bas en suivant d'une langue savante la raie qui menait aux cuisses.

Accrochée au tronc, elle respirait follement, prise de gémissements et de vertiges. Il la retourna, la laissa le dos appuyé à l'écorce pour faufiler son visage jusqu'à sa fente secrète ombrée d'une fourrure blonde. Elle caressa sa tête, enfonça ses doigts dans sa chevelure brune pour brasser à pleines mains les épaisses boucles sombres. En retour, il embrassa son intimité de sa langue et de ses doigts jusqu'à la sentir se tordre sous le plaisir qui montait.

Elle aurait pu jouir ainsi, comme elle avait joui la dernière fois, dans le Sambar Mahal au milieu du lac, lorsqu'il avait passé la nuit à lui apprendre le plaisir tout en respectant sa virginité, sauf qu'aujourd'hui, ce n'était pas ce qu'elle voulait.

Elle avait choisi. Elle voulait être à lui. Cette nuit était le début de leur avenir.

Elle ne voulait plus se cacher, elle voulait vivre heureuse et libre. Dans un grand éclair de désir, elle décida qu'elle ne serait jamais la femme de Jürgen von Rosenheim. Elle prit Charu par les épaules avec un geste encore un peu timide, l'incita à se mettre debout pour qu'ils se regardent.

— Je veux être à toi, chuchota-t-elle d'une voix rauque.

Elle avait plongé dans ses yeux brillants avec un total abandon, l'attirant contre elle en l'enlaçant de ses bras, de ses jambes, agissant sans le savoir comme les branches d'un banyan qui s'enroulent autour de son arbre hôte pour y puiser sa force, sa vie.

— Prends-moi, répéta-t-elle.

— Jezebel..., murmura-t-il en retour, ne sachant quoi dire d'autre.

Elle l'embrassa profondément, tout en caressant avec une nouvelle hardiesse le membre gonflé de désir qui appuyait contre son ventre. Charu ferma les yeux en gémissant.

— Il ne faut pas, Jezebel...

— Prends-moi, répéta-t-elle, têtue. Je veux connaître l'amour. Je veux croire que notre avenir sera commun.

— Jezebel, répéta-t-il en plongeant dans son regard, fou d'amour.

Ils ne fermèrent pas les yeux. Ils se regardèrent jusqu'au bout, tandis qu'il la soulevait en lui écartant les cuisses. Leurs bouches se frôlèrent, leurs souffles se mêlèrent, il avança son sexe vers sa toison blonde, guidant ses hanches à la recherche du tendre orifice.

Il la pénétra avec une lenteur qui la fit gémir, absorba la brève douleur de sa virginité d'un baiser puis, attentif à ses réactions, attendit qu'elle vienne à sa rencontre, frémissante de désir, offerte. Alors il s'enfonça en elle jusqu'à ce que son regard devienne le reflet de son plaisir.

À cet instant, il fut incapable de se retenir davantage et il éclata dans son ventre en une jouissance fulgurante.

*

L'aube, déjà. Discrète encore, fine et ténue comme un fil de soie ourlant la moindre feuille. Dans ce monde tout était vert. Un vert de jardin, incroyable, omniprésent. Un vert ruisselant d'humidité, lisse ou rugueux, exubérant et prédominant, peuplé de dizaines d'oiseaux qui saluaient à corps et à cris le lent retour du jour.

Jezebel écouta un charivari de pépiements, de chants, de gloussements, de trilles et de roucoulements. Elle entrouvrit les yeux, aperçut juste à côté d'elle une paonne qui fourrageait dans les feuilles mortes avec un acharnement délicat. Derrière elle, le mâle se tenait sur un monticule, les merveilleuses plumes de sa queue au repos. Occupé à se nettoyer les ailes, il miroitait comme un saphir, le cou ondulant, l'œil reptilien. Son cri avait peut-être réveillée la jeune fille. Elle bougea imperceptiblement, s'aperçut qu'elle était nue comme une Ève dans son paradis, en fut confuse jusqu'à voir le corps de Charu mêlé au sien. Elle trouva leur imbroglio si beau, entre sa peau d'albâtre qui ressortait comme une lumière dans l'aube naissante et la carnation de son prince, brune et chaude comme un brasero, qu'elle déborda d'amour.

Sa main légère caressa le torse endormi, tandis qu'elle embrassait délicatement les courbes musculeuses, allant jusqu'à chercher de la langue un vague goût d'épices.

Ils avaient été saisis par le sommeil alors qu'ils ne parvenaient pas à se rassasier l'un de l'autre, là, sur ce carré d'herbe douce sur lequel ils avaient à peine étalé leurs vêtements. Le souvenir l'exalta tout en la remplissant d'une tristesse inattendue. Les yeux mi-clos, elle continua à embrasser la peau douce, tout de même étonnée d'avoir un amant.

Un amant.

Voilà, le mot était lâché et il réveillait sournoisement toute une armée de démons. L'aube parut plus claire, ses pensées également. Charu se réveilla, la regarda en souriant. Elle s'agita avec nervosité, se démêla de ses bras, de ses jambes, attrapa sa robe maculée de terre et la secoua pour en chasser les menus insectes.

— Vite, vite, le pressa-t-elle. Le jour se lève. On doit partir. Les jardiniers vont venir. Ils vont nous trouver, ils vont nous voir, ils…

Sa voix se brisa dans un sanglot convulsif. Charu ne comprit rien à ce chagrin. Il la prit contre lui, la serra à l'étouffer.

— *Mat ro priye, mat ro*[1]…

Il la berça avec tendresse, mais Jezebel ne fut pas apaisée par ses mots. Au contraire, elle s'agita plus encore. Ne voyait-il pas l'urgence ? Ne comprenait-il rien à rien ?

— Vite, vite, répéta-t-elle en le bousculant. Il faut se dépêcher avant que quelqu'un ne se rende compte de quelque chose. Mon Dieu, je ne peux pas retourner dans ma chambre, il est trop tard, les domestiques me verraient, tout le monde serait au courant. Que vais-je faire ?

Elle enfila maladroitement sa robe, se tortilla pour essayer de fermer les boutons dans son dos, n'y parvint pas, sanglota de plus belle. Charu se leva sans se préoccuper de sa nudité. D'une main douce, mais ferme, il la retourna pour agrafer lui-même son corsage. Le buste secoué par de grands hoquets, elle le laissa faire en courbant la nuque jusqu'à ce que ses cheveux en bataille cachent son visage. Elle soliloquait à tort et à travers, en parlant si vite qu'il avait du mal à comprendre ce qu'elle disait.

— Amely est mon amie, elle ne dira rien, j'en suis certaine. De toute façon, elle ne sera pas étonnée, elle devine toujours tout, je crois qu'elle se doute déjà de quelque chose. Mais sa mère, cette véritable peste, cette langue de vipère, si elle apprend cela, tout Calcutta sera au courant dès ce soir. Il ne faut pas. Il ne faut pas. Il ne faut pas.

Elle s'énervait toute seule. Il termina d'attacher le dernier bouton puis, l'attrapant par les épaules, la força à lui faire face.

— Ne t'ai-je pas rendue heureuse ?

---

1. « Ne pleure pas, mon amour, ne pleure pas… », en hindi.

Elle ouvrit la bouche comme un poisson qui se noie, une nouvelle vague de larmes coula sur ses joues tandis qu'elle s'empourprait.

— Si, bien sûr, souffla-t-elle en baissant les yeux.

— Tu regrettes, alors ?

— Je t'en prie, mets ton pantalon ! supplia-t-elle avec une nervosité croissante. Non, je ne regrette pas ! Mais à t'écouter, on croirait que tu ne les connais pas ! Mes compatriotes sont pudibonds et rigoristes. Pour eux, la moindre incartade est un scandale ! Ils me cloueront au pilori, ils me montreront du doigt, ils alimenteront des ragots, ils…

— Jezebel !

Elle sursauta sous son ton cassant, leva de grands yeux bleus affolés où se lisait une panique bien réelle.

— Jezebel, je suis là, je serai avec toi, de quoi as-tu peur ?

— Je… Je ne sais pas. Je crois que je ne peux pas retourner à la villa Gokhra. S'il apprend quoi que ce soit, il me tuera.

Il la prit contre lui, la sentit raide et tendue, en fut blessé mais n'en montra rien.

— Je ne vais pas te laisser l'affronter seule, ma chérie. Je vais t'emmener au palais. Nous pourrons y attendre la réponse de mon père aussi longtemps que tu le voudras. Au moins tu y seras en sécurité.

Elle essuya ses larmes. Ainsi, son beau prince des mille et une nuits ne mentait pas, il l'aimait vraiment, il voulait l'emmener chez lui.

Un bref instant, elle sourit aux anges en ayant la vision de sa vie dans le Palais d'Or. Elle s'imagina au milieu d'un rêve charmant, parmi des fontaines enveloppées de jasmin, à grignoter des sucreries tout en apprivoisant des perroquets et en écoutant une musique aussi lointaine qu'exotique. Elle marcherait pieds nus sur des pétales de rose. Elle nagerait dans un bassin au milieu des poissons rouges. Elle essaierait des saris roses ou jaunes, et ferait briller des perles sur sa peau nue.

Puis les doutes revinrent.

Elle se vit définitivement enfermée derrière des murailles monolithiques, parmi des gens dont elle ne partageait ni les coutumes ni les habitudes. N'y serait-elle pas comme en prison ? Et où serait-elle logée ? Dans l'aile réservée au harem, parmi les multiples épouses du nabab ? Et que se passerait-il si elle ne plaisait pas au vieux monarque, s'il décidait de ne pas lui accorder l'asile, s'il refusait à son fils le droit de l'épouser ?

Avec effroi, elle se vit chassée comme une mendiante, renvoyée dans la rue avec moins de considération qu'une née de la dernière caste.

— Non ! Non ! s'écria-t-elle avec autant de panique que de honte. Je préfère attendre chez mon amie Olga. S'il te plaît, emmène-moi chez elle.

— Jezebel, supplia Charu, je ne veux pas que tu me quittes !

— Je ne te quitte pas, protesta-t-elle, mais je serai mieux chez Olga pour attendre la réponse de ton père.

Charu attrapa ses vêtements en silence. Il s'habilla en affichant un visage tendu, fermé. Elle devina qu'elle l'avait froissé mais elle ne comprenait pas pourquoi ni comment. Tout était si nouveau, si angoissant. Il vint finalement lui prendre la main.

— Viens, dit-il avec simplicité.

Maintenant, le soleil en train de se lever traversait la végétation dans un flamboiement d'incendie. Charu entraîna la jeune fille de l'autre côté de l'étang, à travers un dédale de fougères arborescentes qui descendait en pente douce jusqu'au mur d'enceinte délimitant la propriété des Esket. Fait de briques cuites et recuites par le soleil, cet ouvrage était haut de presque sept pieds et était entièrement recouvert d'un foisonnement de lianes, de lierre et de bouquets de jasmin.

— On trouvera ma Bugatti de l'autre côté. Hier soir, je ne suis pas passé par le portail mais par cette brèche dans le mur. Je ne faisais pas partie de la liste des invités officiels, il a fallu improviser.

Il désigna non sans fierté le pan de mur fragilisé qu'il avait découvert la veille. Les vieilles briques s'étaient descellées au fil du temps, au fur et à mesure que le mortier qui les enchâssait pourrissait. Des plantes grimpantes avaient complété ce travail de sape en immisçant leurs racines au cœur de l'ouvrage, fabriquant de la sorte une grossière échelle.

Charu aida la jeune fille à grimper le long des moellons. Ses chaussures de bal la gênaient, et elle était effrayée à l'idée de poser la main sous les grandes feuilles vernissées qui cachaient sans doute une multitude d'araignées, mais elle montra néanmoins, lors de cet exercice, une habileté qui ravit son compagnon.

De l'autre côté du mur, une Bugatti Brescia Type 13 semblable à celle que Jezebel avait reçu en cadeau attendait effectivement son propriétaire, sagement garée sur le bas-côté. Le prince secoua l'adolescent qui dormait en chien de fusil contre une des roues, à même le sol caillouteux, et lui jeta une poignée de roupies pour le récompenser de sa garde avant de le renvoyer vers son village.

Jezebel s'installa sur le siège du passager. Charu souleva le capot pour s'emparer de la manivelle de démarrage. Il donna deux tours jusqu'à ce que le sursaut du moteur vienne troubler la flamboyance de l'aube. Des petits singes effrayés chutèrent d'un arbre comme des fruits mûrs avant de galoper vers un champ d'indigo où ils disparurent. Charu s'installa derrière le volant, embraya une vitesse. La jeune fille se rapprocha de lui et appuya tendrement sa tête contre son épaule. Il lui jeta un bref coup d'œil. Elle paraissait plus calme. Il demanda tout de même :

— Allons-nous toujours chez ton amie Olga ?

Jezebel devina un reste de contrariété mais elle ne voulait plus discuter. Elle préféra mendier un sourire en passant spontanément ses bras autour de son cou.

— Je vais souvent chez elle. N'est-ce pas ce qu'il y a de plus raisonnable à faire ? Personne ne sera étonné de m'y voir.

Charu appuya sur l'accélérateur. La Bugatti démarra.

— Je m'inquiète tout de même, insista-t-il en fixant obstinément la route. Y seras-tu vraiment en sécurité ?

— Olga m'a toujours protégée de von Rosenheim.

Ils approchaient des faubourgs de Calcutta. Malgré l'heure matinale, des femmes en saris multicolores marchaient sur les bas-côtés. Elles se rendaient au marché de Bhaliwapur en portant sur leurs têtes de grands paniers remplis de fruits, de coton, de graines. Des hommes menaient des buffles se baigner sur les rives de l'Hooghly. Près des *ghats*, les Indiens commençaient leurs ablutions. Charu fixait la route avec une attention excessive.

— Écoute, ma chérie, je te promets de parler à mon père ce matin même. Il acceptera notre mariage, il a été très impressionné par ta beauté. Dès qu'il donnera son accord, j'enverrai un pli pour informer le vice-roi. Je ferai aussi publier un communiqué dans tous les journaux. Cette annonce officielle devrait suffire à te protéger définitivement du baron.

Jezebel se laissa aller contre lui, en fermant à demi les yeux. Elle essayait de s'imaginer en princesse orientale, n'y parvenait pas tout à fait.

— M'apprendras-tu à jouer au polo ?

— Ce n'est pas un sport pour une femme ! protesta-t-il en riant.

— Ne m'en crois-tu pas capable ?

— Oh, je pense surtout qu'avec ton vilain caractère, tu serais capable de forcer ton cheval à prendre le maillet entre les dents et à jouer tout seul !

Elle rit à son tour, mais c'était un rire un peu forcé. Il posa une main sur sa cuisse, la caressa à travers le tissu. Elle se coula plus étroitement contre lui pour embrasser sa joue, et glisser malicieusement jusqu'au coin de sa bouche, qu'elle frôla innocemment. Il s'en amusa, mais elle lui dit avec beaucoup de sérieux :

— Je crois bien que je vous aime, monsieur le prince de Nandock.

La phrase l'émut profondément.

— Moi aussi je vous aime, belle milady.

La villa Rose était en bordure du quartier résidentiel, les pieds presque dans l'eau du fleuve. À cette heure-ci, cette rue huppée était peu fréquentée, contrairement aux artères plus populaires qu'ils venaient de traverser. Jezebel demanda à Charu de ne pas entrer dans la propriété et de s'arrêter près du portail. Elle craignait que des domestiques ne les voient ensemble. Il y consentit à regret, la retint alors qu'elle voulait déjà s'échapper.

— Je dois te le dire, chuchota-t-il en dardant sur elle son regard de braise. Cette nuit a énormément compté pour moi.

Elle enfouit son visage contre sa poitrine, frotta sa joue comme une chatte câline sur la soie de sa tunique, murmura tout contre une broderie de paillettes.

— Je t'aime, Charu. Je t'aime. Je t'aime. Je t'aime.

Il lui releva le visage, chercha ses lèvres, l'embrassa avec une fougue désespérée.

— S'il te plaît, ne nous quittons pas…, souffla-t-il contre sa bouche.

Il ne parvenait pas à se l'expliquer, mais depuis qu'ils étaient arrivés à la villa Rose, il avait un mauvais pressentiment. Il essayait de le repousser, il s'était toujours voulu moderne et non assujetti aux croyances et aux superstitions d'un autre âge qui entachaient constamment la vie de son peuple, mais son angoisse persistait.

Jezebel lui sourit, un joli petit sourire fragile qui montrait à quel point elle se tenait en équilibre entre deux mondes.

— Nous ne sommes pas en train de nous quitter, répondit-elle en accentuant son sourire. Nous sommes en train d'organiser notre avenir, n'est-ce pas ?

Il l'embrassa à nouveau. Il n'arrivait pas à la lâcher, à simplement ouvrir les doigts pour qu'elle puisse partir. Il avait l'impression que s'il le faisait maintenant, elle serait comme un oiseau qui découvre la porte de sa cage entrouverte, s'y faufile par curiosité, appelé par la liberté malgré le danger. Puis il comprit brutalement qu'une cage n'est jamais une solution. Il la regarda à nouveau.

— Je vais parler à mon père, je reviendrai cet après-midi avec une bonne nouvelle. En attendant, s'il y a quoi que ce soit, si von Rosenheim revient plus tôt que prévu, si tu as des ennuis, si tu as peur, si tu as simplement envie de moi, viens au Palais d'Or avec ce mot : *pyaar raat*[1]. Les gardes seront au courant, ils te conduiront jusqu'à moi ou jusqu'à mon père.

Elle promit, essuya comme une enfant les larmes qui s'obstinaient à couler sur ses joues, sortit de l'automobile. Il la retint quelques secondes encore par le bout des doigts. Ils se regardèrent. Se dirent tellement de choses en silence, leur amour, leur espérance, leur foi en leur avenir.

— Reviens vite, chuchota-t-elle, et elle partit en courant vers la villa Rose.

Quelques pas plus loin, elle s'arrêta, ôta ses escarpins de bal, se retourna vers Charu en les tenant à la main, en essayant de rire, à tout le moins de sourire, mais il retint surtout son petit visage chiffonné de chagrin. Il lui envoya mille baisers d'une main, tandis qu'il s'accrochait de l'autre au volant de la Bugatti, pour ne pas courir à sa suite.

Elle devint lointaine, puis toute petite, tandis qu'elle courait pieds nus sur le chemin privé qui menait au perron d'honneur. Des chiens aboyèrent, certainement ces lévriers barzoïs que la duchesse russe élevait, mais il n'y prêta pas plus d'attention. Il regardait son amour grimper les marches quatre à quatre, se

---

1 « Nuit d'amour », en hindi.

retourner brièvement dans sa direction. Elle actionna le heurtoir. Au bout de quelques minutes, elle disparut à l'intérieur.

Il demeura tourné dans cette direction durant quelques secondes, comme s'il s'attendait à la voir resurgir et revenir vers lui en sauvageonne, les cheveux battus par le vent, les pieds nus martelant la terre, sa poitrine se soulevant au rythme de sa respiration haletante. Il ne parvenait pas à partir. Il se souvenait de la nuit dernière, de cet instant où il l'avait ployée sous lui, lorsqu'il l'avait fait gémir de plaisir, lorsqu'il avait épanché sa jouissance en elle.

Enfin, il se décida à démarrer, s'aperçut qu'il avait laissé le moteur s'éteindre. Il sortit de la Bugatti pour relancer la manivelle. Il n'eut pas le temps de comprendre.

Une automobile surgit de derrière un rideau d'arbres. Deux hommes en sortirent, le saisirent durement par les bras. Il tenta de se dégager, parvint à se débarrasser du premier mais un troisième homme lui fit face. Grand. Large et épais. Obèse même.

Il reconnut Mogül, l'âme damnée du baron von Rosenheim.

*

En entrant dans la villa Rose, Jezebel fut chaleureusement accueillie par *Lyubov*, le lévrier préféré d'Olga, qui était son reproducteur fétiche et le seul de tous ses barzoïs à avoir le droit de vivre en liberté dans sa demeure.

Bousculée par la grande bête, qui lui vouait une affection particulière, la jeune fille faillit tomber à la renverse. Avec un éclat de rire, elle s'accroupit pour caresser le superbe chien à la silhouette si fine, si élégante, et au somptueux poil frisoté couleur crème.

— Bonjour Jezebel.

Elle sursauta, leva les yeux, aperçut Jan Lukas debout dans l'ombre d'un store, grand, un peu raide, les cheveux ébouriffés, la mâchoire ombrée d'une barbe naissante. Elle se releva lentement, serra ses mains l'une contre l'autre, les joues embrasées. Elle était gênée de constater que, malgré les mois écoulés, malgré la nuit qu'elle venait de passer avec Charu, elle n'était pas guérie du désir qu'elle ressentait chaque fois qu'elle voyait le jeune Américain.

— Bonjour, monsieur Lukas.

Sa voix était trop rauque, la trahissant presque. Furieuse d'avoir oublié que Jan logeait parfois ici, elle se sentit encore plus penaude de le rencontrer si tôt le matin, presque au saut du lit. Il lui avait ouvert la porte après avoir enfilé une chemise blanche qu'il avait négligé de boutonner. Elle devinait la forme de son torse, le volume de ses muscles. Elle rougit plus encore lorsqu'elle s'aperçut qu'il fixait ses pieds nus, et les chaussures qu'elle tenait à la main, en arborant un demi-sourire irrésistiblement moqueur. Elle se hâta de se rechausser.

— Où sont les domestiques ? s'enquit-elle pour dire quelque chose.

— Ils font leurs ablutions au fleuve. Il est très tôt, Olga dort encore. Vous la connaissez, elle n'est pas du tout du matin. Voulez-vous que j'aille la réveiller ?

— Non, je vous en prie, s'exclama-t-elle vivement. Laissez-la dormir encore un peu.

Elle demeurait là, de plus en plus gênée, à ne pas savoir que dire, quoi faire. Il remarqua soudain l'état dans lequel elle se trouvait, avec ses cheveux défaits qui pendaient sur ses épaules en mèches emmêlées, son petit visage chiffonné d'angoisse, sa belle robe de bal maculée de terre, d'herbes et de mousse, et déchirée en maints endroits. Se rapprochant, il s'exclama :

— *God damn*, que s'est-il passé ? Que vous est-il arrivé ?

Elle baissa ses grands yeux bleus tout en rougissant violemment, puis chuchota d'une toute petite voix.

— Rien, ne vous inquiétez pas.

Il avança encore, jusqu'à se tenir devant elle, proche à la toucher, résistant à l'envie de la prendre dans ses bras, de la serrer contre lui.

— Jezebel, je ne suis pas votre ennemi. Vous savez que vous pouvez me parler, vous confier… À moins que vous ne préfériez que j'aille tout de même réveiller Olga ?

— Non, non, je vous assure, je vais bien. Je… J'ai passé la nuit dans un jardin. Il y avait un feu d'artifice, c'était très beau, je… après… je me suis endormie.

Elle continuait à fixer le sol, en s'empourprant de plus belle. Il finit par comprendre qu'elle revenait d'une escapade amoureuse et, la gorge serrée, nota ses lèvres gonflées par trop de baisers, et son doux parfum de vanille et de violette que mâtinait un reste d'épices, d'herbe écrasée et de terre mouillée. Elle sentait l'amour sauvage, l'amour irrépressible. Il recula d'un pas sans parvenir à la quitter des yeux. Charu était donc parvenu à ses fins.

— J'espère qu'il vous a rendue heureuse, persifla-t-il en résistant à l'envie de la secouer violemment.

Elle leva le nez, étonnée par son changement de ton.

— De quoi parlez-vous ?

— Du prince dont vous venez de quitter le lit ! lança-t-il, plus méchant qu'il ne l'aurait voulu, parce que Charu était son ami, presque son frère, et que, d'une certaine façon, il aurait dû être heureux pour lui.

— De quoi vous mêlez-vous, alors que vous vous affichez publiquement avec Olga ? Et je ne parle même pas de toutes ces autres maîtresses dont les commères de Calcutta font régulièrement les choux gras ! Quelle fatuité que celle des hommes, qui prennent toujours des libertés qu'ils refusent par ailleurs aux femmes ! Pensez-vous donc être le seul à avoir droit au plaisir, tandis que nous autres, pauvres petites femelles dévolues à votre seul désir, nous ne devrions qu'attendre vos envies ?

Ils se dressèrent à se toucher, fous de jalousie l'un et l'autre, jusqu'à ce que Jan se rende compte de la situation et se détourne d'un air aussi attristé qu'embarrassé.

— Décidément, nous ne faisons que nous disputer, à croire que nous n'arriverons jamais à nous avouer ce que nos corps savent pourtant de longue date. Vous souvenez-vous de ce petit tableau que vous admiriez sur l'*Albatros* ? Celui qui montrait un couple de bengalis blancs, des petits oiseaux inséparables que l'artiste avait peints avec infiniment de tendresse ? Vous vous teniez dos à moi, je ne voyais que votre nuque, et ces petits cheveux échappés de votre coiffure, qui ondulaient à chacun de mes souffles. C'était la première fois que je vous voyais. Je ne l'oublierai jamais.

Elle ne respirait plus. Ainsi, lui aussi se souvenait ? Il continua *mezzo voce*.

— Jezebel, ne croyez-vous pas que nous devrions grandir ? Cesser de nous torturer ? Reconnaître ce que le destin cherche à nous dire ?

Elle secoua la tête. Elle serrait convulsivement ses mains l'une contre l'autre. Des larmes coulaient silencieusement sur ses joues. Il revint vers elle, démangé par l'envie de la prendre dans ses bras, d'essuyer ses larmes, d'embrasser sa bouche tentante comme un fruit mûr, et aussi de la faire rire, gémir, crier. De la faire sienne. Il lui tendit plus prosaïquement un mouchoir.

— C'est l'heure du petit-déjeuner. Avez-vous faim ?

Elle se tamponna les yeux.

— Je ne sais pas...

Il se dirigea vers l'office, ne plaisantant qu'à moitié :

— Y a-t-il au moins une chose que vous savez dans votre vie un peu trop compliquée ?

Elle ouvrit la bouche pour répondre, se tut cependant. Elle avait failli hurler de tout son cœur, de toute son âme : « Je sais que je vous aime ! » alors qu'elle aimait Charu avec tendresse et tellement de plaisir. Était-il possible d'avoir deux amours, de les aimer tout autant l'un que l'autre, de sourire à l'un tout en se languissant de l'autre ?

Elle demeura immobile en l'écoutant s'affairer dans la cuisine. Il prépara des bols et des assiettes, revint quelques instants plus tard avec un plateau garni de thé et de café, de toasts, de beurre et de marmelade, d'œufs frits, de lard grillé, et d'une mangue joliment ouverte, prête à être dégustée.

— Venez manger, milady, ça ira mieux après. Allons sur la terrasse. J'aime lorsque le soleil se lève sur l'Hooghly. Pas vous ?

Effectivement, la vue courait sans obstacle jusqu'au fleuve, que le soleil devenu une grosse boule rouge inondait d'une couleur de rubis chatoyant. Dans le courant qui ondulait paresseusement, quelques personnes se baignaient et lavaient leurs vêtements. Elles s'immergeaient à demi-nues, puis remontaient à la surface dans un jaillissement de gouttes d'eau. Sans doute s'agissait-il des domestiques d'Olga en train de faire leurs prières matinales. À cette distance, ces hommes et ces femmes n'étaient que de petites silhouettes à contre-jour, nimbées d'or et de brume tandis que des bateaux passaient en arrière-fond, certains gros comme des paquebots, d'autres petits et munis de voiles.

La scène était merveilleuse de beauté et d'intemporalité.

Jezebel s'installa sur la chaise que Jan lui avança en s'efforçant de paraître naturelle. Elle acheva de se donner une contenance en dépliant une serviette qu'elle posa par habitude sur ses genoux, sur une robe qui n'avait plus besoin d'être protégée de quoi que ce soit. Elle faillit en rire avec nervosité, se retint en se mordillant la lèvre tout en regardant autour d'elle comme si elle découvrait la demeure d'Olga pour la première fois.

La villa Rose n'était rose qu'à l'extérieur. Elle avait été bâtie dans un grès issu du lointain Rajasthan, que les premiers propriétaires avaient fait venir par bateaux entiers parce qu'ils avaient d'abord vécu à Jaipur, et qu'ils avaient été impressionnés par la couleur peu commune des pierres utilisées là-bas. L'intérieur était très différent. Olga avait fait refaire la décoration en donnant à toutes les pièces une tonalité blanche. Elle affirmait avec son grand rire habituel que tout ce blanc lui rappelait la neige de sa patrie, la Sainte Mère Russie, dont elle se languissait. Dans son jardin, même les paons étaient albinos.

— Thé, je suppose ?

Elle tendit sa tasse, Jan la servit en la toisant d'un regard gris clair presque dur. Elle feignit de ne pas s'en apercevoir, saisit la pince à sucre, se choisit un morceau de candi, se versa ensuite un peu de lait.

— Un œuf ? Un toast ? proposa-t-il.

Elle avait l'estomac noué mais leva docilement son assiette. Il la remplit tandis qu'elle se hasardait à lui jeter un bref coup d'œil. Il avait sur sa pommette droite une ecchymose de la taille d'un poing, relativement fraîche s'il fallait en juger les couleurs encore violacées, qu'elle n'avait pas remarquée. Surprise, elle s'exclama avec un rien de moquerie :

— Ah mais, à vous aussi, il vous arrive des choses étranges ! Votre vie serait-elle également un peu trop compliquée ?

Il s'apprêtait à répondre lorsqu'un tourbillon vêtu d'un déshabillé de satin et d'un spectaculaire pyjama d'intérieur entièrement recouvert de fleurs exotiques, de perroquets et d'oiseaux du paradis entra sur la terrasse, escorté par un rire semblable au roucoulement de tourterelle. La duchesse Olga Marushka Obolenski saisit Jezebel dans ses bras, l'embrassa sur les deux joues en claquant bruyamment des lèvres puis s'exclama d'un ton mélodramatique :

— Monsieur traîne dans les bas-fonds et s'étonne de se faire voler ! Monsieur se croit invincible, et voilà ce qu'il récolte ! Au fait, ma chérie, très bonne nouvelle année. J'espère qu'elle vous sera douce et heureuse.

— Très bonne année à vous aussi, Olga, répondit Jezebel avant de se tourner vers le jeune Américain et de s'étonner. Vous vous êtes fait agresser ?

Il haussa les épaules.

— Notre chère Olga exagère toujours, à croire qu'en Russie, on est biberonné au drame dès son plus jeune âge. Comme vous pouvez le voir, je ne suis même pas blessé.

— Quand est-ce arrivé ? s'enquit encore Jezebel tandis qu'Olga s'asseyait et se versait du thé.

— Hier matin. Je sortais du *Hogg Shaheber Bajaar*[1] où je m'étais attardé à regarder quelques animaux exotiques. Je remontais Lindsay Street lorsque j'ai été pris à partie par ces trois types, des mendiants ou autres, je ne sais trop. À quelques centimètres près, je récoltais un œil au beurre noir ! Je me suis étalé dans le caniveau et j'ai été plumé comme une dinde de Thanksgiving. Ils m'ont tout pris : mon portefeuille, mes papiers, mes roupies et mes bons dollars américains.

— Et même le bracelet en poils d'éléphant que je t'avais offert pour ton anniversaire, soupira Olga en regardant le poignet hâlé de l'Américain, où une marque blanche se dessinait nettement.

Jezebel s'étonna. Elle se souvenait très bien de ce curieux bracelet dont la tresse noire ressemblait à du cuir souple, enchâssé dans un joli fermoir en or massif.

— C'est assez stupide de leur part, remarqua Olga en jouant distraitement avec un toast, qu'elle hachait menu sans même s'en rendre compte. Ce bracelet n'a pas beaucoup de valeur, hormis son aspect sentimental. Je l'avais acheté dans une échoppe de Khaligat, il était censé apporter bonheur et longévité. Ces superstitions locales sont assez agaçantes. Elles ne marchent jamais !

— Qui sait ? la taquina Jan en lui souriant gentiment pardessus la table. Sans ce bracelet, je serais peut-être mort et jeté en pâture aux vautours.

Olga était superstitieuse. Elle pâlit terriblement.

— Ah, je t'en prie, ne plaisante pas avec ça !

---

1. Le *New Market*, créé en 1874, a été connu durant de nombreuses années sous le nom de *Sir Stuart Hogg Market* du nom du président de l'époque de la Calcutta Corporation, en bengali le *Hogg Shaheber Bajaar*.

Jan lui attrapa la main et la porta à ses lèvres pour se faire pardonner, mais elle la lui retira comme si ses lèvres l'avaient soudain brûlée. Le visage figé dans une mélancolie dont elle n'était pas coutumière, elle continua à massacrer sa tranche de pain. Jezebel l'observa avec plus d'attention. Olga n'avait pas l'air dans son assiette. Était-il possible qu'elle ait entendu quelque chose de sa conversation avec Jan ? Et si oui, qu'en avait-elle compris ?

En proie à un doute affreux, la jeune fille cacha son teint de coquelicot derrière sa tasse de thé.

De fait, Olga avait été réveillée par ses chiens qui ne cessaient d'aboyer. Elle avait entendu la porte d'entrée s'ouvrir, puis la voix de Jan parler très doucement. Curieuse, elle s'était levée, avait enfilée ses mules et un déshabillé, et était descendue en catimini, étonnée de remarquer qu'il était si tôt que ses domestiques n'étaient pas encore revenus de leurs ablutions quotidiennes.

Lorsqu'elle vit Jezebel, elle fut heureuse de sa visite et faillit se précipiter vers elle. Puis elle entendit ce qu'elle disait, et ce que Jan répondait, et elle dut s'appuyer contre un meuble, prise de vertiges.

Elle n'était pas naïve, cela faisait longtemps qu'entre la jeune Anglaise et le jeune Américain existait un lien qu'elle refusait de voir. Aujourd'hui, néanmoins, l'évidence était là, elle ne pouvait plus la nier : ces deux-là s'aimaient.

Bien sûr, ce n'étaient que des mots à demi avoués, des sentiments à peine esquissés, une retenue autant remplie de pudeur que de désaveux. Ils se parlaient, mais ne s'entendaient pas. Ils n'étaient pas encore dans le même monde.

Elle, en revanche, ne pouvait plus se mentir. La certitude dans son cœur était telle une bombe incendiaire. Le plaisir ne suffisait pas.

Les domestiques revinrent. Ils tournaient autour d'eux en un ballet silencieux et presque invisible, amenant l'un une salade de fruits, l'autre une théière supplémentaire. Ils débarrassèrent les assiettes vides, proposèrent des sucreries que la cuisinière, ravie d'avoir du « monde », s'était empressée de faire frire et de napper de miel.

Olga orchestrait le tout de manière éhontée, trop bruyante, trop spectaculaire. Jezebel avait appris à la connaître et devinait que tant de grandiloquence cachait une grande déchirure.

Elle posa une main un peu tremblante sur celle de son amie. Elle aurait voulu lui dire que tout était toujours comme avant, que rien n'avait changé, elle ne parvint qu'à demander :

— Olga ? Allez-vous bien ?

La jeune femme la regarda. Son beau visage aux pommettes asiatiques affichait une impassibilité de statue.

— Oui, bien sûr.

— Je… je suis désolée de vous déranger d'aussi bonne heure… Je suis partie de chez Amely Esket un peu précipitamment, or je ne pouvais pas retourner à la villa Gokhra.

— Ma chérie, vous êtes ici chez vous.

Jan Lukas se leva. Il évita de regarder l'une ou l'autre des jeunes femmes, s'excusa et sortit dans le jardin.

— Je crains de vous déranger, souffla Jezebel, que ce départ gênait plus que de raison.

Olga lui caressa brièvement la joue.

— Ma chérie, ne prenez pas ombrage du caractère de ce fichu Américain, qui est souvent celui d'un ours ! Il faut dire que nous avons en ce moment quelques soucis. Les employés ont relevé près du chenil les traces d'une panthère. Ce fauve rôde près des cages depuis plusieurs nuits. Il a même l'outrecuidance de se faire les griffes sur mon plus beau lilas des Indes. Si j'en crois les aboiements des barzoïs, il a dû revenir tôt ce matin.

— J'ai effectivement entendu les chiens aboyer en arrivant. J'ai cru que j'en étais la cause…

— Voyons, ma chérie, les chiens vous connaissent ! Ils n'auraient jamais aboyé contre vous. Non, un prédateur est assurément dans les parages, plaise aux cieux qu'il ne s'intéresse qu'aux chiens ou aux paons. Mais ne nous effrayons pas pour rien. Après tout, ce matin, peut-être s'agissait-il tout simplement d'un cobra ?

Jezebel n'avait pas particulièrement peur des serpents mais à cette évocation, elle eut tout de même un long frisson d'appréhension, un peu comme un mauvais pressentiment.

*

Le hangar sombre sentait le poisson et l'huile rance, avec en arrière-fond un relent de *chandoo*. Il servait à stocker l'opium en attendant l'arrivée des bateaux de transport qui emmenaient ces cargaisons vers le port maritime, où elles étaient embarquées pour la Chine. En prêtant l'oreille, il était possible d'entendre le léger clapotis du fleuve sur la berge, et le cri des lointains mariniers naviguant sur l'Hooghly. À cette heure-ci, une lumière orange tombait de biais à travers les planches mal jointes, indiquant que le soleil était en train de se coucher.

Charu se réveilla en suffoquant. Il avait fallu quatre seaux d'eau pour le sortir de son inconscience. Maintenant, il grelottait dans ses vêtements trempés.

Des bottes noires s'immobilisèrent près de son visage. Le jeune prince lutta pour recouvrer ses esprits. Il se rendit vaguement compte qu'il était allongé à même le sol, dans une position inconfortable qui endolorissait ses muscles.

— Aidez-moi… relever…, ânonna-t-il d'une voix à peine audible.

Il ne reçut aucune réponse. Surpris, il essaya de bouger. Une migraine atroce enserrait ses tempes, écrasait les os de son crâne jusqu'à son cerveau. Il avait un goût de sang dans la bouche. Il explora ses gencives avec sa langue. Des dents manquaient, d'autres bougeaient atrocement. Il avait de la peine à déglutir et il respirait si mal qu'il était à peu près certain que son nez était brisé. Soudain, il vomit un jet de bile qui brûla affreusement sa gorge, puis il demeura à se tortiller dans ses déjections comme une larve misérable, en toussant et crachant.

Il avait été tabassé en règle. Et il était prisonnier. Ses mains étaient attachées dans son dos, tout comme ses chevilles. Il rampait pitoyablement sur un sol de terre battue qui sentait autant l'opium que l'huile rance. Il eut un sursaut de rage, s'acharna durant quelques instants à essayer de se libérer, mais le chanvre qui le retenait était solide. Il ne réussit qu'à s'entailler les poignets.

Il ne parvenait pas à réfléchir, ni même à comprendre ce qui lui arrivait. Il n'avait jamais été traité de la sorte. Il était un prince de sang royal, le deuxième fils du maharaja de Mahavir, l'héritier du trône juste après son frère aîné. Depuis le jour de sa naissance, il n'avait jamais rien fait seul, pas même lorsqu'il avait été aux États-Unis pour étudier à l'occidentale. Dans le Palais d'Or de son père, il était choyé comme un objet précieux et une multitude de serviteurs se relayaient pour anticiper le moindre de ses désirs. Il était vêtu des étoffes les plus précieuses, des soies les plus douces, des broderies les plus belles et des cachemires les plus légers. Sa peau était massée d'huile précieuse, ses cheveux lavés de parfum. Son crayon tombait, quelqu'un le ramassait. Il voulait aller pieds nus, on se précipitait pour lui ôter ses sandales. Il avait soif, il tendait la main et on le désaltérait. Il avait faim, il avait toujours à sa disposition des mets appétissants pour le satisfaire.

— Prince Charu.

Au-dessus des bottes noires, un visage long et maigre le scrutait avec une évidente jouissance. Il reconnut son geôlier, cracha avec un long mépris :

— Baron… von… Rosenheim, j'aurai dû me… douter… cette agression… venait… de… vous…

Le baron éructa un gloussement qui pouvait passer pour un rire. Il étala sur le sol un mouchoir, y plia un genou en prenant garde à ne pas se salir. Comme d'habitude, il était vêtu avec une élégance ostentatoire même s'il avait troqué aujourd'hui son éternel costume trois-pièces contre une veste à la coupe sport, un *jodhpur* et de hautes bottes cavalières en cuir noir, cirées au miroir, que Charu ne cessait d'avoir dans son champ de vision.

Après s'être accroupi, l'aristocrate suisse approcha son visage de celui de son prisonnier. Charu tenta de reculer mais n'y parvint pas. Von Rosenheim frôla son oreille de ses lèvres et susurra d'un ton faussement amical :

— Ne trouvez-vous pas amusant, mon cher prince Charu, comme la perception des choses est parfois différente d'un être à l'autre ? Par exemple, vous voyez une agression là où moi je ne vois qu'une invitation à la discussion. Pourquoi ma perception ne serait-elle pas plus normale que la vôtre ? Après tout, nous n'avions pas terminé notre dernière conversation…

— Ne me dites… pas… que vous cherchez… encore votre… médaillon… Je… vous… ai… dit…

— Ah, ce cher médaillon Sher-Cîta, coupa von Rosenheim. C'est vrai, je le cherche encore. Jamais objet ne m'aura autant fait courir. J'essaie de m'en amuser mais je vous avoue que je commence à être lassé de ce contretemps. Cette chasse pitoyable n'a que trop duré…

Charu n'entendait pas tout. Par moment, il sombrait dans de brefs évanouissements qui ne duraient que quelques secondes, mais qui suffisaient à lui faire perdre toute notion de temps et d'espace. Lorsqu'il reprenait conscience, il essayait de s'adresser au baron d'un ton égal, comme il aurait pu le faire avec un petit enfant capricieux ou une personne aliénée. Bien qu'il fût mal en point, il n'avait pas peur. Il n'avait jamais eu peur de rien, pas même du tigre mangeur d'hommes qui s'était jeté sur lui il n'y avait pas si longtemps. Il avait grandi avec la certitude d'être béni des dieux. Il était au sommet de l'échelle des castes et des classes. Que pouvait-il lui arriver, alors que son karma l'avait déjà sélectionné parmi tous.

— Détachez-moi..., ordonna-t-il. Je suis... un prince de... l'Empire... britannique. Vous ne pouvez... me... retenir prisonnier.

Mais von Rosenheim eut un lent sourire cruel.

— Je crois que nous ne nous sommes pas compris, prince Charu. Vous m'avez volé deux choses. Pour cela, vous allez payer.

Charu secoua la tête. Il ne comprenait pas. De quoi parlait le Suisse ? Et surtout, comment un simple médaillon, certes en or et sans doute assez vieux, mais assurément fort banal, avait-il pu provoquer un tel acharnement, une telle haine ? Le baron avait-il vraiment toute sa tête ?

— Je ne comprends pas..., répéta le jeune prince. Je n'ai rien volé... certainement pas votre... médaillon.

Von Rosenheim toisa son prisonnier avec animosité. Le médaillon Sher-Cîta était une chose, mais il pensait aussi à sa fiancée. Le rapport de Mogül ne laissait planer aucun doute : le prince était son amant. Sans souci des convenances, sans respect pour les usages ni pour l'hégémonie blanche et européenne, ce moricaud avait osé passer une autre nuit avec la jeune fille, malgré la mise en garde qu'il lui avait lancée au palais de Nandock.

Von Rosenheim avait écouté avec un bouillonnement de rage le Moghol lui décrire la tendresse qui les animait, les gestes qu'ils avaient l'un pour l'autre, les caresses et les longs baisers qu'ils se prodiguaient. Avec une jalousie mauvaise, il avait imaginé les mains sombres de l'Indien se posant sur la peau blanche de sa fiancée, la salissant de ses attouchements, la pervertissant de ses lèvres. Maintenant encore, il devait faire appel à tout son self-control pour ne pas siffler de haine.

— Dis-moi à qui tu as donné ce médaillon.

Pas de réponse. Le baron se redressa et lui donna de violents coups de pied. Charu se tordit de douleur. Il ne parvenait pas à s'empêcher de crier. La souffrance était atroce, elle remontait de ses membres déjà meurtris, enserrait son cœur comme pour le faire éclater. Le sang battait à ses tempes, dans sa gorge. Il pensa à Jezebel. Il ne voulait penser qu'à elle, pour ne pas sombrer dans le tourbillon de cette souffrance infernale.

— Qui possède ce médaillon ? hurla à nouveau le baron.

Les questions pleuvaient en même temps que les coups. Charu se tordait, rugissait sur place comme un lion mortellement blessé. Il tentait tant bien que mal de protéger son visage des semelles qui l'écrasaient, mais il parvenait à peine à détourner la tête. Les bottes le traquaient inlassablement, écrasaient sa mâchoire, labouraient ses côtes.

— Qui a ce médaillon ? Vas-tu répondre !

À quel moment Charu comprit-il que tout était perdu ? Que le baron ne le relâcherait jamais ? Qu'il n'avait plus d'avenir sur cette terre avec ce corps, cette enveloppe, cette identité de prince béni des dieux ? À quelle minute précise commença-t-il à accepter l'inconcevable ?

Tous les principes auxquels il avait été nourri depuis son enfance, toutes les lois des astres et du cosmos, toutes les superstitions rabâchées par ses nourrices, ses domestiques, ses *ryots*, ses *sâdhus* aux membres couverts de cendre, l'emportaient sur leur flot rassurant. Il se raccrocha à l'idée folle de donner à son âme une dernière chance de rachat. Il fallait partir la tête haute et le cœur pur, pour ne pas se réveiller dans le corps d'une vache sacrée ou dans celui d'un singe, d'un chat, d'un rat ou, pire encore, dans le corps d'un impur de basse caste.

— Lukas, je l'ai vendu à Lukas, chuchota-t-il soudain, parce qu'il craignait de crier par mégarde le nom de sa bien-aimée.

Mais les coups ne s'arrêtèrent pas tout de suite. Il sombra dans un désespoir proche de l'évanouissement. Venait-il de trahir pour rien un ami, un frère, un compagnon de tant d'aventures, de matchs gagnés ou perdus, de corps à corps de centaures mais aussi de soirées d'études passées à discourir du monde, à le refaire avec enthousiasme tout en vidant une bouteille de whisky ?

Venait-il de vendre une amitié contre un amour, en vain ?

Cela lui fut insupportable. Il avait connu Jan aux États-Unis, sur les bancs de l'université d'Harvard. Ils partageaient la même passion pour les chevaux. Charu venait des Indes avec des diamants plein les poches et la certitude de pouvoir tout acheter. Il était accompagné d'une véritable cour, avec plus de douze serviteurs qui s'occupaient de son confort au quotidien, et de huit chevaux. Jan était de nationalité américaine mais venait d'Argentine, où il avait été élevé par un riche éleveur de *criollos* après la mort accidentelle de ses parents. Il était seul, arrogant et débrouillard, et excellent cavalier. Les deux déracinés s'étaient trouvés grâce au polo. D'entraînements en matches, ils s'étaient d'abord respectés, puis appréciés, pour enfin devenir inséparables. Ils n'avaient jamais rompu le lien même après que le prince fut retourné en Inde.

Jan saurait-il lui pardonner cette trahison ? Comprendrait-il que son ami n'avait pensé qu'à sauver la jeune fille qu'il aimait, à qui il avait malencontreusement offert le médaillon de toutes les discordes ?

Il décida que oui, et il hurla de toute la force de son désespoir :

— Je l'ai vendu à Lukas ! Je l'ai vendu à Lukas !

Les coups cessèrent. Les bottes se posèrent de part et d'autre de son visage.

— J'ai fait fouiller Lukas, trancha le baron. Il n'avait pas le médaillon.

— Pas sur… lui… évidemment…, bafouilla Charu. Mais c'est sûr, c'est lui… qui l'a. Je lui… ai montré le médaillon… peu de temps après l'avoir découvert… L'anecdote du tigre… l'amusait. Il a… reconnu le… médaillon, il m'a demandé… de le lui vendre. Il… était très… excité. L'argent… n'a pas… d'importance. Lukas est… mon… ami. J'ai demandé… cent roupies, que j'ai… fait… envoyer… à un temple.

Von Rosenheim demeura silencieux. Les faits étaient crédibles et corroboraient sa propre intuition. Charu sentit qu'il acceptait son histoire. Il reprit espoir.

— Vous savez… ce que vous… voulez… savoir, von… Rosenheim, souffla-t-il. Libérez-moi… maintenant.

Dès qu'il serait libre, il s'arrangerait pour prévenir Lukas de la situation. Il regarda sans comprendre von Rosenheim sortir de son étui le Luger qu'il portait en permanence à sa ceinture.

— Une dernière petite chose, prince.

La détonation claqua avec une violence inouïe. Charu mourut bien avant que le baron ne lui crache dessus.

— Crois-tu vraiment que je t'aurais laissé ma fiancée, *schmutziger Affe*[1] ?

1. « Sale singe », en allemand.

Quatrième partie

# Le vent dans les palétuviers

*2 janvier 1920 – Calcutta – Bengale-Occidental – Inde*
*du 4 au 6 mars 1920 – Chittagong – Bengale-Oriental*

# 22

*2 janvier 1920*
*Calcutta – Bengale-Occidental – Inde*

Jezebel fut réveillée par le cri du paon, très tôt le matin. Il faisait encore nuit. Pieds nus pour ne pas faire de bruit, elle alla à la cuisine où elle déjeuna en solitaire, assise sur un tabouret, tandis qu'Olga dormait encore, et Jan sans doute aussi. Pour éviter de les imaginer enlacés dans le même lit, leurs bras et leurs souffles mêlés, elle regarda les domestiques à peine sortis du sommeil partir en file vers le fleuve pour effectuer leurs ablutions quotidiennes. Joliment ourlés d'or par le soleil levant, les saris des femmes et les tuniques des hommes formaient un contraste coloré avec la pelouse verte qui descendait en pente douce jusqu'à la rive.

Plus tard, elle s'installa dans le petit pavillon qui bordait l'Hooghly au fond du parc qu'elle affectionnait. La fine rosée de la nuit ne s'était pas encore évaporée, l'air frais la faisait presque frissonner. La maisonnette avait été construite sur un ponton de bois qui avançait dans le fleuve. Il était entouré d'eau, bordé sur un côté par des pousses de roseaux où picoraient des poules d'eau et de l'autre par le vaste courant plein de limon. Elle s'assit sur un banc qui permettait de voir aussi bien la villa Rose que l'immense étendue aquatique défilant à ses pieds. Elle avait posé à côté d'elle un carnet et quelques crayons qu'elle avait trouvés dans un tiroir mais elle demeura là, à ne rien faire. Elle n'avait pas envie de dessiner. Elle n'avait envie de rien.

La nuit avait été entrecoupée de moments d'insomnie passés à guetter le retour de Charu, dans une obscurité qui lui avait paru sombre et hostile. Le jeune homme aurait dû revenir dans l'après-midi, comme il le lui avait promis, mais il ne l'avait pas fait.

Maintenant, fatiguée et nerveuse, elle attendait que le temps s'écoule en occupant son esprit à mille petits détails qui n'avaient guère d'importance. Elle se dit qu'elle devait demander à Olga d'envoyer quelqu'un chercher le sac de voyage qu'elle avait laissé chez son amie Amely, au moins pour récupérer ses pastels et ses aquarelles. Elle n'avait pas le courage d'y aller elle-même. Elle avait l'impression que le fait d'avoir un amant était écrit sur sa figure.

Comme à son habitude, Charu avait disparu sans aucune explication. Elle détestait cette façon de faire, qui ne tenait pas compte de ses angoisses ou de ses attentes. L'ombre de von Rosenheim continuait de rôder, elle n'osait pas réfléchir à son avenir. Elle avait trop peur de se répandre en un torrent de larmes, là, sur ce petit banc de bois.

Dans la villa Rose, à l'autre bout de la pelouse, une lumière passa de pièce en pièce, puis s'éteignit. L'aube s'installait. Jezebel vit Jan sortir par une porte latérale. Il était habillé à l'indienne d'un *pajama*[1] et d'une chemise blanche, il avait même enroulé autour de sa tête un gros turban du même ton. Brièvement, il se tourna vers le pavillon, vers elle, la voyant peut-être. Elle attendit un signe, un sourire qu'elle aurait perçu même de loin, mais il demeura immobile, le corps hésitant, avant de partir dans l'autre sens sans même la saluer. Peut-être ne l'avait-il pas vue. Elle baissa la tête. Le jeune homme l'évitait. Elle en était certaine.

Il prit la direction du chenil. Les chiens aboyaient, sans doute pour réclamer leur pitance. Elle soupira, pétrie de contradictions. Elle attendait Charu, ses bras, ses baisers, tandis qu'un autre occupait ses pensées. Comment pouvait-elle aimer deux hommes à la fois ? Comment être heureuse si, chaque fois qu'elle était avec l'un, elle pensait à l'autre ?

Le cœur lourd, elle saisit son carnet de croquis et commença à dessiner. Ses esquisses reflétèrent immédiatement sa mauvaise humeur. Ses traits étaient hachés, son graphisme acéré. Elle croqua un coq en train d'attraper un scorpion. Le volatile avait l'air d'un ogre. Avec une dureté qu'elle ne se connaissait pas, elle mit l'accent sur le bec tranchant, le regard fixe et reptilien, les pattes semblables à des serres. Puis elle cessa brusquement de griffonner et, prise d'apathie, se tourna vers le fleuve pour observer l'eau glauque qui charriait les petites offrandes matinales.

1. Pantalon indien.

Les fidèles jetaient dans l'eau des *ghats* de minuscules embarcations fabriquées avec des feuilles de bananier pliées, remplies de pétales de fleurs ou de riz cuit. Certains lumignons avaient survécu à la nuit.

Hier soir, Olga avait fait servir le dîner sur la terrasse afin de profiter des lointaines processions lumineuses qui éclairaient le fleuve dès la nuit tombée. Serrées l'une contre l'autre, les deux jeunes femmes étaient demeurées silencieuses, sous le charme des bribes de musique qui accompagnaient les lointaines cérémonies religieuses. Jezebel avait réussi à ne penser à rien, surtout pas à Charu qui tardait. Olga avait deviné son angoisse, elle devinait toujours tout. Pour la réconforter, elle lui caressait doucement les cheveux.

Accoudé à la balustrade, Jan les observait en silence. Il sirotait un whisky, debout dans la pénombre. Par moments, Jezebel percevait l'éclat de son regard dans le vacillement des torches. Elle l'entendait aussi respirer trop fort. Subitement, il avait vidé son verre d'un seul coup, l'avait posé sur la table un peu trop brusquement, puis il avait pris un fusil pour faire sa ronde près du chenil. Les deux jeunes femmes l'avaient regardé s'enfuir dans la nuit avec *Lyubov* sur les talons. Olga s'était raidie, mais n'avait rien dit.

Ce matin, le barzoï avait accompagné Jezebel jusqu'au pavillon. Il était couché à ses pieds, à la surveiller de ses magnifiques yeux noisette, si sages et si doux.

Devinait-il, avec sa bonne grosse âme de chien, à quel point elle était malheureuse ?

Elle se pencha pour le caresser. Il lui lécha le bout des doigts puis, soudain, se redressa pour regarder vers la villa. Jezebel entendit à son tour un bruit de moteur. Une grosse automobile remontait l'allée. Elle reconnut la Rolls-Royce Silver Ghost avec chauffeur qu'Amely empruntait souvent à son père. Étonnée par une visite aussi matinale, elle se leva, défroissa sa jupe en se disant que son amie venait sans doute lui ramener ses affaires.

La Rolls s'arrêta devant le perron. Le chauffeur ouvrit la portière arrière. Amely, curieusement vêtue d'un gris sombre alors qu'elle aimait tant les couleurs douces, descendit d'un pas lent et gravit le perron de la même façon. Elle actionna plusieurs fois le carillon d'entrée, jusqu'à ce qu'Olga, en l'absence des domestiques, vienne ouvrir en personne. Les deux jeunes femmes se parlèrent, tombèrent dans les bras l'une de l'autre. Jezebel ne bougea pas. Elle se sentait comme paralysée, le cœur subitement figé dans un morceau de glace. Quelque chose n'allait pas. Elle n'aurait su dire quoi, sauf que c'était déjà là, tapi dans l'ombre comme un prédateur.

Amely ressortit de la maison à peine une minute plus tard, accompagnée d'Olga. Elles marchaient de manière étrange, accrochées l'une à l'autre comme pour s'empêcher mutuellement de tomber. Elles passèrent devant l'automobile, ne s'y arrêtèrent pas. Elles traversèrent le gazon et se dirigèrent vers le pavillon où Jezebel les attendait.

Tout sembla devenir lent et inexorable. Jezebel oublia de respirer. Au fond de son corps, la glace qui avait étreint son cœur s'était propagée partout. Elle ne vivait plus, elle était une attente atroce, la préscience d'un drame, un cri en devenir.

Avant même d'apprendre quoi que ce soit, elle sut qu'un malheur s'était produit. Elle pensa à son parrain, déjà bien malade, avança d'un pas, puis d'un autre. Elle aurait voulu partir en courant, se boucher les oreilles, refuser d'entendre ce qui allait être dit, mais elle continuait de cheminer vers ses deux amies comme si son corps ne lui appartenait plus.

Amely l'aperçut et se figea. Elles se regardèrent à travers la pelouse. Amely ouvrit la bouche. Jezebel eut juste envie de hurler : « Tais-toi, mais tais-toi donc ! », mais déjà les mots la rattrapaient et, en les entendant, elle tomba à genoux.

— C'est le prince Charu…, bredouilla Amely, des larmes ruisselant sur son visage. Je suis tellement désolée… Mon père a été averti à l'instant, Peter a dû partir pour s'en occuper, le prince a été retrouvé ce matin au bord du fleuve. Il… il a été assassiné.

Jezebel voulut crier, mais aucun son ne sortit de sa gorge. Son cri était une tempête à l'intérieur de son corps, bloqué dans son cœur, dans son ventre, dans sa chair. Elle se mit à trembler violemment sans parvenir à se maîtriser. Elle n'entendit plus rien, ni les oiseaux dans les haies, ni le paon blanc en train de se pavaner, ni tous les serviteurs qui revenaient joyeusement de leurs prières.

Amely et Olga se précipitèrent vers elle en courant. Elle les regarda approcher avec détachement. Elle essaya même de les rassurer, de leur dire que rien n'était vrai, que Charu était fils de maharaja, qu'il était immortel. Il était fort, il était jeune, il était vivant. On ne meurt pas quand on est vivant. Puis quelque chose se brisa au fond d'elle-même et, avec un soupir pitoyable, elle s'écroula dans l'herbe et perdit connaissance.

*

Olga la fit transporter dans le séjour, où elle l'installa sur un divan. Pour occuper les domestiques revenus du fleuve, qui regardaient la scène avec de grands yeux affolés, Amely exigea des linges et de l'eau fraîche. Elle bassina les tempes de son amie tandis qu'Olga fouillait partout à la recherche d'un vieux flacon de sels.

Les narines piquées par l'ammoniac, Jezebel se réveilla en toussant. Une multitude de visages se penchaient au-dessus d'elle. Elle s'enfonça dans un océan de larmes. Olga eut peur pour sa santé nerveuse. Elle fit appeler le Dr Appleton. Son assistant, Peter Asgulson, vint à sa place. Depuis qu'il était fiancé à la fille de lord Esket, ce dernier jouissait d'un statut prometteur. Il n'était pas encore diplômé de la faculté mais s'occupait déjà seul du dispensaire placé dans le quartier populaire d'Alipur que son mentor, qui répugnait à s'occuper des indigènes, lui avait abandonné de bonne grâce. Son futur beau-père lui avait également obtenu le poste de légiste auprès de la police britannique. Il avait lui-même signé le certificat de décès du prince de Nandock.

Lorsqu'il se présenta à la villa Rose, la matinée était déjà bien avancée. Un domestique l'introduisit dans le salon. Les stores avaient été baissés, les rideaux tirés, les bouquets placés dans le corridor. La pièce habituellement lumineuse baignait dans une pénombre compassée.

Jezebel se tenait prostrée sur le divan. Dès qu'elle vit Peter, elle se leva et vint en chancelant lui prendre les mains. Elle le regarda douloureusement.

— Peter, je vous en prie, dites-moi que ce n'est pas vrai.

Le jeune Suédois secoua la tête. Amely lui avait avoué à quel point son amie était liée au prince de Nandock mais la voir à ce point affectée lui fut extrêmement pénible. Elle levait vers lui un petit visage émacié, trop pâle, aux traits misérables. Un torrent de larmes l'inonda. Il prit gentiment la jeune fille par la taille, l'appuya légèrement contre lui pour la ramener vers le divan où il l'incita à s'allonger. Là, il la calma en lui administrant un léger sédatif. Au bout d'un certain temps, elle parut s'endormir.

Olga proposa au jeune Suédois une tasse de thé. Avec un sourire d'excuse, il lui réclama quelque chose d'un peu plus fort. Il avait l'air bouleversé et la duchesse lui servit une vodka. Peter en but plusieurs gorgées avant de commencer son récit.

— Un officier anglais est venu ce matin très tôt pour me demander d'examiner un corps que des brahmanes avaient repêché dans le fleuve. J'ai été très étonné de la requête. De nombreux cadavres flottent constamment au fil de l'eau. La coutume indienne exige que les morts soient incinérés lors d'un bûcher funéraire mais les crémations coûtent cher. Il faut beaucoup de bois pour réduire un homme en cendres. Les familles les plus pauvres n'hésitent pas à jeter dans le fleuve des dépouilles partiellement consumées. Le courant les emporte vers l'océan même si, assez souvent semble-t-il, ces cadavres échouent sur les berges en aval, où ils finissent par servir de pâture aux chiens errants, aux rats et aux vautours.

Amely frissonna de dégoût. Son fiancé lui prit la main et la serra.

— Il ne faut pas en être choquée, ma mie. Ce sont des coutumes ancestrales certes différentes des nôtres, mais que nous devons respecter.

Amely savait cela. Elle vivait en Inde depuis suffisamment longtemps pour ne pas être impressionnée par les usages des différentes ethnies qu'elle côtoyait. En réalité, ce qui l'avait soudainement affectée, avait été de comprendre qu'un homme qu'elle connaissait, qu'elle admirait, qui rendait heureuse l'une de ses amies, avait été retrouvé ainsi, comme un morceau de viande qui nourrissait la vermine.

— Préférez-vous que je parle seul à seule avec Olga, ma mie ? s'enquit Peter en lui embrassant le bout des doigts. Après tout, rien ne vous oblige à écouter…

— Non, non, coupa sa fiancée. Je veux pouvoir aider ma chère amie Jezebel. Je serai forte. Il le faut bien.

Son fiancé hocha la tête. Il comprenait. Il continua donc son récit.

— L'officier m'a amené jusqu'au *Khouramgang ghat*, qui est situé près d'un port marchand où toute une série de hangars sert à stocker de l'opium et de l'indigo. Malgré l'état du corps, l'identification n'a laissé aucun doute. J'ai parfaitement reconnu le prince Charu de Nandock.

— *Velikiy Bog*[1]…, souffla Olga. Je n'arrive pas à y croire.

— Je suis désolé, dit Peter.

Olga se versa un verre d'eau puis demanda d'une voix blanche.

— Savez-vous ce qui a causé la mort ? Était-ce un accident ? Une chute ? Une noyade ?

Peter lui coula un bref regard, puis baissa les yeux.

— Il a été assassiné, Olga. Une balle en plein front. Là aussi, il n'y a aucun doute.

— Aaahh, s'exclamèrent les deux jeunes femmes en portant leurs mains à leurs visages dans le même geste d'horreur.

— Je vous en prie, chuchota Peter en jetant un regard alarmé vers leur amie assoupie. Ne la réveillons pas.

Lui-même avait pris soin de s'exprimer d'un ton très bas pour éviter que Jezebel, suffisamment choquée, n'entende toutes ces atrocités supplémentaires. Il espérait la protéger et était soulagé de voir que le sédatif avait fait son effet. Au moins, elle ne pleurait plus.

Olga et Amely se rapprochèrent l'une de l'autre. Les révélations de Peter venaient de les glacer. La duchesse affichait un visage dur, aux mâchoires crispées, mais Amely pleurait en silence, triste et désemparée. Elle avait vu naître l'idylle entre Jezebel et le prince, elle en avait même été complice en facilitant parfois leur échange épistolaire. La mort de Charu était un drame bouleversant.

— Le souci, reprit Peter, c'est qu'il s'agit d'un membre d'une famille princière. Les faubourgs s'agitent déjà. Nous avons dû transporter le corps par convoi militaire. J'ai fait placer le prince dans une ambulance de l'armée, sous bonne escorte. Autour de nous, la foule grossissait. Le jour se levait à peine mais notre progression a été suivie par des milliers de personnes. Il en venait toujours plus. C'était terrible de voir ces femmes pleurer et se lamenter, et ces hommes crier de colère. Je

1. « Grand Dieu », en russe.

savais le prince Charu populaire et très aimé de ses sujets, mais j'ignorais qu'il l'était à ce point. Le fait qu'il ait été assassiné n'arrange pas les choses. Depuis que le corps a été rendu au maharaja, des émeutes éclatent partout dans la ville. Des partisans nationalistes excitent la foule en accusant les Anglais d'être responsables de cet assassinat ou, du moins, à ne pas chercher à le résoudre. J'avoue que, pour ma part, je comprends leur sentiment : ce meurtre est l'œuvre d'un Occidental. En effet, j'ai toujours vu les Indiens préférer résoudre leurs rixes à coups de couteau ou avec une cordelette.

— Peter ! souffla Amely, qui ne tenait pas à entendre des détails.

— Pardon, s'excusa le futur médecin en lui embrassant la main.

Olga les interrompit avec une certaine brusquerie.

— Je sais qu'un différend opposait le prince Charu au baron von Rosenheim. Pensez-vous que je devrais signaler ce fait aux autorités ?

Peter n'eut pas le temps de donner son avis : une toute petite voix émergea du divan, si faible et si retenue qu'elle en paraissait spectrale.

— J'y ai également pensé, Olga, mais c'est inutile, le baron von Rosenheim n'est pas à Calcutta. Il est à Delhi pour affaires où il est bloqué depuis le 31 décembre.

Tous se tournèrent vers la jeune fille qui, loin de dormir, avait écouté toute la conversation, le visage enfoui dans un coussin comme au fond d'un cauchemar. Les détails qu'elle venait d'entendre la rendaient nauséeuse. Elle s'assit en triturant un mouchoir trempé de larmes. La situation ne lui paraissait pas réelle. Elle était partagée entre le déni, un immense sentiment d'impuissance et beaucoup de culpabilité. Elle ne parvenait pas à s'empêcher de croire que Charu était mort par sa faute. Elle se disait qu'elle ne l'avait pas assez aimé. Elle n'aurait jamais dû le laisser partir seul.

Olga vint s'asseoir à côté d'elle sur le divan. Elle lui prit la main.

— Avouez tout de même que cette absence tombe réellement à point nommé ! Êtes-vous tout à fait sûre que le baron soit *vraiment* à Delhi en ce moment ?

Peter Asgulson intervint d'un ton ferme.

— Olga, il vaut mieux ne pas vous en mêler. Une enquête est bien sûr en cours d'instruction. Je ne suis pas autorisé à en divulguer les détails mais sachez que des indices compromettants ont été découverts sur le corps. Je vous tiendrai au courant dès que j'en saurai un peu plus.

Lui et Amely prirent congé. Cette dernière embrassa longuement Jezebel, en lui précisant qu'elle lui avait ramené son sac de voyage, oublié la veille chez elle. La jeune fille la remercia.

Le reste de la matinée s'étira, morne et noyé de silence. Jezebel passait de l'incrédulité à la tristesse. Elle ne parvenait pas à croire qu'elle ne verrait plus jamais Charu, son teint de pain d'épices, son grand sourire lumineux, ses yeux pétillants. Olga la devinait tellement au bord de la crise de nerfs qu'elle n'osait pas la quitter d'une semelle. Jezebel s'en agaçait. Elle aurait préféré demeurer seule, pour pleurer tout son saoul. Elle ne voulait pas être consolée. Elle voulait mourir.

À midi, des coups de feu leur parvinrent, assourdis par le lointain. Les deux jeunes femmes sursautèrent comme si les tireurs étaient dans la pièce. Des domestiques interrogés expliquèrent que des émeutiers avaient été dispersés par l'armée britannique. Le vice-roi avait donné l'ordre de tirer dans la foule. Sans doute y avait-il des morts.

Jezebel se remit à sangloter. Elle s'accusait de tout, de la mort de Charu, de la mort de ces pauvres gens. Elle se maudissait de ne pas avoir voulus entrer dans le rang, d'avoir refusé le sort commun à toutes les femmes. Elle mélangeait tout, par excès de chagrin.

Olga s'efforça de la raisonner tout en guettant le retour de Jan. Le jeune Américain était parti très tôt ce matin en compagnie de Babou, le chef jardinier. Ils suivaient la piste de la panthère revenue dans la nuit. Les deux hommes voulaient la piéger avant qu'elle ne parvienne à tuer un chien.

En début d'après-midi, Jezebel sombra dans un sommeil agité. La villa Rose devint si silencieuse qu'elle parut à Olga semblable à un mausolée. Les domestiques, déjà discrets de nature, marchaient maintenant avec encore plus de retenue, en ombres furtives qu'on distinguait à peine. Même leurs bracelets ne tintaient plus. La maisonnée tournait au ralenti. Personne ne passait le balai ou le plumeau. Personne ne taillait les haies.

Un peu avant deux heures, un bruit de moteur remonta l'allée. Trois véhicules militaires s'arrêtèrent devant le perron. Repoussant un rideau, la Russe vit avec stupeur des soldats sauter de l'arrière d'un camion et se déployer dans le parc, fusil au poing. Un lieutenant-colonel de raide stature grimpa quatre à quatre l'escalier avant de lui adresser un salut martial.

— Mes hommages, madame la duchesse Obolenski. Je suis l'officier Markus Langsome, chargé de procéder à la fouille de votre domicile.

— Pardon ? s'exclama Olga en tombant des nues.

L'officier se contenta d'ordonner à ses soldats d'investir toutes les pièces de la villa. Ils ouvrirent les portes, fouillèrent jusque derrière les meubles et les placards. La duchesse les suivait en se rongeant les ongles, furieuse de voir les grosses chaussures laisser des traces de terre sur ses tapis d'Orient. Elle ne comprenait pas ce qu'il se passait. Pour un peu, elle se serait crue revenue en Russie, du temps de la révolution, lorsque l'Armée rouge envahissait les villages et pillait toutes les demeures un peu cossues qui avaient le malheur de se trouver sur son chemin.

— Mais que cherchez-vous donc ? s'écria-t-elle en s'adressant à l'officier qui se tenait imperturbable au milieu du vestibule. Dites-moi au moins ce que vous cherchez !

— Madame, nous sommes à la recherche de votre ami américain, Jan Lukas. Il est accusé de meurtre sur la personne royale du prince Charu de Nandock. Savez-vous où je peux trouver cet homme ?

Olga chancela de surprise. Jezebel la rejoignit et les deux femmes s'enlacèrent.

— C'est une plaisanterie ?

— Non, madame. Un bracelet de facture artisanale a été retrouvé sur le corps de la victime, avec un nom gravé sur le fermoir qui ne laisse aucun doute sur son propriétaire. Le vice-roi vient de lancer un mandat d'arrestation. Le maharaja de Mahavir lui-même a promis une très forte récompense à qui lui ramènera le meurtrier de son fils. N'avez-vous pas entendu des coups de feu ? La population est dans la rue. Le décès du prince de Nandock échauffe les esprits. Nous tentons d'endiguer au plus vite les émeutes.

Pour la première fois depuis que Jezebel connaissait Olga, elle la vit déstabilisée. Elle-même ne se sentait pas très bien.

Le cauchemar continuait. Était-il possible que Jan fût *réellement* l'assassin de Charu ?

Mais Olga reprenait déjà ses esprits.

— Je ne comprends pas, déclara-t-elle d'un ton royal qui embarrassa le militaire, sans doute parce que cette attitude renouait avec son statut d'aristocrate sûre de ses prérogatives. Êtes-vous en train d'accuser de meurtre mon très bon ami M. Lukas, sur la foi d'un bracelet qui lui appartiendrait ? Effectivement, c'est moi qui lui ai offert un bracelet de ce genre, mais on le lui a dérobé la veille du Nouvel An. Des voleurs, dans une rue populaire.

L'officier eut un regard ironique.

— Eh bien, que M. Lukas vienne s'expliquer par lui-même. S'il est innocent…

— J'ignore où il est ! trancha la duchesse du même ton autoritaire. Vous avez fouillé toute ma maison. Vous voyez bien qu'il n'est pas là.

L'officier haussa les épaules. Ses soldats venaient de trouver les malles de l'Américain. Ils les fouillaient minutieusement. Olga se tenait raide et impériale, mais Jezebel avait de plus en plus l'impression de perdre pied. La Russe s'en avisa et lui dit d'un ton outré :

— J'espère que vous n'imaginez pas que notre ami puisse être coupable !

— Non, non, bien sûr, répondit Jezebel d'une petite voix perdue.

La fouille s'éternisa. Olga se mit à marcher de long en large comme une lionne en cage, en regardant constamment par les fenêtres. Elle craignait que Jan ne revienne inopinément. Jezebel tremblait comme une feuille. Elle se laissa tomber sur un fauteuil en rotin, à bout de forces. Dès qu'elle fermait les paupières, elle revoyait Charu, son sourire éclatant, ses yeux noirs remplis d'étoiles, son corps brun allongé à côté du sien si blanc, ses mains chaudes, et caressantes, et exigeantes. Elle eut un gémissement sourd. Expiait-elle maintenant son indécision, sa façon d'aimer deux hommes à la fois ? Le destin, les cieux, les dieux lui jouaient-ils ce tour atroce pour la punir de ne pas avoir su arracher tout désir de sa chair ?

Subitement, elle sentit un doute minuscule s'immiscer en elle. Elle s'efforça de respirer lentement, profondément, pour ne pas devenir folle. Et si les soldats avaient raison ? Si les deux hommes s'étaient battus à cause d'elle ? Elle s'adossa à sa chaise, bien droite dans ce vestibule trop blanc. Les soldats couraient en tous sens, lui donnant le vertige. Olga s'était déplacée près d'une fenêtre d'où elle regardait vers le fond du parc en se tordant nerveusement les mains. Tout à coup, Jezebel ne put en supporter davantage. Elle se leva, s'approcha de la jeune femme.

— Peut-être ne devrions-nous pas mentir ? lui chuchota-t-elle. Il s'agit quand même du meurtre de Charu.

Olga eut un sursaut grimaçant.

— Qu'êtes-vous en train de me dire, Jezebel ? Jan n'est pas l'assassin ! Lui et Charu se connaissaient de longue date. Ils avaient étudié ensemble. Ils jouaient dans la même équipe de polo. Ils étaient des amis intimes. Vous ne pouvez penser cela, Jan était avec moi tous ces jours-ci !

— Et maintenant, est-il avec vous ? persifla Jezebel, qui perdait son calme. Et lorsqu'on lui a soi-disant volé son bracelet, était-il avec vous ? Il a très bien pu nous raconter ce qu'il voulait !

Olga écarquilla les yeux.

— Jezebel, vous ne parlez pas sérieusement ?

Elles se défièrent du regard puis, soudain, la jeune Anglaise cacha son visage dans ses mains.

— Pardon ! Je ne sais plus !

Olga la prit contre elle, la berça comme une enfant tout en lui soufflant à l'oreille.

— Je ne ferai jamais confiance à la justice. J'ai vu ce que cela donnait en Russie. Tous ces innocents qui sont morts pour asseoir l'idéal d'une poignée d'arrivistes… Lénine n'a même pas encore fini sa révolution que, déjà, il a commandé neuf Rolls-Royce dont une lui a été livrée l'année dernière ! Votre vice-roi est comme tous les autres, il ne fait que de la politique. On peut bien tuer une multitude d'innocents, pourvu qu'on sauvegarde un semblant de paix !

Jezebel garda un silence désespéré. Elle ne savait vraiment plus quoi penser.

*

Jan Lukas revint à la villa Rose en fin d'après-midi, bredouille et épuisé. Accompagné de Babou Sâdhur, le chef jardinier qui l'avait aidé à pister les empreintes de la panthère sur plusieurs miles, il avait suivi l'animal jusqu'aux banlieues agricoles de Valikushti. Là, au-delà de quelques champs de millet, les deux hommes avaient perdu la trace du fauve dans les bidonvilles accrochés à la colline de Bogadishnu, où des chiens errants servaient de proies faciles à tous les fauves des alentours.

— C'est une jeune bête, qui cherche un territoire de chasse, commenta-t-il lorsque Olga se précipita vers lui avec une fébrilité qu'il ne remarqua pas tout de suite. Je me posterai à l'affût cette nuit. Elle reviendra certainement.

— Mais par où es-tu passé ?

Il se servit à boire, étonné de la question. Olga le regardait avec une intensité nerveuse qu'il ne lui connaissait pas.

— Eh bien, répondit-il, nous sommes passés par Elgin Road, puis par…

— Je voulais dire, pour revenir à la villa ? N'as-tu croisé personne ? Aucun soldat ? Sur la route ? Dans le jardin ?

Il vida son verre tout en la scrutant attentivement.

— Si, en effet, il y a ce soldat en faction sous le porche d'entrée. Nous avons échangé quelques mots en bengali mais il n'a pas voulu me dire ce qu'il faisait chez toi.

Il s'interrompit, parce que Jezebel venait d'entrer dans la pièce et le regardait de ses yeux rougis. Elle avait abondamment pleuré et triturait encore un mouchoir mouillé de larmes. Olga affichait la même mine d'enterrement même si elle avait l'air soulagée de le voir.

— Ah, ça, que se passe-t-il donc ici ? demanda-t-il brusquement en regardant alternativement les deux jeunes femmes figées dans leur chagrin.

— Le planton est là pour toi, déclara Olga d'une voix fébrile. Apparemment, il n'a pas pensé que l'homme qu'il vient de voir passer, vêtu à l'indienne d'un *pajama* et d'un turban maculé de sueur, puisse être l'Américain qu'il doit arrêter.

Jan secoua la tête sans comprendre.

— Il doit m'arrêter ?

Jezebel ne put se retenir plus longtemps.

— Charu est mort.

Olga raconta ce qui s'était passé depuis le matin tandis que Jezebel, appuyée d'une main à une chaise, ne quittait pas le jeune homme du regard. Depuis qu'elle avait entendu l'accusation de l'officier anglais, un doute la taraudait.

— Je n'arrive pas à le croire, souffla Jan lorsque Olga eut terminé son récit. Charu vient d'acquérir un cheval, un très beau *poney* qu'il a fait venir directement d'Argentine. Il en est… était si heureux.

Soudain, il comprit ce qu'il était en train de dire, et il devint blanc comme un linge. Sa maîtresse lui servit une vodka qu'il avala d'un trait.

— Il a été assassiné, expliqua Olga. Apparemment, c'est toi qui es accusé du meurtre. Des soldats te cherchent, tu dois partir avant qu'ils ne te trouvent. Comprends-tu ce que j'essaie de te dire ? Ta tête est mise à prix. Le maharaja de Mahavir a offert une récompense en échange de ta capture.

Mais Jan ne parvenait pas à croire ce qu'il entendait.

— Je connais bien le maharaja. J'ai été logé à plusieurs reprises dans son palais, j'ai été reçu à de nombreux dîners, je joue dans son équipe de polo. Je ne crois pas qu'il…

— Son fils a été assassiné, coupa Olga avec sécheresse. Crois-moi, je connais bien les hommes. J'ai vu ce qui arrive quand les circonstances sont extraordinaires. Le vernis de la civilisation est bien trop superficiel. À présent, le maharaja n'est plus ton ami. Te rends-tu compte qu'il peut exiger ton exécution ? Il a droit de vie et de mort dans son royaume. Sans parler du vice-roi qui sera bien content de le laisser faire, car cela calmera les émeutes populaires.

— J'étais l'ami de son fils. Je ne suis pas coupable. J'espère que tu n'en doutes pas.

Jezebel intervint d'un ton empli d'incertitude.

— Pourtant, votre bracelet vous accuse.

Jan se tourna lentement vers elle. Il fut atterré de remarquer son visage figé, son regard à l'éclat dur, brusquement remplis d'une haine incompréhensible.

— Êtes-vous en train de dire que c'est moi qui ai tué mon meilleur ami, Jezebel ?

Elle lui répondit comme on crache à un visage.

— Je dis qu'on peut se poser la question.

Leurs yeux se rencontrèrent, se défièrent. Il la vit sèche et pleine d'un reproche qu'il ne comprenait pas. Il eut envie de la prendre par les épaules et de la secouer, puis il remarqua sa lèvre qui tremblait, sa main devenue blanche à force de trop serrer le dossier de la chaise qui l'aidait à se tenir droite. Il comprit qu'elle n'était que peur et chagrin, que seule la colère la faisait encore tenir debout.

— Me croyez-vous sincèrement capable d'un tel acte? murmura-t-il doucement.

À nouveau, il la regarda, jusqu'à ce qu'elle rougisse et éclate brusquement en sanglots. Se cachant le visage dans ses mains, elle sortit de la pièce en courant. Il voulut la rattraper, mais Olga le retint.

— Laisse-la, je m'occuperai d'elle. Ça ira. Mai toi, tu dois partir. Si tu es mis en prison, tu n'en sortiras pas vivant. Va jusqu'au port et trouve à t'embarquer. Voici de l'argent.

Elle lui tendit un sac de velours qu'elle venait de sortir d'un coffre. Il trouva à l'intérieur plusieurs liasses de billets, refusa tout net. Elle insista.

— L'argent peut tout, lui dit-elle. Prends-le. Tu me le rendras quand tu pourras. De toute façon, tu n'as pas le choix.

Elle avait raison. Le vice-roi n'aurait aucune peine à sacrifier un étranger qu'on lui servait sur un plateau, pourvu que sa tête apaise toutes les idées de révolution. L'empire des Indes était devenu une poudrière. Le Conseil d'État et l'Assemblée législative, récemment créés, débattaient sans fin dans des oppositions d'idées, oubliant que le vice-roi continuait à avoir la main sur toutes les questions importantes, qu'elles fussent politiques, religieuses ou concernant la défense territoriale. Depuis la partition du Bengale, les différentes communautés se dressaient avec plus ou moins de violence contre les Britanniques. Pour garder un semblant d'ordre, ces derniers avaient maintenu les mesures d'urgence mises en place pendant la guerre. Les Britanniques pouvaient donc arrêter et emprisonner une personne sans l'avoir jugée. Dans un tel contexte politique, son innocence avait clairement moins de poids que sa culpabilité.

Un goût de fiel lui monta dans la bouche. Tant que le véritable meurtrier du prince Charu ne serait pas arrêté, il serait *persona non grata* en Inde. Sa tête mise à prix par le maharaja de

Mahavir, il risquait même de se faire assassiner au coin d'une rue par n'importe quel miséreux. Olga avait raison. Il n'avait pas le choix. Il devait s'éloigner le temps que les événements se calment.

Avec autant de chagrin que de rage, il rassembla dans une sacoche un peu de linge et quelques affaires personnelles. Il accepta également, sur la proposition d'Olga, de choisir sur le râtelier un bon fusil et des munitions. Enfin, il prit le temps de troquer ses hardes pleines de sueur contre un jodhpur et une chemise propres, mit ses bottes de polo et passa son colt à sa ceinture. Il ne remit pas son turban, mais enroula comme un chèche le long tissu autour de son cou.

Lorsqu'il fut prêt, il revint dans le vestibule pour embrasser les deux jeunes femmes. Elles se tenaient enlacées près de la porte donnant sur le salon, auréolées d'un clair-obscur qui noyait leurs traits mais faisait ressortir le ton de leurs chevelures. L'une était blonde comme les blés, l'autre sombre comme une aile de corbeau. Ensemble, elles formaient un tableau si charmant que, les regardant toutes les deux, il se sentit bien plus ému qu'il ne s'y attendait.

Olga lui sourit avec courage, mais Jezebel affichait un petit air buté qui lui serra terriblement la gorge. Il vint vers elles sans savoir quoi leur dire. L'émotion le submergeait.

— Levez les mains ou je tire!

Olga poussa un cri. Jan sentit ses entrailles se figer. Il se retourna en levant haut les bras, furieux de cet ultime coup du sort. Un soldat le tenait en joue. Celui-là même avec lequel il avait échangé quelques mots en bengali, quelques instants auparavant. L'homme était entré par l'office et avançait vers lui, à petits pas prudents. Il pointait sur sa poitrine l'un de ces fusils Lee-Enfield qui équipaient toute l'armée britannique.

— Posez votre arme! hurla le militaire. Je n'hésiterai pas à tirer.

— OK, OK, répliqua Jan le plus calmement possible. J'ai les bras levés, je me rends. Mais vous faites une sacrée erreur.

— Il n'y a pas d'erreur, riposta le soldat. Posez votre arme au sol.

Jan prit lentement son colt à sa ceinture. Jezebel avait échappé à l'étreinte d'Olga pour marcher vers lui. Elle le toisa avec dégoût.

— C'est moi qui l'ai prévenu. Le meurtrier de Charu doit payer.

Jan la dévisagea avec une stupeur totale. Le mépris qu'il lisait sur son visage lui fit l'effet d'une gifle.

— Mais vous êtes une vraie peste ! cracha-t-il avec une brusque fureur, tout en l'attrapant par le bras pour lui mettre son colt sur la tempe.

Olga cria. Quelques domestiques aussi. Le soldat fit feu mais sa balle se perdit dans un vase qui explosa en mille morceaux. Jan lui fit face. Il n'avait jamais été aussi calme de sa vie.

— *Shaant ho jao*[1], tu vas poser ton fusil et reculer de trois pas, lui dit-il. J'imagine que tu ne veux pas avoir la mort d'une *memsahib* sur la conscience.

Le soldat obéit immédiatement. Jezebel gigota pour se libérer mais Jan serrait tellement son bras autour de sa gorge qu'elle respirait à peine. En désespoir de cause, elle lui griffa l'avant-bras. Il appuya plus durement le canon de son pistolet contre sa tempe. Il s'en voulait d'agir ainsi, mais il venait de décider qu'il n'irait pas en prison à cause d'une pimbêche qui n'avait rien compris à la situation.

— Tiens-toi tranquille ou je tire, lui souffla-t-il d'une voix méchante, en priant pour qu'elle le croit.

Elle le crut, gémit de terreur et cessa effectivement de le griffer. À la place, elle trembla si fort qu'il ne fut pas certain d'avoir gagné au change. Par crainte de la voir s'effondrer au sol, il dut la traîner avec lui tant bien que mal, jusqu'à parvenir à donner un coup de pied dans le fusil du soldat. L'arme valsa à l'autre bout du vestibule. Il désigna un placard.

— Entre là, *mere ladake*[2], ordonna-t-il au soldat qui obtempéra aussitôt. Olga, fermez la porte derrière lui.

Bien qu'étonnée du soudain vouvoiement, la jeune femme obéit puis essaya de prendre Jezebel dans ses bras. Jan la retint d'une voix sèche.

— Arrêtez. Je la garde en otage.

Olga fut tellement surprise du ton vindicatif qu'elle mit plusieurs secondes à réaliser que Jan forçait sans doute le ton pour

1 « Maintenant, mon garçon », en hindi.
2 « Mon garçon », en hindi.

que le soldat puisse, par la suite, témoigner que ni elle, ni Jezebel, n'étaient ses complices. Elle sortit une clé d'un tiroir, la lui lança en chuchotant.

— Prends mon Alfa Romeo. Le plein a été fait récemment et il y a un bidon neuf dans le coffre. Tu peux arriver sans problème jusqu'à n'importe quel port.

Elle l'amena au garage, tandis qu'il continuait à traîner Jezebel avec lui. La jeune fille était pâle de colère. Elle s'efforçait de lui résister tant bien que mal. Prodigieusement énervé, il avait juste envie de la gifler.

— Jan..., commença Olga, lorsqu'il poussa sans ménagement sa prisonnière sur le siège de l'automobile.

— Écoute, la coupa Jan en s'installant au volant pour tourner la clé et appuyer sur le démarreur électrique. Je m'arrangerai pour que l'Alfa te soit rendue. Je sais à quel point tu y tiens. Je te promets d'en prendre le plus grand soin.

Il joua de l'accélérateur. Le moteur rugit. Jezebel, se voyant libre de ses mouvements, se précipita sur la portière. Jan ne lui laissa pas le temps de l'ouvrir. Il leva son colt et tira en l'air. La détonation figea la jeune fille sur son siège, les mains appuyées contre ses oreilles, le visage tordu par la peur.

— Toi, la traîtresse, tu ne bouges pas ! menaça le jeune homme avec un regain de colère.

— Jan..., reprit Olga, d'une voix blanche, tu l'emmènes avec toi ?

Il embraya une vitesse avec impatience.

— J'ai promis de te rendre ton automobile, que veux-tu de plus ?

— Je parlais de Jezebel, insista Olga.

Un instant, brièvement, il tourna la tête pour regarder sa maîtresse de face. La Russe vacilla légèrement, parce qu'elle y lut ce qu'elle savait depuis longtemps, mais que lui, sans doute, découvrait pour la première fois.

— Pardon, souffla-t-il en continuant de la regarder droit dans les yeux.

La Russe cligna des paupières, le temps d'accuser le coup, puis elle se ressaisit, parce qu'elle était forte et capable de survivre à tout, même à un chagrin d'amour.

Elle souffla :

— Attends, tu n'as pas pris toutes tes affaires.

Elle courut dans la villa, revint quelques instants plus tard, chargée du fusil et de la sacoche qu'il avait préparés et que, dans la précipitation, il avait oublié de prendre. Elle les lui tendit. Il mit la sacoche en bandoulière, posa le fusil à ses pieds.

— Merci, lui dit-il.

Elle se détourna vivement, autant pour retenir ses larmes que pour faire ses adieux à la jeune Anglaise qui n'osait plus bouger. Elle lui sourit, posa sur ses genoux un sac.

Jezebel sursauta en reconnaissant son nécessaire de voyage, celui qu'Amely lui avait ramené le matin même et qu'elle n'avait pas pris le temps de défaire. Ses mains s'accrochèrent aux poignées avec incrédulité, caressèrent l'épais cuir pansu qui contenait quelques vêtements et produits de toilette, ses bijoux et son matériel de dessin. Levant les yeux vers Olga, elle balbutia un remerciement.

La Russe la toisa avec autant de dureté que de tendresse. Elle haïssait cette petite sotte dont le caractère emporté venait de précipiter les événements, mais elle l'enviait aussi. Elle soupira :

— Petit conseil d'une fugitive à une autre. Garde toujours ce sac avec toi. Je sais que tu y as mis tous tes bijoux. Ils te seront utiles. L'argent est une clé qui ouvre toutes les portes.

— Je ne suis pas une fugitive ! Je ne veux pas partir !

Olga eut un sourire narquois. Jezebel sentit un sanglot monter dans sa gorge. Elle ouvrit la bouche pour ajouter autre chose mais, cette fois, aucun mot ne franchit ses lèvres. Alors la Russe, se penchant vers elle, posa un rapide baiser sur sa bouche entrouverte avant de souffler, non sans panache.

— Il est à toi maintenant. Je te le donne.

L'Alfa Romeo démarra en trombe. Olga avait-elle parlé du sac de voyage ? Jezebel fut tout à coup certaine que non et elle rougit violemment.

# 23

*Du 3 au 14 janvier 1920*
*Sundarbans – Bengale-Occidental – Inde*

Les Sundarbans.

Une terre plate, coincée entre l'eau et le ciel. Une frontière mouvante entre les multiples bras du fleuve et de l'océan. Une platitude traversée par les fulgurances de l'éternelle marée. Une odeur de sel et de vase. Une odeur végétale aussi, parce que la jungle recouvrait tout, aussi bien l'eau que le sable. Ici, les arbres poussaient sur des langues de terre avec une telle frénésie qu'ils en débordaient.

La première chose que vit Jezebel de cette étrange étendue fut ces troncs noyés qui hérissaient la surface des étangs. L'excès d'eau donnait à cette région un air de profonde désolation, comme si ce monde noyé était condamné à végéter dans l'indicible, ni tout à fait dans l'eau, ni tout à fait sur la terre.

Jan avait roulé sans s'arrêter pendant une soixantaine de miles, en traversant des localités mystérieuses, pauvres et désertes, dont Jezebel n'avait jamais entendu parler. Pleine de colère, elle n'avait pas fait attention au chemin. Elle pensait que l'Américain chercherait à rallier un port pour s'y embarquer plus ou moins clandestinement. Sauf qu'il avait délaissé les rives de l'Hooghly pour filer droit vers l'est, droit vers le Bengale. Elle se demandait ce qu'il avait en tête.

Enfoncée dans son siège, agrippée à la portière, la jeune fille était blanche de peur. Lukas était poussé par une urgence qui ne l'avait pas fait desserrer les dents depuis Calcutta. Le pied sur l'accélérateur, il ne ralentissait ni dans les virages, ni dans les nids-de-poule. À plusieurs reprises, il faillit percuter l'une de ces vaches blanches et sacrées qui, Dieu seul savait pourquoi, aimaient tant à ruminer sur la route au milieu de nulle part. Une fois, des villageois effrayés leur avaient jeté des bouts de bois.

— Aïe aïe aïe, avait lancé Jan en unique commentaire. Je crains qu'Olga nous fasse un flan si sa carrosserie en prend un coup.

Il avait accéléré de plus belle. Folle de rage, folle de peur, elle avait crié :

— Arrêtez-vous !

Il ne l'avait pas écoutée. Au contraire, il avait sorti un plan de sa sacoche, l'avait déployé sur le volant en roulant à l'aveugle quelques instants puis l'avait finalement lancé à Jezebel, en hurlant pour couvrir le bruit du moteur :

— Trouvez-moi où nous sommes.

Elle l'avait regardé comme s'il était fou. Comment voulait-il qu'elle trouve où ils étaient, alors qu'elle ignorait le nom des villages qu'ils traversaient ? Tout en continuant à éviter des trous et des bosses, il lui avait montré d'un doigt une route qui serpentait au milieu des champs. Sur la carte, des noms imprononçables se succédaient : Bhojerhat, Ghatakpukur, Minakhan. Elle reconnut Mothbari parce que la route s'y divisait en deux. Jan s'arrêta, regarda la carte puis la route qui partait d'un côté vers le nord, de l'autre vers le sud. Il hésita quelques secondes avant de braquer le volant plein sud. D'autres villages se succédèrent, Jezebel les lisait avec l'impression d'égrener une comptine : Agarhati, Sorberia, Amjhara, Basanti…

À perte de vue, des champs. Des rizières où travaillaient les *ryots*, du millet, du blé d'hiver, du colza, de la canne à sucre. De plus en plus paniquée de se voir emmenée si loin de Calcutta, Jezebel avait plaidé une nouvelle fois pour sa libération. Jan avait continué à faire la sourde oreille. Pire, il ne l'avait même pas regardée. Furieuse, elle s'était jetée sur lui toutes griffes dehors. Ils s'étaient battus comme des chiffonniers tandis que l'automobile oscillait de droite à gauche, menaçant de verser dans le fossé. Finalement, Jan avait levé son colt, en sifflant entre ses dents serrées comme s'il parlait à un chien :

— Assis ! Ne bouge plus !

Complètement perdue, elle s'était rassise, les mains accrochées à la portière, les yeux emplis de larmes. Elle avait serré les dents, refusant de lâcher un seul mot durant tout le reste du trajet. Un magnifique soleil de fin d'après-midi l'inondait, elle était pourtant glacée jusqu'au cœur. Était-il devenu fou ? Le vague doute qu'elle ressentait à son propos, qui l'avait poussée à le dénoncer au soldat, était devenu, avec les miles se multipliant, une réalité de plus en plus tangible. Bientôt, elle ne cessa de se répéter qu'il était l'assassin de Charu et qu'il la tuerait dès qu'il n'aurait plus besoin d'otage.

Elle ne parvint plus à retenir ses larmes mais, refusant de donner à son ravisseur le spectacle de sa terreur, elle tournait la tête vers les champs qui déroulaient une mosaïque multicolore en essayant de renifler le plus discrètement possible. Ces cachotteries furent peine perdue. Après avoir passé le village de Chunchura, Jan lui tendit un mouchoir. Elle lui jeta un regard noir, hésita puis s'en empara d'un geste brusque. Elle se moucha bruyamment.

Les miles continuèrent à défiler à toute vitesse. Les suspensions de l'automobile souffraient. Jezebel était ballottée en tous sens. Parfois, lorsque Jan était obligé de freiner, elle regardait par-dessus la portière en se demandant ce qui se passerait si elle sautait en marche. Puis il reprenait de la vitesse, et elle s'adossait à son siège, le souffle haletant, paniquée à l'idée d'avoir envisagé de mourir.

Après une traversée chaotique de terre sèche parsemée d'herbes jaunes, le bolide fonça de plus belle dans sa course inconnue, avalant une route devenue une piste. Les cailloux giclaient sous les roues, et avec eux un panache de sable, de boue, d'eau.

La première difficulté arriva après Gosaba. L'Alfa Romeo tomba en panne d'essence près d'un bras de mer qui remontait loin au milieu du delta. Jan arrêta l'automobile, ouvrit le coffre, sortit un jerrican, le soupesa d'un air septique avant de vider dans le réservoir les quelques litres d'essence qu'il contenait. Jezebel se redressa, sur le qui-vive. L'occasion était trop belle, elle ne voulait pas la manquer. Elle étudia les alentours en retenant son souffle. Sur sa droite, le plan d'eau était large, trop long à traverser à la nage. D'ailleurs, il y avait certainement des crocodiles cachés dans les herbes, et peut-être même des requins sous la surface. Sur sa gauche, le paysage révélait une platitude de marécages alternant trous d'eau et flaques vertes. Le nord était frangé par une lisière de beaux palmiers aux troncs rouges, au-dessus desquels elle aperçut soudain des constructions de pierre.

Sans réfléchir plus avant, elle ouvrit la portière, saisit son sac – Dieu qu'il était lourd – et se mit à courir en le tenant entre ses bras. Dans son dos, Jan jura. Elle courut plus vite, persuadée qu'il allait la viser de son pistolet, et l'abattre. Affolée, elle se prit les pieds dans une racine, se releva comme une folle, reprit sa course effrénée. Il se lança à sa poursuite. Elle n'osa pas se retourner, de peur de s'effondrer sur place, tétanisée par la peur.

— Jezebel ! cria-t-il.

Elle continua de plus belle, sauta par-dessus un tronc mort, perdit son sac, se baissa pour le ramasser, repartit au galop avec un courage insensé. Elle respirait bruyamment, ne sentait plus la douleur de ses muscles, ni les larmes d'effroi qui inondaient son visage.

— Jezebel, reviens !

Soudain, elle pataugea dans de la vase, s'arrêta hors d'haleine tandis que ses chaussures à bride peinaient à s'extirper de la gangue de boue.

— Jezebel !

Il posa une main sur son épaule, elle hurla de terreur. Il la retourna pour lui faire face, saisit durement ses poignets tandis que le sac de voyage tombait dans la boue.

— Arrête ! Je t'en prie, arrête !

Elle se débattit avec hystérie, lui donna des coups de pied, parvint à se libérer, tomba dans de l'eau glauque, fut durement relevée, à nouveau secouée.

— Jezebel, calme-toi !

Elle le griffa ; il la gifla. Le souffle coupé, elle tomba assise en se tenant la joue avec un air de complet effarement. Il la toisa de haut. Il était aussi essoufflé qu'elle, et son regard brillait de colère.

— Vous m'avez frappée, pleurnicha-t-elle, la main toujours collée à sa joue.

— Pardon, dit-il d'un ton qui démentait son propos.

Ils restèrent ainsi quelques secondes, à se défier avec rage, puis Jan se radoucit et lui tendit la main.

— Allez, levez-vous maintenant. Il faut repartir.

Elle ignora la main tendue, préféra rester assise dans l'eau, à pleurer à chaudes larmes.

— Laissez-moi. Laissez-moi m'en aller…

Il lui jeta un regard excédé, puis ouvrit brusquement les bras de façon à embrasser le paysage.

— D'accord. Puisque vous le voulez, allez-vous-en. Et bon vent !

À moitié en rampant, elle accrocha son sac, se leva dans un élan de panique, tituba dans l'eau qui devenait de plus en plus profonde. Sa robe mouillée lui collait aux cuisses. Le tissu était devenu lourd et encombrant. Elle avança ainsi d'une trentaine de pieds, prit conscience du mur végétal qui se dressait devant elle, dense, touffu, barré de lianes et de plantes grimpantes. Pleine d'hésitation, elle écouta le bruit impressionnant qui en jaillissait : des trilles, des cris, des gloussements, des hurlements, des jappements… Des oiseaux, sans doute, mais de toutes sortes et de toutes natures, et de toutes les tailles aussi. Elle s'arrêta. Une jungle sauvage lui faisait face. Elle coula un regard vers l'arrière, vers Jan qui l'observait, immobile et toujours les pieds dans l'eau.

— Alors, vous partez ? reprit-il d'un ton sarcastique, parce qu'il avait senti son hésitation.

Elle s'entêta, avança d'un pas vers les palmiers aux troncs rouges qui n'étaient pas si éloignés que ça.

— Oui, je vais au village, là-bas.

— Il n'y a pas de village.

Elle secoua la tête sans comprendre.

— Quoi ?

— Ce sont des ruines. Rien d'autre.

— Mais…, commença-t-elle, désespérée, avant d'ajouter d'un ton suspicieux. Comment pourriez-vous le savoir ?

— Quelle importance, *darling*? Vous ne posez pas les bonnes questions. À quoi bon vous demander comment faire pour traverser ce bras de rivière, ou pour marcher dans ces hautes herbes certainement infestées de crocodiles et de serpents ? Non, la bonne question est de vous demander ce que vous voulez faire après.

— Je ne comprends pas.

Il poursuivit, en essayant de ne pas se laisser attendrir par sa lèvre qui tremblait, qui la rendait tellement vulnérable qu'il avait juste envie de la prendre dans ses bras et de l'embrasser à n'en plus finir.

— Chérie, supposez qu'après toutes ces péripéties vous arriviez effectivement à revenir à Calcutta saine et sauve. Que ferez-vous ? Chez qui irez-vous ? Chez votre cher fiancé ? Le baron von Rosenheim vous manque-t-il à ce point ?

Elle déglutit avec peine. Sa bouche lui paraissait aussi sèche que du carton. Mais elle releva la tête et, malgré la distance, le regarda droit dans les yeux.

— Cela ne vous regarde pas.

Il marqua le coup, touché. Ajouta finalement d'un ton un peu trop sec :

— Vous avez raison, nous n'avons rien à nous dire. Il vaut mieux nous séparer. Adieu.

Joignant le geste à la parole, il tourna des talons et marcha vers la berge. Elle hésita, pesta et ragea, puis le rattrapa en courant.

— Attendez ! Attendez, il faut qu'on parle.

— Les pieds dans l'eau ou au sec ?

Elle regarda ses pieds, ses belles chaussures blanches à bride qui étaient couvertes d'algues et de boue, haussa les épaules.

— Aucune importance. Au point où nous en sommes…

— Très bien. De quoi voulez-vous parler ?

— Dites-moi si c'est vous qui avez tué Charu ?

Elle avait jeté sa question de but en blanc, parce qu'elle ne cessait d'y penser et qu'elle espérait le prendre par surprise. Elle avait voulu saisir au fond de ses yeux une lueur révélatrice mais, n'avait finalement pu s'y résoudre. Elle avait baissé la tête. Elle craignait d'apprendre une vérité qui l'aurait dérangée.

— Je n'ai pas tué Charu, Jezebel, déclara-t-il d'un ton extrêmement doux. Je ne peux pas vous obliger à me croire, je peux juste vous dire qu'il était mon meilleur ami et qu'il va terriblement me manquer. Je n'arrive même pas à comprendre comment vous pouvez avoir un doute.

Elle respira pesamment. Son visage s'était vidé de sang, ses traits avaient pris une blancheur de statue. Des larmes se mirent à couler sur ses joues avec infiniment de détresse. Jan les toucha du bout des doigts. Ainsi, elle avait aimé le prince. Il fut heureux pour son ami, et jaloux à en crever.

— Je suis tellement navré de ce qui est arrivé, dit-il d'une voix un peu trop rauque.

Elle le bouscula avec exaspération.

— Ah, cessez de faire le gentil ! Vous êtes un menteur ! Vous m'avez forcée à vous suivre en me pointant un pistolet sur la tempe ! Vous rendez-vous compte ? Mais pourquoi avoir fait cela ? Pourquoi m'avoir prise en otage ? Pourquoi ne pas avoir pris Olga, qui en aurait été si heureuse ?

Il s'était posé cette question plus de cent fois durant le trajet. Il connaissait la réponse, mais refusait encore de se l'avouer. Il se retrancha derrière une demi-vérité.

— Tout est allé très vite, il fallait prendre une décision. Je n'irai jamais en prison à la place d'un autre.

Elle le foudroya du regard, en serrant plus fortement le gros sac qu'elle tenait dans les bras.

— Et maintenant ?

— Vous êtes libre, bien entendu.

Elle eut un petit rire cassant.

— Libre de rester avec vous ? Quel beau choix, vraiment !

— Seule, vous n'y arriverez pas.

— Bien sûr, vous allez m'aider, me protéger, me défendre contre les tigres et les serpents alors que c'est vous qui m'avez placée dans cette situation absurde ? Quel altruisme !

Il ne releva pas la provocation. Après tout, elle n'avait pas tort.

— Je connais un peu le coin. J'ai de l'eau et des vivres. Surtout, j'ai un fusil pour nous défendre des tigres mangeurs d'hommes.

— En plus, vous cherchez à me faire peur ? accusa-t-elle en arquant joliment ses sourcils.

Il sourit.

— C'est vrai, j'exagère un peu. Tous les tigres que nous rencontrerons ne seront pas des mangeurs d'hommes. Alors, que faites-vous ? Venez-vous ? Il fera bientôt nuit. Nous devons partir.

Elle se rendit compte que le soleil était effectivement en train de basculer à l'horizon. Il était devenu une boule incandescente qui colorait de sa lumière rouge tout le paysage. Des cris nouveaux émergeaient de la mangrove. Un vol de chauves-souris sortit brusquement des cimes et passa au-dessus d'eux dans une rumeur d'ailes et de cris aigus.

— Que comptez-vous faire ? demanda-t-elle.

— Passer par les Sundarbans pour éviter les patrouilles militaires qui surveillent les ports. Au village de Gosaba, nous trouverons un bac. Nous laisserons l'automobile et nous continuerons à pied. Nous traverserons la mangrove d'Hamilton Island sur une dizaine de miles avant d'atteindre un bras de mer que nous pourrons descendre sur un radeau ou sur un bateau si nous avons de la chance. Les villages des pêcheurs se concentrent sur la côte. Il nous suffira de monnayer notre passage jusqu'au port de Chittagong. Là, nous pourrons choisir notre destination. L'Europe ou les États-Unis. Comme vous voudrez.

— Dis comme ça, ça a l'air facile.

Il ne voulut pas lui faire peur, mais il dit tout de même :

— Ce ne sera pas si facile que ça. La mangrove ne nous fera pas de cadeau. En revanche, nous serons libres.

— Ah oui ? Moi aussi ? ne put-elle s'empêcher de railler. Plus de pistolet sur la tempe, plus de gifle ?

Il répondit avec le plus grand sérieux.

— Si vous évitez de me griffer, oui. Je vous le promets.

*

La dizaine de miles que Jezebel fit à pied dans la mangrove des Sundarbans fut certainement l'expérience la plus difficile, la plus angoissante, la plus riche et la plus belle de son existence.

Le périple commença lorsqu'ils arrivèrent au bac d'Hamilton Island. Ici, il n'y avait ni village ni le moindre coin où s'abriter. Le bac ne fonctionnait pas la nuit et ne servait qu'à amener de rares fidèles dans le sanctuaire de Kali, situé en pleine jungle.

Les deux jeunes gens dormirent tant bien que mal dans l'Alfa Romeo. Pour Jezebel, cette expérience fut la première hors d'un lit, et sans toit au-dessus de la tête. La banquette était trop petite pour qu'ils puissent s'allonger, aussi restèrent-ils assis.

Ce fut une belle nuit d'insomnie.

Au-dessus de leurs têtes, les étoiles brillaient merveilleusement. La lune n'était qu'un mince croissant mais, dans la nuit noire de la jungle, son éclat avait une présence presque éblouissante. Jezebel était pelotonnée dans une chemise que Jan lui avait cédée. Sa robe n'était pas tout à fait sèche et, dans son sac de voyage, elle n'avait que des tenues de soirée trop décolletées, des châles de mousseline trop transparents et une petite nuisette que Jan avait détaillée en haussant un sourcil dubitatif. Les pommettes écarlates, elle s'était dépêchée de replier ces vêtements inutiles.

En cette saison, les températures baissaient facilement à la nuit tombée. Jezebel ne tremblait pourtant pas de froid, mais de peur. Où qu'elle tournât le regard, elle ne voyait qu'un épais mur végétal qui bordait de part et d'autre le chemin. L'obscurité était profonde, dénuée de relief et saturée de bruits. La jeune fille la scrutait avec attention, avec l'impression d'être aveugle.

Le coassement des grenouilles ou des crapauds ne cessa à aucun moment. Il surnageait au-dessus d'un fond incroyablement sonore, dans lequel elle reconnaissait parfois le hululement d'un hibou ou les trilles d'un rossignol. Tous les autres sons lui étaient inconnus. Hormis la respiration de Jan Lukas.

Il s'était endormi rapidement, bien trop rapidement au goût de la jeune fille, qui s'était sentie abandonnée et était restée éveillée dans le noir, prise par un affreux sentiment de solitude. Depuis, elle sursautait à chaque bruit qui lui semblait trop proche. Un fouissement dans des feuilles mortes lui fit penser à une harde de sangliers, que confirmèrent quelques grognements épars. Plus tard, un pas léger vint tourner autour de l'automobile. Elle se crispa tellement qu'elle enfonça ses ongles dans ses avant-bras. Bien sûr, il ne s'agissait sans doute que d'un lièvre ou d'un daim, mais elle pensa tout de même avec effroi aux tigres et aux panthères qui étaient si communs, et aussi aux serpents, aux araignées, aux cafards gros comme le poing, et à toutes ces bestioles qui rampaient vraisemblablement à quelques pouces de son corps.

Au milieu de la nuit, elle ne dormait toujours pas. Avec beaucoup de précautions, elle s'était rapprochée de Jan à la recherche d'un peu de chaleur. Sa cuisse lui parut une merveilleuse bouillotte. Elle soupira. Elle avait faim. Le jeune homme l'avait honteusement rationnée en ne lui proposant qu'un demi-pain *naan* à peine tartiné de *dahl*[1]. Difficile de trouver le sommeil dans de telles conditions…

À l'aube, évidemment, elle s'endormit pour être, presque aussitôt, réveillée par Jan qui la regardait. Durant son bref sommeil, elle s'était couchée sans s'en rendre compte sur sa poitrine, recherchant sans doute instinctivement un peu de chaleur. À présent, ils se tenaient dans cette position gênante, lui la détaillant avec une expression indéfinissable, elle se redressant avec une hâte rougissante, en balbutiant des excuses à n'en plus finir.

---

1. Plat de lentilles.

Sans se départir de son expression goguenarde, Jan mit de l'eau à bouillir dans un quart en fer blanc et fit infuser quelques feuilles de thé. Ils se partagèrent ce breuvage amer, que ne vint adoucir ni sucre ni nuage de lait. Il n'y eut pas d'autre petit-déjeuner.

Avant de partir, ils s'échinèrent à recouvrir l'automobile avec de grandes palmes ramassées à la lisière du bois. Jezebel prit son sac, Jan sa sacoche et le fusil. Lorsqu'ils furent sur le bac, qui n'était qu'un misérable radeau de planches mal jointes, à l'équilibre précaire, le jeune homme s'adressa en bengali à l'homme vêtu d'un *dhotî* assez crasseux qui hâlait une corde pour leur permettre de gagner l'autre rive. Il finit par offrir au passeur une poignée de roupies pour qu'il prenne soin de l'automobile jusqu'à ce que quelqu'un vienne de la « ville » la chercher. Jezebel ricana dans son coin. Jan la transperça de son regard gris.

— Tiens, vous riez ce matin ?

Elle le foudroya d'une expression peu amène.

— Vous croyez vraiment que Olga retrouvera son automobile ? À mon avis, cet homme se l'appropriera dès que vous aurez le dos tourné.

— Et quand bien même ? répliqua Jan avec un bon sens qui la fit se sentir des plus idiotes. Que voulez-vous qu'il fasse d'une automobile ici ? Il n'a même pas d'essence. Je suis certain qu'il en prendra soin, et qu'il sera tout content de se faire quelques roupies supplémentaires lorsque Olga viendra chercher son bien. De toute façon, nous n'avons pas le choix. Nous allons dans un endroit où les automobiles ne passent pas.

Jezebel ne répondit rien, à la fois vexée et inquiète. Elle n'était pas certaine que vouloir traverser à pied cette jungle fût une bonne idée. Elle se consolait en se disant qu'ils ne marcheraient que sur une dizaine de miles, et qu'en fin de journée, tout serait fini. Jan lui avait promis qu'après, ils prendraient un bateau.

Emplie de sentiments contradictoires, elle s'abîma dans la contemplation du paysage, qu'elle trouvait d'une laideur repoussante. La marée était basse. L'eau, en se retirant, avait mis au jour un sol vaseux, gris et d'aspect gluant. Les arbres, qui n'étaient pourtant guère hauts puisqu'ils culminaient à peine à une trentaine de pieds, bouchaient néanmoins le morne horizon. Dans cet univers hors du commun, les branches s'enlaçaient les unes aux autres comme des ronces. Les racines, qui étaient aussi grises que la terre dont elles s'extirpaient, formaient un tissage irrégulier. Impossible de voir au-delà de la ligne de front. Le paysage n'offrait aucune perspective. Il n'était qu'une platitude de feuilles coriaces qui laissait à peine passer la lumière.

— Vous n'avez pas d'autres chaussures dans votre sac magique ? demanda Jan en regardant soudain les souliers à bride qu'elle portait depuis la veille, et qui étaient déjà bien abîmés.

— J'ai des sandales, répliqua Jezebel, pince-sans-rire, en extirpant du sac ventru une jolie paire pleine de strass et de paillettes, dont le talon faisait facilement huit centimètres.

— OK, soupira le jeune homme, gardez plutôt celles que vous avez déjà aux pieds.

Le premier jour, ils n'avancèrent que de cinq cents yards.

Les palétuviers rouges, qui croissaient dans une eau assez profonde, formaient par leurs racines aériennes une barrière infranchissable. Au bout de deux heures d'escalade, de grimpettes sur des troncs qui ployaient sous leurs poids, Jezebel n'en pouvait déjà plus. Elle s'était toujours considérée comme sportive, parce qu'elle était habituée à monter à cheval ou à jouer au tennis, mais là, cela n'avait aucune commune mesure. Ses souliers mal adaptés glissaient dans la boue, sur les racines, sur les feuilles mortes. Elle progressait comme un singe maladroit, en se balançant de branche en branche. Il était impossible de trouver une prise solide autrement que dans les airs.

Seule satisfaction, Jan Lukas n'avait pas l'air beaucoup plus à son aise. Il suivait une sorte de piste qu'il rendait praticable à grands coups de machette mais, malgré ses efforts, la mangrove demeurait une muraille qui se dressait face à toute invasion, hérissée d'écorce, de lianes, d'épines, et de fourmis.

Jezebel avançait en silence. D'abord pour économiser son souffle, mais aussi parce qu'en parlant, elle n'aurait cessé de poser des questions qui l'angoissaient, et dont elle savait très bien qu'elle n'obtiendrait pas les bonnes réponses. Elle avait surtout envie de demander où Jan comptait les faire dormir. Il était clair que la nuit les surprendrait ici, dans cette espèce de filet végétal qui les emprisonnait, et elle paniquait de plus en plus à cette idée.

Peu avant midi, Jan l'avertit :

— L'eau monte.

Effectivement, l'eau, ramenée par la marée, recouvrait insidieusement le sol. Il fallut grimper plus haut sur les troncs, pour éviter de patauger dans un ressac saumâtre de boue grise. Le paysage se transforma, devint moins enchevêtré mais tout aussi difficile à traverser. L'eau immergeait les racines, qui devenaient des pièges semblables à des chausse-trappes. Les arbres fantomatiques donnaient l'impression d'avoir été noyés par un étang.

Vers le centre de l'île, la végétation changea. L'eau était par ici moins profonde. Elle favorisait la croissance d'une autre espèce, le palétuvier noir, dont les racines se dressaient les unes à côté des autres. Elles jaillissaient du sol, puis de l'eau, comme de gigantesques bâtons plantés à la verticale. De loin, la vase semblait hérissée par des milliards de piquets.

Distraite par ce paysage qui finissait tout de même par lui paraître féerique, Jezebel recevait parfois en plein visage une branche qui laissait sur ses lèvres un goût de sel. La première fois, elle crut s'être éraflée, jusqu'à ce que Jan lui montre les minuscules cristaux blancs répartis sur toutes les feuilles.

— L'eau est si salée que les arbres transpirent du sel.

Elle faillit lui rire au nez, se retint parce qu'il la regardait avec beaucoup de sérieux. Elle le trouva incroyablement beau, avec ses mâchoires abruptes ombrées par une jeune barbe, sa peau brunie par le soleil, ses yeux clairs que voilait de temps à autre une mèche tombant sur son front. Elle recula brusquement, furieuse de se laisser distraire de son chagrin alors que Charu n'était mort que depuis quelques jours, qu'elle portait son absence comme un glaive dans le cœur, qu'elle rêvait de ses bras, de sa bouche, de son corps. Avec rancœur, elle se dit que l'Américain avait eu une idée tout bonnement perverse, en lui faisant partager sa galère. En moins de vingt-quatre heures, il l'avait obligée à mettre sa tristesse entre parenthèses, il l'avait déracinée pour la rendre totalement dépendante de lui, il l'avait forcée à lui faire confiance, tant pour le bien que pour le mal.

Ruminant sa morosité, elle reprit sa marche dans la forêt dégoulinante d'humidité. Une nouvelle espèce de palétuvier étalait cette fois-ci des racines en éventail guère faciles à escalader. Ils n'offraient aucune prise et Jan, autant que possible, essayait de les éviter.

Seul bonheur, ces palétuviers croissaient en bordure de *rio*, les pieds constamment dans l'eau. Or certains rios étaient suffisamment larges pour permettre au soleil de s'infiltrer au travers des cimes. Cette lumière extraordinaire donnait à ces paysages sombres et sans profondeur une tonalité dorée qui bruissait de brise marine et d'oiseaux.

Les oiseaux étaient partout. Le premier à se laisser surprendre fut un ibis. Il était blanc et de bonne taille, avec un bec et des pattes roses. Émerveillée, Jezebel eut le temps d'admirer un magnifique œil bleu avant que le volatile ne s'envole. Le deuxième oiseau parut plus petit. C'était une sorte de poule d'eau au poitrail roussâtre qui pataugeait dans la vase d'un air très affairé. Le troisième fut un martin-chasseur superbement coloré, dont la taille avoisinait la longueur de son avant-bras. Après, elle cessa de compter. Il y en avait trop. Mais elle pria pour garder dans ses souvenirs l'image de ces plumes éphémères, qu'elle aurait voulu avoir le temps de dessiner.

À la mi-journée, lorsque le soleil parut être au zénith, ils firent une halte le temps de manger des petites huîtres plates que Jan dénicha entre des racines. Elles étaient délicieuses. L'après-midi continua dans la sueur. Jezebel était maintenant si fatiguée qu'elle avait l'impression de marcher en somnolant.

Le soir vint brutalement. L'obscurité semblait opacifier les racines, la jeune fille sentit une peur panique envahir de nouveau ses entrailles.

— Vous êtes un fou d'avoir choisi de venir dans cette mangrove, lança-t-elle lorsque Jan décida d'installer un campement. Nous allons mourir de faim, ou de soif, ou mangés par les fourmis !

— N'oubliez pas les crabes ! jeta-t-il en se moquant.

Cela ne la fit pas rire. Les crabes étaient partout, comme les fourmis. Au lieu de rester sagement dans l'eau, puisque c'était ce que l'on attendait d'un crabe digne de ce nom, ils grimpaient eux aussi aux arbres et, plus d'une fois, Jezebel en avait confondu un avec une araignée de bonne taille.

— Et que pensez-vous des poissons ? continua Jan d'un ton désopilant.

Entendant poisson, elle se méprit et pensa poisson grillé car son estomac criait famine depuis longtemps. Elle fut donc extrêmement déçue lorsque le jeune Américain lui montra la friture dont il était question.

À peine long comme un doigt, cet animal-là grimpait évidemment aux arbres. De surcroît, ce traître à sa race passait le plus clair de son temps hors de l'eau, en des mœurs qui n'étaient guère celles d'un poisson. D'ailleurs, sa curieuse tête ronde, aux yeux proéminents, était plutôt celle d'une grenouille.

Heureusement pour la jeune fille, la mangrove recelait aussi de la nourriture infiniment plus sympathique. Elle garda un souvenir ému de sa première langouste grillée, qu'elle dégusta avec un bonheur ineffable tout en regardant un lézard basilic courir miraculeusement sur l'eau. Dans la pénombre grandissante, il ressemblait à une flèche verte.

Plus tard, le moment délicat de la soirée arriva lorsque Jezebel comprit qu'il faudrait dormir dans un arbre, à califourchon sur une branche couverte de fourmis. Jan vint l'attacher au tronc avec son écharpe pour être sûr qu'elle ne tombe pas pendant son sommeil. Mais lorsqu'il voulut s'installer sur un arbre voisin, elle le retint avec panique.

— Ne me laissez pas seule dans le noir, mendia-t-elle, en petite fille effrayée par la nuit et les monstres qui vivaient sous le lit.

Il voulut rire, se moquer, mais il la vit au bord des larmes et il acquiesça lentement. Ils s'attachèrent ensemble, lui à califourchon dans son dos, elle appuyée contre son ventre, gênée mais rassurée. Ils restèrent un moment ainsi, à ne pas savoir quoi faire de leurs mains et de leurs cuisses qui se touchaient, jusqu'à ce qu'elle se tourne impulsivement pour enserrer le jeune homme de ses bras et enfouir son nez dans sa chemise.

Il ne comprit qu'elle pleurait que lorsqu'il sentit ses larmes traverser la cotonnade. Embarrassé par ce grand chagrin, il caressa doucement ses cheveux embrouillés d'herbes et de brindilles. Après une salve de sanglots, elle s'amollit et s'endormit. Cette nuit-là, l'insomnie fut pour lui car il passa un grand moment à la veiller, heureux comme un adolescent à simplement la sentir contre lui.

L'aube vint dans un éclatement de lumière.

Jezébel sortit du sommeil en premier mais n'osa pas bouger. Elle craignait de réveiller Jan qui dormait en la tenant dans ses bras. Doucement, elle appuya sa joue contre son torse, pour écouter avec une indicible jouissance les battements de son grand cœur, si fort, si régulier. Peu à peu, elle prit la mesure de sa respiration profonde, jusqu'à calquer la sienne sur le même rythme. La chemise ne sentait pas très bon, elle était pleine de vase et de sueur, mais dans l'échancrure qui s'ouvrait sur sa peau, elle passa son nez et devina un reste de lavande qui la bouleversa.

Le soleil levant réveilla la mangrove en un seul tenant. Des oiseaux passèrent, l'aile nerveuse, le bec affairé. La jeune fille les observa en laissant lentement s'écouler un temps scandé par des vols multicolores. Elle reconnut un minuscule roitelet huppé, un souimanga à queue verte et, plus bas, vers la marée à nouveau à son apogée, une spatule blanche qui fouillait la vase de son bec caractéristique.

Une tache rousse avançait au loin entre les palétuviers. Un instant, elle se demanda de quel oiseau il pouvait s'agir, puis elle se rendit compte que l'animal était trop grand pour être un vulgaire canard. Elle retint sa respiration. Un tigre approchait de la rive, le pas précautionneux, les mouvements presque invisibles. Il était loin, mais elle distinguait parfaitement son ventre plus clair et les rayures de son dos.

Soudain, le fauve bondit. Une harde de cerfs qu'elle n'avait pas vue s'enfuit en débandade au-dessus de l'eau dans un énorme fracas de branches. Leurs silhouettes se détachèrent un instant à contre-jour dans un jaillissement de gouttes dorées par le soleil. Le tigre avait raté sa prise. Il regarda longuement son repas s'éloigner, puis il rentra dans la mangrove, aussi silencieux que lorsqu'il était venu. Son corps roussâtre sembla encore danser quelques minutes au travers de l'enchevêtrement des palétuviers, avant de disparaître pour de bon.

Jezebel soupira, heureuse, avant de se rendre compte que Jan la regardait. Les cerfs en s'enfuyant avaient dû le réveiller. Elle se sentit gênée de leur promiscuité, chercha à se donner une contenance en parlant à tort et à travers, se lançant dans de longues descriptions du tigre qu'elle venait de voir, et qu'elle entrecoupait de rires nerveux.

Le jeune homme l'écouta un moment, amusé de la voir se dépêtrer dans ses incohérences, puis il posa un doigt sur ses lèvres.

— Chut, dit-il.

Elle sursauta. Il lui prit le visage entre ses mains, la regarda avec infiniment de tendresse. Elle plongea dans ses yeux en retour, si bouleversée par ses propres pensées, qui étaient si contradictoires, qu'elle sentit bientôt des larmes perler à ses paupières.

— Il me manque tellement, chuchota-t-elle au milieu de ses sanglots.

Il se mira dans ses grands yeux bleus noyés de chagrin, essuya de ses pouces les larmes qui roulaient sur ses joues, murmura tout contre sa bouche :

— Je sais. Il me manque aussi.

Elle eut tellement envie d'être embrassée qu'elle fut certaine qu'il le sentit, pourtant elle recula, détourna le visage.

Jan hésita, puis se mit debout. Sans un mot, il tendit la main pour l'aider à se lever et à descendre du perchoir où ils avaient passé la nuit. Son visage était impénétrable.

— Allons-nous en. Il nous reste encore beaucoup de chemin à parcourir.

Lorsqu'il se détourna, elle tendit la main pour le retenir, lui demander pardon, lui expliquer qu'elle ne pouvait pas, pas comme cela, pas maintenant, alors que la disparition de Charu était si récente, que son cœur saignait encore, mais elle ne sut pas trouver les mots justes. Elle hésita, n'osa finalement pas poser sa main sur son épaule. Il partit sans un regard. Elle ramassa son sac et le suivit en silence, tandis que la mangrove résonnait du bruit de la machette tailladant méchamment les branches des palétuviers.

*

Les deux jeunes gens mirent cinq jours à faire dix miles, ce qui aurait été impensable dans tout autre environnement. La mangrove recelait mille pièges qui les ralentissaient inéluctablement. Tout au long de ce dur périple, durant lequel ils mangèrent peu et dormirent mal, ils eurent les nerfs à fleur de peau. La fatigue gagnait.

Enfin, un matin, Jan s'arrêta devant un bras d'eau et expliqua avec une certaine satisfaction qu'ils venaient d'atteindre la *Chōṭa Nadī*[1], qui était leur but. Jezebel crut devenir folle. Devant elle,

1. « Petite rivière », en bengali.

les palétuviers s'étaient effectivement écartés, mais uniquement pour révéler une étendue d'eau grise, plate et sans intérêt.

Que lui racontait donc ce fichu Américain ?

N'étaient-ils pas toujours au milieu de nulle part, et bien plus profondément qu'avant ? Elle tourna sur elle-même. À perte de vue, il n'y avait que de l'eau, de la vase et des palétuviers, mais aucun village, aucun port ni aucun bateau. Abasourdie, elle s'en plaignit. Jan haussa les épaules, et lui jeta avec un petit rire condescendant qui lui fit l'effet d'une gifle.

— Vous oubliez que nous sommes dans les Sundarbans, milady. Sur une soixantaine de miles en tous sens, il n'y a que de la mangrove. Rien de plus.

Elle faillit hurler, parce qu'il se moquait d'elle, parce qu'il lui parlait à nouveau d'un ton complaisant en lui donnant du « milady », mais elle était tellement fatiguée, et si affamée, que cette nouvelle s'abattit sur ses épaules comme un poids immense, et qu'elle se laissa tomber sur un imbroglio de racines, accablée.

— Il n'y a pas de quoi déprimer, continua le jeune homme avec un ton fat. Tout marche comme je l'ai planifié. Nous venons simplement d'atteindre notre première étape.

Cette fois-ci, Jezebel ne put se retenir. Elle se mit à hurler si fort que des oiseaux s'envolèrent à tire-d'aile des plus proches frondaisons.

— Vous m'aviez dit que lorsque nous aurions traversé l'île Hamilton, nous trouverions un bateau !

— J'ai aussi dit que nous construirions éventuellement un radeau.

— Construire un radeau ? répéta-t-elle, incrédule. Vous avez dit construire un radeau ?

Il chercha à lui prendre la main pour lui faire entendre raison. Elle s'échappa comme s'il avait voulu la brûler, et trépigna sur place, dans la boue et au bord de la crise de nerfs.

— Vous m'avez menti ! Vous me mentez tout le temps ! Je vous déteste.

— Bien, dit-il, en essayant de garder son calme.

— Vous êtes ignoble et arrogant, et suffisant, vous n'êtes qu'un imposteur !

— Bien, continua-t-il à dire, en fronçant tout de même les sourcils devant les qualificatifs peu flatteurs.

— À cause de vous, glapit-elle, nous allons mourir dans cette abominable mangrove ! Nous n'avons rien à manger, rien à boire ! Vous êtes en train de nous tuer !

— Non.

— Non ? balbutia-t-elle en le regardant comme s'il avait perdu la tête. Non ?

— Je sais où nous sommes, et je sais quoi faire. Désolé de vous contredire, mais pour cette obsession que vous avez, concernant votre future mort, il faudra voir avec quelqu'un d'autre. Je ne serai pas votre homme !

Il lui jeta à la face son sourire le plus insolent. Elle cracha d'un petit ton méchant :

— Comme je regrette que le soldat n'ait pas réussi à vous arrêter ! Vous êtes un fou dangereux !

— Et vous, avec votre caractère de cochon, vous voilà prête à envoyer un innocent se faire couper la tête !

— Cette innocence, c'est vous qui l'affirmez ! rétorqua-t-elle avec mauvaise foi. J'ai même l'impression que vous êtes suicidaire, et que vous voulez m'entraîner dans votre chute !

— Très bien, madame la comtesse Tyler, retournez donc auprès de votre cher baron von Rosenheim, avec lequel vous faites finalement la paire ! Et n'essayez plus de m'apitoyer avec vos larmes. Les larmes qu'un homme n'a pas envie de consoler ne servent à rien.

Elle pleura un peu, beaucoup, de rage surtout. Lorsqu'elle commença à se calmer, il vint lui présenter des excuses. Elle lui demanda sur le même ton de lui pardonner ses accès d'humeur. Ils se serrèrent cérémonieusement la main et construisirent leur radeau.

Ils y passèrent la journée, coupant des bambous, les égalisant, les liant ensemble avec des lianes jusqu'à obtenir plusieurs épaisseurs superposées. Lorsque ce fut fait, Jan tailla à la machette une longue perche qui lui permettrait d'éviter les racines affleurant qui risqueraient de les entraver.

Ils n'embarquèrent pas immédiatement. L'après-midi était déjà bien avancé, Jan estima qu'il valait mieux attendre le lendemain et profiter de ce moment pour partir à la chasse. Jezebel refusa l'invitation. Elle n'aimait pas voir tuer des animaux, même si elle ne rechignait pas à les manger. Et puis, elle espérait se reposer.

— Je ne serai pas long, et je ne m'éloignerai pas, l'assura Jan avant de lui demander en plaisantant à peine ce qu'elle souhaitait voir figurer au menu.

— Je veux bien essayer de manger du lézard mais, de grâce, pas de singe ! Vous m'entendez ? Pas de singe, vraiment.

Il s'éloigna en riant. Elle entendit longuement son rire cascader parmi les feuilles des palétuviers, puis ce fut le silence, ce silence bruyant de la jungle, empli de cris d'oiseaux, de hurlements de macaques et de coassements de grenouilles. Elle n'aimait pas être seule. Une détonation claqua, suivie par une débandade. Elle sursauta, essaya de voir au travers des arbres ce qu'il se passait, mais ne vit rien que des palétuviers aux feuilles coriaces, dont certains étaient en fleur tandis que d'autres portaient des fruits.

Un deuxième coup de feu éclata, puis un troisième une heure plus tard. Enfin, Jan revint, chargé d'un lézard, d'un serpent et d'un jeune daim.

— Le serpent, était-ce nécessaire ? grimaça-t-elle lorsqu'il dépiauta l'animal en tirant la peau comme s'il enlevait un gant.

— Bien grillé, ce n'est pas mauvais. Les os sont un peu agaçants. Ils croquent sous la dent, mais nous nous rattraperons sur le daim. Et puis, nous aurons un dessert.

Ébahie, elle le vit sortir de son turban, tel un prestidigitateur, six gros œufs de couleur crème, qu'il présenta comme des œufs de tortue.

— Il reste un peu de sucre, nous ferons une omelette.

— Quoi ? se fâcha Jezebel, vous aviez du sucre et cela fait dix jours que nous prenons notre thé sans ?

— Croyez-moi, lorsque vous aurez goûté mon omelette, vous ne le regretterez pas.

Effectivement, elle se régala. Ce repas était le premier digne de ce nom depuis qu'ils avaient quitté Gosaba. Il inaugura toute une série de découvertes culinaires des plus étonnantes.

Le lendemain, ils commencèrent leur voyage vers l'océan. Sur le radeau qui glissait au fil de l'eau, il n'y avait pas grand-chose à faire hormis se coucher sur le dos et regarder le ciel, ou sur le côté et regarder la rive droite, puis la rive gauche. Jezebel aurait pu s'en lasser, mais l'esquif était un merveilleux observatoire qui lui permettait de découvrir une faune extraordinairement variée.

Le cours d'eau qu'ils suivaient ondulait au milieu des palétuviers, sous une arche de branches se rejoignant dans un subtil jeu d'ombre et de lumière. Des animaux le traversaient constamment : des daims au galop aérien, dans de grandes gerbes lumineuses de soleil, ou une panthère à la nage, qui se tourna vers eux pour les regarder de son terrible regard jaune avant de disparaître d'un coup de reins dans des fougères. Un serpent fila avec vivacité, ses écailles ruisselantes de lumière. Des dizaines d'oiseaux étaient postés partout, de gros pélicans assez pataudS, d'élégantes aigrettes, des hérons immobiles, et des vols de pigeons qui allaient et venaient dans un constant bruit de plumes.

Jezebel passait beaucoup de temps à dessiner. Jan la regardait durant des heures, tout en appuyant mollement sur sa perche. La jeune fille était d'autant plus émue de cette attention que ces instants lui rappelaient ceux qu'elle avait partagés avec Charu, avant qu'il ne lui apprenne qu'il était un prince et qu'il s'amusait à la guider dans les quartiers les plus populaires de Calcutta. Il la nourrissait de *jhal-muri*[1] et de *phuchka*[2], et ils riaient beaucoup.

Les deux hommes étaient très différents, même s'ils partageaient de nombreux points communs. D'une taille et d'une stature similaire, ils étaient longs et minces bien que puissants, avec un torse musclé et des cuisses nerveuses qui trahissaient leur goût pour le polo et les chevaux. Ils partageaient la même passion pour les jeux dangereux et la vitesse. Ils étaient beaux et séduisants chacun à leur façon, l'un avec son teint de pain d'épices parfumé à la cannelle, l'autre avec son hâle de baroudeur et sa senteur de lavande.

Emportée paresseusement au fil de l'eau, Jezebel rêvassait beaucoup, les yeux mi-clos face au soleil qui teintait ses paupières de carmin. La chaleur caressante était propice à des souvenirs émouvants et à des rêves sensuels. Elle se souvint de la première fois qu'elle avait vu Jan, lorsqu'il était monté à bord du paquebot l'*Albatros* de manière si aventureuse. Elle se rappela aussi son insolence, qui l'avait mise, déjà en ce temps-là, aux abois.

---

1. Soufflé de riz avec des épices et des légumes, très populaire.
2. Petit snack d'apéritif, où chaque *phuchka* est fourré avec des pommes de terre et du tamarin.

Avec le recul, elle comprit mieux à quel point elle n'avait fait que fuir le jeune homme, invoquant constamment de mauvaises excuses qui n'étaient finalement que des prétextes, tandis que le destin s'acharnait à les rapprocher.

Charu avait été sa dernière excuse.

Certes, elle l'avait aimé, comme on aime ceux qui vous aiment, par excès de joie, de tendresse, parce que la vie, lorsqu'elle est belle, est toujours pleine de désirs. Oui, elle l'avait sincèrement aimé. Il était beau, c'était un prince, il allait dans la vie avec une assurance que lui conférait sa naissance. Il n'était qu'amour et il le lui avait appris. Leurs rencontres avaient été des moments de sensualité charmante, remplis de beauté et de douceur.

Avec Jan, tout était différent.

L'amour ressemblait à un tumulte, presque une souffrance, une peur qui était aussi un combat. Souvent, Jezebel sentait que son corps voulait céder, mais ces pensées l'effrayaient : le jeune Américain avait trop de pouvoir charnel sur elle. Il l'attirait. Il était sa lumière, elle son phalène. Il promettait la vie envers et contre tout, dans un tourbillon de plaisir inégalé. Elle craignait de s'y brûler les ailes.

Amollie par le soleil qui lui caressait la joue, Jezebel se mordilla la lèvre en soupirant.

Depuis qu'elle lui avait refusé ce baiser, quelques jours auparavant, Jan n'avait tenté aucun autre rapprochement. Il continuait à se montrer courtois mais il demeurait distant. Il ne la touchait plus, ne s'intéressait à elle que pour marcher, manger, dormir. S'il veillait à sa survie, ce qui était déjà beaucoup, il lui parlait à peine.

Honnêtement, elle ne pouvait le blâmer. Depuis qu'elle le connaissait, elle n'avait cessé de le rejeter alors qu'il était le seul homme à l'attirer autant. Parfois, elle l'observait, et elle avait alors tellement de désir au fond d'elle-même qu'il lui semblait que le soleil brillait moins fort. Jan occultait toutes ses pensées, hormis cette envie profonde d'être regardée par lui, caressée par lui, aimée par lui.

À présent, elle se rendait compte qu'il lui avait toujours fait peur pour cette unique raison. Pour lui échapper, elle aurait été prête à sauter d'une falaise, un peu comme ces brebis stupides qui fuient devant le loup au point de se suicider en croyant se sauver.

Oui, avant, elle avait eu peur de lui. Mais maintenant ?

Ne se sentait-elle pas de taille à lui résister ? Charu ne lui avait-il pas appris à ne prendre de la vie que le meilleur ? Et n'était-ce pas Jan Lukas lui-même qui, un jour, avait évoqué devant elle, certes en parlant d'Olga Marushka, la joie de deux êtres qui n'attendent rien l'un de l'autre, hormis le plaisir ?

Caressée par le soleil au point d'en avoir chaud, trop chaud, Jezebel se promit que la prochaine fois que le jeune homme voudrait l'embrasser, elle le laisserait faire. Elle rêva à ses lèvres. À sa bouche. À sa langue irrévérencieuse.

Elle dut s'assoupir. Un cri la réveilla en sursaut. Elle se leva si brusquement qu'elle faillit tomber à l'eau, se rattrapa de justesse.

— Aidez-moi, hurla Jan en s'échinant sur sa perche, il faut revenir vers la côte.

Elle regarda autour d'elle avec affolement.

Le radeau ne longeait plus aucune rive. En face d'eux, il n'y avait plus que l'océan Indien.

# 24

*Du 15 janvier au 6 mars 1920*
*Des Sundarbans à Chittagong – Bengale-Occidental – Inde*

Jan Lukas ôta sa chemise, défit la ceinture de son jodhpur. En quelques secondes, il fut torse nu et uniquement vêtu d'un caleçon qui lui arrivait à mi-cuisses et ressemblait aux shorts que portaient les boxeurs sur un ring. Jezebel ouvrit de grands yeux.

— Que faites-vous ? s'inquiéta-t-elle en reculant autant que possible.

Il ne parut pas se rendre compte de son émoi. Il rangea avec hâte ses affaires dans la sacoche de cuir huilé qu'il traînait avec lui depuis le début de leur périple, puis accrocha la bandoulière à une transversale de bambou.

— Savez-vous nager ? demanda-t-il à brûle-pourpoint.

Elle hocha la tête avec réticence. Elle craignait déjà de comprendre.

— Bien, dit-il. Déshabillez-vous et venez m'aider, je n'y arriverai pas seul.

Il plongea dans la mer. Elle cria, s'accrocha des pieds et des poings à l'esquif qui tanguait dans la houle, s'affola de se retrouver seule. Il émergea à une dizaine de yards, revint en quelques brasses rapides. Presque aussitôt, il attrapa le radeau et s'efforça de le diriger vers la côte en le poussant de toutes ses forces.

— Vous venez, oui ou non ? hurla-t-il, de l'eau plein la bouche. La marée est montante, il faut en profiter.

Elle leva un regard paniqué. La rivière Harinbhanga continuait de les diriger vers le large. Elle comprit l'urgence mais ne parvint pas à faire ce que le jeune homme lui ordonnait. Sa robe était peut-être devenue un haillon mais elle couvrait tout de même son corps jusqu'à ses mollets. Elle ne pouvait se résoudre à l'enlever. En dessous, elle ne portait qu'une combinaison qui ne cacherait rien de la forme de ses seins, de son ventre, de ses fesses.

Il la pressa d'une voix rude :

— Cessez de faire l'enfant et venez m'aider !

Elle ôta ses chaussures en espérant gagner du temps, les rangea soigneusement dans son sac de voyage.

— Dépêchez-vous donc ! cria-t-il en s'échinant de plus belle contre le radeau qui ne semblait pas vouloir incurver sa course. Vous voulez vous retrouver en Afrique ? Ôtez-moi cette robe, *goddammit*[1]. Vous allez vous noyer si vous la gardez.

Elle hésita encore. Elle savait qu'il avait raison ; dans l'eau, les pans de sa robe entraveraient ses mouvements. Pourtant, elle ne parvenait pas à se déshabiller devant lui.

Il perdit patience, l'interpella de plus belle :

— Jezebel, si vous ne venez pas, je viens vous chercher !

Il était capable de le faire. Elle déboutonna à contrecœur son corsage. Il la fixa tout en nageant. Elle jeta avec agacement :

— Tournez-vous !

— Vous plaisantez ? s'exclama-t-il en regardant autour de lui d'un air halluciné. *Mother of God !* Je suis en train de pousser ce fichu radeau, où voulez-vous que je regarde ? Arrêtez de faire votre mijaurée et venez m'aider ! Ce n'est guère le moment de la galipette !

Vexée et choquée par son vocabulaire, Jezebel se résigna à lui tourner le dos. Elle fit glisser sa robe en ayant l'impression que le jeune homme la transperçait de ses yeux. Lorsqu'elle se retrouva en combinaison de soie et de dentelle, elle tremblait d'humiliation.

— Vite ! pressa-t-il.

Elle se laissa glisser dans l'eau, s'agrippa frénétiquement au radeau par crainte de s'en éloigner. L'eau fraîche la saisit. Son sous-vêtement lui colla au corps. Pourtant, elle y pensa à peine. Elle regarda autour d'elle avec effroi.

— Et s'il y a des crocodiles ?

— Il n'y en a pas. Nous sommes dans la mer. Mettez-vous là, et nagez de toutes vos forces pour pousser le radeau dans cette direction. Une fois sortis du courant de la rivière, nous reviendrons facilement vers la côte en utilisant la marée.

---

1. Juron, « nom de Dieu », en anglais.

— Et s'il y a des requins ?

— Bon, vous arrêtez ? jeta-t-il avec exaspération. S'il y a des requins, mieux vaut ne pas traîner. OK ?

— Je vous hais. Vous êtes vraiment un sale type !

Il lui coula un regard noir mais ne répondit rien. Il venait de remarquer la peur qui marquait son visage. En son for intérieur, il reconnut qu'elle n'avait pas été épargnée depuis qu'il l'avait embarquée de force dans l'Alfa Romeo. En quelques jours, elle avait été bousculée dans toutes ses certitudes, elle avait découvert l'effort physique, la peur de mourir, la faim, la soif, un environnement hostile où l'argent ne servait pas à grand-chose. Il songea qu'à l'issue de cette aventure, soit elle s'accrocherait à lui comme une sangsue, soit elle le haïrait jusqu'à la fin de sa vie.

Il serra les dents.

— Nagez !

Le quart d'heure qui suivit fut un vrai cauchemar.

Jezebel n'était pas une bonne nageuse. La dernière fois qu'elle avait fait trempette dans une piscine datait de son voyage sur l'*Albatros*. Elle fut rapidement à bout de souffle. L'esquif pesait tout de même un bon poids. Au bout de quelques minutes, ses bras et ses cuisses furent tétanisés par des crampes.

Heureusement, le courant qui les avait entraînés vers le large était en train de se fondre dans l'océan. Cela se voyait aisément : la rivière était boueuse et pleine d'alluvions. La mer, au contraire, était bleue et d'une transparence de verre. Par moments, on distinguait le sable au fond, les algues rouges et vertes qui flottaient et, surtout, des centaines et des centaines de poissons qui virevoltaient en tous sens.

Les deux jeunes gens parvinrent à obliquer vers la côte à force d'obstination. Dès lors, la marée les porta vers l'avant et les alizés qui soufflaient du large se mirent également de la partie, achevant de soutenir leurs efforts. Au bout d'un travail acharné, ils atteignirent les vagues qui se brisaient sur les hauts-fonds, à seulement quelques yards de la mangrove.

Le radeau tangua dans ce bouillonnement d'écume, de sable et de vase, mais tint bon. Quelques instants plus tard, il s'échouait dans une petite crique écrasée de chaleur. Les deux jeunes gens pataugèrent sur un fond mou et vaseux, le temps de le coincer dans un imbroglio de racines. Jan déroula une liane et attacha l'armature de bambous à un palétuvier de bonne taille. À bout de forces, Jezebel s'effondra sur l'esquif les bras en croix, les yeux mi-clos.

Sa tâche accomplie, Jan se tourna vers elle. Elle sentit son ombre se poser sur elle, rouvrit les yeux. La silhouette du jeune homme se découpait avec force dans le soleil, les cheveux en bataille, le buste et les cuisses parsemés d'une multitude de gouttes d'eau. Elle devina son regard se poser sur elle, suivre avec contentement la forme de son corps que la combinaison mouillée épousait étroitement. Elle se mit à respirer plus fort. Les yeux du jeune homme descendaient de sa gorge à ses seins, s'y attardaient le temps de trouver un détail à leur goût puis descendaient plus avant, le long de son ventre plat, de son pubis légèrement renflé, de ses longues cuisses fuselées. Soudain, elle roula sur le côté, les joues embrasées. Elle attrapa son sac et sortit sa robe pour l'enfiler avec brusquerie.

— Jezebel..., murmura-t-il.

— Quoi! rugit-elle sans le regarder.

Il soupira, ne lui dit pas les mots d'amour qu'il avait sur le bout de la langue.

— On s'en est bien tirés. On aurait pu dériver jusqu'à Madagascar.

Elle se redressa en boutonnant fébrilement son corsage. Sa robe ne glissait pas sur sa peau mouillée. Elle s'énerva, ne goûtant guère la plaisanterie qu'il venait de faire.

— Par votre faute, nous avons failli mourir noyés!

— Je me suis endormi, ça arrive à tout le monde.

— Vous vous étiez endormi? Ma parole, vous êtes d'une inconscience crasse.

Il leva vers elle un doigt exaspéré. Cette pimbêche avait décidément le don de le faire sortir de ses gonds.

— Et vous, *dear countess*[1], n'étiez-vous pas en train de dormir? Ce serait bien d'apprendre un jour à ne pas toujours compter sur les autres pour vous sortir des situations dans lesquelles vous vous fourrez avec tant de complaisance!

— Je vous rappelle que je n'ai pas demandé à être ici! C'est vous, avec votre stupidité naturelle, qui m'avez traînée dans cet endroit où vous m'obligez à risquer ma vie à chaque seconde!

---

1. « Chère comtesse », en anglais.

— Stupidité naturelle ?

— Oui ! Stupidité naturelle ! Parfaitement !

Il récupéra sa sacoche en bandoulière, enfila son jodhpur, posa en travers de l'épaule ses bottes liées par leurs lacets et, le fusil à la main, sauta dans la vase sans prendre la peine de l'attendre. Furieuse, elle fut tentée de le laisser partir mais la perspective de se retrouver seule dans la mangrove, au milieu des bêtes sauvages, la ramena rapidement à la raison. Se hâtant d'attraper son gros sac de voyage, elle sauta à son tour dans la vase. La boue s'infiltra entre ses orteils, elle grimaça mais continua à tituber tant bien que mal dans le ressac.

Au bout d'un certain temps, Jan s'arrêta tout de même pour l'attendre. Il s'adossa à un palétuvier, le fusil en travers de l'épaule, la mine encore fâchée.

— Dépêchez-vous, dit-il d'un ton peu amène. J'ai cru voir un village par là-bas. Ce serait bien de l'atteindre avant la nuit.

Il allait reprendre la route lorsque, sans transitions, il leva soudainement les bras en l'air et se mit à parler avec vivacité en bengali :

— *Bandhurā ! Āmarā bandhu hisēbē āsi*[1] !

Jezebel se tourna lentement en soupirant d'agacement ; promis juré, si c'était encore l'un de ses tours, elle lui arracherait les yeux.

Ce n'était pas une blague et elle tressaillit violemment. Des hommes à demi nus émergeaient d'entre les palétuviers. Leur peau sombre avait la couleur des écorces. Dans le plus grand silence, ils venaient de les encercler tout en pointant agressivement leurs lances ou leurs machettes. Leurs visages émaciés, aux mines farouches, étaient tout bonnement effrayants. Jezebel se figea de peur. Cette mangrove ne les faisait-elle que tomber de Charybde en Scylla ?

Les indigènes les forcèrent à les suivre sur un sentier qu'ils étaient les seuls à distinguer. Ils s'y déplaçaient avec une aisance confondante. Leurs corps maigres, aux muscles secs et à la peau tannée, avaient une souplesse de liane. Leurs membres s'accrochaient avec une extrême vélocité aux branches et aux racines. Ils allaient à une allure que les deux jeunes gens peinaient à suivre.

1. « Amis ! Nous venons en amis ! »

Le plus âgé ressemblait à un chef, peut-être parce que ses oreilles étaient ornées de gros anneaux en laiton, ce qui lui conférait une certaine majesté. Il accusait une quarantaine d'années tandis que le plus jeune de ses compagnons affichait tout au plus vingt ans. Ce dernier attirait le regard par sa beauté. Avec son teint glabre et ses cheveux d'ébène portés longs jusqu'aux reins, il ressemblait à un jeune dieu antique vêtu simplement d'un pagne rudimentaire en coton.

Jan avait été délesté de son fusil, mais les indigènes n'avaient pas remarqué qu'il portait un colt à la ceinture. Cette arme était à demi cachée sous les pans de sa chemise qu'il avait laissée libre. Jezebel s'attendait à tout moment qu'il s'en serve, mais il ne semblait pas en avoir l'intention. Au contraire, il suivait le train imposé par leurs ravisseurs avec une indicible satisfaction. Elle finit par s'en étonner et demanda dans un chuchotis :

— Vous savez qui sont ces hommes ?

— Ce sont des *Mogs*, se hâta-t-il de répondre, heureux de voir que, face à l'adversité, elle oubliait leur précédent différend. Ces hommes sont des pirates.

Les indigènes entendirent ces mots et semblèrent s'en offusquer. Le jeune dieu aux longs cheveux noirs pointa méchamment sa lance vers la gorge de l'Américain. Il rugit avec férocité.

— Pas dire *Mogs* ! Nous *Orang Lanun*[1] !

Il frappa sa poitrine du poing, l'air terrible. Jezebel sursauta, retint un cri de frayeur. Jan leva les mains en signe de paix.

— *Āmarā bandhu*, répéta-t-il le plus calmement possible. Nous venons en amis. *Āmarā bandhu !*

Au bout de longues minutes, le jeune indigène baissa sa lance et le groupe reprit sa course. Jezebel n'en pouvait plus de courir. À bout de souffle, elle accrocha la main de son compagnon à la recherche d'un peu de réconfort.

— Vont-ils nous tuer ?

La peur faisait s'entrechoquer ses mâchoires lorsqu'elle parlait.

— Pas avant de savoir si nous valons une rançon. Ces p'tits gars ont beau prétendre le contraire, ce sont de vrais pirates.

— Une rançon ? gémit Jezebel. Mais qui voudra payer ? Vous êtes recherché par la police et moi… moi…

---

1. « Gens de la mer », en malais.

Jan lui serra fortement la main.

— Ne vous inquiétez pas, *sweetheart.* Nous paierons cette rançon nous-mêmes. Après tout, je ne suis venu dans le coin que pour rencontrer des pirates de ce genre. Ces tribus ont toutes des bateaux. J'espère arriver à en décider un à nous amener à Chittagong.

— Êtes-vous en train de me dire que vous cherchiez vraiment à rencontrer ces pirates ? pleurnicha la jeune fille, affolée, je n'arrive pas à y croire, plus je vous connais, plus je trouve que vous êtes un fou dangereux !

— Je suis sûr que c'est ce que vous aimez en moi, ce petit grain de folie qui illumine votre vie ? Il vous rend folle amoureuse.

Elle pesta et jura tout en escaladant un palétuvier encore plus tordu que les autres.

— Où diable êtes-vous allé chercher une fable pareille ? Pas du tout, vous m'entendez ? Je n'aime pas du tout votre comportement psychotique !

— Ne mentez pas, *darling*, je sais ce que vous ressentez à mon égard.

Soufflée par son outrecuidance, elle en perdit l'équilibre et glissa sur une racine en s'éraflant le mollet. Il la rattrapa ; elle s'accrocha par réflexe à ses épaules. Leurs souffles se mêlèrent. Il la remit d'aplomb en affichant un petit sourire prodigieusement agaçant :

— Désolée, *countess*, je sais votre impatience mais nous n'avons pas le temps de batifoler maintenant.

Elle l'aurait giflé. Se détournant avec rage, elle reprit leur marche forcée en oubliant presque leurs ravisseurs et leurs lances affûtées, ainsi que cette mangrove déloyale qui hérissait piège après piège. Elle était tellement fâchée qu'elle avançait à un train d'enfer, tant pis pour les fourmis qui tombaient en nœuds serrés sur sa nuque ou les crabes qui la pinçaient dès qu'elle posait une main trop près d'eux.

Cette marche infernale dura plus d'une heure, jusqu'à ce que les *Orang Lanun* s'arrêtent soudain au milieu d'une petite clairière. Là, ils palabrèrent entre eux avec force. Ils n'avaient plus l'air d'accord. Le plus âgé voulait continuer. Les jeunes, au contraire, le retenaient en poussant de grands cris et en lui montrant les plus hautes frondaisons.

Jezebel essaya de distinguer ce qui retenait leur attention mais ne vit alentour que les sempiternels palétuviers. Le monde demeurait végétal, zébré de troncs gris, hérissé de branches brunes et colmaté par de grandes feuilles vertes ruisselantes d'humidité.

Malgré sa colère latente, elle se rapprocha de Jan.

— Sommes-nous arrivés à leur village ? demanda-t-elle d'un ton cassant.

— Non, pas encore, répondit-il avec une contrariété dont elle ne parvint pas à déterminer la cause. Ils discutent pour savoir s'ils doivent chercher du miel ou pas.

— Du miel ? Vous plaisantez ? Et où comptent-ils trouver du miel dans cette mangrove ?

— Là-haut, dans des nids d'abeilles sauvages. Ces hommes, avant de nous rencontrer, étaient venus récolter du miel, voilà pourquoi ils portent tous des cordes et des paniers.

Jezebel se laissa tomber sur une grosse racine.

— Décidément, avec vous, j'aurai tout entendu.

Jan eut un demi-sourire.

— Plus tard, le souvenir de ces moments vous ravira.

— Plus tard, j'espère surtout être vivante pour m'en souvenir !

Le sourire du jeune homme s'accentua.

— Ayez confiance, *darling*. Tout ira bien. Je contrôle parfaitement la situation.

Elle haussa les épaules. Elle en doutait, mais avait-elle le choix ? L'humeur morose, elle se mit à observer les *Orang Lanun*. Apparemment, ils venaient de se mettre d'accord. Le plus âgé s'approcha des prisonniers pour les surveiller tandis que ses compagnons allumaient des feux à l'aide d'herbes humides. En quelques minutes, la mangrove fut enfumée. Le jeune dieu aux longs cheveux noirs grimpa avec habileté sur un tronc soigneusement repéré. Il avait mis sa machette entre les dents pour avoir les mains libres, ce qui lui donnait un air encore plus féroce.

Lorsqu'il fut en haut de l'arbre, ses amis lui firent parvenir un panier rempli de braises fumantes. Les abeilles s'éloignèrent du nid, gênées par la fumée. Le jeune *Orang Lanun* trancha de gros morceaux de cire poisseuse, qu'il laissa tomber au sol où ses camarades les ramassèrent. L'air était rempli du bourdonnement des abeilles et de l'odeur sucrée du miel.

Quelques instants plus tard, le jeune dieu revint au sol. Il ramassa un rayon dans lequel il mordit avec une vive gourmandise puis, avisant Jezebel qui le regardait, marcha vers elle en rejetant sa chevelure d'ébène vers l'arrière. Avec un geste autoritaire, il lui tendit un morceau de cire visqueuse de sucre.

— Prenez et mangez, lui recommanda Jan en joignant les mains sur sa poitrine pour remercier le don qu'on lui faisait également. Recevoir de la nourriture est plutôt bon signe. On ne nourrit pas les prisonniers dont on veut se débarrasser.

— Vous avez toujours le bon mot, répondit Jezebel en goûtant avec prudence le présent qu'on venait de lui faire. Plus je vous connais, plus je trouve que vous êtes vraiment quelqu'un de rassurant.

Il se mit à rire. Étrangement, les *Orang Lanun* les regardèrent, et se mirent à rire à leur tour. Le cœur un peu allégé, Jezebel laissa le miel couler dans sa bouche avec émerveillement. Le sucre parfumé nappa sa langue, libérant une profusion d'arômes. Elle n'avait jamais mangé quelque chose d'aussi bon.

Deux heures plus tard, ils arrivèrent au village. Jezebel attendait des maisons, peut-être même un temple ou une église, elle découvrit des pilotis pitoyables recouverts de palissades grossières. Les murs étaient faits de roseaux tressés, les toits de grosses palmes plus ou moins effilochées. Seule poésie, l'océan tout proche, et d'innombrables plants d'orchidées accrochés aux soubassements, qui fleurissaient comme de merveilleux bijoux.

L'entrée des prisonniers provoqua une débandade générale. Les enfants qui jouaient sur une petite plage s'enfuirent en piaillant, appelés par leurs mères qui les cachèrent dans leurs abris. En quelques secondes, le village se vida de tous ses occupants.

Avec leurs lances redevenues menaçantes, les chasseurs de miel forcèrent leurs prisonniers à s'agenouiller au milieu des maisons.

— Vous, attendre ! jeta le jeune dieu aux longs cheveux noirs.

Il entra dans une hutte. Jezebel glissa un regard inquiet vers Jan. Ce dernier semblait afficher une certaine sérénité. Elle s'efforça de calmer les battements effrénés de son cœur. Le soleil commençait à basculer doucement vers l'horizon. Dans quelques heures, la nuit envahirait tout.

Les enfants revinrent comme une nuée de moineaux attirés par du grain. Avec des yeux tout étonnés, ils se plantèrent à quelques mètres des prisonniers et observèrent ces hommes blancs que certains d'entre eux voyaient pour la première fois. La plus âgée était une fillette de cinq ou six ans qui portait sur la hanche un gros bébé presque aussi grand qu'elle.

Jezebel fit taire son angoisse pour étudier la charmante scène. La petiote était drapée dans un *sarong*[1] rayé de rouge et de vert, et arborait une chemise rose assortie à la belle orchidée qui décorait ses longs cheveux noirs. Le bébé était nu, couleur de thé au lait, avec une touffe de cheveux bruns ébouriffée sur le front. Il était tellement potelé qu'il en était particulièrement attendrissant.

Les enfants demeurèrent immobiles, à les observer. L'attente s'éternisait. Jezebel essayait d'oublier son appréhension en mémorisant tous les détails du moment. Elle espérait que, plus tard, elle pourrait en faire un tableau. Puis elle s'aperçut qu'elle serrait contre elle son gros sac de voyage, et qu'à l'intérieur, elle avait son matériel de dessin. Elle se demanda ce qu'il se passerait si elle sortait maintenant son carnet de croquis et ses pastels, et qu'elle se mettait à faire le portrait des enfants qui les regardaient.

Elle chuchota vers Jan.

— Savez-vous ce que nous attendons ?

Le jeune homme haussa les épaules. Il avait l'air aussi décontenancé qu'elle.

— J'imagine qu'ils mettent notre patience à l'épreuve.

Elle attendit encore quelques instants puis, tournant la tête pour voir si quelqu'un faisait attention à elle, elle décida que non et ouvrit son sac. Les enfants piaillèrent, s'envolèrent de nouveau comme une nuée de moineaux puis revinrent prudemment quelques instants plus tard, en regardant de leurs grands yeux emplis de curiosité les objets qu'elle tenait maintenant dans les mains.

— Que faites-vous ? chuchota Jan, alarmé.

— J'en ai assez d'attendre. Je m'occupe.

Elle ignora sa mise en garde silencieuse, ouvrit le carnet de croquis sur une page vierge. Le papier avait considérablement souffert de l'humidité, il était tout gondolé. Les pastels étaient également imbibés d'eau. Jezebel leur jeta un coup d'œil navré avant de les ranger par crainte de les abîmer plus encore dans

---

1. Pièce de tissu formant un cylindre, mixte, porté surtout en Malaisie.

ce pays gorgé d'humidité. À la place, elle sortit un pinceau et sa boîte d'aquarelle. Près de ses pieds, elle repéra une petite flaque d'eau. Elle commença à se déplacer imperceptiblement pour s'en approcher.

— Que faites-vous ? répéta Jan en lui faisant les gros yeux. Restez tranquille ! Nous attendons que le chef vienne. Ce ne sera pas long. Vous voulez tout faire rater ?

— Je vais peindre. Ça me calmera les nerfs.

— Vous êtes complètement folle !

— Occupez-vous de votre folie et laissez-moi m'occuper de la mienne ! riposta-t-elle.

Elle traça le premier aplat de couleur. Les enfants eurent tous le même soupir. Émerveillée, la fillette posa son petit frère à côté d'elle et s'accroupit face à Jezebel. Cette dernière lui sourit en continuant de peindre. Le pinceau courut sur la feuille, semblant la caresser. Un trait forma une joue, un autre traça le front, le nez, le menton. Une couleur plus sombre délimita la racine des cheveux. L'orchidée parfaitement reconnaissable amena un sourire chez tous les enfants. La fillette éberluée toucha la fleur qui ornait ses cheveux, puis toucha d'un doigt stupéfié la petite flaque d'eau qui changeait de couleur au fur et à mesure que le pinceau s'y trempait.

Au bout d'un certain temps, des adultes se rendirent compte de la scène et s'approchèrent à leur tour, fascinés. Jan sifflota.

— Je retire ce que j'ai dit. C'est une superbe idée.

Jezebel lui jeta un regard lumineux. Brusquement ému, Jan la trouva encore plus belle que d'habitude, peut-être parce que ses yeux magnifiques étaient habités en cet instant d'une passion qui semblait révéler toute la délicatesse de son âme. Saisi, il l'imagina soudain ployée sous lui comme une petite chose précieuse, en train de se tordre de plaisir, et l'intensité de ce moment fut si forte qu'il se détourna brusquement, pour masquer le désir qui enflammait ses reins.

Le miracle de la peinture dura de longues minutes, jusqu'à ce qu'une femme petite et sèche, âgée d'une quarantaine d'années, daigne s'approcher. Elle était escortée par plusieurs guerriers, parmi lesquels se tenait le jeune dieu. Il avait changé de vêtement. Il portait maintenant un *sarong* précieux en soie sauvage, aux rayures multicolores, recouvert à mi-cuisses d'une grande *kurta*[1] rouge. Il y gagnait une indéniable majesté, mais aussi une ressemblance physique accrue avec la femme qu'il accompagnait. En les observant plus attentivement, Jezebel comprit qu'il s'agissait sans doute de la mère et de son fils.

La femme interpella vivement les enfants qui s'enfuirent craintivement. Dans la bousculade, la fillette oublia son petit frère. Ce dernier se mit à pleurer. Peinée par ce chagrin, Jezebel posa son carnet de dessin et lui tendit les bras. Des lances se pointèrent aussitôt vers elle, mais le poupon lui tendit en retour ses petites mains, achevant de la faire fondre. Elle l'attrapa et le serra contre elle en le berçant doucement. À côté d'elle, Jan soupira d'angoisse.

— Posez immédiatement cet enfant ! Vous voulez nous faire tuer ?

Elle leva vers lui un visage limpide tout en continuant à câliner le bébé. Le petit cessa brusquement de pleurer. Il venait d'attraper une mèche de cheveux blonds et tripotait avec émerveillement ce beau jouet qui était doux comme de la soie et qui brillait dans le soleil. Jan retint son souffle. L'instant était si beau, si magique, que son cœur parut s'arrêter.

La femme *Orang Lanun* se posta devant Jezebel, qu'elle toisa d'un air peu amène avant de demander dans un anglais en tout point parfait :

— Que faites-vous avec cet enfant ?

Jezebel eut un sourire qui aurait adouci un ogre.

— Il pleurait, je le consolais, mais si vous voulez, vous pouvez le reprendre. Il s'est calmé.

Elle lui présenta l'enfant. Avec un claquement de doigts autoritaire, la femme ordonna à l'un des gardes de reprendre le petit garçon. Ensuite, elle fit signe aux deux prisonniers de l'accompagner dans une hutte.

Jan aida Jezebel à fourrer ses affaires dans son sac. Leurs doigts se frôlèrent, ils se regardèrent. Le jeune homme sourit d'un air qui, pour une fois, n'avait rien de moqueur. Elle lui sourit en retour.

Ils gravirent une échelle grossière, se retrouvèrent à l'intérieur d'une cabane rudimentaire composée d'une pièce unique, sombre, à peine éclairée par une lampe à huile. La flamme oscillait

1. Chemise large.

doucement, distillant dans l'air un délicieux parfum d'encens. Il n'y avait pas de fenêtre. La porte était la seule ouverture. Elle donnait sur la plage et permettait d'admirer la magnifique embouchure de la rivière Harinbhanga se jetant dans l'océan Indien.

— Que venez-vous faire ici ? demanda la femme en regardant Jezebel droit dans les yeux.

— Nous sommes perdus. Nous avons besoin d'aide.

Jan prit la parole à son tour.

— Nous voulons parler au chef de ce clan. Nous avons une requête à lui formuler.

— Je suis le chef de ce clan, déclara la femme en les conviant à s'asseoir sur un tapis de jute. Je suis Bāgha, Samudrēra Bāgha[1]. Que me voulez-vous ?

Jan la détailla avec une certaine stupeur. Il reprit la parole en choisissant ses mots avec soin.

— J'ai entendu parler du célèbre Tigre des Mers. C'est un pirate qui est connu de Calcutta jusqu'à Pondichéry.

La femme eut une grimace ironique.

— Bāgha n'est pas un pirate. Nous vivons du poisson et nous gagnons sur la mer le riz dont nous avons besoin pour nos familles. Nous sommes des *Orang Lanun*, pas des *Mogs*.

Jan inclina respectueusement la tête. Il avait conscience de l'enjeu.

— Il est toujours honorable de gagner le riz pour sa famille.

La femme acquiesça avec une autre grimace moqueuse. Elle était très mince, à la limite de la maigreur, avec des membres musclés, un visage ascétique, de hautes pommettes bien marquées qui conféraient à son visage naturellement sévère une indéniable majesté. Ses yeux en amande étaient plutôt bruns que noirs. Ses lèvres avaient la couleur carmine de ceux qui mâchent du bétel. Comme tous les autres membres de sa tribu, elle portait un *sarong* et une *kurta*, agrémentés toutefois de deux énormes colliers de coquillages qui semblaient allonger son cou. Dans la ceinture de son *sarong*, nouée sur ses hanches, elle avait passé deux magnifiques *kriss*[2] dont les lames ondulées se croisaient sur son ventre.

---

1. « Le Tigre des Mers », en bengali.
2. Couteau malais.

— En fin de compte, tu as tout de même raison, *Inggeris*[1]. Le nom de Bāgha est craint jusqu'au sud de l'Inde, répondit-elle finalement, non sans fierté. Que penses-tu vouloir à une personne aussi redoutée ?

— Je ne suis pas anglais. Je suis américain. Et je voulais rencontrer Bāgha pour lui demander de nous emmener, ma femme et moi, jusqu'à Chittagong.

À l'annonce de ce pseudo mariage, Jezebel coula vers son compagnon un regard perplexe sans pour autant se permettre d'intervenir dans la négociation. L'échange lui paraissait tendu. Celle qui se faisait appeler Bāgha n'avait pas l'air commode. D'ailleurs, elle reprenait la parole en se penchant vers Jan Lukas pour bien accrocher son regard, semblant darder sur lui une menace sous-jacente.

— As-tu de quoi payer ton voyage et celui de ta femme, *Amerika*[2] ?

Jan hocha la tête.

— Oui. Dis-moi ton prix.

Samudrēra Bāgha demeura impassible, à l'exception d'une légère tension dans ses mâchoires qui trahit l'intérêt qu'elle portait à la tractation. Dans son dos, les gardes ne bougeaient pas, aussi immobiles que des statues. Vers le fond de la hutte, le jeune dieu aux cheveux longs alimentait un feu en y jetant régulièrement des brindilles odorantes qui parfumaient l'air. Éclairé par cette lueur rougeoyante, il ne semblait pas prêter d'attention à la conversation mais Jezebel devinait qu'il n'en perdait pas une miette.

— Bien, reprit Samudrēra Bāgha d'un air rusé. Parlons franchement, *Amerika*. Tu as préféré passer par les Sundarbans plutôt que par les paquebots de l'Hooghly, au risque de te perdre et de mourir dans la vase ou sous les pattes d'un tigre mangeur d'hommes. J'imagine que toi ou ta femme, vous êtes recherchés par les Anglais. Pour t'amener à Chittagong, mon prix se doit donc d'être plus élevé que la récompense offerte pour ta capture par les *Inggeris*. Tu comprends, il faut éviter que mes hommes soient tentés de te trahir. Après tout, ajouta-t-elle avec une lueur de moquerie traversant ses yeux obliques, ce ne sont que des

---

1. « Anglais », en malais.
2. « Américain ».

pirates, comme tu le dis si bien. Leur cœur penche toujours vers le plus offrant.

— C'est juste, approuva Jan en hochant la tête, mais je ne peux te communiquer le montant de cette récompense. Je suis parti avant d'en connaître tous les détails.

— Dans ce cas, je vais envoyer un homme à la garnison de Bakkhali. Il lui faudra deux à trois jours pour faire le voyage, et se renseigner discrètement. Nous fixerons le prix à son retour.

Jan eut une grimace.

— Qu'est-ce qui me dit que tu ne préféreras pas gagner la récompense en prévenant directement les soldats anglais ?

Bāgha haussa les épaules. Elle claqua des doigts pour faire venir un jeune garçon qui portait une planche de bois. Des feuilles de bananier y étaient disposées, copieusement garnies de différents aliments, la plupart à base de riz.

— Il n'y a aucune garantie, *Amerika*. Te voilà obligé de parier sur ta vie et sur celle de ta femme ! J'espère que tu es joueur. J'espère aussi que vous avez tous les deux très faim car, ce soir, vous êtes mes invités et nous allons festoyer jusqu'au milieu de la nuit. Mangez ! Mangez le plus possible ! On ne sait jamais de quoi peut être fait le lendemain. N'es-tu pas du même avis ?

Jan se tourna vers Jezebel pour lui saisir la main. Elle le regarda en retour, en clignant imperceptiblement des yeux. Ils n'avaient pas le choix. Il fallait attendre.

— Ça va aller, lui dit-elle.

Jan lui sourit, puis refit face à la chef des pirates.

— Nous sommes joueurs, Bāgha. Et aussi très affamés. Merci.

# 25

*Début février – 4 mars 1920*
*Chittagong – Bengale-Oriental*

Un ciel bleu. Une mer tout aussi bleue. Pourtant, chaque jour, chaque heure, de subtiles différences marquaient l'un et l'autre. L'océan Indien savait prendre des tons inusités. Parfois, il se teintait de la noirceur d'une encre de Chine. Il était alors surmonté par de lointaines colonnes de nuages, larges comme des îles, qui auguraient d'un orage que le *shampan*[1] évitait soigneusement. À d'autres moments, l'eau devenait au contraire plus claire que le ciel. Elle marquait un manque de profondeur par une couleur de turquoise à peine ourlée d'un bleu plus dense à l'horizon. Plus tard, le soleil au zénith se réfléchissait en grosse flaque déliquescente. La houle devenue étale brillait comme de l'argent.

Durant tout le voyage, ils ne s'éloignèrent jamais de la côte. Tour à tour liseré d'émeraude ou tache verte surmontant une ligne de terre, cette dernière déroulait un ruban plat que ne couronnait aucune montagne, aucune falaise, aucune roche. L'univers avait ici une platitude perdue entre ciel et mer.

La marée était le seul mouvement. Elle venait baigner les arbres de sa vaste oscillation puis, quelques heures plus tard, se retirait en révélant des criques insoupçonnées, qu'hérissaient les racines aériennes des palétuviers.

Le *shampan* qui emportait les deux jeunes gens vers Chittagong était un étrange bateau d'une vingtaine de yards, fait de bric et de broc. Sa belle ligne à trois pans était un héritage des navires chinois qui s'aventuraient depuis des siècles jusque dans le golfe du Bengale, sur laquelle les marins bengalis avaient adapté des voiles latines inspirées des navires arabes. Bien que l'ensemble

---

1 Navire traditionnel du Bengale, inspiré du sampan chinois.

parût rustique, la coque était l'ouvrage d'un habile menuisier et avait été construite dans du teck, un bois imputrescible à la solidité reconnue. L'avant était ponté, mais le centre, plus bas, servait de cale pour entreposer les marchandises. Des claies de bambous latérales protégeaient la cargaison des embruns, et un arceau recouvert de nattes de joncs prolongeait l'abri jusqu'à l'arrière du bateau, où un pont surélevé permettait au pilote d'avoir une vue plongeante.

À l'arrière du navire, le sillage était un monde à lui tout seul. La poupe était large et marquait l'océan d'une ligne de la même ampleur, claire et moussue, auréolée d'une écume foisonnante. Des poissons volants en jaillissaient comme des torpilles ruisselantes, s'envolaient avec grâce sur plusieurs yards, en attirant l'attention de grands oiseaux blancs qui n'hésitaient pas à survoler la vague au plus près pour en capturer un.

Depuis que le navire avait quitté la crique où il était ancré, et que les passagers étaient montés à son bord après avoir franchi la barre des vagues dans un *dinghy*, le *shampan* cabotinait le long du delta, avec ses marins et ses passagers entassés les uns sur les autres. Bāgha avait composé son équipage d'une dizaine d'hommes qu'elle considérait comme les meilleurs de son clan, mais il fallait bien reconnaître qu'hormis le jeune dieu aux longs cheveux, Anak, qui était son fils aîné, ceux-là ressemblaient bel et bien à ce qu'ils étaient : un fieffé bord de pirates sans foi ni loi, aux mines patibulaires et aux regards luisants.

Tout ce beau monde dormait enchevêtré les uns aux autres sous un abri de nattes cousues ensemble et consolidées par un amalgame de boue et de mousse séchées. Au-dessus de leurs têtes claquait une voile double et carrée. Lorsque le vent soufflait fortement, Bāgha se contentait de celle du bas, mais lorsque les alizés retombaient, donnant à l'océan une surface d'huile, elle faisait déployer celle du haut et tournait le *shampan* à la recherche de la moindre brise.

Jan aidait à la manœuvre, plus pour s'occuper que par nécessité. Il parlait à l'équipage dans un subtil charabia qui empruntait autant à l'anglais qu'au bengali, et il parvenait à se faire comprendre. Jezebel était étonnée de le voir aussi à l'aise parmi ces pirates qui l'effrayaient tant. Rien ne semblait jamais le déstabiliser longtemps.

Les *Orang Lanun* étaient une tribu originaire de Malaisie, aux croyances animistes. Depuis plusieurs générations, ils sillonnaient le golfe du Bengale en nomade. Ils rançonnaient les pêcheurs et les petits navires marchands, et pillaient les villages ou les propriétés proches de la côte. Durant la mousson, ils se réfugiaient dans les ports, la plupart du temps à Chittagong, où ils vivotaient de la pêche et de quelques perles roses trouvées dans des huîtres durant l'hiver.

Bāgha avait hérité du *shampan* de sa mère, qui elle-même l'avait eu de sa propre mère. Dans son clan, la transmission était matrilinéaire, ce qui causait quelques problèmes dans la société bengalie en grande partie musulmane. Bāgha avait imposé son héritage à coups de couteau. Depuis, sa réputation de « Tigresse » avait franchi le golfe du Bengale et, un jour, elle avait appris avec étonnement qu'on parlait d'elle jusque dans des salons en Angleterre.

Elle estimait pourtant ne rien faire d'autre que veiller à la survie de sa famille. Les siens avaient toujours été des nomades déracinés, qui ne vivaient que des poissons qu'ils pêchaient et de petites rapines qui leur permettaient de « gagner » de quoi acheter le riz qui nourrirait leurs enfants. Tous vivaient au jour le jour, sans se soucier du lendemain. Leur seule préoccupation était de survivre aux moussons.

Bāgha avait accepté de faire le voyage vers Chittagong en sachant que la fin de l'hiver approchait et que, bientôt, commencerait la saison des cyclones. Elle n'aurait pas le temps de revenir vers les Sundarbans, aussi avait-elle décidé de naviguer à son rythme, en faisant maints et maints détours qui lui permettaient d'accroître sa cargaison destinée à la vente.

Cette lenteur exaspérait Jan qui tenta à plusieurs reprises de lui faire accélérer l'allure. Pour toute réponse, la Tigresse se contenta de poser sur lui ses yeux obliques, à la fois sages et durs.

— Je suis le capitaine, répondit-elle d'un ton qui n'admettait aucune réplique. J'irai à Chittagong par la route qui me plaît, et à la vitesse que je souhaite.

Du coup, les jours s'écoulaient, semblables aux précédents, entre un ciel et une mer du même bleu. Le *shampan* cabotinait d'une île à l'autre, d'une plage à l'autre, d'un chenal à l'autre. Parfois, les hommes d'équipage jetaient l'ancre face à une côte en apparence déserte et, menés par leur Tigresse, embarquaient dans les *dinghies* pour ramer joyeusement vers la mangrove d'où ils ramenaient quelques heures plus tard un mystérieux butin caché sous des nattes.

La première fois, Jan crut à une partie de chasse. Désireux de se dégourdir les jambes, il demanda à accompagner la troupe. Il montra son fusil, expliqua à leur hôtesse qu'il était bon tireur.

Bāgha afficha un air impénétrable et refusa qu'il les accompagne. Au contraire, elle les confina sur le *shampan* sous la garde d'un homme tiré au sort, dont la mine sombre trahit la rage qu'il ressentait à ne pouvoir accompagner à terre ses camarades.

Ces derniers s'éloignèrent armés jusqu'aux dents. Plus tard, des coups de feu troublèrent la rumeur animale qui montait de la mangrove. Bāgha et ses marins revinrent en grande hâte. L'un des leurs était blessé. Jan et Jezebel se regardèrent. Ils venaient de comprendre que ces raids n'étaient ni des parties de chasse, ni des récoltes de miel, mais des attaques en règle contre quelques malheureux pêcheurs qui, cette fois-ci, avaient osé se défendre.

Jezebel en fut bouleversée. Elle ne parvenait pas à partager l'optimisme de Jan qui lui assurait qu'ils n'avaient rien à craindre de ces brigands. Elle se sentait prise au piège.

Heureusement, tous les jours n'étaient pas aussi terribles. Le *shampan* voguait avec une lenteur qui permettait aux marins de s'occuper à des travaux manuels. L'un tressait des nattes de joncs, l'autre sculptait des pièces de bois. D'autres encore ravaudaient des filets ou réparaient des cordes. Bāgha venait régulièrement près de Jezebel, pour la regarder peindre. Les mouvements du pinceau la fascinaient. La jeune fille fit d'elle quelques portraits qu'elle lui offrit. Elle se doutait que les embruns abîmeraient à la longue les couleurs et le papier mais, qu'importait, puisque la Tigresse repartait à chaque fois dans son antre en serrant ce trésor sur sa maigre poitrine d'un air extatique.

Jan observait la scène avec amusement :

— Je suis persuadé que ce sont vos esquisses qui paient notre voyage vers Chittagong, et non les roupies que j'ai promises.

La plaisanterie dédramatisait la négociation extrêmement dure qu'il avait due mener face à Bāgha. Lorsque la Tigresse avait appris la somme qu'offrait le maharaja de Mahavir en échange de sa tête, elle avait pensé qu'il était aux abois et avait exigé l'argent en avance. Il avait refusé avec un aplomb insensé.

— Holà ! s'était-il exclamé. Je n'ai pas envie de me retrouver la tête sur ton bateau et le corps au fond de l'eau. Je te remettrai cet argent à notre arrivée à Chittagong. Rien avant !

Bāgha avait eu un sourire rusé.

— Je pourrais très bien ordonner de te couper la tête maintenant, et fouiller ton corps pour prendre ton argent avant de jeter tes restes à l'eau.

Jezebel s'était mordue les lèvres pour ne pas crier de peur, mais Jan avait posé sa main sur sa cuisse en se mettant à rire.

— Tu peux toujours le faire, Bāgha, tu ne trouveras pas grand-chose. Je n'emporte pas autant d'argent sur moi ! Lorsque nous arriverons à Chittagong, j'irai chercher cet argent en ville, dans une banque, puis je te paierai.

— Je garderai donc ta femme en otage, pour être certaine que tu reviennes bien me payer.

Jan avait joyeusement opiné de la tête mais Jezebel s'était mordue la lèvre jusqu'au sang. Plus tard, elle avait fait une scène au jeune Américain.

— Je ne vous servirai pas de monnaie d'échange !

— Outre le fait que vous n'ayez guère le choix, avait répliqué le jeune homme avec une belle ironie, je m'étonne de voir que vous ne me faites plus confiance.

Elle l'avait foudroyé du regard.

— Je ne vous ai JAMAIS fait confiance. Dois-je donc vous rappeler que je ne me trouve dans cette aventure que par votre faute ! Vous m'avez enlevée, monsieur.

Un muscle avait tressauté sur la mâchoire du jeune Américain, montrant son agacement.

— Je l'avoue, ma chère. Néanmoins, n'oubliez pas qu'à cette heure, sans mon initiative, vous seriez aux mains du baron von Rosenheim. Ah, mais, suis-je bête ! C'est exactement ce que vous regrettez !

Elle l'avait giflé. Lui, pour ne pas riposter, avait préféré s'éloigner. Il avait arraché sa chemise et couru se jeter dans l'océan pour essayer de calmer en quelques brasses la colère qui couvait dans son corps, et qui se mélangeait à tant d'autres sentiments qu'il avait parfois l'impression de devenir fou.

Depuis, ils vivaient dans un *statu quo*. Le voyage se déroulait au rythme des rapines de l'équipage, de leurs pêches miraculeuses et d'éventuelles récoltes de miel. Lorsque Bāgha envoyait ses hommes à la recherche des précieuses ruches, elle ne les accompagnait pas. Elle profitait au contraire de ce moment pour partir pêcher des huîtres perlières. Généralement, elle y allait seule mais, un jour, elle demanda à Jezebel de la suivre.

La jeune fille n'était pas bonne nageuse et encore moins bonne plongeuse. Elle n'accepta que pour échapper un temps à la promiscuité qui régnait constamment sur le bateau et qu'elle avait du mal à supporter. La nuit, il fallait dormir allongés les uns contre les autres, dans la tiédeur d'un air saturé d'odeurs, parmi trois poules laissées en liberté qui venaient parfois se percher sur une hanche ou une épaule. Chaque soir, Jan formait à son côté un rempart contre cet invraisemblable enchevêtrement de bras et de jambes qui éructait et grognait, soufflait et ronflait.

Coincée entre la cloison de bambous et le corps du jeune homme, elle peinait à trouver le sommeil. Elle essayait d'échapper à l'envie folle d'enfouir son nez contre sa poitrine et de respirer le parfum de sa peau nue. Elle se tournait alors vers la natte de joncs tressés qui formait leur litière, dont l'odeur d'herbe sèche la distrayait un temps de tous les autres remugles. Le roulis la berçait mais la proximité de Jan la maintenait éveillée. Elle avait dans la bouche l'envie d'un baiser, sur le corps la nécessité d'une caresse tandis que son cœur, troublé par la trahison de sa chair, pesait lourd alors qu'elle repensait à Charu.

Emportée par le chagrin, elle laissait ses larmes couler sur ses joues, ignorant que, dans son dos, Jan regardait ses épaules secouées de sanglots silencieux et, pris d'amertume, hésitait à y poser la main tant il rêvait d'autre chose que de simplement la consoler.

Les jours s'écoulaient, et la vie sur l'eau avait la lenteur des alizées et du reflux des marées. Parfois, de minuscules bonheurs fleurissaient comme des cailloux blancs posés sur un chemin sombre. Jezebel aimait finalement accompagner Bāgha à la pêche aux huîtres perlières même si, la plupart du temps, elle se contentait de demeurer en surface. Elle était émerveillée de regarder cette femme évoluer comme une sirène au milieu des bancs de poissons même si, avec ses préjugés d'Occidentale, elle avait été choquée la première fois de la voir plonger à demi nue, les hanches à peine drapées dans un pagne de coton blanc que l'eau plaquait de manière impudique contre sa peau. Par la suite, elle s'était habituée à voir ce corps mince et nerveux, aux petits seins semblables à des boutons, se fondre par sa nudité dans la beauté de l'océan. Elle aurait voulu avoir le même courage.

Depuis qu'elle vivait sur le *shampan*, elle avait troqué sa robe en haillons contre des vêtements locaux : *sarong* coloré, chemise de fine cotonnade. Pour nager, elle empruntait à Jan un de ses *pajamas*, évidemment trop grand, qu'elle resserrait à la taille après y avoir inséré les pans de sa combinaison. De loin, au moins, elle paraissait habillée. De près, ce n'était pas tout à fait ça : la combinaison était en soie et en dentelle, dont la transparence augmentait avec l'effet mouillé. Elle avait dû se faire violence pour arriver à ne plus y accorder d'importance.

Les huîtres pêchées ressemblaient à de grosses pierres rondes et granuleuses. Bāgha les confiait dès leur retour au cuisinier qui les ouvrait à l'aide de son couteau. Pour ce faire, il fallait placer la lame entre les valves du coquillage et tourner d'un coup sec. L'huître s'ouvrait avec une facilité déconcertante mais toutes ne contenaient pas des perles. En découvrir une était un moment de pur bonheur. Pour les *Orang Lanun*, les plus prisées étaient les roses. Ils se les réservaient scrupuleusement. Les autres, qu'elles fussent blanches, grises ou noires seraient échangées à Chittagong dans l'arrière-boutique d'un bazar, puis iraient sans doute enrichir le collier d'un maharaja ou d'une lointaine lady anglaise. Rien ne se perdait : la chair était prélevée pour corser un bouillon qui servirait de soupe le soir ou le lendemain, avec des nouilles et des morceaux de poisson.

Par miracle pour les deux Occidentaux, la nourriture était bonne. Tout était frais et parfaitement assaisonné. Partager le repas du soir était un moment généralement agréable, d'une grande convivialité. La plupart du temps, il se déroulait sur le bateau mais Bāgha décidait parfois de dormir sur une plage, sans toit ni abri d'aucune sorte, pour le seul plaisir de s'allonger sur le sable et de regarder les tortues en train de pondre sous la clarté de la lune et des étoiles.

Des Sundarbans jusqu'à l'embouchure de la Meghna, le paysage demeurait une mangrove épaisse et d'apparence inexpugnable.

Le *shampan* s'en approchait plus ou moins au gré du vent. Il était alors facile d'observer des familles de pélicans posés sur des arbres morts, des cormorans et une multitude de hérons, des aigrettes et tous ces autres échassiers mangeurs de poisson. De petites criques servaient souvent de pouponnières aux palétuviers. Les fruits, dont les graines avaient la particularité de germer encore dans l'arbre, y étaient déposés par les marées et y ballottaient jusqu'à ce que les racines parviennent à s'agripper dans la vase. Ces jeunes plants devenaient des mangroves miniatures, les pieds dans une eau si peu profonde qu'elle en devenait presque blanche.

Là, on voyait nager de minuscules tortues à peine sorties de l'œuf et de jeunes crocodiles venus manger les tortues, et même des requins qui avalaient indifféremment l'un ou l'autre. Au large, des raies mantas dansaient dans le silence d'une mer irrésistiblement turquoise.

Chaque soir, Bāgha grimpait en haut du mât. Tournée vers le sud, la femme-tigre interrogeait Dieu seul savait comment le moindre souffle de vent à la recherche d'un possible orage. Le ciel était d'un bleu intense mais février finissait déjà et mars amènerait sans doute les premières tornades. Chittagong était placé dans un couloir d'ouragans. Chaque saison, la ville essuyait une bonne douzaine de cyclones, dont certains pouvaient se révéler terribles.

Bāgha surveillait donc attentivement la météo, avec ses yeux, son nez, sa langue, mais aussi avec une profusion de gris-gris en coquillage qu'elle agitait dans le vent en écoutant le son qu'ils produisaient. Son *shampan* était capable d'essuyer un orage, mais une tempête plus forte risquait de rompre le bois. Elle espérait donc la prévoir suffisamment à temps pour se réfugier dans un bras de mer ou une embouchure de fleuve, et laisser la mangrove protéger son navire d'une houle en furie.

Fin février, les *Orang Lanun* commencèrent à pêcher de curieux animaux qui ressemblaient à des limaces, que Jan appelait holothuries. Ces bestioles une fois récoltées étaient mises à sécher sur le toit du bateau, en plein soleil. Au fil des heures, ils se vidaient de leur eau et se rétrécissaient en dégageant une odeur un peu fétide. Les marins les plus jeunes étaient chargés de surveiller les mouettes et les goélands, car ces derniers tentaient constamment de s'en emparer. Une fois les holothuries suffisamment sèches, elles étaient emballées dans des sacs de jute sur lesquels Jezebel, émue, reconnut l'emblème de la société d'Olga Marushka.

Prise de nostalgie, elle vint s'appuyer contre la coque du navire et plissa les yeux dans la lumière ondulante du soleil. Des larmes perlèrent au bout de ses cils. Elle était furieuse de s'apitoyer sur son sort mais son avenir était tellement rempli d'incertitude qu'elle avait en permanence une boule au fond de la gorge.

Pour éviter de penser, elle regardait la mer.

Elle passait des heures à guetter les dauphins et les tortues. Parfois, la chance lui souriait et elle devinait dans cet azur flamboyant la forme grise d'une baleine bleue, longue et émouvante, dont l'énorme queue s'élevait au-dessus des remous, remuait mollement puis retombait sur la surface comme un gigantesque battoir.

Elle se disait alors que la mer était belle et qu'elle consolait toujours.

*

Le *shampan* arriva à Chittagong le 3 mars en début de soirée. Dans ce crépuscule bien avancé, la mer et la terre se confondaient dans une même encre noire brièvement trouée par des lueurs clignotantes. Le phare de Norman's Point émettait toutes les dix secondes deux éclairs rouges, tandis que la ville étalait ses lanternes de lupanar et sa rumeur de beuverie.

Chittagong était une ville plate. En plein jour, on pouvait deviner vers l'est une lointaine chaîne de montagnes mais la première impression, lorsque l'on arrivait par l'estuaire, était que la cité flirtait avec le niveau de la mer. Les minarets des mosquées étaient les uniques points culminants au milieu d'un incroyable imbroglio de toits et de bâtiments encastrés les uns aux autres ; la ville était une terre musulmane.

Son port, le seul en eau profonde dans cette partie du Bengale, permettait au Raj britannique de convoyer les ressources de la Birmanie toute proche, en particulier le riz et le teck. La ville bruissait autour des quais sans jamais s'assoupir. Dans ce centre tumultueux, les matelots de tous les pays traînaient de bar en bar, rapidement ivres, au point d'oublier de rentrer à bord. Certains se vautraient dans les rigoles, d'autres se réveillaient tout étonnés et erraient comme des âmes en peine jusqu'à trouver de nouveau de quoi s'employer. Les plus aventureux, ou les plus fortunés, ouvraient de temps à autre une gargote munie en arrière-salle d'une fumerie d'opium et d'une salle de jeux clandestins. D'autres se lançaient dans le juteux commerce des maisons closes. À Chittagong comme ailleurs dans le monde, la femme était toujours une marchandise de premier choix.

Bien que profitant du système, Bāgha, la Tigresse, gardait ses distances avec cette engeance qui lorgnait ses sœurs comme des morceaux de viande et cherchait la rixe avec ses matelots. Lorsqu'elle arrivait à Chittagong, elle jetait l'ancre au large de Parki Beach, sur la rive gauche du fleuve Borgang, le temps de jauger l'atmosphère de la ville puis, deux ou trois jours plus tard, elle remontait plus haut vers le nord, loin des grands cargos arrimés au port.

Ce soir, elle agit de même. La marée était basse et la nuit trop sombre pour entrer dans un estuaire encombré de bancs de sable. Un pilote vint en *dinghy* lui proposer ses services. Elle le renvoya aussitôt. Elle n'avait pas besoin de lui. Elle naviguait depuis son plus jeune âge et avait peu à peu développé un instinct qui lui permettait de reconnaître les ombres des hauts-fonds. Elle n'avait pour cela besoin que de se mettre à la barre pour sentir jusque dans les mains son *shampan* lui parler. Une visibilité suffisante au-delà de la proue faisait le reste.

La nuit était molle et languide. Bāgha ordonna d'allumer des petits lampions de papier, plus pour signaler la présence de son navire sur ces eaux sombres que pour éclairer le pont. Après le dîner, tandis que Jan continuait à bavarder avec quelques matelots, Jezebel se posta sur le gaillard arrière et observa la ligne lumineuse de la ville. Au fil des jours, elle avait réussi à faire abstraction de l'inconfort du voyage pour apprécier de plus en plus la vie à bord. À présent, elle était presque triste de le quitter.

Elle eut du mal à dormir. Elle était nerveuse et pleine d'appréhension, comme à chaque fois qu'elle devinait de grands changements. Au milieu de la nuit, lasse de se tourner et se retourner, elle se leva et sortit dans l'air frais. Elle enjamba les dormeurs affalés sur leurs nattes en s'efforçant de ne pas faire de bruit, gagna le pont et s'accouda au bastingage. Sous la paume de ses mains, le bateau vibrait, tressautait, et elle sentait grincer son bois et ses câblages. Le mouvement de la mer remontait des profondeurs les plus lointaines, s'emparait du *shampan*, le parcourait tout entier, le lâchait puis revenait l'enlacer en un rythme jumelé à la vague. Jezebel, bercée par ce roulis, comprit soudain pourquoi les hommes aimaient la mer. Cette dernière était comme une amante, à les serrer dans ses bras en donnant à leurs corps le battement éternel de l'amour.

— Vous ne dormez pas ?

Elle sursauta, tourna la tête. Jan Lukas la scrutait dans la nuit brune.

— Vous non plus, dit-elle en reportant les yeux vers les lueurs de Chittagong qui reflétaient les étoiles.

Jan s'accouda à côté d'elle. Il regarda dans la même direction. Depuis qu'il était à bord, il avait cessé de se raser et de se couper les cheveux. Avec son teint bronzé, sa stature mince et nerveuse, sa barbe sombre et ses cheveux emmêlés à peine retenus par un bandeau noué sur l'arrière, il ressemblait à n'importe quel pirate. Elle s'étonnait toujours de lui découvrir tant de facettes. Il était comme un caméléon.

— Je suis désolé de vous avoir embarquée dans cette aventure, déclara-t-il soudain.

Elle déglutit difficilement, garda le silence. La ville se reflétait dans ses yeux. Il reprit à voix basse.

— Que ferez-vous demain ?

Ces mots stupéfièrent la jeune fille. Elle ouvrit la bouche comme un poisson cherchant de l'air.

— Je ne comprends pas.

— Je peux vous déposer à l'hôtel de ville. Les autorités se chargeront de vous ramener à vos proches.

Durant quelques secondes, Jezebel ne vit plus rien, ni la ville, ni les lampions, uniquement un gros trou noir dans lequel elle tombait, se débattait, menaçait de se noyer. Elle se força à respirer lentement. Elle ignorait ce qu'elle attendait de l'avenir, elle n'y avait guère réfléchi, mais elle était sûre d'une chose, elle n'avait pas imaginé une seule seconde qu'il puisse la renvoyer à son passé de cette façon-là, aussi brutale.

La voix trop rauque, elle s'entendit répondre :

— Oui, faisons ainsi. C'est parfait.

Il voulut parler, se tut finalement. Au bout d'un certain temps, il la salua avec raideur et s'éloigna. Elle eut envie de se jeter sur lui, de le marteler de ses poings, de se pendre à sa bouche comme une gourgandine, mais à quoi bon lorsque l'amour n'est pas payé de retour ?

— Jezebel ?

Il se retourna dans le noir. Elle sentit son regard plus qu'elle ne le vit.

— Oui, dit-elle en ravalant un sanglot.

— J'espère que vous ne vous méprenez pas, je ne vous laisse pas tomber. Je veux juste vous permettre de reprendre votre destin en main. Choisir vous-même ce que vous souhaitez… Je crains de vous avoir imposé beaucoup trop de choses ces derniers temps.

— C'est trop aimable de votre part, lâcha-t-elle d'un ton sarcastique. Restons-en là et faisons ce que vous avez dit.

Il marqua un silence, puis reprit.

— Très bien. Demain, nous nous ferons donc nos adieux.

Il partit, avalé par la nuit brune. Elle manqua d'air, respira avec précipitation tout en frissonnant violemment. Elle se dit que c'était le froid, l'humidité de l'océan, mais ne voulut pas retourner à l'abri sur sa natte. Elle demeura prostrée toute la nuit contre la coque du *shampan*, la main appuyée contre le bastingage, à écouter la rumeur des vagues et à se dire que le bonheur avait été à portée de main, mais qu'elle n'avait pas su le saisir.

Il était trop tard maintenant.

*

Les matins de chagrin sont souvent les plus flamboyants.

Dans un foisonnement de nuages ourlés d'or, le soleil se leva sur Chittagong en révélant une plage sans fin qui courait vers le sud. Des éléphants s'y baignaient, guidés par leurs cornacs. Plus loin, des pêcheurs debout dans l'eau comme d'improbables échassiers jetaient dans les vagues de grandes nasses carrées. Des carrioles tirées par des buffles avançaient jusqu'au front de mer, et des femmes ployées vers le sable tamisaient entre leurs doigts une manne remplie de coquillages qu'elles jetaient dans de grands paniers d'osier.

Cependant, la vue la plus extraordinaire donnait sur l'estuaire. En arrière-fond, d'énormes cargos attendaient l'étale de la marée pour remonter le fleuve tandis qu'autour d'eux dansait un ballet de *dinghies*. Sur la rive débouchant vers Majer Char, d'innombrables bateaux-lunes avaient été tirés sur la grève pour la nuit.

Dans la lumière douce de l'aube, ces *Shandra Mokhi*[1] étaient magnifiques, fins et racés, élégants jusque dans leurs extrémités affûtées qui remontaient haut vers le ciel.

Soudain, obéissant à un signal invisible, ils convergèrent tous vers les vagues qui marquaient le banc de sable. Drapeau au vent, ils s'élevèrent dans un premier mouvement vers le ciel. Là, ils se tinrent un instant en équilibre avant de basculer de l'autre côté de la barre et de naviguer doucement vers le large.

Jezebel avait regardé jusqu'au bout pour bien s'imprégner d'un tel moment de beauté puis elle avait rassemblé ses maigres affaires en vérifiant avec soin qu'elle n'oubliait rien. Lorsqu'elle fut prête, elle empoigna son sac de voyage, le jeta dans le *dinghy* où Jan l'attendait déjà et descendit l'échelle de corde en se faisant aider d'un matelot.

Le jeune Américain avait sa tête des mauvais jours, visage fermé, sourcils en barre sombre, regard dur et acéré comme un diamant. Il lui jeta un coup d'œil morose, tendit tout de même la main pour l'aider à s'asseoir au fond de la nacelle. Au-dessus de leurs têtes, les matelots étaient tous accoudés au bastingage pour les regarder partir. Bāgha elle-même les observait. Quelques instants auparavant, Jan lui avait payé le prix de la course.

— Je croyais que tu devais d'abord aller chercher l'argent à terre, s'était étonnée la Tigresse en empochant vivement la liasse de billets.

— J'ai menti, avait répliqué Jan. Je ne voulais pas risquer d'avoir la tête coupée.

— Tu as bien fait, lui avait-elle jeté d'un ton un peu moqueur. Après tout, qui peut jurer de l'honneur d'un pirate ?

Jan avait hoché la tête. Bāgha s'était inclinée devant lui avec infiniment de respect. Il avait fait de même, la main sur le cœur.

Maintenant, le *dinghy* godillait jusqu'à la plage. Jezebel regarda la côte se rapprocher, partagée entre la tristesse et l'excitation. Ce

1. Nom local qui signifie le visage de la lune.

matin, elle avait failli troquer son *sarong* contre une des robes qu'elle avait soigneusement pliées dans son sac mais, lorsque Jan la fit débarquer au milieu de l'eau et qu'elle se retrouva à patauger derrière lui dans un remous qui arrivait à mi-cuisses, elle se félicita de ne pas l'avoir fait. Le jeune homme allait bon train. Elle accéléra le pas par crainte de se laisser distancer. Il était de fort mauvaise humeur, Dieu seul savait pourquoi. Elle serra les dents. Pour leur dernier jour ensemble, ça promettait d'être gai.

Sur la plage, ils passèrent entre les étals d'un marché. Les paniers étaient posés à même le sol, remplis de poissons et de fruits. Ils formaient une mosaïque de couleurs magnifiques mais Jezebel les regardait à peine. Son gros sac battait contre ses jambes mouillées, ses sandales étaient pleines d'un sable que le sel rendait poisseux. Elle ne fut pas mécontente lorsque, parvenus sur une avenue qui paraissait presque civilisée, Jan décida de louer un pousse-pousse.

Tandis qu'il donnait ses instructions, elle s'installa sur la simple planche de bois qui servait de banquette. Son sarong était déjà presque sec. Elle serra les genoux et posa son sac sur ses cuisses. Jan s'assit à côté d'elle. Le coureur déploya au-dessus de leurs têtes un parasol puis se mit à tirer le pousse-pousse en ahanant.

Le chemin ondulait entre des berges recouvertes de végétation sauvage, des plages au sable marécageux, des bâtiments épars et un nombre considérable de mosquées. Jezebel estima qu'il y en avait bien une tous les cinq cents yards. Au bout d'une heure de trajet, le pousse-pousse les déposa près d'un ferry. Ils prirent des tickets et traversèrent la rivière Borgang en direction de la vieille ville, où ils louèrent un autre *rickshaw*.

Celui-ci se faufila de la même façon de mosquée en mosquée sauf que, cette fois-ci, il serpentait dans des ruelles étroites et sombres, encombrées par des étals de marchands, des chèvres et des bœufs. Les maisons peu élevées étaient faites de bric et de broc. Planches, tôles ondulées, nattes tressées et palmes liées en bottes s'accumulaient en des conglomérats ouverts aux quatre vents, dont il était difficile d'imaginer qu'ils résisteraient à la prochaine mousson. De fortes odeurs s'en dégageaient. Le tout formait un quartier grouillant, bruyant et coloré, sale et putride. Des relents d'urine se mélangeaient aux odeurs du riz frit. Et puis, soudain, le miracle d'un minaret à la beauté étonnante s'échappait de ces torchis en une colonne frêle et élégante, ornée de clochetons en céramique moghole.

Le pousse-pousse traversa ce labyrinthe au milieu de la boue et de la poussière avant de s'arrêter dans une rue plus large que les autres, où circulaient des automobiles. Dans le quartier colonial, les immeubles étaient presque hauts, avec des façades typiques d'un style victorien triomphant. La plupart abritaient des grands magasins, d'autres servaient de banques. Sur un fronton plus ouvragé, la jeune fille lut « Hôtel de Ville » et, arrondissant par avance le dos, elle attendit les mots qui ne pouvaient que sceller définitivement son destin.

— Descendez, dit Jan en lui tendant la main pour l'aider. Nous continuerons à pied, ce n'est plus très loin.

Elle agrippa son sac, le serra si fort que ses mains en blanchirent. Le jeune homme passa familièrement un bras autour de sa taille et la guida sur l'avenue à travers la cohue avant de l'emmener dans une rue transversale. Elle regarda en arrière, vers l'hôtel de ville qui s'éloignait.

— Où allons-nous ? demanda-t-elle lorsqu'elle comprit que Jan lui octroyait un étrange délai.

— J'ai un ami qui tient un petit hôtel un peu plus loin. Vous pourrez y faire un brin de toilette et vous y reposer un peu. Je vous accompagnerai à l'hôtel de ville plus tard.

Elle hocha la tête. Elle avait la gorge si serrée qu'elle n'arrivait plus à articuler un mot.

Jan la guida jusqu'à une maison à deux étages, d'apparence propre mais à l'âge indéfinissable. La ville avait par ici un aspect végétal. Ce n'était pas la première fois que Jezebel remarquait des constructions de ce genre, aux pierres rongées par le sel et abîmées par les intempéries, sur lesquelles grimpaient mille et une lianes ou fougères.

L'hôtel était installé dans un vieux bâtiment victorien fait de briques rouges pigmentées par les vents, dont les balcons et les colonnes étaient envahies de broméliacées. Des orchidées croissaient aux fenêtres.

L'intérieur était plongé dans une sinistre pénombre. Un homme vint à leur rencontre, un sourire jovial sur le visage, qui s'élargit encore lorsqu'il parvint à reconnaître malgré la barbe et les cheveux longs son ami américain.

— Ha ha ha ! Jan Lukas ! Comptes-tu donc devenir un *sâdhu* ?

Ils tombèrent dans les bras l'un de l'autre, se congratulèrent en riant puis l'homme avisa la présence de Jezebel et inclina la tête avec un sourire admiratif.

— Je retire ce que j'ai dit, mon ami, impossible de devenir un *sâdhu* lorsqu'on est accompagné d'une aussi belle gazelle ! Mes hommages, mademoiselle. Mademoiselle ?

Elle allait se présenter lorsque Jan la devança promptement.

— Voici Miss Isabel Poppet[1], qui est de nationalité canadienne. Miss Poppet, voici mon bon ami Sidiy Mukhala, le gérant de cet hôtel.

Jezebel faillit en trébucher. Elle salua Sidiy en s'efforçant de sourire aimablement mais, à l'intérieur, elle bouillait littéralement. Quelle était encore cette invention ? Son regard orageux crucifia le jeune Américain tandis qu'elle relevait ironiquement :

— Miss Poppet…

Il haussa les épaules d'un air désolé. Sidiy gloussa avec ravissement.

— Miss Poppet, quel nom charmant !

— Je me le répète tous les jours, répliqua-t-elle pince-sans-rire, en coulant vers Jan un regard encore plus venimeux. Pardonnez-moi cependant de ne pas parvenir à être plus spirituelle ce matin. Depuis plusieurs jours, nous ne cessons de courir et je suis tout bonnement rompue.

— Je comprends, répondit Sidiy avec beaucoup d'amabilité. Venez tous les deux, je vais vous montrer votre chambre.

Il prit une clé sur le panneau, guida les jeunes gens vers des escaliers en colimaçon. Jezebel en profita pour attraper Jan par le bras.

— Une seule chambre ? cracha-t-elle silencieusement.

Il répondit sur le même ton inaudible.

— J'ai une réputation à défendre… Sidiy n'aurait pas compris si je lui avais dit que, non… et puis, de toute façon, vous ne resterez pas longtemps. Je vous conduirai à l'hôtel de ville avant la nuit.

Elle devint rouge écarlate, chercha une repartie cinglante, n'en trouva aucune et entra avec fureur dans une pièce à laquelle elle

1. Signifie « poupée, chérie », en anglais.

aurait bien voulu trouver tous les défauts du monde, sauf qu'il n'y en avait pas, la chambre était simple mais parfaite.

Elle tourna sur elle-même en notant dans le même élan le plafond lambrissé de bambou, le ventilateur en état de marche, le grand lit à baldaquin garni d'une moustiquaire, le papier peint un peu désuet mais propre et, charmant détail, le vase rempli de belles orchidées roses qui dégageaient un léger parfum de vanille. Instinctivement, elle vint les respirer tandis que Jan remerciait son ami avant de fermer la porte derrière lui.

Les deux jeunes gens restèrent seuls dans la fraîcheur des persiennes baissées. Jezebel posa machinalement son sac sur le lit, alla vers la fenêtre et regarda dehors pour éviter qu'un sentiment de gêne ne s'installe.

— Il y a un cabinet de toilette attenant, déclara Jan en ouvrant une porte latérale. Je demanderai à la fille de salle de vous faire monter un baquet d'eau afin que vous puissiez vous laver. Reposez-vous. Changez-vous. Je reviendrai vous chercher pour vous ramener auprès de vos compatriotes dès que possible.

— Je… je pensais que nous resterions un peu ensemble avant de nous séparer…, ne put-elle s'empêcher de dire, en se tournant brusquement vers lui.

Elle se serait giflée de parler aussi sottement, osa à peine respirer.

Jan regarda son beau visage de tentatrice, ses paupières couleur bistre qui se fermaient à demi sur une lumière délicieusement trouble, ses lèvres roses et charnues qui ne semblaient appeler que le baiser, sa peau brunie, éclatante de santé, au velours doux, si caressant… Il secoua la tête, cherchant à se réveiller de son rêve de volupté. La colère revint. Il gronda :

— Jezebel, je crois qu'il va vous falloir cesser de tournicoter d'une incertitude à l'autre et choisir pour de bon. Je ne suis pas de bois, et je ne suis pas votre girouette ! Prenez le temps de vous reposer, de réfléchir. Je reviendrai plus tard vous demander ce que vous voulez faire. Mettez-vous bien en tête qu'il s'agira de votre réponse définitive.

Elle sursauta sous son ton presque méchant, secoua la tête en tous sens avec désespoir.

— Mais qu'attendez-vous comme réponse ? Que voulez-vous que je vous dise ?

Il ne répondit pas, s'enfuit plus qu'il ne sortit parce que, tout à coup, il avait été bien près de la jeter sur le lit, de se vautrer sur elle, pour faire entrer dans sa caboche capricieuse qu'il n'était pas de la chair malléable à sa merci.

— Jan ! cria-t-elle.

Il marqua une brève seconde d'arrêt, hésita puis choisit tout de même de fermer la porte derrière lui.

Elle demeura seule, à se tordre les mains, accablée, incapable de comprendre ce qu'il venait de se passer, ce qui avait été dit, ou pas. En pleurs, elle se jeta sur le lit, martela l'édredon de ses poings. Elle sanglota à n'en plus finir, s'endormit sans doute un peu car elle se réveilla plus tard, observée par de grands yeux obliques. Une jeune fille en *sarong* lui souriait largement :

— J'ai baquet pour bain, *Missy*, ânonna-t-elle dans un mauvais anglais.

Jezebel se redressa avec stupeur tandis que la petite servante tapait dans ses mains et faisait entrer deux grands costauds en turban, qui portaient un baquet dans lequel ils versèrent des seaux d'eau chaude. Lorsque ce fut fait, ils sortirent à reculons, en saluant maintes fois.

— Moi rester, dit la jeune fille. Moi aider à laver, à s'habiller…

Jezebel voulut protester, mais cette petite suivante était si vive qu'elle ne lui en laissa pas le temps. Elle lui ôta ses sandales, défit la ceinture qui nouait le *sarong*.

— Moi s'appeler Ēkaṭu Parī. Allez, venir dans bain quand lui chaud.

L'instant qui suivit fut délicieux. Jezebel plongea dans le baquet d'eau chaude, crut mourir de plaisir. Depuis combien de temps n'avait-elle pas pris de bain chaud ? Les yeux clos, elle se laissa manipuler comme une poupée qu'on déballe et qu'on bichonne. Elle fut savonnée de la tête aux pieds, massée, parfumée de frangipanier et de santal. Dans un état semi-comateux, elle s'abandonna à son bien-être en rêvant à d'autres mains, un peu plus grandes, plus fortes, plus irrévérencieuses que celles trop policées de la petite servante qui la pétrissait dans tous les sens.

— Ça, amoureux faire cadeau.

Jezebel sursauta, découvrit étalée sur le lit une très belle robe de cocktail ornée de rubans, de falbalas et de dentelles, la caressa d'un doigt étonné tout en essayant d'expliquer que non, décidément non, Jan n'était pas son amoureux.

— Si, si…, ça amoureux, répliqua d'un ton péremptoire la jeune Bengalie. Lui grands yeux brillants dans le noir. Grand, très grand amoureux !

Jezebel eut un éclat de rire devant cette définition savoureuse.

— Oh, ce n'est jamais aussi simple…

— Si, si, amour toujours simple pour qui sait voir.

Jezebel n'insista pas. Elle venait de découvrir qu'un bristol accompagnait la robe, sur lequel Jan avait écrit quelques mots qu'elle lut et relut avec émerveillement : « *Vous avez raison. Ne nous quittons pas ainsi. Acceptez de dîner avec moi ce soir. Aux chandelles.* »

Dès lors, elle attendit son retour avec une telle impatience qu'il lui semblât que les heures s'étiraient à n'en plus finir. Habillée et coiffée, elle n'avait rien d'autre à faire qu'observer à travers les persiennes l'agitation de la rue. Elle ne parvenait à se concentrer sur rien. Elle avait chaud, puis l'instant suivant tremblait de froid.

À midi, Ēkaṭu vint la chercher pour l'installer sur la terrasse dans le jardin. Elle lui apporta du thé et des scones encore tièdes, qu'elle avait confectionnés à son intention. Jezebel déjeuna en observant les pitreries d'un moineau qui reluquait les miettes dans son assiette. Elle les lui jeta en s'amusant de le voir repartir avec des morceaux trop gros qu'il ne parvenait pas à picorer.

Sidiy vint la chercher alors qu'elle finissait son thé.

— Jan souhaiterait vous parler au téléphone.

— Au téléphone, s'étonna-t-elle.

L'Égyptien lui jeta un regard blessé.

— Je fais de l'hôtellerie moderne. Bien sûr, nous avons le téléphone.

Elle le suivit jusqu'à l'appareil en acajou et ivoire qui trônait sur le comptoir. Le combiné était décroché, elle le porta à son oreille. Elle reconnut la voix de Jan.

— Avez-vous reçu la robe ?

Elle caressa machinalement le tombé du jupon.

— Oui, je vous remercie. Tout de même, ne me dites pas que vous m'appelez uniquement pour me demander cela ?

À l'autre bout du fil, elle entendit son rire moqueur.

— Vous avez raison. Disons que je voulais entendre le son de votre voix. Et savoir si vous acceptiez mon invitation à dîner ?

— Eh bien, répliqua-t-elle un peu gênée. Cela fait longtemps que je n'ai pas mangé une pièce de bœuf…

Il rit à nouveau. Il avait l'air particulièrement heureux.

— D'accord, nous fêterons la bonne nouvelle autour d'un bon steak !

— De quelle nouvelle parlez-vous ?

— J'ai réussi à me procurer deux places sur un cargo en partance pour les États-Unis *via* Singapour. Embarquement ce soir à minuit.

— Les États-Unis ? répéta-t-elle sans comprendre.

— Je vous laisse, à tout de suite.

— Jan ? Jan !

Elle posa le combiné avec un rien de sécheresse. Elle ne savait plus que penser. Elle n'était pas sûre d'avoir bien compris. Qu'avait encore imaginé ce satané Américain ? Ne lui avait-il pas dit quelques heures auparavant à peine qu'ils allaient se quitter ?

— Un problème ? s'enquit Sidiy en remarquant son visage chiffonné.

Elle secoua la tête, se força à sourire.

— Non, non. Tout va bien.

Pour se donner une contenance, elle choisit un livre dans la bibliothèque du salon, s'installa dans le jardin à l'ombre d'un manguier mais oublia tout bonnement d'ouvrir le livre, tant elle était troublée. Quel était ce nouveau délire ? À quel moment avait-elle dit qu'elle voulait aller aux États-Unis avec lui ? Elle n'avait ni papier ni visa. Comment avait-il pu imaginer qu'elle voulait y aller ?

Complètement perdue, elle arracha un brin d'herbe et le tritura nerveusement. Une odeur de citronnelle monta dans l'air, qu'elle remarqua à peine. Que lui réservait donc l'avenir ? Et elle, que voulait-elle ? Le savait-elle seulement ?

Prise d'émotion, elle pensa à son parrain, qui s'inquiétait certainement de son absence. Olga l'avait peut-être rassuré, mais la Russe devait elle aussi s'inquiéter. Sur une impulsion, elle se leva, retourna au comptoir.

— Je voudrais envoyer un télégramme.

Sidiy lui tendit un bloc de papier et un crayon.

— Pas de soucis, indiquez ici l'adresse du destinataire ainsi que le message. Je le ferai porter au General Post Office par un de mes apprentis.

Elle réfléchit quelques secondes puis écrivit brièvement: « *Sommes à Chittagong stop allons bien stop baisers.* » Lorsque ce fut fait, elle nota l'adresse d'Olga et reposa le stylo. Elle n'avait pas signé mais elle se doutait que son amie saurait de qui venait le message.

Pas une seule seconde elle n'imagina que la demeure d'Olga Marushka puisse être placée sous surveillance et qu'à l'instant où la duchesse russe recevrait son télégramme, un domestique un peu moins scrupuleux que les autres en informerait aussitôt le baron Jürgen Heinrich von Rosenheim en échange de quelques roupies.

*

Jezebel attendit le retour de Jan Lukas assise dans le jardin, sur un petit banc en fer forgé installé sous un gros manguier aux belles feuilles vernissées. Elle avait devant elle un verre de citronnade et une assiette de petits biscuits au gingembre auxquels elle ne touchait pas. Elle n'avait pas faim. Le soir venant, elle avait senti un nœud se nouer dans sa gorge: qu'allait-elle devenir? Que devait-elle faire?

Les questions tournaient en boucle sans qu'elle parvienne à leur trouver une réponse. Pour essayer de ne plus y penser, elle se forçait à lire un roman dont elle n'avait pas même retenu le titre. En réalité, elle ne cessait de soupirer en tournant machinalement les vieilles pages jaunies et en regardant dans le vague, vers le minuscule carré de verdure qui lui faisait face.

Le crépuscule tombait. Sidiy avait fait allumer des torches en prévision de la nuit. Parfois, la jeune fille apercevait un oiseau et entendait son trille tomber de l'une ou l'autre branche. Puis une sorte de silence revenait, celui du vent mêlé à la rumeur de la ville.

Chittagong était bruyante. Elle bruissait de cris et d'exclamations, de moteurs pétaradants, de rires et d'interjections, de bêlements de chèvres et de jappements de chiens. Par moment, Jezebel entendait si bien ce fond sonore qu'elle avait l'impression que le minuscule jardin était placé au milieu de la rue. Elle écouta un instant tous ces gens s'interpeller puis elle revint vers son propre vague à l'âme, tourna une nouvelle page et tripota avec fébrilité la ribambelle de colliers qu'elle avait passée autour de son cou.

Elle était tombée sur la pochette de velours en rangeant son sac de voyage. À l'intérieur s'accumulaient tous les colifichets de plus ou moins grande valeur qu'elle avait reçus depuis son arrivée en Inde. Ceux de von Rosenheim, évidemment, mais aussi le superbe collier antique offert par Olga, les quelques babioles envoyées par le maharaja de Mahavir et, surtout, le petit médaillon qui lui venait de Charu, dont elle aimait à se raconter le destin étonnant puisqu'il avait été retrouvé dans l'estomac d'un tigre mangeur d'hommes.

Emplie de nostalgie envers un temps qui ne reviendrait jamais, elle avait fait jouer les reflets d'or du petit bijou. Ses souvenirs étaient remontés, tels des fantômes terrifiants. L'heure du rendez-vous avec Jan Lukas approchait. Elle ne s'était plus du tout sentie prête. L'Américain l'attirait irrésistiblement, il fallait bien en convenir, mais était-ce une chance ou une raison supplémentaire d'avoir peur ?

Pour conjurer le malheur, elle avait attaché le médaillon autour de son cou. Sauf qu'en se regardant dans le miroir en pied qu'Ēkaṭu lui avait fait apporter, elle avait trouvé la chaînette trop longue, et le pendentif attirant trop l'attention sur ses seins, qu'un décolleté plongeant révélait déjà plus qu'assez.

Avec nervosité, elle avait enfoui la médaille sous son corsage, puis avait caché la chaînette sous une accumulation de breloques. Cela lui donnait un air de princesse des mille et une nuits plutôt réussi. Amusée, elle avait complété le tableau avec des bracelets et un diadème attaché à son chignon. Son reflet lui avait souri.

Elle était charmante. Du moins, ce fut ce que pensa Jan Lukas en la voyant assise dans l'ombre grandissante du soir, penchée sur un livre qu'elle ne semblait pas lire. Il l'observa en catimini durant quelques instants, se décidant presque à regret à se rapprocher d'elle, tant il avait de plaisir à la regarder vivre, respirer et sourire aux oiseaux.

L'apercevant, elle se leva en laissant tomber son livre. Jan avait une beauté qui pénétra avec violence son cœur, son ventre, et poignarda de désir la moindre parcelle de sa chair. Il avait fait un brin de toilette. Sa barbe était soigneusement rasée et sa coiffure presque disciplinée. Les seuls souvenirs qui demeuraient de sa vie de pirate étaient son teint bruni par le soleil et l'expression de ses yeux, tournés vers l'horizon. Il avait même troqué son jodhpur crasseux et sa chemise presque en lambeaux contre un élégant costume trois-pièces à la coupe originale. Le veston d'un ton camel était cintré dans le dos. Il soulignait parfaitement sa silhouette élancée aux épaules sportives. Le pantalon à pinces assorti affichait, quant à lui, une décontraction que démentait un peu la préciosité du gilet de soie beige et de la chemise à col cassé resserrée par une cravate noire.

— Me trouvez-vous à votre goût ? s'enquit-il de son habituel ton ironique, en la voyant le dévisager la bouche ouverte en cœur.

Elle rougit, réussit cependant à répliquer avec impertinence :

— Je crois que vous m'êtes assez bien assorti.

Il sourit, en s'accordant un moment pour la regarder. La robe qu'il lui avait fait parvenir lui allait à merveille. Toutes les robes l'habillaient somptueusement, il fallait le reconnaître, mais la coupe de celle-ci mettait, plus qu'une autre, les épaules et le décolleté en valeur. L'étoffe était un twill de soie sauvage aux reflets changeants. Il suivait les courbes du buste avec une liberté des plus sensuelles. Les hanches étaient drapées dans un gros flot noué. Sur le devant, le corsage s'évasait avec des plis qui offraient de l'aisance au pas et donnait un joli tombé aux moindres mouvements.

Elle avait relevé ses cheveux en un chignon lâche retenu par des rubans, qui allongeait le délié de sa nuque. Il remarqua que son visage avait perdu au cours des dernières semaines un peu de son flou d'enfance, avec des joues légèrement moins rondes mais des yeux toujours aussi grands et aussi limpides, d'un bleu céruléen semblable au ciel au-dessus de la mer. Il nota également qu'elle avait fait la coquette en se parant en princesse barbare presque trop ornée, avec une farandole de chaînes et de bijoux superposés autour de son cou. L'effet était heureux et lui allait à ravir. Pourtant, le cœur soudain piqué de jalousie, il ne put s'empêcher de froncer les sourcils en se demandant qui les lui avait offerts.

— Vous êtes sublime, concéda-t-il de sa belle voix grave qui donnait toujours à Jezebel un frisson sur tout le corps.

— Vous êtes très beau, jeta-t-elle en retour, spontanément.

Il sourit avec tendresse, lui tendit la main.

— Venez.

Elle approcha à petits pas. Lorsqu'elle fut près de lui, il sortit de derrière son dos une magnifique écharpe en velours de soie aux couleurs chamarrées, qu'il déploya pour la draper dedans.

— Oh, s'exclama-t-elle en le laissant l'envelopper dans la somptueuse matière, les yeux à moitié fermés pour cacher le plaisir sensuel qu'elle ressentit lorsque la belle étoffe glissa sur sa peau.

Il laissa ses mains s'attarder sur ses épaules.

— La nuit sera peut-être fraîche, dit-il en plongeant vers la courbe gracile de sa nuque pour permettre à son nez gourmand de s'enivrer de son parfum de frangipane. Aimez-vous le tango ?

Elle se retourna en battant des mains, cachant sa nervosité dans un excès de joie.

— M'emmenez-vous danser ?

— Je vous emmène dîner aux accords du bandonéon. Cela vous convient-il ?

Elle leva vers lui ses grandes prunelles brillantes et passa sans façon son bras dans le sien.

Ils n'eurent pas à aller loin. Au coin de la rue, l'ami Sidiy possédait un bar un peu glauque dans une maison de briques rouges. Jezebel se raidit en remarquant la lumière tamisée, l'ambiance trop enfumée et l'odeur de vin qui imbibait les murs. Les seuls clients étaient des hommes qui l'observèrent à travers leurs paupières lourdes dès qu'elle entra.

— Qu'avez-vous encore imaginé ? souffla-t-elle, indignée.

Jan lui tapota le bras pour la rassurer.

— Pas d'affolement, nous allons à l'étage du dessous. On y trouve les meilleures pièces de bœuf de tout Chittagong et un orchestre à vous réveiller un mort. C'est bien ce que vous vouliez ?

Elle acquiesça en essayant de faire taire les battements désordonnés de son cœur. Il lui fit descendre un petit escalier en colimaçon qui débouchait dans une salle au plafond bas, décorée de guirlandes en papier. Il était encore tôt, il y avait peu de monde, mais quelques accords résonnaient déjà. L'orchestre était installé au fond, près d'une piste de danse au parquet bien ciré, sur laquelle évoluait lentement un couple enlacé.

— Vous êtes sûr, chuchota Jezebel, de moins en moins rassurée. Je veux dire, pour la viande de bœuf ?

Il rit, l'emmena s'asseoir à une petite table près de l'orchestre, commanda à la serveuse deux *Cuba libre*. Jezebel n'en avait jamais bu. La boisson était fraîche et réconfortante. Elle sirota le sien en silence. Elle ne savait pas trop quoi dire. Après avoir passé tout ce temps sur un *shampan* en traversant la baie du Bengale, l'instant lui paraissait étrange. Pendant plus d'un mois, ils avaient vécu comme des indigènes en pêchant des coquillages, en se baignant à demi-nus, en dévorant à pleines dents des poissons grillés saupoudrés d'algues séchées. Ils avaient observé des animaux merveilleux, des colonnes d'orage à l'horizon et le soleil se levant comme un joyau au-dessus de l'océan. Maintenant, il fallait renouer avec un semblant de civilisation, se tenir droit sur une chaise, ne pas parler trop fort, utiliser des couverts. Elle n'en était pas mécontente, même si... Une chape de regret tomba sur son cœur, un peu comme si elle réalisait soudain être passé à côté de quelque chose d'important. Jan se taisait, la regardait, souriait. Chaque fois qu'elle levait le nez et contemplait son visage, elle en devenait toute molle, excitée et follement idiote. Une diversion arriva à point nommé avec un beefsteak grillé qui débordait de l'assiette. Elle oublia tous ses atermoiements pour savourer la viande juteuse, cuite à point, qui, après deux mois à ne vivre que de produits de la mer, était tout simplement délicieuse.

— Et encore, remarqua Jan en la regardant manger avec plaisir, vous n'avez jamais goûté de viande argentine.

— C'est vrai, vous avez vécu là-bas... Racontez-moi donc comment c'était.

— Hum, j'ai dans mon escarcelle autant de souvenirs heureux que malheureux. Lesquels voulez-vous ?

Une ombre fugitive avait traversé ses yeux gris. Elle ne sut que répondre, se traita intérieurement de bécasse. Elle avait toujours le chic pour dire ce qu'il ne fallait pas. Olga ne lui avait-elle pas raconté qu'il avait perdu ses parents en Argentine.

— Pardon, dit-elle.

Il lui coula un demi-sourire d'excuse.

— C'est moi qui vous demande pardon, Jezebel. Mon cynisme me perdra sans doute un jour. Tout de même, êtes-vous certaine de vouloir donner à ce soir un tournant aussi mélancolique ? Ne préféreriez-vous pas que l'on parle d'autre chose ? Nous pourrions à loisir nous tourner quelques compliments heureux, en badinant joliment sur l'amour sans lui accorder trop d'importance. Vous seriez charmante, et moi je ferai étalage de mes atouts pour vous montrer à quel point il serait judicieux de m'aimer. Je pourrai ainsi faire le paon, en gonflant le torse et en vous picorant dans la paume.

Il lui avait pris la main, pour illustrer ses propos d'un lent baiser à la saignée du poignet, là où battait son pouls. Elle rougit, lui reprit son bras. Comme d'habitude, elle n'arrivait pas à déterminer s'il plaisantait ou non. Un jour, ne lui avait-il pas dit qu'il aimait ces femmes simples et joyeuses, qui ne se compliquent jamais la vie en accordant trop de foi aux sentiments, et qui acceptent de ne jouer dans l'amour que la meilleure part, celle du plaisir des sens ? Olga était ainsi. Mais elle-même… n'avait-elle pas l'affreuse propension à toujours verser dans la sentimentalité ?

— C'est que, monsieur, insista-t-elle, je ne sais rien de vous. J'aurais bien voulu vous connaître un peu plus. Je crois que, depuis que nous nous sommes rencontrés, nous n'avons jamais vraiment… parlé ?

Il la dévisagea en retenant un soupir. Elle lui avait donné du « monsieur ». Une fois de plus, elle ne s'était approchée que pour mieux s'enfuir. À moins que tout cela ne fut qu'un songe… Après tout, il ne devait pas oublier qu'elle en avait aimé un autre il n'y avait pas si longtemps.

— Ma vie est plutôt simple, répliqua-t-il en masquant son agacement. Il n'y a pas grand-chose à en dire. J'ai déménagé à Buenos Aires avec mes parents lorsque j'avais trois ans. Mon père travaillait pour une importante firme américaine. J'étais incroyablement heureux. Je faisais du cheval toute la journée. Ça a duré dix ans.

— Que s'est-il passé ? Tout a soudainement changé, n'est-ce pas ?

À nouveau, il la regarda. Finalement, elle avait eu une idée redoutable, à le faire plonger dans son enfance, à le pousser à révéler ses sentiments les plus anciens, les plus secrets. Une fois de plus, il tenta de se cacher derrière son cynisme.

— Un pneu crevé, une sortie de route, un arbre au mauvais endroit. Mes parents sont morts sur le coup.

— Oh, se récria-t-elle en pâlissant. Je suis navrée. Ma question était à nouveau idiote.

Il s'en voulut, bougonna brièvement.

— C'était il y a longtemps.

— Et ensuite ?

Elle levait vers lui ses grands yeux attentifs.

— *Darling*, laissez-moi vous dire que vous êtes une incorrigible curieuse ! Eh bien, à la mort de mes parents, ma vie tout entière a changé. Je n'avais pas d'autre famille, pas même une tante ou un cousin. L'ambassade des États-Unis place ce genre d'enfants dans un orphelinat. J'y suis resté plus d'une année. J'étais plein de révolte, de haine envers le monde entier. J'avais quatorze ans, je refusais les règles, les lois. J'ai failli mal tourner. Andres Agustin m'a sauvé. Je le connaissais, je l'avais croisé à plusieurs reprises. Mon père lui achetait d'excellents chevaux. Andres était un important propriétaire terrien, éleveur de bétail et passionné par les *criollos*. Il avait vu comment je montais, il aimait ça, il a fait des pieds et des mains pour m'adopter. Il voulait que je joue au polo. Il était très riche et très influent. À force de se démener, il a obtenu de l'ambassade américaine un droit de garde. Il m'a tout appris. Les chevaux. Le polo. Le tango. Et aussi l'archéologie, qui était son dada. Il m'emmenait faire des voyages extraordinaires au Mexique, à Rome, en Grèce. J'ai attrapé le virus, j'ai fait mes études à Harvard, j'ai choisi de me spécialiser comme lui dans l'antiquité indienne. Lorsque je suis revenu en Argentine, bardé de diplômes, il m'a proposé d'ouvrir cette société de commerce d'art antique. Nous sommes devenus associés. Ce qui nous intéressait, c'était l'aventure. Partir à la découverte de mondes inconnus, inexplorés. Andres pouvait se le permettre, les haciendas lui rapportaient suffisamment d'argent pour qu'il ne soit pas constamment obligé de les gérer lui-même. Nous vivions à New York mais nous avons passé beaucoup de temps en Inde. J'avais rencontré Charu à l'université. Nous étions déjà des amis intimes avant que je ne vienne jouer dans l'équipe de polo de son père.

Il se tut. Jezebel lui attrapa spontanément la main, la serra brièvement avant de la relâcher.

— Je… Je sais que j'ai été stupide… de ne pas vous avoir cru… d'avoir douté de votre innocence…

Il haussa les épaules, termina son verre de vin d'une seule gorgée.

— Oublions cela, *darling*. Moi non plus, je n'y ai pas mis du mien.

Inévitablement, une chape de tristesse s'était abattue sur eux. L'ombre de Charu s'était levée, semblait les regarder. Jezebel se mit à jouer nerveusement avec sa serviette.

— Pour la question que vous m'avez posée cet après-midi… vous savez… je… je…

Il l'interrompit en se levant et en ôtant sa veste.

— Nous verrons cela plus tard, Jezebel, voulez-vous ? Profitons plutôt de cette soirée sans arrière-pensée. Venez danser.

Il la força à se lever, demanda aimablement à l'orchestre de jouer l'air de « *A la gran muñeca*[1] ». Puis, tout en la conduisant au milieu de la piste, il ôta sa cravate, déboutonna son gilet et le haut de sa chemise.

— Je ne sais pas bien danser le tango, murmura-t-elle, les joues enfiévrées. Andres m'a bien donné quelques leçons, et j'adore cette musique qui semble parler à l'âme, mais je ne suis qu'une débutante…

Il posa un doigt sur ses lèvres, les caressa lentement.

— Chut, *querida*. Écoute la musique et laisse-toi guider.

Il la prit par la taille, enleva sa main droite dans la sienne. Elle n'eut d'autre choix que de s'appuyer à son épaule. Sous la fine popeline de sa chemise, elle sentit ses muscles se nouer. Elle baissa les yeux en oubliant de respirer. Le bandonéon joua les premiers accords. Le rythme prit d'emblée une rapidité soutenue par des coups de violon incisifs.

Jezebel se laissa guider comme dans un songe. Tout naturellement, son visage s'était levé vers celui du jeune homme, son front contre sa joue, sa respiration dans la sienne. Leurs premiers pas furent lents et attentifs. Ils prirent connaissance l'un de l'autre, par petites touches rythmées. Ils avaient déjà dansé ensemble et s'étaient alors merveilleusement accordés mais ce n'avait été qu'une valse. Là, ce soir, ce tango n'était plus uniquement une

1. Tango de 1919, qui pourrait se traduire par « À la grande poupée ».

parade de salon. Il était aussi une expression sauvage et secrète, porteuse de sensualité et d'une profusion de rêves.

Ils marchèrent, tournèrent, marchèrent de nouveau. Leurs jambes se déplaçaient à la même cadence, dans une entente parfaite. Le violon accentua son crescendo, puis s'alanguit sur une note tenue, à la fois triste et sensuelle. Jan guidait la jeune fille de plus en plus rapidement. Ils s'étaient apprivoisés, elle parvenait à suivre ses mouvements et, même, commençait à prendre des initiatives dans ses gestes, dans ses regards. Il sourit, la ramenant brusquement contre lui.

Ce moment d'*abrazo*[1] fit d'elle une liane docile moulée à son corps, sa poitrine palpitante collée à la sienne, son ventre épousant le sien, ses cuisses rivées à lui dans le même mouvement. Il joua d'elle en la faisant aller tour à tour de l'avant puis de l'arrière. Elle s'enhardit à crocheter sa jambe autour de la sienne. Il eut envie de l'embrasser, frôla sa bouche entrouverte, la rejeta dans de grands pas coulés, ralentis par le violon. Elle soupira.

Une autre volte. À nouveau leurs lèvres se frôlèrent, lentement, longuement, puis le piano les sépara tandis que la guitare, la merveilleuse guitare accordée au violon, les ramenait l'un vers l'autre dans une sensualité à pleurer. Jan ralentit langoureusement le mouvement. Leurs gestes devinrent lents, bercés et caressants. Il chuchota :

— *¡Volcada*[2]*!*

Puis, d'un mouvement rapide, il l'inclina pour la sentir peser contre son buste, et coller parfaitement à ses mouvements. La marche reprit, suivie d'un autre renversé vers l'arrière. Cette fois-ci, il cambra sa taille sur l'arrondi de son bras, pencha le visage vers sa poitrine offerte, si près de sa peau perlée de sueur qu'il fut tenté d'y poser les lèvres.

La chair hérissée par son souffle accéléré, elle exhala une longue respiration tremblée. Il chercha ses yeux. La défia. Le bandonéon rajouta un phrasé que la guitare enjoliva de quelques notes frétillantes. Elle virevolta, sautilla. Il la souleva en la faisant tournoyer.

---

1. Terme de tango argentin, signifiant l'enlacement des partenaires, la prise dans les bras, l'étreinte.

2. Le cavalier fait s'incliner l'axe de la cavalière vers lui. D'après mes sources, ce mouvement n'existait pas encore à cette époque mais, en tant que romancière, j'ai trop aimé ce mot chuchoté dans l'oreille de Jezebel pour ne pas le conserver !

Elle se libéra, entra enfin dans son jeu de séduction, femme fatale qui provoque, homme qui la perd et constamment la rattrape.

Bientôt, Jan n'eut plus qu'une envie, se pencher sur son corps pour entendre le bruit de son cœur, plonger dans ses yeux aussi langoureux qu'effarés, se coller à son ventre, à son bassin, à ses cuisses. Ils s'accroupirent, se relevèrent le plus lentement du monde en se regardant sans faillir.

Elle crut mourir dans son regard, n'eut pas le temps d'un regret, le tango avançait et Jan la faisait tourner sur elle-même, le front contre son front, la respiration dans la sienne. Ils n'étaient plus qu'un. Ils n'étaient qu'un désir infini.

La musique les rappela à la vie. Il glissa sa main de son dos à ses reins. Une pression la fit tournoyer, tandis que ses lèvres l'effleuraient à chaque passage sans jamais lui donner ce baiser que, maintenant, elle appelait de tous ses vœux, de tous ses sens affolés. Elle n'était plus que de la chair pliée à ses désirs d'homme. Elle se disait qu'après cette danse, jamais plus elle ne serait la même.

Le bandonéon redonna du rythme. Ils marchèrent, lui dans son dos en la poussant de ses hanches, une main effleurant son ventre. Il respirait son parfum de frangipanier qui montait de sa chevelure en désordre. Elle lui échappa d'un pivot, il la retint par le poignet, la ramena vers lui en la dominant de sa haute taille. Elle leva la tête, la bouche entrouverte, offerte. Il prit son visage à deux mains, caressa ses joues. Elle s'enfuit d'une autre pirouette. Il sourit. Le jeu était parfait, mais en était-ce vraiment un, avec cette façon de partir et de revenir, et la chaleur qui montait dans leurs corps, et le désir.

Le désir.

À son tour, il lui échappa. Elle revint le chercher à grands pas ondulants, se colla à son dos en lui caressant la joue, la gorge, le torse. Il la ramena face à lui, la ploya vers l'arrière pour avoir le plaisir de la relever lentement tout le long de son corps. Elle ferma à demi les yeux, les rouvrit. La musique s'était tue depuis longtemps. La danse était finie. Il prit son visage entre ses mains, le haussa jusqu'à ce que leurs lèvres se touchent, leurs bouches se mêlent, leurs langues se caressent.

Des cris retentirent, des ordres féroces, des claquements de bottes.

On les sépara brutalement, Jan fut jeté à genoux, les mains sur la tête. Un officier britannique vint vers eux en applaudissant. Il s'arrêta devant Jezebel encore essoufflée, que deux soldats retenaient par les bras, et lui releva lentement le visage de sa cravache pour l'observer dans la crudité de la lumière.

— Ne la touche pas ! hurla Jan en voulant se relever.

Un soldat le projeta au sol d'un violent coup de crosse. Il perdit connaissance.

# 26

*4,5 et 6 mars 1920*

La prison.

Jamais Jezebel n'avait imaginé pouvoir y entrer et, pire que tout, y séjourner. Or, voilà qu'elle avait été jetée au milieu de la nuit dans ce qui paraissait être un cachot, sombre, froid, humide. Aucune lumière. Une odeur d'urine. Une natte dans un coin, une bassine pour unique toilette. Depuis, elle était effondrée à même le sol de terre battue, consumée de l'intérieur. Elle avait envie de pleurer, de crier, de tempêter, mais rien ne venait. Elle était dans un état de stupeur total.

Que s'était-il passé ? Comment les militaires britanniques avaient-ils su où Jan et elle se trouvaient ?

Elle passa la nuit à grelotter. Le noir qui l'environnait était si profond qu'elle ne parvenait pas à distinguer les choses qui rampaient près de ses pieds. Les soldats lui avaient pris ses bijoux, son écharpe et ses chaussures. Durant le trajet en automobile qui l'avait conduite ici, dans cette petite garnison dans le centre colonial de Chittagong, elle avait essayé de parler à l'officier qui l'escortait. Ce n'avait été qu'un dialogue de sourds.

Le major était froid et rigide. Petit, râblé, blond. Ni beau ni laid, avec un visage ordinaire, une moustache en croc, des cheveux coupés court gominés vers l'arrière. Il avait écouté sa jolie prisonnière avec une attention affectée, mais il n'avait rien répondu. Au contraire, il avait continué à l'observer d'un air approbateur, tout en tortillant le côté droit de sa moustache. Son autre main tapotait sa cravache contre l'une de ses bottes.

Jezebel connaissait bien la lueur qui dansait au fond des prunelles de son interlocuteur. Von Rosenheim avait constamment la même lorsqu'il posait sur elle son regard sale et visqueux, dont les éclats pervers poissaient sur sa peau au fur et à mesure qu'il la détaillait.

Celui-ci arborait exactement la même expression tandis que le trajet s'éternisait. Le ventre tordu par l'angoisse, Jezebel s'était efforcée de mettre sa fierté de côté pour offrir des sourires aimables.

— Ne vous fatiguez pas, lady Tyler, jeta soudain le major d'une voix tranchante. J'ai des ordres que je ne contrecarrerai pas.

Elle avait sursauté en entendant son nom. L'officier savait donc qui elle était. Et n'y accordait aucune importance.

Sonnée, elle avait compris qu'il était inutile de discuter avec cet homme, tout comme il serait stupide d'exiger de rencontrer un officier supérieur ou toute autre personnalité officielle. Elle n'était pas là par erreur ; quelqu'un avait délibérément décidé qu'elle soit arrêtée et conduite dans cette cellule misérable pour y croupir comme une bête.

Il ne pouvait s'agir que de von Rosenheim. Il était son pire ennemi.

Maintenant, accroupie dans un coin obscur de sa geôle, elle resserrait les pans de sa robe sur ses jambes pour les couvrir au maximum en essayant de ne pas céder à la panique. Les soldats l'avaient séparée de Jan dès les premières minutes. Ils avaient emmené le jeune homme encore inconscient. Où avait-il été transporté ? Était-il grièvement blessé ?

Rien que d'y penser, sa poitrine se serrait d'angoisse. Le destin allait-il constamment lui prendre tous les hommes qu'elle aimait ?

La nuit alentour était emplie de pas furtifs et de grignotements de souris. Elle frissonnait de froid, de peur. Continuait de penser à Jan comme à un doux rêve. Elle ne pouvait plus se mentir, elle aimait le jeune homme plus que tout. Ses baisers l'embrasaient. Sa présence l'électrifiait. Son absence était une main glaciale écrasant son cœur en lui donnant le sentiment de mourir avant l'heure.

Elle enfouit son visage dans ses bras, en murmurant comme une prière :

— Je l'aime, je l'aime, je l'aime…

Elle n'avait pas eu le temps de le lui dire. Elle n'avait songé qu'à refuser la réalité de cet amour. Maintenant, elle avait juste envie de le lui hurler, bouche contre bouche, corps contre corps. Mais il était trop tard.

Elle ne dormit pas. Il y avait trop de frôlements, trop de petits craquements et de couinements. Puis l'aube vint insidieusement. Ses premières lueurs blafardes tombèrent d'une fenêtre placée haut dans le mur, trop haut pour regarder au travers. L'ouverture était petite et barrée par des morceaux de fer enchâssés dans le mur. Le soleil monta, dessinant peu à peu sur le plafond un rectangle de lumière que les minutes faisaient se déplacer lentement.

Jezebel regarda autour d'elle.

Le réduit où elle se trouvait était encore plus pitoyable en plein jour que ce qu'elle avait soupçonné. Le sol de terre battue était d'une saleté repoussante. Il avait été tellement tassé par les dizaines de pieds enfermés ici qu'il en avait presque acquis un poli de vieux carrelage. Des nids de poussière le recouvraient, ainsi que des déjections douteuses, des mucus indéfinis qui ressemblaient à de vieux crachats solidifiés. Il y avait aussi ces flaques humides à l'horreur écœurante…

La gorge serrée par le dégoût, elle continua son examen.

Les pas des prisonniers semblaient avoir repoussé vers les murs des fétus de paille et toute une variation de miettes, de détritus inconnus, de déchets méconnaissables. Les murs bruts, en mauvaises briques rouges mille fois lézardées, étaient gravés de graffitis, de noms, de dates, d'idéogrammes chinois ou bengalis impossibles à déchiffrer. Des lichens blancs et jaunes y dessinaient des auréoles. Dans un coin, une traînée brune d'un aspect douteux était semblable à du sang séché. De plus en plus atterrée, Jezebel n'osait pas bouger, de crainte de frôler l'un de ces effroyables immondices.

Elle s'assoupit puis un bruit la réveilla en sursaut. Paniquée, elle fixa la porte de sa cellule. Des clés tournaient dans la serrure. Elle se leva, recula autant que possible jusqu'à heurter le mur. Elle cacha ses mains tremblantes dans le drapé de sa robe.

L'officier de la veille entra dans sa cellule. Il était seul. Il avait laissé ses soldats au garde-à-vous dans le couloir. Il s'immobilisa, le temps de la détailler de son regard porcin. Elle dut se faire violence pour ne pas crier.

Au bout de quelques minutes atrocement longues, il vint vers elle de son pas martial, s'inclina avec une raideur affectée tout en continuant à la dévisager avec cette même lueur gluante, poisseuse, qu'il avait déjà eue la veille. Elle en eut la bouche asséchée. Que lui voulait-il ? Elle se raidit lorsqu'il lui saisit d'autorité une main qu'elle n'eut d'autre choix que de lui abandonner. Il lui parla d'un ton doucereux.

— Très chère lady Tyler, je suis terriblement désolé par tout ce malentendu. Quelle regrettable erreur due à la précipitation ! Comment pourrais-je me faire pardonner ?

Il appuya sa main contre sa bouche, y apposa ses lèvres molles pour un baiser mouillé. Elle déglutit avec peine. Il ajouta :

— Nous n'avons pas eu le temps de faire les présentations hier soir. Je suis le major Alburman, l'officier en charge de la garnison de Chittagong sous les ordres directs du vice-roi. Mon Dieu, comme la nuit a dû vous paraître longue, dans cette cellule qui n'est pas à la hauteur de votre rang ! Laissez-moi vous emmener dans une chambre plus confortable. Il va sans dire que vous n'êtes en aucune façon prisonnière. C'est juste un affreux malentendu…

Elle ne comprit rien à ce discours mais devina tout de même qu'il mentait. Sa nuit passée dans une cellule n'était pas un accident. Elle était au contraire le résultat d'une volonté supérieure qui cherchait à l'humilier, à se venger.

— Suis-je donc libre, major ? demanda-t-elle pour en avoir le cœur net.

L'officier eut un air obséquieux.

— Bien évidemment, milady ! Comment pourrait-il en être autrement ? Le baron von Rosenheim a câblé ce matin même. Il est d'ores et déjà en route pour vous rejoindre. J'ai cru comprendre qu'il nourrissait une grande impatience à l'idée de vous retrouver. Votre enlèvement l'a bouleversé. Je l'ai rassuré autant que possible sur votre état de santé.

— Bien, répliqua-t-elle d'une voix blanche. Le baron est donc en route.

La nouvelle avait mué son corps en glace. Elle crut que son cœur s'était arrêté, tant il était serré dans un étau. Le baron ne la lâcherait jamais. Dans quelques heures, le cauchemar recommencerait.

Alburman lui caressa la main avec un faux air paternaliste. Elle le regarda comme on observe un serpent.

— Je vous vois tout émue, milady. Venez avec moi, je vous prie. Vous avez besoin de vous reposer.

Elle n'avait pas envie de le suivre. Elle voulait disparaître sous terre. Elle n'avait pourtant d'autre choix que l'obéissance. D'ailleurs, quelle importance ? Elle était morte depuis hier soir.

— Je suppose que vous me ramenez à mon hôtel ? lança-t-elle tout de même d'un ton volontairement provocant.

L'officier se pencha avec un sourire mielleux.

— Le baron a donné des ordres pour que vous soyez traitée au mieux, milady. Je préfère vous garder ici jusqu'à son arrivée. Je ne pourrais jamais me le pardonner s'il devait vous arriver quelque chose…

Elle comprit parfaitement le message. Elle était toujours prisonnière. Elle allait juste changer d'endroit de détention.

— Me rendrez-vous au moins mes bijoux et mon écharpe ?

— Je les ai déjà fait déposer dans votre chambre.

Elle concéda un remerciement.

— Je remarque que vous êtes un vrai gentleman, major. J'en parlerai à mon fiancé dès que nous serons réunis. En attendant, pourriez-vous avoir l'amabilité de me dire ce qu'est devenu l'homme qui m'accompagnait ?

— Cet assassin est actuellement sous les verrous, milady. Sans faire preuve de vantardise, je crois bien être arrivé à temps pour vous sortir de ses griffes. J'imagine que cet homme vous aurait fait subir les derniers outrages avant de vous tuer, c'est assurément dans ce but qu'il vous avait kidnappée.

Son ironie était palpable. Prise de vertiges, l'estomac au bord des lèvres, elle se força à poser une question dont elle n'était pas certaine de vouloir entendre la réponse.

— Que va-t-il lui arriver ?

— Le baron nous a demandé la faveur de ramener lui-même le prisonnier au maharaja de Mahavir. Le prisonnier sera jugé et certainement décapité.

— Décapité…, répéta Jezebel, totalement affaiblie.

— C'est effectivement le sort que le maharaja réserve aux assassins dans sa principauté. Nous essaierons de commuer la peine en peloton d'exécution, ce sera plus humain. Bien sûr, la décision finale appartiendra au vice-roi. En politique, il faut toujours tenir compte de la susceptibilité des princes de l'Inde. Le maharaja est très influent auprès de ses compatriotes. Mieux vaudra ne pas le froisser. S'il tient à cette décapitation, eh bien…

Il laissa volontairement sa phrase en suspend. Jezebel s'efforça d'afficher un visage impassible. Elle posa une dernière question :

— Comment avez-vous eu connaissance de l'endroit où nous étions ?

— Votre fiancé, milady, est un homme extrêmement précieux pour la Couronne britannique. Outre son commerce avec la Chine qui va dans les intérêts de l'empire, il est également très performant lorsqu'il s'agit de nous fournir des renseignements sur nos concurrents économiques ou même de nous faire part d'événements hors de nos frontières. Son réseau d'information est si performant qu'il supplée efficacement au nôtre dans certaines circonstances. Sans les indications qu'il a pris la peine de nous câbler hier soir, votre ravisseur nous échappait et, à l'heure actuelle, vous seriez encore sous son joug.

Le ton ironique perdurait. Jezebel sentit son visage se vider de sang. Ainsi, c'était von Rosenheim lui-même qui avait prévenu la garnison de Chittagong…

Elle se demanda brièvement comment il avait pu être au courant, puis elle eut la réponse dans le même élan. L'effarement serra son cœur à en mourir : c'était elle qui le lui avait elle-même appris en envoyant ce télégramme à Olga ! D'une façon ou d'une autre, il surveillait la duchesse et, lorsque le message était arrivé, il avait réussi à l'intercepter. Dieu qu'elle avait été stupide d'indiquer dans son message l'endroit où elle se trouvait ! Maintenant, Jan était en prison par sa faute, et risquait d'être décapité.

Elle vacilla d'effroi et d'horreur en comprenant qu'elle était son Judas. Brisée, elle tourna vers le major un petit visage éploré.

— Je voudrais voir le prisonnier une dernière fois…

— Non, milady. Le baron a donné des ordres.

Elle perdit la tête, hurla comme une folle :

— Le baron ci ! Le baron ça ! Et vous, vous bafouez votre honneur de gentleman anglais pour…

— Je suis un soldat, milady, coupa sèchement le major. J'obéis aux ordres de mes supérieurs. Le baron est de longue date un partenaire de l'Angleterre.

— Vous préférez donc vous comporter comme un barbare !

Alburman ne répondit pas. Il venait de s'arrêter devant une épaisse porte de bois qu'il ouvrit en donnant un tour de clé puis il s'effaça pour la laisser entrer. Il s'était placé de telle sorte qu'elle ne puisse passer sans le frôler. Elle rougit de honte et de colère.

— Voici votre nouvelle chambre, milady, annonça-t-il en la suivant à l'intérieur. Elle est certes plus spartiate qu'un hôtel mais, si vous le souhaitez, je puis aisément améliorer votre ordinaire. Je pourrais, par exemple, vous faire amener un excellent repas, des vêtements confortables, une couverture, un miroir… enfin, tout ce que peut désirer une belle jeune femme de votre condition. Un seul mot de vous, et je suis à vos ordres.

Il vint vers elle d'un air explicite. Elle recula nerveusement jusqu'à se heurter au mur ; il la coinça en se collant à elle de façon répugnante. Elle le griffa. Il attrapa sa main en ricanant.

— Ne prenez pas cet air outré, milady. Je sais que vous n'êtes pas si bégueule que ça. N'oubliez pas que je vous ai vue hier soir avec votre prétendu ravisseur. N'étiez-vous pas pendue à son cou, en train de l'embrasser de façon guère… ambiguë ?

Il posa une main sur sa hanche, descendit le long de sa cuisse, força son entrejambe pour remonter vers le pubis. Elle cria. Il la bâillonna tout en se penchant pour suivre de sa bouche humide sa joue, sa gorge, la naissance de sa poitrine.

— Inutile de crier, milady. Vous n'y avez aucun intérêt.

Elle le mordit, siffla avec fureur.

— Je parlerai de votre attitude au baron dès que je le verrai !

Alburman eut un mauvais rire.

— Et moi, je raconterai votre idylle avec l'assassin du prince de Nandock. Ce sera sans doute très fâcheux… Imaginez que le baron attrape un coup de sang et qu'il vous fasse jeter en prison pour complicité de meurtre. Qu'arrivera-t-il à votre joli petit cou ? Savez-vous que, parfois, la lame du bourreau n'est pas assez aiguisée et que le pauvre homme doit s'y reprendre à plusieurs fois pour bien détacher la tête du corps ?

— Vous êtes abject ! cracha-t-elle.

— Je ne souhaite que vous faciliter la vie. Être gentil avec vous.

Elle réfléchit à toute vitesse. Elle savait qu'elle n'avait aucune issue. Elle acquiesça pour gagner du temps.

— D'accord, d'accord ! Je… Je vais réfléchir à votre proposition… Seulement, j'ai très faim, et je réfléchis mal quand j'ai faim.

Le major se pencha vers sa bouche, anticipant sa victoire.

— Un petit acompte, milady, pour prouver votre bonne foi ?

Elle le repoussa le plus violemment possible.

— Non. Je veux d'abord déjeuner. Après, je verrai ce que je peux faire pour vous.

Il la toisa cruellement. Elle crut qu'il allait la frapper mais il éclata soudain d'un rire d'hyène.

— Soit. Faisons ainsi. Je vais vous faire porter votre petit-déjeuner puis je reviendrai terminer avec vous cette intéressante conversation.

Il la lâcha, mais ne partit pas de suite. Il prit d'abord le temps de jouer à l'hôtelier en lui montrant la qualité du sommier, la finesse des draps, le bouquet de fleurs des champs posé sur une petite table ronde.

— Vous savez, le baron est parti de Calcutta en automobile. Avec les aléas de la piste, et le bac qu'il lui faudra franchir sur la Meghna, il ne sera pas là avant plusieurs d'heures. Inutile de chercher à gagner du temps.

Pour la première fois de la matinée, elle ne se démonta pas.

— Ramenez-moi d'abord de quoi prendre des forces. Après, major, je vous promets que nous discuterons.

Il sortit enfin.

Elle écouta la porte se refermer en grinçant, puis entendit nettement la clé tourner dans la serrure. À nouveau prise de panique, elle se précipita vers la fenêtre, l'ouvrit, se pencha. Elle faisait face à une cour intérieure fermée et surveillée par des gardes en uniforme. Une escouade entière faisait l'exercice au pied du drapeau monté sur un mât.

Elle recula, sidérée. Elle était bel et bien prisonnière dans une garnison.

Avec désespoir, elle revint vers le centre de la pièce, avisa le vase et le jeta de toutes ses forces contre la porte. Les fleurs s'écrasèrent sur le battant de bois, tombèrent au sol dans un éparpillement de bouts de verre. Elle regarda le désastre un long moment puis, soudain, fut prise de sanglots. Elle se jeta sur le lit en pleurant à chaudes larmes.

*

Le major Alburman ne fut pas pingre ; le *breakfast* qu'il fit porter à sa prisonnière fut pantagruélique. Après l'habituel cliquetis de clé dans la serrure, un jeune cipaye entra et déposa sur la table un plateau garni à profusion : œufs, bacon, fruits, thé, scones, marmelade et pancakes encore tièdes. Jezebel tourna autour de ces merveilles en regrettant presque d'avoir la gorge tellement nouée d'angoisse qu'elle ne pouvait rien avaler.

Le cipaye revint avec un balai. Il ramassa consciencieusement les débris du vase qu'elle avait cassé quelques instants auparavant. Lorsqu'il eut fini, elle lui demanda s'il pouvait lui ramener des vêtements propres. Il parut rester de marbre mais il repartit en la saluant à plusieurs reprises, la main portée très militairement à son calot.

Jezebel ignorait si elle avait été comprise. En soupirant, elle s'assit à table, se versa une tasse de thé, ajouta un peu de lait et de sucre. Elle but une gorgée, puis une autre. Le breuvage brûlant lui fit du bien. Elle retrouva peu à peu son courage.

Elle n'avait toujours pas envie de manger mais elle devait garder ses forces. Elle picora quelques morceaux de mangue, tartina un scone avec du beurre. Soudain, son regard se fixa sur le couteau qu'elle utilisait. C'était un couteau de table plutôt ordinaire, affûté et pointu, dont elle vérifia machinalement le fil, le temps de comprendre qu'elle tenait dans la main une vraie arme. Elle tourna les yeux vers la porte, guetta durant quelques instants les bruits qui venaient de l'autre côté. Tout lui parut silencieux. Elle se leva et courut cacher le couteau sous le matelas.

Elle ne savait pas encore ce qu'elle allait en faire, ni même si elle serait capable d'utiliser cette lame pour se défendre ou pour attaquer. Elle savait seulement qu'elle avait décidé de ne pas laisser passer sa chance. Jan était en prison par sa faute. Elle ferait tout son possible pour l'en sortir.

Elle revint à table, se servit une seconde tasse de thé. Lorsqu'elle eut fini de boire et de grignoter le reste de mangue, elle mit le plateau sens dessus dessous, espérant ainsi masquer l'absence du couteau. Presque aussitôt, le cipaye revint avec des vêtements propres et une paire de bottes militaires.

— *Sorry, memsahib*, dit-il d'un air poli. Uniquement uniforme soldat, rien d'autre. Ça ira quand même ?

— Ce sera parfait, répondit-elle en le remerciant d'un profond salut.

Il débarrassa le plateau sans sembler rien remarquer, sortit en refermant la porte derrière lui. La clé tourna. Jezebel respira de soulagement. Dans sa tête, un plan commençait à prendre forme. Elle allait devoir jouer serrer et, surtout, mettre de côté son amour-propre. Cette idée folle était cependant son unique lueur d'espoir.

Elle fit une toilette expéditive avec l'eau froide d'un broc posé sur une petite commode d'angle. Ensuite, elle troqua sa pauvre robe maculée de taches contre l'uniforme rêche mais relativement propre que le cipaye lui avait amené. Elle demeura sur le qui-vive tout le temps qu'elle fut à demi nue, tant elle craignait d'être surprise. Rapidement, elle boutonna la tunique jusqu'au col. Elle prit juste le temps de dissimuler en dessous les bijoux que le major lui avait restitués. Elle les avait trouvés en vrac sur sa table de chevet et n'entendait plus les lâcher. Parmi eux se trouvait le médaillon que Charu lui avait offert. Elle le caressa brièvement avant de fermer le dernier bouton de sa vareuse.

L'uniforme de cipaye était composé d'une jaquette militaire rouge, taillée dans un drap rugueux et serrée à la taille par une ceinture de cuir. La culotte était noire et bouffante, longue jusqu'à mi-mollets. Des guêtres blanches et des chaussures de marche à grosse semelle en complétaient habituellement la tenue mais Jezebel avait reçu à la place des bottes cavalières assez proches de sa pointure, dont elle ne se plaignit pas.

Une fois habillée, elle se tortilla en tous sens pour essayer de juger l'effet de cet accoutrement dans l'unique miroir mis à sa disposition, posé sur la commode. Elle ne se vit que par morceaux, se trouva un air assez androgyne et en sourit. Petite, elle avait rêvé d'être un garçon. Sans doute avait-elle très tôt deviné qu'il ne faisait pas bon naître fille mais elle n'avait jamais imaginé qu'il suffisait d'un costume pour subitement basculer du statut de victime à celui de possible combattant.

Galvanisée par ce soudain courage, elle sortit le couteau de sa cachette, l'entortilla dans un mouchoir et le plaça dans une de ses manches de façon à ce qu'il ne la gêne pas dans ses mouvements. Elle vérifia aussi de pouvoir le récupérer facilement dès qu'elle le désirerait.

Enfin, elle se déclara prête. Et commença à angoisser.

Attendre n'avait jamais été son fort. Elle s'assit d'abord sur une chaise mais elle se tordait si nerveusement les mains qu'elle finit par se lever pour arpenter la petite pièce. Bien vite, elle fut dans un tel état qu'elle craignit de se mettre à hurler d'effroi au moindre bruit.

Le temps coula. Elle se calma un peu et, même, commença à s'ennuyer. Pour se distraire, elle se posta à la fenêtre et regarda dehors. La garnison était fermée par de hauts murs qui encerclaient une vaste esplanade en terre battue. En face, des écuries couraient jusqu'à un campement constitué de tentes et de petits foyers où des Indiens préparaient leurs repas. Sur la gauche, un grand bâtiment en dur, briques et torchis, formait le mess des officiers. Un drapeau de l'empire britannique le couronnait.

Elle observa les soldats à la manœuvre. La plupart étaient des fantassins qui défilaient au pas, en levant bien haut la jambe et le menton. Vêtus des mêmes habits qu'elle, ils tenaient contre l'épaule des fusils et de longs sabres à la ceinture. Ils arboraient sur la tête un curieux petit calot de laine. Certains portaient des turbans. Chacun de leurs pas soulevait une poussière torve qui stagnait au-dessus du sol, empêchant de bien distinguer le manège de sciure où des cavaliers faisaient eux aussi leurs exercices.

Le major Alburman traversa la cour. Il venait dans sa direction, le visage rouge, la botte précipitée. Elle recula derrière le rideau, inspira un grand coup. Les dés étaient jetés, elle ne pouvait plus faire marche arrière. Déjà, la porte s'ouvrait. Le major entra. Il referma le battant derrière lui, donna un tour de clé et mit le trousseau dans une poche de sa veste. Lentement, elle se tourna vers lui pour lui faire face. Il avait gominé ses cheveux en arrière, s'était parfumé d'une eau de Cologne bon marché et bombait le torse avec une évidente fatuité. Elle faillit éclater d'un rire nerveux, qui mourut dans sa gorge lorsqu'il articula avec beaucoup de mépris.

— Qu'avez-vous fait de votre robe ?

Elle cacha le tremblement de ses mains dans son dos.

— Ma robe était déchirée et très sale, chuchota-t-elle. J'ai demandé des vêtements propres mais j'ai dû me contenter de ce que l'on m'a ramené. Vos soldats sont serviables, j'imagine toutefois qu'il est très difficile de se procurer des vêtements féminins dans une garnison, *a fortiori* des habits un peu seyants…

Il vint vers elle en la détaillant de haut en bas.

— Sur vous, ce costume est surprenant mais assez excitant, souffla-t-il avec une recrue de convoitise.

Jezebel eut un moment de panique. Elle se dit qu'elle n'arriverait pas à le manœuvrer. Il avait au fond des yeux la même lueur malsaine que von Rosenheim lorsqu'il entendait la plier à sa volonté. À n'en pas douter, cet homme était comme le baron un être abject, sans honneur ni morale. Il avait l'habitude de donner des ordres et d'être obéi aussi bien de ses soldats que des filles faciles qui venaient vraisemblablement égayer les soirées des officiers. S'il voulait la prendre, qu'est-ce qui l'empêcherait de le faire ?

Pétrifiée, elle pensa à Olga Marushka. À ce que la duchesse russe avait traversé pour échapper à l'armée Rouge et parvenir à survivre. Olga lui avait tellement fait la leçon que, maintenant encore, elle croyait entendre sa voix péremptoire marteler : « Toi seule t'aidera ! »

La Russe avait raison. Elle ne pouvait compter que sur elle-même. Elle essaya de se donner du courage en palpant le couteau caché dans sa manche. Sursauta tout de même lorsque le major vint lui prendre la main pour la porter à ses lèvres en un long baiser humide qui la paralysa.

— Chère comtesse, je vais donner des ordres pour qu'on vous trouve une toilette plus conforme à votre sexe. En attendant, ne soyez pas marrie, vous êtes si charmante qu'un rien vous embellit.

— Vous êtes bien aimable, major, balbutia-t-elle en essayant d'être polie.

Il jeta sa face rouge et pleine de sueur dans son cou, l'embrassa goulûment. Elle eut toutes les peines du monde à le repousser. Il la rappela à l'ordre d'un ton sec.

— Nous avions un accord.

Elle acquiesça en se forçant à sourire. Eut peur de jouer avec le feu mais chuchota tout de même :

— Je vous autorise à déboutonner ma tunique.

Elle se cambra pour l'encourager. Il tendit la main, commença à défaire les boutons depuis le col. Elle réprima un mouvement de recul. Se força à le laisser faire jusqu'à ce que le vêtement s'entrebâille sur la cascade de bijoux qui ornait sa poitrine. Elle n'avait mis aucun sous-vêtement et savait que le tumulte d'or coulait entre ses seins comme un scintillement de soleil.

Alburman fixa d'un œil exorbité le renflement de sa poitrine ainsi orné.

— Quelle beauté…, éructa-t-il en passant une grosse langue sur ses lèvres desséchées.

Il voulut toucher. Jezebel lui tapa sèchement sur le bout des doigts.

— Non, major, sourit-elle avec une fausse espièglerie. Vous êtes autorisé à regarder, pas à toucher.

Il se jeta sur elle, lui tordit violemment le bras dans le dos tout en postillonnant sa rage sur son visage.

— Dois-je te rappeler notre accord, petite mijaurée ?

Elle réprima un cri de douleur, essaya de recouvrer son calme.

— Notre accord stipulait une faveur contre un peu de thé. C'est chose faite, vous avez pu vous rincer l'œil. Maintenant, si vous désirez davantage, il va falloir m'offrir un autre cadeau. Croyez-vous vous payer une comtesse au prix d'une fille de rue ?

Il lui lâcha le bras, éclata d'un rire graveleux.

— Ma belle petite garce… J'ai tout de suite deviné rien qu'en te voyant danser que tu n'étais pas une sainte-nitouche. Que veux-tu recevoir en échange du droit de te toucher ?

Elle dit n'importe quoi, pour oublier ses yeux lubriques et son haleine de chacal. Elle était totalement paniquée. Elle dut se faire violence pour se calmer, reprendre le contrôle d'elle-même, ne pas lui cracher au visage.

— Un bon bain chaud.

— D'accord, d'accord, dit-il en faufilant aussitôt ses doigts avides sous sa tunique. Tu auras de l'eau chaude, du savon et des serviettes.

Elle se mordit l'intérieur de la lèvre pour ne pas broncher tandis qu'il attrapait un sein dans le battoir qui lui servait de main et le malaxait avec un plaisir malsain. Il trouva le téton, le pinça cruellement. Elle lâcha un petit cri de douleur. Le teint du major vira au rouge brique. Sa respiration s'accéléra. Il frotta contre elle son entrejambe durci, descendit sa main de sa poitrine à son ventre, voulut franchir la barrière de sa culotte. Jezebel le gifla.

— Non ! jeta-t-elle, en tempérant la sécheresse de son ton par un nouveau sourire. La règle du jeu est claire. Si vous voulez plus, il faut proposer plus.

Elle pensa être allée trop loin, crut qu'il la frapperait et raidit par avance les épaules. Ce fut tout le contraire. Il tomba à genoux et, enserrant ses jambes de ses bras, il la supplia en rampant comme une larve.

— Que veux-tu recevoir ? De l'eau de Cologne ? Des rubans ? Des bijoux ?

— Je veux voir l'homme qui m'accompagnait.

Le major eut un éclair de lucidité. Il se leva, comme brûlé au fer rouge. Recula en gardant le silence un long moment, si longtemps que Jezebel en eut les nerfs en pelote.

Enfin, il explosa :

— Tu n'es qu'une sale petite garce !

Elle soutint son regard, l'estomac en vrille, un goût de vomi dans la bouche.

— N'avez-vous donc pas envie de me voir gentille avec vous ?

Il parut faire une crise d'apoplexie, passa du rouge au bleu en respirant comme un poisson avant d'éclater d'un rire tonitruant.

— D'accord. Viens me caresser gentiment.

— Non, répondit-elle avec l'impression de se jeter du haut d'une falaise. Je ne fais pas crédit. Je veux d'abord voir votre prisonnier.

— Tu n'as pas le choix, ricana Alburman.

— C'est vous qui n'avez pas le choix, expliqua la jeune fille tranquillement. Les heures tournent. Bientôt, le baron von Rosenheim entrera dans cette cour. Dois-je vous rappeler qu'il est mon fiancé ? Je doute qu'il approuve vos initiatives de Don Juan un peu trop violent. Soit vous faites ce que je vous demande, et vous recevrez votre récompense, soit je vous dénonce, et vous perdrez tout.

Il hésita, puis la prit durement par le coude. Il la poussa vers la porte, sortit la clé et ouvrit la serrure.

— D'accord ! dit-il en la jetant violemment dans le couloir. Allons-y tout de suite.

Elle le suivit comme dans un rêve. Elle ne parvenait pas à croire qu'elle avait réussi. Elle allait revoir Jan. Lui parler. L'embrasser. Tant pis pour ce qui suivrait.

*

Jan Lukas était enfermé dans un sombre sous-sol, dans une cellule qui faisait à peu près neuf pieds sur six. Cette geôle était fermée sur le devant par d'épais barreaux en acier, dans lesquels avait été aménagée une porte munie d'une énorme serrure. D'autres cellules du même type étaient disposées tout le long d'un couloir dont la terre battue était recouverte d'un mauvais plancher. Des lucarnes étroites et haut placées laissaient tomber une vague lumière grise qui éclairait à peine certains détails.

Le jeune Américain était étendu sur une maigre paillasse jetée à même le sol. Un grincement de porte le réveilla. Il se frotta le visage, gratta machinalement sa barbe naissante parsemée de croûtes et de sang séché. Tandis que le bruit des bottes approchaient, il s'assit et regarda ceux qui venaient lui rendre visite. Il s'attendait à une nouvelle tripotée de soldats, qui le sortiraient de sa cellule pour le cogner à leur aise. À leur place, il vit un cipaye un peu maigre échapper à la poigne d'un officier pour se précipiter contre sa geôle.

— Jan !

Surpris, il se leva, avança de deux pas. Elle appuya le visage contre les barreaux. Il fit de même et put soudain respirer son souffle, l'odeur de sa peau, le parfum de ses cheveux.

— Jezebel…, chuchota-t-il.

Elle l'observait, bouleversée. Il vit la peur passer dans ses yeux au fur et à mesure qu'elle détaillait ses traits, repérait le coup de crosse qui bleuissait encore son front, découvrait les autres marques sanguinolentes qui montraient qu'il avait été frappé à maintes reprises. Il eut mal pour elle, posa ses doigts sur les siens, les serra pour lui insuffler sa force.

— Je vais bien, ma chérie. Il ne faut pas vous inquiétez. Mais vous, comment allez-vous ?

Il scruta son beau visage à la recherche d'un coup, d'une plaie, d'une bosse, fut soulagé de ne rien remarquer mais jeta tout de même un coup d'œil éloquent à l'officier debout quelques pas en arrière, dont la mine concupiscente ne lui avait pas échappé. Il avait reconnu la face congestionnée et la silhouette râblée du major Alburman, l'homme qui les avait arrêtés la veille. Ce dernier affichait envers Jezebel un air de propriétaire qu'il détesta.

— Je vais bien, chuchota-t-elle, avant d'ajouter d'une voix qui essayait de rire mais finit déformée par un sanglot, je crois même que j'ai une plus belle cellule que la vôtre.

Jan lui sourit, attrapa sa nuque entre ses mains. Posa son front contre le sien. Les barreaux les empêchaient de s'enlacer mais, au moins, ils pouvaient se toucher. Il resta ainsi immobile, sa peau contre la sienne, accordant sa respiration sur la sienne, avec le même rythme lent, profond. Ils savaient tous les deux que leur temps était compté. Le major les observait d'un air peu amène. Il gardait cependant le silence et les laissait chuchoter entre eux.

— Notre cerbère semble vous manger dans la main. Que lui avez-vous fait ?

Elle se troubla, répliqua un peu trop vivement.

— Le major se comporte comme un gentleman anglais, c'est tout.

Il ne la crut pas, il avait vu au fond de ses yeux les larmes qu'elle tentait de lui cacher. Il essaya plutôt de la faire rire, il ne voulait pas gâcher les quelques minutes qu'il leur restait à passer ensemble avant d'être à nouveau séparés.

— L'uniforme vous va bien.

Elle sourit au milieu de ses larmes. Il lui entrelaça les doigts. Il ne la regardait pas, il la buvait du regard. Elle chuchota :

— Von Rosenheim est en route. Il sera bientôt là.

— Je me doutais bien qu'il réapparaîtrait un jour ou l'autre. Cet homme est de la race des pitbulls. Lorsqu'il mord, il ne lâche jamais.

— Jan ?

Elle leva vers lui un petit visage éploré, éperdu. Il se racla la gorge pour chasser le nœud qui l'empêchait de parler.

— Ça va aller, *darling*. On va s'en sortir.

— Je… Je suis désolée… C'est ma faute.

— Bien sûr que non ! la rassurera-t-il. Ne dites pas n'importe quoi, c'est la faute à pas de chance. J'aurai dû me douter que le baron ne vous lâcherait pas aussi facilement. Après tout, j'aurais fait la même chose pour vous garder auprès de moi.

— Ce n'est pas ça, Jan. Nous avons été arrêtés par ma faute. J'ai envoyé un télégramme à Olga. Je voulais la rassurer. Lui dire où nous étions.

— Ah, rétorqua-t-il en comprenant ce qu'elle voulait dire.

Elle tremblait de tout son corps, levait des yeux un peu fous. Il craignit de la voir perdre pied, peut-être même de s'évanouir.

Il comprit qu'il devait la rendre forte. Les épreuves étaient loin d'être terminées.

— Écoute-moi, déclara-t-il en la tutoyant brusquement. Ce n'est pas grave. Ressaisis-toi. Il faut que tu sois forte.

— Bien sûr que si, c'est très grave ! C'est ma faute si nous sommes ici !

Derrière elle, le major commença à montrer des signes d'impatience. Jan comprit qu'ils n'avaient plus beaucoup de temps. Il murmura tout bas, pour n'être entendu que d'elle seule.

— Reste forte. Ne pleure pas. J'arriverai à m'évader. Ce n'est pas la première fois. Je te le promets.

Elle le regarda bizarrement. Sortit de sa manche un objet enveloppé dans un mouchoir. Le déballa soigneusement en prenant garde à ne rien montrer à leur geôlier. Jan vit le couteau. Fit non des yeux. Elle lui sourit. Se haussa jusqu'à ses lèvres. L'embrassa.

Le major posa une main rude sur son épaule.

— Ça suffit maintenant !

Elle pivota, attrapa l'officier par la veste en pointant son couteau sur sa gorge. Il leva les mains en l'air.

— Les clés ! siffla-t-elle.

— Je ne les ai pas.

Elle appuya la lame jusqu'à ce que la peau perle de sang. Répéta sèchement :

— Les clés.

Le major les sortit de sa poche, les jeta vers Jan qui les attrapa et fit jouer la serrure. Jezebel en fut si heureuse qu'elle baissa un peu sa garde. Alburman lui arracha le couteau et se débarrassa d'elle en la giflant si fort qu'elle tomba à la renverse. Dans un même élan, il bondit vers Jan en pointant vicieusement la lame qu'il avait récupérée.

Jan était habitué aux combats de rue. Instinctivement, il bloqua le bras d'attaque, envoya de son autre poing un violent uppercut à l'estomac. Trop confiant, Alburman n'avait rien vu venir. Il se plia en deux, expirant l'air de ses poumons comme un ballon de baudruche en train de se dégonfler. Jan le percuta sèchement au menton, puis à la mâchoire. L'officier tomba à genoux. Jan le frappa à la nuque. Le militaire tomba au sol, *knockdown*. Jan le prit par les pieds pour le traîner dans la cellule où il l'enferma. Lorsqu'il se retourna, Jezebel se jeta vivement dans ses bras. Il l'embrassa avec une joie indicible.

— Ma chérie, ma guerrière, tu as pris un risque insensé.

Elle s'accrocha à lui comme à une bouée, elle pleurait et riait en même temps, mais ils n'avaient pas de temps à perdre. Jan mit fin aux effusions en la prenant par la main. La prison donnait directement sur une cour, à cette heure-ci déserte et écrasée de chaleur. Sur la tour ouest, la grosse horloge marquait midi passé d'une demi-heure. La plupart des soldats déjeunaient. Seuls deux gardes arpentaient nonchalamment le chemin de ronde. Jan se tourna vers la jeune fille, la regarda intensément.

— Bien. On va marcher tranquillement vers la sortie. C'est une chance que tu sois en uniforme. Personne ne devrait nous repérer tant que l'alarme ne sera pas donnée. Courage.

Il la poussa à l'extérieur, la fit marcher à côté de lui d'un pas presque ordinaire. Ils se dirigèrent vers le mur d'enceinte, vers l'entrée aux grilles ouvertes. De l'autre côté, ils voyaient une place encombrée par des étals de marchands, des *rickshaws* appuyés contre un mur. Chaque pas les rapprochait du salut. Jezebel s'humecta les lèvres. Elle marchait comme un automate, le cœur bondissant comme un fou.

Soudain, une automobile surgit au travers de la porte et leur coupa le chemin. Paniquée, elle reconnut l'Hispano-Suiza du baron von Rosenheim, sentit ses jambes se dérober sous elle. Jan la prit par la taille, la poussa de toutes ses forces en avant.

— Cours !

Elle obéit mécaniquement. Un homme sortit de l'Hispano. Une détonation claqua, soulevant un petit nuage de terre à leurs pieds.

C'était un coup de semonce. Le prochain ferait mouche. Elle cria. Jan la retint, leva les bras au-dessus de sa tête. Il eut un long regard désolé, rempli d'une rage impuissante.

— Non ! cria-t-elle.

Il secoua la tête.

— On s'arrête là, *darling*. C'est mieux de rester encore un peu en vie.

Jezebel se retourna lentement, les mains au-dessus de la tête. Elle ne pensait plus. Elle ne respirait plus. Elle se disait que ce cauchemar était sans fin. Jürgen Heinrich von Rosenheim pointait son Luger dans sa direction. Elle ne voyait que ça, cette arme dans sa main, ce canon long et étroit qui la visait avec soin.

Jan se plaça devant elle pour la protéger. Le baron ricana.

— Décidément, *meine liebe* fiancée, vous avez l'art de vous faire des esclaves. D'abord ce prince moricaud, maintenant cet escroc. Venez donc me voir d'un peu plus près.

Elle ne bougea pas. Elle venait de comprendre quelque chose dans son ton, dans sa façon d'utiliser un certain vocabulaire et son ventre se tordit violemment. Il avait parlé de Charu. Savait-il qu'elle l'avait revu ? Était-il possible que, malgré son alibi, il puisse être impliqué dans son meurtre ?

Le cœur au bord des lèvres, elle lui fit face. Il arborait toujours cette élégance parfaite qui le caractérisait et qui, même après une nuit passée à rouler sur de misérables pistes de campagne, au milieu d'un pays rempli de tigres et de serpents, ne montrait aucune faille. Jodhpur impeccablement taillé, bottes cavalières cirées au miroir, chemise sans le moindre pli, gilet de soie et veste à martingale au tombé irréprochable. Elle porta son attention sur son visage, trouva une fois de plus qu'en des circonstances normales ses traits réguliers auraient pu être séduisants même pour un homme âgé d'une quarantaine d'années. Sauf qu'en cet instant, ce n'était pas la beauté qui ressortait, ni même la haine qui, somme toute, lui aurait donné une dimension assez humaine, mais une folie sourde qui suintait de sa peau, de ses yeux, du mouvement de sa bouche.

— Venez ici ! réitéra-t-il d'un ton sec.

Elle refusa d'obéir. Il leva le Luger et tira vers ses pieds. La détonation claqua. Elle sursauta. La poussière se souleva à seulement quelques pouces de ses bottes. Jan fit un pas en avant.

— Laissez-la, von Rosenheim. Vous savez bien que cette histoire est entre vous et moi.

Le baron ricana.

— Ne soyez pas pressé, Lukas. Je m'occuperai de vous plus tard. En attendant, demandez donc à notre chère *Fräulein* d'approcher. J'ai quelques questions à lui poser.

Jezebel avança d'un pas de condamnée à mort. Jan chercha son regard, essaya de lui dire tout ce qu'il ressentait. L'angoisse. L'amour. L'espoir.

Elle fit un second pas en s'accrochant à ces yeux-là. Rien d'autre ne comptait, hormis ces prunelles grises soudées aux siennes, aimantées à elle, enfoncées jusqu'au plus profond de son âme. Elle se souvint de ce qu'ils avaient partagé, de tous ces moments passés ensemble, de leurs aventures, de leurs disputes mais aussi de leur dernier baiser. Elle se rassasia de sa force, s'abreuva à son calme. Essaya d'oublier qu'en elle tout n'était que tempête et qu'elle avait juste envie de se mettre à hurler comme une démente. Sa lèvre se mit à trembler. Ses mains aussi. Tout son corps grelottait.

— Reste calme, chuchota Jan en continuant à la regarder. Ça va aller.

Il percevait sa fragilité, la sentait prête à défaillir. La tension était à son comble. Les soldats avaient accouru dès la première détonation. Maintenant, ils étaient tous postés autour d'eux, en cercle silencieux hérissé de fusils. Le major Alburman avait été découvert au fond de sa cellule. On l'avait délivré et ranimé. Il approchait à pas hésitants, encore sonné. Un aide de camp le soutenait. Jan en ressentit une satisfaction amère. Il ne l'avait pas raté.

Von Rosenheim dut penser la même chose. Il apostropha sèchement le militaire.

— Je ne vous félicite pas, major ! Pour un peu, vos prisonniers parvenaient à s'évader.

Le militaire sortit un mouchoir et tamponna la lèvre que Jan lui avait fendue. Il haussa les épaules, renvoya ses hommes d'un geste en ne gardant près de lui que l'officier subalterne qui le soutenait.

— Ordonnance, veuillez noter que ces prisonniers ont été remis au baron von Rosenheim à l'instant. Monsieur le baron, ces deux personnes sont dorénavant sous votre responsabilité. Faites-en ce que bon vous semble mais cessez au plus vite ce tapage.

Il jeta un dernier regard vers Jezebel, froid et haineux. Elle faillit avoir un mouvement vers lui, pour lui demander son aide, mais il s'éloignait déjà vers le mess sans se retourner, son second sur les talons. Von Rosenheim se rapprocha d'elle.

— Vous avez entendu, ma chère *Fräulein* ? Vous m'appartenez définitivement maintenant. Veuillez monter dans l'Hispano.

Il agita de manière menaçante son Luger devant son nez. Elle était terrorisée mais elle redressa tout de même le menton avec orgueil.

— Non, dit-elle.

Von Rosenheim la toisa avec une surprise qui se mua en ricanement.

— *Liebling*, j'ai toujours aimé votre petit caractère mais n'abusez pas de ma patience. Avancez, et allez vous asseoir à côté de votre cher parrain !

Ébahie, elle se tourna vers l'Hispano-Suiza. Effectivement, une silhouette sombre était installée sur la banquette arrière, qu'elle n'avait pas encore remarquée. Une chape de plomb s'abattit sur ses épaules. Michael était du voyage et n'avait même pas pris la peine de sortir de l'automobile pour l'accueillir, pour la rassurer. Cautionnait-il donc toute cette violence ?

— Montez, ordonna une dernière fois le baron.

— Non, répéta-t-elle d'un ton ferme.

Le baron la prit par le coude. Elle essaya de se libérer. Michael ouvrit la portière et sortit de l'automobile. Jezebel se figea, consternée. S'il n'avait pas porté son habituel costume à carreaux, elle ne l'aurait pas reconnu. Il avait tellement maigri que son cou était devenu décharné, ses mains osseuses et ses pommettes trop creuses. Ses yeux avaient perdu leur belle vivacité. À présent, ils étaient tellement injectés de sang que, de loin, ils ressemblaient aux yeux d'un lapin albinos.

— Michael, souffla-t-elle avec tristesse.

Il vint vers elle en s'appuyant sur une canne. Le moindre de ses pas témoignait d'un effort surhumain. Elle se dit qu'elle aurait voulu le haïr, lui crier au visage tout son désespoir, sa déception, son chagrin, mais elle n'avait plus au fond du cœur qu'une grande pitié. La malaria le rongeait depuis si longtemps. Il n'était déjà plus qu'un moribond.

— Ma chérie, je t'en prie, veux-tu bien monter dans cette automobile ?

— Michael…, répéta-t-elle, consternée.

Ne comprenait-il donc rien à rien ou ne se préoccupait-il vraiment pas d'elle ? Elle secoua la tête. Assurément, il ne pensait qu'à ses sacro-saintes recherches et à cette cité perdue qu'il ne parviendrait vraisemblablement pas à explorer avant de mourir.

— Je t'en prie, Ann-Rose. Viens et rentrons.

Il souriait, mais elle revit soudain toutes ces blessures que, depuis son enfance, elle n'avait cessé d'occulter. Pour lui, pour les autres, elle n'avait toujours été qu'un bagage encombrant dont il s'était débarrassé à l'envi. Elle ne fut que révolte et mépris.

— Non ! cracha-t-elle.

Von Rosenheim la frappa d'un revers. Elle s'écroula sur la terre poussiéreuse, le souffle coupé, la douleur remontant de sa joue jusqu'à l'intérieur de son crâne. Des étincelles dansèrent devant ses yeux. Elle leva la tête, crut qu'elle criait mais n'entendit rien. Tout se déroula en une fraction de seconde. Michael gifla le baron, qui le secoua. Les deux hommes s'empoignèrent, leurs mains accrochées l'une à l'autre comme des serres. Ils se poussèrent, se bousculèrent. Leurs visages tendus semblaient vouloir se mordre. Leurs yeux brillaient de rage.

Il y eut le soleil, et le ciel, et l'air empli de sable. Puis cette détonation à bout portant.

Des oiseaux s'envolèrent. Von Rosenheim tituba, recula d'un pas en levant le Luger encore fumant. Michael tomba à genoux. Une tache de sang troua son costume, s'élargit peu à peu. Le vieil archéologue s'effondra sur le sol. Jezebel se jeta sur lui. Le prit dans ses bras. Il la regarda, eut un vague sourire.

— Par… don…

La syllabe mourut dans un souffle qui sembla vider sa cage thoracique. Jezebel hurla. Le secoua. S'affaissa sur sa poitrine en sanglotant.

Jan Lukas profita de la stupeur générale. Il se rua sur le baron, le frappa une première fois pour le désarmer, une seconde fois pour l'assommer. Von Rosenheim était dans la force de l'âge, d'une stature maigre mais bien entraînée. Il riposta. Jan reçut son poing en pleine mâchoire. Recula de trois pas sans tomber. Il secoua la tête pour reprendre ses esprits. Vit du coin de l'œil le chauffeur moghol sortir de l'Hispano-Suiza, son couteau malais à la main. Galvanisé par l'urgence, il revint vers le baron, dont il se débarrassa d'un crochet du gauche suivi d'un uppercut du droit. Dans l'élan, il récupéra le Luger en se jetant dans la poussière, visa et tira.

Mogül tomba à la renverse, une balle dans l'épaule. Jan bondit, donna un coup de pied dans sa main pour le désarmer puis, tout en maintenant le Moghol sous le respect de son arme, il attrapa Jezebel par un bras, la força à se relever et la traîna de force vers l'Hispano-Suiza dont le moteur tournait encore. Là, il jeta la jeune fille sur le siège arrière, claqua la portière, prit le volant et démarra en trombe.

*

L'Hispano-Suiza se rua hors de la garnison. Elle remonta un boulevard en slalomant entre des camions de livraison, des carrioles à bœufs et une nuée de *rickshaws*. Très vite, Jan bifurqua dans une kyrielle de ruelles secondaires où il espérait perdre d'éventuels poursuivants. Il traversa Khalapuri Road à toute allure, passa devant la mosquée Nalapara dans une rue si étroite qu'il froissa à plusieurs reprises une aile contre un mur. Plus loin, il tourna brutalement en direction du temple indien Goshaildanga. Tour à tour arc-bouté sur l'accélérateur ou sur le frein, il passait devant des maisons pauvres et d'une tristesse lépreuse malgré des murs peints en rose ou en jaune. Le quartier se resserrait sur lui-même en n'offrant que des murs lézardés, des échoppes encombrées et des marchandises accrochées en guirlande à des poteaux. Tout du long, il roula en forçant les *rickshaws* à se réfugier sous des porches. Les gens s'écartaient en l'invectivant. Parfois, un chien le poursuivait en essayant de mordre les pneus.

Soudain, la route s'élargit et l'Hispano-Suiza déboucha en trombe face au temple indien, dans une avalanche de couleurs. La fête de Holi battait son plein. L'air était devenu rouge, rose, orange. Jan pila pour éviter de renverser les nombreux fidèles regroupés devant l'entrée, juste sous la coupole en forme de fleur de lotus.

Chittagong était une ville à majorité musulmane mais, chaque année au mois de mars, à l'équinoxe de printemps, elle se parait des couleurs de la Phalguna indienne. Les rues aux abords des temples devenaient des tableaux géants, et des dizaines de personnes vêtues initialement de blanc se rassemblaient en riant, en chantant et en priant, puis se jetaient dessus de grandes gerbes d'eau colorée ou de grosses poignées de *gulal*[1].

---

1. Pigments en poudre.

Devant l'Hispano, ces couleurs flottaient en suspension, en nuages rouge, vert ou orange. Les murs ruisselaient, la chaussée était un arc-en-ciel, mais le plus extraordinaire était de voir les croyants s'imprégner de ces teintes vives au point de s'en frotter les bras, les jambes et même leurs vêtements. Les saris et les *pajamas* mouillés collaient à la peau. Les visages, les mains, les cheveux dégoulinaient de pigments. Les gens dansaient, improbables statues de couleur où seuls les sourires demeuraient blancs.

Jan resta un instant à observer la scène jusqu'à ce qu'un adolescent jette vers lui une poignée de poudre rose, en criant moqueusement :

— *Bura na mano, sahib, Holî hai*[1] *!*

La poudre le recouvrit des cheveux jusqu'aux épaules. Il s'essuya le visage, dubitatif. La grosse Hispano-Suiza ne parviendrait pas à se frayer un chemin parmi cette foule dense, mieux valait l'abandonner. Personne ne semblait les avoir pris en chasse, mais il se doutait que cela ne tarderait pas. Von Rosenheim n'était pas homme à abandonner la partie. Peut-être aurait-il du mal à convaincre les militaires britanniques de lui donner un coup de main mais il avait suffisamment d'accointance avec la pègre pour lancer ses propres limiers à leurs trousses.

— Viens, dit Jan en ouvrant la portière et en se penchant vers Jezebel, qui pleurait encore sur la banquette arrière. On va continuer à pied.

Elle refusa de la tête. Elle ne voulait pas partir. Elle ne voulait pas marcher. Elle voulait juste demeurer dans son chagrin. Ne pas bouger. Ne plus vivre. Ne plus croire en rien. Surtout pas en l'avenir.

Jan lui attrapa la main. Elle le repoussa durement.

— Laissez-moi ! Partez seul, je porte malheur à tous ceux que j'aime !

— Cessez de dire des sottises et venez.

— Non, non et non ! J'en ai assez qu'on me dicte ce que je dois faire ! Je veux retourner en Angleterre ! Je ne veux plus qu'on me prenne les gens que j'aime. Je veux que tout s'arrête !

Elle se débattit tant, avec cette force nerveuse qu'avaient parfois ceux qui n'avaient plus rien à perdre, qu'il n'eut d'autre

1. « Ne soyez pas fâché, sahib, c'est la Holi », en hindi.

ressource que de la gifler sèchement. Elle le dévisagea, totalement ahurie, le gifla en retour et se jeta sur lui en lui martelant la poitrine de ses poings pleins de rage et de désespoir.

Il la laissa faire, en encaissant sans mot dire, les dents serrées, jusqu'à ce qu'elle s'effondre soudainement et qu'elle se mette à sangloter, accrochée à ses épaules comme à une bouée de sauvetage.

— Ça va aller, chuchota-t-il en la prenant contre lui pour la bercer, le nez enfoui dans le parfum de ses cheveux, ses mains caressant son dos. Ça va aller.

Au bout d'un certain temps, ses gestes finirent par la calmer, elle devint peu à peu molle et sans forces. Il lui releva alors le visage et se mira dans ses beaux yeux noyés de larmes.

— Viens. Il faut partir. Fais-moi confiance.

Elle le suivit comme un automate. Elle n'avait plus aucune volonté propre. Il la soutint de son mieux, la portant presque tant elle était à bout de force. Ils s'enfoncèrent dans la foule en liesse, passèrent au milieu de gens plein de rires, qui ruisselaient de couleurs. Des jeunes éclaboussaient les passants de leurs seaux remplis de pigments, en répétant inlassablement l'excuse rituelle :

— *Bura na mano, Holî hai ! Bura na mano, Holî hai !*

Jan y vit leur meilleur camouflage et il les laissa les bombarder de rose, de rouge, de bleu. Les poudres éclatèrent sur leur peau, enrobèrent leurs cheveux et leurs vêtements. Jezebel enfouit son visage contre son épaule ; avec des gestes très doux, il releva son menton et maquilla ses joues, son front, de longues traînées rouges. La couleur de la joie et de l'amour. Il grimaça en se disant qu'ils allaient avoir besoin de toutes les superstitions du monde pour retrouver le bonheur.

Peu de temps après, ils furent méconnaissables à force de couleurs et purent se fondre dans la foule en liesse. À pied, ils gagnèrent l'hôtel de Sidiy Mukhala. Tout près, Jan se posta avec prudence à l'abri d'une encoignure de porte. Il voulait vérifier si la police avait laissé des gardes.

Tandis qu'il épiait les va-et-vient des clients, Jezebel se laissa tomber à même le sol, le dos appuyé contre un mur de brique. Elle ne pleurait plus mais ses larmes, en se tarissant, avaient cédé la place à une apathie autrement inquiétante. Jan ne cessait de lui jeter des coups d'œil, soucieux de son regard vide et de sa trop grande docilité. Il l'avait toujours connu avec du caractère et craignait qu'elle ne soit en état de choc. Qui ne l'aurait d'ailleurs pas été après avoir vu son unique parent se faire assassiner sous ses yeux ? Il aurait voulu l'aider, et même la secouer, quitte à la voir piquer une vraie crise de nerfs, mais il devait d'abord s'occuper de les mettre à l'abri.

Reprenant son observation, il vit bientôt que la chance leur souriait. Son ami Sidiy Mukhala venait de sortir de son établissement, sans doute pour faire une course. Jan se précipita, l'attrapa par le bras et parvint à le ramener dans l'encoignure.

— *Inch'Allah*, vous êtes sains et saufs ! s'exclama l'Égyptien en lui donnant une accolade malgré la peinture qui le recouvrait. Comme je suis content de vous revoir ! J'ai vraiment imaginé le pire, les soldats n'avaient pas l'air commode. Quand vous ont-ils relâchés ?

— As-tu encore nos affaires ? éluda Jan en coupant court à cette effusion.

Sidiy secoua la tête.

— Vos chambres ont été fouillées. Les soldats ont tout pris, vos sacs, vos vêtements.

— Mes papiers ? L'argent ?

— Tout, confirma l'Égyptien. Même les aquarelles de la petite.

Jan tiqua. Il s'adossa au mur avec découragement. Sans argent, impossible de trouver à s'embarquer. Lui et Jezebel risquaient fort d'être coincés à Chittagong durant un bon moment.

— *What a shit !* jura-t-il sourdement.

Sidiy lui tapa amicalement sur l'épaule.

— Écoute, mon ami, j'ai de quoi te dépanner, ne t'inquiète pas. Je peux te prêter tout l'argent nécessaire, il n'y a pas de problème, tu me rembourseras quand tu pourras. Le plus difficile sera de trouver un départ rapide. As-tu une idée vers où tu voudrais aller ?

— Aucune importance, rétorqua Jan. Trouve-moi juste de quoi quitter rapidement Chittagong. N'importe où, l'Arabie, la Chine, la Malaisie. La destination n'a aucune importance.

— Je connais un type qui part pour Singapour dans la nuit. Un Belge qui s'appelle Aelters. Contrebandier à ses heures, évidemment. Il trafique un peu de tout, mais surtout des porcelaines de Chine. Ce n'est pas un enfant de chœur, mais il est réglo.

— Ok, ok, je suis preneur. Arrange-toi pour qu'on parte avec lui ce soir.

Ils descendirent Mujkhi Road jusqu'au port. Le vent soufflait du fleuve, charriant des odeurs de vase. Les gros cargos en partance pour de lointaines contrées étaient stationnés dans les bassins d'eau profonde mais ils n'intéressèrent pas les deux hommes. Ils préférèrent observer les plus petits tonnages arrimés en bordure de quai.

Chittagong était le plus important port de la région. Des bateaux de toutes sortes s'y regroupaient : des chalutiers, des boutres perliers, des *shampans*, de vieux navires à vapeur qui transportaient dans leurs soutes tout un monde de riz, d'étoffes et de porcelaines fines. Ils étaient entourés d'un ballet grouillant de barques, de *dinghies*, de pirogues, de bateaux-lunes, de toutes les couleurs et de toutes les formes. Des petites embarcations passaient d'un géant à l'autre pour aider à charger ou à décharger ou, plus simplement, pour vendre à la criée des fruits frais, du poisson ou des soupes épicées que les matelots consignés à bord leur réclamaient contre quelques *cauris*[1].

— C'est lui, désigna Sidiy en tendant la main. Ce petit *cargo-ship*, là, avec ses deux cheminées noires. Il ne paie pas de mine mais cela vaut mieux, il attirera moins l'attention. Sur le gaillard avant, il y a trois hommes, le capitaine et ses seconds. Le plus grand, avec cette tignasse rouge que l'on peut distinguer même d'ici, c'est lui, c'est le capitaine Maes Aelters. C'est avec lui que nous allons discuter.

*

Jezebel n'écoutait rien, ne voyait rien, ne disait rien. Elle était bloquée dans ses souvenirs et des larmes silencieuses coulaient sur ses joues peinturlurées sans qu'elle semblât le remarquer. À travers l'obscurité de la cale, Jan Lukas distinguait à peine son visage.

---

1. Les cauries, cauris ou kori sont de petits coquillages connus depuis la nuit des temps pour leur pouvoir mystique. Ils garnissaient les idoles anciennes et on les portait également comme amulettes. Les cauries ont longtemps servi de monnaie en Asie et en Afrique.

Lorsque les moteurs s'étaient ébranlés et que le *steamer* avait commencé à manœuvrer pour sortir du fleuve et gagner la haute mer, il avait tenté de la prendre dans ses bras. Elle s'était raidie et il n'avait pas insisté. Il comprenait ce qu'elle ressentait. Il devinait sa souffrance. Par expérience, il savait qu'il fallait lui laisser du temps.

Adossé à une paroi humide, il regarda autour de lui avec lassitude. Un matelot les avait momentanément enfermés dans un petit réduit qui servait de cache de contrebande, auquel ils avaient accédé par une trappe secrète masquée par des cordages. Depuis, il était assis à côté de Jezebel sur de petites caisses en bois solidement arrimées. Impossible d'en deviner le contenu. Peut-être s'agissait-il de porcelaine chinoise, comme l'avait assuré Sidiy Mukhala, mais Jan pensait plutôt à des armes destinées à des tribus africaines.

De toute façon, cela n'avait aucune espèce d'importance. Ce qui se passait à bord de ce rafiot ne le concernait pas. Il avait conclu un accord avec le capitaine, un grand Belge aux cheveux rouges d'Irlandais, qui ne buvait que du Feni[1] ramené de Gao et qui en avait une haleine à couper au couteau. D'ici une bonne semaine, ce brave gars les débarquerait à Singapour et c'était tout ce qui comptait. Une fois sur l'île, Jan n'aurait plus qu'à leur obtenir un nouveau passeport et à trouver enfin un embarquement pour New York.

En attendant, il fallait se montrer patient. Rien d'autre à faire que guetter le retour du matelot et espérer pouvoir bientôt se reposer. Le capitaine avait promis de leur fournir une cabine dès que le navire serait au large, loin de la rivière Borgang, loin de Chittagong et loin de la côte bengalaise. Jan rêvait d'une vraie nuit de sommeil. Depuis la veille au soir, il avait à peine dormi. Son corps était vermoulu d'avoir tant couru, et surtout d'avoir trop encaissé.

La nuit en cellule avait été un cauchemar. Alburman l'avait fait tabasser à plusieurs reprises sans même lui poser une seule question. Dès lors, tandis qu'il palpait son visage, il ne pouvait s'empêcher de grimacer en découvrant ses multiples ecchymoses. La bosse au milieu du front avait la taille d'un œuf. Sa pommette gauche était recouverte d'une croûte de sang. Sa lèvre était fendue

---

1. Sorte de brandy distillé à partir du fruit de l'anacardier dans la région de Gao.

et tuméfiée. Heureusement, il n'avait rien de cassé, hormis peut-être cette côte qui lui semblait beaucoup trop sensible à chacune de ses respirations.

L'obscurité de la cale gommait toute notion de temps et d'espace. Il tendit l'oreille. Quelque part, des rats grattaient le bois. Il ne les voyait pas mais les entendait distinctement. Tous les navires avaient des rats, même lorsque les marchandises transportées n'étaient pas alimentaires. Jan posa sa main sur la paroi. Le *steamer* vrombissait allègrement de toutes ses turbines. Il percevait à travers sa paume le battement du cœur du navire, avec le frémissement du moteur, le choc répété de l'étrave sur l'océan, le vent et la vitesse qui amenaient une multitude de gémissements grinçants et métalliques.

À côté de lui, la respiration de Jezebel lui parut soudain plus lente et presque apaisée. Elle s'était endormie. Le navire atteignit la haute mer. Son tangage changea et un roulis plus fort fit imperceptiblement glisser la jeune fille vers lui. Il la retint en passant un bras autour de ses épaules. La chaleur de sa cuisse contre la sienne l'émut, mais plus encore ce geste d'abandon presque enfantin qu'elle eut dans son sommeil, lorsqu'elle se nicha plus étroitement contre lui. La belle soie floche de ses cheveux glissa dans le creux de son cou en le chatouillant. Il respira profondément son parfum de femme, tiède et doux, jusqu'à s'endormir sans même s'en apercevoir.

Un peu plus tard, un matelot à la face hilare vint le secouer.

— Venir maintenant, *sahib*.

Jan se leva, prit Jezebel dans ses bras en veillant à ne pas la réveiller. Dans un demi-sommeil plein de soupirs, elle s'accrocha à son cou. Il suivit le marin, le cœur emballé par une joie d'adolescent.

L'échelle d'écoutille les mena sur le pont inférieur. Là, les deux hommes gagnèrent l'arrière du pont principal où ils passèrent devant une cuisine d'où s'échappait de merveilleux arômes de bouillon et d'épices. Après avoir traversé la cantine puis le dortoir, le matelot ouvrit une porte et s'effaça en montrant l'intérieur d'un grand geste du bras.

— Ça, cabine du capitaine.

Jan entra, sensible à l'honneur. Le marin l'interpella une dernière fois.

— Dîner dans une heure. Au mess de tous les officiers. Et pas cravate obligatoire !

Il hurla de rire avant de refermer la porte derrière lui.

Jan se retrouva dans une petite pièce étroite lambrissée de teck, simple, fonctionnelle, d'une propreté immaculée. Un hublot donnait à tribord, cerclant un magnifique crépuscule orange et pourpre. Le jeune homme déposa Jezebel sur l'unique lit. Il commença à lui ôter ses bottes. Elle se réveilla. Ne le regarda pas.

— Jezebel ?

Il lui prit les mains pour l'asseoir, la reçut contre lui comme une poupée de chiffon toute molle et sans volonté. Il lui demanda si elle se sentait bien, mais elle ne répondit pas. Son regard tournait dans le vague, refusant de se fixer. Il vit qu'elle grelottait, commença à s'inquiéter en remarquant sa petite mine et son teint trop pâle. Ses paupières étaient cernées de bleu, ses lèvres décolorées. Il repoussa ses cheveux défaits qui s'obstinaient à retomber sur ses yeux, trouva son front glacé.

— Eh bien, je crois qu'une bonne nuit de sommeil va vous faire le plus grand bien. Aidez-moi, il faut ôter ces vêtements humides. Vous risquez d'attraper un coup de froid.

Elle demeura inerte et indifférente à tout. Il fut tenté de la secouer pour ramener un peu de vie dans ses yeux, à tout le moins la faire réagir, mais il comprit qu'elle était souffrante et il s'occupa d'elle comme si elle était une enfant. Il la prit contre lui, entreprit de déboutonner la veste de son uniforme. L'épais tissu était encore mouillé et tellement saturé de peinture de Holi qu'il peina à faire passer les gros boutons de cuivre au travers des boutonnières.

— Laisse-moi…, chuchota-t-elle mollement.

— Il faut te déshabiller. Après ça, je te laisse dormir, OK ? Allez, aide-moi. Un petit effort…

— Je me sens mal…, chuchota-t-elle en dodelinant de la tête. Je crois que j'ai le mal de mer.

Il vint à bout du dernier bouton, glissa les pans de la tunique par-dessus ses épaules et eut aussitôt un coup de sang. Elle était nue en dessous ! Aucun sous-vêtement, ni combinette, ni soutien-gorge, ni même un bon vieux corset… Rien que le velouté de sa peau et une ribambelle de colliers de toutes sortes qui coulaient entre ses seins en un merveilleux chatoiement d'or, de perles blanches et noires, de saphirs et de rubis.

— Dieux du ciel, lâcha-t-il avec stupéfaction.

— Olga m'a dit… de toujours garder… mes bijoux, balbutia-t-elle en appuyant sa tête sur son épaule.

Il éclata de rire sans parvenir à la quitter du regard.

— Notre chère duchesse a toujours eu des conseils très judicieux.

Il se tut, ému. Il trouvait la jeune fille extraordinairement belle, avec son abandon si sensuel, sa peau pâle ruisselant de la lumière rouge du soleil couchant, ces traînées de *gulal* multicolore qui maculaient encore son corps par endroit, et cet énorme collier composé d'une multitude de chaînettes, de colifichets, de perles et de médaillons qui la métamorphosait en une somptueuse reine de Saba.

Il se pencha pour lui chuchoter contre sa bouche toute son admiration lorsqu'un détail arrêta son regard.

Il crut rêver, tendit une main incrédule. Là, parmi ce foisonnement invraisemblable de pierres précieuses, un objet venait d'attirer son attention. Un petit médaillon d'environ deux ou trois pouces de diamètre, en or finement tressé et martelé, qui représentait un tigre aux yeux de topaze.

Un bijou d'art gupta, qu'il aurait reconnu entre mille.

— *I can't believe it*[1] *!* s'exclama-t-il en saisissant le Sher-Cîta entre ses doigts incrédules.

Il l'examina attentivement pour bien se convaincre de ce qu'il voyait. Il reconnut les moindres détails délicats, les entrelacs qui formaient la fourrure, les paupières un peu lourdes sous lesquelles étaient incrustées les topazes délicatement polies, les oreilles couchées vers l'arrière et la gueule ouverte sur des crocs acérés.

— Jezebel, je n'arrive pas à le croire, où as-tu trouvé ça ?

Il tenait sur sa paume le médaillon qui avait déchaîné tant de passions, tant de convoitises, tant de crimes, de haine et de concupiscence. Comment était-ce possible ? Des hommes s'étaient battus pour posséder cette relique qui promettait de découvrir une cité archéologique fabuleuse. Certains l'avaient volée, d'autres la cherchaient encore. Von Rosenheim remuait ciel et terre pour la retrouver, en ne reculant devant aucun crime.

1. « Je n'arrive pas à y croire ! »

Andres Agustin était mort à cause de lui. Lui-même avait toujours caressé l'espoir insensé de remettre un jour la main dessus...

— C'est impossible ! Tout ce temps, tu l'avais sur toi !

— Je ne me sens pas bien..., souffla-t-elle en dodelinant de la tête.

Il crut à l'une de ses habituelles ruses de petite fille capricieuse, la prit par les épaules, la secoua presque brutalement pour la forcer à lui raconter tout ce qu'elle savait. Elle se laissa maltraiter, molle et sans manifester la moindre réaction.

— Jezebel ? cria-t-il. Réponds-moi !

Elle renversa la tête vers l'avant, les joues encore plus pâles qu'avant. Ses yeux papillonnèrent, elle appuya sa main contre sa bouche en grimaçant.

— J'ai envie... de... vomir...

Il fit un sac avec la tunique qu'il venait de lui enlever, elle rendit un jet de bile verdâtre, hoqueta de douleur, vomit encore. Les nausées s'espacèrent, il la reçut contre lui, blanche et moite de sueur, vidée de ses moindres forces.

— Ma chérie..., mon amour...

Elle vomit de nouveau. Pris de panique, il la coucha sur le lit en l'enveloppant dans une couverture et se rua hors de la cabine pour chercher du secours.

*

Jezebel entrouvrit les yeux et sursauta. Un visage aux traits asiatiques se penchait au-dessus d'elle, rond comme une lune, et tellement ridé qu'il ressemblait à la peau d'un vieil éléphant marquée de crevasses et de cicatrices. Ce réseau incroyable s'organisait autour du nez légèrement évasé, petit et court, et des lèvres si minces qu'elles en paraissaient inexistantes. De chaque côté du front, de longs cheveux gris étaient ramassés en un chignon maigre et bas, et dévoilaient des lobes d'oreilles déformés par de petits anneaux de jade. Les yeux obliques disparaissaient presque totalement dans un lacis de plis et replis, révélant à peine des pupilles rondes comme des boutons d'agate. Le reste n'était qu'un grand sourire édenté.

La jeune fille eut un mouvement de recul.

— Qui êtes-vous ? Où est-ce que je me trouve ?

Les yeux de la vieille femme se plissèrent avec amabilité.

— *Nĭ hăo*[1], dit-elle en hochant la tête, avant de continuer dans un anglais hésitant. Ici bateau. Partir pour Singapour. Moi Lo-Shen, connaître médecine chinoise. Soigner.

Jezebel la fixa. Quel âge pouvait bien avoir cette femme ? Cinquante, soixante ans ? Dans sa jupe évasée, taillée dans un tissu bleu foncé un peu raide, et sa veste croisée sur le devant, simplement fermée par une ceinture de soie rouge, elle paraissait menue, avec un dos voûté et des épaules maigres.

— Qui êtes-vous ? répéta la jeune fille. Êtes-vous chinoise ? Suis-je prisonnière ?

Elle ne parvenait pas encore à bien réfléchir. Dans ses pensées surnageait une part d'ombre, quelque chose de terrible dont elle ne voulait plus se souvenir, un flou effrayant et mystérieux qu'elle aurait presque pu toucher du doigt.

La vieille Chinoise gloussa :

— Non, non, pas prisonnière. Repos.

— Je ne me sens pas bien, balbutia Jezebel. Suis-je malade ? Je suis fatiguée, tellement fatiguée…

Ses nausées s'étaient atténuées mais elle gisait là, dans ce lit inconnu, à bout de forces et les bras lourds comme du plomb, avec dans la mâchoire un tremblement incessant qu'elle ne parvenait pas à maîtriser. Autour d'elle, tout brinquebalait. Les murs semblaient se rapprocher et s'éloigner. Qu'avait dit la vieille Chinoise ? Qu'elle était sur un bateau en route pour Singapour ?

Elle se souvint effectivement que Jan l'avait conduite sur un cargo. Elle se rappela un homme aux cheveux rouges, qui fumait une pipe blanche. Elle crut de nouveau sentir l'odeur du tabac. La pièce tangua. Elle ferma brièvement les yeux en espérant que cette impression était simplement dû au roulis.

— Où est l'homme qui m'accompagnait ? interrogea-t-elle en se redressant pour regarder autour d'elle. Pourquoi n'est-il pas ici avec moi ? Je veux le voir !

— D'abord boire bouillon, ordonna la vieille femme en s'asseyant sans façon à côté d'elle.

Le lit ploya sous son poids. Elle se pencha pour passer un bras autour des épaules de la jeune fille et approcha de ses lèvres un

1. « Bonjour », en chinois.

bol en bois. Jezebel loucha vers les herbes étranges qui nageaient dans un liquide clair. Elle voulut refuser. La Chinoise secoua la tête d'un air sévère. Jezebel se résigna à avaler une gorgée. Elle n'avait plus la force de rien, pas même de protester.

Un parfum d'herbe verte et de citronnelle envahit sa bouche. Le goût en était légèrement salé et pas si mauvais que ça. Elle se rendit compte qu'elle mourait de soif et avala d'une traite plusieurs lampées.

— Ça bouillon tortue. Très bon. Forces revenir vite.

L'explication lui provoqua un haut-le-cœur. Elle repoussa le bol avec écœurement mais, une fois de plus, elle avait présumé de ses forces et elle retomba mollement sur le traversin. Jamais elle ne s'était sentie aussi faible, pas même après l'attentat de Calcutta. Elle ne comprenait pas ce qui lui arrivait. Elle avait envie de pleurer mais rien ne venait, ni larmes ni sanglots. Pour essayer de se calmer, elle se mit à soigneusement observer les lieux où elle se trouvait.

Le lit était étroit et posé sur un simple sommier de bois. Il formait le meuble principal d'une petite cabine, chichement décorée, où le plancher était de bois brut et les lambris en bambous. L'endroit paraissait surtout fonctionnel, avec de nombreux placards et tiroirs, et une tablette qui pouvait se ranger dans la cloison. L'unique ornement était un vieux tapis de jonc tressé aux couleurs délavées. L'air exhalait une odeur de bois mouillé, de tabac froid, d'huile de moteur un peu rance et de sel iodé.

Jezebel tourna la tête vers l'unique hublot. Il était entrouvert sur une magnifique nuit étoilée. De l'extérieur lui parvenaient des éclats de voix étouffés et des rires brefs. L'équipage jouait aux cartes quelque part sur le pont. Elle tendit l'oreille, essayant de reconnaître la voix de Jan. Elle entendit surtout le ronronnement du moteur et le fracas des vagues brisées par l'étrave, en un rythme régulier, pulsatile comme un cœur en train de battre.

Un gros sanglot monta dans sa gorge. Qu'était devenue sa vie ? Où étaient les gens qu'elle aimait ? Elle était si désemparée qu'elle ne savait que faire, que dire. Elle se sentait seule et abandonnée. Elle eut soudain froid et remonta la couverture qui la recouvrait, remarquant que, sous le coton tissé, elle était nue. Brusquement honteuse, elle interpella sèchement la vieille Chinoise.

— Hé, vous ! Qu'avez-vous fait de mes vêtements ? Qui m'a déshabillée ? Et mes bijoux ? Où sont-ils ?

Lo-Shen garda un silence souriant. Jezebel supposa qu'elle comprenait mal l'anglais et reposa sa question en articulant exagérément.

— Où avez-vous mis mes affaires ?

La Chinoise se lança dans une série de courbettes avant de désigner la porte d'un placard. Jezebel se drapa dans la couverture de coton et se leva. Elle eut un étourdissement, mais elle serra les dents et tituba jusqu'à la penderie en luttant contre le roulis. Derrière la porte était caché un vieux coffre-fort.

— Bijoux ici, capitaine avoir clé, chuchota Lo-Shen. Pour vêtements trop sales, impossible à laver. Changer plus tard. D'abord prendre forces.

Comme pour illustrer ses paroles, les nausées revinrent et Jezebel se laissa remettre au lit sans protester.

— Pourquoi suis-je malade ? Savez-vous ce que j'ai ? Où est Jan ? Où est l'homme qui m'accompagnait ?

— Homme dehors, sur le pont. Lui attendre avec capitaine.

— Je veux le voir tout de suite ! lança la jeune fille d'une voix suppliante.

— D'abord prendre forces. Toi boire encore bouillon. Beaucoup trop de fatigue. Toi pas tenir debout.

Ce n'était pas faux. Jezebel essaya de ne pas grimacer lorsque la vieille femme lui représenta le bol où surnageaient les herbes.

— Ça calmer, bientôt dormir, encouragea la Chinoise en appuyant le bol contre les lèvres de la jeune fille.

Jezebel, décidée à se montrer bonne élève, se résigna à boire. Le liquide avait toujours ce goût de citronnelle suffisamment agréable pour qu'elle réussisse à avaler plusieurs gorgées. Le liquide lui fit du bien. La nausée s'estompait déjà et elle grelottait moins.

— Ça excellent remède, approuva la Chinoise en claquant la langue d'un air satisfait. Forces revenir bientôt.

— Écoutez, madame Lo-Shen, il faut me dire ce que j'ai. Ai-je attrapé la fièvre jaune ? Ou la fièvre typhoïde ? Suis-je en train de mourir ? N'y a-t-il pas un vrai médecin à bord ?

La petite vieille eut un long gloussement.

— Ha ha ha ! Mais toi pas mourir ! Toi malade parce que fatigue, beaucoup émotions. Bébé prendre beaucoup énergie.

Les derniers mots semblèrent flotter dans la pièce sans que Jezebel ne parvienne à en saisir la signification. Elle respira un grand coup. Qu'avait dit cette femme ? Avait-elle parlé d'un bébé ?

Craignant de comprendre, elle s'accrocha au bras de la Chinoise avec une certaine âpreté.

— De quel bébé parlez-vous ?

Lo-Shen lui offrit d'abord un grand sourire édenté puis, avec un geste très doux, elle posa sa main toute ridée sur la couverture. Jezebel regarda cette main fixement. La chaleur traversait le tissu en irradiant jusqu'à son ventre.

— Toi sentir ? Bébé ici. Bientôt bouger.

Jezebel crut tomber dans un immense gouffre noir.

Cinquième partie

# Le lotus de Singapour

*14 mars 1920 – Singapour*
*Août 1921 – Singapour*

# 27

*14 mars 1920*
*Singapour*

Le cargo atteignit Singapour après huit jours de voyage.

Au départ de Chittagong, il avait traversé le golfe du Bengale jusqu'aux îles Andaman, qu'il avait contournées pour s'engouffrer dans l'étroite mer du même nom. Là, il avait louvoyé le long de la côte birmane puis s'était ravitaillé à Phuket en eau et en fruits.

Plus bas, le détroit qui s'étirait entre Sumatra et Malacca avait mauvaise réputation. Des pirates malais y arraisonnaient tous les navires passant à leur portée. Les équipages étaient généralement tués et les cargaisons pillées. Le cargo craignit d'y naviguer seul et préféra attendre prudemment l'arrivée d'une caravane marchande à laquelle il put se mêler. Quelques jours plus tard, ce convoi s'attarda à Kuala Lumpur à cause d'une avarie de moteur. Le cargo décida alors de continuer seul vers Singapour où il arriva le 14 mars après avoir essuyé la queue d'une tempête.

Durant tout ce temps, Jezebel demeura retranchée dans la cabine que le capitaine Maes Aelters lui avait obligeamment prêtée, n'acceptant de recevoir dans son antre que la vieille Lo-Shen, qui lui apportait des remèdes et de la nourriture.

Ses jours et ses nuits s'écoulaient dans une routine monotone. Elle dormait, se réveillait en sanglotant, dormait de nouveau. Rien ne l'intéressait, ni les magnifiques couchers de soleil sur l'océan Indien, ni le souffle des baleines à l'horizon, ni même les étonnants poissons-volants qui bondissaient au-dessus des vagues en un si joli spectacle. Cela faisait longtemps qu'elle avait compris que cette scène n'était idyllique qu'en apparence. En fait, les pauvres poissons tentaient surtout d'échapper aux dents des bonites, quitte à mourir sous le bec des albatros accourus pour prélever leur part du festin.

Au cours du voyage, Jan Lukas vint frapper à sa porte à plusieurs reprises. Il voulait prendre des nouvelles mais, surtout, l'histoire du Sher-Cîta le tarabustait. Depuis qu'il avait reconnu le médaillon gupta parmi les bijoux que la jeune fille possédait, il avait souhaité lui poser des questions. Il voulait comprendre où, quand, comment, elle avait pu le récupérer alors qu'Andres Agustin en avait été l'ultime propriétaire. Il désirait aussi lui proposer de l'acheter même si, pour cela, il préférait attendre de pouvoir en discuter avec elle de vive voix.

Elle refusa de le voir à chaque fois.

Il s'en étonna mais supposa qu'elle avait besoin de repos. Lui aussi avait accusé un gros coup de fatigue après l'abominable nuit passée dans la prison de Chittagong. Il trouva donc normal que la jeune fille, peu habituée à vivre de telles exactions, soit éprouvée moralement et physiquement. Elle avait dû fuir pour sauver sa vie. S'adapter à des conditions qu'elle n'avait jamais connues. Surtout, elle avait assisté à l'assassinat de son parrain.

Surmonter un tel choc ne se faisait pas en quelques jours.

Jezebel, de son côté, n'avait pas encore réussi à trouver le courage de lui parler. Elle appréhendait de lire dans ses yeux autre chose que de l'amour. Elle sentait qu'elle ne serait pas capable de supporter son mépris, son dégoût ou sa haine. Elle imaginait même que, dès l'instant où il la regarderait de cette manière, elle deviendrait comme la victime d'une Gorgone qui, d'un simple coup d'œil, aurait été figée en statue de pierre éternelle.

Les journées passaient, lentes, longues et désespérées. La jeune fille oubliait la mer, le ciel, le soleil, les étoiles. Prostrée sous la mince couverture de coton qui ne suffisait pas à réprimer ses frissons, elle ressassait la même angoisse, le même chagrin et mélangeait tout, de la mort de Charu à celle de son parrain, en rajoutant à l'envi Jan qui ne l'aimerait plus jamais.

Au cœur de son délire, elle ne distinguait plus très bien le jour de la nuit. Elle vivait les yeux fermés, dans un noir sans fin. Elle ne parlait à personne, pas même à la vieille Lo-Shen. Qu'aurait-elle pu lui dire ? Avec un acharnement puéril, elle refusait de devenir adulte tout comme elle refusait de comprendre que vivre, ce n'était que tenter de faire de son mieux.

Parfois, une espèce de rage dure la saisissait, la poussait à se révolter. Était-ce sa faute si elle était née avec le cœur d'une grande amoureuse capable d'aimer plusieurs hommes à la fois ? Les hommes ne s'arrogeaient-ils pas la même aisance avec l'amour, en se prétendant des besoins qui n'étaient que des excuses ? Ne réussissaient-ils pas à jurer fidélité tout en courant dans le lit d'une autre ? Qu'avait-elle fait de différent ? N'avait-elle pas, au contraire, toujours été honnête avec sa conscience en aimant Charu comme un grand frère certes un peu incestueux mais si rassurant, tout en aimant Jan d'un amour absolu, passionné et charnel, qui amenait dans sa chair mille fourmillements d'un désir impossible à contrôler ?

Tiraillée par ses contradictions, elle s'était cachée derrière l'excuse de la maladie. Au moins, de ce point de vue-là, elle ne mentait pas. Tous les matins, elle était prise de nausées épouvantables et se tordait au-dessus d'une cuvette où elle finissait invariablement par rendre son petit-déjeuner. Elle ne parvenait plus à avaler depuis des jours qu'un peu de riz blanc et des crevettes bouillies, qu'agrémentait ou non un morceau d'ananas. Elle avait maigri. Ses côtes saillaient lorsqu'elle y passait la main. Elle n'osait imaginer son visage et remerciait le hasard d'être dans une chambre dépourvue du moindre miroir. En palpant ses joues, elle sentait poindre les os et devinait des cernes affreux sous ses yeux. Assurément, elle devait avoir une mine à faire peur.

Souvent, elle avait le sentiment que le temps s'accélérait en la laissant sur la touche. Les jours s'égrenaient, implacables. Elle ne pourrait bientôt plus se cacher : la vigie venait d'annoncer à grands cris l'entrée du cargo dans la baie de Singapour. Elle se figea de terreur.

Jan vint frapper à sa porte. Elle ne répondit pas, les mains croisées sur la bouche. Il l'appela, lui demanda de se préparer. Le cargo croisait vers le port. Un canot allait être mis à la mer pour les conduire à terre. Elle faillit répondre de la laisser à bord, de continuer sans elle. Tout à coup, elle ne voulait plus quitter ce bateau qui était comme un refuge, une bulle qui l'isolait du monde extérieur.

— Jezebel, m'entendez-vous ? Je vous attends sur le pont. Hâtez-vous.

— Je me prépare, répondit-elle d'une voix assourdie.

Elle n'avait plus le choix.

Avec des gestes de condamnée à mort, elle fit sa toilette à un broc d'eau froide, revêtit la robe chinoise que Lo-Shen lui avait cédée contre un collier de pacotille puis rassembla son courage et sortit de la cabine. Un soleil violent lui fit baisser la tête. Elle respira à pleins poumons un vent humide et chaud chargé de sel. Singapour n'était encore qu'une ligne sombre entre la mer et le ciel. À pas lents, aussi engoncée dans ses idées noires que dans ce vêtement au tissu trop raide qui l'irritait aux entournures, elle avança jusqu'au bastingage et s'y accrocha. La baie était parsemée de jonques et de *shampans*. Des voiles beiges, brunes et rouges côtoyaient les gros panaches de vapeur de plusieurs cargos. Comme à Chittagong, une variété infinie d'embarcations de toutes tailles allait en tous sens pour vendre des légumes ou du riz cuit.

— Jezebel.

Jan Lukas la rejoignit en s'accoudant nonchalamment à côté d'elle, si près que son bras se colla contre le sien. Elle se tourna lentement vers lui, le cœur battant. Il la dévisageait, un demi-sourire aux lèvres.

— Je me suis tellement inquiété pour vous. Comment allez-vous ?

Elle ne parvint pas à répondre. Un nœud bloquait sa gorge et menaçait de l'étouffer. Jan Lukas avait toujours été très séduisant mais là, tout de suite, elle le trouvait beau à mourir. La vie du large avait accentué son hâle et rendait ses yeux encore plus clairs et plus vifs, comme une coulure de mercure qui la brûlait en se posant sur elle. Il s'était rasé de près, tout en laissant ses cheveux assez longs et indisciplinés. Elle leva la main avec l'envie folle de passer ses doigts parmi ces mèches épaisses que le vent ne cessait de malmener, puis baissa le bras avec gêne, incapable d'aller au bout de son geste.

Lui aussi l'observait, sans trop savoir quoi penser. Elle avait toujours été gracieuse, d'une beauté à la fois parfaite et sensuelle qui lui donnait juste à cet instant l'envie de la prendre dans ses bras, de la serrer, de l'embrasser. Cependant, il décelait aussi, aujourd'hui, une fragilité supplémentaire qui l'inquiétait, comme une part d'ombre qui naissait peut-être de son teint trop pâle, de ses yeux cernés, de ses os qui saillaient au niveau des pommettes et des tempes. Elle n'avait pas bonne mine. Surtout, elle avait un air étrange, presque évanescent. Elle donnait l'impression d'être à la fois ici et ailleurs, un peu comme un fantôme perdu entre deux mondes. Il voulut la provoquer, pour la ramener près de lui.

— M'en voudrez-vous beaucoup si je vous dis que ce vêtement chinois ne vous sied pas vraiment ? Je me demande si je ne vous préférais pas en uniforme de cipaye.

Elle voulut rire, ou se fâcher, elle ne savait plus trop. Au lieu de ça, elle éclata en sanglots. Il la reçut contre lui, l'enveloppa dans ses bras tandis qu'elle enfouissait tout le malheur du monde dans sa chemise de coton.

— Ne pleurez pas, ma douce. Je ne voulais pas vous blesser. Vous savez bien que je vous trouve tout le temps adorable.

Elle sanglota de plus belle, désespérée d'être aussi stupide. Elle venait de passer des jours à réfléchir, à mettre au point une stratégie, à peaufiner ce qu'elle allait lui dire, à apprendre par cœur des tournures de phrases toutes faites, et voilà qu'elle gâchait tout par des pleurs imbéciles ! Elle aurait pu se mettre des gifles.

— Je vous en prie, ne pleurez plus, *darling*, chuchota-t-il contre sa tempe, totalement inconscient de ses débats intérieurs. Ou plutôt, si, pleurez. Cela vous fera du bien. Je suis tellement désolé pour votre parrain. Nous ne partagions pas la même façon de faire mais j'admirais son érudition, ses connaissances, sa pugnacité. Je comprends qu'il vous manque.

Ses mots la bercèrent, lui permirent de recouvrer son sang-froid. Elle recula d'un pas pour se dégager de son étreinte, attrapa le mouchoir qu'il lui tendait et se moucha bruyamment.

— Je crains de ne pas être en forme en ce moment, s'excusa-t-elle en gardant les yeux baissés, toujours furieuse contre elle-même.

— Je vois ça, répliqua Jan, pince-sans-rire. Mais ne vous inquiétez pas, *sweetie*, à partir de maintenant, nous aurons du temps pour nous. Dès que nous serons à terre, je vous emmènerai dans un des plus grands hôtels de Singapour. Nous y déjeunerons après avoir fait un brin de toilette. Puis nous irons acheter quelques vêtements convenables. Je crois que nous en avons bien besoin. Enfin, ce soir, si vous le voulez bien, je vous emmènerai danser, au spectacle ou au théâtre, ou peut-être même au cinématographe. Je vous promets une soirée douce et charmante…

Des larmes perlèrent de nouveau sur ses cils, qu'elle enfouit dans son mouchoir.

— Voilà..., c'est malin..., balbutia-t-elle pour échapper à son regard inquisiteur qui fouillait son visage. Je pleure de joie... maintenant. Je... pleure pour un rien...

Elle craignit qu'il la perce à jour, se tourna pour regarder la ville qui apparaissait peu à peu. L'horizon était plat, à peine ourlé de quelques nuages lointains. La Marina Bay s'élargissait en un port disparate avant de finir en entonnoir dans la rivière Sungai Singapura. Plus la rive approchait, plus les quais paraissaient doublés, voire triplés, par toute une enfilade de jonques et d'embarcations accrochées les unes aux autres en un véritable ponton flottant. Au-delà, Singapour émergeait dans toute la splendeur de son passé de flibuste, avec des constructions enchevêtrées, chaotiques, accolées les unes aux autres en des cubes concassés faits de matériaux multiples. La hauteur générale ne dépassait pas les trois étages. Le tout ne paraissait ni européen ni cossu de prime abord.

— Ne vous fiez pas aux apparences, déclara Jan comme s'il avait lu en elle. L'île est aux mains de vos compatriotes depuis le début du XIXe siècle, vous vous y sentirez rapidement à l'aise. Le centre-ville est tout à fait colonial, avec de grands hôtels luxueux et de nombreuses boutiques occidentales. Je l'avoue, je reconnais aux Britanniques le don pour toujours imposer leur civilisation en expurgeant les pirates et les malfrats qui entachent les côtes. Dans le cas de Singapour, c'est encore plus flagrant mais il est vrai que l'île est une escale stratégique entre l'Inde et la Chine, où l'empire a tant d'intérêts...

— Puisque Singapour fait partie du Raj, y serons-nous en sécurité ? Le baron von Rosenheim ne peut-il pas...

— Je ne pense pas que nous aurons des problèmes, coupa Jan. La colonie favorise l'immigration étrangère, certes plutôt indienne et chinoise, à cause des plantations d'hévéas qui nécessitent de la main-d'œuvre bon marché, mais n'oublions pas que vos compatriotes donnent à cette île le surnom de « Gibraltar de l'Extrême-Orient ». J'imagine que cela suppose un certain laxisme lors des différents contrôles douaniers.

— Du laxisme ? interrogea-t-elle sans comprendre.

— Les Britanniques sont passés maîtres dans l'art de fermer les yeux sur certaines cargaisons. Le pavot, le tabac, les *coolies*...

— Tandis que les Américains sont passés maîtres dans un puritanisme de façade assez mensonger ! répliqua-t-elle, piquée au vif par son ton suffisant.

Il sourit.

— J'ai cru un temps que vous aviez perdu votre légendaire repartie, me voilà rassuré ! Sachez néanmoins que j'ai pris la précaution de nous obtenir de nouveaux passeports. Le capitaine Aelters est assez doué de ses mains, grâce lui soit rendue. Durant notre séjour à Singapour, nous serons Mr et Mrs Smith, négociants en viande de mouton, et originaires de Nouvelle-Zélande.

Elle haussa un sourcil circonspect.

— Smith ?

Jan Lukas éclata d'un grand rire :

— J'adore votre sens des priorités, *darling*. Je vous parle de faux papiers et vous vous étonnez du nom choisi ! Regrettez-vous Poppet ?

Elle rougit, et il en fut heureux. Il adorait la voir rougir. Et puis, il espérait y voir la certitude que, bientôt, elle serait entièrement remise de son moment de faiblesse et qu'elle renouerait pleinement avec son petit caractère, qui était finalement l'un de ses plus grands charmes.

— Donc, nous voilà Mr et Mrs Smith ? reprit-elle, d'un ton cassant.

Il acquiesça, goguenard.

— Je me suis aussi permis de changer votre prénom, qui est un peu trop original pour passer inaperçu. Je vous ai appelée Mary. Qu'en pensez-vous ? Bien sûr, je doute que nous n'ayons à exhiber nos papiers dès notre arrivée. Voyez-vous ces quais noirs de monde ? Difficile de contrôler qui que ce soit dans ce tohubohu. Je suis prêt à parier que jamais personne ne nous demandera nos papiers. Bon, venez-vous ? Le capitaine Aelters est en train de nous faire préparer un canot qui nous emmènera à terre.

— Et que ferez-vous ensuite ? demanda-t-elle.

Il remarqua qu'elle ne s'englobait pas dans la question et eut un moment d'incertitude. Il posa une main sur son épaule.

— Jezebel…

— Mary Smith, corrigea-t-elle un peu sèchement. Et répondez-moi, je vous prie. Que comptez-vous faire à présent ?

Il rit, détourna la question en passant une main autour de sa taille pour l'attirer à lui. Elle se retrouva serrée dans ses bras, tandis qu'il murmurait contre ses cheveux.

— En tout premier lieu, je vais vous embrasser, ma douce. Je vais vous embrasser jusqu'à ce que vous en perdiez le souffle. Vous m'avez tellement manquée.

Il releva son menton d'une main caressante. Elle croisa son regard. Elle aurait voulu le repousser, prendre ses distances, mais elle était de nouveau sans force ni volonté, sans rien hormis ce désir qui pulsait dans son ventre et hurlait qu'elle l'aimait.

Il prit son visage entre ses mains, le souleva jusqu'à ce que leurs bouches se rencontrent. Leurs souffles se mêlèrent. Elle l'embrassa de tout son cœur, de toute son âme, en s'accrochant à lui comme si elle devait le perdre demain, mais peut-être était-ce aussi ce qui allait se passer… Il sourit tout contre ses lèvres.

— Vous sentez-vous mieux, maintenant ? Êtes-vous prête à débarquer ? Avez-vous pensé à prendre toutes vos affaires ?

Elle eut envie de le gifler. Elle le regarda sombrement.

— Vous savez bien que mes affaires sont restées à Chittagong. Je n'ai plus rien.

— Je pensais à vos bijoux, *darling*. Avez-vous pu les récupérer dans le coffre du capitaine ?

— Oui. Soyez rassuré, il me les a rendus il y a quelque temps. Comme ça, vous n'aurez pas à me traîner à vos basques, aussi pauvre que Job.

— Jezebel, ce n'est pas ce que je voulais dire. Je m'assurais juste que vous n'aviez pas oublié…

— Je n'ai pas oublié, coupa-t-elle sèchement.

Un matelot vint les prévenir que le canot les attendait. Jezebel voulut le suivre. Jan la retint.

— Jezebel, je n'ai pas encore eu l'occasion de vous en parler puisque vous m'avez refusé votre chambre durant tout le voyage, mais il m'a semblé voir parmi vos bijoux un médaillon que je connais, et qui m'a fort intrigué.

Elle ne sut ce qu'elle détesta le plus, entre le ton légèrement accusateur et l'allusion à un pendentif qui avait apparemment attiré son attention. Elle lui fit face, déjà sur la défensive.

— Vous avez fouillé parmi mes bijoux ?

— Non, bien sûr que non ! se récria-t-il. Mais en arrivant sur le bateau, vous étiez si mal, il a bien fallu que je m'occupe de vous. Vos vêtements étaient mouillés et…

— Vous m'avez déshabillée ?

— Vous risquiez d'attraper la mort ! Je ne pouvais vous laisser ainsi… Et puis, quelle importance ? s'exaspéra-t-il brusquement. Ne voyez-vous pas que j'essaie de vous parlez d'autre chose ?

Elle leva vers lui de grands yeux durcis ; il continua d'un ton plus calme.

— Vous souvenez-vous du Sher-Cîta, dont je vous ai un jour raconté la légende ?

— S'agit-il de ce médaillon antique qui permettrait de découvrir une vieille cité indienne, que mon parrain tenait plus que tout à posséder ?

— Oui, celui-là même.

— Et ?

— Je crois que c'est vous qui l'avez.

Elle faillit lui rire au nez, tant elle trouva cette dernière remarque absurde.

— Je ne vois pas comment cela pourrait être possible !

— Laissez-moi juste jeter un coup d'œil parmi vos bijoux, afin que je puisse en avoir la confirmation.

— Ici ? Maintenant ?

Il sourit, sûr de lui.

— Non, bien sûr, cela peut attendre. Nous nous en occuperons à l'hôtel. Je tenais juste à vous dire au plus tôt que s'il s'agit réellement du Sher-Cîta, je suis prêt à vous l'acheter.

— Je ne comprends pas…, répliqua-t-elle, tandis que la colère la gagnait.

— Je vous en donnerai un bon prix même si cet objet n'a pas grande valeur. Il n'intéresse que les collectionneurs, qui ne sont pas légion.

Cette fois-ci, elle explosa :

— C'est donc tout ce qui vous intéresse en moi ? Vous me faites des ronds de jambe et de grandes déclarations mais, en réalité, vous ne cherchez qu'à obtenir ce fameux médaillon pour lequel mon parrain a déjà perdu tout sens commun ! Ah, vous êtes bien comme les autres, toujours à courir derrière une chimère alors que l'important se trouve sous vos yeux ! Je vous déteste !

Elle rejoignit le canot qui les attendait au pas de charge, enjamba tant bien que mal la balustrade et commença à descendre l'échelle de corde, aidée par un matelot. Jan la suivit avec un temps de retard, en se traitant intérieurement de butor.

Ils ne se parlèrent pas durant tout le trajet. La mer était un peu forte, et Jezebel s'accrocha à son siège en bois en serrant les dents, le regard fixe, la mine si renfrognée qu'elle décourageait toute tentative de discussion.

Jan Lukas la laissa bouder le temps de discuter avec le capitaine qui les accompagnait à terre. Maes Aelters était un grand Belge, plutôt bourru de nature et assez porté sur l'alcool. Il barrait la chaloupe avec nonchalance tandis que six de ses matelots souquaient en rythme. La marée montante les accompagna jusqu'à l'embouchure de la rivière. Dès lors, le capitaine redevint silencieux, pour ne pas dire taciturne. Dans cet étroit chenal qui préfigurait la marina, il valait mieux rester vigilant pour éviter de heurter l'un des innombrables esquifs qui grouillaient littéralement sur ces eaux.

Au bout de quelques minutes, la chaloupe se frotta contre un ponton de jonques arrimées les unes aux autres, au niveau de Boat Quay. Le capitaine lâcha son gouvernail pour tendre à ses passagers une énorme paluche à la peau rouge.

— Je vous souhaite bonne chance, monsieur Smith. Et à vous aussi, madame Smith, ajouta-t-il avec un accent à couper au couteau, en appuyant ses dires d'un clin d'œil amusé.

Jan le remercia chaleureusement avant de sauter avec agilité sur l'embarcation la plus proche. Là, il se tourna vers Jezebel pour l'aider à le rejoindre. La jeune fille hésita mais elle n'avait pas le choix. Elle s'agrippa à un morceau de bois et réussit à se hisser jusqu'à une planche.

La jonque était misérable, faite de bric et de broc. Elle flottait au gré du ressac, en cognant régulièrement contre ses voisines. Jezebel n'était pas rassurée. Engoncée dans son vêtement au tissu trop raide, elle craignait de perdre l'équilibre. Elle avança donc avec prudence, en s'accrochant au fur et à mesure à une cloison de bambou. Sous leurs pas, la jonque oscillait de haut en bas. Elle en eut l'estomac au bord des lèvres et redoubla d'appréhension lorsque, à l'autre bout de ce ponton flottant, une nuée de gamins se mit à galoper avec une aisance d'équilibristes, en poussant des cris joyeux.

— Agrippez-vous à la corde, conseilla Jan en lui montant l'épaisseur de chanvre qui filait tout le long de l'embarcation en servant de rambarde. Et prenez votre temps…

Ils passèrent d'un bout à l'autre de la jonque, puis sautèrent sur une deuxième, qu'ils traversèrent de la même façon jusqu'à la suivante. Les bateaux se succédaient. Jezebel fut gênée de passer parmi des familles qui semblaient y vivre. De jeunes enfants dormaient parfois sur des nattes de jonc tandis que d'autres, un peu plus âgés, pêchaient à l'aide d'une ficelle. Plus loin, une femme coupait une mangue verte en morceaux qu'elle faisait frire dans une grosse poêle installée sur un foyer rudimentaire. Une odeur épicée s'en dégageait tandis que d'autres petiots, patiemment installés près de leur mère, l'observaient de leurs bouilles toutes rondes.

Une fois arrivés sur la terre ferme, Jan prit Jezebel par le coude et l'aida à se faufiler parmi une foule dense et hétéroclite, en majorité chinoise. Ça sentait le graillon et l'huile rance, le goudron et le poisson séché. Partout, sur des cageots, à l'ombre d'un mur, des marchands ambulants étalaient leurs stocks à la sauvette tandis que des badauds désœuvrés flânaient le nez en l'air. Des Européens, reconnaissables de loin à leurs costumes clairs et à leurs panamas, signaient parfois un contrat sur le coin d'une caisse, puis allumaient de gros cigares de Sumatra en riant grassement et en se congratulant.

Jezebel, à force de renifler cette odeur de tabac, en était de plus en plus incommodée. Elle se souvenait que von Rosenheim avait, lui aussi, l'habitude de fêter ses succès en tirant de grosses bouffées de cigares qu'il faisait venir de Sumatra. Elle revit ses petits yeux chafouins émerger avec méchanceté d'un épais nuage de fumée, tandis que ses paupières devenaient lourdes d'un désir gluant, immonde. Elle se mit à tituber, reprise de nausées. Son visage était devenu verdâtre.

Jan la soutint de son mieux.

— Essayez de marcher encore un peu. Dès que nous serons à l'hôtel, je ferai venir un médecin. Il vous soignera.

Elle faillit éclater d'un rire méchant, ou malheureux, elle ne savait plus trop. Elle serra les mains sur son ventre. Jan la soutint jusqu'au Queen Victoria Lane. Là, il héla l'un des *rickshaws* qui patientaient contre un mur et la fit s'asseoir sur le petit banc de bois, bien à l'abri de la capote déployée. Le conducteur, un Chinois long et maigre, vêtu d'un pantalon court au bas effiloché et d'une chemise entrouverte, avait la tête coiffée d'un chapeau de paille de forme pointue. Une longue natte noire tressautait dans son dos. Il s'empara des bras de la carriole pour la manœuvrer, puis s'élança.

Jezebel ferma à demi les yeux, les dents serrées. Tout tanguait. Elle avait si chaud qu'elle suait à grosses gouttes. L'air était torride et humide. Tropical. Le ciel avait changé. De bleu opalescent, il était devenu gris et moutonneux, chargé d'orage. Jan la prit contre lui. Elle s'abandonna, le nez dans sa chemise, à respirer son odeur qui la calmait. Au bout d'un certain temps, elle se sentit mieux et put regarder autour d'elle.

Le *rickshaw* avait quitté les quartiers indigents autour de Marina Bay pour remonter Raffles Avenue. Les rues étaient peu encombrées, larges, bordées d'arbres et de petits immeubles aux façades blanches, joliment ornées de colonnes et de balcons. Après la foule bigarrée des quais, le centre colonial paraissait presque calme. Jezebel jugea qu'il y avait moins de monde qu'à Calcutta. Et beaucoup moins de couleurs. Ici, la plupart des gens étaient des Chinois vêtus de gris, de bleu foncé ou de noir, avec de grands chapeaux pointus. Les rares Occidentaux qui n'étaient pas en automobile étaient tous vêtus de costumes clairs en lin.

Les branches des arbres s'agitaient dans la tempête qui arrivait. De temps à autre, un conducteur plus pressé qu'un autre actionnait son avertisseur pour forcer de grosses carrioles tirées par des bœufs à se ranger sur le bas-côté.

Le *rickshaw* passa devant de grands magasins, aux enseignes géantes. À l'angle de Victoria Street, Jezebel aperçut un clocher blanc au-dessus de cimes verdoyantes. Une église néogothique était noyée dans un jardin luxuriant, élégante et toute pimpante. Dans le prolongement de son abside, de gros bâtiments fonctionnels émergeaient du même écrin de verdure. Un mur d'enceinte courait tout autour jusqu'à une grille d'entrée. Sur le porche, Jezebel déchiffra quelques mots en français : « Couvent du Saint-Enfant-Jésus. Orphelinat des Dames de Saint-Vaillant. Dispensaire ».

— Arrêtez-vous ! cria-t-elle brusquement au conducteur, et elle sauta presque en marche lorsqu'il ralentit.

Abasourdi, Jan sauta à sa suite.

— Mais que faites-vous ? Vous voulez vous rompre le cou ?

— C'est un dispensaire, dit-elle en évitant son regard. Il doit y avoir un médecin.

Elle venait de prendre une décision sur un coup de tête. Maintenant, elle ne voulait pas – ne pouvait pas – changer d'avis. L'idée lui était venue pendant son séjour sur le cargo, à force de regarder le gros crucifix de bronze accroché près du lit.

Au fil des jours, elle l'avait tellement observé qu'elle en connaissait par cœur les moindres détails : le visage creusé par la souffrance, les cheveux qui pendaient sur les épaules maigres, les côtes apparentes, le ventre creux, les énormes clous qui traversaient les mains et les pieds, la croix simple, sans aucune fioriture… Elle n'avait jamais été particulièrement croyante, même si elle avait reçu une instruction religieuse. Elle avait été baptisée et avait fait sa confirmation. Parfois, elle priait, parce qu'il était finalement assez rassurant de s'adresser à quelqu'un qui ne répondait jamais. Elle n'était que peu allée à la messe, elle détestait les génuflexions à répétition et les airs compassés des pasteurs. En revanche, elle avait aimé se rendre au cimetière où étaient enterrés ses parents, moins pour se recueillir sur leurs tombes que pour jouir du profond silence verdoyant et du chant des oiseaux. Peut-être même était-ce ce qu'elle avait préféré, ces promenades solitaires au milieu des sépultures recouvertes de mousse, et ce temps passé à dévisager les anges, et toutes les figures allégoriques ou mythologiques qui enflammaient son imagination.

— Jezebel, venez, l'hôtel n'est plus très loin. Il est là-bas, à l'autre bout de la rue. Nous y sommes presque.

— Non, répondit-elle en se dirigeant vers le couvent.

Elle n'était pas sûre de son idée. Il n'y avait guère de solution idéale dans sa situation et, rien que d'y penser, elle en avait le cœur déchiré. Mais c'était la seule issue possible.

— Jezebel ! appela Jan en lui emboîtant le pas après avoir payé en toute hâte la course au conducteur du *rickshaw*. Que faites-vous bon sang de bon soir ! Attendez-moi !

Il la rattrapa, lui offrit son bras. Elle s'y appuya, continua à marcher vers la grille. Sa gorge était tellement serrée par l'émotion qu'elle en avait la vue brouillée. Elle s'appuya plus que nécessaire sur Jan. Elle avait une conscience aiguë de sa hanche qui touchait la sienne, de leurs pas qui, tout naturellement, s'étaient une fois de plus merveilleusement accordés. Pour ne pas se mettre à pleurer, elle se mordit violemment l'intérieur de la joue. Un goût de sang se répandit dans sa bouche. Elle vacilla, elle étouffait. Un coup de tonnerre les fit sursauter. De grosses gouttes commencèrent à s'écraser sur la poussière de la route. Elle se mit à courir.

— Jezebel, ne voulez-vous pas m'expliquer ? la questionna Jan en la suivant.

Elle évitait de le regarder, ne lui offrant qu'un profil buté. Elle craignait de se noyer dans ses yeux et de perdre tout son courage. Alors, pour se donner de la force, elle pensa au crucifix au-dessus du lit, et à Olga Marushka, aussi.

Elle se rappelait parfaitement la conversation qu'elles avaient eue il y avait déjà longtemps. C'était un soir de mélancolie, lorsqu'elle avait découvert tout à la fois l'Inde et la convoitise de von Rosenheim. La duchesse lui avait prodigué un conseil que, finalement, elle n'avait jamais oublié : « Ma chérie, si un jour vous êtes dans le besoin sur une terre étrangère, croyez-en ma grande expérience de fugitive, demandez asile dans une église ou une mission religieuse. Ce ne sera pas forcément ce qu'il y a de plus gai, mais vous aurez toujours un gîte et un couvert sans le payer de votre vertu. »

La grille d'entrée était entrebâillée. Elle la poussa complètement, entra dans un jardin paisible où courait une pelouse verte jusqu'à un premier bâtiment, aux murs joliment recouverts de crépi blanc. L'orage tonna une seconde fois, et les gouttes de pluie se mirent à crépiter sur le sol. Elle courut vers la maison. Des fenêtres entrouvertes s'échappaient des notes de musique. Plus loin, des enfants parlaient et riaient.

— Que voulez-vous faire dans cette école ? insista Jan en la tirant à l'abri de la pluie sous un porche.

— Il faut que je voie un médecin, répondit-elle d'un ton aussi ferme que possible.

La pluie tambourinait, mais elle ne le remarquait même pas. Elle actionna une cloche placée près d'une belle porte de bois. Même sous l'orage, les lieux étaient calmes, sereins, hors du temps. Comme dans le cimetière de son enfance. Elle sursauta lorsque le battant s'ouvrit et qu'une femme portant un grand voile blanc tourna vers elle un visage interrogatif.

— Oui ? Que désirez-vous ? Les visites ne sont autorisées qu'à partir de quatre heures.

En même temps que la religieuse, il se dégagea du bâtiment une fraîcheur un peu surannée, emplie d'une odeur d'encaustique et d'encens. Jezebel s'humecta la lèvre.

— Je suis malade. Je voudrais être examinée par un médecin.

La religieuse la détailla de haut en bas, nota les vêtements chinois, si inattendus sur une Européenne, mais aussi le visage osseux, trop pâle et les grands yeux affolés. En silence, elle s'écarta pour la laisser entrer. Jan voulut lui emboîter le pas, mais la sœur s'interposa fermement.

— Monsieur, vous êtes ici chez les Dames de Saint-Vaillant. C'est un couvent. Vous ne pouvez pas entrer.

— Mais je veux rester avec ma femme !

— Vous ne pouvez pas entrer, répéta la religieuse. Attendez dans le jardin là, juste devant. Il y a des bancs. Nous viendrons vous donner des nouvelles.

L'orage venait de finir. De grosses flaques subsistaient sur le chemin.

— Jezebel ! cria-t-il.

Elle se tourna vers lui. Il rencontra ses yeux si bleus, si purs, qui trahissaient une si grande douleur. Il comprit qu'elle souffrait, mais il ne parvenait pas à la laisser partir. Il ignorait pourquoi, il craignait de la lâcher. Depuis qu'il la connaissait, elle n'avait fait que le fuir. Elle avait toujours eu peur de céder à son amour.

Il voulut la rassurer. Lui parler de l'avenir, de leur avenir ensemble. Il avança d'un pas et, sans se soucier de la religieuse qui s'impatientait, la prit par la main. Il lui caressa les doigts, en cherchant son regard.

— D'accord, Jezebel, je vais vous attendre dans le jardin. Mais laissez-moi auparavant vous demander quelque chose. J'ai agi comme un imbécile, sans jamais solliciter votre avis, peut-être parce que je craignais votre réponse. Je vous ai emmenée avec moi. Demain ou après-demain, je partirai pour New York. Venez avec moi. Accompagnez-moi. J'en serai ravi et honoré. J'ai besoin de vous, *honey*.

Elle lui répondit oui de la bouche, des yeux, des mains. Tout en elle criait qu'elle ne voulait pas le quitter, qu'elle était comme lui, à ne vivre que par lui, que pour lui.

Pourtant, cet amour était impossible. Elle avait en son corps l'enfant d'un autre. Dès qu'il l'apprendrait, il cesserait de l'aimer. Il la repousserait. Elle ne voulait pas en arriver là. Elle savait que son mépris la tuerait. Elle baissa la tête. Parla très vite, pour ne pas lui laisser une chance de l'interrompre :

— Je... J'ai besoin d'être seule quelque temps.

Elle retira sa main. Il voulut la reprendre mais elle s'écarta d'un pas, puis d'un autre. Il pensa à leur tango, à leurs baisers passionnés. Cela n'avait-il jamais compté ?

— Je vous aime, lui avoua-t-il.

Elle se mit à trembler. Recula encore. Il serra les dents, son visage se ferma. Elle faillit se précipiter pour prendre ce visage entre ses mains, caresser ces traits durcis mais adorés, ôter d'un doigt la ride soucieuse qui barrait son front. Embrasser ses lèvres pour ôter leur pli amer.

— J'ai juste besoin de me reposer..., chuchota-t-elle lâchement, pour essayer d'être aimée de lui encore un peu.

— D'accord, acquiesça-t-il, parce qu'il n'y avait rien d'autre à dire. Reposez-vous. Voyez le médecin. Je vous attendrai au Raffles Hôtel. C'est juste à côté, à moins de trois cents yards en remontant par Bras Basah Road. Promettez-moi de m'y rejoindre au plus tard demain.

Elle promit, tout en sachant qu'elle mentait. Elle ne le rejoindrait ni demain, ni jamais.

La religieuse s'éloigna. Elle la suivit en ravalant ses larmes. Une seconde porte fut ouverte, puis fermée derrière elle. Une clé tourna dans une serrure. Elle frissonna.

Elle était à l'intérieur du couvent. Seule.

*

Tout n'était que silence et atmosphère feutrée.

— Je suis sœur Lydie. Je vais vous conduire au dispensaire.

Jezebel suivit la silhouette voilée le long d'un corridor de dalles blanches et noires qui semblait traverser la totalité de la bâtisse. Sur la droite se succédaient des portes de bois sombre, toutes closes. Sur la gauche, des fenêtres à petits carreaux ouvraient sur un jardin d'agrément organisé en carrés. Un chemin extérieur, recouvert de briques rouges et bordé par de hauts arbres, tournait autour d'une pelouse agréablement ombragée. Plus loin, entre deux bâtiments pimpants, un magnifique escalier de pierre taillée descendait avec majesté vers une esplanade trop basse pour être distinguée. Tout autour, courait une rambarde recouverte d'une luxuriance de bougainvillées en fleur.

Les lieux étaient déserts. Les deux femmes ne rencontrèrent personne jusqu'à ce que les portes en bois cèdent la place à des portes vitrées peintes en blanc, qui donnaient sur des dortoirs d'hôpital. Dans les premiers, des enfants étaient alités, parfois couverts de bandages. Dans les suivants, des femmes souvent très jeunes se reposaient dans des lits en métal tubulaire. Certaines avaient à côté d'elles de petits berceaux de rotin dans lesquels dormaient des poupons.

Jezebel les observa avec tant d'attention qu'elle en trébucha.

— C'est ici, déclara la religieuse en s'effaçant pour la laisser entrer dans une pièce de grande taille, garnie sur plusieurs murs par des étagères remplies de flacons et de boîtes de médicaments. Un lit de forme curieuse, comme installé sur des échasses, était recouvert d'un drap blanc. Il devait servir aux auscultations. Dans un angle, derrière un paravent chinois assez incongru, un petit bureau en acajou était encombré de livres et de bustes de plâtre.

— Attendez ici, madame. Je vais chercher ma supérieure.

Jezebel resta seule. Par la fenêtre, elle vit passer en rang discipliné des fillettes vêtues de chemises et de jupons blancs. Elles étaient escortées par des jeunes filles plus âgées, aux longs cheveux tressés. Jezebel se détourna et, pour éviter une nouvelle crise de larmes, s'efforça de s'intéresser à la collection de bustes qui ornait le bureau. Des étiquettes en laiton indiquaient leurs noms. Elle lut l'un après l'autre : Hippocrate, Paracelse, Ambroise Paré, Louis Pasteur, Madeleine Brès[1]…

— Ce sont des médecins ou des savants qui, au cours de l'Histoire, ont contribué aux avancées médicales, dit soudain dans son dos une voix basse et douce, exprimée dans un parfait anglais mais teintée de cet accent particulier, assez maladroit, qui faisait tout le charme des Français.

Jezebel se retourna, rencontra le visage d'une femme entre deux âges, peut-être trente ou quarante ans, aux traits ordinaires

---

1. Première femme française à être diplômée de la faculté de médecine en 1875.

et simples, à l'expression sereine. Une cornette masquait ses cheveux. Ses yeux étaient d'une belle couleur noisette.

— Je suis sœur Anne-Carole, la mère supérieure de ce couvent. Je suis également le médecin de ce dispensaire. Sœur Lydie m'a dit que vous étiez souffrante ?

Jezebel acquiesça en se tordant nerveusement les mains. Elle avait la gorge nouée et ne parvenait pas à parler. Elle avait tellement l'impression de se tenir en équilibre sur un fil qu'il lui semblait qu'en se mettant à parler, tout jaillirait d'elle sans aucun contrôle, aussi bien ses larmes que ses mots.

— Je vois, continua la religieuse avec beaucoup de douceur. Voulez-vous que nous marchions un peu dans le jardin ? La pluie exhale toujours les parfums des fleurs, or ces derniers sont un peu comme les pansements de l'âme.

Jezebel parvint à s'étonner :

— Vous ne voulez pas m'ausculter ?

— Je n'en ai pas besoin pour savoir ce qui vous amène en nos murs. Maintenant, si vous y tenez, je puis bien évidemment le faire.

— Vous savez de quoi je souffre ? balbutia la jeune fille, en ouvrant de grands yeux ronds.

Sœur Anne-Carole hocha la tête en affichant un joli sourire. Les cornettes de son voile s'agitèrent doucement.

— Mademoiselle, je vois passer par ici beaucoup de malheurs. De nombreuses vies sont emportées par la tourmente. Avec le temps et l'expérience, j'ai appris à reconnaître les différents maux.

Jezebel sortit son mouchoir et se tamponna les yeux.

— Et d'après vous, de quoi souffrirais-je ?

— Voulez-vous vraiment en parler ici, ou bien allons-nous dans le jardin ? J'aime beaucoup m'y promener après une pluie d'orage. La terre mouillée dégage une odeur chaude de poussière, qui se mélange à celle de l'herbe fraîchement coupée. Vous êtes anglaise, n'est-ce pas ? Je voudrais vous montrer ma pelouse. Je la trouve très *british*, mais peut-être n'est-ce que fatuité de ma part ?

Elle s'approcha pour prendre familièrement Jezebel par le bras et l'entraîner avec elle. La jeune fille n'opposa aucune résistance. Au contraire, elle se laissa guider avec un soulagement diffus. S'appuyer sur quelqu'un lui avait tellement manqué. Elle n'en pouvait plus de porter sa vie à bout de bras, seule, désespérément seule.

Sœur Anne-Carole la fit passer dans une pièce attenante, qui sentait bon la lavande et l'encaustique, et qui devait servir tout à la fois de buanderie et de débarras. Les étagères étaient encombrées de balais, de seaux et de piles de draps fraîchement lavés.

Les deux femmes sortirent à l'air libre. Le soleil avait chassé l'orage. De gros nuages couraient loin vers l'horizon. Juste au-dessus de leurs têtes, de petites perruches au ventre rouge se poursuivaient d'arbre en arbre dans un vacarme incroyable.

— Rassurez-vous, dit sœur Anne-Carole en suivant le regard de Jezebel, elles se taisent dès que la nuit tombe.

Elles empruntèrent le chemin de briques et tournèrent sous de grands arbres aux feuilles vaporeuses. Des grappes de fleurs jaunes commençaient à s'épanouir dans leurs cimes. Au sol, une multitude de graines rouges, semblables à des perles, craquaient sous leurs pieds.

— Les enfants viennent les ramasser pour en faire des colliers. Ils passent des heures à les enfiler.

Elles marchèrent ainsi longuement, sous l'ombre de ces arbres qui ruisselaient encore de l'orage. Jezebel eut l'impression que le temps s'était immobilisé. Elle écoutait la voix paisible de sœur Anne-Carole lui raconter mille et une anecdotes. Son cœur s'apaisa. Oublia son tumulte. La quiétude du beau jardin était contagieuse. Elle donnait à sa chair et à son esprit une agréable torpeur.

La Dame de Saint-Vaillant la sentit prête et demanda avec beaucoup de délicatesse :

— Très bien, Mademoiselle. Et si vous me disiez maintenant ce que vous attendez de notre couvent ?

Jezebel la regarda un instant. Elle comprenait mieux pourquoi ces femmes dédiées à la religion se vêtaient constamment de longs voiles blancs. Ils les faisaient ressembler à des anges.

— Je suis enceinte, lâcha-t-elle en baissant la tête.

— Et l'homme qui vous accompagnait n'est pas le père.

Ce n'était pas une question. Jezebel murmura :

— Comment savez-vous ?

— Si c'était le cas, seriez-vous ici avec moi plutôt qu'avec lui ?

La jeune fille rougit violemment. La mère supérieure lui sourit.

— N'attendez pas de moi un jugement. Je crois en Dieu et en ses desseins impénétrables. Dans sa grande bonté, Il vous a amenée à nous. L'homme qui vous accompagne n'est pas votre époux. Vous ne portez pas d'alliance. Mais peut-être vous aime-t-il assez pour vous écouter, et vous entendre ? Avez-vous essayé de lui parler ?

— Non ! lança Jezebel d'une voix précipitée. Ma décision est prise. Je veux entrer au couvent. Je veux devenir religieuse.

— Ah, rétorqua sœur Anne-Carole en arquant l'un de ses sourcils. Je me dois de vous prévenir. C'est une décision qui ne se prend pas à la sauvette et qui doit être mûrement réfléchie.

— J'ai la vocation, mentit Jezebel en se tordant les mains.

Sœur Anne se mit à rire.

— Pardonnez-moi, mon enfant, mais je crois que vous êtes plutôt perdue, et que vous avez besoin de repos. Bien entendu, vous pouvez rester ici le temps d'y voir un peu plus clair dans votre cœur. M'avez-vous dit votre nom ?

— Mary, chuchota Jezebel. Je m'appelle Mary.

— C'est un beau nom, qui est aussi, par une extraordinaire coïncidence, le nom de notre Vierge Marie… Bon, voici ce que je vous propose, mademoiselle Mary. Ce soir, vous dînerez à notre réfectoire et vous dormirez dans notre dortoir. Demain, nous reparlerons de votre éventuelle vocation. Devenir l'une de nos membres est un long chemin qui nécessite de nombreuses étapes. En premier lieu, il s'agira de bien réfléchir à la réalité de votre vocation. On peut aimer Dieu sans pour autant être capable de vivre dans son sacerdoce. Ici, vous trouverez le temps de la réflexion, et un accompagnement dans votre cheminement. Il y aura d'abord le postulat, puis le noviciat, la profession temporaire, la profession définitive… Je vous parle de mois, plus vraisemblablement d'années… Vous devez aussi savoir qu'en épousant Dieu, vous épouserez avant tout une grande famille, la nôtre, celles des Dames de Saint-Vaillant. Nous nous dévouons aux orphelins, à la santé et à l'éducation des jeunes filles. Pour nous rejoindre, vous devrez tirer un trait sur votre vie actuelle. Comprenez bien que vous n'aurez plus de famille, plus de fiancé, plus d'amis, plus d'enfant.

Des larmes coulèrent sur les joues de Jezebel.

— Vous êtes en train de me dire que vous ne m'accepterez pas tant que je serai enceinte ?

La religieuse eut un mince sourire, à la fois dur et désolé.

— Bien sûr que non, mademoiselle, nous ne refusons jamais une âme en détresse. Mais pour confirmer votre vocation, il faut tout de même comprendre qu'une religieuse n'a pas d'enfant, puisque tous les enfants du monde sont les siens. Lorsque le vôtre naîtra, il sera de parents inconnus. Nous lui assurerons alors un avenir décent en le plaçant en adoption.

Jezebel respira pesamment. Une de ses mains glissa vers son ventre où elle savait qu'une vie s'agitait alors qu'elle ne la sentait pas encore.

— Je dois réfléchir, dit-elle.

Sœur Anne-Carole inclina la tête, dans un joli mouvement de voiles blancs.

— Prenez le temps de réfléchir, Mary. Comme je vous l'ai dit, nous recueillons les âmes blessées. Si vous ne savez pas où aller, nous vous mettrons en rapport avec l'administration britannique, qui envisagera un éventuel rapatriement vers l'Angleterre, contactera vos proches, établira les démarches nécessaires...

— Je n'ai pas de famille. Je n'ai plus rien. Je n'ai nulle part où aller.

— Dans ce cas, vous pouvez rester avec nous. Nous avons toujours besoin d'âmes de bonne volonté, dans la mesure où elles savent se montrer utiles. J'ignore d'où vous venez, et ce que vous avez vécu, et je ne veux pas le savoir, mais je lis sur vos mains que vous n'avez jamais travaillé. Je devine aussi, dans votre façon de vous tenir, dans votre manière de parler, que vous n'êtes pas issue d'une couche populaire. Ici, il n'y a pas de classes sociales. Nous sommes une communauté égalitaire, dans laquelle chacune doit faire sa part.

— Je... Je ne sais rien faire.

— « Aux âmes bien nées, rien n'est impossible », comme on dit. Vous apprendrez au fur et à mesure que nous trouverons de quoi vous employer. Vous avez visiblement reçu une bonne instruction. Nous avons besoin d'enseignantes pour notre école, ou d'infirmières pour notre dispensaire. Nous avons aussi un potager, un poulailler, plusieurs vaches et des chevaux qui tirent nos carrioles, sans oublier le réfectoire et les cuisines. Dans une maison comme la nôtre, il y a toujours à faire.

Jezebel chercha les yeux de la religieuse, hocha la tête.

— D'accord, répondit-elle. Faisons ainsi.

— Bien. Alors suivez-moi, jeune Mary. Je vais vous faire conduire à l'intendance pour qu'on vous donne des vêtements propres. Vous aurez aussi de quoi faire votre toilette, puis nous vous montrerons votre lit. Le dîner est à sept heures précises, après les vêpres, et avant les complies. Je vous laisse tranquille aujourd'hui, mais à partir de demain, si vous ne changez pas d'avis, je vous demanderai d'assister à tous les offices religieux.

Elle ramena Jezebel dans son bureau, agita une cloche pour appeler son assistante.

— Dernière chose, Mary, précisa-t-elle. Pour entrer dans notre communauté, il vous faut aussi abandonner toutes vos possessions matérielles. Avez-vous des bijoux sur vous ? Je les entreposerai dans ce coffre, où ils demeureront votre propriété jusqu'à ce que vous prononciez définitivement vos vœux, auquel cas ils appartiendront à la communauté.

Jezebel hésita, puis comprit qu'elle n'avait pas le choix. Lentement, elle entrouvrit les pans croisés de son corsage et ôta un à un la multitude de colliers qu'elle portait autour du cou.

— Ah, s'exclama sœur Anne-Carole en exprimant son étonnement devant le merveilleux ruissellement de perles, d'or et de rubis. Vous ne voyagez pas si léger que ça…

Jezebel eut un petit sourire triste. Elle posa ses bijoux sur le bureau.

— Prenez-en soin, ma Mère, certains sont des cadeaux et me tiennent à cœur.

— Vous pouvez encore changer d'avis, Mary.

— Non, non. Ou plutôt… si, attendez.

Elle tendit la main, extirpa de la masse ruisselante le médaillon Sher-Cîta et le tint un moment entre ses doigts glacés, l'air songeur.

— Auriez-vous une enveloppe et un bristol, ma Mère ? demanda-t-elle finalement.

La religieuse ouvrit un tiroir et lui tendit un nécessaire d'écriture. Jezebel dévissa le capuchon d'un stylo à plume Waterman, réfléchit quelques secondes puis écrivit plusieurs phrases.

Lorsqu'elle eut fini, elle glissa le carton dans l'enveloppe puis, reprenant le médaillon d'or et de topaze, elle l'observa en le faisant jouer dans la lumière du jour. Elle hésitait. Le pendentif gupta lui rappelait Charu et son amour, son rire, ses yeux, mais aussi la mort de Michael, la convoitise de von Rosenheim. Dans ce petit objet à l'apparence anodine, il y avait finalement tant de haine, de colère et de concupiscence. Mieux valait sans doute le rendre à celui qui en était le propriétaire légitime et qui saurait l'apprécier à sa juste valeur.

Elle l'embrassa une dernière fois, le mit dans l'enveloppe et cacheta le rabat.

— Demain, dit-elle à la mère supérieure qui l'observait, l'homme qui m'accompagnait viendra peut-être demander de mes nouvelles.

Elle s'interrompit, la voix cassée, et respira longuement avant de parvenir à continuer.

— Pourrez-vous lui remettre cette enveloppe ?

— Ne préférez-vous pas le faire vous-même ?

Jezebel secoua la tête.

— Je ne pourrai pas. Je n'en aurai pas la force.

— Mary, cet homme, lui avez-vous parlé ? Ne pourrait-il pas comprendre ?

— Je... Je ne sais pas. Je ne crois pas. Quel homme comprendrait ?

Le silence perdura, durant lequel elle essuya ses larmes qui ruisselaient silencieusement sur ses joues. Sœur Anne-Carole prit l'enveloppe d'un air grave.

— Je ferai comme vous le souhaitez, Mary. Je lui donnerai ce pli en personne.

Jezebel leva les yeux pour une dernière prière.

— S'il vous plaît, ne lui parlez pas de l'enfant. Il ne sait pas. Je ne veux pas qu'il sache.

— Mary, je vous le promets. Mais êtes-vous tout à fait certaine de votre choix ?

Jezebel manqua d'air et regarda vers la fenêtre aux stores baissés, derrière lesquels elle devinait la verdure du jardin. Elle n'était certaine de rien, mais elle n'avait pas le choix. Elle n'avait nulle part où aller.

— J'en suis certaine, ma Mère.

Sa voix se brisa. Sœur Anne-Carole se leva et vint poser sur son épaule une main compatissante.

— Mary, je vous souhaite la bienvenue parmi les Dames de Saint-Vaillant. J'espère que vous serez heureuse entre ces murs.

## 28

*15 mars 1920*

Jan Lukas s'assit sur l'austère banc de bois sombre que la religieuse lui avait désigné puis attendit. Il se trouvait dans une petite pièce d'entrée, carrelée de blanc et noir, dont les deux fenêtres ouvraient généreusement sur un jardin ombragé et soigné au cordeau. Dehors, il pleuvait dru. La bourrasque tambourinait sur les carreaux des vitres tandis que les cimes des arbres à perles[1] qui bordaient la pelouse travaillée à l'anglaise s'agitaient en tous sens. Chaque rafale envoyait rouler au sol des centaines de petites graines rouges qui finissaient dans les flaques avant d'être charriées en torrent par la violence des précipitations.

Jan n'y prêtait qu'une vague attention. Arrivé au couvent du Saint-Enfant-Jésus peu de temps auparavant, il avait demandé à voir Jezebel et s'était immédiatement heurté à une religieuse qui servait de portier. Tandis que ce cerbère l'installait dans un vestibule en lui demandant d'attendre la venue de sa supérieure, il avait senti un mauvais coup se profiler. Plein de morgue, il avait protesté :

— Je ne veux pas rencontrer votre mère supérieure, mais voir la jeune fille que je vous ai amenée hier ! Elle était souffrante, comment va-t-elle ?

— Patientez, monsieur, avait répliqué le cerbère en désignant le banc de bois sombre. On va venir.

N'ayant guère le choix, il avait attendu. Difficile de faire autre chose dans ce lieu compassé et feutré, dont le silence n'était troublé que par la pluie qui tombait en crépitant.

Singapour était coutumière de ces averses versatiles, propres à son climat équatorial. Quelques instants plus tard, l'orage se

1. *Adenanthera pavonina* ou bois de condori.

calma et une luminosité presque violente transperça les derniers nuages qui roulaient vers l'horizon. Aussitôt, les arbres les plus proches parurent ruisseler de diamants.

Jan s'agita. La patience n'était pas son fort, d'autant plus qu'il était inquiet. Il craignait d'apprendre une mauvaise nouvelle et il avait du mal à demeurer immobile. Il finit par se lever pour arpenter de long en large la petite pièce trop étroite. Sur sa gauche, plusieurs portes munies d'une ouverture grillagée étaient étiquetées « Parloir ». Sur la droite, une belle porte de bois, qui contrastait avec le mur immaculé, était le seul obstacle qui le séparait de l'intérieur du couvent.

Il s'arrêta devant, tenté de l'ouvrir et d'aller lui-même à la recherche de l'indocile. Le gros crucifix de métal noir accroché au-dessus du chambranle, avec ce Christ qui semblait le suivre du regard, le rappela à l'ordre. Il reprit sa marche énervée, se cogna plusieurs fois aux deux bancs qui étaient les uniques meubles. Il pesta en sourdine, inspira un grand coup et essaya de se calmer. Depuis que Jezebel l'avait planté là sans aucun mot d'explication, il n'était plus dans son état normal. Il se rassit en soupirant.

La veille, il avait organisé au mieux son séjour à Singapour en passant à l'ambassade et à la banque, où il avait respectivement récupéré son passeport et un peu de liquidité. Il s'était ensuite installé au Raffles Hôtel, l'un des plus luxueux palaces de Singapour où il avait fait un brin de toilette avant de s'écrouler sur le lit. Un peu plus tard, il avait fait venir un tailleur pour lui commander deux costumes et plusieurs chemises. Il avait également choisi dans une boutique pour femmes une adorable robe de soie blanche qu'il avait hâte d'offrir à Jezebel. Revenu dans sa chambre, il avait sonné la femme de chambre pour lui faire placer en centre de table un énorme bouquet de roses rouges. Puis, à la réception, il avait fait réserver deux billets sur un transatlantique en partance pour New York. Il s'était réjoui de sa chance : lui et Jezebel pourraient embarquer dans quelques jours, un voyageur s'étant désisté au dernier moment en laissant une suite vacante.

Dès lors, désœuvré, il n'avait cessé de regarder les aiguilles de la grosse horloge Régence posée sur une console. Le temps ne passait pas. Incapable de trouver le sommeil, il avait failli retourner au couvent avec l'idée saugrenue d'en sortir Jezebel par la force. Pour chasser cette envie, il avait préféré descendre au piano-bar où il avait commandé plusieurs Bacardi cocktails. Il les avait sirotés en passant tour à tour de l'abattement à la colère, puis à la plus intense volupté au fur et à mesure que l'alcool échauffait son sang et qu'il se remémorait leur tango à Chittagong.

Cette danse avait été pétrie de tant de sensualité, de tant de passion, qu'en fieffé imbécile, il avait cru que Jezebel partageait enfin ce qu'il ressentait pour elle. Porté par un petit nuage de bonheur, il avait trouvé la vie si simple qu'il n'avait rien vu venir. Sauf que la follette ne cherchait qu'à le fuir.

Bien sûr, il comprenait son chagrin, son désarroi. La mort affreuse de son parrain l'avait ébranlée, elle avait besoin de temps pour se remettre de ce choc terrible. Il avait cependant cru être celui vers lequel elle se tournerait en priorité pour être consolée. Il l'avait serrée dans ses bras, il l'avait embrassée à n'en plus finir…

Il sursauta. Des pas feutrés se rapprochaient. La porte s'ouvrit, il se leva en s'exclamant trop vite :

— Jezebel !

Il se renfrogna aussitôt. À la place de la jeune fille, une femme d'une quarantaine d'années le toisait d'un air impassible. Elle était vêtue de gros voiles blancs et coiffée d'une cornette tout aussi immaculée. De taille moyenne, elle était si maigre qu'elle en paraissait éthérée. Son visage aux traits ordinaires offrait tout à la fois un air ouvert et une expression revêche, tandis que ses beaux yeux noisette le détaillaient avec une curiosité que tempérait une profonde sérénité.

— Pardon, ma sœur, déclara-t-il en s'inclinant avec confusion. J'ai cru que…

— Je suis sœur Anne-Carole, la mère supérieure de ce couvent, coupa-t-elle pour abréger ses excuses.

Il vint vers elle, elle l'examina avec attention, notant tout à la fois son demi-sourire plutôt séduisant, bien qu'en cet instant un peu crispé, son teint hâlé éclatant de santé, son allure soignée et élégante, qui le cataloguait vraisemblablement en planteur ou en négociant fortuné. Son costume mettait en valeur ses épaules musclées et sa prestance sportive.

Il la regardait avec hardiesse. Elle sourit aimablement à ses yeux gris, vifs et francs, inquiets cependant alors qu'il triturait entre des doigts nerveux un beau panama.

— Que puis-je pour vous, monsieur ?

— Je vous prie de m'excuser, ma sœur. J'attendais… Je voulais voir… Je vous ai confié hier une jeune fille qui m'est chère, or je vois que vous venez seule. Cette jeune fille est-elle encore souffrante ? Comment se porte-t-elle ?

Sœur Anne-Carole répondit d'un ton très doux.

— La jeune Mary va aussi bien que possible. C'est très aimable de votre part de venir prendre de ses nouvelles. Je lui dirai que vous êtes passé, elle en sera certainement heureuse. Vous êtes monsieur… ?

Il hésita sur le nom à donner, puisque Jezebel s'était présentée sous celui de Mary, comme ils l'avaient initialement convenu.

— Jan Smith, dit-il finalement. Je suis négociant en art antique, nous sommes en escale en route pour New York. Mary est mon épouse et…

— Cher monsieur Smith, interrompit la religieuse d'un ton sec, vous êtes dans la maison de Dieu. À ce titre, je vous en prie, épargnez-moi vos mensonges. La jeune Mary n'a avec vous aucun lien marital. Ni vous ni elle ne portez une alliance.

Le visage de Jan se ferma.

— Ma sœur…

La mère supérieure le coupa une seconde fois.

— Je ne veux rien connaître de votre histoire, monsieur Smith. Elle ne me regarde pas. Je dirai à Mary que vous êtes passé.

— Je souhaite uniquement voir Mary, insista Jan Lukas. Ne voulez-vous pas l'envoyer chercher ou, au moins, me conduire auprès d'elle ?

— Je suis désolée, monsieur Smith, reprit sœur Anne-Carole d'un ton ferme. Mary est pour l'instant au dispensaire. Elle se repose.

Il réprima un mouvement d'impatience. Il commençait à croire que rien n'allait se passer comme il le souhaitait et cela l'agaçait prodigieusement.

— Je ne serai pas long, ma sœur. Il faut que je la voie, que je lui parle…

— Monsieur Smith, trancha à nouveau la mère supérieure, vous n'avez pas l'air de comprendre, je vais donc me faire plus explicite, désolée si je vous parais trop brutale. Mary ne souhaite pas vous voir. Mary ne souhaite voir personne. Cette jeune fille est venue chez nous, malade, perdue, inquiète. Son état de santé était suffisamment préoccupant pour que nous décidions de la garder et de nous occuper d'elle. Un médecin l'a examinée. Il apparaît qu'elle est très fatiguée, nerveusement et physiquement. Elle a besoin de beaucoup de repos. Néanmoins, il ne s'agit pas là de la seule et unique raison de sa présence en nos murs. Mary est venue chez nous car elle désire entrer dans les ordres. J'ai eu hier soir une longue conversation avec elle. Sa décision est fermement arrêtée. Je m'incline devant sa volonté et je vous conseille d'en faire de même.

Jan s'attendait à tout sauf à ça. Depuis hier, il imaginait la jeune fille malade, voire mourante, mais certainement pas voulant devenir une nonne. Il eut un regard complètement perdu. La religieuse s'en émut. Elle reprit de sa voix feutrée.

— Elle pense à vous, monsieur Smith. Elle m'a confié cela pour que je vous le remette en main propre.

Il prit machinalement l'enveloppe qu'elle lui tendait. Il la trouva lourde et gonflée, sut immédiatement quel objet Jezebel voulait lui donner et un muscle contracta sa mâchoire.

— Je ne veux rien, hormis la voir, lui parler !

— C'est impossible, monsieur Smith.

Le jeune homme se durcit. Il tourna vers la porte de bois un œil teinté de colère. Sœur Anne-Carole s'interposa. Elle s'efforça de sourire aimablement, tandis que son regard affichait une résolution des plus fermes.

— Ne pensez pas à un coup d'éclat, monsieur. Un scandale ne servirait à personne, pas même à vous. Mary est venue chez nous de sa propre initiative, c'est sa volonté. Si vous l'aimez, comme je crois le deviner au regard de votre attitude, vous vous devez de respecter son choix.

— Et risquer de la perdre ? souffla Jan, les poings serrés.

— Puisqu'il s'agit de son choix, oui. Mary souhaite intégrer notre communauté. J'ai compris son désarroi, mais je respecte son vœu.

Jan tourna vers son interlocutrice un visage fermé.

— Vous a-t-elle réellement dit vouloir entrer au couvent ? Si vous la connaissiez autant que je la connais, ma sœur, vous sauriez que c'est impossible ! Mary aime la vie, le mouvement, la danse, la musique, le galop d'un cheval. Elle est curieuse et gourmande de tout. Un parfum l'émeut, une couleur la pénètre, elle est avide de caresses et lorsqu'on l'embrasse elle…

— Monsieur ! s'exclama la religieuse. Je vous rappelle que vous êtes ici dans la maison de Dieu. Je comprends votre surprise, mais il semblerait que cette jeune fille soit lasse d'une vie terrestre et qu'elle cherche à se tourner, maintenant, vers une vie plus spirituelle.

Jan la railla sèchement :

— Une vie plus spirituelle ? Je peux concevoir qu'elle soit choquée, perdue, elle a subi deux deuils importants coup sur coup. Mais ne profitez pas de sa faiblesse pour étendre vos filets autour d'elle !

— Monsieur ! Vous outrepassez la bienséance.

Il s'efforça de maîtriser sa colère. Passa une main fatiguée sur son visage tout aussi las.

Il commençait à comprendre qu'il n'avait pas le choix, qu'il ne pouvait rien faire. Jezebel ne voulait plus le voir.

— Très bien, soupira-t-il. Pourriez-vous au moins lui dire…

Il s'arrêta, regarda douloureusement la religieuse qui l'encourageait d'un sourcil haussé.

— Oui ? Que dois-je lui dire ?

— Non, rien, déclara-t-il en se ravisant. Au revoir, ma sœur.

— Adieu, monsieur Smith.

Il tressaillit en entendant ce mot définitif, parvint tout de même à saluer poliment d'un bref mouvement de la tête avant de sortir comme on fuit, en laissant la porte claquer sèchement derrière lui. Sœur Anne-Carole vint à la fenêtre pour le regarder s'éloigner.

Il traversa le jardin à grandes enjambées furieuses. Il ne remarquait ni le vent qui chassait définitivement l'orage, ni le soleil qui s'imposait à nouveau, en se faufilant dans l'ombre des grands arbres. Du sol montait une chaleur moite, il remit sur sa tête son panama et franchit la grille d'entrée.

Dans la rue, il remonta Bras Basah Road comme un automate, sans prendre garde aux automobiles ni aux quelques *rickshaws* qui se hâtaient vers le centre-ville. À l'angle de Victoria Street, il évita un trolleybus puis trois cyclistes qui l'abreuvèrent d'imprécations. Il recommençait à pleuvoir. Il se réfugia sous l'auvent du magasin Amber.

Là, il regarda un instant les gens courir pour se mettre à l'abri, tandis que la pluie forcissait. Il se souvint de l'enveloppe qu'il tenait à la main, la décacheta nerveusement puis renversa le contenu dans le creux de sa paume. Comme il s'y attendait, il découvrit le précieux médaillon d'or et de topaze, ce Sher-Cîta qui était à l'origine de tant de morts, de tant de passions exacerbées, de tant de chagrin. Un bristol l'accompagnait. Il le sortit de l'enveloppe, lut les mots que Jezebel avait hâtivement tracés d'une écriture belle et élégante.

Il dut s'y reprendre à plusieurs reprises, tant il refusait d'en comprendre le sens.

« *Voici le médaillon Sher-Cîta, que je vous cède de bon cœur. Il a toujours été plus à vous qu'à moi. Il est donc normal que je vous le restitue. J'espère d'ailleurs, très égoïstement, qu'il vous rappellera très longtemps à mon bon souvenir. J'aimerais vous dire au revoir, mais les circonstances sont telles que je ne puis que vous dire adieu. Votre Jezebel.* »

Il lut et relut la dernière phrase, finit par n'en retenir que le mot « adieu », froissa méchamment le bristol et l'enfouit au fond de sa poche.

*

Après la pluie, Jan Lukas marcha longuement, sans faire attention à la direction qu'il prenait.

Singapour était une ville hétéroclite, à la fois riche, verte et très insalubre. Le centre-ville était élégant, avec des bâtiments officiels de style victorien, typique de la colonisation britannique, et de grands magasins aux enseignes européennes. Les avenues y étaient larges, bien entretenues, sillonnées par des trolleybus et de nombreuses automobiles pétaradantes. Les quartiers du port et de la périphérie étaient au contraire pauvres et surpeuplés, comme dans la majorité des grandes villes, qu'elles fussent d'Asie ou d'ailleurs. Des immeubles bas et sordides et des abris rudimentaires faits de planches, de tôle ou de nattes abritaient une population en majorité chinoise, régulièrement débarquée par des capitaines peu scrupuleux encouragés dans leur trafic d'esclaves modernes par une douane qui fermait complaisamment les yeux.

Cette main-d'œuvre alimentait les grandes propriétés d'hévéas et les usines de caoutchouc plus au nord, de l'autre côté du détroit de Johor. En attendant d'être employés, tous ces crève-la-faim erraient sur les docks où ils trouvaient parfois des petits boulots de manutentionnaires. D'autres tiraient leur maigre pitance des *rickshaws* qu'une véritable mafia locale leur louait à prix d'or, tout en réclamant en sus un pourcentage sur leur recette. Pour survivre, les femmes, les enfants et les grands-parents tenaient des échoppes de rue, les mères à la marmite et les vieillards en médecin traditionnel assis derrière un étal où se côtoyaient des sachets de poudre de corne de rhinocéros et des petites boîtes rondes emplies de graisse de tigre.

Jan regardait ce foisonnement populaire sans rien voir. Il marchait en touchant parfois au fond de sa poche le médaillon Sher-Cîta dont il était à nouveau propriétaire. Curieusement, il n'en avait plus rien à faire. Il avait passé tellement de temps à le chercher. Il l'avait tellement attendu, tellement réclamé. Il avait été prêt à se battre pour le récupérer, or voilà que rien de tout cela n'avait plus aucune espèce d'importance.

Jezebel l'avait quitté pour s'enfermer dans un couvent. Il ne comprenait pas quelle mouche l'avait piquée. N'avait-elle donc rien ressenti lorsqu'ils avaient dansé, lorsqu'ils s'étaient embrassés ? Il avait cru qu'elle partageait le même sentiment, il ne parvenait pas à croire qu'il se fût à ce point trompé.

La mort dans l'âme, il s'enfonçait dans les ruelles, en évitant les flaques nées du dernier orage. Il passait d'une échoppe à l'autre sans les voir. Des femmes installées sur des nattes de jonc tressé cuisaient sur des foyers de fortune des beignets de crevettes, des petites bouchées fourrées de viande et de ciboule et des boulettes jetées dans des bouillons odorants. Il déambulait sous des enfilades de canards vidés et plumés, aplatis comme des crêpes et étendus comme du linge sur des fils. Plus loin, il évita de gros bouquets de poissons accrochés dans le vent pour finir de sécher. Partout, des corbeilles débordaient d'épices, de fruits, de légumes verts et inconnus. Ici, un boucher débitait des morceaux de viande au hachoir. Là, un autre étirait des saucisses. Des carcasses étaient jetées à même le sol, attirant des nuages de mouches.

Pour la énième fois, Jan sortit de sa poche le bristol qu'il avait froissé, le lissa du mieux qu'il put et le relut encore et encore.

Au-delà du sens définitif qui le hantait, il devinait aussi quelque chose de plus subtil et d'incompréhensible, comme le regret de quelque chose impossible à éviter. Pris par sa lecture, il bouscula un étalage en provoquant une envolée de plumes affolées.

Il releva les yeux, vit avec stupeur un vieux Chinois aussi maigre que ridé lui sourire de sa bouche édentée. Le vieillard lui montrait ses cages d'oiseaux d'un air engageant. Jan refusa d'un geste, s'éloigna de quelques pas, se ravisa et revint. Il se pencha pour mieux observer les passereaux que proposait le vieil homme.

Le Chinois avait autour de lui une bonne douzaine de cages, toutes emplies de perruches ou d'oiselets colorés qui sautaient, voletaient et gazouillaient à qui mieux mieux. Jan tourna autour durant quelques secondes, jusqu'à s'immobiliser devant ce qui l'avait attiré instinctivement. Au centre d'une jolie petite cage d'osier tressé, deux minuscules oiseaux blancs, au bec rouge et à l'œil vif, se tenaient tendrement serrés l'un contre l'autre.

Le premier étant vraisemblablement un mâle, car il paraissait un peu plus grand que l'autre. Il posait délicatement sa tête sur celle qui paraissait être sa compagne, en un geste à la fois protecteur et tendre.

Presque instantanément, Jan se souvint du tableau devant lequel il avait rencontré pour la première fois Jezebel, il y avait près de deux ans.

— Ce sont des oiseaux bengalis ? demanda-t-il au Chinois qui, sans doute, ne comprit rien à ce qu'il lui demandait mais acquiesça d'un air commerçant.

— Si, si, *Mister*. Ça oiseaux faciles. Toujours heureux si ensemble.

Jan acheta les deux oiseaux ainsi que leur cage sans prendre la peine de marchander. Il rebroussa chemin pour retourner au couvent du Saint-Enfant-Jésus, actionna la cloche et attendit qu'on vienne lui ouvrir.

Le même cerbère vint rapidement et le toisa de son œil noir.

— Monsieur, vous ne pouvez pas constamment revenir !

Jan leva à bout de bras la cage et les oiseaux.

— J'ai un présent pour Mary.

— Donnez-le moi, je me chargerai de le lui remettre, répliqua la sœur cerbère en tendant la main.

Jan hésita. Il avait espéré le remettre en main propre, mais c'était visiblement trop demander au destin.

— Avez-vous de quoi écrire ? Je voudrais y joindre un mot.

On lui ramena une enveloppe, un papier et un crayon. Il s'assit sur un banc, la cage posée à côté de lui, et écrivit sa lettre en regardant de bout en bout les deux petits oiseaux que le trajet avait effrayés et qui, piaillant à tue-tête, voletaient en tous sens derrière leurs barreaux d'osier.

« *Mon amour, vous rappelez-vous la première fois que nous nous sommes vus ? Nous étions sur le paquebot* Albatros, *devant ce tableau qui représentait deux petits oiseaux blancs. La scène était touchante et vous étiez émue. Je vous avais expliqué qu'il s'agissait d'oiseaux bengalis, qui meurent lorsqu'on les sépare. Ma chérie, mon amour, vous êtes mon bengali, je suis le vôtre. Je vous attendrai au Raffles Hôtel, suite 101, jusqu'à demain minuit. Le médaillon ne m'intéresse pas. Gardez-le. C'est vous que j'attends. Jan.* »

Il joignit son adresse de New York et son numéro de téléphone, en précisant qu'il serait toujours là pour elle, puis il plaça l'ensemble au fond de la cage. Il confia le tout à la sœur qui attendait, et partit sans se retourner.

Le 18 mars au matin, il embarqua à bord du *Princess of India* en partance pour New York.

Il était seul. Jezebel n'était pas venue le rejoindre.

## 29

*25 septembre 1920*
*Singapour – Couvent des Dames de Saint-Vaillant*

— Pourriez-vous venir, Mary ?

Jezebel était en train de lister dans un carnet d'inventaire les boîtes de médicaments qui recouvraient les étagères de la réserve. Sœur Justine, petite et boulotte, le visage couvert de taches de son, se campa devant elle avec beaucoup d'agitation. Dérangée dans sa tâche, la jeune femme leva le nez pour détailler l'intruse.

La religieuse avait vingt-deux ans, un esprit un peu simplet, et oubliait régulièrement la pondération qui était la règle dans le couvent des Dames de Saint-Vaillant. Souvent, elle sautillait dans les couloirs comme un cabri, les jupes relevées à pleines mains pour permettre à ses chevilles de danser une gigue improbable. Elle était follette, et Jezebel l'aimait bien à cause de cela, même si cette énergie valait souvent de faire pénitence car la mère supérieure était intransigeante sur la discipline.

Aujourd'hui, cependant, pas de danse ni de cabriole, mais une nervosité doublée d'un affolement que la jeune sœur mit un certain temps à comprendre à quel point cela aussi était inconvenant dans un couvent. Elle rougit, se tortilla sur place avec gêne, puis réajusta soigneusement le voile qui avait glissé bas sur son front et glissa ses mains dans ses manches.

— Eh bien, que se passe-t-il, sœur Justine ? interrogea Jezebel en arquant joliment ses sourcils sous l'effet de la curiosité. Où suis-je censée aller ? Ne voulez-vous pas me le dire ?

En bientôt six mois, elle avait largement comblé ses lacunes en français et elle s'exprimait maintenant dans une langue correcte qui, à défaut d'être toujours grammaticalement juste, lui permettait de se faire comprendre de toutes. Elle n'avait de toute façon guère eu le choix ; le couvent du Saint-Enfant-Jésus était une enclave du Paris des Lumières, où toutes les pensionnaires étaient réunies sous le même drapeau tricolore. Il avait bien fallu s'adapter.

— Alors ? insista-t-elle en tambourinant avec impatience sur le rebord de la table.

Sœur Justine sursauta, puis délivra son message, les mains croisées sur son cœur comme pour en contenir les battements désordonnés.

— Notre mère abbesse vous demande. Nous avons un nouveau patient et… et…

La voix de la religieuse s'étrangla dans un excès d'émotion, Jezebel secoua la tête d'un air dubitatif.

— Je n'ai pas encore fini de compter tous ces médicaments, articula-t-elle *mezzo voce* en désignant une étagère bien remplie. Je n'aime pas laisser un travail de cette sorte en plan. Êtes-vous sûre que notre Mère a besoin de moi immédiatement ?

— Oui, oui, Mère a besoin d'aide. Elle n'y arrivera pas toute seule. La… Le blessé est agité.

Jezebel soupira et referma posément le capuchon de son stylo-plume. Au dispensaire, elle était de loin la plus jeune des infirmières mais elle avait souvent l'impression de détoner au milieu de toutes ces religieuses qu'un rien effrayait.

— Je ne comprends pas, sœur Justine… Ne pouviez-vous pas aider vous-même notre Mère ?

L'interpellée baissa les yeux vers le plancher d'un air coupable. Une rougeur cuisante monta de son cou à ses joues.

— J'ai essayé, Mary, je vous assure, mais… mais… c'est impossible, je… je n'arrive pas… Je n'ai pas votre courage, votre pondération, votre…

— La blessure est-elle si laide que ça ? coupa Jezebel pour mettre fin à la tirade dithyrambique. De quoi s'agit-il ? Coupure ? Brûlure ? Os cassé ?

Elle avait beaucoup appris depuis que sœur Anne-Carole l'avait prise sous son aile. L'abbesse était diplômée de la faculté de médecine de Paris et représentait l'autorité suprême du couvent, aussi bien médicalement que religieusement. Lorsqu'elle avait remarqué à quel point sa protégée était capable de recoudre une plaie sans gémir à tout-va ou de réduire une fracture sans tourner de l'œil, elle en avait fait son assistante.

Le labeur ne manquait pas. Depuis sa fondation, le dispensaire accueillait une population démunie et fragile, composée de toutes ces femmes abandonnées ou violentées qui n'avaient plus de quoi se nourrir, ces veuves chassées de leur belle-famille, ces jeunes filles enceintes jetées à la rue, ces enfants orphelins, malades et affamés, qui vivaient dans la rue comme des essaims de moineaux, et surtout ces petites filles laissées pour compte qu'un véritable trafic jetait dans la prostitution alors qu'elles n'étaient même pas encore pubères.

Les premiers jours avaient été difficiles. Jezebel n'avait jamais eu d'œillères face à la misère mais, là, elle avait eu l'impression de toucher tout ce que l'humanité produisait de plus vil. Les Dames de Saint-Vaillant abattaient un travail énorme en allant dans les rues ramasser tous ces miséreux. Elles les soignaient, les nourrissaient, leur dispensaient éducation et religion avant de leur trouver un travail honnête ou un bon mari. Elles plaçaient les plus jeunes à l'adoption et recueillaient les autres dans leur couvent.

Jezebel avait rapidement eu le sentiment d'être utile. Emportée dans des malheurs tellement plus terribles que le sien, elle ne s'était pas sentie consolée, et elle n'avait pas oublié, mais elle avait eu l'impression de mettre son chagrin entre parenthèses, et cela l'avait beaucoup aidée. Ici, dans le couvent des Dames de Saint-Vaillant, elle avait trouvé un refuge où elle était bien, car elle était hors du temps, hors du monde, hors de la réalité. Un jour, sans doute, elle se réveillerait, mais pas aujourd'hui, ni demain.

— Cette personne est-elle grièvement blessée ? insista-t-elle en cherchant des yeux la petite sœur Justine. Risque-t-elle de mourir ?

Dans son travail au dispensaire, la mort était ce qu'elle supportait le moins, peut-être parce que ses propres deuils étaient encore récents. Elle se sentait tellement démunie lorsqu'un souffle allait en s'amenuisant, lorsqu'il fallait attendre avec une impuissance rageuse que la dernière expiration vide le corps, le laisse inerte et sans étincelle, sans cœur ni âme, rien de plus qu'un simple déchet dont il allait falloir se débarrasser.

— Alors ? reprit-elle avec impatience.

— Non…, je… je ne crois pas, chuinta sœur Justine en rougissant de plus belle. C'est juste que…, enfin… C'est… C'est…

contre-nature ! Cela m'a tellement choquée… non, vraiment, je n'ai pas pu !

Elle se tut, les lèvres pincées. Jezebel se leva et la suivit, maintenant intriguée. Quel était ce blessé qui provoquait un tel émoi ? Sur les pas de sœur Justine, elle remonta le couloir qui menait au dispensaire. Elle allait lentement. Elle se trouvait énorme, lourde et lasse. Lorsqu'elle regardait son reflet dans les fenêtres devant lesquelles elle passait, elle avait l'impression de voir une citrouille habillée de voiles gris. Heureusement, la grossesse arrivait à son terme, ce n'était plus qu'une question de jours. Dans peu de temps, un enfant sortirait de sa chair, et ce serait sans doute un soulagement.

Elle l'espérait du moins, car malgré les inconvénients, elle n'avait pas détesté être enceinte. Elle portait l'enfant de Charu et cela aussi était dans sa vie de recluse un réconfort de tous les instants. Elle avait souffert de nausées et s'était sentie très fatiguée durant les premiers mois. En revanche, dès que l'enfant avait commencé à bouger, elle était entrée dans un état de grâce parfait. Elle avait retrouvé ses forces et, dès lors, avait commencé à s'attacher à ce petit être à venir, déjà si vivant, si pétulant, et dont les moindres mouvements étaient à chaque fois de purs moments d'émotion.

Bien sûr, pendant la journée, elle n'en profitait qu'à peine. Elle n'avait pas le temps et, surtout, elle était vêtue d'un uniforme de novice, gris et blanc, triste et large, qui élargissait son corps dans une superposition de jupons trop raides. Heureusement, le soir amenait la libération. À l'heure du coucher, elle se cachait sous la couverture de son lit comme une adolescente et, en grand secret, lorsqu'elle était certaine que toutes ses voisines de dortoir dormaient, elle remontait sa chemise pour caresser à pleines mains son ventre rond et nu.

Les yeux mi-clos, elle explorait tendrement les bosses et les creux qui naviguaient sur sa chair, et elle s'émerveillait. Le petit lui paraissait si vivant, si tonique ! Elle en riait presque, et elle devait se mordre la lèvre pour garder le silence, tant elle débordait de tendresse lorsqu'il lui donnait des coups de pied ou des coups de poing. Une angoisse sourde montait alors, qu'elle tentait de chasser. Elle refusait de regarder vers l'avenir. Elle savait déjà qu'abandonner cet enfant pour qu'il puisse être adopté serait un déchirement.

— Ah, Mary, s'exclama la mère abbesse en l'accueillant avec un soulagement manifeste, Dieu merci vous voilà ! J'ai besoin de vous, je n'ai personne d'autre sous la main, sœur Pascaline est occupée en salle d'accouchement, et cette sotte de sœur Justine que voilà a bien failli tourner de l'œil alors que je lui demandais simplement de couper aux ciseaux la tunique de notre blessé !

Sœur Justine ouvrit la bouche pour protester, mais la mère supérieure lui jeta un regard maussade.

— L'obscurantisme finira par tuer l'un de nos patients, ma sœur ! Je m'évertue à vous le répéter, si Dieu n'avait pas voulu de certaines créatures, ne croyez-vous pas qu'il aurait commencé par ne pas les créer ? Bon, rachetez-vous en allant faire bouillir de l'eau et en nous ramenant de la charpie. Allez, courrez ! Quant à vous, Mary, aidez-moi à retourner cette personne sur le dos. Elle a une blessure au ventre, un coup de couteau je crois. Je dois vérifier qu'aucun organe vital n'est atteint. Nous nettoierons et recoudrons ensuite.

Le dispensaire sentait le sang et le désinfectant. Jezebel enfila un tablier puis se tourna vers la silhouette étendue sur la table d'auscultation. Elle avait d'abord cru qu'il s'agissait d'une femme, à cause du sari jaune et des longs cheveux noirs, mais, à mieux y regarder, elle remarquait une ossature un peu épaisse, une taille plutôt grande et des traits indubitablement masculins.

— Mary, je suis prête, prévint la mère abbesse. Voulez-vous couper le sari, je vous prie, que je puisse enfin voir et nettoyer cette blessure au ventre ?

Jezebel prit des ciseaux, croisa les grands yeux affolés de la victime, lui offrit en retour un sourire rassurant.

— Ça va aller, dit-elle en commençant à couper l'étoffe bon marché, déchirée en maints endroits et imbibée de sang, et qui, de toute façon, n'aurait pas été récupérable. Nous allons vous soigner.

Elle s'efforça, par pudeur, de maintenir au mieux les pans du sari découpé sur le corps maintenant dénudé, mais la blessure était basse et elle dut découvrir le pubis. Ce qu'elle vit la fit rougir et elle comprit pourquoi sœur Justine en avait été tellement choquée. Le blessé avait dû être un homme, un jour. Pour l'heure, il ne restait qu'une vilaine cicatrice bleuie.

— C'est un *katoï*, chuchota la mère abbesse, ce qui peut se traduire par *ladyboy*. Un être émasculé, qui n'est ni homme ni femme.

Jezebel hocha la tête. Elle se souvenait que Charu, au cours d'une de leurs merveilleuses expéditions, avait évoqué cette caste particulière qui se désignait elle-même en tant que « troisième nature ».

— En Inde, répondit-elle, on les appelle *hijra*. Elles sont considérées comme asexuées et dotées de pouvoirs surnaturels.

Charu lui avait expliqué que cette singularité amenait autant de méfiance que de respect. Les *hijras* gagnaient généralement leur vie en bénissant les mariages mais elles pouvaient aussi jeter le mauvais œil. La plupart du temps, elles étaient tellement craintes qu'elles n'avaient qu'à frapper dans leurs mains pour effrayer la population. Leur arme ultime était de soulever leurs saris, ce qui jetait la honte sur la personne exposée à un tel spectacle.

Celle-là, malheureusement, n'avait pas eu le même pouvoir. Ses agresseurs s'étaient acharnés sur son visage, qui n'était que plaies et bosses. Elle avait les yeux pochés, sa lèvre était fendue, sa pommette droite ensanglantée et son front entaillé par une vilaine coupure. Elle avait failli mourir. Son abdomen avait été entaillé par un coup de couteau. Heureusement, la blessure paraissait peu profonde et n'avait pas provoqué d'hémorragie.

Sœur Anne-Carole nettoya l'incision en la désinfectant scrupuleusement. Pendant ce temps, Jezebel tenta d'endiguer le saignement à la tête en apposant un morceau de charpie imbibée d'antiseptique.

— Je suis étonnée que cette personne soit venue chez nous, dit-elle à la mère abbesse. Il me semblait que nous ne soignions que les femmes et les enfants ?

— Spontanément, vous lui avez donné un genre féminin parce qu'elle porte un sari. Nous pouvons donc bien l'accueillir au dispensaire. De toute façon, où vouliez-vous qu'elle aille ? De nombreux médecins et l'hôpital central refusent de les soigner.

— Mais pourquoi ?

— Parce que… ces personnes… sont différentes. La différence effraie toujours. D'autant plus que ces personnes, pour vivre, s'adonnent la plupart du temps à la prostitution ou à la mendicité. Ignorez-vous que ces personnes sont considérées comme « criminelles » par l'empire britannique ? Nous ne pourrons la garder longtemps, par crainte d'une dénonciation. Heureusement, la blessure n'est pas trop grave. D'ici à quelques jours, elle aura bien cicatrisé.

L'*hijra* était consciente. Elle respirait trop vite, en grelottant de froid et de douleur. Jezebel étendit une couverture sur ses épaules. En remerciement, l'*hijra* ouvrit de grands yeux noirs bordés de longs cils qui ressemblaient à ceux d'un enfant. Son teint était sombre, d'un brun de caramel que la souffrance rendait cireux. Elle était indienne, indéniablement, ce qui méritait d'être souligné, car à Singapour, la majorité de la population était chinoise.

Jezebel lui sourit, heureuse de rencontrer quelqu'un qui lui rappelait sa vie en Inde. Elle lui demanda en anglais :

— J'ai vécu à Calcutta pendant près de deux ans, et à Darjeeling pendant plusieurs mois. De quelle région de l'Inde venez-vous ?

En entendant ces mots, sœur Anne-Carole lui jeta un regard pénétrant. Jezebel rougit, honteuse de ce que cela signifiait. Depuis près de six mois, elle était généreusement accueillie par la mission des Dames de Saint-Vaillant. Elle y était logée et nourrie, et elle avait réussi à s'y faire, non pas des amies mais, au moins, des camarades avec lesquelles elle discutait et même, parfois, riait un peu. Elle n'était pas heureuse, comment l'aurait-elle pu ? Mais elle s'y sentait aussi bien que possible. Avec le temps, entre ces murs paisibles, éloignés de toute vie trépidante, elle avait peu à peu réussi à ne plus passer ses journées à sangloter ou à se réveiller la nuit le visage couvert de larmes. Pourtant, elle n'avait jamais raconté son histoire à quiconque. Elle n'y parvenait pas. C'était trop tôt, trop douloureux.

Sœur Anne-Carole fut donc étonnée de cette presque confidence, même si elle le fut moins que l'*hijra* qui s'exclama d'un air ravi :

— Toi vivre à Calcutta, *memsahib* ? Très grande ville ! Moi venir Ahmedabad. Difficile pour moi… rester village. Pas aimée. Persécutée. Alors partir pour Singapour. Mais ici aussi, difficile. Difficile partout…

— Comment vous appelez-vous ?

— Teesara[1]. Moi troisième-née, et aussi troisième nature…

L'*hijra* s'interrompit avec un sourire contrit. Jezebel aurait voulu lui dire que personne n'avait à s'excuser de ce qu'il était, mais ce n'était pas aussi simple. Elle avait eu la chance de fréquenter une école ouverte d'esprit, mais la plupart de ses compatriotes ne partageaient pas ce sentiment. Elle sourit à nouveau. Par une alchimie mystérieuse, elle se sentit très proche de Teesara. Elle comprenait ce qu'elle ressentait. Elle aussi était déracinée parce qu'elle n'avait pas voulu plier.

Souvent, elle pensait à sa vie passée. Elle se disait que si elle avait accepté le mariage que son parrain avait tenté de lui imposer, peut-être qu'il serait encore en vie et que, sans doute, elle vivrait dans une grande maison luxueuse, avec pour seul passe-temps celui de choisir une robe pour le dîner et un bâton de rouge à lèvres assorti.

Pourtant, elle ne regrettait pas ses choix. Maintenant encore, elle était incapable d'évoquer le baron von Rosenheim sans ressentir une peur panique impossible à contrôler. Elle craignait tellement qu'il la retrouve que, jour après jour, elle continuait à se cacher sous un faux nom et refusait de raconter quoi que ce soit de sa vie passée.

De toute façon, à quoi bon remuer un passé définitivement révolu ? Elle avait tout perdu. Son amour. Ses amis. Sa vie de luxe et d'argent. À certains moments, lorsqu'elle se rendait compte à quel point elle menait une vie si différente de celle qu'elle avait connue, elle avait l'impression qu'elle allait se réveiller d'un mauvais rêve.

Pourtant, elle ne se plaignait pas. Elle avait fini par trouver un semblant de paix. Le couvent était un vase clos rassurant, où la vie s'écoulait immobile et sereine, immuable. Elle avait été accueillie avec bonté et humanité. Elle était logée, vêtue, nourrie. Elle dormait dans un bon lit et se rendait utile en soignant des enfants ou en aidant des femmes à apprendre à lire et à écrire. C'était une grande satisfaction, elle aurait pu en être heureuse.

Sauf que cela ne lui suffisait pas.

Sa vie était devenue vide, sans but ni sens. À la place du cœur, elle n'avait qu'un trou noir. Olga lui manquait beaucoup, Jan

---

1. « Troisième », en hindi.

terriblement. Depuis qu'elle avait fui le jeune homme, elle avait constamment froid. Elle savait qu'il en irait ainsi toute sa vie et que, toujours, ses bras lui manqueraient, et ses mains, et ses lèvres, et sa peau contre la sienne, et son parfum de cèdre mêlé de lavande, chaud et sensuel, qu'elle avait tant aimé respirer.

Sans lui, elle n'était que de la chair morte dénuée de sens ce qui, dans un couvent, était tout de même bien difficile à avouer…

Aidée de sœur Anne-Carole, elle amena l'*hijra* dans l'une des chambres réservées aux cas d'urgence. Elle se déclara volontaire pour la veiller. Teesara s'endormit rapidement. La mère abbesse lui avait donné à boire une décoction de pavot qui l'assomma. La nuit vint. Jezebel n'eut pas besoin de regarder l'horloge accrochée au mur pour savoir qu'il était presque sept heures. À Singapour, le soleil suivait un rythme immuable, se levant à sept heures et se couchant immanquablement douze heures plus tard.

L'obscurité gagnait. Pourtant, elle ne voulut pas déranger le sommeil de sa malade en allumant l'ampoule électrique qui pendait du plafond. Ce soir, la nuit avait une saveur particulière, qui l'effrayait moins que d'habitude. Immobile dans un vieux fauteuil de cuir, elle écoutait la rumeur du couvent qui lui parvenait comme étouffée. Les orphelins rejoignaient d'un pas sage le réfectoire où ils allaient dîner. Elle entendait leurs murmures feutrés, le cliquetis des couverts et des assiettes. Après le dessert, les plus petits gagneraient leur dortoir tandis que les jeunes filles accompagneraient les religieuses à la chapelle. Les vêpres seraient ânonnées dans la ferveur des cierges et de l'encens, et toutes ces prières monteraient dans le ciel comme des bulles de savon. Une telle ambiance ressemblait au bonheur… Jezebel se dit qu'il était facile de se fourvoyer, il suffisait de se laisser vivre, d'accomplir des tâches quotidiennes, de se contenter de minuscules victoires…

La cloche appela les sœurs pour le dîner. Elle ne bougea pas. Ce soir, elle n'avait pas faim. Elle se sentait triste et fatiguée. L'Inde lui manquait. Charu lui manquait. Elle passa une main sur son ventre distendu, sentit le regard de l'*hijra* peser sur elle. Teesara était réveillée et l'observait en silence. Elle quitta son fauteuil pour s'approcher d'elle. Elle avançait si lentement qu'elle avait l'impression de se traîner.

— Avez-vous faim ? demanda-t-elle à la blessée. Je peux aller vous chercher un peu de bouillon de légumes. Demain, vous aurez un vrai repas. Tout ira bien pour vous maintenant.

L'*hijra* la remercia avec beaucoup de dévotion.

— *Bahut dhanyavaad*, merci… merci beaucoup.

Jezebel hocha la tête. Teesara tendit les mains pour les poser sur son ventre proéminent. La jeune Anglaise faillit reculer, puis la laissa faire.

— Toi bientôt donner naissance, dit l'*hijra*. Où sont tes bracelets de bonheur ?

Elle ôta plusieurs parures de ses poignets, les passa à ceux de Jezebel en psalmodiant des mantras. La jeune fille voulut refuser, mais Teesara lui fit les gros yeux.

— Bracelets importants, faire musique joyeuse, amener bonheur sur enfant. Tradition indienne. Naissance moment grande joie.

Jezebel en eut la gorge nouée. L'*hijra* la regarda dans l'obscurité avant de se mettre à chuchoter, d'une voix toute douce qui était à la fois un chant ou une prière.

— Je bénis cet enfant. *Aasheervaad*[1], qu'il soit heureux tout au long de sa vie.

Au même moment, l'enfant s'agita. Jezebel voulut croire qu'il entendait ces mots, et qu'il les acceptait.

— Vous savez, cet enfant est un peu indien, dit-elle d'une voix émue. Alors, merci.

L'enfant continua à bouger et l'*hijra*, qui le sentait sous ses mains, leva vers Jezebel de grands yeux émerveillés, à la fois sombres et lumineux comme un soleil émergeant d'une tempête.

— Quand il sera né, cet enfant un peu indien, il faudra me l'amener. Nous ferons le *badhai*[2] pour lui.

Mais la blessée était de nouveau fatiguée et elle se recoucha sur le matelas en grimaçant de douleur. Jezebel lui versa un peu d'eau. Elle but, puis épela une adresse que Jezebel situa près de Sri Mariamman, le temple hindou de Pagoda Street.

— Venir avec enfant.

— Je viendrais, assura la jeune femme en caressant à son tour la vie qui remuait en elle. Reposez-vous maintenant. Il faut dormir.

---

1. « Bénédiction », en hindi.
2. Rôle rituel des *hijras* dans la société indienne.

Elle sortit en refermant soigneusement la porte derrière elle, puis elle se dirigea vers le réfectoire pour rejoindre la communauté des sœurs. Brusquement, une douleur violente la saisit. Elle dut s'appuyer contre le mur. Un liquide chaud se répandit entre ses cuisses, elle se mit à pleurer de honte jusqu'à ce que la douleur revienne, brutale. Un fer rouge sembla lui fouailler le corps. Elle se traîna péniblement jusqu'à la salle à manger, entra en titubant. Sœur Pascaline, la sage-femme, fut la première à remarquer son visage exsangue. Elle se leva en renversant sa chaise, courut vers elle et la soutint en passant son bras dans son dos. Puis elle se tourna vers les autres religieuses et s'exclama joyeusement :

— Réjouissons-nous ! Le bébé de notre petite Mary est en train de venir.

*

— Où sont mes oiseaux ? gémit Jezebel, les mains crispées sur son ventre devenu dur comme de la pierre. Je veux voir mes deux bengalis !

Les sœurs l'avaient amenée à l'infirmerie, où elle avait été déshabillée, lavée, recouverte d'un drap propre et frais qui sentait le savon de Marseille. Elle était morte de peur. Elle ne voulait plus être là. Elle voulait rentrer chez elle, en Inde ou en Angleterre, elle ne savait plus très bien. Elle voulait tout oublier. Redevenir une petite fille. Ne plus se soucier de l'avenir.

Sœur Anne-Carole tenta de la raisonner, mais la jeune Anglaise n'était pas une patiente qui mettait de la bonne volonté. Elle gémit de plus belle.

— Je veux voir mes oiseaux ou je refuse d'accoucher ! Je veux qu'ils soient là, il me les faut !

Puis elle se sentit ridicule et éclata brusquement en sanglots. Elle s'était jurée de se montrer forte, courageuse, mais elle avait tellement mal qu'elle n'arrivait plus à respirer. Une crampe atroce irradiait de son nombril jusqu'à ses reins. En quelques minutes, elle n'était plus que souffrance, sueur, cris pitoyables. Sœur Justine lui prit gentiment les mains pour tenter de la rassurer. Sœur Anne-Carole, la mère abbesse, en profita pour lui éponger le front d'un linge humide.

— Allons, allons, calmez-vous, petite Mary. Je suis sûre que vous en avez vu d'autres ! Et puis, l'enfant sera bientôt là. N'est-ce pas, sœur Pascaline ?

L'interpellée acquiesça d'un joli sourire tout en continuant à regarder ce qui se passait sous le drap. Jezebel retomba en arrière, dans une montagne d'oreillers dans laquelle elle s'enfouit comme dans un nid. Elle était à bout de forces. Elle ne voulait plus de cet enfant. C'était trop long, trop douloureux. Elle n'en pouvait plus de ce ventre qui se crispait, se relâchait, se crispait à nouveau. Avec ce drap étendu au-dessus de ses jambes écartées, elle ne voyait rien. Elle ne pouvait que regarder l'ampoule électrique accrochée au plafond. L'air était moite, épais, étouffant, avec une odeur de sang et de glaires.

Elle cria en agrippant le matelas. La douleur l'empoigna à l'étouffer. Elle souffrait tellement qu'elle commença à croire que l'accouchement se passait mal, qu'elle allait mourir ici, dans ce dispensaire environné d'une nuit noire, et son bébé avec elle. Tous les chagrins qu'elle avait essayés d'enfouir remontaient maintenant comme une horde monstrueuse portée par une vague douloureuse. Elle gémit de plus belle, ne remarquant même pas qu'elle pleurait.

Qui se soucierait d'elle si jamais elle mourait ? Qui, parmi tous les gens qu'elle aimait, en saurait jamais quelque chose ? Certainement pas Olga, à qui elle n'avait même pas osé écrire une seule lettre, de peur que von Rosenheim ne tombe dessus et ne découvre où elle se cachait. Ni Amely, sa tendre et douce Amely, à qui elle n'avait pas donné de nouvelles pour la même raison. Encore moins Jan, surtout Jan, qu'elle avait volontairement écarté de sa vie et qui, en cet instant de fin du monde, lui manquait plus que tout.

Les contractions se rapprochaient, la clouant sur sa couche. En sueur, elle s'accrocha aux bras de sœur Justine, hurlant sa souffrance à grandes respirations accélérées. Elle était pleine de regret et de colère. Jan lui manquait. Le mal de son absence ne s'était jamais atténué. De jour en jour, de nuit en nuit, le temps passait, les saisons se succédaient, elle demeurait gelée, avec ce trou béant au milieu du cœur. Son chagrin s'y était incrusté, fantôme glaçant avec lequel il avait bien fallu apprendre à composer, pour continuer à vivre tout de même.

— S'il vous plaît, amenez-moi mes oiseaux..., pleurnicha-t-elle de plus belle, en s'apitoyant sur son sort comme une petite fille trop malheureuse. Je veux qu'ils soient là pour la naissance de mon enfant !

Sœur Justine fut la première à céder. Elle lui lâcha les mains, s'engouffra dans le corridor en direction du dortoir. Quelques instants plus tard, elle revint en portant précautionneusement une jolie cage en osier dans laquelle deux oiseaux blancs s'affolaient.

Le visage de Jezebel s'illumina. Elle balbutia :

— Oh, sœur Justine, merci... merci...

Les oiseaux se rassuraient mutuellement en se serrant l'un contre l'autre. Jezebel eut un sourire béat. Ces deux bengalis blancs étaient toute sa vie. Depuis que Jan les avait déposés au parloir, six mois auparavant, elle ne les avait pas quittés, passant tous ses loisirs à les choyer avec autant d'attention que de tendresse. Ils étaient devenus ses confidents, ses amis les plus intimes, son unique trésor. Elle leur racontait ses chagrins et ses doutes, et se consolait en retour en écoutant leurs gazouillis charmants.

Elle se souviendrait toute sa vie du merveilleux moment où sœur Anne-Carole les lui avait amenés. Elle avait cru mourir sur place, le cœur serré d'émotion jusqu'à en perdre le souffle.

Lentement, comme craignant que le trop beau mirage ne s'envole, elle s'était lentement approchée et elle avait contemplé les deux bengalis blancs, jusqu'à rejouer mentalement la même scène encore et encore, avec la présence de Jan dans son dos, son souffle glissant sur sa nuque et agitant ses cheveux, sa main sur son épaule, son parfum qui l'enveloppait, cèdre et lavande entremêlés... Puis, elle avait trouvé le mot qu'il lui avait écrit. Elle l'avait lu et relu, et avait pleuré pendant des heures, bouleversée de comprendre que, lui aussi, avait accordé une importance folle à leur première rencontre.

Dans l'élan, elle avait failli courir jusqu'au Raffles Hôtel pour se jeter dans ses bras. À cet instant, l'enfant avait bougé pour la première fois. Elle s'était rassise. C'était trop tard pour tout.

Elle se crispa tout entière. Une nouvelle contraction la cisaillait comme un coup de couteau.

— Respirez, Mary, respirez, l'encouragea la mère supérieure. Vous allez pousser dès que je vous en donnerai le signal.

Elle fut docile, parce qu'elle n'avait plus aucune force pour se révolter. Elle n'était que plaie et chagrin, douleur et tristesse. Heureusement, son corps continuait à vivre par lui-même. Au bout de longues minutes, sœur Pascaline réussit à saisir l'enfant par la tête et à l'extraire de son ventre.

Le nouveau-né hurla presque aussitôt. La sage-femme le posa sur le ventre qu'il venait de quitter. Jezebel s'en émut aux larmes. Le petit était chaud comme une braise. Il gigotait en braillant à pleins poumons. Elle fondit de tendresse devant sa bouille tordue de colère et le trouva magnifique alors qu'il était gluant, couvert de glaire et de sang.

— Qu'il est beau, qu'il est beau, répéta-t-elle à l'infini, en caressant doucement ses cheveux noirs, denses et drus, encore tout mouillés et collés sur sa tête.

La petite frimousse était rouge et plissée, mais minuscule et adorable. Jezebel soupira d'un bonheur nouveau, inattendu. Elle approcha un doigt émerveillé de la main miniature, se mit à rire lorsque le petit l'attrapa et le serra avec force.

— Bonjour toi, chuchota-t-elle en cajolant le petit corps si chaud. Bonjour petite chose, adorable chose…

— C'est une fille, annonça sœur Anne-Carole. Elle est très belle. Embrassez-la une dernière fois. Je vais la laver, puis la confier à une nourrice.

— Non, déclara Jezebel avec un soudain regard de louve. Je la nourrirai moi-même.

La sœur abbesse eut un sourire gêné.

— Je ne vous le conseille pas, ma petite Mary. Vous allez vous attacher et pour l'adoption…

Jezebel la coupa d'un ton net et définitif:

— Pour l'adoption, j'ai changé d'avis. C'est ma fille. Je vais la garder.

# 30

*7 octobre 1920*

— Vous n'allez pas entrer là-dedans ?

Jezebel se retourna tout en repoussant vers l'arrière le chapeau chinois qui lui tombait sur les yeux. Elle n'était pas surprise par la réaction de sœur Justine. Cette dernière avait été incapable de s'occuper de l'*hijra* blessée, alors, évidemment, entrer dans une maison où il y en avait au moins quinze…

— Je ne vous ai pas obligée à venir, ma sœur ! répliqua-t-elle, le regard dur. D'ailleurs, vous pouvez très bien retourner au couvent, je n'ai pas besoin de vous.

La religieuse continua à couiner sans sembler l'entendre.

— Est-ce que vous vous rendez compte ? Vous n'allez quand même pas aller dans cette maison ? Ces… ces… hommes, ils sont vêtus comme des femmes ! Les avez-vous déjà vus ? Ils portent des saris et se maquillent le visage ; et ils sont d'une obscénité… On m'a dit que lorsqu'on refusait de leur donner de l'argent, ils soulevaient leurs jupes pour montrer leurs… leurs…

Sœur Justine se tut, frémissante de confusion. Jezebel la toisa avec agacement. Elle pestait contre le destin qui l'avait fait tomber nez à nez avec la jeune nonne alors qu'elle s'apprêtait à se rendre discrètement dans le quartier de Sri Mariamman. Elle voulait revoir Teesara. L'*hijra* lui avait promis de bénir son enfant selon les rites hindous. Jezebel espérait ainsi qu'elle l'aiderait à trouver un prénom d'origine indienne, qui permettrait à sa petite Mary de grandir en connaissant ses deux ascendances, l'anglaise et l'indienne.

Bien sûr, elle n'avait partagé cette idée un peu folle avec aucune des religieuses du couvent du Saint-Enfant-Jésus, ni avec celles dont elle se sentait le plus proche, sœur Justine et sœur Pascaline, ni même avec la mère abbesse, sœur Anne-Carole, qu'elle appréciait pourtant beaucoup. Elle savait bien qu'aucune n'approuverait son idée de rencontrer la communauté indienne, surtout par le biais d'une caste aussi ambiguë que persécutée.

Jezebel avait donc organisé sa sortie dans le plus grand secret. Elle s'était réveillée à l'heure la plus sombre, celle qui s'étendait entre les matines et les laudes, les deux offices religieux qui se déroulaient avant l'aube. Le dispensaire était plongé dans le sommeil et le silence, uniquement troublé par le tic-tac des horloges. Elle s'était habillée le plus discrètement possible, puis avait nourri la petite avant de l'attacher contre elle avec une bande de tissu. Elle avait copié ces femmes chinoises capables de courir du champ au marché avec leur bébé serré dans leur dos. Avec raison, elle n'avait pas voulu prendre l'énorme voiture d'enfant que les religieuses lui avaient prêtée, qui était lourde et peu maniable, et qui n'aurait fait que la retarder.

De toute façon, elle aimait à porter son enfant contre elle. Elle adorait sa chaleur de petite bouillotte, sa douce senteur de lait, sa si belle frimousse couronnée de cheveux noirs et sa bouche rose comme un bouton de lotus, qui souriait même dans le sommeil le plus profond.

Depuis qu'elle était née, la petite Mary était sa seule raison de vivre. Elle s'en était brusquement rendu compte quelques jours auparavant, tandis qu'elle riait de la minuscule main accrochée à son doigt. Impossible d'être triste face à une telle merveille, tout était si petit, si fin, si précis, si délicat... Une immense bouffée d'amour l'avait envahie et, de la même façon qu'elle aurait plié des vêtements d'hiver pour les remiser entre deux sachets de lavande, elle avait pris ses chagrins, son amertume, son passé, pour les ranger soigneusement au plus profond de son cœur.

Cette résolution nouvelle lui avait donné la force d'aller de l'avant. Elle avait brusquement retrouvé son goût de l'action et sa curiosité naturelle. Le couvent, avec son rythme compassé, ses principes d'un autre âge, son silence vertueux, commençait à lui peser. Aller interroger les oracles indiens était une aventure dont elle n'avait pas voulu se priver.

Ce matin donc, elle s'était faufilée hors du dortoir, sauf que sœur Justine l'avait entendue et l'avait suivie. La jeune nonne était si follette que, d'habitude, elle en oubliait d'être futée mais, là, elle s'était montrée fine mouche. Comprenant que Jezebel comptait sortir du couvent sans en aviser la mère abbesse, ce qui était interdit, elle avait menacé de tout raconter.

— À moins que vous ne m'autorisiez à vous accompagner ?

Elle avait contenu sa joie en appuyant ses mains contre sa bouche, comme une enfant qui essaie de s'empêcher de rire.

Jezebel n'avait pas ressenti le même enthousiasme. La mine contrariée, elle avait détaillé les épais voiles blancs qui enveloppaient la religieuse. Elle s'était demandée comment passer inaperçue dans les quartiers populaires de Chinatown avec un tel accoutrement. Elle-même s'était efforcée de s'adapter à la couleur locale en troquant sa robe grise contre un pantalon et une tunique *tangzhuang*[1] sauvés de l'incinérateur quelques jours auparavant. Elle avait complété sa mise en cachant sous un grand chapeau *li*[2] ses longs cheveux blonds. Elle se disait qu'en marchant d'un bon pas avec la tête baissée, elle pouvait assez raisonnablement passer pour une ouvrière chinoise, pourvu que personne ne vienne regarder son visage de trop près.

Avec sœur Justine sur les talons, c'était peine perdue. D'autant plus que l'enthousiasme de celle-ci avait peu à peu fait place à un ronchonnement de gamine capricieuse. La jeune nonne n'était pas habituée à marcher aussi loin. Elle sortait peu de son couvent or, dès la première centaine de yards, elle était devenue si rouge que Jezebel avait craint un coup de chaleur. Tandis qu'elles descendaient Hill Street en passant au-dessus de la rivière Singapour en direction du temple hindou de Sri Mariamman, sœur Justine n'avait cessé de se plaindre : mal aux pieds, trop chaud, trop soif, trop de poussière… En sus, maintenant qu'elles étaient arrivées à bon port, elle refusait d'entrer dans la maison des *hijras*, en couinant si fort qu'elle alertait tout le quartier.

— Quelle idée d'emmener un aussi petit enfant dans une telle rue ! Cette petiote risque d'attraper plein de maladies, vous rendez-vous compte, Mary ? Sans parler de l'atmosphère tellement choquante, avec ces… ces…

Elle n'acheva pas, le menton tremblant. Jezebel leva les yeux au ciel. L'aube s'élevait à l'est, allumant des nuages bleu marine d'une superbe lueur nacrée. Cette lumière se déposait sur le faîte

1. Vêtement traditionnel chinois.
2. Chapeau traditionnel chinois, de forme conique.

des maisons faites de bric et de broc avec une douceur rose qu'elle aurait eu envie de peindre. La rue commençait à s'éveiller. De vieilles Chinoises faisaient frire des raviolis sur le pas de leur porte, en jetant vers les deux étrangères des regards emprunts de curiosité. Les passants, hommes ou femmes, qui se hâtaient d'aller prendre leur service dans les belles demeures du quartier européen autour de Padang, tournaient eux aussi vers elles des visages presque hostiles.

Jezebel se dit qu'elle ne pouvait laisser la situation perdurer. Elle revint vers sœur Justine qui continuait à piailler à tort et à travers, tenta une dernière fois de la calmer puis, à bout d'argument, la secoua violemment. La jeune nonne en eut le souffle coupé. Presque aussitôt, la surprise lui fit prendre un air de chien malheureux, tandis qu'elle collait ses mains sur ses joues.

À la voir aussi choquée, Jezebel éprouva quelques remords, qu'elle cacha derrière son agacement.

— C'est bon, vous sentez-vous mieux maintenant ? Pouvons-nous y aller ? Bien, donnez-moi donc la main si cela vous rassure… Et efforcez-vous, à l'avenir, d'être moins sotte. Je vous répète que nous ne risquons rien ! Qui oserait s'en prendre à deux Européennes dont l'une est religieuse ?

En fait, elle essayait elle aussi de se rassurer. Se sentir étranger à un endroit était toujours une sensation inquiétante, elle l'avait expérimenté à plusieurs reprises. Heureusement, sœur Justine semblait calmée. Elle la suivit docilement, quoique en ronchonnant encore un peu.

— Quelle idée stupide d'emmener un bébé par ici… C'est sale…, vraiment très sale… J'espère que vous n'allez pas abandonner la petite…

Jezebel eut une grimace. Sœur Justine était gentille, mais quand même assez idiote. Elle n'avait pas pu abandonner son enfant à la naissance, elle n'allait certainement pas le faire maintenant ! D'ailleurs, la mère abbesse lui en avait assez fait le reproche. Combien de fois lui avait-elle répété qu'avec un enfant sur les bras, elle ne pourrait plus devenir religieuse ? Elle l'avait prévenue, sans noviciat, tôt ou tard, elle devrait quitter l'abri du couvent. Quel serait alors son avenir ? Finirait-elle pauvresse dans la rue, à mendier de quoi se nourrir ou, pire encore, tomberait-elle dans les rets d'un maquereau qui l'obligerait à se prostituer ?

Jezebel chassa cette pensée d'un haussement d'épaules. Elle se doutait bien qu'elle n'avait pas choisi le chemin le plus facile mais s'était juré de ne jamais le regretter. Pour l'heure, elle préférait observer la maison que des passants leur avaient désignée.

Le rez-de-chaussée était un hammam. Un escalier extérieur menait à l'étage, qui ressemblait à un taudis. Le crépi s'effilochait sur les murs. Certaines briques étaient disjointes, des herbes folles couraient sur le pourtour. Devant les premières marches vermoulues, deux chiens maigres et jaunes ronflaient.

Sœur Justine se signa à plusieurs reprises. Jezebel la tira vers l'escalier, qu'elle commença à gravir prudemment, une main posée sur la tête de son enfant comme pour le protéger de tout, même des forces invisibles qui auraient pu tourbillonner autour de lui.

L'étage était un labyrinthe d'alcôves à peine fermées par des rideaux. Les lieux semblaient déserts. Pourtant, une première tenture s'écarta, et une vieille *hijra* tourna un cou maigre pour poser ses yeux de braise sur les deux visiteuses.

— Je suis le *nayak*[1] de cette maison, dit-elle en anglais. Que veux-tu ?

— Je cherche Teesara, répondit Jezebel en espérant donner à sa voix suffisamment de fermeté pour ne pas trahir sa gêne. Je viens lui montrer mon enfant. Je viens pour un *badhai*[2].

À ce mot, la vieille eut un sourire qui révéla de grandes dents étonnamment blanches et saines. Ses bras et ses pieds cliquetaient de bracelets.

— Tu viens pour un *badhai* ? C'est bien, alors entre, entre, déclara-t-elle avant d'appeler à tue-tête. Teesara ! Teesara ! Tu as de la visite !

Plusieurs visages apparurent de derrière les rideaux, emprunts de curiosité. Certains avaient clairement des traits d'hommes, les joues et le menton soigneusement rasés, mais d'autres avaient un genre plus flou. Tous étaient cependant maquillés, coiffés et vêtus de saris colorés malgré l'heure matinale. Jezebel sentit les doigts de sœur Justine s'incruster dans sa paume. La pauvre ne savait plus où regarder. Elle lui serra la main pour essayer de la rassurer.

---

1. Le chef d'une maison d'*hijras*.
2. Rituel de bénédiction.

— Où est Teesara ? demanda-t-elle en regardant autour d'elle.

— Je suis là, *memsahib*.

Elle faillit ne pas reconnaître l'*hijra* qui s'inclinait devant elle dans un beau sari rouge brodé de rubans dorés. Son visage était presque guéri. Les ecchymoses s'étaient atténuées, la plaie sur la pommette s'était résorbée. Il ne restait sur le front qu'une légère cicatrice rose. Elle reconnut en premier les grands yeux sombres, qui demeuraient ceux d'un enfant. Ils étaient aussi graves que pétillants, et abondamment fardés de bleu. La bouche était rouge du jus de bétel.

— Je suis venue te montrer mon enfant.

— Viens, l'enjoignit Teesara en écartant son rideau pour inviter les deux visiteuses à pénétrer dans l'alcôve qui lui servait de chambre.

À l'intérieur, sœur Justine demeura debout au milieu d'un tapis en regardant tout autour d'elle avec effroi. Le réduit était petit, étroit. Les murs sentaient la sueur et un reste de cuisine épicée. Dans un angle à même le sol, une natte garnie de coussins permettait de s'asseoir, ce que proposa l'*hijra* avec un joli sourire. Jezebel s'accroupit près d'un petit autel dédié à une déesse ornée de colliers de fleurs. La divinité chevauchait un coq géant. Elle avait quatre bras, dont l'un portait une épée et un autre un trident.

— C'est Bahuchara Mata, la déesse des *hijras*, expliqua Teesara en suivant son regard.

— Notre Mère de Dieu, sauvez-nous, chuchota sœur Justine avec tant d'effroi que ses mâchoires s'entrechoquaient. Nous sommes dans l'antre de Satan !

Jezebel la prit par les épaules et la secoua.

— Allons, ça suffit. Tout va bien se passer. Je ne serai pas longue.

Elle repoussa son chapeau chinois dans son dos, une mèche de cheveux blonds coula le long de sa joue. Teesara lui tendit ses mains, ornées d'une multitude de bagues et de bracelets et décorées d'un motif au henné sur le dessus.

— Montre ton enfant, dit-elle.

Jezebel défit le bandeau qui retenait sa fille contre elle. Le poupon ouvrit brièvement les yeux, puis se rendormit avec un sourire béat.

— C'est une fille, déclara-t-elle avec fierté.

— Aïe, aïe, *badhai* que pour garçon, répliqua Teesara en fronçant les sourcils. Pourquoi venir ?

Jezebel se troubla.

— Je... Je te l'ai déjà dit, j'ai vécu en Inde un certain temps. Ma fille a été conçue là-bas. J'aimerai lui donner un prénom indien. Je veux aussi qu'elle soit protégée par vos dieux.

L'*hijra* se pencha vers elle. Ses grands yeux noirs avaient perdu toute trace d'enfance. Au contraire, ils paraissaient maintenant durs, et presque hostiles.

— Tu es *angrejee*[1], ton Dieu ne te suffit pas ?

Jezebel en fut abasourdie. Elle avait cru venir en amie, elle découvrait que non, qu'ici aussi, elle demeurait avant tout une Anglaise, une Occidentale. Elle répliqua sèchement.

— Non, bien sûr que non, ça ne me suffit pas ! Mon enfant est moitié *angrejee* et moitié *hindoo*. Je veux qu'il appartienne à ces deux cultures ! Et puis, rappelle-toi, c'est toi qui m'as demandé de te l'amener. Tu ne veux pas bénir une fille à moitié anglaise ? D'accord, ce n'est pas grave, je m'en vais ! Mais pour moi, finalement, tu ne vaux pas mieux que ceux qui te frappent et te persécutent !

Elle était furieuse et voulut se lever, mais l'*hijra* la retint en attrapant le bas de sa tunique qu'elle porta humblement à son front.

— *Kshama, kshama*[2]. Pars pas. Tu as raison, tu as soigné, tu as regardé moi comme être humain... *Godh Badhai* sera aussi pour ta fille ! Donne-moi enfant, je vais faire cérémonie.

Elle prit le bébé dans ses grandes mains tintinnabulantes de bijoux, se leva et sortit. Jezebel, interloquée, ne sut que faire. Des cris vinrent du couloir. Elle se leva et écarta le rideau. Sœur Justine la suivit en roulant des yeux effarés. Dans l'étroit couloir, Teesara sautillait et chantait en tenant l'enfant contre sa poitrine. Chaque fois qu'elle passait devant un rideau, elle l'écartait et criait « *Badhai, Badhai !* ». Toutes les *hijras* interpellées sortirent de leur alcôve, et appelèrent de la même façon leurs voisines. En quelques secondes, la maison devint un joyeux tohu-bohu de cris, d'appels et de chants.

Jezebel suivit le mouvement, en tirant sœur Justine derrière elle. Ensemble, elles descendirent les escaliers à la suite de l'étrange

1. « Anglaise », en hindi.
2. « Pardon », en hindi.

procession. En bas, elles contournèrent la maison pour se faufiler dans une cour fermée par des nattes de bambous. Là, des musiciens sortirent un *dholack*[1] et un *sitar*[2]. La musique monta dans l'air, diaphane. Plusieurs *hijras* se mirent à danser tout en clappant[3] dans leurs paumes d'une manière caractéristique qui traduisait leur appartenance à leur caste.

— *Godh Badhai !* s'écriait parfois l'une d'elles, en se trémoussant de plus belle.

Jezebel contempla le tourbillonnement de saris et les colliers de fleurs. Toutes ces couleurs se mélangeaient intimement en une frénésie vibrante de rires, de chants. Son bébé passait de main en main. Il était réveillé mais n'avait pas l'air effrayé. Elle se détendit peu à peu, laissa la musique entrer en son cœur, communier avec son chagrin, avec son passé, son présent, son futur.

Teesara vint à elle en portant précautionneusement une bassine remplie d'eau où macéraient des fleurs. Elle lui demanda d'ôter sa tunique puis, de sa main en creux, elle lui versa de l'eau sur les joues, sur les bras, sur les épaules, en un bain rituel qu'elle donna de la même façon à l'enfant. Ensuite, elle les oignit toutes les deux avec de l'huile de safran, en les massant pour ôter symboliquement toutes leurs impuretés. Juste à côté, sœur Justine la regardait les yeux écarquillés. Elle était tombée à genoux pour prier mais, avec le fond de musique qui envahissait l'air, elle donnait l'impression de chanter.

— *Badhai !* crièrent les *hijras*.

On amena un grand panier rempli de riz, dans lequel Teesara posa délicatement le bébé. Du doigt, elle écrivit un nom parmi les grains blancs, puis elle se pencha et souffla à trois reprises dans l'oreille de l'enfant le nom qu'elle avait tracé.

— Voici ton nom, Leela, Leela, Leela, notre reine de beauté.

Il y eut un grand cri de joie, puis toutes les *hijras* vinrent en chantant et en dansant, pour déposer à tour de rôle un peu de miel sur les lèvres du nourrisson.

---

1. Instrument de musique indien à percussion.
2. Instrument de musique indien à cordes pincées.
3. Produire un son et un mouvement avec les mains, généralement pour marquer la mesure en musique.

Ce miel était là pour bénir, ce miel souhaitait au bébé une vie de bonheur et de prospérité.

— La mère aussi doit bénir son enfant, déclara Teesara en présentant le pot de miel à Jezebel.

La jeune femme se pencha, prit son enfant dans les bras, eut un doux murmure heureux.

— Bienvenue, petite Mary Leela. Bénie sois-tu, jolie Mary Leela Tyler, mon enfant, ma fille.

*

Sœur Anne-Carole avait passé la matinée à guetter le retour des absentes par la fenêtre de son bureau. Assise à son secrétaire, elle bénéficiait d'une vue d'ensemble sur la grille d'entrée et sur une bonne partie de la cour. Il faisait beau, les alizés jouaient dans les cimes des grands arbres tandis que trois moniales ratissaient avec soin les quelques feuilles mortes tombées sur le gazon. La maison des Dames de Saint-Vaillant était comme à son accoutumée calme et paisible, une douce enclave hors du temps légèrement décalée par rapport à la rue passante. Le seul bruit concédé à l'extérieur était le trolleybus qui passait de temps à autre en avertissant bruyamment les piétons de sa venue.

L'abbesse soupira. Elle était inquiète. Depuis le matin, elle essayait de mettre ses comptes à jour mais l'escapade de ses deux protégées l'empêchait de se concentrer. Elle ne cessait de biffer ou de raturer des chiffres, cela en devenait ridicule. Au bout d'un certain temps, elle préféra arrêter le massacre et se posta près de la fenêtre pour réfléchir.

Elle pensa tout naturellement à la jeune Mary, qui était son principal sujet d'inquiétude. Depuis qu'elle l'avait accueillie au sein du couvent, elle n'avait cessé de l'observer. Mary était arrivée malade et extrêmement fatiguée, mais surtout éprouvée par une sensibilité d'écorchée vive. Elle était emplie de chagrin, mais aussi d'une peur qui la rongeait à petit feu. Il avait fallu l'apprivoiser, un peu comme un animal sauvage aux abois, qui craint jusqu'à la main qui le nourrit.

Au fil des jours, le temps avait fait son travail. Mary avait repris des couleurs, des forces, de l'allant, et elle était parvenue à s'intégrer à la communauté. Sœur Anne-Carole s'était réjouie de son postulat. La jeune fille était vive, intelligente, cultivée. Peu importait qu'elle soit silencieuse, elle était dans un couvent. L'abbesse n'avait pas pour habitude de poser des questions à celles qui se réfugiaient auprès des Dames de Saint-Vaillant. Le passé s'arrêtait à la porte d'entrée.

Ici, une nouvelle vie commençait, éloignée des contingences ordinaires. Le noviciat était comme une grossesse, la prononciation des vœux une renaissance. Dans le cloître, tout concourait à adoucir les émotions, à épanouir la spiritualité. Une femme et son enfant ne pouvaient y vivre à demeure, l'évêque avait tenu à le rappeler dans sa dernière lettre. Contrariée, sœur Anne-Carole palpa une fois de plus la missive pliée au fond de sa poche. Elle allait devoir trouver une solution. Elle s'était attachée à la jeune femme.

Elle guetta jusqu'à ce que les deux fugueuses reviennent. Il était presque midi. Elles franchirent la grille bras dessus, bras dessous, visiblement fatiguées par leur aventure. Sœur Justine était rouge et en sueur. Mary paraissait plus fraîche, mais elle était affublée d'oripeaux chinois et elle avait placé son enfant dans un bandeau de toile, ce qui lui donnait un air d'ouvrière. D'où revenaient-elles ?

Sœur Anne-Carole sortit de son bureau en s'efforçant de rester calme. Elle se planta les bras croisés devant les deux fugitives, qu'elle toisa d'un air sévère. Dans une belle solidarité de coupables, les deux jeunes femmes se rapprochèrent l'une de l'autre. La haute flèche blanche de l'église Sainte-Victoire envoya à cet instant une volée de cloches, appelant les religieuses pour sexte[1]. Les trois moniales qui ratissaient le gazon déposèrent leurs outils et convergèrent vers la chapelle. D'autres sœurs venues de plus loin, sans doute du potager, les rejoignirent d'un pas compassé.

La mère abbesse attendit que le carillon ait cessé pour lancer d'un ton sec :

— Eh bien ?

Sœur Justine baissa le nez comme une enfant prise en faute. Dans ses voiles blancs qui se superposaient avec beaucoup trop d'épaisseur, son corps frêle tremblait de la même façon qu'un

---

1. Office qui célèbre la sixième heure du jour.

oiseau prisonnier. Sa jeune camarade lui passa un bras autour des épaules pour la réconforter.

— Eh bien ? répéta l'abbesse d'un ton radouci, parce que ce geste de compassion ne lui avait pas échappé et qu'elle s'en sentait soudain prête à beaucoup pardonner. Allez-vous enfin me dire d'où vous venez ?

— Nous revenons de Chinatown, répondit Mary.

Sœur Anne-Carole ne fut pas étonnée de la voir mener le jeu. C'était forcément elle l'instigatrice. Elle eut un regard éloquent.

— De Chinatown ? Je suppose que vous m'aviez avisée de cette excursion avant votre départ ?

Sa voix doucereuse annonçait une tempête. Jezebel regarda l'abbesse bien en face, préférant jouer la carte de la franchise.

— Non, ma Mère. Nous sommes parties très tôt. Nous n'avons pas voulu vous déranger, vous dormiez sans doute.

Prise au dépourvu, sœur Anne-Carole se ressaisit en envoyant sœur Justine faire à la chapelle une pénitence de dix *Ave Maria* et d'autant de *Pater Noster*. La petite religieuse s'échappa en courant. L'abbesse reporta son attention sur la jeune femme qui demeurait immobile face à elle.

— Venez, Mary. Accompagnez-moi à la fontaine. Nous devons parler.

Sans attendre de réponse, elle s'éloigna sur le chemin de briques rouges, les mains enfouies dans ses manches, les voiles tressautant sous la rapidité de son pas. Jezebel la suivit à contrecœur.

Elles contournèrent le grand carré de gazon ombragé puis descendirent l'une derrière l'autre les escaliers de granit qui plongeaient vers un autre jardin, installé en une terrasse inférieure. Là, une esplanade grossièrement pavée se divisait en plusieurs chemins. Certains menaient vers le vaste potager aménagé en carrés surélevés, d'autres avançaient jusqu'à un corps de ferme soigneusement entretenu.

La mère abbesse dédaigna les plates-bandes de légumes pour choisir sur la droite, à la base des escaliers, une sente plus discrète qui serpentait sous un foisonnement de bougainvillées. Bien vite, le massif s'étoffa autour d'un groupe de tabebuias à grandes fleurs roses. Le chemin s'évasa ensuite en une grande alcôve végétale qui servait de réclusoir symbolique aux moniales désireuses de s'isoler pour méditer. Une fontaine tombait en cascade dans un vaste bassin bordé d'un muret. Lorsque les deux femmes s'approchèrent, une volée de capucins damiers qui s'y désaltéraient s'échappa en gazouillant vers les frondaisons fleuries.

Sœur Anne-Carole désigna un vieux banc à demi recouvert de lichens qui faisait face à la source.

— Asseyez-vous, Mary.

Jezebel s'installa docilement. L'abbesse prit place à côté d'elle, dans le seul silence des étoffes froissées. Une tension sembla naître, que la religieuse chercha à adoucir par un temps de prière. Elle sortit d'une de ses poches un chapelet d'ébène, commença le lent décompte des perles en psalmodiant en sourdine. En même temps, son attention se fixa sur la jeune mère et son enfant, qu'elle étudia soigneusement.

La petite dormait comme une bienheureuse. Son visage encore un brin chiffonné commençait à prendre de bonnes rondeurs pleines de santé. Son teint avait une jolie couleur d'ambre clair. Ses cheveux étaient noirs et encore plus drus qu'à la naissance, mais son plus grand charme lui venait de ses longs cils sombres qui faisaient sur ses joues de velours une ombre allongée, dont le léger frémissement trahissait un doux rêve.

L'abbesse leva les yeux pour détailler la mère.

Sa beauté sensuelle teintée de mélancolie se remarquait de prime abord. Son corps parfait, pourtant guère mis en valeur par les vêtements grossiers et androgynes qu'elle portait en ce moment, démontrait dans ses gestes autant de force que de fragilité, ce qui la rendait fort attachante. Rien qu'en la regardant, on avait tout à la fois envie de l'aimer et de la protéger alors qu'on ne connaissait encore rien d'elle.

— Ôtez ce chapeau chinois et regardez-moi.

Jezebel afficha sa surprise tout en s'exécutant. L'abbesse s'attarda plus attentivement sur le visage. Son teint clair s'était légèrement coloré grâce aux activités de plein air, ce qui s'accordait encore mieux à ses grands yeux bleus. L'iris était limpide. Le regard décidé. La fine barre des sourcils semblait les ouvrir jusqu'à l'âme. Au-dessus, le front haut et délicat était à demi recouvert par quelques mèches follettes échappées d'une grosse natte retenue en chignon. Ces boucles foisonnantes, éprises d'une liberté tumultueuse au point de s'enchevêtrer les unes aux autres, avaient une couleur de blé mûr qui encadrait son visage d'une lumière peu commune.

Ce tableau charmant n'était cependant rien sans la présence de la bouche, la merveilleuse bouche, capable de toutes les mimiques, de toutes les douceurs, de tous les baisers. En forme de cœur, elle était semblable à un fruit mûr, sensuel et charnu. Sœur Anne-Carole imagina sans peine l'attrait qu'une telle bouche exerçait sur les hommes. Elle se dit aussi que ces lèvres résumaient à elles seules toute la nature de la jeune femme, qui était libre et instinctive, pleine de curiosité, avide de découvertes, de sensations et d'émotions.

Avec un soupir, elle rangea son chapelet et prit à la place un pli de papier blanc recouvert d'une fine écriture aux jambages autoritaires. Le sceau de l'évêché marquait le bas de page.

— Ma chère Mary, j'ai reçu ce matin même une lettre de monseigneur l'évêque. Vous le savez peut-être, je suis tenue de lui écrire une fois par mois pour l'informer de la vie du couvent, de nos œuvres de charité et de tout ce qui se rapporte au quotidien. Je lui parle bien évidemment du dispensaire ainsi que de l'école et de l'orphelinat, et des multiples tracas contre lesquels nous nous débattons sans cesse.

— Je le sais, répondit Jezebel d'une voix prudente, car elle ne parvenait pas à comprendre où la religieuse voulait en venir.

— Il y a peu, je lui ai parlé de votre postulat.

Cette fois-ci, la jeune femme préféra garder le silence. Un désagréable filet de sueur s'était mis à couler dans son dos. Elle attendit la suite avec inquiétude.

— Comme je vous l'ai longuement expliqué, reprit l'abbesse, un postulat précède un possible noviciat, qui lui-même débouche à plus ou moins long terme sur la prononciation des vœux définitifs.

Jezebel acquiesça d'un battement de paupières.

— J'ai écouté votre requête, ma chère Mary. J'y réfléchis même depuis le premier jour de votre présence parmi nous. J'hésitais, mais l'épisode de ce matin m'a finalement confortée dans l'idée que vous n'êtes pas faite pour être religieuse.

— Je ne comprends pas, bafouilla la jeune fille.

— Ma petite Mary, entrer dans les ordres n'est pas uniquement une question de foi. C'est aussi adopter une certaine harmonie de vie, qui passe par le don de soi, l'abnégation, le sacrifice, l'humilité, la réserve, le respect des règles… La communauté est tout, l'individu n'est rien. Je vous aime beaucoup, mon enfant, mais nous savons l'une et l'autre que vous n'êtes pas faite pour devenir une religieuse.

— Vous me chassez ? hoqueta Jezebel, soudain catastrophée.

— Non, bien sûr que non ! protesta la mère abbesse en lui prenant spontanément les mains. J'ai bien compris votre détresse, surtout avec cette enfant que vous avez choisi d'élever seule.

Jezebel se méprit sur le sens de cette remarque et jeta avec amertume :

— C'est cela que vous me reprochez ? D'avoir aimé ma fille dès le premier coup d'œil ? Mary est tout ce qui me reste. Comment aurais-je pu l'abandonner ? J'aurais eu l'impression de renier toute ma vie alors que, non, je ne regrette rien. J'ai aimé, j'ai tellement aimé, ma Mère ! Je sais que pour vous Dieu est tout, mais pour moi, arracher mon amour de mon cœur m'a totalement brisée. Je n'abandonnerai jamais mon enfant, même en échange d'un lit dans votre dortoir !

L'abbesse lui secoua les mains comme pour lui faire entendre raison.

— Allons, allons, vous allez un peu vite en besogne, ma fille ! Je ne vous mets pas à la porte, du moins, pas de cette façon-là. Je m'évertue juste à clarifier la situation car il est inutile que nous nous enfoncions, vous et moi, dans une direction que nous savons faussée. Vous n'êtes pas faite pour entrer dans les ordres. Soit. Mais vous êtes une excellente infirmière. Je pourrais vous recommander auprès d'un dispensaire qui trouverait à vous employer, ou auprès de l'hôpital central. Vous pourriez même faire des études, approfondir vos connaissances…

Jezebel se leva brusquement. Elle n'en pouvait plus de demeurer immobile. Elle avait besoin de marcher, de se détendre. De croire qu'elle pouvait à nouveau maîtriser sa vie.

— Vous voulez que je m'en aille.

— Notre communauté possède des règles, reprit la mère abbesse. Nous accueillons celles qui sont perdues, nous les soignons puis nous les remettons dans le droit chemin. Vous n'êtes pas dans le bâtiment des filles-mères, car vous nous aviez dit vouloir devenir religieuse. J'ai respecté ce vœu aussi longtemps que possible, mais le fait que vous ayez gardé votre enfant me confirme que vous ne pouvez pas rester parmi nous. Bien sûr, je vous laisse du temps pour réfléchir. Et puis, je vous rassure, je vous change juste de bâtiment, je ne vous mets pas à la porte. Enfin, je voudrais aussi vous inviter à réfléchir sur un autre point… Vous n'avez rien dit de votre vie passée, je respecte ce désir, mais tout de même, votre enfant a bien un père. Où se trouve-t-il ? L'avez-vous au moins informé de la naissance de sa fille ? Cet homme qui vous a suffisamment aimée au point de vous mettre enceinte, ne pourrait-il pas vous aider en ces heures difficiles ?

Jezebel se sentit subitement entourée de ténèbres. Elle crut qu'un orage se préparait mais, en levant les yeux, elle vit que le ciel était définitivement bleu. Elle balbutia, se confiant pour la première fois depuis son arrivée dans le couvent.

— Le père de mon enfant est mort, ma Mère.

L'abbesse se leva pour lui prendre les mains et les caresser entre les siennes.

— J'en suis profondément désolée, Mary. Je ne voulais pas vous attrister. Évidemment, je comprends mieux votre situation… Ne pourriez-vous tout de même pas contacter sa famille ? Sont-ils seulement au courant ? Vous savez, parfois, un enfant arrive dans un foyer comme un grand bonheur.

Jezebel hésita. Elle voulait encore tout refuser en bloc mais, au fond d'elle-même, son instinct lui disait que le temps des confidences était venu.

Lentement, profondément, elle inspira une fois, deux fois, jusqu'à recouvrer un semblant de calme. Alors, elle revint s'asseoir sur le banc et, d'une voix altérée qu'elle ne reconnut pas tout à fait être sienne, commença à raconter toute son histoire.

# 31

*Mai 1921*

La fillette était sagement assise sur un carré d'étoffe posé sur le gazon. Sa bouille ronde étudiait avec gravité un nouveau jouet en bois qui laissait échapper un tintement de clochette dès qu'on l'agitait. Ses grands yeux sombres prenaient dans l'ombre des arbres traversée par la lumière du couchant des éclats plus clairs, aussi pétillants que des bulles de savon. Récemment, ils avaient changé. Ils étaient passés d'un gris de plomb à un étonnant vert semblable aux aiguilles de sapinette, certes encore foncé, mais bien plus clairs que ce noir que tout le monde augurait.

Ses petites menottes potelées ramenaient parfois le jouet vers sa bouche, comme le font tous les enfants du monde pour goûter ce qu'ils ne connaissent pas. Pourtant, et bien qu'elle réitérât l'expérience plusieurs fois de suite, ce qui apparut finalement être un éléphant avec une trompe et des oreilles articulées ne parut pas lui plaire au goût. Elle crachouilla en grimaçant, secoua la chose d'un air dégoûté, puis recommença.

Jezebel, qui approchait en l'observant, crut fondre d'amour. Elle accéléra le pas, tomba à genoux dans l'herbe verte, tant pis pour son uniforme d'infirmière déjà bien taché, et tendit les mains vers l'adorable poupon qui se mit à babiller de plaisir.

— Mon ange a-t-il été sage aujourd'hui ? demanda-t-elle autant à la fillette qu'à la nourrice qui la surveillait, tout en embrassant à n'en plus finir les joues replètes, le doux front, la bouche qui riait.

La nourrice en question était une jeune Chinoise qu'une grossesse largement apparente rendait indolente. Elle approuva avec un grand sourire :

— Oh oui, petite *Lián Huā*[1] toujours sage ! Tenir debout maintenant. Voulez voir ?

Jezebel avait failli corriger la nourrice, qui s'obstinait à appeler sa fille « bouton de lotus », puis n'en fit rien. Le surnom était aussi affectueux qu'admiratif. À n'en pas douter, la jeune Asiatique était au moins aussi fière qu'elle de ce petit bout de chou dont on avait juste envie de croquer les bonnes joues et de chatouiller le cou avec mille baisers.

Suivant sa suggestion, elle posa le poupon sur ses pieds nus et s'extasia de le voir se camper bien fermement dans l'herbe.

— Elle fait des progrès de jour en jour, s'exclama-t-elle, le cœur tellement rempli d'émotion qu'il menaçait de déborder.

— Bientôt marcher, et alors, fini tranquillité, gloussa la nourrice.

— Allons, Hùshì, elle n'a pas huit mois ! Nous avons encore un peu de temps…

Mais la jeune Chinoise insista :

— Petite Lián pas ramper, elle vouloir être debout, toujours debout, toujours tout regarder. Marcher tôt.

Jezebel ne l'écoutait qu'à moitié, trop occupée à bécoter les doigts que la fillette lui mettait dans la bouche avec le plus grand sérieux.

— Nous verrons bien. Après tout, elle marchera quand elle le voudra. N'est-ce pas, mon petit ange ? Hùshì, si tu veux, tu peux y aller. Je prends la relève maintenant. Ton bébé sera bientôt là, tu dois te reposer. Demain, c'est dimanche. Je ne travaille pas. Je m'occuperai de ma petite chipie toute seule, comme ça tu pourras dormir.

La nourrice se leva avec souplesse malgré son gros ventre, salua aimablement puis trottina vers le réfectoire. Il était déjà sept heures, les sœurs appelaient pour le dîner. Le soleil avait disparu de l'autre côté des arbres. Une douce pénombre gagnait la cour. Jezebel se leva, prit la petite Mary sur sa hanche, ramassa le carré d'étoffe et le gros éléphant de bois, puis se dirigea vers le bâtiment principal du couvent, où elle avait un logement. Comme tous les jours, Hùshì avait déjà fait manger la fillette. Sa mère se contenterait de lui donner une dernière tétée un peu plus tard, avant

1. « Bouton de lotus », en chinois.

l'histoire du soir. La soirée leur appartenait tout entière, Jezebel avait dîné en chemin. Elle avait acheté quelques raviolis vapeur et une brochette de poisson à l'une des nombreuses échoppes de rue où de vieilles Chinoises proposaient à toute heure une variété infinitésimale de nourriture.

À Singapour, Jezebel avait rapidement apprécié deux choses : les parcs et les jardins, ces multiples espaces verts qui faisaient la part belle à la campagne toute proche, et ces quartiers populaires qui laissaient échapper une bonne odeur de cuisine, vivante et chaleureuse, colorée d'épices et de citronnelle, de badiane et de coriandre, de ciboule et de bouillons parfumés. Elle s'y arrêtait tous les soirs, le temps d'avaler des crêpes fourrées de viande, des *jīdàn bāo*[1] arrosés d'huile de sésame ou des nouilles agrémentées de poulet. Elle adorait ces mets sans prétention mais si goûteux, et elle pensait avoir presque tout expérimenté, sauf les étoiles de mer piquées sur des tiges de bambous, qui étaient si jolies mais qui semblaient aussi très dures sous la dent.

Depuis l'année dernière, sa vie avait complètement changé. Pour commencer, elle avait suivi le conseil de sœur Anne-Carole et n'était pas devenue religieuse. Avec le recul, une telle décision paraissait évidente mais, sur le moment, elle avait longuement hésité. Non qu'elle ait une vocation particulière – sur ce point, la mère abbesse ne s'était pas trompée – mais elle se sentait tellement perdue, tellement éloignée de tout ce qu'elle avait connu jusqu'à présent, qu'elle s'était accrochée inconsciemment au cadre du couvent, à son règlement, à sa communauté hiérarchisée, à son rythme immuable qui faisaient presque croire que tout était hors du temps et sous contrôle.

Ce n'est qu'avec l'arrivée de la petite Mary Leela qu'elle avait compris que, finalement, seule comptait sa fille, son unique trésor. Elle y avait puisé ce qu'il fallait d'amour, de règles rassurantes, de routine stable, et, forte de sa décision, avait pu commencer à construire sa nouvelle vie.

Sa première idée avait été de récupérer son héritage. En Angleterre, elle était une lady dotée d'une confortable fortune. À la mort de Michael Deckarn, qui avait été l'administrateur de ses biens, qu'étaient devenus ces derniers ? Elle envisagea de se rendre

1. Petits pâtés à l'œuf.

à la Barings Bank pour se renseigner, mais elle craignait que le baron von Rosenheim ne puisse ainsi retrouver sa trace. Elle abandonna bien vite cette idée.

De la même façon, elle n'osa pas écrire à Olga. Son amie lui manquait mais sa peur du trafiquant d'opium était pire que tout. La mésaventure de Chittagong lui avait servi de leçon, aussi préféra-t-elle se contenter des nouvelles mondaines qu'elle glanait dans les vieux magazines indiens que Teesara lui ramenait. L'*hijra* était devenue son amie. Une fois par semaine, elles partageaient un thé et une de ces pâtisseries à la crème qui étaient le péché mignon de la *ladyboy*.

Au fil des journaux, elle apprit que la fabrique de toile de jute de la comtesse russe était florissante et que son élevage de barzoïs commençait à avoir une belle notoriété. Les chiots atteignaient des prix faramineux et les maharajas venaient de loin pour s'en procurer. Olga ne s'était pas remise en couple avec Jan Lukas. Elle préférait s'afficher avec de multiples amants, tous jeunes et célèbres : un acteur de la MGN, un champion poids lourd de boxe, un virtuose japonais du violon... Une photographie la montrait en grands atours à un bal de charité où, juste derrière son aigrette en plume d'autruche, se devinait le doux visage d'Amely. Cette dernière avait un ventre rond qui augurait d'un heureux événement. Jezebel en avait pleuré de joie.

L'assassinat de Charu n'avait pas été élucidé. La police soupçonnait la secte des thugs, une théorie que le maharaja de Mahavir réfutait. Pour faire avancer le dossier, le nabab avait engagé un détective privé américain mais l'enquête stagnait.

Von Rosenheim n'avait été inquiété en rien. Son empire s'était consolidé durant la guerre et son réseau de malfrats prouvait son utilité en jouant double jeu auprès de l'armée britannique, à qui il fournissait de précieux renseignements militaires. L'opium continuait à asservir la Chine et, s'il fallait en croire les rubriques mondaines, le baron savait en tirer tous les honneurs. Il était reçu avec faste chez les plus hauts dignitaires du Raj britannique.

Jezebel comprit qu'elle ne pouvait pas lutter contre cet homme. Elle décida de tirer définitivement un trait sur son passé. Grâce aux recommandations de la mère abbesse, elle put se présenter à un poste d'infirmière au KK Hospital[1], une clinique qui avait récemment développé un service de maternité. On l'engagea. Dès lors, elle réussit à s'installer dans une existence calme et laborieuse qui ressemblait assez au bonheur.

Tous les matins, elle prenait le trolleybus sur Victoria Street pour rejoindre le service d'obstétrique géré par le Dr Jacob Mason, situé à près de deux miles du couvent. À huit heures, soigneusement mise dans un uniforme d'infirmière tellement amidonné que les puces ne pouvaient s'y accrocher[2], elle assistait trois sages-femmes qui se relayaient en salle d'accouchement puis, l'après-midi, employait son temps à mettre à jour de gros registres de comptabilité. De temps à autre, le Dr Mason venait lui demander de l'aide pour ausculter des patientes.

Le chirurgien-obstétricien était, comme son nom ne l'indiquait pas, un Écossais originaire d'Aberdeen. Il n'avait pas été long à la courtiser, tout comme la plupart des hommes qui travaillaient à l'hôpital, qu'ils fussent célibataires ou non. Jezebel était nouvelle, jeune, belle et accessoirement compétente. Elle affichait en permanence un petit air triste assez mystérieux, qui donnait à tous une folle envie de la consoler.

Il fut assez délicat de faire comprendre à son supérieur hiérarchique qu'elle ne souhaitait pas répondre à ses avances. Elle avait toujours le souvenir de Jan à fleur de peau et, dans ce contexte amoureux, aucun prétendant n'avait sa chance, qu'il fût séduisant ou non. Elle accepta cependant de déjeuner plusieurs fois avec Jacob. Ce dernier se montrait respectueux et attentionné, drôle et très humain. Elle passa de bons moments avec lui. Mais lorsqu'il voulut pousser plus loin leur relation en l'invitant un soir à un dîner suivi d'un spectacle de marionnettes indonésiennes, elle prit peur. Elle finit par lui expliquer que, dans sa vie, il y avait un petit être qui s'appelait Mary, et que cela seul comptait.

L'éminent chirurgien fut surpris de la confidence, et sans doute assez choqué. À partir de ce moment, il cantonna leur relation au plan strictement professionnel. Jezebel en fut soulagée. Elle n'était prête à rien d'autre.

---

1. KK pour Kandang Kerbau Hospital.
2. Anecdote véridique…

Chaque jour, le visage de Charu lui revenait de plein fouet rien qu'en regardant celui de sa fille. Il était pourtant trop tôt pour établir une ressemblance qui allait au-delà de l'épaisse chevelure noire mais Jezebel n'était guère objective. Elle espérait tant retrouver chez la petite Mary Leela le portrait de son beau prince indien que, de jour en jour, elle inventait une similitude dans la courbe d'un sourcil ou dans la forme du sourire. Elle fondait alors de tendresse, transportée d'amour, et embrassait le poupon à n'en plus finir jusqu'à parvenir à presque oublier Jan Lukas.

Jan Lukas, son amour, sa passion, son désir, son regret de tous les jours.

Jan, son fantôme récurrent, dont l'absence était devenue un supplice permanent et sans fin. Jan, dont elle ne guérissait pas, alors même que les mois passaient, chargés de distractions et de mouvements, et qu'une année s'était déjà écoulée.

L'Américain était l'ombre de sa vie et pas un jour ne passait sans qu'elle n'ait envie de le voir se dresser à nouveau en face d'elle, poser ses mains sur ses épaules, effleurer sa peau nue de sa paume, pencher la tête pour un baiser. Elle en défaillait presque.

Les moments les plus difficiles venaient le soir, lorsque le bébé était endormi. Dans la pièce minuscule à peine éclairée, elle se mettait à tourner en rond, désœuvrée, n'ayant goût à rien, pas même à dormir. Elle essayait de lire, puis le livre lui tombait des mains. L'instant suivant, elle tentait de dessiner mais, là aussi, le pinceau courait sur le vélin sans se fixer. Tôt ou tard, elle finissait par se jeter sur son lit, embrasser son oreiller, enfouir ses gémissements au creux de ses draps jusqu'à sombrer enfin dans un sommeil mouillé de larmes.

Ce soir serait semblable aux autres. Peut-être même s'annonçait-il pire… En se rendant ce matin à l'hôpital, elle était tombée en arrêt devant la une du *New York Times* affichée dans un kiosque à journaux. Elle n'en avait pas cru ses yeux et s'était empressée d'acheter l'édition qui datait déjà de quelques semaines. Dans le trolleybus, elle avait rapidement feuilleté l'exemplaire puis l'avait mis de côté pour le lire plus en détail lors de sa pause déjeuner. Elle s'était montrée fébrile et peu concentrée durant toute la matinée, au point de se faire réprimander par l'une des sages-femmes. À midi, elle avait couru à la cantine. Elle s'était installée seule à une table et avait soigneusement déplié le journal.

Sur la première page, juste sous le célèbre nom en lettres gothiques, s'étalait un très grand portrait de Jan Lukas. L'Américain posait à côté d'un magnifique cheval que la légende appelait *Star d'Orient*. Le jeune homme était plus beau que jamais dans sa tenue de polo. D'autres photographies émaillaient le reste de l'article. Jezebel fixa son attention sur celle où il brandissait un magnum de champagne à côté de trois autres joueurs. Elle glissa ensuite vers celle prise lors d'une soirée caritative qui se déroulait, selon les dires du journaliste, chez l'un des héritiers Astor. Jan souriait à l'objectif dans un élégant smoking blanc.

Le dernier cliché fut son préféré. Jan affichait son air le plus charmant sous un borsalino plein de gouaille légèrement rejeté vers l'arrière, tandis qu'il serrait la main du maire de New York. Le cœur battant, Jezebel avait soigneusement détaillé le visage toujours aussi séduisant, les pommettes marquées qui accentuaient le caractère de sa physionomie, la force acérée des mâchoires, avec cet angle au-dessus du cou qui l'avait toujours émue, les lèvres pleines de morgue, constamment relevées en un demi-sourire à la fois agaçant et si craquant…

Négligeant son club-sandwich, elle s'était concentrée sur l'article, ce qui n'avait guère été facile : les lettres d'imprimerie dansaient devant ses yeux tant ces derniers étaient brouillés de larmes. Peu à peu, sa lecture lui avait appris que l'Américain était un parti bien en vue. Bien qu'il ait d'abord été incriminé dans l'assassinat de son ami d'enfance, le prince indien de Nandock, il avait été disculpé par le père de ce dernier, le maharaja de Mahavir en personne, qui se portait garant de son innocence. Depuis, le jeune Américain partageait son temps entre New York et Buenos Aires, où il avait repris l'élevage de *criollos* d'Andres Agustin. Il avait hérité de l'immense fortune de son mentor, aussi bien en propriétés terriennes qu'en pièces d'art. Il faisait d'ailleurs la une du *New York Times* parce qu'il avait offert au Metropolitan Museum of Art une pièce archéologique exceptionnelle à la valeur inestimable, qu'il avait récemment extraite des collections de l'Argentin.

L'article précisait que cette donation consistait en une statuette en or massif, un dieu gupta haut de huit pouces, assis sur une fleur de lotus et présentant un visage de tigre ou de léopard. Le journaliste précisait que cette divinité était liée au mystère d'une antique cité disparue mais que Jan Lukas, interrogé à ce propos, avait préféré en rire en affirmant qu'il ne s'agissait que d'une légende.

Toutes ces informations avaient profondément troublé Jezebel. Sur chacune des photographies, Jan souriait d'un air heureux. Il semblait bien installé dans une vie luxueuse et trépidante. Soudain, elle avait réalisé qu'elle ne lui manquait pas. Sa tristesse était devenue de la colère. N'avait-il toujours fait que lui mentir ? Ne lui avait-il pas juré un amour éternel, comme ces oiseaux bengalis inséparables ? « *Vous êtes mon bengali, comme je suis le vôtre* », lui avait-il clamé dans sa dernière lettre… Comme elle avait été bécasse de le croire, au point de se languir de lui au fin fond de l'Asie, tandis qu'il menait la grande vie à New York, courait les réceptions mondaines, faisait le beau durant les matchs de polo, bref, continuait à vivre comme il avait toujours vécu, riche et adulé, alors qu'elle… elle… !

Avec une rage froide, minutieuse, elle avait froissé le journal avant de le jeter au fond de son sac.

Maintenant encore, après toute une journée passée à ruminer sa colère, elle était agitée de tremblements nerveux. Pour se calmer, elle s'occupa de la fille, l'embrassa et la chatouilla. La petite, ravie, se mit à rire aux éclats. Le cœur quelque peu allégé, Jezebel poussa la porte de la vaste demeure de Saint-Vaillant et se dirigea vers son logement.

Ce dernier était une simple cellule moniale, pas très grande et chichement meublée. La mère abbesse la lui avait proposée lorsqu'une des religieuses de Saint-Vaillant l'avait libérée pour se rendre à Bornéo, en mission d'évangélisation. Jezebel avait choisi de s'y installer avec joie même si, avec son récent salaire, elle aurait pu louer un meublé plus proche de son lieu de travail. Elle n'avait pas voulu changer les habitudes du bébé, qui était heureux ici. La petite Mary Leela aimait à écouter les cloches annoncer les heures de prière, à ramper sur l'épaisse pelouse de la cour centrale, à patauger joyeusement les jours de canicule dans le bassin sous la fontaine et à faire la coquette devant les enfants de l'orphelinat qui, à l'heure du goûter, avaient parfois l'autorisation de lui amener des biscuits. De plus, Jezebel avait craint de demeurer seule, totalement seule, en l'unique compagnie de ses tristes souvenirs et d'un bébé dont elle n'était pas toujours sûre de s'occuper comme il le fallait.

— Bonsoir Mary. Vous rentrez bien tard…

Sœur Anne-Carole remontait le couloir dans sa direction, sa grosse croix brune tressautant sur ses voiles blancs. Depuis que la jeune femme lui avait raconté son histoire, elle connaissait son vrai nom mais continuait tout de même à l'appeler par son nom d'emprunt.

Jezebel lui fit face en souriant.

— Bonsoir, ma Mère. Comment allez-vous ?

— Bien, je vous remercie. Je voulais justement vous voir. Auriez-vous quelques instants à m'accorder, ma petite Mary ?

— Bien sûr, ma Mère. Figurez-vous que je pensais justement à vous, à la grâce que vous m'aviez faite en me permettant d'occuper cette chambre.

La mère abbesse leva une main modeste.

— Allons, Mary, je vous en prie, je suis heureuse de pouvoir vous aider. Et puis, vous savez bien que nous priver de votre adorable fille aurait été un vrai crève-cœur… Cette petite est un tel rayon de soleil. Voyez comme elle grandit bien. Bientôt, elle demandera à courir sur les talons des autres enfants.

Jezebel s'effaça pour laisser entrer l'abbesse dans sa cellule aux murs chaulés de blanc, où le lit occupait la majeure partie de la pièce, en angle avec la fenêtre.

— Est-ce pour me parler de ma fille que vous voulez me voir ?

— Non, non, pas du tout… En réalité, je… j'ai une lettre à vous lire.

— Encore votre évêque ? se moqua gentiment la jeune femme en plaçant son bébé sur le lit pour lui changer ses langes. Tenez, mettez-vous dans le fauteuil pendant que je prépare mon bébé pour la nuit.

Sœur Anne-Carole s'exécuta en souriant d'un air un peu gêné. Jezebel lui coula un regard en biais tout en ôtant la tunique de satin rouge boutonnée sur le côté qui habillait sa fille comme un poupon chinois.

— Non, ce n'est pas l'évêque…

— Ah ? Très bien. Je vous écoute, ma Mère.

Tandis qu'elle papouillait son poupon, l'abbesse sortit de sa manche un élégant papier bleu, qu'agrémentaient de grandes lettres dorées. Une bouffée épicée se distilla dans la chambre.

— Hum, hum…, commença-t-elle. Je vous avais suggéré d'écrire au maharaja de Mahavir, le grand-père de votre fille. L'auriez-vous fait par hasard ?

Jezebel fixa les cuisses potelées du bébé qui gigotaient en tous sens.

— Vous savez bien que non, ma Mère. Je vous en aurais parlé.

— Je m'en doutais, aussi ai-je pris la liberté de le faire à votre place.

Cette fois-ci, Jezebel tomba des nues. Elle saisit sa fille dans ses bras pour faire face à la religieuse. Ses yeux bleus étaient devenus des saphirs pleins d'orage dans lesquels surnageait de la peur.

— Je ne le crois pas, vous n'avez pas fait ça ?

Pour toute réponse, l'abbesse déplia la lettre bleue et commença à la lire.

*« Calcutta, Palais d'Or, 23 avril 1921,*

*Chère madame l'abbesse des Dames de Saint-Vaillant,*

*Nous accusons réception de votre lettre, que vous nous avez envoyée en début de ce mois, dans laquelle vous nous faisiez état d'un événement que, jusqu'à présent, nous ignorions.*

*C'est avec surprise, infiniment de surprise, que nous vous avons attentivement lue et que nous apprenons l'existence d'une enfant qui serait, possiblement, l'enfant de notre fils, le prince Charu Bakhtavar de Nandock, malheureusement décédé le 1er janvier 1920.*

*Cette enfant serait, selon vos dires, celle de lady Jezebel Ann-Rose Tyler, comtesse Tyler, une jeune fille anglaise que notre fils a effectivement bien connue. À maintes reprises, il nous avait fait part de l'amour qu'il portait à cette personne, que nous avions d'ailleurs reçue en notre palais de Calcutta lors d'une soirée protocolaire.*

*Si tant est que cette enfant soit effectivement celle de notre fils, nous ne saurions désirer que cette unique héritière du prince de Nandock, qui serait par conséquent de sang royal, puisse vivre loin de nous. Nous vous demandons donc expressément de tout faire pour nous l'envoyer, de préférence en compagnie de sa mère, afin que nous puissions juger par nous-mêmes la réalité de sa filiation.*

*Vous serez aimable de nous faire parvenir un courrier attestant l'acceptation de lady Tyler à nous rencontrer, et faisant état d'une date de voyage prévisionnelle.*

*En l'attente, veuillez agréer, chère madame l'abbesse des Dames de Saint-Vaillant, l'expression de nos meilleurs sentiments,*

Sa Très Grande Altesse<br>Mani Sarthak Shantimay Singh de Mahavir,<br>« Le Joyau du Bengale »

*P.S. Ne vous méprenez pas sur le caractère officiel de cette lettre, nous nous réjouissons par avance de bientôt rencontrer notre petite-fille, Leela Mary. Qu'elle soit bénie. »*

La mère abbesse se tut. Elle demeura un instant immobile, comme pour poser l'instant, puis elle replia la lettre et la tendit à Jezebel. Cette dernière la prit machinalement. Elle était en proie à une multitude d'émotions qu'elle ne parvenait pas à ordonner. Elle était étonnée et triste, effrayée mais aussi presque heureuse tout en étant très en colère. Ce fut ce dernier point qui finit par l'emporter. Elle explosa :

— Mais de quel droit avez-vous écrit cette lettre, ma Mère ? Vous avais-je demandé quelque chose ? Et ce maharaja, pour qui se prend-il ? Qui croit-il donc que je suis ? Oublie-t-il qu'il parle tout de même à une comtesse anglaise ? Imagine-t-il qu'il a le monopole de l'aristocratie ? Oser douter de la filiation de ma fille ! M'accuser, en quelque sorte, de vouloir le flouer ou, pire que tout, d'avoir couché avec d'autres hommes que son fils !

— Mary ! s'exclama la religieuse en se levant de son siège. Vous êtes dans la maison de Dieu. Ne parlez pas ainsi !

— Pardon ma Mère, répliqua Jezebel, pas vraiment calmée. Mais avouez tout de même que vous y êtes allée un peu fort ! Comment avez-vous osé vous immiscer dans ma vie privée ? Savez-vous seulement les éventuelles répercussions que pourrait avoir un tel geste ? J'ai fui Calcutta parce qu'un homme me harcèle. Je suis certaine que s'il apprend où je me trouve, il n'aura de cesse de venir à Singapour.

— Je vous rappelle que vous êtes dans un couvent. Ici, Mary, la loi de Dieu prévaut. Cet homme ne peut rien contre vous.

— Vous ne connaissez pas cet homme. Il n'a aucun honneur.

— Vous vivez dans une peur qui n'a sans doute plus lieu d'être. Le temps a coulé, les mois ont passé. Je vous sais malheureuse, ma petite, tout comme je devine que la famille du père de votre fille l'est de la même façon. Ne croyez-vous pas qu'elle a aussi le droit de savoir ?

— Pour ce que cela leur chaut ! N'avez-vous pas lu leur mépris ?

— Il me paraît normal d'exiger des preuves dans une telle situation, tempéra la religieuse. Et puis, vous oubliez tout de même ce post-scriptum, qui confesse la joie qu'ils ont ressenti en apprenant cette nouvelle…

Jezebel serra plus fort sa fille contre elle, et souffla contre ses cheveux sombres.

— Moi, je trouve cette lettre à la limite de l'insulte ! Quelle preuve puis-je seulement leur apporter ? Charu n'était pas mon époux, je n'ai aucun papier officiel, rien qui atteste de la vérité de cette filiation.

— Vous avez vos bijoux, rétorqua la mère abbesse en posant sur le lit une pochette de velours sortie d'une de ses nombreuses poches. Ce prince indien ne vous en aurait-il pas offerts ?

Jezebel reconnut la bourse qu'elle avait confiée au coffre-fort du couvent à son arrivée chez les Dames de Saint-Vaillant.

— Si, bien sûr, Charu m'a offert des bijoux… mais je ne vois pas comment…

— Quelque part, il existe assurément une facture, un acte de propriété…

— Vous voulez que je prouve la filiation de ma fille avec des comptes d'apothicaire ?

Elle avait recommencé à marcher de long en large, pâle de fureur, tant et si bien que l'abbesse préféra lui prendre l'enfant des bras pour la coucher dans son berceau.

— Allons, allons, calmez-vous, Mary. Votre fille est à deux doigts de pleurer. Est-ce cela que vous voulez ?

Jezebel se laissa tomber sur son lit. Elle paraissait maintenant si bouleversée que la religieuse vint lui prendre la main pour tenter de la réconforter.

— Réfléchissez, Mary. La proposition du maharaja est tout à fait correcte. D'ailleurs, le voyage vers Calcutta ne dure qu'une dizaine de jours. Qu'est-ce donc, dix jours dans une vie, en regard de la joie que vous pourriez en retirer ? Votre fille n'a déjà plus de père. Lorsqu'elle sera grande, elle vous remerciera de lui avoir permis de connaître son grand-père...

Jezebel soupira.

— Vous parlez avec votre cœur d'Occidentale, ma Mère, mais là-bas, dans le palais du maharaja, que sera ma petite Mary, en dehors d'un numéro ? Le harem est rempli d'épouses et de filles d'épouses. Le prince que j'ai connu avait fait des études en Amérique. Mais son père est un nabab qui a droit de vie ou de mort sur ses sujets. On le dit juste et bon, je crois pourtant me souvenir qu'il a douze épouses et au moins autant de concubines. Cela fait tellement d'enfants ! Que croyez-vous vraiment que ce maharaja attende de mon enfant qui, outre de n'être qu'à moitié indien, a aussi le malheur de ne pas être l'un de ces garçons dont il aurait éventuellement pu s'enorgueillir ?

— Vous devriez tout de même faire ce voyage. Cela ne vous engage en rien. Si les paroles ou les actes du maharaja ne vous plaisent pas, vous n'aurez qu'à nous revenir au plus vite.

Jezebel leva vers la religieuse des yeux désespérés.

— Vous ne me laissez pas le choix, n'est-ce pas ?

— Bien sûr que si, mon enfant ! se récria cette dernière. Je vous demande uniquement de ne pas être égoïste. Votre fille a le droit de connaître toute sa famille.

Le regard de Jezebel se durcit.

— Je veux conserver mes droits sur mon enfant, si d'aventure je devais aller à Calcutta, il est hors de question que j'y aille comme une mendiante.

— J'y ai également pensé. Voilà pourquoi je vous ai ramené vos bijoux. En les vendant, vous obtiendrez sans doute une belle somme... Je vous laisse réfléchir. Bonne nuit, Mary.

La mère abbesse sortit. Jezebel en profita pour éteindre les lumières et permettre à sa fille de dormir tranquillement. Elle avait juste laissé une bougie allumée, qu'elle avait posée sur la table de chevet. Dans son esprit se bousculait une multitude de pensées, d'émotions. Finalement, elle sortit de son sac l'exemplaire du *New York Times* roulé en boule et le défroissa consciencieusement. Puis elle le plaça à côté de la bougie, tout en caressant du doigt le portrait de l'homme qu'elle aimait.

D'un doigt lent, elle suivit la mâchoire volontaire, le front sur lequel tombait l'éternelle mèche de cheveux indisciplinée. Elle laissa échapper un long soupir vibrant. Elle n'était toujours pas guérie de lui et, sans doute, ne le serait jamais. Rien qu'à regarder cette simple photographie, ses mains tremblaient comme une feuille.

Elle se redressa dans la pâle clarté de la bougie, son ombre se découpant sur les murs. Elle ne s'était pas encore changée, il était temps d'ôter ses vêtements de la journée. Elle commença par défaire les boutons de la bavette blanche à encolure ronde, qui recouvrait en tablier la quasi-totalité de la robe d'infirmière. Dessous, le corsage gris était relativement ajusté, avec des manches longues qui, lorsqu'il faisait très chaud, devenaient un vrai calvaire.

Elle se retrouva en combinaison de coton, dont elle repoussa les bretelles le temps de se rafraîchir à l'aide d'une éponge et de l'eau fraîche contenue dans un broc. Cela lui fit du bien. Après avoir enfilé une chemise de nuit, elle se sentit revigorée et les idées presque claires.

Sur la table, un compotier présentait quelques fruits achetés au marché. Elle ouvrit une *pitaya*[1], suça la chair sucrée puis, d'un air soudainement déterminé, alla jusqu'au lit pour renverser la bourse de velours sur les draps.

Une coulure de perles, de diamants et de pierres précieuses ruissela dans la pénombre. La jeune femme les aplatit de la main avant de prendre un à un les colliers et les bracelets qu'elle possédait, pour les détailler rêveusement.

La plupart lui venaient du baron von Rosenheim, du temps où il avait été son fiancé. Elle ne leur attachait d'autre valeur que marchande. Elle les regroupa en tas en se promettant de les vendre le plus rapidement possible.

Les autres bijoux lui avaient été offerts par Charu. Un instant, elle fit miroiter entre ses doigts l'énorme collier de rubis, qui ressemblait à un plastron tant il était grand et lourd. Elle détailla un second collier avec une émotion grandissante. Ceux-là, elle savait qu'elle ne les vendrait jamais. Un jour, elle n'aurait pas de plus grande joie que de les montrer à sa fille, en lui expliquant qu'ils lui venaient de son père.

---

1. Fruit aussi appelé fruit du dragon.

Restait deux colliers, auxquels elle accordait une pareille importance. Le premier était un tour de cou d'une forme peu usitée, assez primitive, qui datait de l'Antiquité et qui lui avait été offert par la duchesse Olga Marushka Obolenski. Jan le lui avait lui-même passé autour du cou, ses doigts s'attardant un peu trop sur sa peau.

Le souffle court, elle ferma les yeux et joua à se souvenir de la voluptueuse caresse, à peine plus qu'un effleurement de papillon, mais si sensuelle, si… Elle rouvrit les yeux, posa le bijou parmi ceux qu'elle voulait garder puis s'empara de la dernière pièce de joaillerie : un pendentif accroché au bout d'une chaîne, à l'apparence assez simple, certes en or et joliment ouvragé, mais qui ne possédait rien d'exceptionnel en dehors de deux incrustations de topaze.

— Le fameux Sher-Cîta, murmura-t-elle.

Dans son berceau, la petite Mary dut l'entendre, car elle se retourna en poussant un bref soupir. Dans leur coin, près de la fenêtre, les deux oiseaux bengalis s'agitèrent à leur tour. Ils se poursuivirent un moment, gazouillèrent, puis retournèrent sur leur balancelle où ils se bécotèrent affectueusement.

Jezebel reporta son attention sur le médaillon. Le Sher-Cîta avait une histoire si extraordinaire qu'on avait peine à la croire. Elle en retenait surtout le principal : Charu le lui avait donné, mais il appartenait à Jan Lukas. Étrange destinée…

La gorge serrée, elle ouvrit le tiroir de sa table de chevet et sortit une enveloppe usée d'avoir été mille fois manipulée. À l'intérieur, il y avait le mot que Jan avait glissé dans la cage des bengalis lorsqu'il les lui avait offerts. Elle sortit une fois de plus le bristol, le lut et le relut en refoulant ses larmes.

À petits mots brefs et concis, Jan lui assurait qu'il l'aimait et qu'il serait toujours là pour elle. Il avait même poussé le vice à joindre une adresse new-yorkaise. Quel menteur !

Le médaillon dans une main, l'adresse dans l'autre, elle allait balancer le tout au fond du tiroir lorsqu'une idée lui vint. Elle avait besoin d'argent pour paraître à la cour du maharaja de Mahavir sans ressembler à une pauvresse. Vendre les babioles de von Rosenheim ne lui rapporterait pas grand-chose. Elle y ajouterait les quelques économies qu'elle réussissait à faire sur son salaire mais, là aussi, ce n'était pas mirobolant.

En revanche, elle croyait se souvenir que l'Américain avait, un temps, accordé beaucoup d'importance au médaillon d'art gupta. Le jeune homme considérait-il encore le Sher-Cîta avec une telle importance ? Et si oui, était-il prêt à le lui acheter un bon prix ?

Décidée à en avoir le cœur net, elle commença à écrire une lettre.

Mais les mots ne venaient pas. Elle hésita, ne sachant quoi dire. Ici aussi, elle avait l'impression de mendier. À plusieurs reprises, elle déchira la feuille, recommença, la déchira à nouveau. Au bout d'un certain temps, elle réalisa qu'une telle lettre mettrait au moins trois ou quatre mois à atteindre New York où Lukas ne serait peut-être pas, puisqu'il partageait son temps avec l'Argentine…

Désespérée, elle déchiqueta son dernier brouillon, puis décida de rédiger un télégramme court et concis, qu'elle se promit d'envoyer dès le lendemain.

Une dernière fois, elle se relut.

« Voulez-vous acheter médaillon stop JT. »

Elle avait réussi à ne pas y mettre de sentiment. Elle trouva son texte très bien.

# 32

*Août 1921*

D'abord, il y avait la couleur.

Les champs de lotus étaient d'un vert vif ponctué çà et là de taches roses et blanches. Certains étaient enchâssés dans des marécages brunâtres, mais d'autres poussaient à côté d'étendues de colza, dont le jaune vif rehaussait les tons délicats.

Le temps était instable, comme souvent dans la région de Singapour. Au-delà d'une rapide ligne d'horizon bien verte, on devinait de gros nuages d'orage distendus, chargés d'humidité en un bouillonnement digne d'un tableau hollandais. Par endroits, des diagonales de pluie hachaient le ciel torturé. Plus près, des haies de bambous, de palmiers et de manguiers faisaient aux étangs un écrin agité par les alizés. Puis l'averse arrivait, calme et obstinée, rapidement chassée par le soleil qui perçait et exhalait les parfums.

D'abord celui de la terre mouillée, saturée de sève, puis en arrière-fond celui de l'étang, avec des remugles de vase putréfiée, de limon mou et fin, gorgé d'eau et d'éléments plus ou moins aquatiques. Enfin, en note enveloppante, une senteur s'imposait, lente et lourde, légère cependant, comme une pointe de jacinthe ou de jasmin, mais en plus mouillé, en plus vert, en plus frais et doux.

Ce parfum était celui des fleurs de lotus.

Tous les dimanches, Jezebel venait cueillir les gros boutons roses qui seraient vendus par la suite aux portes des temples. Cette cueillette saisonnière s'étalait de juin à fin août. Elle permettait à la jeune femme de grossir ses économies en prévision de son éventuel voyage à Calcutta, mais ce n'était guère un travail aisé. Il fallait venir tôt, avant que les corolles ne s'épanouissent au soleil, prendre une barque et des paniers, un bon couteau et marcher dans l'eau entre les hautes tiges surplombées de feuilles rondes et épaisses, jusqu'à parvenir au bouton parfait, rond comme un ballon, à la belle couleur rose infusée de rouge. Un ponton de planches disjointes permettait d'accéder à la partie centrale de l'étang. Des cabanes en bois surmontées de toits de chaume y étaient disposées régulièrement, offrant un abri précaire lorsque les orages éclataient.

Pour Jezebel, il n'avait pas été facile de se faire accepter par le propriétaire du champ, un Chinois replet qui passait ses journées à regarder travailler les cueilleuses.

— Ça pas travail pour *Yīngguó rén*[1], avait-il clamé d'un ton péremptoire assez méprisant, lorsqu'il avait vu la peau trop claire et la longue natte blonde de la jeune femme venue lui réclamer un engagement.

— Ça travail pour femme qui doit nourrir son enfant, avait sèchement répliqué Jezebel sans se laisser démonter, en montrant la petite Mary Leela accrochée dans son dos. J'ai besoin de ce travail !

Le gros homme avait étudié cette jeune femme grande et belle, cette Anglaise vêtue comme une Chinoise des bas quartiers, le visage protégé par un vieux chapeau pointu, les pieds chaussés de ballerines usées, dont le regard incroyablement bleu reflétait la détermination. Il avait plissé ses paupières en la toisant longuement, puis, sans un mot, il avait montré les barques, les paniers et les lotus, et avait hoché sa grosse tête ronde. Après tout, que lui importait si cette *Yīngguó rén* tenait à vivre comme la plus pauvre des cueilleuses.

Jezebel avait ôté ses chaussures et avait sauté dans l'eau, au milieu des plants. Elle s'était enfoncée jusqu'à mi-cuisses dans un mélange boueux, tiède et organique. La petite Mary, accrochée dans son dos, avait eu les orteils mouillés et s'était mise à rire.

La cueillette du lotus était ardue. Passé le premier dimanche, Jezebel, consternée par ses courbatures et, surtout, par ses pieds que l'eau avait tant plissés, avait failli arrêter. Après tout, elle n'avait pas besoin de ce travail supplémentaire pour vivre, elle ne l'avait envisagé que pour arrondir plus rapidement ses économies, ce qui n'était guère nécessaire puisque son voyage vers Calcutta était encore hypothétique.

---

1. « Personne anglaise », en chinois.

Elle hésitait encore… Bien sûr, elle se réjouissait de revoir sa chère Olga Marushka, ainsi que la douce Amely, et de peut-être renouer avec sa vie d'antan. En revanche, elle se méfiait de sa prochaine rencontre avec le maharaja de Mahavir et, surtout, elle craignait de tomber par hasard sur le baron von Rosenheim, le meurtrier de son parrain.

Cette idée lui était si insupportable qu'elle avait recommencé à faire des cauchemars. S'il n'y avait eu le regard pétillant de sa fille, qui adorait à l'évidence venir patauger à l'étang, elle aurait sans doute tout envoyé promener.

La petite Mary Leela allait sur son premier anniversaire. Elle ne marchait pas encore toute seule mais se tenait déjà bien droite, ses grands yeux éveillés furetant dans toutes les directions pour assouvir une curiosité grandissante. Ces journées à la campagne lui plaisaient tellement que Jezebel n'avait pas le cœur de l'en priver. Elle revint donc pour trimer dans la vase tandis que sa petite riait aux anges, et ces dimanches devinrent des moments de pur bonheur.

Le rituel était toujours le même. Jezebel installait la petiote dans une barque qu'elle poussait devant elle au fur et à mesure qu'elle avançait dans le marécage. Ses pieds nus s'enfonçaient dans une vase fine, molle et tiède. Ce n'était pas désagréable, sauf lorsqu'elle s'accrochait aux rhizomes qui affleuraient parfois.

Mary Leela, arc-boutée au bord du bateau, piaillait de joie dès qu'elle apercevait un oiseau. Plus tard, la fatigue la prenait et elle s'asseyait dans le fond pour jouer avec quelques capsules de lotus que sa mère lui donnait. Les plus sèches faisaient un bruit de maracas lorsqu'on les secouait, à cause des graines piégées à l'intérieur. Les plus vertes avaient des trous que la fillette explorait consciencieusement de ses petits doigts potelés. Parfois, Jezebel attrapait une grenouille, qu'elle libérait dans le bateau pour la voir sauter en de grands bonds maladroits, ce qui faisait rire la petite jusqu'à ce que l'animal s'échappe par-dessus bord et disparaisse à nouveau dans l'étang.

Ces moments étaient incomparables, et Jezebel ne s'en serait privée pour rien au monde. Tant pis si la cueillette était dure, tant pis s'il fallait se lever bien avant l'aube pour prendre le trolley jusqu'au terminus et, là, marcher longuement dans une campagne désertique, enveloppée d'une brume matinale qui la rendait à la fois belle et sinistre. Tant pis s'il faisait chaud, en plein soleil, ou froid, sous la pluie. Tant pis pour tout cela, car Mary Leela était heureuse.

D'ailleurs, l'argent gagné n'était pas négligeable. Avec les bijoux qu'elle avait réussi à vendre et les économies qu'elle continuait de faire sur son salaire, elle commençait à disposer d'une belle somme. Bientôt, elle aurait de quoi voyager en première classe et acheter de beaux vêtements élégants pour elle et sa fille. Elle ne se présenterait pas devant le maharaja comme une indigente, bien au contraire. D'autant que, la veille, sœur Anne-Carole lui avait remis une cagnotte de la part du couvent. Jezebel avait tenté de refuser, mais la mère abbesse s'était montrée intraitable.

— C'est la contribution des Dames de Saint-Vaillant à votre voyage, ma chère Mary. Après tout, ce n'est que justice, vu que j'en suis l'instigatrice…

Jezebel avait discrètement essuyé ses larmes, et la cagnotte avait rejoint le reste de son pécule. Son retour en Inde se précisait, comme le lui avait fait remarquer le maharaja de Mahavir dans sa seconde lettre.

Dès la première phrase, Mani Sarthak Shantimay Singh avait affirmé se réjouir de bientôt rencontrer sa petite-fille ainsi que sa mère, cette comtesse Tyler qui, assurait-il, avait fait grande impression lors de son unique venue au palais royal. S'ensuivaient quelques phrases élogieuses qui complimentaient la jeune femme, son élégance, sa noblesse… En post-scriptum, le maharaja avait précisé qu'il enverrait sous peu une personne de confiance chargée d'escorter la mère et l'enfant jusqu'à Calcutta.

Jezebel essayait de ne pas trop penser à ce voyage. En réalité, elle guettait un autre courrier qui, lui, ne venait pas. Jan Lukas n'avait pas répondu à son télégramme.

Elle n'en était pas vraiment surprise, plutôt vexée et fâchée. Elle avait compris depuis longtemps qu'elle n'avait pas de place à espérer dans la vie du jeune homme. N'avait-elle pas tout fait pour en arriver là ?

Néanmoins, en avoir confirmation par ce silence assourdissant faisait bien mal.

*

La nuit était encore très noire, pas même marquée par ce vague liseré bleuâtre qui aurait annoncé l'aube. Jezebel sortit sa fille de son lit d'osier et la prit contre elle pour la réveiller doucement. Elle se sentait égoïste, parce qu'il s'agissait d'un de ses moments préférés, sentir la douce chaleur de son bébé encore endormi, la mollesse de son petit corps encore presque assoupi, ses bras potelés serrés autour de son cou et ses petits soupirs mouillés qui glissaient contre sa joue. Délicatement, elle câlina la petite tout en l'embrassant puis, la nouant dans son dos à la mode chinoise, comme elle avait pris l'habitude de la porter, elle partit dans l'obscurité silencieuse du couvent.

Ce dernier dimanche d'août promettait d'être humide et sombre. La jeune femme frissonna dans la pluie fine qui faisait briller la rue sous l'éclairage des réverbères. Elle attrapa un trolleybus presque vide, s'assit sur un siège près du conducteur, s'assoupit à moitié durant le trajet qui la conduisait au terminus Là, elle s'engagea à pied sur la route qui grimpait vers le nord en direction du réservoir central. Dans son dos, la petite s'était rendormie, elle le sentait à son poids inerte.

Bientôt, la banlieue faite de bric et de broc s'éclaircit, et il ne resta plus en bordure de chemin que de rares bicoques aux toits de palmes qu'on remarquait à peine parmi une végétation luxuriante. Les fossés étaient remplis d'eau d'où émergeaient de jeunes pousses de roseaux bien vertes. Une multitude d'oiseaux commença à saluer l'aube grise qui éclairait par petites touches le paysage. Jezebel suivait maintenant une modeste route de campagne qui s'enfonçait dans les champs. Il n'y avait pas âme qui vive en dehors de ces petites flèches colorées, perruches à moustache, souimangas ou loriots de Chine, qui fusaient d'un arbre à l'autre en gazouillant de bon cœur.

Jezebel tâta sa poche pour vérifier la présence de son couteau. Récemment, elle avait fait une mauvaise rencontre. Deux *goondas*[1] avaient tenté de la prendre à partie, cherchant à l'embrasser de force et à lui peloter la poitrine. Elle s'était débattue, réussissant à balafrer le plus entreprenant de son canif. Ils s'étaient alors enfuis sans demander leur reste, moins à cause de la blessure qu'à cause du chapeau qu'elle avait perdu dans l'escarmouche et qui,

1. Terme désignant des voyous, des bandes.

en tombant, avait révélé sa tresse blonde et son visage d'Anglaise. Elle n'avait jamais revu ces voyous mais depuis elle n'était plus tranquille.

Ce matin plus qu'un autre, elle était si nerveuse que les tourterelles qui picoraient sur le chemin ne suffisaient pas à la rassurer. Lorsqu'elle était descendue du trolleybus, elle avait eu l'impression d'être suivie, or ce sentiment désagréable n'avait fait que s'accentuer avec la pleine campagne. Depuis, elle ne cessait de vérifier si personne ne rôdait aux alentours.

Elle repéra vite la lointaine silhouette qui marchait dans la même direction qu'elle. Prise de panique, elle essaya de se raisonner. Après tout, le chemin qu'elle suivait menait aux champs de lotus. En période de cueillette, il était normal de ne pas y être seule.

Cependant, elle accéléra le pas. Loin derrière, la silhouette sembla faire de même. Un hasard ? Prise d'un doute, elle quitta brusquement la route principale pour suivre un embranchement secondaire. C'était un détour qu'aucun cueilleur n'aurait envie de prendre avant une dure journée de labeur. Elle en aurait ainsi le cœur net.

Elle s'enfonça dans un terrain marécageux. Sur sa droite, des étangs se succédaient. Au premier tournant, elle se retourna, et s'affola. Elle était bel et bien suivie, et même presque rattrapée. Un homme, grand, doté d'un pas rapide, avançait vers elle à grandes enjambées. Ni un Chinois, ni un Malais, plutôt un Européen portant un beau costume et un panama.

La bouche sèche, elle faillit partir au trot, ne se maîtrisa qu'à grand-peine. Impossible de courir longtemps avec la petite dans son dos. Mary n'avait que onze mois, mais elle pesait déjà un bon poids. Dans tous les cas, mieux valait ne pas montrer sa peur.

La jeune femme continua de marcher le long d'un étang. Le soleil émergeait d'un rideau de bambous, inondant un paysage fantomatique couvert de brumes blanches. Les grenouilles de la nuit s'étaient tues, mais celles du jour prenaient la relève dans un vacarme presque assourdissant. Jezebel les voyait plonger au fur et à mesure qu'elle avançait.

Dans son dos retentit un appel. Elle frissonna sans trop savoir pourquoi, la peur sans doute. Elle ne pouvait s'échapper nulle part. Sur sa droite, l'étang s'étalait en miroir reflétant le ciel. Sur sa gauche, la végétation formait un foisonnement impossible à traverser. Elle s'arrêta brusquement, sortit son couteau, le tint fermement dans sa main puis se retourna lentement.

Celui qui la suivait était maintenant si proche qu'elle pouvait détailler les moindres détails de son costume, de son visage. Elle le regarda avec une stupeur imbécile. Ses yeux voyaient quelque chose qu'elle ne parvenait pas à comprendre. Elle cilla. L'homme n'était plus qu'à trente pieds, vingt pieds, dix pieds. Il rejeta son panama vers l'arrière, lui sourit avec morgue. Elle baissa le couteau, le laissa tomber à terre sans même le remarquer.

— Jezebel, dit l'homme en lui tendant les bras.

Elle vacilla, prise d'étourdissement ; il se rapprocha à grandes enjambées, la rattrapa au moment où elle tombait. Accrochée à son bras d'acier, elle réussit à raffermir ses jambes, ôta son chapeau chinois et leva ses yeux vers les siens.

— Jan Lukas, souffla-t-elle.

Il sourit. Elle crut que son cœur s'arrêtait. Le jeune Américain était plus séduisant que jamais, avec sa haute taille, ses épaules sportives, son visage hâlé qui dégageait encore plus de charme que sur la photo du *New York Times*. Elle eut un soupir, secoua la tête comme pour chasser un mirage. Il posa ses mains sur ses épaules, comme elle l'avait tant et tant rêvé, remonta lentement le long de son cou jusqu'à encadrer son visage de ses doigts, qu'il observa longuement dans un silence heureux.

— *My love, my sweet love*, souffla-t-il finalement.

Elle avait changé, mais elle lui parut encore plus belle. Sans doute avait-elle mûri, perdant un peu de cette rondeur adolescente au profit d'un ascétisme qui tendait la peau sur ses pommettes et qui agrandissait ses yeux d'un bleu si merveilleux que ses souvenirs ne lui rendaient pas justice. Son teint s'était coloré, ses cheveux s'étaient éclaircis. Il sourit.

Il était arrivé la veille au soir à Singapour et, sitôt débarqué du paquebot venu de Calcutta, il avait pris ses quartiers au Raffles Hôtel. Malgré l'heure tardive, il n'avait pas réussi à trouver le sommeil. Il ne pensait qu'à elle, à ces retrouvailles qu'il espérait, à son beau visage levé vers lui, à ses lèvres qu'il pourrait bientôt embrasser autrement qu'en songe… Avec fébrilité, il avait fini par se vêtir puis il avait hélé un *rickshaw* qui l'avait déposé devant la mission du Saint-Enfant-Jésus.

Il était à peine trois heures. La nuit était des plus noires, la rue déserte. Le couvent était plongé dans un silence que Jan n'avait pas osé rompre. Assis sur le petit mur d'en face, il avait guetté le lever du soleil, étonné de voir que son impatience faisait trembler ses mains.

L'arrivée d'un trolley l'avait un moment distrait. Il avait failli manquer la mince silhouette se hâtant dans l'obscurité. Elle venait de sortir du couvent telle l'ombre d'un chat, fine et légère. Trottinant à tout-va, elle avait rasé la palissade avant de sauter sur le marchepied du premier wagon. Là, agrippée à une barre transversale, elle s'était tournée pour parler à l'enfant accrochée dans son dos et Jan avait brièvement aperçu son visage. Incrédule, il n'avait pas immédiatement compris que c'était bien elle. Il avait fallu qu'il voie la longue natte blonde échappée du chapeau *li* pour avoir une certitude.

Il avait crié, mais elle était déjà loin. Avisant le propriétaire d'un *rickshaw* endormi sous un arbre, il l'avait réveillé en lui jetant une poignée de dollars et l'avait lancé à la poursuite du trolley.

Au bout de quelques minutes de course, il avait à nouveau failli la manquer. Elle venait de sauter du wagon encore en marche pour s'élancer sur un chemin caillouteux qui grimpait à travers champs. Elle marchait d'un bon pas dans une direction qu'elle connaissait visiblement bien. Au loin, des étangs tapissaient le creux d'une vallée en offrant aux premiers rayons de soleil les corolles roses des lotus en fleur.

Il avait payé le *rickshaw* pour la suivre à pied à travers les cultures vivrières. Il n'avait pas osé l'appeler. Il n'était plus du tout sûr de l'accueil qu'elle lui réserverait. Il s'était contenté d'allonger sa foulée, pour grignoter peu à peu la distance qui les séparait. Jusqu'à ce qu'elle le voie…

— *My sweet girl.*

Il fut ému de son accoutrement indigène et du pli triste qui marquait sa bouche, qu'il tenta d'effacer par une caresse ; sous la tendresse de ses doigts, elle se mit à trembler. L'eau de ses yeux devint trouble. Il ne résista pas plus longtemps, se pencha vers ses lèvres mais, hésitant une dernière fois, il les affleura à peine en guettant son approbation.

Ce fut elle qui, se haussant sur la pointe des pieds, s'enhardit à l'embrasser, en cueillant sa bouche avec une urgence si soudaine qu'il en resta le souffle coupé, bouleversé jusqu'au plus profond de son cœur.

— *Maan*[1] ? les interrompit une petite voix assez inquiète.

Jezebel sursauta, s'écarta d'un pas hagard. Elle voulut s'échapper d'un bond affolé mais Jan s'y attendait. Il la retint par la main, se pencha juste assez par-dessus son épaule pour découvrir une petite frimousse couleur caramel qui le regardait de ses grands yeux étonnés.

— Dieu qu'elle est belle, dit-il spontanément.

La fillette lui sourit, creusant des fossettes sur ses joues. Jezebel inspira profondément sans oser regarder le jeune homme. Elle lâcha très vite, par crainte de ne plus en avoir le courage si elle tardait trop.

— C'est ma fille. Et celle de Charu.

— Je sais.

Elle sursauta, complètement perdue.

— Tu sais ?

— Je viens de Calcutta. J'ai vu le maharaja de Mahavir. Il m'a lu les lettres qu'il avait récemment reçues.

— Ah, dit-elle en cachant son embarras derrière une plaisanterie douteuse, tu as vu le maharaja et il ne t'a pas coupé la tête ?

Jan Lukas éclata de rire. Elle s'abreuva à son rire avec l'ivresse d'une personne sevrée depuis trop longtemps.

— Tu vois bien que non. Ma tête est encore bien accrochée là où il faut… À croire que les gens de bonne volonté parviennent toujours à s'expliquer.

Il reposa ses mains sur ses épaules, l'attirant inexorablement vers lui jusqu'à poser son front contre le sien. *Mezzo voce*, il murmura tout contre ses lèvres douces, roses et belles, semblables à ce fruit qu'il avait tant de fois rêvé de cueillir :

— *My darling, my love*, c'est fini, tu n'as plus besoin de courir ni de te cacher. Je suis venu pour vous chercher, toi et la petite. À partir de maintenant, nous ne nous quittons plus.

— Tu n'as pas compris, chuchota-t-elle en baissant les yeux avec gêne. Je ne suis pas seule. J'ai une fille et…

Il lui releva gentiment le menton, à la recherche de son regard.

---

1. « Maman », en hindi.

— C'est toi qui ne comprends pas. Je sais que tu as une fille, et je sais aussi que nous allons être bigrement heureux tous les trois.

Elle en eut le souffle coupé. De grosses larmes roulèrent sur ses joues, qu'il essuya avec douceur puis, ne résistant plus à son désir retenu trop longtemps, il se pencha pour l'embrasser, de tout son corps, de tout son cœur.

## Remerciements

Écrire sur l'Inde et, par extension, sur l'Asie du Sud, a été un plaisir passionnant. Placer mon récit dans un cadre historique, juste après la Grande Guerre, dans ces fameuses Années folles à la réputation sulfureuse, qui brassaient tant de bouleversements techniques, politiques, économiques et sociétaux, a été de surcroît un défi que j'ai aimé relever.

J'ai dévoré maints ouvrages, compulsé de nombreuses cartes et encyclopédies, fouiné sur le Web, demandé l'avis de personnes compétentes et spécialisées. J'avoue cependant qu'avant d'avancer dans mon histoire je n'avais pas vraiment conscience de l'énormité de mon sujet. L'Inde est magnifique et plurielle, magique et merveilleuse. J'espère lui avoir rendu hommage.

Dans la mesure du possible, j'ai essayé de conserver un certain réalisme. J'ai fait des erreurs, voulues ou non. Certains personnages ayant réellement existé ont été sciemment romancés ou détournés. Des lieux ont gardé leur nom, mais pas forcément leurs réalités géographiques. C'est le privilège d'une romancière de pouvoir tordre à volonté les événements, réels ou imaginaires, de façon à les plier à son dessein.

Bien sûr, ce travail captivant m'a été grandement facilité par plusieurs personnes, à qui je tiens à rendre hommage.

Tout d'abord, je remercie Cécile Michel pour sa relecture attentive, et l'équipe des éditions de l'Archipel, grâce à qui ce récit a pu voir le jour. Je remercie ensuite tous ceux qui m'ont si gentiment aidée dans mes vérifications documentaires, en particulier Gaëlle Benacchio, pour m'avoir ouvert la bibliothèque de l'ambassade de l'Inde à Paris ; Serge Balter et Michel Clicque, respectivement président et vice-président de la Ligue de tir lyonnais, pour leurs précieuses informations sur les armes d'époque ; Bernard Cristalli, pour tous ses détails et anecdotes sur le monde automobile des années 1920 ; Béatrice Nicol, de l'International polo club de Deauville, et Pascal Renauldon, des Grandes Écuries de Chantilly, journaliste spécialisé dans le polo, qui a bien voulu me donner son avis sur les scènes de matchs ; Yves Marre, président de l'association Watever, pour ses informations sur les très beaux bateaux-lunes et toutes les embarcations traditionnelles du Bangladesh, *shampans* et autres ; Sacha, du blog Milonga Ophelia, pour son ressenti et ses indications sur ma scène de tango ; Rohit Agarwal pour son aide concernant le vocabulaire hindi et bengali ; Pia pour les mots en allemand ; Sabine pour avoir bien voulu lire en avant-première mon manuscrit, et m'en avoir fait un retour particulièrement détaillé en un temps record.

Toutes ces personnes ont été si précieuses, si généreuses dans leurs passions et si incroyablement disponibles que ce fut un vrai plaisir de pouvoir échanger avec elles.

Je remercie également l'homme de ma vie, mon amour, mon roc, ma raison d'être, toi qui as compris à quel point il est important pour moi de m'accomplir dans l'écriture et qui, de jour en jour, ne cesse de me soutenir.

Enfin, je pense à mes deux grands fils, dont l'affection teintée de roublardise est mon second roc.

À tous, merci.

Kate McAlistair

*Cet ouvrage a été composé*
*par Atlant'Communication*
*au Bernard (Vendée)*

*Achevé d'imprimer sur Roto-Page*
*par l'Imprimerie Floch à Mayenne*
*en septembre 2018*
*pour le compte des Éditions de l'Archipel*
*département éditorial*
*de la S.A.S. Écriture-Communication*

*Imprimé en France*
N° d'impression : 93240
Dépôt légal : octobre 2018